Queda de Gigantes

O Arqueiro

GERALDO JORDÃO PEREIRA (1938-2008) começou sua carreira aos 17 anos, quando foi trabalhar com seu pai, o célebre editor José Olympio, publicando obras marcantes como *O menino do dedo verde*, de Maurice Druon, e *Minha vida*, de Charles Chaplin.

Em 1976, fundou a Editora Salamandra com o propósito de formar uma nova geração de leitores e acabou criando um dos catálogos infantis mais premiados do Brasil. Em 1992, fugindo de sua linha editorial, lançou *Muitas vidas, muitos mestres*, de Brian Weiss, livro que deu origem à Editora Sextante.

Fã de histórias de suspense, Geraldo descobriu *O Código Da Vinci* antes mesmo de ele ser lançado nos Estados Unidos. A aposta em ficção, que não era o foco da Sextante, foi certeira: o título se transformou em um dos maiores fenômenos editoriais de todos os tempos.

Mas não foi só aos livros que se dedicou. Com seu desejo de ajudar o próximo, Geraldo desenvolveu diversos projetos sociais que se tornaram sua grande paixão.

Com a missão de publicar histórias empolgantes, tornar os livros cada vez mais acessíveis e despertar o amor pela leitura, a Editora Arqueiro é uma homenagem a esta figura extraordinária, capaz de enxergar mais além, mirar nas coisas verdadeiramente importantes e não perder o idealismo e a esperança diante dos desafios e contratempos da vida.

KEN FOLLETT

★ PRIMEIRO LIVRO DA TRILOGIA O SÉCULO ★

QUEDA DE GIGANTES

Título original: *Fall of Giants*
Copyright © 2010 por Ken Follett
Copyright da tradução © 2010 por Editora Arqueiro Ltda.

Todos os direitos reservados. Nenhuma parte deste livro pode ser utilizada ou reproduzida sob quaisquer meios existentes sem autorização por escrito dos editores. Publicado originalmente por Dutton, um membro da Penguin Group (USA) Inc.

tradução: Fernanda Abreu com a colaboração de Fabiano Morais
preparo de originais: Virginie Leite e Fabiano Morais
revisão: Hermínia Totti, Isabella Leal, Jean Marcel Montassier e Luis Américo Costa
projeto gráfico: Valéria Teixeira
diagramação: Ana Paula Daudt Brandão
capa: Richard Hasselberger
imagens de capa: fosso e residência rural: Bufo/Shutterstock; trem de carga em Attenborough, 1916: SSPL/Getty Images; textura de papel antigo: Ramzi Hachicho/Shutterstock; textura de metal antigo enferrujado: NitroCephal/Shutterstock; soldados canadenses a caminho do combate durante a Primeira Guerra Mundial: Bettmann/CORBIS.
adaptação de capa: Miriam Lerner
impressão e acabamento: Lis Gráfica e Editora Ltda.

CIP-BRASIL. CATALOGAÇÃO-NA-FONTE
SINDICATO NACIONAL DOS EDITORES DE LIVROS, RJ

F724q Follett, Ken, 1949-
Queda de gigantes / Ken Follett; tradução de Fernanda Abreu (com a colaboração de Fabiano Morais). São Paulo: Arqueiro, 2010.

Tradução de: Fall of giants
ISBN 978-85-99296-85-1

1. Ficção histórica. 2. Romance inglês. I. Abreu, Fernanda. II. Morais, Fabiano. III. Título

10-4156

CDD: 823
CDU: 821.111-3

Todos os direitos reservados, no Brasil, por
Editora Arqueiro Ltda.
Rua Artur de Azevedo, 1.767 – Conj. 177 – Pinheiros
05404-014 – São Paulo – SP
Tel.: (11) 2894-4987
E-mail: atendimento@editoraarqueiro.com.br
www.editoraarqueiro.com.br

À memória de meus pais,
Martin e Veenie Follett.

Lista de personagens

Norte-americanos

Família Dewar
Senador Cameron Dewar
Ursula Dewar, sua esposa
Gus Dewar, filho do casal

Família Vyalov
Josef Vyalov, empresário
Lena Vyalov, sua esposa
Olga Vyalov, filha do casal

Outros
Rosa Hellman, jornalista
Chuck Dixon, amigo de colégio de Gus
Marga, cantora de boate
Nick Forman, ladrão
Ilya, capanga
Theo, capanga
Norman Niall, contador corrupto
Brian Hall, líder sindical

Personagens históricos
Woodrow Wilson, 28º presidente norte-americano
William Jennings Bryan, secretário de Estado
Joseph Daniels, secretário da Marinha

Ingleses & Escoceses

Família Fitzherbert
Conde Fitzherbert, conhecido como Fitz

Princesa Elizaveta, conhecida como Bea, sua esposa
Lady Maud Fitzherbert, sua irmã
Lady Hermia, conhecida como tia Herm, tia pobre dos irmãos
Duquesa de Sussex, tia rica dos irmãos
Gelert, cão montanhês dos Pireneus
Grout, mordomo de Fitz
Sanderson, criada de Maud

Outros
Mildred Perkins, inquilina de Ethel Williams
Bernie Leckwith, secretário do núcleo de Aldgate do Partido Trabalhista Independente
Bing Westhampton, amigo de Fitz
Marquês de Lowther, "Lowthie", pretendente rejeitado de Maud
Albert Solman, homem de negócios de Fitz
Dr. Greenward, médico voluntário no hospital pediátrico
Lorde "Johnny" Remarc, subsecretário do Departamento de Guerra
Coronel Hervey, ajudante de Sir John French
Tenente Murray, ajudante de Fitz
Mannie Litov, dono de fábrica
Jock Reid, tesoureiro do núcleo de Aldgate do Partido Trabalhista Independente
Jayne McCulley, esposa de soldado

Personagens históricos
Rei Jorge V
Rainha Maria
Mansfield Smith-Cumming, conhecido como "C", chefe da Divisão Estrangeira do Escritório do Serviço Secreto (futuro MI6)
Sir Edward Grey, membro do Parlamento, ministro das Relações Exteriores da Grã-Bretanha
Sir William Tyrrell, secretário particular de Grey
Frances Stevenson, amante de Lloyd George
Winston Churchill, membro do Parlamento
H.H. Asquith, membro do Parlamento, primeiro-ministro britânico
Sir John French, comandante da Força Expedicionária Britânica

Franceses

Gini, garçonete
Coronel Dupuys, ajudante do general Galliéni
General Lourceau, ajudante do general Joffre

Personagens históricos
General Joffre, chefe do Estado-Maior das Forças Armadas francesas
General Galliéni, comandante da guarnição de Paris

Alemães & Austríacos

Família Von Ulrich
Otto von Ulrich, diplomata
Suzanne von Ulrich, sua esposa
Walter von Ulrich, filho do casal, adido militar junto à embaixada alemã em Londres
Greta von Ulrich, filha do casal
Graf (conde) Robert von Ulrich, primo em terceiro grau de Walter, adido militar junto à embaixada austríaca em Londres

Outros
Gottfried von Kessel, adido cultural junto à embaixada alemã em Londres
Monika von der Helbard, melhor amiga de Greta

Personagens históricos
Príncipe Karl Lichnowsky, embaixador alemão em Londres
Marechal de campo Paul von Hindenburg
General de infantaria Erich Ludendorff
Theobald von Bethmann-Hollweg, chanceler alemão
Arthur Zimmermann, ministro das Relações Exteriores da Alemanha

Russos

Família Peshkov
Grigori Peshkov, metalúrgico
Lev Peshkov, cavalariço

Metalúrgica Putilov
Konstantin, torneiro mecânico, presidente do grupo de discussão bolchevique
Isaak, capitão do time de futebol
Varya, operária, mãe de Konstantin
Serge Kanin, supervisor da seção de fundição
Conde Maklakov, diretor

Outros
Mikhail Pinsky, policial
Ilya Kozlov, seu parceiro
Nina, criada da princesa Bea
Príncipe Andrei, irmão de Bea
Katerina, camponesa recém-chegada à cidade
Mishka, dono de bar
Trofim, gângster
Fyodor, policial corrupto
Spirya, passageiro do *Anjo Gabriel*
Yakov, passageiro do *Anjo Gabriel*
Anton, funcionário da embaixada russa em Londres, também espião alemão
David, soldado judeu
Sargento Gavrik
Tenente Tomchak

Personagens históricos
Vladimir Ilitch Uliánov, dito Lênin, líder do Partido Bolchevique
Leon Trótski

Galeses

Família Williams
David Williams, militante sindicalista
Cara Williams, sua esposa
Ethel Williams, filha do casal
Billy Williams, filho do casal
Gramper, pai de Cara

Família Griffiths
Len Griffiths, ateu e marxista
Sra. Griffiths
Tommy Griffiths, filho do casal e melhor amigo de Billy Williams

Família Ponti
Sra. Minnie Ponti
Giuseppe "Joey" Ponti
Giovanni "Johnny" Ponti, seu irmão caçula

Mineradores
David Crampton, "Dai Chorão"
Harry "Seboso" Hewitt
John Jones da Loja
Dai Costeletas, filho do açougueiro
Pat Papa, sinaleiro do Nível Principal
Micky Papa, filho de Pat
Dai dos Pôneis, cavalariço
Bert Morgan

Administração da mina
Perceval Jones, presidente da Celtic Minerals
Maldwyn Morgan, gerente da mina
Rhys Price, subgerente da mina
Arthur Llewellyn "Espinhento", auxiliar de escritório da mina

Empregados da mansão Tŷ Gwyn
Peel, mordomo

Sra. Jevons, governanta
Morrison, lacaio

Outros
Dai da Fossa, limpador de latrina
Sra. Dai dos Pôneis
Sra. Roley Hughes
Sra. Hywel Jones
Recruta George Barrow, Companhia B
Recruta Robin Mortimer, oficial destituído do cargo, Companhia B
Recruta Owen Bevin, Companhia B
Sargento Elijah "Profeta" Jones, Companhia B
Segundo-tenente James Carlton-Smith, Companhia B
Capitão Gwyn Evans, Companhia A
Segundo-tenente Roland Morgan, Companhia A

Personagens históricos
David Lloyd George, membro do Parlamento, Partido Liberal

Prólogo
INICIAÇÃO

CAPÍTULO UM

22 de junho de 1911

No mesmo dia em que Jorge V foi coroado rei na Abadia de Westminster, em Londres, Billy Williams desceu até as profundezas da mina de Aberowen, na região de Gales do Sul.

Era 22 de junho de 1911 e Billy fazia 13 anos. Foi seu pai quem o acordou. A técnica de Da para despertar os outros era mais eficaz do que delicada. Ele dava tapinhas ritmados na bochecha, com firmeza e insistência. Naquele dia, Billy dormia profundamente e tentou ignorar os tapinhas por alguns instantes, mas eles continuaram sem trégua. O menino sentiu uma raiva passageira, mas daí se lembrou de que precisava acordar, queria acordar, então abriu os olhos e se sentou com um sobressalto.

– São quatro horas – falou Da, saindo do quarto, suas botas ecoando nos degraus de madeira enquanto descia a escada.

Billy estava prestes a começar sua vida profissional como aprendiz de mineiro, tal qual a maioria dos homens do lugar havia feito naquela idade. Não se sentia tão minerador quanto gostaria, mas estava decidido a não dar vexame. Em seu primeiro dia na mina, David Crampton havia chorado, e até hoje todos o chamavam de Dai Chorão, embora ele já tivesse 25 anos e fosse a estrela do time de rúgbi da cidade.

O solstício de verão fora na véspera, e uma luz fraca do início da manhã entrava pela pequena janela do quarto. Billy olhou para o avô deitado ao seu lado. Os olhos de Gramper estavam abertos. Sempre que Billy acordava, ele já estava desperto. Dizia que os velhos não dormiam muito.

Billy saiu da cama. Estava só de cueca. No frio, dormia de camisa, mas aquele verão estava quente, e à noite a temperatura ficava amena. Ele puxou o penico de baixo da cama e tirou a tampa.

O tamanho de seu pênis não havia mudado. Continuava o mesmo cotoquinho de sempre. Tinha esperanças de que ele poderia ter começado a crescer na noite anterior ao seu aniversário, ou que talvez fosse ver um único pelo preto brotando em algum lugar por ali, mas ficou desapontado. Seu melhor amigo, Tommy Griffiths, que nascera no mesmo dia que ele, era diferente: sua voz estava mudando e uma penugem escura crescia sobre o lábio superior. Além disso, o pinto dele era de homem. Era humilhante.

Enquanto usava o penico, Billy olhou pela janela. Tudo o que viu foi a pilha de escória, uma montanha cor de ardósia feita de resíduos, o refugo da mina de carvão, composto principalmente de xisto e arenito. Era assim que o mundo devia ser no segundo dia da Criação, pensou Billy, antes de Deus dizer: "Que da terra brote a relva." Uma brisa suave soprava a poeira fina e negra da pilha de escória em direção às fileiras de casas.

Dentro do quarto, havia menos ainda para se ver. Era um cômodo de fundos, um espaço estreito em que mal cabia a cama de solteiro, uma cômoda e o velho baú de Gramper. Na parede, havia um bordado com o dizer:

CRÊ
NO SENHOR JESUS CRISTO
E TERÁS A SALVAÇÃO

Não havia espelho.

Uma das portas conduzia ao alto da escada, a outra ao quarto da frente, no qual só se podia entrar passando pelo dos fundos. Esse segundo quarto era maior e tinha espaço para duas camas. Era onde dormiam Da e Mam e onde também costumavam dormir, anos atrás, as irmãs de Billy. A mais velha, Ethel, já não morava ali e as outras três tinham morrido – uma de sarampo, outra de coqueluche e a terceira de difteria. Houvera também um irmão mais velho, que dividia a cama com Billy antes de Gramper chegar. Ele se chamava Wesley e tinha morrido na mina, atropelado por um pequeno vagão desgovernado que transportava carvão.

Billy vestiu a camisa. A mesma que usara para ir à escola na véspera. Era quinta-feira, e ele só trocava de camisa aos domingos. Mas a calça era nova, sua primeira calça comprida, feita de algodão grosso e impermeável. Ela simbolizava seu ingresso no mundo dos homens e Billy a vestiu com orgulho, saboreando a aspereza máscula do tecido. Pôs um cinto de couro pesado, calçou as botas herdadas de Wesley e desceu a escada.

A maior parte do térreo era ocupada pela sala de 20 metros quadrados, com uma mesa no meio, uma lareira em uma das laterais e um tapete feito à mão sobre o piso de pedra. Da estava sentado à mesa, lendo uma edição antiga do *Daily Mail*, com os óculos empoleirados no nariz comprido e afilado. Mam preparava chá. Ela pousou a chaleira fumegante, beijou a testa do filho e disse:

– Como está meu homenzinho no dia do seu aniversário?

Billy não respondeu. O diminutivo o magoava porque ele era realmente pequeno, e o substantivo "homem" também o incomodava, pois sabia que ainda não era um. Ele foi até a área de serviço, nos fundos da casa. Mergulhou uma lata no barril de água, lavou o rosto e as mãos e descartou a água suja na pia rasa de pedra. A área tinha um caldeirão de cobre com um braseiro embaixo, mas ele só era usado nas noites de banho, aos sábados.

Eles esperavam ter água encanada em breve, como lhes fora prometido. Alguns dos mineradores já tinham. Para Billy, parecia um milagre as pessoas poderem obter um copo de água fresca e limpa simplesmente abrindo a torneira, sem ter que carregar um balde até a bica da rua. Mas a água encanada ainda não havia chegado a Wellington Row, onde ficava a casa dos Williams.

Ele voltou para a sala e se sentou à mesa. Mam depositou na sua frente uma xícara grande de chá com leite, já adoçado. Cortou duas fatias grossas de pão caseiro e foi buscar banha na despensa debaixo da escada. Billy uniu as mãos, fechou os olhos e disse:

– Obrigado Senhor por esta comida amém. – Então tomou um gole de chá e passou a banha no pão.

Os olhos azul-claros de Da espiaram por cima do jornal.

– Ponha sal no pão – disse ele. – Você vai suar lá embaixo.

O pai de Billy trabalhava para a Federação dos Mineradores de Gales do Sul, o sindicato mais influente da Grã-Bretanha, como ele fazia questão de dizer em qualquer oportunidade. Era conhecido como Dai do Sindicato. Dai, diminutivo de David, ou Dafydd em galês, era o apelido de muitos homens. Billy tinha aprendido na escola que David era popular no País de Gales por ser o nome de seu santo padroeiro, assim como Patrick era comum na Irlanda por conta de São Patrício. Os Dais eram diferenciados uns dos outros não pelo sobrenome – quase todo mundo na cidade se chamava Jones, Williams, Evans ou Morgan –, mas sim pelo apelido. Quando havia uma alternativa engraçada, os nomes verdadeiros quase nunca eram usados. O nome de Billy era William Williams, então os outros o chamavam de Billy Duplo. As mulheres às vezes ganhavam o apelido do marido, de modo que Mam era conhecida como Sra. Dai do Sindicato.

Gramper desceu quando Billy estava comendo a segunda fatia de pão. Apesar do calor que fazia, usava paletó e colete. Depois de lavar as mãos, sentou-se à mesa em frente ao neto.

– Não fique tão nervoso – falou. – Eu desci para a mina quando tinha 10 anos. E o *meu* pai foi carregado para lá nas costas do pai dele aos 5 anos, sendo que trabalhava das seis da manhã às sete da noite. De outubro a março, ele não via a luz do dia.

– Eu não estou nervoso – disse Billy. Não era verdade. Estava morrendo de medo.

Mas Gramper, bondoso como era, não insistiu. Billy gostava do avô. Mam tratava o filho como um bebê, e Da era ríspido e sarcástico, mas Gramper se mostrava tolerante e conversava com o neto como se ele fosse adulto.

– Ouçam só isso – falou Da. Ele nunca comprava o *Mail*, um jornaleco de direita, mas às vezes trazia o de alguém para casa e lia em voz alta com desprezo, zombando da estupidez e da desonestidade da classe dominante. – "Lady Diana Manners foi criticada por usar o mesmo vestido em dois bailes diferentes. A filha caçula do duque de Ruthland ganhou o prêmio de 'melhor traje feminino' no Baile do Savoy por seu corpete tomara que caia com barbatanas e saia-balão, recebendo o valor de 250 guinéus." – Ele baixou o jornal e disse para Billy: – Isso, meu garoto, representa no mínimo cinco anos do seu salário. – Então prosseguiu: – "Mas ela atraiu a reprovação dos especialistas ao usar o mesmo vestido na festa de lorde Winterton e F.E. Smith no Hotel Claridge. Até o que é bom enjoa, foi o que disseram." – Ele ergueu os olhos do jornal. – É melhor trocar de vestido, Mam – disse ele. – Não vai querer atrair a reprovação dos especialistas.

Mam não achou graça. Estava usando um vestido velho de lã marrom, com remendos nos cotovelos e manchas nas axilas.

– Se eu tivesse 250 guinéus, ficaria mais bonita do que a sebosa dessa lady Diana – comentou, não sem uma certa amargura.

– Verdade – concordou Gramper. – Cara sempre foi a mais bonita... igualzinha à mãe. – Cara era o nome de Mam. Gramper se virou para Billy. – A sua avó era italiana. O nome dela era Maria Ferrone. – Billy já sabia disso, mas o avô gostava de recontar histórias conhecidas. – Foi daí que saíram os cabelos pretos e lustrosos e os lindos olhos escuros da sua mãe... e os da sua irmã também. Sua avó era a moça mais linda de Cardiff... e quem a conquistou fui eu! – De repente, ele pareceu triste. – Bons tempos – disse baixinho.

Da franziu o cenho em sinal de reprovação – esse tipo de conversa trazia à mente os prazeres da carne –, mas Mam ficou alegre com os elogios do pai e sorriu ao lhe servir o desjejum.

– Ah, é – falou. – Eu e minhas irmãs éramos tidas como beldades. Se tivéssemos dinheiro para seda e renda, mostraríamos a esses duques o que é uma moça bonita.

Billy ficou surpreso. Nunca tinha pensando na mãe como sendo bonita ou feia, embora ela ficasse bastante vistosa quando se vestia para os encontros de sábado à noite na igreja, especialmente se colocasse um chapéu. Achava que ela até poderia ter sido uma moça bonita um dia, porém era difícil de imaginar.

– Mas a família da sua avó era inteligente também – disse Gramper. – Meu cunhado era minerador, mas largou o ramo para abrir um café em Tenby. Isso sim que é vida: a brisa do mar e nada para fazer o dia todo a não ser preparar café e contar dinheiro.

Da leu outra notícia:

– "Como parte dos preparativos para a coroação, o Palácio de Buckingham criou um manual de instruções de 212 páginas." – Ele olhou por cima do jornal. – Comente isso lá na mina hoje, Billy. O pessoal vai ficar aliviado quando souber que nada foi deixado ao acaso.

Billy não tinha muito interesse pela realeza. Gostava, isso sim, das histórias de aventura que o *Mail* costumava publicar sobre jogadores de rúgbi durões de escolas particulares que capturavam espiões alemães sorrateiros. Segundo o jornal, todas as cidades da Grã-Bretanha estavam infestadas de espiões, embora, para decepção do garoto, não parecesse haver nenhum em Aberowen.

Billy se levantou da mesa.

– Vou descer a rua – anunciou. Então saiu de casa pela porta da frente. "Descer a rua" era um eufemismo da família: significava ir ao banheiro, que ficava mais adiante na Wellington Row. Era uma cabana baixa de tijolos com telhado de ferro corrugado, erguida sobre um buraco fundo na terra. A cabana era dividida em dois compartimentos, um masculino e um feminino. Cada um deles tinha dois assentos, para que as pessoas fizessem suas necessidades em duplas. Ninguém sabia por que os construtores tinham escolhido esse modelo, mas todos se adaptavam como podiam. Os homens ficavam olhando direto para a frente, sem dizer nada, mas – como Billy muitas vezes escutava – as mulheres conversavam animadamente. O cheiro era sufocante, mesmo quando você o sentia todos os dias da sua vida. Billy sempre tentava respirar o mínimo possível quando estava lá dentro, e saía arquejando em busca de ar. O buraco era esvaziado periodicamente com uma pá por um homem chamado Dai da Fossa.

Quando Billy voltou, ficou encantado ao ver a irmã Ethel sentada à mesa.

– Parabéns, Billy! – exclamou ela. – Não podia deixar de vir lhe dar um beijo antes de você descer à mina.

Ethel tinha 18 anos e Billy não tinha a menor dificuldade em considerá-la bonita. Seus cabelos cor de mogno exibiam cachos irrepreensíveis e seus olhos escuros emitiam um brilho travesso. Talvez Mam tivesse sido daquele jeito um dia. Ethel usava o vestido preto simples e a touca branca de algodão de uma criada, uma roupa que lhe caía bem.

Billy idolatrava Ethel. Além de bonita, ela era engraçada, inteligente e corajosa, e às vezes chegava até a enfrentar Da. Falava com Billy sobre coisas que ninguém mais queria falar, como, por exemplo, aquele acontecimento mensal que as mulheres chamavam de maldição. Também lhe explicara o que significava o crime de atentado ao pudor que levara o pastor anglicano a sair da cidade com tanta pressa. Durante toda a vida escolar, ela havia sido a primeira da turma, e seu ensaio "Minha cidade ou minha aldeia" ficara em primeiro lugar em um concurso organizado pelo jornal *South Wales Echo*. Seu prêmio foi um exemplar do *Atlas Mundial Cassell*.

Ethel beijou o irmão na bochecha.

– Eu disse à Sra. Jevons, a governanta, que a graxa para botas estava acabando e era melhor eu ir comprar mais na cidade. – Ethel morava e trabalhava em Tŷ Gwyn, a imensa propriedade do conde Fitzherbert, que ficava quase dois quilômetros montanha acima. Entregou a Billy algo embrulhado em um pano limpo. – Roubei um pedaço de bolo para você.

– Ah, Eth, obrigado! – agradeceu Billy. Ele adorava bolo.

– Quer que eu ponha na sua marmita? – perguntou Mam.

– Quero, por favor.

Mam pegou um recipiente de lata no armário e pôs o bolo lá dentro. Cortou mais duas fatias de pão, passando banha e salpicando um pouco de sal nelas antes de guardá-las na marmita. Todos os mineradores tinham a sua marmita de lata. Se levassem para a mina comida enrolada em um pano, os ratos a comeriam antes do intervalo do meio da manhã.

– Quando você me trouxer o seu salário, vai poder levar uma fatia de toucinho cozido na marmita – disse Mam.

O salário de Billy não seria grande coisa no começo, mas mesmo assim faria diferença para a família. Ele se perguntou com quanto Mam o deixaria ficar, e se algum dia ele conseguiria economizar o suficiente para comprar uma bicicleta, que desejava mais do que tudo na vida.

Ethel sentou-se à mesa.

– Como andam as coisas no casarão? – perguntou-lhe Da.

– Tranquilas – respondeu ela. – O conde e a princesa estão em Londres para assistir à coroação. – Ela olhou para o relógio sobre a lareira. – Eles devem acordar daqui a pouco... precisam chegar bem cedo na abadia. *Ela* não vai gostar, não está acostumada a sair da cama a esta hora, mas não pode se atrasar para o rei. – A mulher do conde, Bea, era uma princesa russa, e muito distinta.

– Eles vão querer pegar lugares na frente para não perderem o espetáculo – falou Da.

– Oh, não, você não pode sair sentando onde quiser – disse Ethel. – Eles mandaram fazer 600 cadeiras especiais de mogno, com os nomes dos convidados gravados no encosto em letras de ouro.

– Ora, mas que desperdício! – comentou Gramper. – O que vão fazer com essas cadeiras depois?

– Não sei. Talvez cada um leve a sua para casa de lembrança.

– Se sobrar alguma, peça para eles mandarem para cá – falou Da com sarcasmo. – Somos apenas cinco aqui e sua mãe já teve que ficar em pé.

Por trás das brincadeiras de Da, sempre podia haver raiva de verdade. Ethel pulou da cadeira.

– Oh, perdão, Mam, nem me dei conta.

– Fique aí, estou ocupada demais para me sentar – disse Mam.

O relógio bateu cinco horas.

– Billy – falou Da –, é melhor você chegar lá cedo. Para mostrar desde agora como pretende trabalhar.

Billy se pôs de pé, relutante, e pegou sua marmita.

Ethel tornou a beijá-lo e Gramper apertou sua mão. Da lhe entregou dois pregos de 15 centímetros, enferrujados e um pouco tortos.

– Guarde isso no bolso da calça.

– Pra quê? – quis saber Billy.

– Você vai ver – respondeu Da com um sorriso.

Mam entregou a Billy uma garrafa de um litro com tampa de rosca cheia de chá gelado com leite e açúcar.

– Billy – disse ela –, lembre-se de que Jesus está sempre ao seu lado, mesmo lá no fundo da mina.

– Sim, Mam.

Ele pôde ver uma lágrima no olho da mãe e virou o rosto depressa, pois aquilo lhe dava vontade de chorar também. Apanhou sua boina no gancho.

– Bem, até logo – falou, como se estivesse simplesmente indo para a escola. Depois saiu pela porta da frente.

Até então, o verão tinha sido quente e ensolarado, mas aquele dia estava nublado, parecendo até que poderia chover. Tommy estava encostado na parede externa da casa, esperando.

– Oi, Billy – disse ele.

– Oi, Tommy.

Os dois puseram-se a descer a rua lado a lado.

Billy aprendera na escola que antigamente Aberowen era uma pequena cidade-

-mercado, que atendia aos agricultores das redondezas. Do alto da Wellington Row era possível ver o antigo centro comercial, com os currais abertos do mercado de gado, o prédio onde se fazia o comércio da lã e a igreja anglicana, todos na mesma margem do rio Owen, que mal passava de um córrego. Agora uma ferrovia cortava a cidade ao meio como uma ferida, indo acabar na entrada da mina. As casas dos mineradores haviam se espalhado pelas encostas do vale acima, centenas de casinhas de pedra cinzenta com telhados de ardósia galesa de um cinza mais escuro. As construções formavam longas fileiras sinuosas que acompanhavam os contornos das encostas. Essas fileiras, por sua vez, eram cortadas por ruas mais curtas que mergulhavam em direção ao fundo do vale.

– Com quem você acha que vamos trabalhar? – perguntou Tommy.

Billy deu de ombros. Os recém-chegados costumavam ser despachados para um dos subgerentes da mina.

– Só vendo.

– Espero que me ponham nas estrebarias. – Tommy gostava de cavalos. Na mina viviam cerca de 50 pôneis. Os animais puxavam os vagões que os mineiros enchiam e os transportavam por trilhos ferroviários. – Que tipo de trabalho você quer fazer?

Billy estava torcendo para não lhe confiarem uma tarefa árdua demais para seu físico infantil, embora não estivesse disposto a admiti-lo.

– Lubrificar os vagões – respondeu ele.

– Por quê?

– Porque parece fácil.

Os dois passaram pela escola que, no dia anterior, haviam frequentado como alunos. Era um prédio vitoriano, com janelas pontiagudas feito as de uma igreja. Fora construída pela família Fitzherbert, como o diretor nunca se cansava de lembrar aos alunos. O conde até hoje nomeava os professores e estabelecia o currículo. Quadros nas paredes retratavam vitórias militares heroicas, e a grandeza da Grã-Bretanha era um tema constante. Na aula de religião, sempre a primeira do dia, ensinavam-se doutrinas estritamente anglicanas, embora quase todas as crianças pertencessem a famílias não conformistas. A escola tinha um comitê diretor do qual Da fazia parte, mas cujos poderes se limitavam aos de um conselho. Da costumava dizer que o conde tratava a escola como sua propriedade particular.

Em seu último ano, Billy e Tommy haviam aprendido os princípios da mineração, enquanto as meninas aprendiam a costurar e cozinhar. Billy ficara surpreso ao descobrir que o chão que ele pisava era formado por várias camadas de diferentes tipos de terra, como uma pilha de sanduíches. Um veio de carvão – expressão que havia escutado a vida inteira sem entender direito – era uma dessas camadas. Ele também aprendera que o carvão era composto de folhas mortas e outras matérias vegetais acumuladas ao longo de milhares de anos e comprimidas pelo peso da terra acima delas. Tommy, cujo pai era ateu, dizia que isso provava que a Bíblia estava errada; mas o pai de Billy afirmava que essa era apenas uma das interpretações possíveis.

A escola estava vazia àquela hora, seu pátio deserto. Billy sentia orgulho de tê-la deixado para trás, embora parte dele desejasse poder voltar para lá em vez de descer à mina.

Conforme eles foram se aproximando da entrada da mina, as ruas começaram a se encher de mineradores, cada qual com sua marmita e sua garrafa de chá. Estavam todos vestidos da mesma forma, com ternos velhos que iriam despir assim que chegassem ao local de trabalho. Algumas minas eram frias, mas a de Aberowen era quente, e nela os homens trabalhavam de roupa de baixo e botas, ou então usando calções de linho grosseiro. Todos usavam uma boina acolchoada o tempo todo, pois os tetos dos túneis eram baixos e era fácil bater com a cabeça.

Por sobre as casas, Billy conseguia ver o guindaste, uma torre encimada por duas grandes rodas que giravam em direções opostas e acionavam os cabos que baixavam e erguiam o elevador. Era possível ver estruturas de mineração semelhantes pairando sobre a maioria das cidades dos vales de Gales do Sul, da mesma forma que os campanários das igrejas dominavam as aldeias de agricultores.

Outras construções se espalhavam em volta da entrada da mina como se houvessem sido largadas ali por acidente: o paiol de lamparinas, o escritório da empresa de mineração, o ferreiro, os depósitos. Trilhos serpeavam por entre os prédios. No terreno baldio, havia vagões quebrados, vigas de madeira velhas e rachadas, sacos de aniagem e pilhas de máquinas enferrujadas e sem uso, tudo coberto por uma camada de pó de carvão. Da sempre dizia que haveria menos acidentes se os mineiros mantivessem as coisas arrumadas.

Billy e Tommy foram até o escritório da mineradora. Na sala da frente, trabalhava um auxiliar de escritório pouco mais velho do que eles, Arthur Llewellyn "Espinhento", que vestia uma camisa branca com o colarinho e os punhos encardidos. Os dois estavam sendo aguardados – seus pais já haviam combinado que começariam a trabalhar naquele dia. Espinhento anotou seus nomes em um livro-razão e, em seguida, levou-os até a sala do gerente.

– Os jovens Tommy Griffiths e Billy Williams, Sr. Morgan – anunciou.

Maldwyn Morgan era um homem alto e vestia um terno preto. Não havia pó de carvão nos punhos de sua roupa. Suas bochechas rosadas eram lisas, o que significava que ele devia se barbear diariamente. Seu diploma de engenheiro pendia emoldurado da parede, e o chapéu-coco – outro símbolo de seu status – estava à mostra no cabideiro junto à porta.

Para surpresa de Billy, o gerente não estava sozinho. Ao seu lado, havia um homem ainda mais impressionante: Perceval Jones, presidente da Celtic Minerals, dona e administradora da mina de carvão de Aberowen e de várias outras. Era um homem baixo, agressivo, que os mineradores chamavam de Napoleão. Usava trajes formais, um fraque preto e calça cinza listrada, e não havia tirado a cartola preta alta.

Jones olhou para os meninos com aversão.

– Griffiths – disse ele. – Seu pai é um socialista revolucionário.

– Sim, Sr. Jones – respondeu Tommy.

– E, além disso, ateu.

– Sim, Sr. Jones.

Ele então olhou para Billy.

– E o seu pai tem um cargo importante na Federação dos Mineradores de Gales do Sul.

– Sim, Sr. Jones.

– Eu não gosto de socialistas. Os ateus estão fadados à danação eterna. E os sindicalistas são os piores de todos.

Ele os fuzilava com o olhar, mas aquilo não era uma pergunta, então Billy continuou calado.

– Não quero arruaceiros aqui – continuou Jones. – No vale de Rhondda, os mineradores estão em greve há 43 semanas, atiçados por gente como seu pai.

Billy sabia que a greve no vale de Rhondda não tinha sido causada por arruaceiros, mas pelos proprietários da mina Ely, em Penygraig, que a haviam fechado para que os mineradores não pudessem trabalhar. Porém ficou de bico calado.

– Vocês são arruaceiros? – perguntou Jones, apontando um dedo ossudo para Billy e fazendo-o tremer. – Seu pai lhe disse para você defender seus direitos enquanto estiver trabalhando para mim?

Billy tentou pensar, embora fosse difícil diante da figura ameaçadora de Jones. Da não tinha dito muita coisa naquela manhã, mas na noite anterior lhe dera alguns conselhos.

– Senhor, com sua licença, ele me disse: "Não enfrente os patrões, esse é o meu trabalho."

Atrás dele, Llewellyn Espinhento abafou uma risadinha.

Perceval Jones não achou graça.

– Selvagem insolente – disse ele. – Mas, se eu mandar você embora, este vale inteiro vai entrar em greve.

Billy não tinha pensado nisso. Será que ele era tão importante assim? Não... mas talvez os mineradores entrassem em greve partindo do princípio de que os filhos de seus representantes não deveriam ser punidos. Estava trabalhando há menos de cinco minutos e o sindicato já o estava protegendo.

– Tirem esses meninos daqui – disse Jones.

Morgan aquiesceu.

– Leve-os lá para fora, Llewellyn – falou ele. – Rhys Price pode cuidar deles.

Em seu íntimo, Billy soltou um gemido. Rhys Price era um dos subgerentes mais temidos. No ano anterior, ele havia flertado com Ethel, que o rejeitara no ato. Sua irmã agira da mesma forma com metade dos homens solteiros de Aberowen, mas Price tinha ficado muito abalado.

Espinhento fez um gesto brusco com a cabeça.

– Chispem – disse, saindo atrás deles. – Aguardem o Sr. Price lá fora.

Billy e Tommy saíram do escritório e se recostaram na parede ao lado da porta.

– Quem me dera dar um soco naquela barriga gorda do Napoleão – disse Tommy. – Que capitalista nojento.

– É – disse Billy, embora nem sequer tivesse pensado nisso.

Um minuto depois, Rhys Price apareceu. Como todos os subgerentes, usava um chapéu baixo de copa redonda, mais caro do que uma boina de minerador, porém mais barato do que um chapéu-coco. Trazia um bloco de anotações e um lápis no bolso do colete e segurava um metro na mão. A barba por fazer e um vão entre os dentes da frente marcavam suas feições. Billy sabia que ele era inteligente, mas ardiloso.

– Bom dia, Sr. Price – cumprimentou Billy.

Price fez cara de desconfiado.

– Que história é essa de me dar bom-dia, Billy Duplo?

– O Sr. Morgan disse que a gente vai descer à mina com o senhor.

– Foi mesmo? – Price tinha a mania de lançar olhares rápidos de um lado para outro e, às vezes, para trás, se pressentisse encrenca vindo de alguma direção desconhecida. – Isso nós vamos ver. – Então olhou para o guindaste, como se ele pudesse lhe dar uma explicação. – Não tenho tempo para cuidar de moleques. – Dito isso, entrou no escritório.

– Espero que ele chame outra pessoa para descer com a gente – disse Billy. – Ele detesta a minha família porque minha irmã não quis namorar com ele.

– A sua irmã se acha boa demais para os homens de Aberowen – falou Tommy, obviamente repetindo algo que havia escutado alguém dizer.

– Ela *é* boa demais para os homens de Aberowen – disse Billy com altivez.

Price saiu do escritório.

– Muito bem, por aqui – falou, seguindo em frente a passos largos.

Os dois meninos o acompanharam até o paiol das lamparinas. O homem que trabalhava ali entregou a Billy uma lamparina de segurança, feita de latão, que ele prendeu ao cinto como faziam os demais.

Ele havia aprendido na escola sobre as lamparinas dos mineradores. Um dos perigos da mineração do carvão era o metano, um gás inflamável que vazava dos veios de carvão. Os homens o chamavam de grisu, e ele era a causa de todas as explosões subterrâneas. As minas galesas eram conhecidas por terem muito dessa substância. A lamparina era engenhosamente concebida de modo que sua chama não inflamasse o grisu. Na verdade, a chama mudava de formato e se alongava, dando assim um alerta – pois o metano não tinha cheiro.

Caso a lamparina se apagasse, os mineradores não conseguiam reacendê-la sozinhos. Era proibido portar fósforos no interior da mina, e a lamparina ficava lacrada para desencorajá-los a burlar essa regra. Uma lamparina apagada precisava ser levada até um ponto de acendimento, que em geral ficava no fundo da mina, junto ao poço. Isso podia acarretar uma caminhada de quase dois quilômetros, ou mais, mas valia a pena para evitar o risco de uma explosão subterrânea.

Na escola, os meninos haviam aprendido que a lamparina de segurança era uma das maneiras de os donos das minas demonstrarem seu zelo e preocupação para com os empregados – "como se os patrões não tirassem nenhum proveito do fato de evitarem explosões, interrupções no trabalho e danos aos túneis", dizia Da.

Depois de pegarem as lamparinas, os homens faziam fila para o elevador. Estrategicamente posicionado ao lado da fila, havia um quadro de avisos. Cartazes escritos à mão ou impressos de forma grosseira anunciavam treinos de críquete, uma partida de dardos, um canivete perdido, um recital do Coral Masculino de Aberowen e uma palestra sobre a teoria do materialismo histórico de Karl Marx na Biblioteca Livre. Os subgerentes, no entanto, não precisavam esperar na fila, de modo que Price abriu caminho aos empurrões até a frente dela, com os meninos em seu encalço.

Como a maioria das minas, Aberowen tinha dois poços, com ventiladores posicionados para forçarem o ar a descer por um e subir pelo outro. Os donos das minas muitas vezes batizavam os poços com nomes extravagantes, e os dali se chamavam Píramo e Tisbe. O poço em que estavam, Píramo, era por onde o ar subia, e Billy podia sentir a corrente de ar morno que brotava da mina.

No ano anterior, Billy e Tommy tiveram a ideia de olhar para dentro do poço. Na segunda-feira após o domingo de Páscoa, quando os homens estavam de folga, eles driblaram o vigia e se esgueiraram pelo terreno baldio até a entrada da mina, escalando em seguida a cerca de proteção. A boca do poço não estava totalmente tampada pela cabine do elevador, então eles se deitaram de bruços e olharam pela borda. Ficaram encarando aquele buraco terrível com um fascínio mórbido, e Billy sentiu um frio na barriga. A escuridão parecia infinita. Teve uma sensação que era metade de alegria, por não ter que descer até as profundezas, e metade de terror, porque um dia seria obrigado a fazê-lo. Chegou a jogar uma pedra lá dentro, e os dois a escutaram ricochetear entre o trilho de madeira que guiava o elevador e o revestimento de tijolos do poço. O tempo que a pedra levou para fazer seu barulho fraco e distante ao atingir a poça d'água no fundo lhes pareceu aterrorizante de tão longo.

Agora, um ano depois, ele estava prestes a seguir o mesmo trajeto daquela pedra.

Disse a si mesmo para deixar de ser covarde. Precisava agir como homem, mesmo que não se sentisse assim. O pior de tudo seria arruinar sua reputação. Tinha mais medo disso que de morrer.

Ele podia ver a grade deslizante que fechava o poço. Para além dela, havia apenas espaço vazio, pois o elevador ainda estava subindo. Do outro lado do vão, via também o cabrestante que fazia girar as rodas grandes lá no alto. Jatos de vapor escapavam do mecanismo. Os cabos batiam em suas correias com um barulho de chicote. Um cheiro de óleo quente pairava no ar.

Com um estrondo metálico, o elevador vazio surgiu atrás da grade. O sinaleiro responsável pelo elevador ali em cima abriu o gradeado. Rhys Price entrou na cabine vazia, seguido pelos dois meninos. Treze mineradores entraram depois deles – o elevador tinha capacidade para 16 homens. O sinaleiro fechou a grade com força.

Houve um intervalo. Billy se sentiu vulnerável. O chão sob seus pés era sólido, mas ele poderia, sem muita dificuldade, se espremer por entre as barras espaçadas das laterais. O elevador era sustentado por um cabo de aço, mas nem mesmo ele era totalmente seguro: todos sabiam que o cabo da mina de Tirpentwys tinha se rompido um dia em 1902 e que o elevador havia despencado até o fundo do poço, matando oito homens.

Billy meneou a cabeça para o minerador ao seu lado. Era Harry "Seboso" Hewitt, um menino de rosto redondo apenas três anos mais velho do que ele, embora fosse 30 centímetros mais alto. Billy se lembrava de quando Harry estava na escola: ele havia empacado na terceira série com os meninos de 10 anos, levando bomba ano após ano, até ter idade suficiente para trabalhar.

Uma campainha tocou, avisando que o sinaleiro no fundo do poço havia fechado sua grade. Seu colega da superfície puxou uma alavanca, fazendo uma campainha diferente soar. O motor a vapor chiou e então se ouviu outro baque.

A cabine despencou no vazio.

Billy sabia que o elevador entrava em queda livre, freando em seguida para fazer uma aterrissagem suave, mas nenhum conhecimento prévio poderia tê-lo preparado para a sensação de cair sem obstáculo algum rumo às entranhas da Terra. Seus pés se descolaram do chão. Ele gritou de medo. Não conseguiu se controlar.

Todos os homens riram. Sabiam que era a primeira vez dele e, como Billy percebeu, estavam esperando sua reação. Então ele notou, com atraso, que todos seguravam as barras da cabine para não ficarem suspensos no ar. Mas saber disso não atenuou em nada seu medo. Somente depois de apertar bem os dentes conseguiu parar de gritar.

Por fim, o freio foi acionado. A velocidade da queda diminuiu e os pés de Billy tocaram o chão. Ele agarrou uma das barras e tentou parar de tremer. Dali a um minuto, o medo foi substituído por uma sensação de humilhação tão forte que lágrimas ameaçaram brotar dos seus olhos. Ele encarou o semblante risonho de Seboso e gritou bem alto:

– Cala essa boca, seu merda.

A expressão de Seboso mudou no mesmo instante, assumindo um ar furioso, mas os outros homens riram mais ainda. Billy teria de pedir perdão a Jesus por ter dito um palavrão, mas sentia-se um pouco menos idiota.

Ele olhou para Tommy, que estava branco feito um lençol. Será que Tommy tinha gritado? Billy não quis perguntar, com medo de que a resposta pudesse ser não.

O elevador parou, a grade foi aberta e Billy e Tommy seguiram, trêmulos, para o interior da mina.

O ambiente era sombrio. As lamparinas dos mineradores produziam menos claridade do que as lanternas de parafina nas paredes de casa. A mina era tão escura quanto uma noite sem lua. Talvez eles não precisassem enxergar bem para minerar carvão, pensou Billy. Ele pisou em uma poça e, ao olhar para baixo, viu água e lama por toda parte, cintilando com o reflexo fraco das chamas das lamparinas. Sentia um gosto estranho na boca: o ar estava repleto de pó de carvão. Como era possível que os homens respirassem aquele ar o dia inteiro? Devia ser por isso que os mineradores viviam tossindo e escarrando.

Quatro homens aguardavam para entrar no elevador e subir até a superfície. Cada um deles carregava uma maleta de couro, e Billy percebeu que eram os bombeiros. Todo dia pela manhã, antes de os mineradores começarem o trabalho, eles testavam o nível de gás na mina. Caso a concentração de metano fosse excessiva, ordenavam que os homens não trabalhassem até ele ser dispersado pelos ventiladores.

Perto de onde estava, Billy podia ver uma fileira de baias para pôneis e uma porta aberta, que conduzia a uma sala bem iluminada com uma escrivaninha, provavelmente destinada aos subgerentes. Os homens se dispersaram, embrenhando-se por quatro túneis que irradiavam do fundo da mina. Os túneis eram chamados de galerias e conduziam aos locais onde o carvão era extraído.

Price levou-os até um barracão e abriu um cadeado. Era um depósito de ferramentas. Ele escolheu duas pás, entregou-as aos meninos e trancou o barracão de volta.

Em seguida, os três foram até a estrebaria. Um homem vestindo apenas um calção e botas removia com uma pá a palha suja de uma das baias, jogando-a dentro de um vagão de carvão. Suor escorria de suas costas musculosas.

– Quer um menino para ajudá-lo? – perguntou-lhe Price.

O homem se virou e Billy reconheceu Dai dos Pôneis, membro do conselho da Capela de Bethesda. Dai não pareceu reconhecer Billy.

– Não quero o pequeno – disse ele.

– Certo – disse Price. – O outro é Tommy Griffiths. Ele é todo seu.

Tommy pareceu contente. Tinha conseguido o que queria. Mesmo que fosse apenas limpar a sujeira das baias, iria trabalhar na estrebaria.

– Venha, Billy Duplo – disse Price, entrando por uma das galerias.

Billy apoiou a pá no ombro e foi atrás dele. Ficou mais ansioso sem Tommy ao seu lado. Preferia que o tivessem mandado limpar baias junto com o amigo.

– O que eu vou fazer, Sr. Price? – perguntou.

– Não consegue adivinhar? – respondeu Price. – Por que acha que eu lhe dei uma porra de uma pá?

Billy ficou chocado ao ouvir aquela palavra proibida sendo usada de forma tão casual. Não conseguia adivinhar o que iria fazer, mas parou de perguntar.

O túnel era arredondado, seu teto reforçado com suportes curvos de aço. Um cano de cinco centímetros de diâmetro corria pelo ponto mais alto dele, provavelmente transportando água. Todas as noites, ela era usada para borrifar as galerias, numa tentativa de reduzir a quantidade de pó. Esta não só era um perigo para os pulmões dos mineradores – se fosse apenas isso, a Celtic Minerals provavelmente não se importaria – como também representava risco de incêndio. O sistema de irrigação, no entanto, era inadequado. Da havia argumentado que seria preciso instalar um cano de 15 centímetros, mas Perceval Jones se recusara a custear a despesa.

Cerca de 400 metros depois, eles entraram num túnel transversal ascendente. Era uma passagem mais antiga e mais estreita, sustentada por vigas de madeira em vez de anéis de aço. Price teve de abaixar a cabeça nos pontos em que o teto começava a ceder. A intervalos de mais ou menos 30 metros, eles passavam pelas entradas dos postos de trabalho onde os mineradores já extraíam o carvão.

Billy ouviu uma espécie de ronco, ao que Price falou:

– Entre no bueiro.

– O quê? – Billy olhou para o chão. Um bueiro era algo que existia nas calçadas da cidade, e ele não conseguia ver nada ali a não ser os trilhos pelos quais passavam os vagões. Ergueu os olhos e viu um pônei trotando na sua direção, vindo depressa ladeira abaixo, puxando uma série de vagões.

– No bueiro! – gritou Price.

Billy continuou sem entender o que se esperava dele, mas podia ver que o túnel tinha quase a mesma largura dos vagões e que ele seria esmagado. Então Price pareceu entrar na parede e desaparecer.

Billy largou a pá, deu meia-volta e saiu correndo por onde tinha vindo. Tentou se manter à frente do pônei, mas o animal se movia com uma rapidez surpreendente. Foi então que notou um vão escavado na parede, indo do chão ao teto do túnel, e percebeu que tinha visto espaços como aquele mais ou menos de 25 em 25 metros, sem lhes dar muita atenção. Devia ser aquilo que Price chamava de bueiro. Ele se jogou lá dentro, e o comboio passou rugindo.

Depois que os vagões desapareceram, Billy saiu de dentro do bueiro, ofegante. Price fingiu se zangar, mas estava sorrindo.

– Você vai ter que ficar mais esperto – falou. – Ou então vai morrer aqui embaixo... igual ao seu irmão.

Na opinião de Billy, a maioria dos homens se comprazia em zombar da ignorância dos meninos. Ele estava decidido a ser diferente quando crescesse.

Tornou a pegar a pá. Estava intacta.

– Sorte sua – comentou Price. – Se tivesse sido quebrada, você precisaria pagar uma nova.

Eles prosseguiram e logo adentraram uma seção exaurida da mina, onde os postos de trabalho estavam vazios. Havia menos água no chão, que estava coberto por uma camada grossa de pó de carvão. Eles fizeram várias curvas e Billy perdeu o senso de direção.

Chegaram a um local em que o túnel estava bloqueado por um vagão velho e sujo.

– Esta área precisa ser limpa – disse Price. Era a primeira vez que se dava ao trabalho de explicar o que quer que fosse, e Billy teve a impressão de que ele estava mentindo. – O seu trabalho é pôr a sujeira dentro do vagão com a pá.

Billy olhou em volta. Até onde a luz da sua lamparina alcançava, a camada de pó tinha 30 centímetros de altura, e ele imaginava que se estendesse para muito além. Poderia passar uma semana inteira recolhendo aquilo com a pá sem muito resultado. E para quê? Já não havia o que minerar ali. Mas ele não fez perguntas. Aquilo decerto era uma espécie de teste.

– Daqui a pouco eu volto para ver como você está indo – disse Price, retornando pelo mesmo caminho e deixando Billy sozinho.

Por essa Billy não esperava. Havia imaginado que fosse trabalhar com homens mais velhos, aprender com eles. Mas não podia fazer nada além do que lhe diziam.

Ele desprendeu a lamparina do cinto e olhou em volta à procura de algum lugar para apoiá-la. Não havia nada que pudesse usar como prateleira. Pôs a lamparina no chão, mas nessa posição ela era quase inútil. Foi quando se lembrou dos pregos que Da lhe dera. Então era para isso que serviam. Tirou um deles do bolso. Usando a lâmina da pá, pregou-o em uma das vigas de madeira, pendurando ali a lamparina. Bem melhor.

O vagão batia no peito de um homem, mas, no caso de Billy, batia nos ombros – e, quando ele começou a trabalhar, descobriu que metade do pó escorregava da pá antes que conseguisse jogá-lo dentro do vagão. Ele inventou uma maneira de girar a lâmina para evitar que isso acontecesse. Em poucos minutos, ficou encharcado de suor e entendeu para que servia o segundo prego. Pregou-o em outra viga de madeira e ali pendurou a camisa e a calça.

Algum tempo depois, sentiu que alguém o observava. Com o rabo do olho, enxergou um vulto parado ali, imóvel feito uma estátua.

– Ai, meu Deus! – gritou, virando-se para encará-lo.

Era Price.

– Esqueci de testar sua lamparina – disse ele. Então retirou a lamparina de Billy do prego e fez alguma coisa com ela. – Não está muito boa – falou. – Vou deixar a minha com você. – Ele pendurou a outra lamparina no lugar e desapareceu.

Price era uma figura sinistra, mas ao menos parecia preocupado com a sua segurança.

Billy voltou ao trabalho. Dali a pouco, seus braços e pernas começaram a doer. Ele disse a si mesmo que estava acostumado a usar uma pá: Da criava um porco no terreno atrás de casa, e cabia a Billy limpar a pocilga uma vez por semana. Mas isso só levava uns 15 minutos. Será que ele conseguiria passar o dia inteiro fazendo aquilo?

Debaixo do pó, havia um chão feito de pedra e barro. Depois de algum tempo, ele conseguiu limpar uma área de pouco mais de um metro, a mesma largura do túnel. O pó mal cobria o fundo do vagão, mas ele já estava exausto.

Tentou empurrar o vagão para a frente de modo a não ter que caminhar tanto com a pá cheia, mas as rodas pareciam emperradas depois de tanto tempo sem uso.

Ele estava sem relógio, então era difícil saber quanto tempo havia passado. Começou a trabalhar mais devagar para poupar as forças.

Então sua luz apagou.

A chama primeiro tremeluziu, o que fez Billy olhar com aflição para a lamparina pendurada no prego, embora soubesse que a chama ficaria comprida caso houvesse grisu ali. Não era o que estava vendo, de modo que ficou mais tranquilo. Então a chama se apagou por completo.

Ele nunca tinha estado numa escuridão como aquela. Não conseguia enxergar nada, nem mesmo manchas cinzentas, nem mesmo tons diferentes de preto. Ergueu a pá até a altura do rosto, segurando-a a menos de 3 centímetros do nariz, mas nem assim conseguiu vê-la. Devia ser essa a sensação de ser cego.

Ele ficou imóvel. O que deveria fazer? Teoricamente, levar a lâmpada até o ponto de acendimento. Porém, mesmo que conseguisse ver alguma coisa, teria sido incapaz de achar o caminho de volta pelos túneis. Naquele breu, poderia passar horas perdido. Não fazia ideia de quantos quilômetros de extensão tinham as galerias abandonadas e não queria que os homens tivessem de mandar uma equipe de busca para encontrá-lo.

Tudo o que podia fazer era aguardar a volta de Price. O subgerente tinha dito que voltaria "daqui a pouco". Isso poderia significar alguns minutos, ou então uma hora ou mais. E Billy desconfiava que a segunda alternativa era a mais provável. Com certeza Price havia planejado aquilo. Lamparinas de segurança não se apagavam nunca, e ainda por cima quase não ventava ali. Price tinha apanhado a lamparina de Billy e a substituído por outra com pouco óleo.

Ele sentiu uma onda de autocomiseração, e seus olhos se encheram de lágrimas. O que tinha feito para merecer aquilo? Logo em seguida, se recompôs. Era só mais um teste, feito o elevador. Iria mostrar a eles que era durão.

Decidiu que deveria continuar trabalhando, mesmo no escuro. Movendo-se pela primeira vez desde que a luz havia se apagado, ele pôs a pá no chão e a deslizou para a frente, tentando catar alguma coisa. Ao erguê-la, lhe pareceu, pelo peso, que a lâmina estava cheia. Virou-se, deu dois passos e então ergueu a pá, tentando jogar a sujeira dentro do vagão, mas avaliou mal a altura. A pá bateu na lateral da caçamba e ficou subitamente mais leve quando sua carga caiu no chão.

Ele iria se adaptar. Tentou outra vez, erguendo a pá mais alto. Depois de descarregar a lâmina, deixou a ferramenta cair, sentindo o cabo de madeira bater contra a borda do vagão. Melhor assim.

À medida que o trabalho o fazia se afastar cada vez mais do vagão, ele continuou a errar o alvo de vez em quando, até começar a contar os passos em voz alta. Logo estabeleceu um ritmo e, embora seus músculos doessem, conseguiu continuar.

Assim que o trabalho se tornou automático, sua mente ficou livre para divagar, o que não era tão bom. Ele se perguntou até onde aquele túnel ia e há quanto tempo estava abandonado. Pensou na terra acima de sua cabeça, se estendendo por quase um quilômetro, e no peso que aquelas vigas de madeira velhas sustentavam. Lembrou-se do irmão, Wesley, e dos outros homens que haviam morrido na mina. Mas é claro que seus espíritos não estavam ali. Wesley estava com Jesus. Os demais também, provavelmente. Caso contrário, estariam em outro lugar.

Ele começou a sentir medo e decidiu que era melhor não pensar em espíritos. Estava com fome. Será que já era hora de abrir a marmita? Não fazia ideia, mas resolveu comer assim mesmo. Conseguiu chegar ao local em que havia pendurado as roupas, tateou o chão logo abaixo e encontrou sua garrafa e sua marmita.

Sentou-se com as costas apoiadas na parede e tomou um gole generoso do chá frio e doce. Enquanto comia o pão com banha, ouviu um barulho distante. Torceu para ser o rangido das botas de Rhys Price, mas essa era uma esperança infundada. Ele conhecia aquele guincho: eram ratos.

Não sentiu medo. Havia muitos ratos nas valas que se estendiam ao longo de todas as ruas de Aberowen. Naquela escuridão, contudo, os ratos pareciam mais ousados e, num piscar de olhos, um deles passou correndo por cima de suas pernas nuas. Transferindo a comida para a mão esquerda, ele apanhou a pá e desferiu um golpe com ela. Isso sequer os amedrontou e ele tornou a sentir suas garras pequeninas sobre a pele. Então um deles tentou subir por seu braço. Era óbvio que estavam sentindo o cheiro da comida. Os guinchos aumentaram e ele se perguntou quantos ratos haveria ali.

Levantou-se e enfiou na boca o último pedaço de pão. Tomou mais um pouco de chá, comendo o bolo em seguida. Estava uma delícia, cheio de frutas secas e amêndoas; mas um rato subiu por sua perna e ele foi obrigado a engolir o restante de uma vez só.

Os ratos pareceram perceber que a comida havia acabado, pois os guinchos foram diminuindo progressivamente e, logo depois, cessaram por completo.

Comer renovou as energias de Billy durante algum tempo e ele voltou ao trabalho, porém suas costas latejavam de dor. Ele continuou em um ritmo mais lento, parando para descansar com frequência.

Para se animar, disse a si mesmo que talvez fosse mais tarde do que pensava. Provavelmente já era quase meio-dia. Alguém viria buscá-lo ao final do turno. O responsável pelas lamparinas contava as cabeças, de modo que eles sempre sabiam quando um dos homens não retornava à superfície. Mas Price tinha apanhado a lamparina de Billy e a substituído por outra. Será que ele pretendia fazer Billy passar a noite ali?

Isso nunca daria certo. Da armaria uma confusão. Os patrões tinham medo de Da – Perceval Jones havia praticamente confessado isso. Cedo ou tarde, sem dúvida alguém sairia à procura de Billy.

Quando tornou a sentir fome, no entanto, teve certeza de que muitas horas haviam se passado. Começou a ficar com medo e dessa vez não conseguiu afastá-lo. Era a escuridão que estava mexendo com ele. Se conseguisse enxergar alguma coisa, poderia ter suportado a espera. Mas, naquele breu, sentia que estava perdendo o juízo. Sem qualquer senso de direção, sempre que se afastava do vagão ficava em dúvida se não estava prestes a se chocar contra a parede do túnel. Mais cedo, ficara preocupado em não chorar como uma criança. Agora, tinha de se esforçar para não gritar.

Então se lembrou do que Mam lhe dissera: "Jesus está sempre ao seu lado, mesmo lá no fundo da mina." Na hora, pensou que ela estivesse apenas lhe dizendo para se comportar. Mas sua mãe fora mais sábia do que isso. É claro que Jesus estava ao seu lado. Jesus estava em toda parte. A escuridão não tinha importância, tampouco a passagem do tempo. Billy tinha alguém para cuidar dele.

Para se lembrar disso, ele cantou um hino. Não gostava da própria voz, que ainda era muito aguda, mas, como não havia ninguém para escutá-lo, cantou o mais alto que pôde. Quando terminou de cantar e a sensação de medo ameaçou voltar, imaginou Jesus em pé do outro lado do vagão, observando-o com uma expressão de compaixão profunda no rosto barbado.

Billy entoou outro hino. Manejava a pá e caminhava ao ritmo da música. A maioria dos hinos era fácil de cantar. De vez em quando, tornava a ser invadido pelo medo de ter sido esquecido, de que o turno poderia ter acabado e ele estivesse sozinho lá embaixo; então simplesmente se lembrava da figura em pé ao seu lado no escuro, vestida com sua túnica.

Ele conhecia muitos hinos. Frequentava a Capela de Bethesda três vezes por domingo desde que tinha idade suficiente para ficar sentado quietinho. Os hinários eram caros, e nem toda a congregação sabia ler, então todos decoravam os versos.

Depois de cantar 12 hinos, ele calculou que uma hora tinha se passado. Já não era para o turno ter acabado àquela altura? Ainda assim, ele cantou mais 12. Depois disso, ficou difícil manter a contagem. Começou a repetir seus preferidos, trabalhando cada vez mais devagar.

Estava cantando "Ele se ergueu da tumba" o mais alto que podia quando viu uma luz. O trabalho havia se tornado tão automático que ele não parou, erguendo outra pá cheia e levando-a até o vagão, ainda cantando, conforme a luz ficava mais forte. Quando o hino terminou, ele se apoiou na pá. Rhys Price o observava, com a lamparina presa ao cinto e uma expressão estranha no rosto coberto de sombras.

Billy não se permitiu sentir alívio. Não deixaria Price ver como estava se sentindo. Vestiu a camisa e a calça, tirando em seguida a lamparina apagada do prego e prendendo-a ao cinto.

– O que houve com sua lamparina? – perguntou Price.

– O senhor sabe o que houve – disse Billy, e sua voz soou estranhamente adulta.

Price virou-lhe as costas e começou a voltar pelo túnel.

Billy hesitou. Olhou para trás. Do outro lado do vagão vislumbrou um rosto barbado e uma túnica clara, mas o vulto se dissipou como um pensamento.

– Obrigado – falou Billy para o túnel vazio.

Enquanto seguia Price, suas pernas doíam tanto que achou que fosse cair, mas pouco se importava com essa possibilidade. Conseguia enxergar de novo, e seu turno havia terminado. Dali a pouco estaria em casa e poderia se deitar.

Eles chegaram ao fundo do poço e entraram no elevador com um grupo de mineradores de rosto preto. Tommy Griffiths não estava entre eles, mas Hewitt Seboso, sim. Enquanto esperavam o sinal lá de cima, Billy percebeu que todos o encaravam com sorrisos marotos.

– Como foi seu primeiro dia, Billy Duplo? – perguntou Hewitt.

– Bem, obrigado – respondeu Billy.

A expressão de Hewitt era de malícia: obviamente se lembrava de que Billy o chamara de "seu merda".

– Nenhum problema? – indagou ele.

Billy hesitou. Estava claro que eles sabiam de alguma coisa. Queria que percebessem que ele não se deixara vencer pelo medo.

– Minha lamparina apagou – disse, mal conseguindo manter a voz firme. Olhou para Price, mas decidiu que, se não o acusasse, estaria agindo mais como um homem. – Foi um pouco difícil trabalhar com a pá no escuro o dia inteiro – concluiu. Isso também já era deixar por menos: eles poderiam acabar achando que o seu calvário não tinha sido nada de mais. Mas era melhor do que reconhecer que ficara com medo.

Um homem mais velho falou. Era John Jones da Loja. Eles o chamavam assim porque sua mulher tinha uma pequena mercearia na sala de casa.

– O dia inteiro? – quis saber ele.

– Sim – respondeu Billy.

John Jones olhou para Price e disse:

– Seu filho da mãe, era pra ter sido só por uma hora.

As suspeitas de Billy foram confirmadas. Eles sabiam o que havia acontecido e, ao que tudo indicava, faziam coisa parecida com todos os recém-chegados. Mas Price o fizera sofrer mais do que o normal.

Hewitt Seboso sorria.

– E então, Billy, você não ficou com medo sozinho no escuro? – perguntou.

Billy refletiu antes de responder. Todos olhavam para ele, esperando para ouvir o que diria. Seus sorrisos marotos haviam desaparecido, e eles pareciam um pouco envergonhados. O garoto resolveu dizer a verdade:

– Fiquei com medo, sim, mas eu não estava sozinho.

Hewitt se admirou.

– Não estava sozinho?

– Não, claro que não – respondeu Billy. – Jesus estava comigo.

Hewitt riu bem alto, mas ninguém o acompanhou. A gargalhada ecoou no silêncio e cessou de repente.

O silêncio durou vários segundos. Então houve um baque metálico e um solavanco, e o elevador começou a subir. Hewitt se virou para o outro lado.

Depois disso, todos passaram a chamá-lo de "Billy com Jesus".

Parte Um

CÉU DE CHUMBO

CAPÍTULO DOIS

Janeiro de 1914

O conde Fitzherbert, que tinha 28 anos e era conhecido por parentes e amigos como Fitz, era o nono homem mais rico da Grã-Bretanha.

Não havia feito nada para ganhar sua imensa fortuna. Simplesmente herdara milhares de hectares de terras no País de Gales e em Yorkshire. As propriedades rendiam pouco dinheiro, mas havia carvão debaixo delas, e o avô de Fitz ficara muito rico vendendo os direitos de exploração a mineradoras.

Estava claro que era a vontade de Deus que os Fitzherbert dominassem seus semelhantes e tivessem um estilo de vida compatível com sua riqueza; mas Fitz sentia ter feito pouco para justificar a fé que Deus depositava nele.

Seu pai, o conde anterior, não se sentira assim. Oficial da Marinha, havia sido promovido a almirante após o bombardeio a Alexandria em 1882, tornara-se embaixador britânico em São Petersburgo e por fim fora nomeado ministro durante o governo de lorde Salisbury. Poucas semanas depois que os conservadores perderam as eleições gerais de 1906, o pai de Fitz morreu – seu fim precipitado, Fitz tinha certeza, pela decepção de ver liberais irresponsáveis como David Lloyd George e Winston Churchill assumindo o controle do governo de Sua Majestade.

Fitz assumira sua cadeira de membro conservador da Câmara dos Lordes, a câmara alta do Parlamento britânico. Falava bem o francês e arranhava um pouco o russo, e gostaria de um dia ser nomeado ministro das Relações Exteriores de seu país. Infelizmente, os liberais haviam continuado a ganhar as eleições, de modo que ele ainda não tivera chance de se tornar ministro.

Sua carreira militar tinha sido igualmente inexpressiva. Ele frequentara a academia de treinamento de oficiais do Exército em Sandhurst e passara três anos com os Fuzileiros Galeses, chegando à patente de capitão. Depois de casado, havia abandonado a carreira militar em tempo integral, tornando-se coronel honorário do Exército de Reserva de Gales do Sul. Infelizmente, coronéis honorários não ganhavam medalhas.

No entanto, ele tinha algo de que se orgulhar, pensou Fitz enquanto o trem cruzava os vales de Gales do Sul. Dali a duas semanas, o rei viria se hospedar em sua casa de campo. O rei Jorge V e o pai de Fitz tinham sido colegas de Marinha na juventude. Recentemente, o rei manifestara o desejo de saber o que se passava na cabeça dos jovens, de modo que Fitz organizara uma confraternização discreta para que Sua Majestade pudesse conhecer alguns deles. Agora, ele e Bea, sua esposa, estavam a caminho da casa para cuidar dos preparativos.

Fitz era um tradicionalista. A humanidade ainda não havia encontrado nada que superasse a ordem conveniente formada pela monarquia, pela aristocracia, pelos comerciantes e pelos camponeses. Mas, naquele instante, olhando pela janela do trem, ele via uma ameaça ao modo de vida britânico, maior do que qualquer outra que o país houvesse enfrentado nos últimos 100 anos. Cobrindo as encostas outrora verdejantes, como uma praga a manchar de cinza-escuro um arbusto de rododendro, estendiam-se as casas geminadas dos mineradores. Naqueles barracos imundos, falava-se em republicanismo, ateísmo e rebelião. Fazia pouco mais de um século que a nobreza francesa havia sido levada de carroça para a guilhotina, e o mesmo aconteceria ali caso alguns daqueles mineiros brutamontes de cara preta conseguissem o que queriam.

Fitz abriria mão de bom grado de todo o dinheiro que ganhava com o carvão, pensou, se isso fizesse a Grã-Bretanha retornar a uma época mais simples. A família real era um bastião poderoso contra a insurreição. Contudo, por mais que aquela visita deixasse Fitz orgulhoso, ela também lhe causava apreensão. Tantas coisas podiam dar errado. Quando se tratava da realeza, qualquer deslize podia ser interpretado como desconsideração – e, portanto, falta de respeito. Cada detalhe do fim de semana seria relatado pelos criados dos hóspedes a outros criados, e por estes aos seus patrões, de modo que todas as mulheres da sociedade londrina saberiam em dois tempos se o rei tinha recebido um travesseiro duro, uma batata estragada ou a marca errada de champanhe.

O Rolls-Royce Silver Ghost de Fitz o aguardava na estação de trem de Aberowen. Com Bea ao seu lado, ele foi conduzido por quase 2 quilômetros até Tŷ Gwyn, sua casa de campo. Uma garoa fina mas persistente caía do céu, como de hábito no País de Gales.

"Tŷ Gwyn" significava Casa Branca em galês, mas o nome havia se tornado uma ironia. Como tudo o mais naquela parte do mundo, a casa estava coberta por uma camada de pó de carvão, de modo que seus blocos de pedra outrora brancos haviam assumido um tom cinza-escuro, que sujava as saias das senhoras que roçassem por descuido em suas paredes.

Mesmo assim, era uma casa magnífica, e ela encheu Fitz de orgulho quando o carro subiu ronronando a estrada de acesso. Tŷ Gwyn era a maior propriedade privada do País de Gales e tinha 200 cômodos. Certa vez, quando Fitz era menino, ele e a irmã, Maud, haviam contado as janelas e chegado a um número impressivo:

523. Ela fora construída por seu avô, e uma ordem agradável regia o projeto de três andares. As janelas do térreo, bem altas, deixavam entrar bastante luz nos salões de recepção majestosos. No segundo piso, havia dezenas de quartos de hóspedes, enquanto o sótão acomodava incontáveis quartinhos de empregados, revelados pelas longas fileiras de trapeiras que cobriam os telhados íngremes.

Os 20 hectares de terreno eram a maior alegria de Fitz. Ele supervisionava pessoalmente os jardineiros, decidindo o que semear, podar e replantar.

– Uma casa digna da visita de um rei – disse quando o carro parou diante do pórtico imponente.

Bea não falou nada. Viajar a deixava mal-humorada.

Ao sair do carro, Fitz foi recebido por Gelert, seu cão montanhês dos Pireneus, do tamanho de um urso, que lambeu sua mão e pôs-se a correr animadamente pelo pátio, fazendo festa.

Em seu quarto de vestir, Fitz tirou as roupas de viagem e colocou um terno de tweed marrom-claro. Então atravessou a porta de comunicação e entrou no quarto de Bea.

Nina, a criada russa, estava soltando os grampos pontiagudos do chapéu intrincado que Bea usara durante a viagem. De relance, Fitz viu o rosto de sua mulher no espelho da penteadeira e seu coração parou de bater por um instante. A visão o fez voltar quatro anos no tempo, até o salão de baile de São Petersburgo, onde tinha visto pela primeira vez aquele rosto de inacreditável beleza, emoldurado por cachos louros impossíveis de domar por completo. Como naquele instante, ela ostentava um ar emburrado que lhe parecera estranhamente cativante. Num piscar de olhos, Fitz havia decidido que ela, dentre todas as outras, era a mulher com quem queria se casar.

Nina era uma mulher de meia-idade, e sua mão tremia – Bea costumava deixar seus criados nervosos. Enquanto Fitz observava, um dos alfinetes espetou o couro cabeludo de Bea, que soltou um grito.

Nina empalideceu.

– Sinto muitíssimo, Vossa Alteza – disse em russo.

Bea pegou um alfinete que estava em cima da penteadeira e cravou-o no braço da criada.

– Veja se você gosta! – exclamou.

Nina desatou a chorar e saiu correndo do quarto.

– Deixe-me ajudá-la – disse Fitz à mulher em tom tranquilizador.

Ela não queria ser acalmada.

– Eu mesma faço.

Fitz foi até a janela. Cerca de uma dúzia de jardineiros estavam ocupados aparando as plantas, cortando a grama e alisando o cascalho com ancinhos. Vários arbustos estavam floridos: folhados cor-de-rosa, jasmins-de-inverno amarelos, hamamélis e madressilvas-de-inverno. Além do jardim, estendia-se a suave curva verde da encosta da montanha.

Ele precisava ser paciente com Bea e lembrar a si mesmo que ela era uma estrangeira isolada em um país estranho, longe da família e de tudo o que conhecia. Durante os primeiros meses de casamento, quando ainda estava inebriado por sua aparência, por seu cheiro e pela maciez de sua pele, isso havia sido fácil. Agora, tinha que se esforçar um pouco.

– Por que você não descansa? – perguntou ele. – Vou procurar Peel e a Sra. Jevons para ver como andam os preparativos. – Peel era o mordomo e a Sra. Jevons, a governanta. Administrar os empregados era responsabilidade de Bea, mas Fitz estava tão nervoso com a visita do rei que qualquer desculpa para se meter era bem-vinda. – Mais tarde, quando você estiver mais disposta, venho dizer em que pé andam as coisas. – Ele sacou seu porta-charutos.

– Não fume aqui dentro – disse ela.

Ele tomou isso por um sim e se encaminhou para a porta. Antes de sair, parou e disse:

– Você não vai se comportar assim na frente do rei e da rainha, vai? Quer dizer, não vai bater nos criados.

– Eu não bati nela, eu lhe dei uma alfinetada para ela aprender uma lição.

Os russos faziam esse tipo de coisa. Quando o pai de Fitz reclamara que os empregados na embaixada britânica em São Petersburgo eram muito preguiçosos, seus amigos russos tinham lhe dito que ele deveria bater mais neles.

– O monarca ficaria constrangido se tivesse que assistir a uma coisa dessas – disse Fitz a Bea. – Eu já lhe disse que, aqui na Inglaterra, não se faz isso.

– Quando eu era menina, fui obrigada a ver três camponeses serem enforcados – falou ela. – Minha mãe não gostou, mas meu avô insistiu. "Isso é para ensiná-la a punir seus criados", disse ele. "Se você não bater neles nem açoitá-los por pequenos lapsos, como o descuido e a preguiça, eles vão acabar cometendo pecados maiores que os levarão para a forca." Ele me ensinou que, a longo prazo, a indulgência para com as classes inferiores é cruel.

Fitz começou a perder a paciência. Bea tivera uma infância de riqueza e luxo sem limites, cercada por bandos de criados obedientes e milhares de camponeses felizes. Se seu avô implacável e competente ainda fosse vivo, talvez sua vida tivesse continuado da mesma forma. Contudo, a fortuna da família havia sido dissipada pelo pai de Bea, um bêbado, e pelo inepto irmão dela, Andrei, que vendia madeira sem replantar as florestas.

– Os tempos mudaram – disse Fitz. – Estou pedindo a você, ou melhor, estou lhe dando uma ordem, para não me constranger diante do meu rei. Espero não ter deixado nenhum espaço para dúvida na sua mente. – Ele saiu e fechou a porta.

Enquanto caminhava pelo corredor largo, sentia-se irritado e um pouco triste. No início do casamento, essas discussões o deixavam desnorteado e arrependido. Agora, estava começando a se acostumar com elas. Será que todos os casamentos eram assim? Ele não sabia.

Um lacaio alto que estava lustrando uma maçaneta se endireitou e ficou em pé de costas para a parede, olhando para o chão, como os criados de Tŷ Gwyn eram ensinados a fazer quando o conde passava. Em algumas casas importantes, os serviçais tinham de ficar virados para a parede, mas Fitz considerava isso feudal demais. Reconheceu o rapaz em questão, que tinha visto jogar críquete durante uma partida entre os empregados de Tŷ Gwyn e os mineradores de Aberowen. Ele era um bom batedor canhoto.

– Morrison – disse Fitz, recordando seu nome –, peça a Peel e à Sra. Jevons que venham até a biblioteca.

– Sim, meu amo.

Fitz desceu a imponente escadaria. Casara-se com Bea porque tinha ficado encantado com ela, mas existia também um motivo racional. Ele sonhava em fundar uma grande dinastia anglo-russa que dominaria amplas extensões de terra, nos moldes em que a dinastia dos Habsburgo havia governado partes da Europa durante muitos séculos.

Mas, para isso, ele precisava de um herdeiro. O mau humor de Bea significava que ela não iria recebê-lo em sua cama naquela noite. Ele poderia insistir, mas o resultado nunca era muito satisfatório. Já fazia cerca de duas semanas desde a última vez. Não desejava uma mulher que fosse vulgarmente ávida por esse tipo de coisa, mas, por outro lado, duas semanas era muito tempo.

Sua irmã, Maud, continuava solteira aos 23 anos. Além disso, qualquer filho dela provavelmente seria criado como um socialista fanático que dilapidaria a fortuna da família imprimindo tratados revolucionários.

Fitz já era casado há três anos, de modo que estava começando a ficar preocupado. Bea só havia engravidado uma vez, no ano anterior, porém sofrera um aborto espontâneo aos três meses, logo após uma discussão com o marido. Fitz cancelara uma viagem planejada com antecedência para São Petersburgo, o que a deixou terrivelmente abalada, chorando e dizendo que queria ir para casa. Fitz fincara o pé – afinal de contas, um homem não podia deixar a esposa mandar nele –, mas depois, quando ela abortou, sentiu-se responsável e ficou convencido de que a culpa era dele. Se ela engravidasse novamente, ele cuidaria para que absolutamente nada a perturbasse até o nascimento do bebê.

Afastando essa preocupação da cabeça, ele entrou na biblioteca e sentou-se à escrivaninha forrada de couro para fazer uma lista.

Dali a uns dois minutos, Peel entrou acompanhado de uma criada. O mordomo era o filho caçula de um agricultor, e seu rosto sardento e os cabelos grisalhos davam a impressão de uma vida ao ar livre, mas ele era empregado de Tŷ Gwyn desde que começara a trabalhar.

– A Sra. Jevons se tomou de um mal, meu amo – disse Peel. Fitz já desistira há muito tempo de corrigir o jeito de falar dos criados galeses. – Na barriga – acrescentou o mordomo em tom lúgubre.

– Poupe-me dos detalhes. – Fitz olhou para a criada, uma garota bonita de uns 20 anos. Seu rosto lhe era vagamente familiar. – Quem é essa?

A própria garota respondeu:

– Ethel Williams, meu amo, ajudante da Sra. Jevons. – A moça tinha o sotaque cadenciado dos vales de Gales do Sul.

– Bem, Williams, você me parece jovem demais para fazer o trabalho de uma governanta.

– Com sua licença, meu amo, a Sra. Jevons disse que o senhor provavelmente mandaria buscar a governanta de Mayfair, mas espera que nesse meio-tempo eu possa satisfazê-lo.

Teria havido um brilho em seu olhar quando ela falou em satisfazê-lo? Embora se dirigisse a ele com a devida deferência, havia algo de insolente nela.

– Muito bem – disse Fitz.

Williams segurava um grosso bloco de anotações em uma das mãos e dois lápis na outra.

– Fui ver a Sra. Jevons em seu quarto, e ela estava disposta o suficiente para repassar todas as providências comigo.

– Por que você trouxe dois lápis?

– Para o caso de um deles quebrar – respondeu ela, sorrindo.

As criadas não deveriam sorrir para o conde, mas Fitz não pôde deixar de retribuir o sorriso.

– Está certo – falou. – Diga-me o que tem anotado no seu bloco.

– Três assuntos – disse ela. – Hóspedes, criadagem e mantimentos.

– Muito bem.

– Pela carta que o senhor enviou, meu amo, entendemos que serão 20 hóspedes. A maioria trará um ou dois criados particulares, digamos que dois em média, portanto haverá 40 criados a mais para acomodar. Todos chegarão no sábado e irão embora na segunda.

– Correto. – Fitz sentia um misto de prazer e apreensão, muito parecido com a sensação que tivera antes de pronunciar seu primeiro discurso na Câmara dos Lordes: estava entusiasmado por fazer aquilo e, ao mesmo tempo, preocupado se iria fazê-lo bem.

– Evidentemente, Suas Majestades ficarão na ala egípcia – prosseguiu Williams.

Fitz aquiesceu. Eram os maiores aposentos da casa. O papel de parede dos cômodos era decorado com imagens de templos egípcios.

– A Sra. Jevons sugeriu que outros aposentos deveriam ser abertos, está anotado por aqui.

"Por aqui" era uma expressão local, pronunciada de forma que fazia lembrar o francês. Era uma redundância que significava exatamente a mesma coisa que "aqui".

– Deixe-me ver – disse Fitz.

Ela deu a volta na escrivaninha e posicionou o bloco aberto à sua frente. Os criados que trabalhavam dentro de casa eram obrigados a tomar banho uma vez por semana, de modo que ela não cheirava tão mal quanto a classe operária em geral. Na verdade, seu corpo quente exalava um perfume de flores. Talvez andasse roubando os sabonetes de Bea. Ele leu sua lista.

– Ótimo – falou. – A princesa pode distribuir os hóspedes pelos quartos. Talvez ela tenha opiniões fortes em relação a isso.

Williams virou a página.

– Esta aqui é uma lista dos criados a mais que serão necessários: seis meninas na cozinha, para descascar os legumes e lavar a louça; dois homens de mãos limpas para ajudar a servir à mesa; três criadas de quarto; e três meninos para engraxar as botas e cuidar das velas.

– Você sabe onde vamos encontrar essa gente toda?

– Ah, sim, meu amo, tenho uma lista de moradores da região que já trabalharam aqui e, se isso não bastar, podemos pedir a eles que indiquem outras pessoas.

– Nada de socialistas, entendido? – disse Fitz, aflito. – Eles podem tentar falar com o rei sobre os malefícios do capitalismo. – Com os galeses, todo cuidado era pouco.

– Naturalmente, meu amo.

– E quanto aos mantimentos?

Ela virou outra página.

– Com base em outras festas que já foram dadas aqui, é disto que precisamos.

Fitz leu a lista: 100 pães, 20 dúzias de ovos, 45 litros de creme de leite, 45 quilos de toucinho, 300 quilos de batatas... Então, começou a ficar entediado.

– Não deveríamos deixar isso para quando a princesa tiver definido os cardápios?

– Precisamos mandar vir tudo de Cardiff – retrucou Williams. – Os armazéns de Aberowen não conseguem dar conta de encomendas desse porte. E até mesmo os fornecedores de Cardiff precisam ser avisados com antecedência, para garantir que terão as quantidades necessárias no dia.

A moça estava certa. Fitz ficou satisfeito por ela estar encarregada daquilo, pois tinha capacidade de planejamento, uma qualidade rara, em sua opinião.

– Eu bem que gostaria de alguém como você no meu regimento – falou ele.

– Não posso usar cáqui, não combina com meu tom de pele – devolveu ela, atrevida.

O mordomo pareceu indignado.

– Williams, não seja insolente!

– Me desculpe, Sr. Peel.

Fitz percebeu que a culpa tinha sido dele, por ter falado com a criada em tom de brincadeira. De toda forma, não ligava para a sua insolência. Na verdade, até que gostava da moça.

– A cozinheira deu algumas sugestões para os cardápios, meu amo – disse Peel. Ele entregou a Fitz uma folha de papel um pouco engordurada, preenchida pela caligrafia cuidadosa e infantil da cozinheira. – Infelizmente, está cedo demais para cordeiro de leite, mas podemos mandar vir de Cardiff bastante peixe fresco, conservado em gelo.

– Parece muito com o que comemos em nosso encontro de caça em novembro – disse Fitz. – Por outro lado, não queremos experimentar nada novo nessa ocasião... melhor prepararmos pratos já testados e aprovados.

– Exatamente, meu amo.

– Agora, os vinhos. – Ele se levantou. – Vamos descer até a adega.

Peel fez cara de surpresa. O conde não tinha o costume de descer ao porão.

Um pensamento que Fitz não queria admitir pairava em um canto distante da sua mente. Ele hesitou, então disse:

– Williams, venha também, para tomar notas.

O mordomo segurou a porta, ao que Fitz saiu da biblioteca e desceu a escada dos fundos. A cozinha e a ala dos criados ficavam em um subsolo intermediário. As regras de etiqueta ali eram outras, e as criadas menos importantes e os engraxates faziam mesuras ou levavam uma das mãos à testa ao vê-lo passar.

A adega ficava no último subsolo. Peel abriu a porta e disse:

– Se o senhor me permite, eu vou na frente.

Fitz aquiesceu. Peel riscou um fósforo e acendeu uma lamparina a vela presa à parede, descendo em seguida os degraus. Lá embaixo, acendeu outra lamparina.

O conde tinha uma adega modesta, com cerca de 12 mil garrafas, a maioria guardada ali por seu pai e por seu avô. Havia sobretudo champanhe, vinho do Porto e da região do Reno, além de tintos de Bordeaux e brancos da Borgonha em menor quantidade. Fitz não era um grande fã de vinhos, mas adorava a adega por lhe recordar o pai. "Uma adega de vinhos exige ordem, planejamento e bom gosto", costumava dizer o velho. "São essas virtudes que fizeram a grandeza da Grã-Bretanha."

É claro que Fitz iria servir o melhor ao rei, mas isso demandava algumas escolhas. O champanhe seria Perrier-Jouët, o mais caro de todos, mas de que safra? Um champanhe maduro, com 20 ou 30 anos de idade, era menos borbulhante e mais saboroso, mas as safras mais jovens tinham uma certa vivacidade que era deliciosa. Ele retirou uma das garrafas do suporte ao acaso. Estava toda coberta de poeira e teias de aranha. Usou o lenço branco que trazia no bolso da frente do paletó para limpar o rótulo. Ainda assim, à luz mortiça da vela, não conseguiu ver a data. Mostrou a garrafa a Peel, que havia posto os óculos.

– Mil oitocentos e cinquenta e sete – disse o mordomo.

– Meu Deus, eu me lembro deste champanhe – disse Fitz. – A primeira safra que provei na vida, e provavelmente a melhor. – Estava consciente da presença da criada, inclinada junto a ele para examinar a garrafa muitos anos mais velha do que ela. Para sua consternação, a proximidade dela o deixava ligeiramente ofegante.

– Imagino que, infelizmente, o 57 já não esteja mais no auge – comentou Peel. – Posso sugerir o 92?

Fitz examinou outra garrafa, hesitou e por fim tomou uma decisão.

– Não consigo ler com esta luz – falou. – Peel, você buscaria uma lupa para mim, por favor?

Peel subiu os degraus de pedra.

Fitz olhou para Williams. Estava prestes a cometer uma tolice, mas não pôde evitar.

– Que moça bonita você é – falou.

– Obrigada, meu amo.

Cachos escuros despontavam de sua touca de criada. Ele tocou-lhe os cabelos. Sabia que iria se arrepender disso.

– Você já ouviu falar em *droit du seigneur*? – disse ele, notando o som rouco da própria voz.

– Eu sou galesa, não francesa – falou ela, erguendo o queixo do jeito insolente que ele já passara a ver como uma característica sua.

Ele levou a mão de seus cabelos até a sua nuca e fitou-lhe os olhos. Ela sustentou seu olhar com uma segurança audaciosa. Mas significaria a sua expressão que ela desejava que ele fosse mais longe – ou que estava prestes a armar uma cena humilhante?

Fitz ouviu passos pesados na escada da adega. Peel estava voltando. Ele se afastou da criada.

Ela o surpreendeu com uma risadinha.

– Mas que cara de culpado! – comentou ela. – Parece até um colegial.

À luz fraca da vela, Peel surgiu carregando uma bandeja de prata sobre a qual repousava uma lupa com cabo de marfim.

Fitz tentou respirar normalmente. Pegou a lupa e voltou a examinar as garrafas de vinho. Tomou cuidado para não cruzar olhares com Williams.

Deus meu, pensou, que moça extraordinária.

II

Ethel Williams sentia-se cheia de energia. Nada a incomodava, ela era capaz de lidar com qualquer problema, de vencer qualquer empecilho. Quando se olhava no espelho, via que sua pele reluzia e que seus olhos brilhavam. Depois da missa de domingo, seu pai havia comentado com seu humor sarcástico de sempre:

– Você parece alegre – dissera ele. – Ganhou algum dinheiro?

Em vez de andar, ela se pegava correndo pelos intermináveis corredores de Tŷ Gwyn. A cada dia que passava, preenchia mais páginas de seu bloco de anotações com listas de compras, horários de trabalho dos empregados, cronogramas para tirar a mesa e tornar a arrumá-la e cálculos variados: número de fronhas, de vasos, de guardanapos, de velas, de colheres...

Aquela era a sua grande oportunidade. Apesar da pouca idade, ela era a governanta interina na ocasião de uma visita real. A Sra. Jevons não dava sinais de melhora, de modo que Ethel assumiu toda a responsabilidade de preparar Tŷ Gwyn para o rei e a rainha. Sempre tivera a sensação de que poderia se destacar caso tivesse uma chance; porém, na rígida hierarquia da criadagem, havia poucas oportunidades para se sobressair. De repente, uma brecha havia surgido – e ela estava decidida a aproveitá-la. Depois da visita, talvez a adoentada Sra. Jevons recebesse um cargo que não exigisse tanto esforço e Ethel fosse promovida a governanta, com um salário que seria o dobro do atual, um quarto só para si e sua própria sala de estar na ala dos criados.

Mas ela ainda não havia chegado lá. O conde estava evidentemente satisfeito com seu trabalho, e resolvera não mandar buscar a governanta de Londres, o que Ethel interpretou como um grande elogio. No entanto, pensou ela com apreensão, havia tempo de sobra para aquele ligeiro deslize, para o erro fatal que arruinaria todo o restante: um prato de jantar sujo, um esgoto transbordando, um rato morto dentro da banheira. E o conde ficaria possesso.

Na manhã do sábado em que o rei e a rainha chegariam, ela percorreu cada quarto de hóspedes para se certificar de que as lareiras estavam acesas e os travesseiros afofados. Cada cômodo tinha pelo menos um vaso de flores, trazidas da estufa naquela manhã mesmo. Todas as escrivaninhas estavam abastecidas com o papel de carta timbrado de Tŷ Gwyn. Havia toalhas, sabonete e água para o banho. O velho conde não gostava de encanamentos modernos, e Fitz ainda não havia encontrado tempo para instalar água corrente em todos os quartos. Em uma casa com 100 quartos de dormir havia apenas três banheiros, então a maioria dos cômodos precisava de um penico. Um *pot-pourri*, confeccionado pela Sra. Jevons de acordo com a sua própria receita, havia sido providenciado para neutralizar o cheiro.

Os hóspedes reais iriam chegar na hora do chá. O conde os receberia na estação de trem de Aberowen. Sem dúvida a estação estaria cheia de gente ansiosa por ver os membros da realeza, mas não seria ali que o rei e a rainha se encontrariam com seus súditos. Fitz os levaria até a casa em seu Rolls-Royce, um carro grande, fechado. O camarista do rei, Sir Alan Tite, e o restante da comitiva real os acompanhariam com a bagagem em um comboio de veículos puxados a cavalo. Em frente a Tŷ Gwyn, um batalhão dos Fuzileiros Galeses já estava se posicionando dos dois lados do acesso à casa para servir de guarda de honra.

O casal real se apresentaria aos seus súditos na manhã de segunda-feira. Antes de voltarem para a estação, eles haviam planejado um passeio em carruagem aberta pelos vilarejos próximos e uma parada na prefeitura de Aberowen, para encontrarem o prefeito e os conselheiros.

Os outros hóspedes começaram a chegar ao meio-dia. Peel, parado no hall de entrada, destacava criadas para conduzi-los até seus quartos e lacaios para carregar as malas. Os primeiros a chegar foram o tio e a tia de Fitz, o duque e a duquesa de Sussex. O duque era primo do rei e havia sido convidado para fazer o monarca sentir-se mais à vontade. A duquesa era tia de Fitz e, como a maior parte da família, tinha grande interesse por política. Em sua casa londrina, ela organizava um salão frequentado por membros do gabinete ministerial.

A duquesa informou Ethel que o rei Jorge V era um tanto obcecado por relógios e detestava ver vários deles na mesma casa marcando horas diferentes. Ethel soltou um palavrão entre os dentes: Tŷ Gwyn tinha mais de 100 relógios. Ela pediu emprestado o relógio de bolso da Sra. Jevons e começou a percorrer a casa acertando-os um a um.

Na pequena sala de jantar, topou com o conde. Ele estava em pé junto à janela, com um ar distraído. Ethel o analisou por alguns instantes. Era o homem mais bonito que já vira. Seu rosto pálido, iluminado pela luz suave do inverno, poderia muito bem ter sido esculpido em mármore branco. Ele tinha um queixo quadrado, as maçãs do rosto proeminentes e um nariz reto. Seu cabelo era escuro, mas os olhos eram verdes: uma combinação incomum. Ele não usava barba, bigode ou sequer costeletas. Com um rosto desses, pensou Ethel, para que cobri-lo de pelos?

A moça atraiu a atenção de Fitz.

– Acabei de ficar sabendo que o rei gosta de ter uma cesta de laranjas no quarto! – disse ele. – Não há uma única laranja nesta maldita casa.

Ethel franziu o cenho. Nenhum dos comerciantes de Aberowen teria laranjas no início da estação; seus clientes não podiam arcar com um luxo desses. O mesmo valeria para quase todas as cidades dos vales de Gales do Sul.

– Se eu puder usar o telefone, tentarei falar com alguns comerciantes de Cardiff – disse ela. – Talvez eles tenham laranjas esta época do ano.

– Mas como faremos para elas chegarem aqui?

– Posso pedir à loja para pôr um cesto no trem. – Ela olhou para o relógio que estava acertando. – Com sorte, as laranjas vão chegar na mesma hora que o rei.

– É isso – disse ele. – É isso que vamos fazer. – Ele a encarou. – Você é surpreendente – acrescentou. – Acho que nunca conheci uma moça como você.

Ela devolveu o olhar. No decorrer das duas últimas semanas, o conde havia falado assim com ela várias vezes, com excesso de intimidade e num tom um pouco intenso, o que provocava em Ethel um sentimento estranho, uma espécie de euforia desconfortável, como se algo perigosamente excitante estivesse prestes a acontecer. Era como o instante em que o príncipe encantado entra no castelo em um conto de fadas.

O feitiço foi quebrado pelo barulho de rodas no acesso à casa, seguido por uma voz conhecida:

– Peel! Que prazer revê-lo.

Fitz olhou pela janela. A expressão que fez foi cômica.

– Ah, não – disse ele. – Minha irmã!

– Bem-vinda à casa, lady Maud – disse a voz de Peel. – Embora não a estivéssemos esperando.

– O conde se esqueceu de me convidar, mas eu vim assim mesmo.

Ethel reprimiu um sorriso. Fitz adorava a irmã espevitada, mas achava difícil lidar com ela. Suas opiniões políticas eram tão liberais que chegavam a ser alarmantes: ela era sufragista, uma militante do voto feminino. Ethel achava Maud fantástica – exatamente o tipo de mulher independente que ela própria gostaria de ser.

Fitz saiu da sala a passos largos e Ethel o seguiu até um cômodo imponente decorado no estilo gótico tão apreciado pelos vitorianos como o pai de Fitz: paredes revestidas de madeira escura, papel de parede com desenhos intrincados e cadeiras de carvalho imitando tronos medievais. Maud estava entrando pela porta.

– Fitz, querido, como vai? – disse ela.

Maud era alta como o irmão, e os dois eram parecidos, mas os traços esculpidos que faziam o conde parecer a estátua de um deus não caíam tão bem em uma mulher, o que tornava Maud mais vistosa do que bonita. Contrariando o imaginário popular, para o qual todas as feministas eram deselegantes, ela estava vestida com roupas da moda: uma saia funil, botas de abotoar, um casaco azul-marinho com cinto grosso e punhos grandes dobrados e um chapéu com uma pena alta espetada na frente feito a bandeira de um regimento.

Junto com ela, estava tia Herm. Lady Hermia era a outra tia de Fitz. Ao contrário da irmã, que havia se casado com um duque rico, Herm desposara um barão esbanjador que tinha morrido jovem e arruinado. Dez anos antes, quando os pais de Fitz e Maud morreram em um intervalo de poucos meses, tia Herm se mudara para a casa para cuidar de Maud, então com 13 anos. Ela até hoje servia, embora sem muita eficácia, de acompanhante para Maud.

– O que você está fazendo aqui? – perguntou Fitz à irmã.

– Eu disse a você que ele não iria gostar, querida – murmurou tia Herm.

– Eu não podia faltar a uma visita real – disse Maud. – Seria um desrespeito. O tom de Fitz era um misto de irritação e carinho.

– Não quero você conversando com o rei sobre direitos femininos.

Ethel não achava que ele tivesse motivo para se preocupar. Apesar das opiniões políticas radicais de Maud, ela sabia lisonjear e flertar com os poderosos, de modo que até mesmo os amigos conservadores de Fitz gostavam dela.

– Morrison, pegue meu casaco, sim? – disse Maud. Ela o desabotoou, virando-se para que o lacaio o removesse. – Olá, Williams, como vai? – disse a Ethel.

– Bem-vinda a casa, minha senhora – disse Ethel. – Gostaria de ficar na Suíte Gardênia?

– Seria um prazer, adoro aquela vista.

– Gostaria de almoçar enquanto eu preparo o quarto?

– Sim, por favor, estou faminta.

– Hoje estamos servindo ao estilo clube, porque os hóspedes estão chegando em horários diferentes. – Estilo clube significava que os hóspedes eram servidos à medida que chegavam à sala de jantar, como em um clube de cavalheiros ou um restaurante, em vez de todos ao mesmo tempo. O almoço naquele dia era modesto: caldo de carne com curry à moda indiana, frios, peixe defumado, truta recheada, costeletas de cordeiro e algumas sobremesas e queijos.

Ethel segurou a porta e seguiu Maud e Herm até a grande sala de jantar. Os primos Von Ulrich já estavam almoçando. Walter von Ulrich, o mais jovem, era bonito e charmoso, e parecia encantado por estar em Tŷ Gwyn. Robert estava irrequieto: havia endireitado o quadro do Castelo de Cardiff na parede do seu quarto, pedido mais travesseiros e descoberto que o tinteiro de sua escrivaninha estava seco – deslize que fez Ethel se perguntar, aflita, o que mais poderia ter esquecido.

Os dois se levantaram quando as senhoras entraram. Maud seguiu direto até Walter e disse:

– Você não mudou nada desde os 18 anos! Está lembrado de mim?

A expressão dele se iluminou.

– Estou, embora *você* tenha mudado desde os 13 anos.

Eles trocaram um aperto de mãos e então Maud o beijou nas duas bochechas, como se ele fosse da família.

– Naquela idade eu tinha uma paixonite de adolescente por você que era uma verdadeira agonia – disse ela, com uma sinceridade surpreendente.

Walter sorriu.

– Eu também gostava bastante de você.

– Mas sempre se comportava como se eu fosse uma pestinha insuportável!

– Eu tinha de esconder meus sentimentos de Fitz, que protegia você como um cão de guarda.

Tia Herm tossiu, deixando claro que não aprovava aquela intimidade instantânea. Maud disse:

– Tia, este aqui é Herr Walter von Ulrich, um velho amigo de escola de Fitz que costumava vir passar as férias aqui. Agora ele é diplomata na embaixada alemã em Londres.

– Permitam-me apresentar meu primo, Graf Robert von Ulrich – disse Walter. Ethel sabia que *Graf* queria dizer conde em alemão. – Ele é adido militar na embaixada austríaca.

Na verdade, conforme Peel havia explicado a Ethel com muita gravidade, os dois eram primos em terceiro grau: seus avôs eram irmãos, sendo que o mais novo se casara com uma herdeira alemã e trocara Viena por Berlim; por isso Walter era alemão e Robert, austríaco. Peel gostava de deixar essas coisas bem claras.

Todos se sentaram. Ethel puxou uma cadeira para tia Herm.

– Gostaria de um caldo de carne, lady Hermia? – perguntou ela.

– Sim, Williams, por favor.

Ethel meneou a cabeça para um lacaio, que foi até o aparador sobre o qual havia uma sopeira que mantinha a sopa aquecida. Ao ver que os recém-chegados estavam confortáveis, Ethel saiu discretamente para cuidar dos aposentos deles. Quando a porta estava se fechando atrás dela, ouviu Walter von Ulrich dizer:

– Eu me lembro de como a senhora gostava de música, lady Maud. Estávamos justamente conversando sobre o balé russo. O que a senhora acha de Diaghilev?

Raros eram os homens que perguntavam a opinião das mulheres. Maud iria gostar disso. Enquanto descia a escada às pressas para encontrar duas criadas que pudessem arrumar os quartos, Ethel pensou: esse alemão é mesmo um sedutor.

III

O Salão das Esculturas de Tŷ Gwyn era uma antessala do salão de jantar. E foi ali que os hóspedes se reuniram antes do jantar. Fitz não tinha muito interesse por arte – a coleção fora reunida por seu avô –, mas as esculturas serviam de assunto para as pessoas enquanto esperavam o jantar.

Ao mesmo tempo que conversava com a tia duquesa, Fitz olhava em volta com nervosismo para os homens de fraque e gravata e para as mulheres de vestidos decotados e tiaras. O protocolo exigia que todos os hóspedes estivessem no recinto antes de o rei e a rainha entrarem. Onde estava Maud? Ela não iria cometer uma gafe, ou iria? Não, ali estava ela, com um vestido de seda roxo, usando os diamantes da mãe e conversando animadamente com Walter von Ulrich.

Fitz e Maud sempre tinham sido próximos. O pai deles fora um herói distante, sua mãe uma companheira infeliz; os dois filhos haviam encontrado um no outro o afeto de que precisavam. Após a morte dos pais, foram unidos pela dor que compartilhavam. Fitz tinha 18 anos na época e tentara proteger sua irmãzinha do mundo cruel. Ela, por sua vez, o idolatrava. Depois de adulta, havia se tornado independente, por mais que ele, na posição de chefe da família, continuasse a acreditar que tinha autoridade sobre a irmã. Mas o afeto que sentiam um pelo outro se mostrara forte o suficiente para sobreviver às suas desavenças – até então.

Agora Maud estava chamando a atenção de Walter para um cupido de bronze. Ao contrário de Fitz, ela entendia desse tipo de coisa. Fitz rezou para que a irmã passasse a noite inteira falando de arte e esquecesse os direitos femininos. Todos sabiam que Jorge V detestava liberais. Em geral, todos os monarcas eram conservadores, mas os acontecimentos haviam aguçado a antipatia do rei. Ele subira ao trono em meio a uma crise política. Contra a sua vontade, tinha sido forçado pelo primeiro-ministro liberal H.H. Asquith – fortemente apoiado pela opinião pública – a restringir os poderes da Câmara dos Lordes. Ainda se ressentia dessa humilhação. Sua Majestade sabia que Fitz, membro conservador da Câmara dos Lordes, havia lutado até o último instante contra as chamadas reformas. Mesmo assim, se o rei fosse importunado por Maud naquela noite, ele jamais perdoaria o conde.

Walter era um diplomata em começo de carreira, mas seu pai era um dos amigos mais antigos do Kaiser. Robert também era bem relacionado: era próximo do arquiduque Francisco Ferdinando, herdeiro do trono do Império Austro-Húngaro. Outro hóspede que frequentava círculos prestigiosos era o jovem americano alto que conversava naquele instante com a duquesa. Seu nome era Gus Dewar, e seu pai, senador, era conselheiro particular do presidente norte-americano Woodrow Wilson. Fitz sentia que fizera bem em reunir um grupo tão distinto de jovens, a futura elite governante. Esperava que o rei ficasse satisfeito.

Gus Dewar era simpático, porém desengonçado. Mantinha as costas curvadas, como se preferisse ser mais baixo e chamar menos atenção. Parecia pouco seguro de si, mas se mostrava agradavelmente cortês com todos.

– O povo americano está mais preocupado com questões domésticas do que com política externa – dizia ele à duquesa. – Mas o presidente Wilson é um liberal e, sendo assim, está mais inclinado a simpatizar com democracias como a França e a Grã-Bretanha do que com monarquias autoritárias como a Áustria e a Alemanha.

Nesse instante, as portas duplas do salão se abriram, fez-se silêncio e o rei e a rainha entraram. A princesa Bea fez uma mesura e Fitz inclinou a cabeça, ao que todos os outros também prestaram seus cumprimentos ao casal real. Seguiram-se alguns instantes de silêncio um pouco constrangido, pois ninguém podia falar antes que o rei ou a rainha se manifestassem. Por fim, Sua Majestade disse a Bea:

– Sabia que fiquei hospedado nesta casa 20 anos atrás? – E todos começaram a relaxar.

O rei era um homem elegante, pensou Fitz enquanto ele e Bea conversavam sobre amenidades com o casal real. Tinha a barba e o bigode aparados com esmero. Sua cabeça exibia entradas, mas ele ainda tinha cabelo suficiente para pentear, repartindo-o milimetricamente. As roupas justas de gala caíam bem em seu corpo esguio: ao contrário do pai, Eduardo VII, ele não era um gourmet. Para relaxar, cultivava hobbies que exigiam precisão: gostava de colecionar selos, que colava meticulosamente em álbuns, passatempo que provocava a zombaria de intelectuais londrinos desrespeitosos.

A rainha era uma figura mais imponente, com cachos grisalhos e uma boca de traços severos. Tinha um peito farto e magnífico, muito valorizado pelo decote generoso que era *de rigueur* na moda da época. Era filha de um príncipe alemão. A princípio, havia sido noiva do irmão mais velho de Jorge, Alberto, mas este morrera de pneumonia antes do casamento. Quando Jorge tornou-se herdeiro do trono, também herdou a noiva do irmão, arranjo que algumas pessoas consideraram um tanto medieval.

Bea estava em seu elemento. Usando um vestido provocante de seda cor-de-rosa, tinha os cachos louros arrumados com perfeição para parecerem levemente despenteados, como se tivesse se libertado de repente de um beijo ilícito. Ela conversava animadamente com o rei. Pressentindo que assuntos triviais não cativariam Jorge V, estava lhe contando como Pedro, o Grande havia criado a Marinha russa, ao que o rei meneava a cabeça, interessado.

Peel apareceu à porta da sala de jantar, com uma expressão ansiosa no rosto sardento. Fisgou o olhar de Fitz e meneou a cabeça com energia. Fitz perguntou à rainha:

– Vossa Majestade gostaria de jantar?

Ela lhe deu o braço. Atrás deles, o rei estava de braços dados com Bea, enquanto os demais convidados se reuniam em pares conforme ditava a hierarquia. Uma vez todos prontos, caminharam em procissão até a sala de jantar.

– Que linda! – murmurou a rainha ao ver a mesa.

– Obrigado – disse Fitz, soltando um suspiro discreto de alívio. Bea havia feito um trabalho incrível. Três lustres pendiam baixos sobre a mesa comprida. Seus reflexos cintilavam nos copos de cristal. Todos os talheres eram de ouro, assim como os saleiros, pimenteiros e até mesmo as pequenas caixas de fósforos para os fumantes. A toalha de mesa branca estava coalhada de rosas da estufa e, em um último toque dramático, Bea havia prendido delicadas samambaias que iam dos lustres até as pirâmides de uvas sobre travessas douradas.

Todos se sentaram, o bispo deu graças e Fitz relaxou. Uma festa que começava bem quase sempre continuava bem. Vinho e comida deixavam as pessoas menos dispostas a encontrar defeitos.

O cardápio começou com *hors d'oeuvres russes*, uma homenagem ao país natal de Bea: pequenos *blinis* com caviar e creme, torradinhas triangulares com peixe defumado, biscoitos salgados com arenque em conserva, tudo regado a champanhe Perrier-Jouët 1892, suave e delicioso como Peel havia prometido. Fitz não desgrudava os olhos de Peel, que, por sua vez, observava com atenção o rei. Assim que Sua Majestade pousava os talheres, Peel retirava seu prato, e esse era o sinal para os lacaios retirarem todos os outros. Qualquer conviva que por acaso ainda estivesse comendo precisava parar em sinal de deferência.

Em seguida veio uma sopa, um *pot-au-feu*, servida com um ótimo xerez oloroso de Sanlúcar de Barrameda. O peixe era linguado, acompanhado por um Mersault Charmes tão maduro que parecia ouro líquido. Para acompanhar os medalhões de cordeiro galês, Fitz havia escolhido o Château Lafite 1875, já que o 1870 ainda não estava bom para beber. O tinto continuou a ser servido com o *parfait* de fígado de ganso que veio depois e com o último prato de carne: codornas com uvas envoltas em massa folhada.

Ninguém comeu tudo isso. Os homens escolheram o que preferiam e ignoraram o resto. As mulheres beliscaram um ou dois pratos. Muitos voltaram para a cozinha intocados.

Serviu-se ainda salada, uma sobremesa, um quitute, frutas e *petits fours*. Por fim, a princesa Bea ergueu discretamente uma sobrancelha para a rainha, que respondeu com um movimento de cabeça quase imperceptível. Ambas se levantaram, todos os outros se puseram de pé e as senhoras se retiraram do salão.

Os homens tornaram a se sentar, os lacaios trouxeram caixas de charutos e Peel pousou um decantador de vinho do Porto Ferreira 1847 à direita do rei. Fitz tragou um charuto com satisfação. Tudo havia corrido bem. O rei tinha fama de antissocial, de se sentir à vontade somente entre antigos companheiros dos bons tempos da Marinha. Mas naquela noite ele havia sido encantador e nada saíra errado. Até mesmo as laranjas haviam chegado.

Fitz tinha falado mais cedo com Sir Alan Tite, o camarista do rei, um oficial reformado do Exército que usava costeletas antiquadas. Haviam combinado que, na manhã seguinte, o rei passaria cerca de uma hora sozinho com cada um dos homens à mesa, sendo que todos detinham informações privilegiadas sobre algum governo. Ainda naquela noite, Fitz deveria quebrar o gelo puxando alguma conversa genérica sobre política. Ele pigarreou e se dirigiu a Walter von Ulrich:

– Walter, você e eu somos amigos há 15 anos... estudamos juntos em Eton. –

Ele se virou para Robert. – E eu conheço seu primo desde que nós três dividimos um apartamento em Viena quando éramos estudantes. – Robert sorriu e aquiesceu. Fitz gostava de ambos: como ele, Robert era um tradicionalista; Walter, embora não fosse tão conservador, era muito inteligente. – Agora estamos vendo o mundo falar em guerra entre nossos países – prosseguiu Fitz. – Existe mesmo a chance de uma tragédia dessas acontecer?

Walter respondeu:

– Se falar sobre a guerra pode fazê-la acontecer, então sim, nós vamos lutar, pois estão todos se preparando para isso. Mas quanto a haver um motivo de verdade, eu não vejo nenhum.

Gus Dewar ergueu a mão, hesitante. Apesar de sua visão política liberal, Fitz gostava de Dewar. Os americanos tinham a reputação de serem impetuosos, mas aquele era educado e até um pouco tímido. Além de surpreendentemente bem informado.

– A Grã-Bretanha e a Alemanha têm motivos de sobra para brigar.

Walter se virou para ele.

– Pode me dar um exemplo?

Gus soprou a fumaça do charuto.

– Rivalidade naval.

Walter aquiesceu.

– O meu Kaiser não acredita haver uma lei divina que obrigue a Marinha alemã a permanecer eternamente inferior à britânica.

Nervoso, Fitz lançou um olhar para o rei. Jorge V adorava a Marinha Real e poderia se ofender com facilidade. Por outro lado, o Kaiser Guilherme era seu primo. O pai de Jorge e a mãe de Guilherme eram irmãos, ambos filhos da rainha Vitória. Fitz ficou aliviado ao ver Sua Majestade sorrir com indulgência.

– Isso já foi motivo de atritos no passado – prosseguiu Walter –, mas há dois anos que chegamos a um acordo informal quanto ao tamanho relativo de nossas forças navais.

– E a rivalidade econômica? – perguntou Dewar.

– É verdade que a Alemanha está ficando mais próspera a cada dia, e logo poderá alcançar a Grã-Bretanha e os Estados Unidos em matéria de produção econômica. Mas por que isso deveria ser um problema? A Alemanha é um dos maiores clientes da Grã-Bretanha. Quanto mais dinheiro nós tivermos, mais poderemos comprar. A nossa potência econômica é uma coisa boa para as manufaturas britânicas!

– Dizem que a Alemanha quer mais colônias – insistiu Dewar.

Fitz lançou outro olhar para o rei, perguntando-se se ele não se incomodava que a conversa estivesse sendo monopolizada por aqueles dois. Jorge V, no entanto, parecia fascinado.

– Já houve guerras por causa de colônias, em particular no seu país, Sr. Dewar – disse Walter. – Mas creio que hoje em dia sejamos capazes de resolver esse tipo de contenda sem disparar nossas armas. Três anos atrás, a Alemanha, a Grã-Bretanha e a França entraram em disputa pelo Marrocos, porém o assunto foi resolvido sem guerra. Mais recentemente, a Grã-Bretanha e a Alemanha chegaram a um acordo sobre a questão espinhosa da ferrovia de Bagdá. Basta simplesmente continuarmos assim, e não teremos uma guerra.

– O senhor me perdoaria se eu usasse a expressão *militarismo alemão*? – indagou Dewar.

Era um comentário forte, e Fitz fez uma careta. Walter enrubesceu, mas respondeu com tranquilidade:

– Aprecio a sua franqueza. O Império Germânico é dominado pelos prussianos, que desempenham um papel parecido com o dos ingleses no Reino Unido de Sua Majestade.

Comparar a Grã-Bretanha com a Alemanha e a Inglaterra com a Prússia era uma ousadia. Walter estava no limite do que seria permitido em uma conversa educada, pensou Fitz, apreensivo.

– Os prussianos têm uma tradição militar forte – prosseguiu Walter –, mas não travam guerras sem motivo.

– Então a Alemanha não é agressiva – falou Dewar com ceticismo.

– Pelo contrário – disse Walter. – Posso afirmar ao senhor que a Alemanha é a *única* grande potência da Europa continental que *não é* agressiva.

A mesa foi percorrida por um murmúrio de surpresa, e Fitz viu o rei arquear as sobrancelhas. Dewar recostou-se na cadeira, espantado, e perguntou:

– Por que o senhor diz isso?

As boas maneiras impecáveis e o tom amigável de Walter amenizaram suas palavras provocadoras.

– Comecemos pela Áustria – continuou ele. – Meu primo vienense, Robert, não irá negar que o Império Austro-Húngaro gostaria de estender suas fronteiras a sudeste.

– Mas não sem motivo – protestou Robert. – Essa região do mundo, que os britânicos chamam de Bálcãs, está sob domínio otomano há centenas de anos, mas o governo otomano ruiu e agora há instabilidade na península balcânica. O imperador austríaco acredita que é seu dever sagrado manter a ordem e a religião cristã nessa região.

– Sem dúvida – disse Walter. – Mas a Rússia também almeja territórios nos Bálcãs.

Talvez por causa de Bea, Fitz se sentiu na obrigação de defender o governo russo.

– Eles também têm bons motivos – falou. – Metade de seu comércio internacional atravessa o mar Negro, e de lá entra no Mediterrâneo pelos estreitos. A Rússia não pode permitir que nenhuma outra grande potência domine os estreitos ao adquirir territórios no leste dos Bálcãs. Isso seria como uma forca no pescoço da economia russa.

– Exatamente – concordou Walter. – Por falar na Europa Ocidental, a França tem ambições de tomar da Alemanha os territórios da Alsácia e da Lorena.

Nesse momento, o convidado francês, Jean-Pierre Charlois, reagiu.

– Que foram roubados da França 43 anos atrás!

– Não vou entrar nesse mérito – falou Walter com brandura. – Digamos que a Alsácia-Lorena foi anexada ao Império Germânico em 1871, depois da derrota da França na guerra franco-prussiana. Roubadas ou não, Monsieur le Comte, o senhor reconhece que a França quer essas terras de volta.

– Naturalmente. – O francês tornou a se recostar na cadeira e tomou um gole de vinho do Porto.

– Até mesmo a Itália gostaria de tomar da Áustria os territórios do Trentino... – continuou Walter.

– Onde a maioria das pessoas fala italiano! – exclamou o signor Falli.

– ... e também a maior parte do litoral da Dalmácia...

– Cheio de leões venezianos, igrejas católicas e colunas romanas!

– ... e o Tirol, província com uma longa história de autonomia política, onde a maior parte do povo fala alemão.

– Necessidade estratégica.

– É claro.

Fitz percebeu como Walter tinha sido esperto. Em um tom nada grosseiro, porém levemente provocativo, ele havia levado os representantes de cada nação a confirmar, em linguagem mais ou menos beligerante, suas respectivas ambições territoriais.

Então Walter disse:

– Mas que novo território a Alemanha está reivindicando? – Ele correu os olhos pela mesa, mas ninguém disse nada. – Nenhum – afirmou, triunfante. – E o único outro país importante da Europa que pode dizer o mesmo é a Grã-Bretanha!

Gus Dewar passou a garrafa de Porto e disse, com seu sotaque americano arrastado:

– Acho que o senhor tem razão.

– Então, Fitz, meu velho amigo, por que nós iríamos à guerra? – indagou Walter.

IV

No domingo de manhã, antes do café, lady Maud mandou chamar Ethel.

Ethel precisou conter um suspiro de irritação. Estava muito ocupada. Era cedo, mas os empregados já estavam trabalhando duro. Antes de os hóspedes se levantarem, era preciso limpar todas as lareiras, reacender o fogo de cada uma delas e encher seus respectivos baldes de carvão. Os principais cômodos da casa – sala de jantar, sala de visitas, biblioteca, sala de fumar, bem como os cômodos coletivos menores – precisavam ser limpos e arrumados. Ethel estava verificando as flores na sala de bilhar e substituindo as que já estavam murchas quando foi chamada. Por mais que gostasse da irmã radical de Fitz, torceu para Maud não lhe pedir nada muito complicado.

Quando Ethel começara a trabalhar em Tŷ Gwyn, aos 13 anos, a família Fitzherbert e seus hóspedes lhe pareciam quase irreais: era como se fossem personagens de uma história, ou membros de tribos bíblicas estranhas, como os hititas talvez, e deixavam-na aterrorizada. Ela temia fazer alguma coisa errada e perder o emprego, mas também tinha muita curiosidade em ver de perto aquelas criaturas peculiares.

Certo dia, uma das criadas da cozinha lhe mandou subir até a sala de bilhar para buscar o *tantalus*. Ela estava nervosa demais para perguntar o que era aquilo. De qualquer forma, foi até lá e olhou em volta, torcendo para ser alguma coisa óbvia, como uma bandeja de louça suja, mas não conseguiu ver nada que parecesse pertencer ao andar de baixo. Estava em prantos quando Maud entrou.

Na época, Maud era uma adolescente alta e desengonçada de 15 anos, uma mulher usando roupas de menina, infeliz e rebelde. Somente mais tarde daria um sentido à própria vida, transformando seu descontentamento numa cruzada. Porém já tinha a compaixão à flor da pele que a tornava sensível à injustiça e à opressão.

Ela perguntou a Ethel qual era o problema. O *tantalus*, no fim das contas, era um recipiente de prata com decantadores de conhaque e uísque dentro. Numa referência ao suplício do mitológico Tântalo, condenado a não satisfazer sua fome e sua sede, embora vivesse cercado por água e frutos, o recipiente tentava os empregados, mas possuía uma trava para evitar que bebericassem às escondidas, explicou Maud. Ethel lhe agradeceu profusamente. Essa foi a primeira de muitas gentilezas e, ao longo dos anos, Ethel passara a idolatrar a moça mais velha.

Ethel subiu até o quarto de Maud, bateu na porta e entrou. A Suíte Gardênia tinha um papel de parede florido rebuscado, do tipo que havia saído de moda na virada do século. No entanto, sua janela de sacada dava para a parte mais encantadora do jardim de Fitz, a Aleia Oeste, um caminho reto e longo, ladeado por canteiros, que conduzia até uma cabana reservada para os dias de verão.

Maud estava calçando um par de botas, notou Ethel com desagrado.

– Vou dar um passeio, preciso de você como acompanhante – disse ela. – Ajude-me com meu chapéu e me conte as fofocas.

Ethel não tinha tempo para aquilo, porém, por mais aborrecida que estivesse, também ficou intrigada. Com quem Maud estava indo passear? Onde estava sua acompanhante habitual, tia Herm? E por que ela estava pondo um chapéu tão bonito só para ir até o jardim? Haveria algum homem na história?

Enquanto prendia o chapéu nos cabelos escuros de Maud, Ethel disse:

– Houve um escândalo lá embaixo hoje de manhã. – Maud colecionava fofocas da mesma forma que o rei colecionava selos. – Morrison só foi dormir às quatro da manhã. Ele é um dos lacaios... alto, com um bigode louro.

– Eu conheço Morrison. E sei onde ele passou a noite. – Maud hesitou.

Ethel aguardou um instante e então disse:

– A senhora não vai me dizer?

– Você vai ficar chocada.

Ethel sorriu.

– Melhor ainda.

– Ele passou a noite com Robert von Ulrich. – Maud olhou para o reflexo de Ethel no espelho da penteadeira. – Está horrorizada?

Ethel estava fascinada.

– Não acredito! Sabia que Morrison não era muito dado a mulheres, mas não achava que ele pudesse ser um *desses*, se é que a senhora me entende.

– Bom, Robert com certeza é um *desses*, e eu o vi trocar olhares com Morrison várias vezes durante o jantar.

– E na frente do rei! Como é que a senhora sabe sobre Robert?

– Walter me disse.

– Mas que coisa para um cavalheiro contar a uma dama! As pessoas revelam tudo à senhora. Quais são as fofocas de Londres?

– Está todo mundo falando no Sr. Lloyd George.

David Lloyd George era chanceler do Tesouro, encarregado das finanças da nação. Galês, era um orador inflamado de esquerda. O pai de Ethel dizia que Lloyd George deveria estar no Partido Trabalhista. Durante a greve do carvão de 1912, ele chegara a falar em nacionalizar as minas.

– O que estão dizendo sobre ele? – quis saber Ethel.

– Que tem uma amante.

– Não! – Desta vez, a moça ficou realmente chocada. – Mas ele foi criado como batista!

Maud riu.

– Seria menos chocante se fosse anglicano?

– Seria! – Ethel se conteve para não dizer *é claro*. – Quem é ela?

– Frances Stevenson. Ela começou como governanta da filha dele, mas é uma mulher inteligente, formada em Estudos Clássicos, e agora é sua secretária particular.

– Que horror.

– Ele a chama de Pussy.

Ethel enrubesceu diante da palavra de duplo sentido. Não soube o que responder a isso. Maud se levantou e Ethel a ajudou com o casaco.

– E Margaret, a mulher dele? – quis saber Ethel.

– Ela fica aqui no País de Gales com os quatro filhos.

– Eram cinco, um morreu. Coitada.

Maud estava pronta. As duas desceram o corredor e a escadaria imponente. Walter von Ulrich estava esperando no hall, usando um casaco escuro comprido. Tinha um bigode pequeno e suaves olhos castanhos. Era atraente de um jeito reservado, bem alemão. O tipo de homem capaz de fazer uma mesura, bater continência à tradicional moda alemã e depois lhe dar uma piscadela, pensou Ethel. Então era por isso que Maud não queria lady Hermia como acompanhante.

– Williams veio trabalhar aqui quando eu era menina – disse Maud a Walter –, e somos amigas desde então.

Ethel gostava de Maud, mas dizer que as duas eram amigas era um exagero. Maud era bondosa e Ethel a admirava, mas não deixavam de ser patroa e empregada. Maud na verdade estava dizendo que Ethel era digna de confiança.

Walter se dirigiu a Ethel com o excesso de boas maneiras que pessoas como ele usavam para falar com seus inferiores.

– Muito prazer em conhecê-la, Williams. Como vai você?

– Bem, obrigada, senhor. Deixem-me pegar meu casaco.

Ela desceu às pressas para o andar de baixo. Não queria sair para um passeio enquanto o rei estava hospedado na casa – teria preferido ficar disponível para supervisionar as criadas de quarto –, mas não podia recusar.

Na cozinha, a criada pessoal da princesa Bea, Nina, preparava um chá à moda russa para sua patroa. Ethel falou com uma das criadas de quarto.

– Herr Walter acordou – disse ela. – Pode arrumar o Quarto Cinza. – Assim que os hóspedes apareciam, as empregadas precisavam entrar nos quartos para limpá-los, fazer as camas, esvaziar os penicos e repor a água para a toalete. Ela viu o mordomo Peel contando pratos.

– Algum movimento no andar de cima? – perguntou-lhe.

– Dezenove, vinte – disse ele, terminando a contagem. – O Sr. Dewar chamou pedindo água quente para se barbear e o signor Falli quis um café.

– Lady Maud quer que eu saia com ela.

– Péssima hora – falou Peel, zangado. – Precisamos de você dentro de casa.

Ethel sabia disso. Com sarcasmo, ela disse:

– O que devo fazer, Sr. Peel? Falar para ela ir se catar?

– Não seja atrevida. Volte o mais rápido que puder.

Quando ela tornou a subir para o térreo, o cachorro do conde, Gelert, estava parado diante da porta, ofegando com animação, pois já havia adivinhado que um passeio estava por vir. Todos saíram e atravessaram o Gramado Leste até o bosque.

– Imagino que lady Maud tenha ensinado você a ser sufragista – disse Walter a Ethel.

– Foi justamente o contrário – disse-lhe Maud. – Williams foi a primeira pessoa a me apresentar ideias liberais.

– Aprendi tudo com meu pai – disse Ethel.

Ethel sabia que eles na verdade não queriam conversar com ela. A etiqueta não lhes permitia ficar sozinhos, mas queriam chegar o mais perto possível disso. Ela chamou Gelert e foi andando na frente, brincando com o cachorro e dando-lhes a privacidade que provavelmente estavam esperando. Quando olhou para trás, viu que os dois estavam de mãos dadas.

Maud não perdia tempo, pensou Ethel. Pelo que tinha dito na véspera, havia 10 anos que não encontrava Walter. E, mesmo naquela época, os dois não tiveram um romance propriamente dito, houvera apenas uma atração não declarada. Algo devia ter acontecido na noite anterior. Talvez eles tivessem ficado acordados até tarde conversando. Maud flertava com todo mundo – era assim que conseguia lhes arrancar informações –, mas estava claro que aquilo ali era mais sério.

Pouco depois, Ethel ouviu Walter entoar o trecho de uma canção. Maud juntou-se a ele, então os dois pararam de cantar e riram. Maud adorava música e tocava piano muito bem, ao contrário de Fitz, que não tinha nenhum ouvido musical. Parecia que Walter também tinha talento para a música. Sua voz era um barítono leve, agradável, que faria bonito na Capela de Bethesda, pensou Ethel.

Ela tornou a pensar no seu trabalho. Não tinha visto pares de sapatos engraxados diante da porta de nenhum dos quartos. Precisava ir atrás dos engraxates e lhes dizer para se apressarem. Aflita, perguntou-se que horas seriam. Se aquele passeio se estendesse demais, ela precisaria insistir para que voltassem para a casa.

Olhou para trás, mas desta vez não viu Walter nem Maud. Teriam parado de andar, ou seguido em outra direção? Ela ficou um ou dois minutos no mesmo lugar, mas não podia passar a manhã inteira ali, esperando, de modo que voltou por entre as árvores pelo caminho que tinha percorrido anteriormente.

Não tardou a encontrá-los. Os dois estavam abraçados e se beijavam com paixão. Walter segurava Maud pelas nádegas e a apertava contra si. Suas bocas estavam abertas e Ethel ouviu Maud soltar um gemido.

Não conseguia desgrudar os olhos deles. Imaginou se um dia algum homem iria beijá-la daquele jeito. Llewellyn Espinhento a havia beijado na praia durante um passeio da igreja, mas não com a boca aberta e os corpos colados, e com certeza não a ponto de Ethel gemer. O pequeno Dai Costeletas, filho do açougueiro, enfiara a mão debaixo da sua saia no Palace Cinema, a sala de cinema de Cardiff, mas ela a afastara depois de alguns segundos. Tinha gostado de verdade de Llewellyn Davies, filho de um professor. O rapaz havia lhe ensinado sobre o governo liberal e dito que seus seios pareciam filhotes de passarinho aquecidos dentro de um ninho, mas fora embora para fazer faculdade e jamais lhe escrevera. Com esses meninos, ela havia ficado intrigada e curiosa para ir mais longe, mas nunca sentira paixão por eles. Tinha inveja de Maud.

Então Maud abriu os olhos, viu Ethel de relance e se soltou do abraço.

De repente, Gelert soltou um ganido e começou a andar em círculos com o rabo entre as pernas. Qual era o problema com ele?

Logo em seguida, Ethel sentiu um tremor no chão, como se um trem expresso estivesse passando, muito embora a ferrovia estivesse a quase dois quilômetros dali.

Maud franziu o cenho e abriu a boca para dizer alguma coisa, mas então ouviu-se um estrondo parecido com um trovão.

– Que diabo foi isso? – perguntou Maud.

Ethel sabia.

Ela deu um grito e começou a correr.

V

Billy Williams e Tommy Griffiths estavam no intervalo.

Vinham trabalhando em um veio chamado Quatro Pés, a apenas uns 550 metros da superfície, não tão profundo quanto o Nível Principal. O veio se dividia em cinco áreas, cada qual batizada com o nome de uma pista de hipismo britânica. Eles estavam na área chamada Ascot, a mais próxima do duto de subida da mina. Ambos os rapazes estavam trabalhando como ajudantes dos mineradores mais velhos. O mineiro usava o mandril, uma picareta de lâmina reta, para remover o carvão do veio, enquanto seu ajudante o jogava com uma pá dentro de um vagão. Eles haviam começado a trabalhar às seis da manhã, como de hábito, e agora, depois de algumas horas, estavam descansando um pouco, sentados no chão úmido com as costas apoiadas na lateral do túnel, deixando a brisa suave do sistema de ventilação refrescar sua pele e tomando goles generosos do chá doce e morno de suas garrafas.

Os dois tinham nascido no mesmo dia de 1898, e dali a seis meses completariam 16 anos. A diferença em seu desenvolvimento físico, tão constrangedora para Billy aos 13 anos, tinha desaparecido. Agora eram dois rapazes, de ombros largos e braços fortes, e faziam a barba uma vez por semana, embora, na verdade, não fosse necessário. Usavam apenas um calção e um par de botas, seus corpos enegrecidos por uma mistura de suor e pó de carvão. À luz mortiça das lamparinas, eles reluziam qual estátuas de deuses pagãos – impressão prejudicada apenas por suas boinas.

O trabalho era árduo, mas eles estavam acostumados. Não reclamavam de dor nas costas ou rigidez nas juntas como os homens mais velhos. Tinham energia de sobra e, nos dias de folga, arrumavam coisas igualmente extenuantes para fazer, como jogar rúgbi, cavar canteiros de flores, ou mesmo lutar boxe sem luvas no celeiro atrás do pub Two Crowns.

Billy não havia se esquecido de sua iniciação, três anos antes – na verdade, ainda ardia de indignação sempre que pensava nela. Tinha jurado a si mesmo que nunca maltrataria os novatos. Naquele mesmo dia, alertara o pequeno Bert Morgan:

– Não se espante se os homens pregarem alguma peça em você. Eles talvez o deixem no escuro por uma hora ou algo idiota desse tipo. Pessoas mesquinhas sentem prazer com mesquinharias. – Os mais velhos que estavam no elevador o fuzilaram com os olhos, mas Billy não se intimidou: sabia que estava certo, e os homens também sabiam.

Mam tinha ficado mais zangada do que Billy.

– Me diga uma coisa – dissera ela a Da, em pé no meio da sala com as mãos nas cadeiras e os olhos escuros chispando de moralismo –, como o ato de torturar meninos atende aos desígnios de Deus?

– Você é mulher, jamais entenderia – retrucara Da, uma resposta fraca e pouco típica dele.

Billy acreditava que o mundo como um todo e a mina de Aberowen em especial seriam lugares melhores se todos os homens levassem vidas tementes a Deus. Tommy, cujo pai era ateu e discípulo de Karl Marx, acreditava que o sistema capitalista logo iria se autodestruir, com um empurrãozinho da classe operária revolucionária. Os dois rapazes discutiam acaloradamente, mas continuavam a ser grandes amigos.

– Você não costuma trabalhar aos domingos – disse Tommy.

Era verdade. A mina estava fazendo turnos extras para suprir a demanda de carvão, mas, por respeito à religião, os turnos dominicais eram facultativos na Celtic Minerals. Ainda assim, apesar de sua devoção ao dia santo, Billy estava trabalhando.

– Acho que Deus quer que eu compre uma bicicleta – falou ele.

Tommy riu, mas Billy não estava brincando. A Capela de Bethesda abrira uma igreja irmã em um pequeno vilarejo a 15 quilômetros dali, e Billy era um dos membros da congregação de Aberowen que haviam se oferecido para cruzar a montanha domingo sim, domingo não para incentivar a nova capela. Se tivesse uma bicicleta, poderia ir até lá nos dias de semana à noite também e ajudar a criar uma aula de catecismo ou uma roda de oração. Havia conversado com os membros do conselho, e estes tinham concordado que Deus veria com bons olhos o fato de Billy trabalhar aos domingos durante algumas semanas.

Billy estava prestes a explicar isso quando o chão sob seus pés tremeu, ouviu-se um estrondo que parecia o fim do mundo e sua garrafa foi-lhe arrancada da mão por um vento fortíssimo.

Ele teve a sensação de que seu coração tinha parado de bater. De repente, se lembrou de que estava a meio quilômetro de profundidade, com milhões de toneladas de terra e rocha acima de sua cabeça sustentadas apenas por algumas vigas de madeira.

– Que porcaria foi essa? – perguntou Tommy com a voz amedrontada.

Billy se levantou de um salto, tremendo de medo. Ergueu a lamparina e olhou para os dois lados do túnel. Não viu fogo, pedras caídas, ou mais poeira do que o normal. Quando as reverberações cessaram, o silêncio foi completo.

– Foi uma explosão – disse ele com voz trêmula.

Era isso que todos os mineradores temiam diariamente. Uma liberação repentina de grisu poderia ser produzida por um desmoronamento de rochas, ou mesmo por algum trabalhador que perfurasse uma falha no veio de carvão. Se ninguém percebesse os sinais de alerta – ou se a concentração simplesmente aumentasse depressa demais –, o gás poderia ser inflamado pela mera faísca do casco de um pônei, pela campainha elétrica de um elevador, ou por algum mineiro estúpido que acendesse seu cachimbo, contrariando todos os regulamentos.

– Mas onde? – indagou Tommy.

– Deve ser lá embaixo, no Nível Principal... foi por isso que escapamos.

– Jesus Cristo nos ajude.

– Ele vai ajudar – disse Billy, seu terror começando a se dissipar. – Sobretudo se nós ajudarmos a nós mesmos. – Não havia sinal dos dois mineradores com quem os rapazes estavam trabalhando; ambos tinham ido passar o intervalo na área conhecida como Goodwood. Billy e Tommy precisavam tomar suas próprias decisões. – É melhor irmos para o poço.

Eles vestiram as roupas, prenderam as lamparinas nos cintos e correram até o poço por onde o ar subia, chamado de Píramo. O sinaleiro do nível intermediário, encarregado do elevador, era Dai Costeletas.

– O elevador não desce! – disse ele com a voz tomada de pânico. – Já chamei várias vezes!

Seu medo era contagioso, e Billy teve de lutar contra o próprio pânico. Depois de alguns instantes, perguntou:

– E o telefone? – O sinaleiro se comunicava com seu colega da superfície tocando uma campainha elétrica, mas telefones haviam sido instalados recentemente em ambos os pavimentos. Essas linhas eram ligadas, ainda, ao escritório do gerente da mina, Maldwyn Morgan.

– Ninguém atende – falou Dai.

– Vou tentar de novo. – O telefone ficava preso à parede ao lado do elevador. Billy o pegou e girou a manivela. – Vamos, vamos!

Uma voz vacilante atendeu.

– Alô? – Era Arthur Llewellyn, assistente do gerente.

– Espinhento, aqui é Billy Williams – gritou Billy para dentro do fone. – Onde está o Sr. Morgan?

– Ele não está aqui. O que foi aquele estrondo?

– Uma explosão dentro da mina, seu imbecil! Onde está o chefe?

– Foi a Merthyr – disse Espinhento em tom choroso.

– O que ele foi fazer em... deixa pra lá, esquece. Você tem que fazer o seguinte... Está me ouvindo, Espinhento?

– Estou. – Sua voz pareceu mais forte.

– Em primeiro lugar, mande alguém até a Capela Metodista e diga a Dai Chorão para reunir sua equipe de resgate.

– Certo.

– Depois, ligue para o hospital e peça que mandem uma ambulância para a entrada da mina.

– Alguém se machucou?

– Só pode, depois de um estrondo desses! Terceiro, diga a todos os homens no barracão de limpeza do carvão para trazerem mangueiras.

– Mangueiras de incêndio?

– O pó de carvão deve ter pegado fogo. Quarto, ligue para a delegacia e diga a Geraint que houve uma explosão. Ele vai ligar para Cardiff. – Billy não conseguia pensar em mais nada. – Entendido?

– Entendido, Billy.

Billy devolveu o fone ao gancho. Não tinha certeza quanto à eficácia de suas instruções, mas falar com Espinhento havia colocado sua mente em foco.

– Deve haver homens feridos no Nível Principal – disse ele a Dai Costeletas e Tommy. – Precisamos descer até lá.

– Não dá, o elevador não está aqui – falou Dai.

– Tem uma escada na parede do poço, não tem?

– São quase 200 metros até lá embaixo!

– Bom, se eu fosse maricas, não seria minerador, seria? – Suas palavras eram corajosas, mas no fundo ele estava com medo. A escada do poço era pouquíssimo usada e talvez não estivesse em bom estado. Bastaria um escorregão ou um degrau quebrado para ele cair e morrer.

Dai abriu a grade com um barulho metálico. O poço era de tijolos, úmido e bolorento. Um ressalto estreito rodeava horizontalmente o revestimento, passando pelo lado de fora das guias de madeira do elevador. Uma escada de ferro era sustentada por suportes em forma de L cimentados à alvenaria. Seus corrimões laterais finos e degraus estreitos não transmitiam segurança nenhuma. Billy hesitou, já arrependido de sua bravata impulsiva. Mas recuar àquela altura seria humilhante demais. Ele respirou fundo, fez uma prece silenciosa e pisou no ressalto.

Contornou a face interna do poço até chegar à escada. Limpou as mãos nas calças, agarrou os corrimões laterais e pôs os pés sobre os degraus.

Começou a descer. Podia sentir a textura áspera do ferro, e pedacinhos de ferrugem se desprendiam em suas mãos. Os suportes estavam frouxos em alguns pontos, de modo que a escada balançava de forma aflitiva sob seus pés. A lamparina presa a seu cinto produzia luz suficiente para iluminar os degraus logo abaixo dele, mas não chegava ao fundo do poço. Ele não sabia se era melhor ou pior assim.

Infelizmente, a descida lhe deu tempo para pensar. Ele se lembrou de todas as formas como um minerador podia morrer. Ser morto pela explosão em si era um fim misericordiosamente rápido, reservado aos mais sortudos. A queima do metano produzia dióxido de carbono, uma substância sufocante que os mineradores chamavam de sobra de gás. Muitos ficavam encurralados por pedras que tivessem desmoronado e podiam se esvair em sangue antes de serem socorridos. Alguns morriam de sede, com os colegas a poucos metros de distância, tentando desesperadamente abrir um túnel em meio aos destroços.

De repente, ele sentiu vontade de voltar, de subir para onde era seguro, em vez de descer rumo à destruição e ao caos. Mas não podia fazer isso, não com Tommy logo acima dele, seguindo-o escada abaixo.

– Está comigo, Tommy? – chamou ele.

A voz de Tommy soou logo acima de sua cabeça.

– Estou!

Isso encorajou Billy. Confiante outra vez, ele começou a descer mais depressa. Logo viu uma luz e, pouco depois, escutou vozes. Ao se aproximar do Nível Principal, sentiu cheiro de fumaça.

Então ouviu uma algazarra sinistra que se esforçou para compreender. Os gritos e baques assustadores ameaçaram minar sua coragem. Ele se controlou: devia haver uma explicação racional. Logo em seguida, percebeu que estava ouvindo os relinchos aterrorizados dos pôneis e o barulho que eles faziam ao escoicear as laterais de madeira das baias, desesperados para fugir. Entender isso não tornou o barulho menos perturbador: ele se sentia daquela mesma forma.

Chegou ao Nível Principal, contornou de lado a borda de tijolos, abriu a grade por dentro e, com uma sensação de alívio, pisou o chão enlameado. A luz subterrânea, que já era fraca, estava mais tênue ainda graças a um resquício de fumaça, mas ele podia ver os túneis principais.

O sinaleiro do nível inferior era Patrick O'Connor, um homem de meia-idade, que havia perdido uma das mãos em um desabamento de teto. Católico, seu apelido inevitável era Pat Papa. Ele encarou o rapaz com incredulidade.

– Billy com Jesus! – exclamou. – De onde diabos você surgiu?

– Do veio Quatro Pés – respondeu Billy. – Nós ouvimos o estrondo.

Tommy saiu do poço do elevador atrás de Billy e perguntou:
– O que houve, Pat?
– Até onde eu consigo entender, a explosão deve ter acontecido na outra extremidade deste nível, perto do Tisbe – disse Pat. – O subgerente e todos os outros foram lá ver. – Ele falava com calma, mas havia desespero em seu olhar.

Billy foi até o telefone e girou a manivela. Instantes depois, ouviu a voz do pai.
– Williams falando, quem é?

Billy não parou para se perguntar por que um sindicalista estava atendendo ao telefone do gerente da mina. Em uma emergência, tudo podia acontecer.
– Da, sou eu, Billy.
– Você está bem! Que Deus seja louvado em Sua misericórdia – respondeu seu pai com a voz embargada, voltando logo em seguida a falar com a rispidez habitual. – Me diga o que sabe, rapaz.
– Eu e Tommy estávamos no veio Quatro Pés. Descemos pelo Píramo até o Nível Principal. Achamos que a explosão foi para os lados do Tisbe. Tem um pouco de fumaça, não muita. Mas o elevador não está funcionando.
– O guindaste foi danificado pela explosão – disse-lhe o pai com a voz calma. – Mas já estamos cuidando disso e ele vai estar funcionando em alguns minutos. Reúna o máximo de homens que conseguir no fundo do poço para podermos começar a tirá-los daí assim que o elevador estiver consertado.
– Vou dizer a eles.
– O poço do Tisbe está totalmente fora de combate, então cuide para que ninguém tente fugir por lá: eles podem ficar encurralados pelo fogo.
– Certo.
– Há máscaras de gás em frente à sala do subgerente.

Billy sabia disso. Era uma inovação recente, uma exigência do sindicato tornada obrigatória pela Lei das Minas de Carvão de 1911.
– O ar não está muito ruim agora – disse ele.
– Talvez não aí onde você está, mas lá para dentro pode estar pior.
– Certo. – Billy colocou o fone no gancho.

Então repetiu para Pat e Tommy o que o pai tinha dito. Pat apontou para uma fileira de escaninhos novos.
– A chave deve estar no escritório.

Billy correu até a sala do subgerente, mas não viu chave nenhuma. Imaginou que deveriam estar presas ao cinto de alguém. Tornou a olhar para a fileira de escaninhos, todos identificados com as palavras "Máscaras de gás". Os compartimentos eram feitos de latão.

– Pat, você tem um pé de cabra? – perguntou.

O sinaleiro tinha um kit de ferramentas para pequenos consertos. Estendeu ao rapaz uma chave de fenda parruda. Billy arrombou com facilidade o primeiro escaninho.

Estava vazio.

O rapaz ficou olhando para aquilo, incrédulo.

– Eles nos enganaram! – exclamou Pat.

– Capitalistas desgraçados – disse Tommy.

Billy abriu outro escaninho. Também estava vazio. Arrombou os demais com uma violência selvagem, como se quisesse revelar a desonestidade da Celtic Minerals e de Perceval Jones.

– Podemos nos virar sem elas – disse Tommy.

Tommy estava impaciente para começar logo a busca, mas Billy tentava colocar os pensamentos em ordem. Seus olhos recaíram sobre o vagão anti-incêndio. Aquilo era o que a gerência tinha a coragem de chamar de carro de bombeiros: um vagão de carvão cheio d'água equipado com uma bomba manual. Ainda assim, não era de todo inútil: Billy já o vira em ação após uma ocorrência daquilo que os mineradores chamavam de "clarão", quando uma pequena quantidade de grisu entrava em combustão junto ao teto da mina e todos tinham de se jogar no chão. Às vezes, o clarão fazia o pó de carvão nas paredes dos túneis pegar fogo, de modo que era preciso borrifá-las com água.

– Vamos levar o vagão anti-incêndio – gritou ele para Tommy.

O vagão já estava sobre os trilhos e, juntos, os dois conseguiram empurrá-lo. Billy cogitou atrelar um dos pôneis ao vagão, mas logo concluiu que isso levaria tempo demais, sobretudo considerando o estado de pânico dos animais.

– Meu filho Micky está trabalhando na área de Marigold – disse Pat Papa –, mas eu não posso ir procurar por ele. Tenho que ficar aqui. – Sua expressão traía todo o seu desespero, mas em caso de emergência o sinaleiro precisava ficar junto ao poço: essa regra era inflexível.

– Vou ficar atento para ver se o encontro – prometeu Billy.

– Obrigado, Billy.

Os dois rapazes saíram empurrando o vagão pelo trilho principal. Os vagões não tinham freio: para desacelerá-los, os condutores enfiavam um toco de madeira grosso entre os raios das rodas. Muitas mortes e incontáveis ferimentos eram causados por vagões desgovernados.

– Mais devagar – disse Billy.

Eles haviam avançado pouco menos de 500 metros quando a temperatura subiu e a fumaça se tornou mais espessa. Logo ouviram vozes. Seguindo o som, entraram em um túnel secundário. Era o trecho do veio de carvão que estava sendo explorado no momento. De ambos os lados do túnel, Billy conseguia ver, a intervalos regulares, as entradas dos postos de trabalho dos mineradores, em geral chamados de portões, mas às vezes apenas de buracos. À medida que o barulho foi aumentando, eles pararam de empurrar o vagão e olharam para a frente.

O túnel estava pegando fogo. Labaredas se erguiam das paredes e do chão. Um grupo de homens estava parado à beira do incêndio, seus vultos recortados contra o brilho das chamas como se fossem almas no inferno. Um deles segurava um cobertor, com o qual batia inutilmente em uma pilha de madeira em combustão. Outros gritavam; ninguém dava ouvidos. Ao longe, mal se podia distinguir um comboio de vagões. A fumaça tinha um cheiro estranho de carne assada e Billy percebeu, nauseado, que deveria vir do pônei que puxava os vagões.

– O que está acontecendo? – perguntou Billy a um dos homens.

– Alguns mineradores estão presos nos portões... mas não conseguimos chegar até eles.

Billy viu que o homem era Rhys Price. Não era de espantar que nada estivesse sendo feito.

– Nós trouxemos o vagão anti-incêndio – disse ele.

Outro homem se virou na sua direção e ele ficou aliviado ao ver John Jones da Loja, que tinha mais tino do que o subgerente.

– Bom trabalho! – exclamou Jones. – Peguem a mangueira e vamos molhar isso tudo.

Billy desenrolou a mangueira enquanto Tommy conectava a bomba. Billy mirou o jato d'água no teto do túnel para que ela escorresse pelas paredes. Logo percebeu que o sistema de ventilação da mina, que fazia o ar descer pelo Tisbe e subir pelo Píramo, estava empurrando as chamas e a fumaça em sua direção. Assim que tivesse uma oportunidade, pediria aos homens da superfície para inverter os ventiladores. Ventiladores reversíveis tinham passado a ser obrigatórios – mais uma exigência da Lei de 1911.

Apesar da dificuldade, o fogo começou a arrefecer e Billy foi conseguindo avançar aos poucos. Depois de alguns minutos, o portão mais próximo já estava livre das chamas. Na mesma hora, dois mineradores saíram correndo lá de dentro, sorvendo com um arquejo o ar relativamente puro do túnel. Billy reconheceu os irmãos Ponti, Giuseppe e Giovanni, conhecidos como Joey e Johnny.

Alguns homens entraram correndo no portão. John Jones saiu trazendo o vulto desfalecido do cavalariço Dai dos Pôneis. Billy não conseguiu determinar se ele estava morto ou apenas desmaiado.

– Leve-o para o Píramo, não para o Tisbe – disse.

Price interveio:

– Quem é você para dar ordens, Billy com Jesus?

Billy não iria perder tempo discutindo com Price. Falou diretamente a Jones.

– Eu telefonei para a superfície. O Tisbe está muito danificado, mas o elevador do Píramo deve voltar a funcionar em breve. Eles me disseram para mandar todo mundo para o Píramo.

– Certo, vou espalhar a notícia – falou Jones, afastando-se em seguida.

Billy e Tommy continuaram a combater o incêndio, liberando mais portões e deixando sair outros homens que estavam presos. Alguns sangravam, muitos tinham queimaduras leves e um ou outro, ferimentos causados por desabamentos. Os que conseguiam andar carregavam os mortos e os gravemente feridos numa procissão macabra.

A água não demorou a acabar.

– Vamos empurrar o vagão de volta e enchê-lo no poço do fundo do Píramo – instruiu Billy.

Juntos, os dois retornaram depressa por onde tinham vindo. O elevador ainda não voltara a funcionar. Àquela altura, cerca de uma dúzia de mineradores resgatados aguardavam e havia vários corpos dispostos no chão, alguns grunhindo de dor, outros assustadoramente imóveis. Enquanto Tommy enchia o vagão de água barrenta, Billy pegou o telefone. Novamente, quem atendeu foi seu pai.

– O guindaste voltará a funcionar daqui a cinco minutos – avisou ele. – Como estão as coisas aí embaixo?

– Tiramos alguns mortos e feridos dos portões. Mandem vagões cheios d'água assim que possível.

– E você?

– Eu estou bem. Escute, Da, vocês têm que reverter os ventiladores. Façam o ar descer pelo Píramo e subir pelo Tisbe. Isso vai soprar a fumaça e a sobra de gás para longe das equipes de resgate.

– Não dá para fazer isso – disse-lhe o pai.

– Mas é a lei... a ventilação da mina *tem* que ser reversível!

– Perceval Jones contou uma história triste para os inspetores e eles lhe deram mais um ano para adaptar os ventiladores.

Billy teria soltado um palavrão se estivesse falando com qualquer outra pessoa que não seu pai.

– E ligar os borrifadores... isso vocês podem fazer?

– Sim, podemos – respondeu Da. – Por que não pensei nisso antes? – Ele falou com alguma outra pessoa.

Billy pôs o fone no gancho. Em seguida, foi ajudar Tommy a encher o vagão d'água, revezando-se na bomba manual, o que levou algum tempo. O fluxo de homens vindos da área afetada diminuiu, enquanto o incêndio prosseguia descontrolado. Por fim, conseguiram encher o vagão e começaram a voltar.

Os borrifadores foram ligados, mas, quando Billy e Tommy chegaram ao local do incêndio, descobriram que a água que saía do cano estreito preso ao teto não bastava para apagar as chamas. Àquela altura, no entanto, Jones da Loja já havia organizado os homens. Estava mantendo consigo os sobreviventes que não tinham se machucado, para que pudessem ajudar no resgate, e mandando os feridos que conseguissem andar para o poço. Assim que Billy e Tommy conectaram a mangueira, ele a agarrou de suas mãos e ordenou que outro homem acionasse a bomba.

– Vocês dois, voltem lá e peguem outro vagão d'água! – ordenou ele. – Assim não precisamos parar.

– Certo – disse Billy, porém, antes de se virar para voltar, algo chamou sua atenção. Um vulto surgiu correndo por entre as chamas com as roupas pegando fogo. – Meu Deus! – exclamou Billy, horrorizado. Enquanto ele olhava, o mineiro tropeçou e caiu no chão.

– Jogue água em mim! – gritou Billy para Jones. Sem esperar resposta, ele saiu correndo para dentro do túnel. Sentiu um jato d'água atingir suas costas. O calor era terrível. Seu rosto ardia e suas roupas fumegavam. Ele agarrou o corpo caído pelas axilas e o puxou, começando a correr de costas. Não conseguia distinguir seu rosto, mas podia ver que era um rapaz da sua idade.

Jones continuava com a mangueira mirada em Billy, encharcando seus cabelos, costas e pernas, mas a parte da frente de seu corpo estava seca e o rapaz podia sentir a pele queimar. Soltou um grito de dor, mas conseguiu não largar o homem inconsciente. Segundos depois, saiu do meio das labaredas. Virou-se para que Jones pudesse molhá-lo de frente. O alívio da água sobre seu rosto foi uma bênção: embora ainda sentisse dor, era suportável.

Jones molhou o rapaz estendido no chão. Billy o virou de frente e viu que era Michael O'Connor, conhecido como Micky Papa, filho de Pat. Pat havia pedido a Billy para procurá-lo.

– Bom Jesus, tenha piedade de Pat – disse Billy.

Curvando-se, ele ergueu Micky do solo. Seu corpo estava flácido, sem vida.

– Vou levá-lo até o poço – falou.

– Está bem – disse Jones. Ele fitava Billy com uma expressão estranha no rosto.
– Faça isso, Billy.

Tommy o acompanhou. Billy estava zonzo, mas conseguiu carregar Micky. No trilho principal, eles cruzaram com uma equipe de resgate trazendo um pônei que puxava um pequeno comboio de vagões cheios d'água. Eles deveriam ter vindo lá de cima, o que significava que o elevador tinha voltado a funcionar e o resgate já estava sendo conduzido de forma adequada, raciocinou Billy, cansado.

Ele tinha razão. Quando se aproximou do poço, o elevador tornou a chegar e dele emergiu mais um grupo de resgate, usando roupas protetoras e trazendo outros vagões cheios d'água. Depois que os recém-chegados se dispersaram, seguindo em direção ao incêndio, os feridos começaram a embarcar no elevador, carregando os mortos e os inconscientes.

Logo após Pat Papa fazer subir o elevador, Billy foi até onde ele estava, carregando Micky nos braços.

Pat encarou Billy com uma expressão de terror, sacudindo a cabeça em recusa, como se pudesse negar o que estava acontecendo.

– Sinto muito, Pat – disse Billy.

Pat não se permitia olhar para o corpo.

– Não – disse ele. – O meu Micky, não.

– Eu o tirei do fogo, Pat – falou Billy. – Só que não teve jeito, foi tarde demais...
– E então começou a chorar.

VI

Sob todos os aspectos, o jantar fora um sucesso. Bea estava de ótimo humor: se dependesse dela, eles receberiam hóspedes reais todas as semanas. Fitz a havia visitado em sua cama e, conforme esperava, ela o recebera de bom grado. Ele ficou lá até de manhã, só se retirando pouco antes de Nina subir com o chá.

Fitz temia que o debate entre os homens tivesse sido controverso demais para um jantar real, mas não precisava ter se preocupado. Na hora do café, o rei lhe agradeceu dizendo:

– Uma conversa fascinante, muito esclarecedora, exatamente o que eu queria.
– Fitz ficou radiante de tanto orgulho.

Refletindo sobre o assunto enquanto fumava seu charuto matinal, Fitz percebeu que a perspectiva de uma guerra não o deixava horrorizado. Havia falado em tragédia de forma um tanto automática, mas a guerra não seria de todo ruim. Um conflito uniria a nação contra um inimigo comum e apaziguaria as chamas da rebelião. Não haveria mais greves, e qualquer referência ao republicanismo seria vista como antipatriota. Quem sabe até as mulheres parassem de reivindicar o direito de voto. E, de um ponto de vista pessoal, ele se descobriu estranhamente atraído pela ideia. Seria sua oportunidade de se mostrar útil, provar sua coragem, servir ao seu país e fazer algo para retribuir a riqueza e o privilégio de que gozara a vida inteira.

A notícia sobre a explosão na mina, que chegara à Tŷ Gwyn no meio da manhã, levou embora a alegria da festa. Somente um dos hóspedes já estivera em Aberowen: o americano Gus Dewar. Mesmo assim, todos ficaram com a sensação – pouco habitual para eles – de estarem fora do centro das atenções. O almoço foi desanimado e os passatempos da tarde tiveram que ser cancelados. Fitz temeu que o rei fosse ficar contrariado com ele, muito embora o conde não tivesse nenhum envolvimento com a operação da mina. Não era diretor, tampouco acionista da Celtic Minerals. Apenas cedia os direitos de exploração à empresa, que lhe pagava um royalty por cada tonelada de carvão extraída. Portanto, tinha certeza de que nenhuma pessoa sensata poderia culpá-lo pelo ocorrido. Apesar disso, a nobreza não poderia ser vista se dedicando a frivolidades enquanto havia homens encurralados debaixo da terra, sobretudo durante uma visita do rei e da rainha. Isso significava que ler e fumar eram praticamente as únicas atividades aceitáveis. O casal real com certeza ficaria entediado.

Fitz se irritou com aquilo. Homens morriam o tempo todo: soldados perdiam a vida em combate, marinheiros naufragavam com seus navios, trens descarrilavam, hotéis lotados de hóspedes adormecidos pegavam fogo. Por que uma tragédia na mina tinha de acontecer justamente quando ele estava hospedando o rei?

Pouco antes do jantar, Perceval Jones, prefeito de Aberowen e presidente da Celtic Minerals, apareceu para dar informações ao conde, e Fitz perguntou a Sir Alan Tite se o rei gostaria de ouvir seu relato. A resposta foi que sim, Sua Majestade gostaria de participar do encontro, o que deixou Fitz aliviado: pelo menos o monarca teria alguma coisa para fazer.

Os convidados estavam reunidos na sala de estar pequena, um cômodo informal mobiliado com poltronas estofadas, vasos de plantas e um piano. Jones estava de fraque preto, sem dúvida o mesmo que usara para ir à igreja pela manhã. Baixo e pomposo, pavoneava-se com seu colete cinza transpassado.

O rei usava um traje de gala.

– Que gentileza a sua ter vindo – disse ele.

– Tive a honra de apertar a mão de Vossa Majestade em 1911 – falou Jones –, quando o senhor foi a Cardiff para a investidura do príncipe de Gales.

– Folgo em vê-lo de novo, embora lamente que seja em circunstâncias tão difíceis – retrucou o rei. – Conte-me o que aconteceu sem rodeios, como se estivesse explicando para um de seus colegas da diretoria enquanto toma um drinque no clube.

Uma abordagem inteligente, pensou Fitz. Ela estabelecia o tom certo, embora ninguém tivesse oferecido uma bebida a Jones e o rei tampouco o tivesse convidado a se sentar.

– Vossa Majestade é muito gentil. – Jones falava com um sotaque de Cardiff, mais duro do que o falar cadenciado dos vales. – Havia 220 homens na mina quando a explosão ocorreu, menos do que o normal, já que hoje é um turno especial de domingo.

– O senhor sabe o número exato? – quis saber o rei.

– Sabemos, sim, senhor, nós anotamos o nome de cada homem que desce.

– Perdoe-me a interrupção. Por favor, continue.

– Os dois elevadores foram danificados, mas as equipes de combate a incêndio controlaram as chamas com o auxílio do nosso sistema de irrigação e conseguiram evacuar os homens. – Ele olhou para o relógio. – Há duas horas, 215 já haviam sido levados para a superfície.

– O senhor parece ter lidado com a emergência de forma muito eficiente, Jones.

– Muito agradecido, Vossa Majestade.

– Todos os 215 estão vivos?

– Não, senhor. Oito morreram. Outros 50 têm ferimentos graves o suficiente para precisar de um médico.

– Que tristeza – comentou o rei.

Enquanto Jones explicava as providências que estavam sendo tomadas para localizar e resgatar os cinco homens restantes, Peel entrou na sala e veio na direção de Fitz. O mordomo trajava seu uniforme de gala, pronto para servir o jantar. Falando em voz muito baixa, disse:

– Só para o caso de a informação interessar, meu amo...

– Sim? – sussurrou Fitz.

– A criada Williams acabou de voltar da entrada da mina. Parece que o irmão dela foi uma espécie de herói. Será que o rei gostaria de ouvir a história em primeira mão...?

Fitz pensou um pouco. Williams estaria abalada e talvez acabasse falando o que não devia. Por outro lado, o rei provavelmente gostaria de falar com alguém diretamente afetado pela explosão. Ele decidiu arriscar.

– Vossa Majestade – disse ele. – Uma das minhas criadas acabou de chegar da entrada da mina e talvez tenha notícias mais atualizadas. O irmão dela estava lá embaixo quando o gás explodiu. O senhor gostaria de lhe fazer algumas perguntas?

– Sim, muito – respondeu o rei. – Por favor, mande-a entrar.

Pouco depois, Ethel Williams entrou na sala. Seu uniforme estava sujo de pó de carvão, mas ela havia lavado o rosto. Fez uma reverência, e o rei disse:

– Quais são as últimas notícias?

– Vossa Majestade, há cinco homens presos na área de Carnation por causa de um desabamento. A equipe de resgate está escavando os destroços, mas o incêndio ainda não foi debelado.

Fitz reparou que a atitude do rei diante de Ethel era ligeiramente diferente. Ele mal olhara para Perceval Jones, tamborilando os dedos no braço da cadeira com inquietação enquanto o escutava. Já Ethel ele olhava nos olhos, parecendo mais interessado nela. Com uma voz mais suave, perguntou:

– O que o seu irmão diz?

– A explosão pôs fogo no pó de carvão, e foi isso que causou o incêndio. O fogo encurralou muitos homens nos seus postos de trabalho, sendo que alguns morreram sufocados. Meu irmão e os outros não conseguiram resgatá-los porque não havia máscaras de gás.

– Isso não é verdade – disse Jones.

– Parece-me que é, sim – interveio Gus Dewar, contradizendo-o. Como sempre, o americano soava um pouco titubeante, porém se esforçou para falar com firmeza. – Eu conversei com alguns dos homens que estavam subindo. Segundo eles, os escaninhos que diziam "Máscaras de gás" na verdade estavam vazios. – Ele parecia estar contendo sua raiva.

– E eles não conseguiram apagar o fogo porque não havia água suficiente lá embaixo – acrescentou Ethel Williams. Seus olhos chispavam de fúria de um jeito que Fitz achou encantador, e ele sentiu o coração parar de bater por um instante.

– Há um carro de bombeiros! – protestou Jones.

Gus Dewar tornou a intervir:

– Um vagão de carvão cheio d'água e uma bomba manual.

– Eles deveriam ter conseguido reverter o fluxo da ventilação – continuou Ethel Williams –, mas o Sr. Jones não tinha modificado o equipamento como manda a lei.

Jones parecia indignado.

– Não foi possível...

Fitz o interrompeu:

– Fique tranquilo, Jones, isto aqui não é um inquérito público. Sua Majestade quer apenas saber qual é a impressão das pessoas.

– Exatamente – disse o rei. – Mas talvez o senhor possa me aconselhar em relação a um assunto, Jones.

– Seria uma honra.

– Eu estava planejando visitar Aberowen e alguns dos vilarejos vizinhos amanhã de manhã, e inclusive encontrar com o senhor na prefeitura. Porém esta não me parece uma boa hora para um cortejo real.

Sir Alan, que estava sentado atrás do ombro esquerdo do rei, balançou a cabeça e murmurou:

– Fora de cogitação.

– Por outro lado – prosseguiu o rei –, não me parece correto ir embora sem fazer qualquer pronunciamento em relação à tragédia. O povo pode interpretar isso como indiferença da nossa parte.

Fitz pressentiu que havia um conflito entre o rei e seus subordinados. Estes provavelmente queriam cancelar a visita, imaginando que seria a atitude menos arriscada. O rei, por sua vez, sentia a necessidade de se manifestar de alguma forma.

Houve um silêncio enquanto Perceval refletia sobre o assunto. Quando ele falou, disse apenas:

– É uma escolha difícil.

– Posso dar uma sugestão? – disse Ethel Williams.

Peel ficou indignado.

– Williams! – sibilou ele. – Só fale quando lhe dirigirem a palavra!

Fitz ficou pasmo com a insolência de Ethel diante do rei. Tentou manter a voz calma enquanto dizia:

– Talvez mais tarde, Williams.

O rei, no entanto, sorriu. Para alívio de Fitz, parecia simpatizar bastante com Ethel.

– Talvez possamos ouvir o que esta jovem tem a propor – disse ele.

Era tudo de que Ethel precisava. Sem mais delongas, ela falou:

– O senhor e a rainha deveriam visitar as famílias dos mortos. Nada de cortejo, só uma carruagem puxada por cavalos pretos. Isso significaria muito para elas. E todos ficariam maravilhados com Vossa Majestade. – Ela mordeu o lábio e se calou.

A última frase de Ethel contrariava as regras da etiqueta, pensou Fitz, nervoso. O rei não precisava fazer as pessoas acharem que ele era maravilhoso.

Sir Alan ficou horrorizado.

– Isso nunca foi feito antes – disse com pavor.

Contudo, o rei parecia intrigado com a ideia.

– Visitar os familiares... – disse ele, pensativo. Voltou-se para seu camarista. – Por Deus, Alan, eu considero isso de suma importância. Consolar meus súditos num momento de aflição. Nada de cortejo, só uma carruagem. – Ele tornou a se virar para a criada. – Muito bem, Williams – disse ele. – Obrigado pela sua sugestão.

Fitz deu um suspiro de alívio.

VII

No fim das contas, é claro, houve mais do que uma carruagem. O rei e a rainha seguiram na primeira, acompanhados de Sir Alan e de uma dama de companhia, e Fitz e Bea seguiram em uma segunda, junto com o bispo, enquanto uma carruagem aberta puxada por apenas um cavalo trazia diversos empregados. Perceval Jones quisera fazer parte da comitiva, mas Fitz havia vetado a ideia. Conforme Ethel tinha assinalado, os familiares poderiam tentar esganá-lo.

Ventava bastante e uma chuva fria fustigava os cavalos à medida que trotavam pela longa estrada de acesso, saindo de Tŷ Gwyn. Ethel estava na terceira carruagem. Por causa do trabalho do pai, ela conhecia bem todas as famílias de mineradores de Aberowen. Era a única pessoa em Tŷ Gwyn a saber o nome de todos os mortos e feridos. Havia indicado o caminho aos condutores das carruagens e caberia a ela lembrar ao camarista do rei quem era quem. Seus dedos estavam cruzados. Aquilo fora ideia sua e, caso desse errado, a responsabilidade também seria.

Quando eles saíram pelos portões de ferro imponentes, ela ficou impressionada, como sempre, com a transição repentina. Dentro da propriedade tudo era ordem, charme e beleza; do lado de fora reinava a feiura do mundo real. Uma sequência de cabanas de agricultores ladeava a estrada, casas minúsculas de dois cômodos, com pedaços de madeira e ferro-velho espalhados na frente e uma ou outra criança suja brincando no valão. Logo depois, começavam as casas geminadas dos mineradores, melhores do que as dos agricultores, mas ainda assim toscas e sem graça para olhos como os de Ethel, estragados pela simetria perfeita das janelas, portas e telhados de Tŷ Gwyn. As pessoas ali usavam roupas de má qualidade, que logo ficavam deformadas e puídas, além de serem tingidas com corantes que desbotavam, de modo que todos os homens usavam ternos em tons de cinza e todas as mulheres, vestidos amarronzados. O uniforme de criada de Ethel era motivo de cobiça devido à sua saia de lã quentinha e à blusa de algodão bem engomada, por mais que algumas das moças gostassem de dizer que jamais se rebaixariam a ponto de trabalhar como criadas. A maior diferença, contudo, estava nas próprias pessoas. Todos ali tinham a pele marcada, os cabelos sujos e as unhas pretas. Os homens tossiam, as mulheres fungavam e as crianças viviam com o nariz ranhoso. Os pobres arrastavam os pés e mancavam pelas ruas, enquanto os ricos andavam a passos largos, cheios de confiança.

As carruagens desceram a encosta da montanha até o conjunto de casas geminadas de Mafeking Terrace. A maioria dos moradores estava enfileirada à beira da rua, mas não havia bandeiras e ninguém deu vivas quando a comitiva parou em frente ao número 19. Os súditos apenas se curvaram e fizeram suas mesuras.

Ethel saltou da carruagem e dirigiu-se em voz baixa a Sir Alan.

– Sian Evans, cinco filhos, perdeu o marido David Evans, cavalariço da mina. – David Evans, cujo apelido era Dai dos Pôneis, era conhecido de Ethel e membro do conselho da Capela de Bethesda.

Sir Alan assentiu e Ethel se apressou a dar um passo para trás enquanto ele sussurrava no ouvido do rei. Ethel lançou um olhar para Fitz, que lhe meneou a cabeça em sinal de aprovação. Ela se sentiu radiante. Estava ajudando o rei – e o conde estava satisfeito com ela.

O rei e a rainha foram até a porta da casa. A tinta estava descascando, mas o degrau de madeira tinha sido encerado. Nunca pensei que fosse ver o rei batendo à porta da casa de um minerador, pensou Ethel. O monarca vestia um fraque e uma cartola preta. Ethel havia recomendado enfaticamente a Sir Alan que os moradores de Aberowen não iriam querer ver o seu rei vestido com o mesmo tipo de terno de tweed que eles próprios poderiam usar.

A porta foi aberta pela viúva, que usava seu melhor vestido e chapéu inclusive. Fitz havia sugerido que o rei surpreendesse as pessoas com a sua presença, mas Ethel tinha sido contra e Sir Alan concordara com ela. Ao visitar de surpresa uma família enlutada, o casal real corria o risco de se deparar com homens embriagados, mulheres seminuas e crianças engalfinhadas. Era melhor deixar todos de sobreaviso.

– Bom dia, eu sou o rei – disse ele, erguendo a cartola com educação. – Estou falando com a Sra. David Evans?

A mulher ficou sem ação por um instante. Estava mais acostumada a ser chamada de Sra. Dai dos Pôneis.

– Vim dizer quanto sinto pelo seu marido, David – falou o rei.

A Sra. Dai dos Pôneis parecia nervosa demais para sentir qualquer emoção.

– Muito agradecida – disse ela, tensa.

Ethel percebeu que aquilo era formal demais. O rei estava tão pouco à vontade quanto a viúva. Nenhum dos dois conseguia dizer o que realmente sentia.

Então a rainha tocou o braço da Sra. Dai.

– Deve ser muito difícil para você, minha cara – comentou.

– Sim, senhora, é, sim – falou a viúva com um sussurro, desatando a chorar em seguida.

Ethel enxugou uma lágrima do próprio rosto.

O rei estava constrangido, mas, para lhe fazer justiça, manteve a compostura e murmurou:

– É triste, muito triste.

A viúva soluçava descontroladamente, mas parecia presa ao chão e não desviou o rosto. Não havia nada de gracioso na dor, viu Ethel: o rosto da Sra. Dai estava todo vermelho, sua boca aberta mostrava que ela já havia perdido metade dos dentes e seus soluços eram roucos de desespero.

– Calma, calma – disse a rainha. Ela pressionou seu lenço contra a palma da mão da Sra. Dai. – Tome isto.

A Sra. Dai tinha menos de 30 anos, porém a artrite havia deixado suas mãos nodosas e cheias de calombos, como as de uma velha. Ela enxugou o rosto com o lenço da rainha. Seus soluços se aquietaram.

– Ele era um homem bom, senhora – disse ela. – Nunca levantou a mão para mim.

A rainha não soube o que dizer sobre um homem cuja virtude era não bater na mulher.

– Ele era bom até com seus pôneis – acrescentou a Sra. Dai.

– Tenho certeza que sim – falou a rainha, novamente em terreno conhecido.

Um menino pequeno surgiu das profundezas da casa e agarrou-se à saia da mãe. O rei fez outra tentativa:

– Soube que a senhora tem cinco filhos.

– Ah, meu senhor, o que eles vão fazer sem pai?

– É muito triste – repetiu o rei.

Sir Alan pigarreou e o rei disse:

– Estamos indo visitar outras pessoas na mesma situação penosa que a senhora.

– Ah, meu senhor, foi muita gentileza sua vir até aqui. Não posso nem lhe dizer quanto isso significa para mim. Obrigada, obrigada.

O rei se virou para ir embora.

– Rezarei pela senhora esta noite, Sra. Evans – disse a rainha. Então saiu atrás do rei.

Enquanto eles subiam em sua carruagem, Fitz entregou um envelope à Sra. Dai. Ethel sabia que lá dentro havia cinco soberanos de ouro e um bilhete, escrito à mão no papel de carta azul de Tŷ Gwyn, que dizia: "O conde Fitzherbert deseja que a senhora aceite esta prova de seus profundos sentimentos."

Isso também havia sido ideia de Ethel.

VIII

Uma semana depois da explosão, Billy foi à capela com seu pai, sua mãe e seu avô.

A Capela de Bethesda era um recinto quadrado, de paredes caiadas e sem nenhum quadro pendurado. As cadeiras ficavam dispostas em fileiras bem-arrumadas ao longo dos quatro lados de uma mesa simples. Em cima da mesa, um pão branco sobre um prato de porcelana e uma jarra de xerez barato – o pão e vinho simbólicos. O serviço religioso não era chamado de comunhão nem de missa, mas apenas de partilha do pão.

Às 11 horas, a congregação de mais ou menos uma centena de fiéis já estava acomodada, os homens com seus ternos mais elegantes, as mulheres de chapéu, as crianças limpas e irrequietas nas fileiras de trás. Não havia ritual definido: os homens agiam conforme os desígnios do Espírito Santo – recitavam preces, entoavam hinos, liam trechos da Bíblia, ou faziam sermões curtos. As mulheres, é claro, ficavam caladas.

Na prática, havia um padrão estabelecido. A primeira prece era sempre recitada por um dos membros do conselho, que então partia o pão e entregava o prato à pessoa mais próxima. Cada membro da congregação, com exceção das crianças, pegava um pedacinho e comia. Depois o vinho era passado de mão em mão e todos bebiam da jarra, as mulheres dando pequenos goles, enquanto alguns dos homens tomavam uma generosa talagada. Depois disso, todos ficavam sentados em silêncio até alguém se inspirar a dizer alguma coisa.

Quando Billy havia perguntado ao pai com que idade deveria começar a se pronunciar durante o serviço, Da respondera:

– Não existe regra. Nós nos deixamos guiar pelo Espírito Santo. – Billy interpretara aquilo ao pé da letra. Quando lhe vinha à cabeça a primeira estrofe de algum hino em algum momento durante a hora que passavam reunidos, ele tomava isso como um incentivo do Espírito Santo, levantando-se para entoá-lo. Agir assim na sua idade era um tanto precoce, e ele sabia disso, mas a congregação havia aceitado. A história de como Jesus tinha aparecido para ele em seu primeiro dia na mina fora contada em metade das capelas das minas de Gales do Sul, de modo que Billy era considerado um rapaz especial.

Naquela manhã, todas as preces pediam consolo para as famílias enlutadas, sobretudo para a Sra. Dai dos Pôneis, sentada entre os fiéis com o rosto coberto por um véu e o filho mais velho, que parecia amedrontado, ao lado. Da pediu a Deus que tivesse a generosidade de perdoar a maldade dos donos da mina, que haviam ignorado as leis relativas às máscaras de gás e à ventilação reversível. Billy, no entanto, sentia que faltava alguma coisa. Era simples demais pedir apenas por consolo. Ele queria ajuda para entender como a explosão se encaixava no plano de Deus.

Billy nunca havia recitado uma prece. Muitos dos homens oravam com frases bonitas e citações das Escrituras, quase como se estivessem fazendo um sermão. Mas o rapaz desconfiava que Deus não se deixasse impressionar com tanta facilidade. Sempre se sentia mais comovido com preces simples, que pareciam sinceras.

Por volta do final do serviço, palavras e frases começaram a ganhar forma em sua mente, e ele sentiu um forte impulso de lhes dar vazão. Interpretando isso como um sinal do Espírito Santo, acabou por se levantar.

Com os olhos bem fechados, disse:

– Ó Deus, nós Lhe pedimos esta manhã para reconfortar aqueles que perderam o marido, o pai, o filho, principalmente nossa irmã em Cristo Sra. Evans, e oramos para que os enlutados abram seus corações para receber a Sua bênção.

Isso já havia sido dito por outros. Billy fez uma pausa e então prosseguiu:

– E agora, Senhor, pedimos mais uma dádiva: a bênção da compreensão. Precisamos saber, Senhor, por que ocorreu essa explosão na mina. Todas as coisas estão em Seu poder, então por que o Senhor permitiu que o grisu enchesse o Nível Principal e pegasse fogo? Como é possível, Senhor, haver homens acima de nós, os diretores da Celtic Minerals, que em sua ganância descuidam da vida de Seus seguidores? Como a morte de homens bons e a mutilação dos corpos que o Senhor criou podem servir ao Seu desígnio sagrado?

Ele fez outra pausa. Sabia que era errado fazer exigências a Deus, como se estivesse negociando com a administração da mina, por isso acrescentou:

– Sabemos que o sofrimento do povo de Aberowen deve ter um papel em Seu plano eterno. – Pensou que talvez fosse melhor terminar por ali, mas não pôde resistir e acrescentou: – Mas, Senhor, nós não entendemos por quê, então, por favor, nos explique.

Depois de mais uma pausa, concluiu:

– Em nome do Senhor Jesus Cristo.

E a congregação respondeu:

– Amém.

IX

Os moradores de Aberowen tinham sido convidados a visitar os jardins de Tŷ Gwyn naquela tarde. Isso significava muito trabalho para Ethel.

Cartazes foram afixados nos pubs sábado à noite e a mensagem foi lida nas igrejas e capelas depois dos serviços religiosos do domingo de manhã. Apesar do inverno, os jardins estavam particularmente graciosos, pois tinham recebido cuidados especiais para a visita do rei, e agora o conde Fitzherbert desejava compartilhar a beleza deles com seus vizinhos, dizia o convite. O conde estaria de gravata preta e gostaria que os visitantes usassem algo parecido em respeito aos mortos. Embora evidentemente não fosse adequado organizar uma festa, mesmo assim seriam servidos comes e bebes.

Ethel havia mandado armar três tendas no Gramado Leste. Debaixo de uma delas, havia meia dúzia de barris de 500 litros de cerveja clara trazidos de trem da cervejaria Crown em Pontyclun. Para os abstêmios, numerosos em Aberowen, a tenda seguinte tinha mesas de cavalete com bules de chá gigantescos e centenas de xícaras e pires. Na última e menor das tendas, havia xerez à disposição da diminuta classe média da cidade, que incluía o pastor anglicano, os dois médicos e o gerente da mina, Maldwyn Morgan, que todos já haviam apelidado de "Morgan-foi-a-Merthyr".

Por sorte, fazia um dia de sol, frio porém seco, com umas poucas nuvens brancas de aspecto inofensivo pairando bem alto no céu azul. Quatrocentas pessoas apareceram – praticamente a população inteira da cidade –, sendo que quase todos usavam uma gravata, uma fita ou uma braçadeira pretas. Os convidados passearam por entre os arbustos, espiaram o interior da casa pelas janelas e estragaram a grama.

A princesa Bea ficou no seu quarto: aquele não era o seu tipo de evento social. Todos os membros da classe alta eram egoístas, Ethel concluíra, com base em sua experiência, mas Bea havia transformado isso em uma arte. Toda a sua energia se concentrava em agradar a si mesma e conseguir o que queria. Mesmo quando dava uma festa – o que sabia fazer muito bem –, sua motivação principal era poder exibir sua beleza e seu charme.

Fitz recebeu os convidados no esplendor gótico-vitoriano do Salão de Gala, com seu cachorro imenso deitado no chão ao seu lado como um tapete de pele. Ele usava um terno de tweed marrom que lhe dava um aspecto mais acessível, apesar do colarinho engomado e da gravata preta. Estava mais bonito do que nunca, pensou Ethel. Ela trouxe os parentes dos mortos e feridos para cumprimentá-lo em grupos de três ou quatro, para que ele pudesse dar os pêsames a todos os moradores de Aberowen que tivessem sofrido com a tragédia. O conde dirigiu-se a eles com seu charme habitual, fazendo com que cada um fosse embora se sentindo especial.

Ethel agora era a governanta. Depois da visita do rei, a princesa Bea havia insistido para a Sra. Jevons se aposentar de vez: ela não tinha tempo para criados velhos e cansados. Via em Ethel alguém que se esforçaria ao máximo para satisfazer os seus desejos, de modo que a promovera apesar da pouca idade. Assim, Ethel havia conquistado a posição que ambicionava. Assumira o quartinho da governanta anexo à ala dos criados e ali tinha pendurado uma fotografia dos pais, vestidos com sua melhor roupa de domingo, tirada no dia da inauguração da Capela de Bethesda.

Quando Fitz chegou ao final da lista, Ethel pediu permissão para passar alguns minutos com a família.

– Claro – respondeu o conde. – Passe o tempo que quiser. Você foi absolutamente maravilhosa. Não sei como teria feito tudo sem você. O rei também ficou grato por sua ajuda. Como é que você se lembra de todos esses nomes?

Ethel sorriu. Não sabia bem por que os elogios dele mexiam tanto com ela.

– A maioria dessas pessoas já foi à nossa casa em algum momento, para consultar meu pai sobre a compensação por um ferimento, ou sobre alguma briga com um supervisor, ou para falar de sua preocupação com as medidas de segurança da mina.

– Bom, eu acho você extraordinária – disse ele, dando-lhe o sorriso irresistível que às vezes surgia em seu rosto e o fazia parecer quase um menino. – Meus respeitos ao seu pai.

Ela saiu da casa e atravessou o gramado correndo, sentindo-se a mais feliz das mulheres. Encontrou Da, Mam, Billy e Gramper na tenda do chá. Da estava elegante com seu terno de domingo e uma camisa branca com o colarinho engomado. Billy exibia uma queimadura feia na bochecha.

– Como está se sentindo, Billy? – perguntou-lhe Ethel.

– Bem. Sei que está feio, mas o médico falou que é melhor não usar curativo.

– Está todo mundo comentando sobre como você foi corajoso.

– É, mas não o suficiente para salvar Micky Papa.

Não havia como responder àquilo, mas Ethel tocou o braço do irmão para mostrar que entendia.

– Billy recitou uma prece hoje de manhã em Bethesda – disse Mam com orgulho.

– Que maravilha, Billy! Sinto muito não ter podido ir. – Ethel não fora à capela; havia coisas demais para fazer na casa. – Sobre o que foi a prece?

– Eu pedi ao Senhor que nos ajudasse a entender por que Ele permitiu a explosão na mina. – Billy lançou um olhar nervoso para Da, que não sorria.

– Talvez tivesse sido melhor Billy pedir a Deus para fortalecer sua fé, para ele poder acreditar *sem* entender – falou Da com severidade.

Estava claro que os dois já haviam discutido sobre isso. Ethel não estava com paciência para desavenças teológicas que, no fim das contas, não faziam diferença alguma. Ela tentou desanuviar a atmosfera.

– O conde Fitzherbert me pediu para lhe transmitir os seus respeitos, Da – disse ela. – Muito gentil da parte dele, o senhor não acha?

Da não se sensibilizou.

– Fiquei decepcionado ao ver você participando daquela palhaçada na segunda-feira – disse ele com rispidez.

– Na segunda-feira? – perguntou ela, incrédula. – Quando o rei visitou as famílias?

– Vi você sussurrando os nomes para aquele borra-botas.

– Aquele era Sir Alan Tite.

– Pouco me importa como ele se chama, eu reconheço um puxa-saco quando vejo um.

Ethel ficou chocada. Como Da podia menosprezar seu momento de glória? Sentiu vontade de chorar.

– Pensei que o senhor fosse ficar orgulhoso de mim por eu ter ajudado o rei!

– Como o rei se atreve a ir dar os pêsames ao nosso povo? O que um rei sabe sobre dificuldade e perigo?

Ethel conteve as lágrimas.

– Mas, Da, as pessoas ficaram tão felizes por ele ter ido visitá-las!

– Isso distraiu a atenção de todo mundo das atitudes perigosas e ilegais da Celtic Minerals.

– Mas as pessoas precisam ser consoladas. – Como é que ele não entendia isso?

– Elas foram amolecidas pelo rei, isso sim. Na tarde de domingo passado, esta cidade estava prestes a se rebelar. Na segunda-feira à noite, só se falava sobre como a rainha tinha dado seu lenço para a Sra. Dai dos Pôneis.

No mesmo instante, Ethel passou de magoada a furiosa.

– Lamento que o senhor pense assim – disse ela, friamente.

– Não há nada que lamentar...

– Lamento porque o senhor está errado – interrompeu-o Ethel, com firmeza.

Da ficou atônito. Era raro alguém lhe dizer que estava errado, quanto mais uma menina.

– Olha a língua, Eth... – censurou Mam.

– As pessoas têm sentimentos, Da – falou ela, sem pensar. – É isso que o senhor sempre esquece.

Da não sabia o que dizer.

– Agora chega! – gritou Mam.

Ethel olhou para Billy. Em meio a uma bruma de lágrimas, viu sua expressão pasma de admiração. Isso lhe deu mais coragem. Ela fungou, enxugou os olhos com as costas da mão e disse:

– O senhor, seu sindicato, seus regulamentos de segurança, suas Escrituras... eu sei que tudo isso é importante, Da, mas o senhor não pode esquecer os sentimentos das pessoas. Espero que um dia o socialismo torne o mundo um lugar melhor para os trabalhadores, mas, enquanto isso não acontece, elas precisam de consolo.

Da finalmente recuperou a voz.

– Acho que já ouvimos o bastante – disse ele. – Esse encontro com o rei subiu à sua cabeça. Você não passa de uma menina e não tem nada que dar lição de moral aos mais velhos.

Ela estava chorando demais para continuar a discussão.

– Desculpe, Da – falou. Então, depois de um silêncio pesado, acrescentou: – É melhor eu voltar ao trabalho. – O conde lhe dissera para passar o tempo que quisesse com a família, mas ela queria ficar sozinha. Virou as costas para o olhar irado de Da e caminhou de volta até o casarão. Manteve os olhos baixos, esperando que os convidados não vissem suas lágrimas.

Não queria cruzar com ninguém, de modo que entrou às escondidas na Suíte Gardênia. Lady Maud já havia voltado para Londres, portanto o quarto estava desocupado e a cama desfeita. Ethel se deixou cair sobre o colchão e chorou.

Ela estava tão orgulhosa. Como Da podia menosprezar todos os seus esforços? Será que ele queria que ela fizesse um trabalho *ruim*? Ela trabalhava para a nobreza. Assim como todo e qualquer minerador de Aberowen. Por mais que fossem empregados da Celtic Minerals, era o carvão do conde que eles exploravam, e este recebia por tonelada o mesmo que o trabalhador que dava duro na extração – fato que seu pai nunca se cansava de ressaltar. Se ser um bom mineiro, eficiente e produtivo, era uma coisa boa, que problema havia em ser uma boa governanta?

Ela ouviu a porta se abrir e se levantou de um pulo. Era o conde.

– O que está acontecendo? – perguntou ele em tom gentil. – Ouvi você do outro lado da porta.

– Eu sinto muitíssimo, meu amo, não deveria ter entrado aqui.

– Não tem problema. – Seu rosto extraordinariamente belo exibia uma preocupação genuína. – Por que está chorando?

– Eu estava tão orgulhosa por ter ajudado o rei – disse Ethel, arrasada. – Mas meu pai acredita que foi tudo uma farsa, só para impedir as pessoas de terem raiva da Celtic Minerals. – Ela desatou a chorar outra vez.

– Mas que tolice – falou Fitz. – Qualquer um podia ver que os sentimentos do rei eram genuínos. E os da rainha também. – Ele tirou do bolso da frente do paletó um lenço de linho branco. Ethel achou que ele fosse lhe entregar o lenço, mas, em vez disso, o conde enxugou-lhe as lágrimas das bochechas com delicadeza. – Eu senti muito orgulho de você na segunda-feira, mesmo que seu pai não tenha sentido.

– O senhor é muito gentil.

– Já passou, já passou – sussurrou ele, curvando-se e beijando-lhe os lábios.

Ethel ficou atônita. Era a última coisa no mundo que podia esperar. Quando o conde se endireitou, ela o encarou sem entender nada.

Ele a olhou de volta.

– Você é absolutamente encantadora – disse ele com voz grave, beijando-a novamente.

Desta vez, ela o empurrou.

– Meu amo, o que está fazendo? – perguntou ela baixinho, chocada.

– Não sei.

– Mas o que pensa que está fazendo?

– Eu não estou pensando.

Ethel ergueu os olhos para o rosto bem-feito de Fitz. Os olhos verdes a examinavam com atenção, como se tentassem ler seus pensamentos. Ela percebeu então que o adorava. De repente, foi inundada pela excitação e pelo desejo.

– Não consigo me controlar – disse ele.

Ela suspirou de felicidade.

– Então me beije de novo – pediu.

CAPÍTULO TRÊS

Fevereiro de 1914

Às dez e meia, o espelho do hall da residência do conde Fitzherbert em Mayfair refletia um homem alto, vestido de maneira impecável com os trajes formais diurnos de um aristocrata inglês. Como não apreciava a moda dos colarinhos moles, usava um colarinho duro, e sua gravata prateada estava presa por uma pérola. Alguns de seus amigos achavam que se vestir bem era vergonhoso. "Fitz, você parece um alfaiate indo abrir a loja pela manhã", dissera-lhe certa vez o jovem marquês de Lowther. Mas Lowthie vivia desgrenhado, com o colete cheio de migalhas e cinzas de charuto nos punhos da camisa, e queria que todos fossem tão largados quanto ele. Fitz detestava andar desarrumado; a elegância lhe convinha.

Ele pôs uma cartola cinza. Com uma bengala na mão direita e um novo par de luvas de camurça cinza na esquerda, saiu de casa e tomou a direção sul. Na Berkeley Square, uma menina loura de seus 14 anos piscou para ele e disse:

– Uma chupada por um xelim?

Ele atravessou a Piccadilly e entrou no Green Park. Alguns flocos de neve se acumulavam ao redor das raízes das árvores. Passou pelo Palácio de Buckingham e entrou em um bairro pouco atraente próximo à estação ferroviária conhecida como Victoria Station. Teve que se informar com um policial sobre como chegar à Ashley Gardens. No fim das contas, a rua ficava atrás da catedral católica. Francamente, pensou Fitz, se você pretende receber a visita de um membro da nobreza, o mínimo que pode fazer é ter seu escritório em um bairro respeitável.

Ele havia sido convocado por um velho amigo do pai, chamado Mansfield Smith-Cumming. Oficial da Marinha reformado, Smith-Cumming agora tinha um cargo indefinido no Departamento de Guerra. Ele enviara a Fitz um recado bem curto: "Eu ficaria grato se pudéssemos trocar algumas palavras sobre uma questão de importância nacional. O senhor poderia me fazer uma visita amanhã pela manhã, às onze horas?" O recado estava escrito à máquina e assinado, em tinta verde, apenas com a letra "C".

Na verdade, Fitz estava contente pelo fato de algum membro do governo querer falar com ele. Tinha verdadeiro horror a ser visto como um ornamento, um aristocrata rico cuja única função era a de decorar eventos sociais. Torcia para que pedissem sua opinião, quem sabe a respeito do seu antigo regimento, os Fuzileiros Galeses. Ou talvez ele pudesse desempenhar alguma tarefa relacionada ao Exército de Reserva de Gales do Sul, do qual era coronel honorário. De toda forma, o simples fato de ser convocado ao Departamento de Guerra lhe dava a sensação de não ser totalmente supérfluo.

Isto é, se aquilo ali fosse de fato o Departamento de Guerra. O endereço se revelou um moderno bloco de apartamentos. Um porteiro conduziu Fitz até o elevador. O apartamento de Smith-Cumming parecia em parte residência, em parte escritório, mas um jovem muito eficiente, com ares de militar, disse a Fitz que "C" iria recebê-lo imediatamente.

C não exibia ares de militar. Gorducho e meio careca, tinha nariz adunco e usava um monóculo. Seu escritório estava abarrotado dos mais variados objetos: aeromodelos, telescópio, bússola e um quadro representando camponeses diante de um pelotão de fuzilamento. O pai de Fitz sempre se referira a Smith-Cumming como "o capitão que enjoa no mar", e a carreira militar dele não tinha sido brilhante. O que estava fazendo ali?

– Que departamento é este, exatamente? – perguntou Fitz ao se sentar.

– Esta aqui é a Divisão Estrangeira do Escritório do Serviço Secreto – respondeu C.

– Eu não sabia que tínhamos um Serviço Secreto.

– Se as pessoas soubessem, ele não seria secreto.

– Entendo. – Fitz sentiu uma injeção de adrenalina. Era lisonjeiro ser inteirado de informações confidenciais.

– Imagino que o senhor teria a bondade de não comentar com ninguém a respeito.

Fitz percebeu que estava recebendo uma ordem, apesar da escolha educada de palavras.

– Naturalmente – respondeu. A sensação de pertencer a um círculo privilegiado o deixava contente. Será que C o convidaria a trabalhar para o Departamento de Guerra?

– Parabéns pelo sucesso da sua recepção real. Parece-me que o senhor reuniu um grupo de jovens muito bem relacionados para apresentar a Sua Majestade.

– Obrigado. Para ser franco, foi um evento social discreto, mas temo que as notícias se espalhem depressa.

– E agora o senhor vai levar sua esposa à Rússia.

– A princesa é russa. Ela quer visitar o irmão. É uma viagem que vínhamos adiando há tempos.

– E Gus Dewar irá acompanhá-los.

C parecia estar a par de tudo.

– Ele está dando a volta ao mundo – disse Fitz. – Nossos planos coincidiram.

– O senhor sabe por que o almirante Alexeev foi nomeado para o comando do Exército russo na guerra contra o Japão, mesmo sem saber nada sobre combates terrestres? – perguntou C em tom casual, recostando-se na cadeira.

Como tinha passado algum tempo na Rússia quando menino, Fitz havia acompanhado o desenrolar da guerra russo-japonesa de 1904-1905, mas não conhecia essa história.

– Por que o senhor não me conta?

– Bem, parece que o grão-duque Alexis se envolveu numa confusão em um bordel de Marselha e acabou preso pela polícia francesa. Alexeev foi resgatá-lo e disse aos *gendarmes* que tinha sido ele, não o grão-duque, a arranjar encrenca. A semelhança de seus nomes tornou a história plausível e o grão-duque foi solto. A recompensa de Alexeev foi o comando do Exército.

– Não é de espantar que eles tenham perdido.

– Mesmo assim, os russos têm o maior exército que o mundo já conheceu: seis milhões de homens segundo alguns cálculos, na hipótese de eles convocarem todos os reservistas. Por mais incompetente que seja sua liderança, trata-se de uma força extraordinária. Mas qual seria a eficiência desse exército, digamos, em uma guerra na Europa?

– Não volto lá desde o meu casamento – respondeu Fitz. – Não saberia dizer.

– Nós tampouco. É aí que o senhor entra. Eu gostaria que fizesse algumas perguntas enquanto estivesse lá.

Fitz ficou surpreso.

– Mas isso é tarefa da nossa embaixada, não?

– É claro. – C deu de ombros. – Mas os diplomatas sempre estão mais interessados em política do que em questões militares.

– Mesmo assim, deve haver um adido militar.

– Um elemento externo como o senhor pode proporcionar um ponto de vista novo. Mais ou menos da mesma forma como o grupo reunido em Tŷ Gwyn deu ao rei algo que ele não teria conseguido obter do Ministério das Relações Exteriores. Mas se o senhor acha que não pode...

– Eu não estou recusando – Fitz se apressou a responder. Pelo contrário: estava satisfeito por lhe pedirem que fizesse algo por seu país. – Só fico surpreso que as coisas sejam feitas dessa forma.

– Nós somos um departamento relativamente novo, com poucos recursos.

Meus melhores informantes são viajantes inteligentes com bagagem militar suficiente para entender o que estão vendo.

– Muito bem.

– Eu estaria interessado em saber se o senhor acha que a classe dos oficiais russos evoluiu desde 1905. Eles se modernizaram, ou ainda estão agarrados a ideias antigas? Como sua mulher é parente de metade dos homens mais importantes de São Petersburgo, o senhor vai encontrar todos eles.

Fitz estava pensando na última vez em que a Rússia entrara em guerra.

– O principal motivo que os levou a serem derrotados pelo Japão foi o fato de as ferrovias russas não conseguirem abastecer o exército – disse ele.

– Mas desde então os russos vêm tentando melhorar sua malha ferroviária... usando o dinheiro que pediram emprestado à França, sua aliada.

– Será que fizeram muitos avanços nesse sentido?

– Essa é a questão-chave. O senhor vai viajar de trem. Os trens saem na hora? Fique de olhos abertos. As linhas ainda são de trilho único? Ou agora eles usam trilhos duplos? Os generais alemães têm um plano de contingência para a guerra baseado em quanto tempo o Exército russo levará para ser mobilizado. Se houver guerra, muita coisa vai depender da exatidão desse cronograma.

Fitz estava entusiasmado como um garoto, mas forçou-se a falar com gravidade:

– Descobrirei o máximo possível.

– Obrigado. – C olhou para o relógio.

Fitz se levantou e os dois trocaram um aperto de mãos.

– Quando exatamente o senhor viaja? – indagou C.

– Partimos amanhã – respondeu Fitz. – Até breve.

||

Grigori Peshkov observou seu irmão mais novo, Lev, dar um golpe para tirar dinheiro do americano alto. O rosto atraente de Lev exibia uma expressão de avidez jovial, como se seu principal objetivo fosse demonstrar a própria habilidade. Grigori experimentou uma conhecida pontada de nervosismo. Algum dia, temia ele, o charme de Lev não iria bastar para mantê-lo longe dos problemas.

– É um teste de memória – disse Lev em inglês. Havia decorado as palavras. – Escolha uma carta qualquer. – Ele precisava falar alto por causa do barulho da fábrica: estalos de máquinas pesadas, chiado de vapor, pessoas gritando instruções e perguntas.

O nome do visitante era Gus Dewar. Ele usava paletó, colete e calça feitos da mesma lã cinza de boa qualidade. Grigori estava especialmente interessado naquele homem por ele ser de Buffalo.

Dewar era um rapaz amigável. Dando de ombros, ele escolheu uma carta do baralho de Lev e olhou para ver qual era.

– Ponha a carta em cima do banco, virada para baixo – instruiu Lev.

Dewar pôs a carta sobre o banco de madeira grosseiro da fábrica.

Lev tirou do bolso uma nota de um rublo, colocando-a em cima da carta.

– Agora ponha um dólar por cima. – O truque só funcionava com visitantes ricos.

Grigori sabia que Lev já havia feito a troca. Na mão, escondida pela nota de um rublo, ele estava segurando outra carta. O truque, que Lev passara muitas horas treinando, era pegar a primeira carta e escondê-la na palma da mão, substituindo-a ao mesmo tempo pela nota de um rublo e por uma carta diferente.

– Tem certeza de que pode se dar ao luxo de perder um dólar, Sr. Dewar? – perguntou Lev.

Dewar sorriu, como os trouxas sempre faziam nessa hora.

– Acho que sim – respondeu.

– O senhor se lembra da carta que tirou? – Lev na verdade não falava inglês. Também sabia dizer aquelas mesmas frases em alemão, francês e italiano.

– Era o cinco de espadas – disse Dewar.

– Errado.

– Eu tenho certeza.

– Pode virar.

Dewar virou a carta. Era a rainha de paus.

Lev recolheu a nota de um dólar e o rublo que havia posto no banco.

Grigori prendeu a respiração. Aquele era o momento mais arriscado. O americano iria ou não reclamar de ter sido roubado e acusar Lev?

Dewar abriu um sorriso arrependido e disse:

– Você me pegou.

– Eu conheço outro jogo – disse Lev.

Aquilo era demais: o irmão estava abusando da sorte. Embora Lev já tivesse 20 anos, Grigori ainda precisava protegê-lo.

– Não jogue com meu irmão – Grigori alertou Dewar em russo. – Ele sempre ganha.

O americano sorriu e respondeu na mesma língua com alguma hesitação:

– Um bom conselho.

Dewar era o primeiro de um pequeno grupo de visitantes em excursão pela Metalúrgica Putilov. A fábrica era a maior de São Petersburgo e empregava 30 mil homens, mulheres e crianças. A função de Grigori era lhes mostrar a pequena, porém importante, seção em que trabalhava. A fábrica produzia locomotivas e outros grandes artefatos de metal. Grigori era contramestre da seção que fabricava rodas de trens.

Grigori estava ansioso para conversar com Dewar sobre Buffalo. Porém, antes de conseguir fazer qualquer pergunta, o supervisor da seção de fundição, Kanin, apareceu. Engenheiro qualificado, ele era alto e magro, com uma calva avançada.

Ao seu lado estava um segundo visitante. Pelas roupas, Grigori soube que deveria ser o aristocrata inglês. O homem estava vestido como um nobre russo, de fraque e cartola. Talvez aquele fosse o traje usado pela classe dominante no mundo inteiro.

Grigori ficara sabendo que o aristocrata se chamava conde Fitzherbert. Com cabelos pretos e olhos verdes de brilho intenso, ele era o homem mais bem-apessoado que o contramestre já vira. As mulheres da seção de rodas encaravam-no como se fosse um deus.

Kanin dirigiu-se a Fitzherbert em russo.

– Atualmente, estamos produzindo duas locomotivas novas por semana – disse ele com orgulho.

– Incrível – comentou o aristocrata inglês.

Grigori entendia por que os estrangeiros estavam tão interessados. Ele lia os jornais e participava de palestras e grupos de leitura organizados pelo Comitê Bolchevique de São Petersburgo. As locomotivas fabricadas ali eram essenciais à capacidade de defesa da Rússia. Os visitantes poderiam até fingir uma curiosidade casual, mas estavam coletando informações de inteligência militar.

Kanin apresentou Grigori.

– Este é Peshkov, o campeão de xadrez da fábrica. – Kanin era supervisor, mas um bom sujeito.

Fitzherbert foi muito simpático. Dirigiu-se a Varya, uma mulher de seus 50 anos que usava um lenço ao redor dos cabelos grisalhos.

– É muita gentileza sua nos mostrar seu local de trabalho – falou ele alegremente, num russo fluente mas com forte sotaque.

Varya, mulher impressionante, musculosa e de seios fartos, riu feito uma colegial.

A demonstração estava pronta. Grigori havia posto lingotes de aço dentro do cone de alimentação e acendido a fornalha, de modo que o metal agora estava derretido. Mas ainda faltava um visitante: a esposa do conde, que diziam ser russa – o que explicava o fato de ele falar a língua, algo incomum para um estrangeiro.

Grigori queria perguntar a Dewar sobre Buffalo, mas, antes que tivesse oportunidade, a mulher do conde chegou à seção de rodas. Sua saia, que roçava o chão, parecia uma vassoura empurrando à sua frente uma linha de sujeira e limalha de ferro. Ela usava um casaco curto por cima do vestido e vinha seguida por um servo que carregava uma capa de pele, uma criada com uma bolsa e um dos diretores da fábrica, o conde Maklakov, um jovem vestido como Fitzherbert. Maklakov estava evidentemente muito impressionado com sua convidada, sorrindo, falando em voz baixa e segurando o braço da mulher de forma desnecessária. Ela era de uma beleza extraordinária, com seus cachos louros e seu jeito sedutor de inclinar a cabeça.

Grigori a reconheceu na mesma hora. Era a princesa Bea.

Seu coração saltou no peito e ele ficou enjoado. Reprimiu com violência a lembrança terrível que emergiu de um passado distante. Então, como se aquilo fosse uma emergência, olhou para verificar a reação do irmão. Será que Lev se lembrava? Ele tinha apenas seis anos na época. Lev encarava a princesa com curiosidade, como se tentasse identificá-la. Então, diante dos olhos de Grigori, a expressão de Lev mudou à medida que ele recordava. Seu irmão empalideceu, como se estivesse passando mal, e, de repente, ficou vermelho de raiva.

A essa altura, Grigori já estava do lado de Lev.

– Fique calmo – murmurou ele. – Não diga nada. Lembre-se, nós vamos para os Estados Unidos... Não podemos deixar nada atrapalhar isso!

Lev soltou um grunhido de repulsa.

– Volte para a estrebaria – disse Grigori. Lev era condutor de pôneis e trabalhava com os muitos animais usados na fábrica.

Lev fuzilou a princesa com o olhar por mais alguns instantes, sem que ela percebesse. Então, virou-se e foi embora, e o momento de perigo passou.

Grigori iniciou a demonstração. Meneou a cabeça para Isaak, rapaz da sua idade que era capitão do time de futebol da fábrica. Isaak abriu a caixa de moldar. Então Grigori e Varya pegaram um modelo de uma roda de trem com flange, feito de madeira encerada. O modelo em si era produto de um trabalho minucioso, com raios de seção transversal elíptica e afunilados em escala de um para vinte do eixo ao aro. Era a roda de uma grande locomotiva 4-6-4, e o modelo tinha quase a mesma altura das pessoas que o estavam erguendo.

Os dois posicionaram a roda dentro de uma bandeja funda, cheia de uma mistura arenosa úmida para moldagem. Isaak acomodou por cima disso a peça destinada a resfriar o aço fundido de modo a formar a superfície de rolamento e o flange, acrescentando, por último, a tampa da caixa de moldar.

O conjunto então foi aberto e Grigori verificou a impressão deixada pela roda de madeira. Não havia nenhuma irregularidade visível. Ele borrifou a areia de moldagem com um líquido preto oleoso e então a caixa de moldar tornou a ser fechada.

– Por favor, mantenham uma boa distância agora – pediu aos visitantes.

Isaak aproximou o bico do alimentador do funil que ficava em cima da caixa. Então, bem devagar, Grigori puxou a alavanca que fazia o alimentador se inclinar.

O aço derretido se derramou lentamente dentro da caixa. O vapor expelido pela areia molhada saiu chiando pelos respiradouros. Por experiência, Grigori sabia quando erguer o alimentador para interromper o fluxo.

– O passo seguinte é aperfeiçoar o formato da roda – disse ele. – Como o metal quente leva muito tempo para esfriar, tenho aqui uma roda que fundimos mais cedo.

A roda já estava presa a um torno, e Grigori meneou a cabeça para o torneiro Konstantin, filho de Varya. Intelectual magro e comprido, de cabelos pretos revoltos, Konstantin era presidente do grupo de discussão bolchevique e o melhor amigo de Grigori. Ele ligou o motor elétrico, fazendo a roda girar em alta velocidade, e começou a arrematá-la com uma lixa.

– Por favor, mantenham distância do torno – disse Grigori aos visitantes, erguendo a voz para se fazer ouvir por sobre o barulho da máquina. – Se tocarem nele, podem perder um dedo. – Ele ergueu a mão esquerda. – Como aconteceu comigo, aqui mesmo nesta fábrica, aos 12 anos. – Seu terceiro dedo, o anular, não passava de um coto feio. Ele viu a expressão de irritação do conde Maklakov, que não gostava de ser lembrado do custo humano de seus lucros. Já o olhar que recebeu da princesa Bea era um misto de repulsa e fascínio, e Grigori se perguntou se ela cultivava algum interesse excêntrico pela pobreza e pelo sofrimento. Não era comum ver uma dama visitando uma fábrica.

Ele fez um sinal para Konstantin, que desligou o torno.

– Em seguida, as dimensões da roda são verificadas com um compasso de calibre. – Ele ergueu a ferramenta em questão. – As rodas de um trem devem ter o tamanho exato. Se o diâmetro variar mais de um milímetro e meio, aproximadamente a largura do grafite de um lápis, a roda tem que ser refundida e refeita.

Com um russo capenga, Fitzherbert perguntou:

– Quantas rodas vocês fabricam por dia?

– Em média seis ou sete, descontando as que não passam pelo controle.

– E quantas horas vocês trabalham? – quis saber o americano, Dewar.

– Das seis da manhã às sete da noite, de segunda a sábado. No domingo, somos liberados para ir à missa.

Um menino de uns oito anos entrou correndo na seção de rodas, perseguido por uma mulher aos gritos – provavelmente sua mãe. Grigori tentou agarrá-lo para que não se aproximasse da fornalha. O menino se esquivou e trombou com a princesa Bea, sua cabeça de cabelos à escovinha golpeando-a nas costelas com um baque audível. Ela soltou um arquejo de dor. O menino parou, parecendo zonzo. Furiosa, a princesa ergueu o braço e deu-lhe um tapa tão forte no rosto que ele titubeou. Grigori chegou a achar que a criança fosse cair no chão. O americano disse algo ríspido em inglês, parecendo surpreso e indignado. No instante seguinte, a mãe recolheu o menino em seus braços fortes e virou-se para ir embora.

Kanin, o supervisor, estava com uma cara assustada, pois sabia que poderia ser responsabilizado por aquilo.

– Vossa Alteza se machucou? – perguntou ele à princesa.

A princesa Bea estava visivelmente irada, mas respirou fundo e disse:

– Não foi nada.

Seu marido e o conde Maklakov se aproximaram dela com ar preocupado. Apenas Dewar continuou onde estava, com uma careta de reprovação e repulsa estampada no rosto. Havia ficado chocado com o tapa, imaginou Grigori, perguntando-se se todos os americanos tinham o mesmo coração mole. Um tapa não era nada: quando eram crianças, Grigori e o irmão tinham sido açoitados com varas naquela fábrica.

Os visitantes começaram a se dispersar. Grigori ficou com medo de não ter outra chance de fazer perguntas ao turista de Buffalo. Reunindo coragem, tocou a manga de Dewar. Um nobre russo teria reagido com indignação, dando-lhe um empurrão ou um tapa por sua insolência, mas o americano simplesmente se virou com um sorriso educado.

– O senhor é de Buffalo, Nova York? – perguntou Grigori.

– Isso mesmo.

– Meu irmão e eu estamos guardando dinheiro para ir para os Estados Unidos. Nós vamos morar em Buffalo.

– Por que escolheram essa cidade?

– Aqui em São Petersburgo tem uma família que consegue os documentos necessários... por um preço, é claro... e nos prometeu um emprego com parentes deles em Buffalo.

– Que família é essa?

— São os Vyalov. — Embora também tivessem negócios lícitos, os Vyalov eram uma gangue de bandidos. Não eram as pessoas mais dignas de confiança do mundo, de modo que Grigori queria verificar por conta própria o que haviam lhe dito. — Senhor, a família Vyalov, de Buffalo, Nova York, é mesmo rica e importante?

— Sim — respondeu Dewar. — Josef Vyalov emprega várias centenas de pessoas em seus hotéis e bares.

— Obrigado. — Grigori estava aliviado. — É muito bom saber disso.

III

A lembrança mais antiga de Grigori era a do dia em que o czar fora visitar Bulovnir. Ele tinha seis anos.

Os moradores do vilarejo haviam passado muitos dias sem falar em outra coisa. Todos acordaram bem cedo, embora o czar obviamente fosse tomar seu café da manhã antes de partir, de modo que jamais chegaria lá antes do meio da manhã. O pai de Grigori retirou a mesa de sua casa de um só cômodo para colocá-la à beira da rua. Sobre ela, dispôs um pão inteiro, um buquê de flores e um pequeno saleiro, explicando ao filho mais velho que aqueles eram os símbolos russos tradicionais de boas-vindas. A maioria dos outros moradores do vilarejo fez a mesma coisa. A avó de Grigori havia posto um lenço amarelo novo na cabeça.

Era um dia seco de início de outubro, antes da chegada do frio rigoroso do inverno. Os camponeses se puseram a esperar de cócoras. Os anciãos do vilarejo andavam de um lado para outro vestindo suas melhores roupas, com ares de gente importante, embora esperassem como todo mundo. Grigori logo ficou entediado e começou a brincar na terra batida ao lado da casa. Seu irmão, Lev, tinha apenas um ano e ainda mamava no peito da mãe.

O meio-dia passou, mas ninguém quis entrar em casa para preparar o almoço por medo de perder a passagem do czar. Grigori tentou comer um pouco do pão que estava sobre a mesa e levou um tapa na cabeça, mas sua mãe lhe trouxe uma tigela de mingau frio.

Grigori não sabia ao certo quem ou o que era o czar. Sempre o mencionavam na igreja como alguém que amava todos os camponeses e que velava o sono deles, então decerto era um personagem à altura de São Pedro, Jesus e o anjo Gabriel. Grigori se perguntou se ele teria asas ou uma coroa de espinhos, ou se usava apenas um casaco bordado como um dos anciãos do vilarejo. De toda forma, estava claro que as pessoas eram abençoadas pelo simples fato de vê-lo, igualzinho às multidões que seguiam Jesus.

A tarde já ia avançada quando uma nuvem de poeira surgiu no horizonte. Grigori pôde sentir as vibrações do chão sob suas botas de feltro, e logo ouviu o rufar dos cascos. Os aldeões se ajoelharam. Grigori se ajoelhou ao lado da avó. Os anciãos se deitaram na rua de bruços, suas testas tocando o solo, da mesma forma que haviam feito durante a visita do príncipe Andrei e da princesa Bea.

Primeiro surgiram os batedores, seguidos por uma carruagem fechada puxada por quatro cavalos. Eram cavalos imensos, os maiores que Grigori já vira, e estavam correndo a toda a velocidade, com os flancos reluzindo de suor e as bocas espumando ao redor dos freios. Os anciãos perceberam que os animais não iriam parar e saíram depressa do caminho antes de serem pisoteados. Grigori soltou um grito de medo, mas ninguém conseguiu ouvi-lo. Quando a carruagem passou por eles, seu pai exclamou:

– Vida longa ao czar, pai de seu povo!

Quando terminou de gritar, a carruagem já estava deixando o vilarejo para trás. Por causa da poeira, Grigori não conseguira ver os passageiros. Quando se deu conta de que havia perdido a oportunidade de ver o czar e, portanto, não receberia nenhuma bênção, desatou a chorar.

Sua mãe pegou o pão que estava sobre a mesa, partiu um pedaço e deu para o filho comer, e ele se sentiu melhor.

IV

Quando o turno da Metalúrgica Putilov chegava ao fim, às sete da noite, Lev em geral saía para jogar cartas com os amigos ou beber com alguma de suas namoradas tranquilas. Grigori muitas vezes ia assistir a algum tipo de reunião: uma palestra sobre ateísmo, um grupo de discussão socialista, um teatro de sombras sobre terras distantes, um recital de poesia. Naquela noite, contudo, ele não tinha nada para fazer. Voltaria para casa, prepararia um guisado para o jantar, deixaria um pouco na panela para Lev comer mais tarde e iria para a cama cedo.

A fábrica ficava nos subúrbios ao sul de São Petersburgo, e sua profusão de chaminés e barracões ocupava um vasto terreno às margens do mar Báltico. Muitos dos operários moravam na fábrica, alguns em alojamentos, outros dormindo ao lado das máquinas. Era por isso que havia tantas crianças por ali.

Grigori estava entre os que tinham uma casa fora da fábrica. Em uma sociedade socialista, ele sabia, as casas dos operários eram planejadas ao mesmo tempo que as fábricas; porém o fortuito capitalismo russo havia deixado milhares de pessoas sem lugar para morar. Grigori tinha um bom salário, mas morava em um apartamento de um cômodo a meia hora a pé da fábrica. Ele sabia que em Buffalo os peões tinham eletricidade e água encanada em casa. Ouvira dizer que alguns tinham até seu próprio telefone, mas isso parecia absurdo, como dizer que as ruas eram calçadas de ouro.

Ver a princesa Bea o havia levado de volta à própria infância. Enquanto percorria as ruas congeladas, ele se recusou a se deixar levar pela insuportável lembrança que ela provocava. Mesmo assim, pensou no casebre de madeira em que morava, tornando a ver o oratório onde ficavam pendurados os ícones e, logo em frente, o canto em que dormia à noite, em geral ao lado de uma cabra ou de um bezerro. Sua lembrança mais vívida era algo que mal percebia na época: o cheiro. Ele vinha do braseiro, dos animais, da fumaça preta da lamparina de querosene e do tabaco caseiro que seu pai fumava enrolado em papel-jornal. As janelas eram calafetadas com trapos ao redor dos batentes para impedir que o frio entrasse, o que deixava o ar pesado. Ele agora podia sentir esse cheiro em sua imaginação, enchendo-o de saudade dos dias anteriores ao pesadelo, a última vez em sua vida em que se sentira seguro.

Não muito longe da fábrica, ele viu algo que o fez parar. Na poça de luz lançada por um poste de rua, dois policiais, vestidos com uniformes pretos de colarinhos e punhos verdes, interrogavam uma jovem. O casaco feito em casa e a forma como ela havia amarrado o lenço na cabeça com um nó na nuca indicavam que fosse uma camponesa recém-chegada à cidade. À primeira vista, Grigori avaliou que tivesse uns 16 anos – a mesma idade que ele tinha quando perdeu os pais.

O policial atarracado falou alguma coisa, dando uns tapinhas no rosto da menina. Ela se encolheu e seu parceiro riu. Grigori se lembrou de como fora maltratado por todo tipo de autoridade quando era um órfão de 16 anos e se compadeceu daquela menina vulnerável. Mesmo sabendo que poderia se arrepender, aproximou-se do pequeno grupo. Apenas para ter o que dizer, falou:

– Se a senhorita estiver procurando a Metalúrgica Putilov, eu posso lhe mostrar o caminho.

O policial atarracado riu e disse:

– Livre-se dele, Ilya.

Seu companheiro tinha uma cabeça pequena e um rosto mau.

– Suma daqui, seu lixo – disse ele.

Grigori não teve medo. Era alto e forte e tinha os músculos definidos pelo trabalho braçal constante. Desde menino participava de brigas de rua e fazia muitos anos que não perdia uma. Lev era como ele. Mesmo assim, era melhor não irritar a polícia.

– Sou contramestre na fábrica – disse ele à menina. – Se estiver procurando trabalho, posso ajudar.

A menina lançou-lhe um olhar agradecido.

– Um contramestre não é ninguém – falou o policial atarracado, olhando diretamente para Grigori pela primeira vez. À luz amarelada de querosene do poste, Grigori reconheceu o rosto redondo com sua expressão de agressividade estúpida. O homem era Mikhail Pinsky, capitão daquele distrito policial. O coração de Grigori se encolheu dentro do peito. Puxar briga com o capitão do distrito era uma loucura – mas ele já havia ido muito longe para voltar atrás.

A menina então falou, e sua voz mostrou a Grigori que ela estava mais para os 20 anos do que para os 16.

– Obrigada, senhor, vou acompanhá-lo.

Era uma jovem bonita, percebeu ele, com traços delicados e uma boca larga, sensual.

Grigori olhou em volta. Infelizmente, a rua estava deserta: ele havia saído da fábrica alguns minutos depois do movimento das sete da noite. Sabia que deveria recuar, mas não podia abandonar a moça.

– Deixe-me levar a senhorita até o escritório da fábrica – falou, embora o escritório na verdade já estivesse fechado.

– Ela vem comigo... não é, Katerina? – disse Pinsky. Ele então a apalpou, apertando seus seios através do casaco fino e enfiando uma das mãos entre as pernas dela.

A moça saltou para trás e disse:

– Tire suas mãos imundas de mim.

Com rapidez e precisão surpreendentes, Pinsky lhe deu um soco na boca.

Ela gritou e sangue esguichou de seu lábio.

Grigori ficou furioso. Mandando a cautela pelos ares, deu um passo à frente e pôs uma das mãos no ombro de Pinsky, empurrando-o com força. O policial cambaleou para o lado e caiu sobre um dos joelhos. Grigori se virou para Katerina, que estava chorando.

– Corra o mais rápido que puder! – disse a ela, e logo depois sentiu um golpe pungente na nuca. O segundo policial, Ilya, havia sacado o cassetete mais depressa do que Grigori esperava. A dor foi excruciante e ele caiu ajoelhado, porém não desmaiou.

Katerina se virou e saiu correndo, mas não foi muito longe. Pinsky estendeu o braço para segurar seu pé e ela caiu estatelada no chão.

Grigori girou o corpo e viu o cassetete vindo outra vez em sua direção. Esquivou-se do golpe e pôs-se de pé com dificuldade. Ilya tornou a golpear e errou de novo. Grigori mirou um soco na lateral de sua cabeça e bateu com toda a força. Ilya desabou.

Quando Grigori deu meia-volta, viu Pinsky em pé ao lado de Katerina, chutando-a sem parar com as botas pesadas.

Um automóvel se aproximou, vindo da direção da fábrica. Ao passar por ali, o motorista freou com força e o carro parou cantando pneus debaixo do poste.

Dois passos largos colocaram Grigori logo atrás de Pinsky. Ele fechou os dois braços em volta do capitão de polícia e o prendeu em um abraço de urso, levantando-o do chão. Pinsky sacudiu as pernas e os braços, mas de nada adiantou.

A porta do carro se abriu e, para surpresa de Grigori, dele desceu o americano de Buffalo.

– O que está acontecendo aqui? – perguntou ele. Seu rosto jovial, iluminado pela luz da rua, exibia uma expressão indignada quando ele se dirigiu a Pinsky, que ainda se contorcia. – Por que está chutando uma mulher indefesa?

Mas que sorte, pensou Grigori. Só mesmo um estrangeiro para achar inaceitável um policial chutar uma camponesa.

A silhueta comprida e magra do supervisor Kanin emergiu do carro atrás de Dewar.

– Peshkov, solte o policial – disse ele a Grigori.

Grigori devolveu Pinsky ao chão e o soltou. O policial se virou e Grigori se preparou para evitar um golpe, mas Pinsky se conteve. Com uma voz cheia de fel, ele disse:

– Não vou me esquecer de você, *Peshkov*. – Grigori soltou um grunhido: o homem agora sabia seu nome.

Gemendo, Katerina se pôs de joelhos. Dewar a ajudou a se levantar com gentileza, perguntando:

– Está muito ferida, senhorita?

Kanin aparentou constrangimento. Nenhum russo se dirigiria a uma camponesa de forma tão cortês.

Ilya se levantou, parecendo tonto.

De dentro do carro, ouviu-se a princesa Bea falar algo em inglês, soando irritada e impaciente.

Grigori se voltou para Dewar:

– Com sua permissão, Excelência, posso levar esta mulher a um médico aqui perto.

Dewar olhou para Katerina.

– A senhorita está de acordo?

– Sim, senhor – disse ela através dos lábios ensanguentados.

– Muito bem.

Grigori pegou o braço da moça, conduzindo-a para longe dali antes que alguém tivesse outra ideia.

Na esquina, deu uma olhada para trás. Os dois policiais discutiam com Dewar e Kanin debaixo do poste.

Ainda segurando o braço de Katerina, ele começou a puxá-la mais depressa, embora a jovem estivesse mancando. Era preciso aumentar a distância que os separava de Pinsky.

Assim que dobraram a esquina, ela disse:

– Eu não tenho dinheiro para ir ao médico.

– Posso lhe emprestar algum – ofereceu ele com uma pontada de culpa: o dinheiro que tinha era para sua viagem aos Estados Unidos, não para ajudar moças bonitas feridas.

Ela o avaliou com o olhar.

– Não é de médico que eu preciso, e sim de um emprego. O senhor poderia me levar até o escritório da fábrica?

Que moça corajosa, pensou ele com admiração. Havia acabado de apanhar da polícia e tudo em que conseguia pensar era arrumar um emprego.

– O escritório está fechado. Eu só disse aquilo para confundir os policiais. Mas posso levar a senhorita até lá pela manhã.

– Eu não tenho onde dormir – disse ela, lançando-lhe um olhar cauteloso que ele não entendeu totalmente. Estaria se oferecendo? Muitas camponesas que iam para a cidade acabavam fazendo isso. Mas talvez aquele olhar quisesse dizer o contrário: que ela queria uma cama, porém não estava disposta a pagar com favores sexuais.

– Na casa onde moro tem um quarto onde vivem várias mulheres – disse ele. – São três ou mais dormindo na mesma cama, e sempre conseguem arrumar espaço para mais uma.

– É muito longe?

Ele apontou para a frente, na direção de uma rua que margeava o talude de uma ferrovia.

– Logo ali.

A jovem assentiu com a cabeça e, pouco depois, ambos entraram na casa.

Grigori ocupava um quarto de fundos no primeiro andar. A cama estreita que ele dividia com Lev ficava encostada em uma das paredes. Havia uma lareira com um apoio para manter objetos e alimentos aquecidos, além de uma mesa com duas cadeiras junto à janela que dava para a ferrovia. Uma mala de cabeça para baixo servia de criado-mudo e havia ainda uma jarra e uma bacia para a toalete.

Katerina inspecionou o lugar com um olhar demorado, absorvendo tudo, e então disse:

– Você mora sozinho aqui?

– Não... eu não sou rico! Divido com meu irmão. Ele vai chegar mais tarde.

Ela assumiu um ar pensativo. Talvez com medo de que esperassem que fosse para a cama com os dois. Para tranquilizá-la, Grigori falou:

– Quer que eu lhe apresente às mulheres da casa?

– Haverá tempo de sobra para isso. – A jovem se sentou em uma das cadeiras. – Deixe-me descansar um pouco.

– Claro. – A lareira estava pronta para ser acesa: ele sempre a preparava pela manhã, antes de sair para o trabalho. Acendeu os gravetos com um fósforo.

Ouviu-se um barulho estrondoso, e Katerina pareceu assustada.

– É só um trem – explicou Grigori. – Estamos bem ao lado dos trilhos.

Ele derramou água da jarra dentro da bacia, colocando-a para esquentar no apoio da lareira. Sentou-se de frente para Katerina e ficou olhando para ela. A moça tinha cabelos louros escorridos e a pele clara. No início, a achara bastante bonita, mas agora via que, na verdade, ela era linda, com um formato de corpo um tanto oriental, o que sugeria antepassados siberianos. Seu rosto também tinha muita personalidade: a boca larga era sedutora, mas também firme, e parecia haver uma força de vontade de ferro em seus olhos azul-esverdeados.

Os lábios dela estavam começando a inchar por causa do soco de Pinsky.

– Como está se sentindo? – perguntou Grigori.

Ela passou as mãos pelos ombros, costelas, quadris e coxas.

– Estou cheia de hematomas – respondeu. – Mas você tirou aquele animal de cima de mim antes que ele pudesse me machucar de verdade.

A moça não estava disposta a sentir pena de si mesma. Grigori gostou disso.

– Quando a água esquentar, vou limpar esse sangue – disse ele.

Grigori guardava a comida em uma marmita de lata. Tirou lá de dentro um joelho de porco, que jogou na panela, acrescentando em seguida um pouco de água da jarra. Enxaguou um rabanete e começou a fatiá-lo, juntando-o à carne. Quando voltou a olhar para Katerina, notou que ela parecia surpresa.

– Seu pai cozinhava? – quis saber ela.

– Não – respondeu Grigori, sendo levado, num piscar de olhos, de volta à época em que tinha 11 anos. Não pôde mais resistir às lembranças terríveis da princesa Bea. Depositou a panela sobre a mesa com força e então se sentou na beirada da cama, enterrando o rosto nas mãos, soterrado pela tristeza. – Não – repetiu. – Meu pai não cozinhava.

V

Eles chegaram à aldeia ao raiar do dia: o capitão responsável pelas terras da região e seis cavaleiros. Assim que Ma escutou o trotar dos cascos, pegou Lev no colo. O menino de 6 anos era pesado, mas a mãe tinha ombros largos e braços fortes. Depois ela agarrou a mão de Grigori e saiu correndo da casa. Os cavaleiros estavam sendo conduzidos pelos anciãos da aldeia, que deviam tê-los encontrado nos arredores. Como a casa tinha apenas uma porta, a família de Grigori não tinha como sair sem ser vista. Assim que eles apareceram, os soldados esporearam seus cavalos.

Ma deu a volta na casa correndo, espantando galinhas e assustando a cabra, que partiu a corda que a prendia e também desembestou. Ma atravessou a toda o terreno baldio nos fundos da casa em direção ao bosque. Talvez pudessem ter escapado, mas, de repente, Grigori percebeu que sua avó não estava ali. Ele se deteve e largou a mão da mãe.

– Esquecemos a vovó! – exclamou.

– Ela não consegue correr! – gritou-lhe a mãe de volta.

Grigori sabia disso. Sua avó mal conseguia andar. Mesmo assim, achava que não deveriam deixá-la para trás.

– Vamos, Grishka! – gritou Ma.

Ela voltou a correr com Lev ainda nos braços. O caçula àquela altura chorava de medo. Grigori foi atrás dela, mas o atraso tinha sido fatal. Os cavaleiros os alcançaram, cercando-os pelos dois lados. O caminho para o bosque estava bloqueado. Desesperada, Ma disparou em direção ao lago, mas seus pés se enterraram na lama, seus passos ficaram mais lentos e, por fim, ela caiu dentro d'água.

Os soldados deram gargalhadas.

Eles amarraram as mãos de Ma e fizeram-na marchar de volta à casa.

– Não se esqueçam de trazer os meninos também – disse o capitão. – Ordens do príncipe.

O pai de Grigori tinha sido levado embora na semana anterior, junto com dois outros homens. Na véspera, os carpinteiros particulares do príncipe Andrei haviam construído um cadafalso na campina norte. Agora, enquanto seguia a mãe até lá, Grigori viu três homens em pé no tablado, com as mãos e os pés amarrados e cordas em volta do pescoço. Ao lado do cadafalso, havia um padre.

– Não! – gritou Ma, tentando se soltar da corda que lhe prendia as mãos.

Um dos cavaleiros sacou uma espingarda do coldre preso à sela e, virando-a, golpeou o rosto de Ma com a coronha de madeira. Ela parou de se debater e se pôs a soluçar.

Grigori sabia o que significava aquilo: seu pai iria morrer ali. Já havia visto ladrões de cavalos serem enforcados pelos anciãos da aldeia, embora não tivesse sido a mesma coisa, pois eram homens que ele não conhecia. Foi invadido por um terror que deixou seu corpo inteiro dormente e fraco.

Talvez acontecesse algo que pudesse evitar a execução. Se era mesmo verdade que o czar protegia seu povo, talvez ele interviesse. Ou quem sabe um anjo. Grigori sentiu o rosto molhado e percebeu que estava chorando.

Ele e a mãe foram obrigados a ficar bem em frente ao cadafalso. Os demais aldeões se reuniram ao seu redor. Assim como Ma, as mulheres dos dois outros homens tinham sido arrastadas até lá, aos gritos e aos prantos, com as mãos amarradas e as crianças agarradas às suas saias uivando de terror.

Uma carruagem fechada estava parada no caminho de terra batida depois do portão da campina, seus dois cavalos baios pastando a grama ao redor. Depois de todos chegarem, uma figura de barba preta surgiu de dentro da carruagem usando um casaco escuro comprido: era o príncipe Andrei. Ele se virou e deu a mão à irmã mais nova, princesa Bea, cujos ombros estavam cobertos por peles para protegê-los do frio da manhã. Grigori não pôde deixar de notar que a princesa era linda, com a pele clara e os cabelos louros, idêntica aos anjos que ele imaginava, muito embora ela obviamente fosse um demônio.

O príncipe se dirigiu aos aldeões.

– Esta campina pertence à princesa Bea – disse ele. – Ninguém pode pôr seu gado para pastar aqui sem a permissão dela. Fazer isso é o mesmo que roubar o pasto da princesa.

Um burburinho indignado atravessou a multidão. Apesar do que ouviam na igreja todos os domingos, ninguém acreditava nesse tipo de propriedade privada. Eles respeitavam uma moralidade mais antiga, camponesa, segundo a qual a terra pertencia a quem a cultivava.

O príncipe apontou para os três homens no cadafalso.

– Esses homens desobedeceram à lei... não uma vez, mas várias. – A afronta que sentia deixava sua voz estridente como a de uma criança cujo brinquedo foi roubado. – Pior ainda: eles disseram que a princesa não tinha o direito de impedi-los e que os campos não usados pelo proprietário deveriam estar à disposição dos camponeses pobres. – Grigori tinha ouvido o pai dizer esse tipo de coisa muitas vezes. – Por causa disso, homens de outros vilarejos começaram a pôr seu gado para pastar em terras pertencentes à nobreza. Em vez de se arrepender de seus pecados, esses três homens ainda transformaram seus vizinhos em pecadores! É por isso que eles foram condenados à morte. – Ele fez um sinal com a cabeça para o padre.

O sacerdote galgou os degraus improvisados e, em voz baixa, falou com um dos homens de cada vez. O primeiro aquiesceu com uma expressão vazia. O segundo chorou e começou a rezar em voz alta. O terceiro, pai de Grigori, cuspiu no rosto do padre. Ninguém ficou chocado: os vilarejos não gostavam do clero, e Grigori já escutara o pai dizer que os padres contavam à polícia tudo o que ouviam no confessionário.

Assim que o padre desceu os degraus, o príncipe Andrei meneou a cabeça para um dos criados postado ao seu lado com uma marreta. Somente então Grigori notou que os três condenados estavam em pé sobre uma plataforma de madeira articulada de forma grosseira, sustentada por um simples pedaço de pau. Percebeu também, aterrorizado, que a marreta estava prestes a soltá-lo.

Seria agora que um anjo deveria aparecer, pensou ele.

Os aldeões gemeram em uníssono. As mulheres dos condenados começaram a gritar e, desta vez, os soldados não as impediram. O pequeno Lev estava histérico. Ele provavelmente não entendia o que iria acontecer, pensou Grigori, mas estava assustado com os gritos da mãe.

Pa não demonstrava emoção alguma. Seu rosto estava impassível. Ele tinha o olhar distante, de quem aguarda seu destino. Grigori desejava ter aquela mesma força. Lutou para manter o controle, por mais que sentisse vontade de chorar como Lev. Não conseguiu conter as lágrimas, mas mordeu os lábios e se manteve tão calado quanto o pai.

O servo ergueu a marreta, encostando-a no pedaço de pau para calcular a distância. Então a jogou para trás e desferiu o golpe. O pedaço de pau voou longe. A plataforma despencou com um estalo. Os três homens caíram e pararam no ar com um tranco, a queda interrompida pelas cordas presas em volta de seus pescoços.

Grigori não conseguiu desviar os olhos. Ficou encarando o pai. Pa não morreu na hora. Abriu a boca para tentar respirar ou gritar, mas não conseguiu fazer nenhuma das duas coisas. Seu rosto ficou vermelho e ele lutou contra as cordas que o prendiam. Isso pareceu durar muito tempo, até seu rosto ficar ainda mais vermelho.

Então a pele do pai adquiriu um tom azulado, e seus movimentos foram ficando mais fracos. Por fim, ele se imobilizou.

Os gritos de Ma cessaram e ela se pôs a soluçar.

O padre começou a rezar em voz alta, mas os aldeões o ignoraram e, um depois do outro, deram as costas para os três homens mortos.

O príncipe e a princesa tornaram a subir na carruagem e, logo em seguida, o cocheiro estalou o chicote, fazendo-a partir.

VI

Quando terminou de contar a história, Grigori já havia se acalmado. Passou a manga da camisa no rosto para enxugar as lágrimas e então voltou sua atenção para Katerina. Ela o escutara em um silêncio compassivo, mas não estava chocada. Provavelmente tinha presenciado cenas parecidas: enforcamentos, açoitamentos e mutilações eram punições corriqueiras nos vilarejos.

Grigori pôs a bacia de água morna sobre a mesa e apanhou um pano limpo. Katerina inclinou a cabeça para trás, enquanto ele pendurava a lamparina de querosene em um gancho na parede para poder enxergar melhor.

Havia um corte em sua testa, um hematoma em sua bochecha e seus lábios estavam inchados. Ainda assim, ver o rosto dela de perto deixou Grigori sem fôlego. Katerina o encarou com um olhar sincero e destemido que o deixou encantado.

Ele mergulhou uma das pontas do pano na água morna.

– Seja delicado – disse ela.

– É claro. – Ele começou limpando sua testa. Depois de retirar o sangue, viu que o ferimento era só um arranhão.

– Bem melhor – falou Katerina.

Enquanto Grigori prosseguia, ela ficou observando seu rosto. Quando terminou de lavar-lhe as faces e o pescoço, ele disse:

– Deixei a parte mais dolorida para o final.

– Não tem problema – disse ela. – Você tem a mão muito leve. – Apesar disso, ela fez uma careta quando o pano tocou seus lábios inchados.

– Perdão – falou ele.

– Continue.

Ao limpar as feridas, ele viu que já começavam a cicatrizar. Katerina tinha dentes de menina, brancos e simétricos. Ele limpou os cantos de sua boca larga. Ao se inclinar para junto dela, pôde sentir no rosto seu hálito morno.

Depois de terminar, foi tomado por uma sensação de desapontamento, como se esperasse por algo que não tinha acontecido.

Recostou-se na cadeira e enxaguou o pano na água agora escura com o sangue dela.

– Obrigada – agradeceu Katerina. – Você tem mãos muito boas.

Ele percebeu que seu coração estava disparado. Não era a primeira vez que limpava os ferimentos de alguém, mas jamais experimentara aquela sensação de vertigem. Sentiu que talvez estivesse prestes a cometer uma besteira.

Abriu a janela e despejou para fora a água da bacia, deixando uma mancha cor-de-rosa na neve que cobria o quintal.

Uma ideia maluca lhe passou pela cabeça: talvez Katerina fosse um sonho. Ele se virou, quase esperando ver a cadeira vazia. Mas ali estava ela, encarando-o com aqueles olhos azul-esverdeados, e Grigori percebeu que não queria que ela fosse embora nunca.

Ocorreu-lhe que talvez estivesse apaixonado.

Nunca havia pensado coisa parecida. Em geral, estava ocupado demais cuidando de Lev para correr atrás de mulheres. Não era virgem: fora para a cama com três mulheres diferentes. Mas não tinham sido experiências agradáveis, talvez porque ele não gostasse muito de nenhuma das três.

Mas agora, pensou ele, trêmulo, o que mais queria no mundo era se deitar com Katerina na cama estreita encostada na parede, beijar seu rosto machucado e lhe dizer...

E lhe dizer que a amava.

Não seja idiota, disse a si mesmo. Faz apenas uma hora que você a conhece. O que ela quer de você não é amor, mas sim algum dinheiro emprestado, um emprego e um lugar para dormir.

Ele fechou a janela com força.

– Então você cozinha para seu irmão e tem mãos delicadas – comentou ela –, mas ainda assim é capaz de nocautear um policial com um único soco.

Ele não soube o que dizer.

– Você me contou como seu pai morreu – continuou ela. – Mas a sua mãe também morreu quando você era pequeno... não foi?

– Como adivinhou?

Katerina deu de ombros.

– Porque você teve que se transformar em mãe.

VII

Ela morreu no dia 9 de janeiro de 1905, pelo antigo calendário russo. Era um domingo, e nos meses e anos que se seguiram essa data passou a ser conhecida como Domingo Sangrento.

Grigori tinha 16 anos e Lev, 11. Assim como Ma, ambos trabalhavam na Metalúrgica Putilov. Grigori era aprendiz de fundidor, enquanto Lev era faxineiro. Naquele mês de janeiro, todos os três estavam em greve, junto com outros 100 mil operários de São Petersburgo, reivindicando uma jornada de trabalho de oito horas e o direito de se sindicalizar. Na manhã do dia 9, mãe e filhos vestiram suas melhores roupas e saíram de mãos dadas, caminhando com dificuldade sobre a neve recente até uma igreja próxima à metalúrgica. Depois da missa, foram se unir aos milhares de trabalhadores que seguiam em passeata, vindos de todos os pontos da cidade, rumo ao Palácio de Inverno.

– Por que temos que participar da passeata? – resmungou o pequeno Lev. Ele teria preferido jogar futebol em um beco.

– Por causa do seu pai – disse Ma. – Porque os príncipes e princesas são assassinos desalmados. Porque precisamos derrubar o czar e todos os da sua laia. Porque eu não vou descansar até a Rússia ser uma república.

Fazia um dia perfeito em São Petersburgo, frio mas seco, e o sol aquecia o rosto de Grigori da mesma forma que a sensação de aliança em prol de uma causa justa esquentava seu coração.

O líder deles, padre Gapon, parecia um profeta do Antigo Testamento com sua barba comprida, sua linguagem bíblica e a luz gloriosa que emanava de seus olhos. Ele não era um revolucionário: as reuniões de seus grupos de apoio, autorizadas pelo governo, sempre começavam com o pai-nosso e terminavam com o hino nacional.

– Hoje entendo em que o czar pretendia transformar Gapon – disse Grigori a Katerina nove anos depois, em seu quartinho com vista para a ferrovia. – Em uma válvula de escape, destinada a canalizar a pressão por reformas para atividades inofensivas como chás e bailes campestres. Mas não funcionou.

Vestido com uma túnica branca comprida e carregando um crucifixo, Gapon conduziu a procissão pela estrada de Narva. Grigori, Lev e Ma seguiam bem ao seu lado: ele incentivava as famílias a ficarem na frente do cortejo, dizendo que os soldados jamais dispariam contra crianças. Atrás deles, dois vizinhos carregavam um grande retrato do czar. Gapon lhes dizia que o czar era o pai de seu povo. Ele iria escutar seus clamores, derrotar seus ministros cruéis e ceder às exigências sensatas dos trabalhadores. "Nosso Senhor Jesus Cristo falou: 'Que venham a mim as criancinhas', e o czar diz a mesma coisa", exclamava Gapon, e Grigori acreditava nele.

Eles haviam chegado ao Portão de Narva, um imenso arco do triunfo, e Grigori se lembrava de ter erguido os olhos para a estátua de uma carruagem puxada por seis cavalos gigantescos. Então um esquadrão de cavalaria atacou os manifestantes, quase como se um dos cavalos de bronze do monumento tivesse ganhado vida com violência.

Algumas pessoas saíram correndo, outras sucumbiram aos golpes dos cascos dos animais. Grigori congelou onde estava, aterrorizado, assim como Ma e Lev.

Os soldados não sacaram nenhuma arma e pareciam apenas querer afugentar os participantes, porém havia trabalhadores demais e, em poucos minutos, os soldados fizeram seus cavalos darem meia-volta e foram embora.

Quando a passeata foi retomada, a atmosfera havia mudado. Grigori sentiu que o dia talvez não fosse terminar de forma pacífica. Pensou nas forças reunidas contra eles: a nobreza, os ministros, o Exército. Até onde eles iriam para impedir o povo de falar com o czar?

Sua resposta chegou quase na mesma hora. Ao olhar por cima das cabeças à sua frente, viu uma linha de soldados de infantaria e percebeu, com um calafrio de medo, que eles estavam preparados para atirar.

À medida que as pessoas entendiam o que as aguardava, a marcha foi desacelerando. O padre Gapon, que estava bem perto de Grigori, virou-se e gritou para seus seguidores:

– O czar jamais permitirá que o Exército atire em seu amado povo!

Ouviu-se uma barulheira ensurdecedora, como uma chuva de granizo sobre um telhado de zinco: os soldados haviam disparado uma salva de tiros. O cheiro acre de pólvora fez as narinas de Grigori arderem e ele sentiu o coração se apertar de medo.

O padre gritou:

– Não se preocupem... eles estão atirando para cima!

Outra salva ecoou, mas ninguém pareceu ter sido atingido. Mesmo assim, o pavor de Grigori era tanto que suas entranhas se contraíram.

Então houve uma terceira salva e, desta vez, as balas não subiram de forma inofensiva em direção ao céu. Grigori ouviu gritos e viu pessoas caindo. Confuso, olhou em volta por alguns instantes, mas então Ma o empurrou com violência enquanto gritava:

– Deite-se no chão!

Ele se atirou de bruços. Ao mesmo tempo, Ma jogou Lev no chão e caiu por cima dele.

Nós vamos morrer, pensou Grigori, as batidas de seu coração soando mais alto do que as próprias armas.

Os disparos prosseguiram sem trégua, fazendo um estardalhaço apavorante, impossível de abafar. À medida que outros fugiam, em pânico, Grigori foi pisoteado por botas pesadas, porém Ma protegeu sua cabeça e a de Lev. Os três ficaram deitados ali, tremendo, enquanto tiros e gritos ecoavam acima deles.

Então o tiroteio cessou. Ma se mexeu e Grigori levantou a cabeça para olhar em volta. Pessoas corriam em todas as direções, gritando umas com as outras, mas a algazarra foi diminuindo.

– Levantem-se, vamos – disse Ma.

Os três ficaram de pé e se afastaram depressa da estrada, pulando por cima de corpos inertes e contornando os feridos ensanguentados. Chegaram a uma rua menor e diminuíram o ritmo. Lev sussurrou para Grigori:

– Eu fiz xixi na calça! Não conte para Ma!

Ma estava possessa.

– Nós VAMOS falar com o czar! – gritou ela, fazendo as pessoas pararem para olhar seu rosto de camponesa e seu olhar intenso. Ma tinha o peito largo, e sua voz ribombou pela rua. – Eles não podem nos impedir! Precisamos ir até o Palácio de Inverno! – Algumas pessoas vibraram, outras assentiram com a cabeça. Lev começou a chorar.

Ao ouvir essa história, nove anos depois, Katerina comentou:

– Por que ela fez isso? Deveria ter levado os filhos para casa, garantido a segurança deles!

– Ma costumava dizer que não queria que tivéssemos a mesma vida que ela – respondeu Grigori. – Achava que seria melhor para todos nós morrer do que desistir da esperança de uma vida mais justa, imagino.

Katerina adotou uma expressão pensativa.

– Talvez isso seja coragem.

– É mais do que coragem – disse Grigori com firmeza. – É heroísmo.

– E depois, o que aconteceu?

Junto com milhares de outros, eles haviam chegado ao centro da cidade. À medida que o sol se erguia mais alto acima da cidade coberta de neve, Grigori desabotoou o casaco e desatou o cachecol. A caminhada era longa para as pernas curtas de Lev, mas o menino estava abalado e assustado demais para reclamar.

Finalmente, eles chegaram à Nevsky Prospekt, o amplo bulevar que atravessava o coração da cidade. Já havia uma multidão ali. Bondes e ônibus passavam de um lado para outro e cabriolés zuniam perigosamente em todas as direções – naquela época não havia táxis motorizados, recordou Grigori.

Os três toparam com Konstantin, torneiro mecânico da Metalúrgica Putilov. Com o semblante fechado, o torneiro disse a Ma que manifestantes haviam sido mortos em outras partes da cidade. Contudo, ela não diminuiu o passo – e a multidão parecia igualmente decidida. Foram passando sem titubear por lojas que vendiam pianos da Alemanha, chapéus fabricados em Paris e vasos de prata especiais para abrigar rosas de estufa. Grigori ouvira dizer que, nas joalherias daquele bairro, um nobre poderia gastar mais dinheiro comprando uma bugiganga para a amante do que um operário conseguia ganhar durante a vida inteira. Eles passaram pelo cinema Soleil, que Grigori sonhava em visitar. Os ambulantes estavam tirando proveito da situação, vendendo chá em samovares e balões coloridos para as crianças.

No final da rua, chegaram a três grandes marcos da cidade de São Petersburgo, situados lado a lado na margem do rio Neva, então congelado: a estátua equestre de Pedro, o Grande, chamada O Cavaleiro de Bronze; o prédio do Almirantado, com sua torre alta; e o Palácio de Inverno. Na primeira vez que vira o palácio, aos 12 anos, Grigori se recusara a acreditar que um prédio tão enorme assim pudesse de fato ser um lugar em que pessoas moravam. Isso lhe parecia inconcebível, como algo saído de um conto de fadas, uma espada mágica ou uma capa de invisibilidade.

A praça em frente ao palácio estava toda branca de neve. Na outra ponta, enfileirados em frente ao prédio vermelho-escuro, havia soldados de cavalaria, fuzileiros de casacos compridos e canhões. A multidão se aglomerava nas extremidades da praça, mantendo distância, com medo dos militares; mas um fluxo constante de recém-chegados vinha das ruas próximas, como os afluentes que desaguavam no rio Neva, e Grigori não parava de ser empurrado para a frente. Ele reparou com surpresa que nem todos os presentes eram operários. Muitos eram membros da classe média, voltando da igreja com seus casacos grossos, alguns pareciam estudantes e uns poucos até usavam uniformes escolares.

Ma se afastou cautelosamente das armas e entrou no Jardim Alexandrovskii, um parque em frente ao comprido prédio amarelo e branco do Almirantado. Outros tiveram a mesma ideia, e aquela parte da multidão ganhou vida. O homem que costumava oferecer passeios de trenó às crianças de classe média já havia ido para casa. Todos ali falavam sobre massacres. Por toda a cidade, manifestantes tinham sido abatidos a tiros e golpeados até a morte pelos sabres dos cossacos. Grigori conversou com um menino da sua idade e lhe disse o que havia acontecido no Portão de Narva. À medida que os integrantes da passeata descobriam o que havia acontecido com os outros, ficavam mais irados.

Grigori ergueu os olhos para a ampla fachada do Palácio de Inverno, com suas centenas de janelas. Onde estaria o czar?

– Mais tarde, nós descobrimos que ele não estava no Palácio de Inverno naquela manhã – disse Grigori a Katerina, ouvindo na própria voz o ressentimento amargo de um devoto desapontado. – Não estava sequer na cidade. O pai de seu povo tinha ido para seu palácio de Tsarskoe Selo passar o fim de semana fazendo caminhadas pelo campo e jogando partidas de dominó. Mas não sabíamos disso, então começamos a chamá-lo, rogando que aparecesse para seus súditos fiéis.

A multidão cresceu; os clamores pelo czar se tornaram mais insistentes; alguns dos manifestantes começaram a zombar dos soldados. Todos estavam ficando tensos e irritados. De repente, um destacamento de guardas avançou em direção ao jardim, ordenando a todos que saíssem. Grigori ficou olhando, apavorado e incrédulo, enquanto eles distribuíam chicotadas indiscriminadamente, alguns golpeando com a parte chata da lâmina de seus sabres. Sem saber o que fazer, olhou para Ma.

– Não podemos desistir agora! – disse ela.

Grigori não sabia o que exatamente eles esperavam que o czar fizesse; apenas tinha certeza, como todos os outros, de que seu monarca daria um jeito de atender às reivindicações do povo se ao menos soubesse quais eram elas.

Os outros manifestantes estavam tão decididos quanto Ma e, embora aqueles que haviam sido atacados pelos guardas tivessem recuado, ninguém saiu de onde estava.

Os soldados assumiram posições de tiro.

Várias das pessoas que estavam mais à frente caíram de joelhos, tiraram os gorros e se benzeram.

– Ajoelhem-se! – disse Ma, ao que os três se ajoelharam, assim como quase todos à sua volta, até a maior parte da multidão assumir uma postura de oração.

O silêncio que se fez deixou Grigori com medo. Ele encarou os rifles apontados em sua direção e os fuzileiros o olharam de volta com uma expressão vazia, como estátuas.

Então Grigori ouviu o som de uma corneta.

Era um sinal. Os soldados dispararam as armas. Ao redor de Grigori, pessoas gritavam e caíam. Um menino que havia subido em uma estátua para ver melhor deu um grito e despencou no chão. Uma criança caiu de uma árvore como um passarinho alvejado.

Grigori viu Ma cair de cara no chão. Achando que tinha sido para se esquivar dos tiros, ele fez a mesma coisa. Então, deitado ao seu lado, olhou para ela e viu o sangue vermelho-vivo sobre a neve em volta da cabeça da mãe.

– Não! – berrou ele. – Não!

Lev soltou um grito.

Grigori agarrou os ombros de Ma e puxou-a para cima. Seu corpo estava mole. Ele encarou seu rosto. A princípio, ficou atônito com a imagem que viu. O que era aquilo? No lugar onde deveriam estar sua testa e seus olhos havia apenas uma irreconhecível massa sanguinolenta.

Foi Lev quem entendeu a verdade.

– Ela morreu! – exclamou ele. – Ma morreu, minha mãe morreu!

Os tiros cessaram. Por toda parte, pessoas corriam, mancavam ou rastejavam para longe. Grigori tentou pensar. O que deveria fazer? Concluiu que precisava tirar Ma dali. Passou os braços por debaixo dela e a ergueu. Sua mãe não era leve, mas ele era forte.

Ele se virou, à procura do caminho de casa. Tinha a visão estranhamente embaçada e percebeu que estava chorando.

– Vamos – disse a Lev. – Pare de berrar. Temos que ir.

À beira da praça, foram parados por um velho cuja pele do rosto se enrugava em volta de dois olhos marejados. Ele usava um uniforme azul de operário.

– Vocês são jovens – disse ele a Grigori. Havia angústia e raiva em sua voz. – Nunca se esqueçam disto – falou. – Nunca se esqueçam dos assassinatos cometidos aqui hoje pelo czar.

Grigori aquiesceu.

– Não vou me esquecer, senhor – disse ele.

– Que você viva muito – retrucou o velho. – Que viva o suficiente para se vingar do czar coberto de sangue pelo mal que fez hoje.

VIII

– Eu a carreguei por uns dois quilômetros, depois fiquei cansado e subi em um bonde, ainda com ela no colo – disse Grigori a Katerina.

Ela o encarava. Seu lindo rosto machucado estava pálido de horror.

– Você carregou sua mãe morta para casa de bonde?

Ele deu de ombros.

– Na época, eu não tinha ideia de que estava fazendo algo estranho. Ou melhor, tudo o que aconteceu naquele dia foi tão bizarro que nada do que eu fazia parecia estranho.

– E os outros passageiros do bonde?

– O motorneiro não disse nada. Acho que ficou chocado demais para me expulsar, e obviamente nem me cobrou passagem... até porque eu não teria mesmo dinheiro para pagar.

– Então você se sentou e pronto?

– Fiquei sentado ali, com o corpo dela nos braços e Lev chorando ao meu lado. Os passageiros ficaram apenas olhando. Eu não estava ligando para o que eles pensavam. Estava concentrado no que tinha de fazer, que era levar minha mãe para casa.

– E daí você virou chefe de família aos 16 anos.

Grigori aquiesceu. Embora as lembranças fossem dolorosas, a atenção irrestrita de Katerina lhe dava grande prazer. Seus olhos estavam fixos nele e ela o escutava boquiaberta, com uma expressão no rosto formoso que era um misto de fascínio e horror.

– Minha lembrança mais vívida daquele momento é o fato de ninguém ter nos ajudado – disse ele, tornando a experimentar a sensação de pânico de estar sozinho em um mundo hostil.

Essa lembrança nunca deixava de encher sua alma de raiva. Isso tudo é passado, pensou ele com seus botões. Hoje tenho uma casa, um emprego e meu irmão cresceu e se tornou um rapaz forte e bonito. Os maus dias acabaram. Mesmo assim, ele sentia vontade de agarrar alguém pelo pescoço – soldado, policial, ministro do governo ou o próprio czar – e esganá-lo até toda a vida se esvair do seu corpo. Trêmulo, fechou os olhos até a sensação passar.

– Logo depois do funeral, o senhorio nos expulsou dizendo que não poderíamos mais pagar o aluguel. Ainda confiscou nossos móveis, para cobrir os pagamentos atrasados, segundo ele, embora Ma nunca ficasse devendo. Eu fui à igreja e disse ao padre que não tínhamos onde dormir.

Katerina deu uma risada sarcástica.

– Posso adivinhar o que aconteceu lá.

Ele ficou surpreso.

– Pode?

– O padre lhes ofereceu uma cama... a cama dele. Foi o que aconteceu comigo.

– Foi mais ou menos isso – disse Grigori. – Ele me deu alguns copeques e me mandou comprar batatas quentes. A loja não ficava onde ele dissera, mas em vez de procurar voltei correndo para a igreja, porque não tinha gostado da cara dele. Dito e feito: quando entrei na sacristia, ele estava abaixando as calças de Lev.

Ela assentiu:

– Os padres têm feito esse tipo de coisa comigo desde os meus 12 anos.

Grigori ficou chocado. Sempre imaginara que aquele padre em especial fosse ruim. Katerina evidentemente achava que a devassidão era a regra.

– Eles são todos assim? – perguntou com raiva.

– Pelo que sei, a maioria é.

Grigori balançou a cabeça, enojado.

– E sabe o que mais me impressionou? Quando eu o flagrei, ele nem sequer ficou envergonhado! Pareceu apenas contrariado, como se tivesse sido interrompido enquanto meditava sobre a Bíblia.

– O que você fez?

– Mandei Lev levantar as calças e fomos embora. O padre pediu seus copeques de volta, mas eu lhe disse que aquela era uma esmola para os pobres. Paguei um pernoite em uma hospedaria com eles.

– E depois?

– Acabei conseguindo um emprego razoável depois de mentir sobre a minha idade, arranjei um quarto e aprendi, um dia depois do outro, a ser independente.

– E hoje você é feliz?

– Longe disso. Minha mãe queria que nós tivéssemos uma vida melhor, e eu vou garantir que isso aconteça. Vou embora da Rússia. Já guardei a maior parte do dinheiro. Vou para os Estados Unidos e, quando chegar lá, mandarei dinheiro para a passagem de Lev. Não existe czar nenhum nos Estados Unidos... nem imperador ou rei de qualquer tipo. O Exército de lá não pode simplesmente atirar em quem quiser. Quem manda no país é o povo!

Ela se mostrou cética.

– Você acredita mesmo nisso?

– É verdade!

Alguém bateu na vidraça. Katerina se assustou – eles estavam no primeiro andar –, mas Grigori sabia que era Lev. Tarde da noite, quando a porta da casa ficava trancada, Lev tinha de atravessar a linha do trem até o quintal dos fundos, depois subir no telhado da lavanderia e entrar pela janela.

Grigori abriu a janela para Lev entrar. Seu irmão estava elegante, usando um paletó com botões de madrepérola e um chapéu com fita de veludo. Em seu colete, via-se a corrente de latão de um relógio de bolso. Seus cabelos ostentavam o corte da moda, estilo "polonês" – repartidos de lado em vez de no meio como o dos camponeses. Katerina pareceu surpresa, e Grigori imaginou que ela não esperava que seu irmão fosse tão atraente.

Em geral, Grigori ficava feliz ao ver Lev, e aliviado quando o irmão aparecia sóbrio e inteiro. Mas, daquela vez, desejou poder ter passado mais tempo sozinho com Katerina.

Apresentou os dois e os olhos de Lev chisparam de interesse ao apertar a mão da moça. Katerina enxugou as lágrimas do rosto.

– Grigori estava me contando sobre a morte da sua mãe – explicou.

– Há nove anos ele tem sido minha mãe e meu pai – disse Lev, inclinando a cabeça e farejando o ar. – E faz um senhor ensopado.

Grigori pegou tigelas e colheres e pôs um pão preto sobre a mesa. Katerina explicou a Lev sobre a briga com o policial Pinsky. A forma como ela contou a história fez Grigori parecer mais valente do que se sentia, mas ele ficou feliz por parecer um herói aos olhos dela.

Lev ficou encantado com Katerina. Inclinou-se para a frente, escutando como se nunca tivesse ouvido nada tão fascinante, sorrindo e aquiescendo, alternando expressões de espanto e de desgosto de acordo com o que ela dizia.

Grigori serviu o ensopado nas tigelas e puxou a mala até a mesa para servir de terceira cadeira. A comida estava boa; ele havia acrescentado uma cebola à panela e o joelho de porco dava aos rabanetes algo do sabor da carne. A atmosfera ficou mais leve quando Lev começou a falar sobre amenidades, como incidentes estranhos na fábrica e coisas engraçadas que os outros tinham dito. Graças a ele, Katerina riu o tempo todo.

Quando terminaram de comer, Lev perguntou à jovem como ela fora parar na cidade.

– Meu pai morreu e minha mãe se casou de novo – respondeu ela. – Infelizmente, meu padrasto parecia gostar mais de mim do que da minha mãe. – Ela sacudiu a cabeça e Grigori não soube dizer se aquele gesto era de vergonha ou de rebeldia. – Seja como for, era isso que minha mãe achava, então ela me botou para fora de casa.

– Metade da população de São Petersburgo veio para cá de algum vilarejo – disse Grigori. – Daqui a pouco não vai restar ninguém para arar a terra.

– Como foi a sua viagem? – quis saber Lev.

A história que ela contou foi o relato banal de passagens para vagões de terceira classe e caronas em carroças, mas Grigori ficou hipnotizado por seu rosto enquanto ela falava.

Lev escutou com atenção, fazendo comentários divertidos e uma ou outra pergunta.

Em pouco tempo, percebeu Grigori, Katerina já havia se virado na cadeira e estava falando apenas com Lev.

Quase como se eu nem estivesse aqui, pensou ele.

CAPÍTULO QUATRO

Março de 1914

– Então – disse Billy ao pai – todos os livros da Bíblia foram escritos originalmente em várias línguas e depois traduzidos para o inglês.

– Isso – respondeu Da. – E a Igreja Católica tentou proibir as traduções... Eles não queriam que gente como nós lesse a Bíblia por conta própria e questionasse os padres.

Da soava um tanto anticristão quando se referia aos católicos. Parecia odiar o catolicismo mais do que o ateísmo. Mas adorava uma controvérsia.

– Bom – falou Billy –, mas onde estão os originais?

– Que originais?

– Os livros originais da Bíblia, escritos em hebraico e em grego. Onde eles estão guardados?

Eles estavam sentados um de frente para o outro à mesa quadrada da cozinha, na casa de Wellington Row. A tarde ia pela metade. Billy já havia voltado da mina e lavado as mãos e o rosto, mas ainda usava as roupas de trabalho. Da tinha pendurado seu paletó e estava sentado de camisa de colarinho, colete e gravata – iria sair novamente depois do jantar para uma reunião do sindicato. Mam estava aquecendo o ensopado na lareira. Gramper estava sentado à mesa com eles, escutando a conversa com um leve sorriso, como se já tivesse ouvido tudo aquilo antes.

– Ora, nós não temos os originais – respondeu Da. – Eles desapareceram séculos atrás. Temos cópias.

– Então onde estão as cópias?

– Em vários lugares diferentes, mosteiros, museus...

– Deveriam ficar guardados no mesmo lugar.

– Mas existe mais de uma cópia de cada livro e algumas são melhores do que outras.

– Como uma cópia pode ser melhor do que outra? Não me diga que são diferentes...

– Sim, elas são. Com o passar dos anos, erros humanos foram ocorrendo.

Isso surpreendeu Billy.

– Mas como é possível saber qual cópia é a certa?

– É aí que entra uma área de estudos chamada crítica textual: a comparação das diferentes versões para produzir um texto definitivo.

Billy estava chocado.

– Quer dizer que não existe um livro incontestável que seja a verdadeira Palavra de Deus? Os homens discutem a respeito e decidem?

– Isso.

– E como podemos saber se eles estão certos?

Da abriu um sorriso matreiro, um claro sinal de que estava contra a parede.

– Nós acreditamos que, se eles trabalharem com humildade e fé, Deus irá guiar seus esforços.

– Mas e se eles não fizerem isso?

Mam depositou quatro tigelas sobre a mesa.

– Não discuta com seu pai – falou ela. Em seguida, cortou quatro fatias grossas de pão.

– Cara, minha menina, deixe-o em paz – disse Gramper. – Deixe o garoto fazer suas perguntas.

– Nós temos fé no poder de Deus de garantir que Sua palavra chegue a nós como Ele deseja – falou Da.

– O senhor não está dizendo coisa com coisa!

Mam tornou a interromper:

– Não fale assim com seu pai! Você ainda é um menino, não sabe de nada.

Billy não lhe deu ouvidos.

– Se Deus queria mesmo que nós conhecêssemos Sua Palavra, por que não orientou o trabalho dos copistas para que eles não cometessem erros?

– Algumas coisas não cabe a nós compreender – falou Da.

Essa resposta era a menos convincente de todas, e Billy a ignorou.

– Se os copistas podiam cometer erros, é óbvio que os estudiosos do texto bíblico também podiam.

– É preciso ter fé, Billy.

– Fé na Palavra de Deus, sim... não em um bando de professores de grego!

Mam sentou-se à mesa e afastou dos olhos os cabelos já grisalhos.

– De modo que, como sempre, você está certo e todos os outros estão errados, imagino?

Essa tática sempre o atingia, pois parecia válida. Não era possível que ele fosse mais sabido que todos os outros.

– Não sou eu – protestou ele. – É uma questão de lógica!

– Ah, você e sua velha lógica – disse Mam. – Coma a sua janta.

A porta se abriu e a Sra. Dai dos Pôneis entrou. Isso era normal em Wellington Row: somente os desconhecidos batiam. A Sra. Dai estava usando um vestido sem mangas e calçava botas de homem – o que quer que tivesse a dizer era urgente o bastante para ela nem sequer pôr um chapéu antes de sair de casa. Visivelmente agitada, brandiu uma folha de papel.

– Estou sendo despejada! – falou. – O que é que eu vou fazer?

Da se levantou para lhe ceder a cadeira.

– Sente-se aqui e recupere o fôlego, Sra. Dai – disse ele com calma. – Deixe-me ler essa carta. – Ele pegou o papel de sua mão vermelha deformada pela artrite e o estendeu sobre a mesa.

Billy pôde ver que a carta havia sido datilografada em um papel timbrado da Celtic Minerals.

– "Prezada Sra. Evans" – leu Da em voz alta. – "Solicitamos a casa situada no endereço acima mencionado para acomodação de um minerador em atividade."

A Celtic Minerals havia construído a maior parte das casas de Aberowen. Com o passar dos anos, algumas tinham sido vendidas para seus ocupantes, incluindo aquela onde vivia a família Williams, mas a maioria ainda era alugada aos trabalhadores.

– "De acordo com as cláusulas de nosso contrato de aluguel, venho por meio desta" – Da fez uma pausa e Billy notou que o pai estava chocado – "lhe dar um aviso prévio de duas semanas para desocupar o imóvel" – terminou ele.

– Um aviso de despejo... e não faz nem seis semanas que o marido dela foi enterrado! – exclamou Mam.

– Para onde eu vou com cinco crianças? – lamentou-se a Sra. Dai.

Billy também estava chocado. Como a empresa podia fazer uma coisa dessas com uma mulher cujo marido tinha morrido na sua mina?

– A carta está assinada por Perceval Jones, Presidente – concluiu Da.

– Que contrato de aluguel? Não sabia que os mineradores tinham esse tipo de coisa – disse Billy.

– Não existe nada por escrito – esclareceu Da –, mas a lei diz que há um contrato implícito. Essa é uma batalha que nós já travamos e perdemos. – Ele se virou para a Sra. Dai. – Em teoria, a casa está atrelada ao emprego, mas as viúvas em geral são autorizadas a ficar. Às vezes elas saem mesmo assim e vão morar em outro lugar, com os pais, talvez. Muitas vezes tornam a se casar com outro minerador, que então assume o aluguel. Normalmente, elas têm pelo menos um filho homem que passa a trabalhar na mina depois de crescido. Na verdade, não é do interesse da empresa expulsar as viúvas.

– Então por que eles querem se livrar de mim e dos meus filhos? – falou a Sra. Dai em tom de lamúria.

– Perceval Jones está com pressa – disse Gramper. – Ele deve estar achando que o preço do carvão vai subir. Foi por isso que começou o turno dominical.

Da assentiu.

– Seja qual for o motivo, eles querem aumentar a produção, isso com certeza. Mas não vão conseguir isso expulsando viúvas. – Ele se levantou. – Não se eu puder impedir.

II

Oito mulheres estavam sendo despejadas, todas viúvas de homens mortos na explosão. Elas haviam recebido cartas idênticas de Perceval Jones, como Da confirmou naquela mesma tarde ao visitá-las uma por uma, com Billy a tiracolo. A reação das mulheres ia da histeria da Sra. Hywel Jones, que não conseguia parar de chorar, ao fatalismo sinistro da Sra. Roley Hughes, segundo a qual o país precisava era de uma guilhotina como a que havia em Paris para homens como Perceval Jones.

Billy fervia de indignação. Será que não bastava aquelas mulheres terem perdido os maridos na mina? Além de viúvas, precisavam ficar sem teto?

– A empresa pode fazer isso, Da? – perguntou ele enquanto os dois passavam pelas miseráveis casas geminadas cinza, em direção à entrada da mina.

– Só se nós deixarmos, filho. A classe operária é mais numerosa do que a classe dominante, e mais forte. Eles dependem de nós para tudo. Produzimos a comida que eles comem, construímos as casas em que eles moram e fabricamos as roupas que eles vestem. Sem nós, eles morrem. Não podem fazer *nada* a menos que a gente deixe. Nunca se esqueça disso.

Os dois entraram no escritório do gerente, guardando as boinas nos bolsos.

– Boa tarde, Sr. Williams – disse Llewellyn Espinhento com nervosismo. – Aguarde só um minuto. Vou perguntar ao Sr. Morgan se ele pode recebê-lo.

– Não seja idiota, garoto, é claro que ele vai me receber – falou Da, entrando na sala particular do gerente. Billy foi atrás dele.

Maldwyn Morgan estava conferindo um livro-razão, mas Billy teve a impressão de que aquilo era apenas fingimento. Ele ergueu os olhos. Suas bochechas rosadas estavam bem barbeadas, como sempre.

– Entre, Williams – disse ele, sem necessidade.

Ao contrário de muitos homens, Morgan não tinha medo de Da. Nascido em

Aberowen, o gerente era filho de professor e havia estudado engenharia. Ele e Da eram parecidos, percebeu Billy: inteligentes, donos da verdade e cabeças-duras.

– O senhor sabe o que me traz aqui, não é, Sr. Morgan? – falou Da.

– Posso adivinhar, mas diga mesmo assim.

– Quero que o senhor revogue os avisos de despejo.

– A empresa precisa das casas para mineradores.

– Vai haver confusão.

– O senhor está me ameaçando?

– Não se faça de ofendido – falou Da com a voz tranquila. – Essas mulheres perderam os maridos na sua mina. O senhor não se sente responsável por elas?

Morgan ergueu o queixo, defendendo-se.

– A investigação pública concluiu que a explosão não foi causada por negligência da empresa.

Billy teve vontade de lhe perguntar como um homem inteligente podia dizer uma coisa dessas sem ficar envergonhado.

– A investigação encontrou uma lista de irregularidades tão comprida quanto o trem para Paddington – retrucou Da. – Equipamentos elétricos sem proteção, nenhuma máscara de gás ou sistema de combate a incêndio adequado...

– Mas as irregularidades não causaram a explosão nem a morte dos mineradores.

– Não foi possível *provar* que as irregularidades causaram a explosão ou as mortes.

Pouco à vontade, Morgan se remexeu na cadeira.

– O senhor não veio aqui discutir sobre a investigação.

– Eu vim aqui para colocar juízo na sua cabeça. Neste exato momento, a notícia das cartas está se espalhando pela cidade. – Da fez um gesto em direção à janela e Billy viu que o sol de inverno estava se pondo atrás da montanha. – Os homens estão ensaiando nos corais, bebendo nos pubs, indo a rodas de oração, jogando xadrez... e todos estão falando sobre o despejo das viúvas. E pode apostar que eles estão zangados.

– Vou perguntar de novo: o senhor está tentando intimidar a empresa?

Billy queria esganar aquele homem, mas Da só fez suspirar.

– Escute, Maldwyn, nós nos conhecemos desde a escola. Seja sensato. Você sabe que há homens no sindicato que vão ser mais agressivos do que eu. – Da estava se referindo ao pai de Tommy Griffiths. Len Griffiths acreditava na revolução e sempre torcia para que a briga seguinte fosse a faísca que provocaria a conflagração. Ele também queria a vaga de Da. Era certo que iria propor medidas drásticas.

– Está me dizendo que vocês vão entrar em greve? – perguntou Morgan.

– Estou lhe dizendo que os homens vão ficar bravos. Não posso prever o que eles vão fazer. Mas eu não quero confusão, e você, tampouco. Estamos falando em oito casas de um total de quantas, oitocentas? O que eu vim aqui perguntar é: vale a pena?

– A empresa já tomou sua decisão – disse Morgan, e Billy intuiu que ele não concordava com a empresa.

– Peça ao conselho de diretores para reavaliar a questão. Que mal poderia haver nisso?

O tom moderado de Da estava deixando Billy impaciente. Ele não deveria estar levantando a voz, colocando o dedo na cara de Morgan e acusando a companhia da crueldade desumana de que ela era evidentemente culpada? Era isso que Len Griffiths teria feito.

Morgan não se deixou comover.

– Estou aqui para executar as decisões do conselho, não para questioná-las.

– Então os despejos já foram aprovados pelo conselho – falou Da.

Morgan pareceu embaraçado.

– Eu não disse isso.

Mas deu a entender, pensou Billy, graças às perguntas engenhosas de Da. Talvez a moderação não fosse tão má ideia assim.

Da mudou de tática.

– E se eu conseguisse encontrar oito casas cujos donos estivessem dispostos a aceitar novos mineradores como inquilinos?

– Esses homens têm famílias.

Da falou de forma lenta e calculada.

– Nós *poderíamos* chegar a um acordo, se *você* estivesse disposto.

– A empresa precisa ter o poder de administrar seus próprios negócios.

– Independentemente das consequências para os outros?

– Esta mina de carvão é nossa. A empresa avaliou o terreno, negociou com o conde, escavou a mina e comprou os equipamentos. E ela também construiu as casas para os trabalhadores morarem. Fomos nós que pagamos por tudo e ninguém vai nos dizer o que fazer com a nossa propriedade.

Da tornou a pôr a boina.

– Mas vocês não puseram o carvão debaixo da terra, Maldwyn, ou puseram? – indagou ele. – Quem fez isso foi Deus.

|||

Da tentou reservar a sala de reunião da prefeitura para uma assembleia às sete e meia da noite seguinte, mas o espaço já tinha sido cedido ao Grupo de Teatro Amador de Aberowen, que ensaiava a primeira parte de *Henrique IV*. Então, Da decidiu que os mineradores iriam se reunir na Capela de Bethesda. Billy e Da, acompanhados por Len e Tommy Griffiths e por alguns outros membros atuantes do sindicato, percorreram a cidade para divulgar a reunião no boca a boca e pregar avisos manuscritos nos pubs e capelas.

Às sete e quinze da noite seguinte, a capela já estava lotada. As viúvas se sentaram na primeira fileira e todos os outros ficaram em pé. Billy estava em uma das laterais, perto da frente, de onde podia ver os rostos dos homens. Ao seu lado estava Tommy Griffiths.

Billy sentia orgulho do pai por sua coragem, por sua inteligência e pelo fato de ele ter recolocado a boina antes de sair da sala de Morgan. Ainda assim, queria que Da tivesse sido mais agressivo. Ele deveria ter falado com Morgan do mesmo jeito que falava com a congregação de Bethesda, predizendo o fogo e a danação do inferno a quem se recusasse a enxergar a verdade.

Às sete e meia em ponto, Da pediu silêncio. Com sua voz imponente de pregador, leu em voz alta a carta enviada por Perceval Jones à Sra. Dai dos Pôneis.

– Esta carta foi enviada para as oito viúvas dos homens mortos na explosão da mina seis semanas atrás.

– Vergonhoso! – gritaram vários homens.

– Segundo o nosso regulamento, os homens só devem falar quando solicitados pelo presidente da assembleia, e só nesse caso, para que todos sejam ouvidos um de cada vez. Agradeço se vocês puderem respeitar essa regra, mesmo em uma situação como esta, em que os sentimentos estão exaltados.

– Malditos sejam, isso é um absurdo! – gritou alguém.

– Griff Pritchard, por favor, sem blasfêmias. Estamos em uma capela e, além disso, há senhoras presentes.

– Silêncio, silêncio – disseram dois ou três dos homens.

Griff Pritchard, que ficara no pub Two Crowns desde o final de seu turno naquela tarde, falou:

– Desculpe, Sr. Williams.

– Eu tive uma reunião ontem com o gerente da mina e lhe pedi formalmente que revogasse os avisos de despejo, mas ele se recusou. Deu a entender que a decisão tinha sido do conselho de diretores e que ele não tinha poder para mudá-la, ou nem sequer questioná-la. Insisti que cogitássemos alternativas, mas ele disse que a empresa tinha o direito de administrar seus negócios sem interferência. São essas as informações que tenho para vocês. – Aquilo era um tanto comedido, pensou Billy. Ele queria que Da conclamasse a revolução. Mas seu pai se limitou a apontar para um homem que estava com a mão levantada. – John Jones da Loja.

– Eu morei a vida inteira no número 23 de Gordon Terrace – falou Jones. – Nasci naquela casa e continuo nela até hoje. Meu pai morreu quando eu tinha 11 anos. Foi bem difícil para a minha mãe, mas deixaram que ela ficasse. Quando eu tinha 13 anos, comecei a trabalhar na mina e hoje quem paga o aluguel sou eu. É assim que sempre foi. Ninguém disse nada sobre nos despejar.

– Obrigado, John Jones. Você tem alguma proposta de ação?

– Não, só queria falar.

– Eu tenho uma proposta – disse outra voz. – Greve!

Ouviu-se um coro de aprovação.

– Dai Chorão – disse o pai de Billy.

– Eu acho o seguinte – falou o capitão do time de rúgbi da cidade. – Não podemos deixar a empresa fazer isso. Se eles puderem despejar as viúvas, nenhum de nós vai conseguir ficar tranquilo quanto à segurança das nossas famílias. Um homem pode passar a vida inteira trabalhando para a Celtic Minerals, morrer a serviço e duas semanas depois sua família ser jogada na rua. Dai do Sindicato foi ao escritório tentar um acordo com Morgan-foi-a-Merthyr, mas não adiantou. Agora nossa única alternativa é entrar em greve.

– Obrigado, Dai – falou Da. – Devo interpretar isso como uma proposta formal a favor de uma greve?

– Sim.

Billy ficou surpreso por Da aceitar isso tão depressa. Sabia que seu pai queria evitar uma greve.

– Vamos votar! – gritou alguém.

– Antes de eu levar a proposta a votação, precisamos decidir quando deveríamos entrar em greve – disse Da.

Ah, pensou Billy, ele não está aceitando.

– Talvez seja interessante começarmos na segunda – prosseguiu Da. – Até lá, enquanto continuamos a trabalhar, a ameaça de uma greve pode fazer a diretoria mudar de ideia. Assim, podemos conseguir o que queremos sem deixar de receber nosso salário.

Billy percebeu que Da estava defendendo um adiamento da greve. E Len Griffiths chegou à mesma conclusão.

– Posso falar, Sr. Presidente? – perguntou ele.

O pai de Tommy era calvo bem no centro da cabeça, mas tinha uma franja e um bigode pretos. Ele deu um passo à frente e se colocou ao lado de Da, de frente para os homens reunidos, de modo que os dois parecessem ter a mesma autoridade. Todos se calaram. Assim como Da e Dai Chorão, Len estava entre as poucas pessoas que eram sempre ouvidas com um silêncio respeitoso.

– Eu pergunto: seria sensato dar quatro dias de lambuja para a empresa? E se eles não mudarem de ideia? O que, aliás, me parece muito provável, considerando a intransigência que demonstraram até agora. Se isso acontecer, quando chegar segunda-feira, estaremos de mãos vazias e as viúvas terão menos tempo ainda antes do despejo. – Ele levantou um pouco a voz para soar mais eloquente. – Companheiros, na minha opinião, não devemos ceder nenhum centímetro!

Os homens vibraram, e Billy se juntou a eles.

– Obrigado, Len – falou Da. – Então já tenho duas propostas na mesa: entrar em greve amanhã ou entrar em greve na segunda-feira. Quem mais gostaria de falar?

Billy ficou observando seu pai conduzir a reunião. O homem que se pronunciou em seguida chamava-se Giuseppe "Joey" Ponti, o principal solista do Coral Masculino de Aberowen, irmão mais velho de Johnny, colega de escola de Billy. Apesar do nome italiano, ele nascera em Aberowen e falava com o mesmo sotaque de todos os outros homens ali reunidos. Joey também defendeu a greve imediata.

Da falou:

– Para manter a imparcialidade, alguém quer se pronunciar a favor da greve na segunda?

Billy se perguntou por que Da não punha sua autoridade pessoal na balança. Se ele defendesse a greve na segunda, talvez os outros mudassem de ideia. Por outro lado, se não conseguisse convencê-los, ficaria em posição delicada, obrigado a conduzir uma greve que tentara evitar. Billy percebeu que Da não estava totalmente livre para dizer o que pensava.

O debate tinha várias implicações. O preço do carvão estava alto, de modo que a administração poderia aguentar uma greve; mas a demanda também estava alta, então eles iriam querer vender enquanto pudessem. A primavera estava chegando, o que significava que as famílias dos mineradores logo poderiam passar sem a sua cota gratuita de carvão. A posição dos mineradores estava bem fundamentada em uma prática de longa data, mas a lei estava do lado da administração.

Da deixou o debate prosseguir e alguns dos discursos foram se tornando tediosos. Billy se perguntou o que seu pai pretendia, e concluiu que ele tinha esperança de que os ânimos se acalmassem. Mas, no fim das contas, teve de colocar as propostas em votação.

– Primeiro, quem é a favor de não fazer greve?

Uns poucos homens levantaram a mão.

– Agora, quem é a favor de entrarmos em greve na segunda-feira?

Essa proposta recebeu uma votação expressiva, mas Billy não teve certeza se ela garantiria a sua vitória. Tudo dependeria de quantos homens se abstivessem de votar.

– Por último, quem é a favor de entrarmos em greve amanhã?

Os homens vibraram e muitos braços se agitaram no ar. Não havia dúvidas quanto ao resultado.

– A proposta de entrarmos em greve amanhã foi aprovada – falou Da.

Ninguém sugeriu uma contagem de votos.

A assembleia chegou ao fim. Na saída da capela, Tommy disse com animação:

– Estamos de folga amanhã, então.

– Sim – disse Billy. – E sem nenhum tostão para gastar.

IV

Na primeira vez que Fitz contratou os serviços de uma prostituta, ele tentou beijá-la – não porque quisesse, mas porque imaginou que fosse a coisa certa a fazer. "Eu não beijo", disse ela com rispidez em seu sotaque *cockney*. Depois disso, ele nunca mais havia tentado. Segundo Bing Westhampton, várias prostitutas se recusavam a beijar, o que era estranho, levando em conta as outras intimidades que permitiam. Talvez essa proibição trivial lhes preservasse um resquício de dignidade.

Teoricamente, as moças da classe social de Fitz não deveriam beijar ninguém antes do casamento. É claro que o faziam, mas apenas em raros momentos de breve privacidade, em um cômodo subitamente vazio em algum baile, ou atrás de um arbusto em um jardim campestre. Nunca havia tempo para a paixão se desenvolver.

A única mulher que Fitz havia beijado de verdade era sua esposa Bea. Ela lhe entregava o seu corpo da mesma forma que um cozinheiro ofereceria um bolo especial, perfumado, confeitado e lindamente decorado para o seu prazer. Deixava que ele fizesse qualquer coisa, mas não exigia nada. Oferecia os lábios para ele beijar e abria a boca para permitir que sua língua entrasse, mas Fitz nunca sentira que ela ansiava por seu toque.

Ethel beijava como se lhe restasse apenas um minuto de vida.

Os dois estavam na Suíte Gardênia, em pé ao lado da cama, abraçados. Ela chupava sua língua, mordia seus lábios e lambia seu pescoço, ao mesmo tempo que acariciava seus cabelos, segurava sua nuca e enfiava as mãos por baixo de seu colete para afagar seu peito. Quando finalmente se soltaram, ofegantes, ela segurou-lhe o rosto com as duas mãos, imobilizando sua cabeça e encarando-o, e disse:

– Você é tão lindo!

Ele se sentou na beirada da cama, segurando suas mãos enquanto ela ficava em pé na sua frente. Sabia que alguns homens tinham o hábito de seduzir suas empregadas, mas ele não era assim. Aos 15 anos, havia se apaixonado por uma das criadas encarregadas de receber as visitas na casa de Londres: sua mãe percebera tudo em poucos dias e mandara a moça embora sem pestanejar. Seu pai tinha sorrido e dito: "Mas você escolheu bem." Desde então, Fitz não havia tocado em nenhuma empregada. Mas não conseguia resistir a Ethel.

– Por que você voltou? – perguntou ela. – Deveria ter passado o mês de maio inteiro em Londres.

– Eu queria ver você. – Ele pôde ver que ela relutava em acreditar nele. – Não parava de pensar em você, o dia inteiro, todos os dias, e simplesmente tive de voltar.

Ela se curvou e tornou a beijá-lo. Sem se desgrudar do beijo, ele se deixou cair lentamente de costas sobre a cama, puxando-a consigo até ela ficar deitada por cima dele. Ela era tão magra que não pesava mais do que uma criança. Seus cabelos se soltaram dos grampos e ele enterrou os dedos nos cachos lustrosos.

Depois de algum tempo, ela rolou de lado e se deitou junto a ele, arfando. Ele se apoiou no cotovelo para encará-la. Ethel o chamara de lindo, mas naquele momento a coisa mais bela que ele tinha visto na vida era ela. Tinha as bochechas coradas, os cabelos despenteados e os lábios vermelhos úmidos e entreabertos. Seus olhos escuros o fitavam com adoração.

Ele levou a mão ao seu quadril, acariciando-lhe a coxa em seguida. Ethel cobriu a mão dele com a sua, imobilizando-a, como se estivesse com medo que ele passasse dos limites.

– Por que as pessoas o chamam de Fitz? – perguntou ela. – O seu nome é Edward, não é?

Ele teve certeza de que isso era uma tentativa de acalmar a paixão dos dois.

– Começou na escola – disse ele. – Todos os meninos tinham apelidos. Então Walter von Ulrich veio passar férias na minha casa, Maud ouviu o apelido e o adotou.

– Mas antes disso seus pais o chamavam como?

– Teddy.

– Teddy – disse ela, ensaiando dizer o nome. – Gosto mais que de Fitz.

Ele recomeçou a lhe acariciar a coxa e, desta vez, ela permitiu. Enquanto a beijava, Fitz foi levantando devagar a saia comprida de seu uniforme preto de governanta. As meias que ela usava iam apenas até as panturrilhas, de modo que ele acariciou seus joelhos nus. Acima dos joelhos, vestia uma calcinha grande de algodão. Ele tocou-lhe as pernas através do tecido, depois moveu a mão até o espaço entre suas coxas. Quando a tocou ali, ela gemeu e jogou o quadril para cima, apertando-se contra a mão dele.

– Tire isso – sussurrou ele.

– Não!

Ele encontrou o cordão que amarrava a calcinha na cintura. Estava atado com um laço. Fitz o desfez com um puxão.

Ela tornou a cobrir a mão dele com a sua.

– Pare.

– Eu só quero tocar você ali.

– Eu quero mais até que você – disse ela. – Mas não.

Ele se ajoelhou na cama.

– Não vamos fazer nada que você não queira – falou. – Eu juro. – Então, pegou a cintura de sua calcinha com as duas mãos e rasgou o tecido. Ela soltou um arquejo de surpresa, mas não protestou. Ele tornou a se deitar e usou a mão para explorá-la. Ela abriu as pernas na mesma hora. Tinha os olhos fechados e a respiração acelerada, como se tivesse acabado de correr. Ele imaginou que fosse o primeiro a lhe fazer aquilo, e uma voz fraca lhe disse que não deveria tirar vantagem da inocência dela. Porém seu desejo era intenso demais para que ele pudesse escutá-la.

Fitz desabotoou a calça e se deitou por cima dela.

– Não – disse Ethel.

– Por favor.

– E se eu ficar grávida?

– Eu tiro antes do final.

– Jura?

– Juro – disse ele, penetrando-a.

Sentiu uma obstrução. Ela era virgem. Sua consciência tornou a se manifestar e, desta vez, a voz não foi tão débil. Ele parou. Mas agora quem não conseguia mais se conter era Ethel. Ela segurou seus quadris e puxou-o para dentro de si, ao mesmo tempo que arqueava ligeiramente o corpo. Ele sentiu algo se romper e ela soltou um grito agudo de dor – então o obstáculo sumiu. Ela se pôs a acompanhar com avidez o ir e vir dele. Abriu os olhos e encarou seu rosto.

– Ah, Teddy, Teddy – falou, e ele percebeu que ela o amava. A ideia o comoveu de tal forma que ele quase chorou, deixando-o ao mesmo tempo tão excitado que foi impossível se controlar, e seu orgasmo veio inesperadamente rápido. Com uma pressa aflita, ele recuou o corpo e seu sêmen se derramou sobre a coxa de Ethel, enquanto ele soltava um grunhido de prazer misturado com decepção. Ela levou a mão até sua nuca e puxou-lhe o rosto em direção ao seu, beijando-o com ardor, então fechou os olhos e soltou um gritinho entre a surpresa e o prazer – e assim acabou.

Espero ter tirado a tempo, pensou ele.

V

Ethel continuou trabalhando normalmente, mas o tempo inteiro tinha a sensação de carregar no bolso um diamante secreto que podia tocar vez por outra, alisando suas superfícies polidas e seus cantos afiados quando ninguém estivesse olhando.

Em seus momentos de maior lucidez, ela se perguntava o que aquele amor significava e até onde poderia chegar. De vez em quando, ficava horrorizada ao imaginar o que seu pai socialista e temente a Deus iria pensar caso descobrisse. Contudo, na maior parte do tempo, ela se sentia apenas como se estivesse despencando pelo ar sem nada para aparar sua queda. Adorava a maneira como ele caminhava, seu cheiro, suas roupas, seus modos refinados, seu ar de autoridade. Adorava também o jeito como ele às vezes parecia desnorteado. E, quando o via sair do quarto da mulher com aquela expressão de mágoa no rosto, sentia vontade de chorar. Estava apaixonada e fora de controle.

Na maioria dos dias, ela falava com ele pelo menos uma vez, e os dois em geral conseguiam passar alguns instantes sozinhos e trocar um beijo longo e ardente. O simples fato de beijá-lo já a deixava molhada, de modo que às vezes ela precisava lavar a roupa de baixo no meio do dia. Sempre que possível, ele também tomava outras liberdades, tocando seu corpo inteiro, o que a deixava ainda mais excitada. Eles haviam conseguido se encontrar outras duas vezes na cama da Suíte Gardênia.

Uma coisa deixava Ethel intrigada: nas duas vezes em que eles haviam se deitado juntos, Fitz a mordera com bastante força – uma vez na parte interna da coxa e outra no seio. Isso a fez soltar um grito de dor abafado às pressas. O grito pareceu deixá-lo ainda mais fogoso. E, apesar da dor, ela também ficou excitada com as mordidas, ou pelo menos com a ideia de que seu desejo por ela era tão intenso que ele era levado a expressá-lo dessa forma. Não fazia ideia se isso era normal, e não tinha ninguém a quem pudesse perguntar.

Mas a sua principal aflição era pensar no que aconteceria se um dia Fitz não conseguisse retirar na hora H. A tensão era tão grande que foi quase um alívio quando ele e a princesa Bea tiveram de voltar para Londres.

Antes de ir, ela o convenceu a doar comida para os filhos dos mineradores em greve.

– Não para os pais, porque você não pode dar a impressão de estar tomando partido – disse ela. – Só para os meninos e meninas. A greve já dura duas semanas e eles estão passando fome. Não lhe custaria muito. Pelos meus cálculos, são umas 500 crianças. Elas iriam amar você por isso, Teddy.

– Nós poderíamos armar uma tenda no jardim – disse ele, deitado na cama da Suíte Gardênia com a calça desabotoada e a cabeça no seu colo.

– E podemos preparar a comida aqui mesmo na cozinha – falou Ethel com entusiasmo. – Um ensopado de carne com batatas, e pão até dizer chega para as crianças.

– E um pudim com passas, que tal?

Será que ele a amava, perguntava-se Ethel. Naquele momento, sentiu que ele faria qualquer coisa que ela pedisse: teria lhe dado joias, levado a Paris, comprado uma bela casa para seus pais. Contudo, Ethel não estava interessada em nenhuma dessas coisas – mas, afinal, *o que* ela queria? Não sabia e se recusava a deixar sua felicidade ser arruinada por perguntas sem resposta relacionadas ao futuro.

Alguns dias depois, ela estava no Gramado Leste ao meio-dia de um sábado, vendo as crianças de Aberowen devorarem a primeira refeição gratuita de suas vidas. Fitz não tinha noção de que elas estavam comendo melhor do que quando seus pais estavam trabalhando. Pudim com passas, sim, senhor! Os pais não puderam entrar, mas a maioria das mães ficou postada do lado de fora do portão, observando seus filhos sortudos. Quando olhou para lá, Ethel viu alguém que acenava para ela e foi até a entrada.

O grupo junto ao portão era formado principalmente por mulheres: os homens não cuidavam das crianças, nem mesmo durante uma greve. Elas cercaram Ethel, parecendo agitadas.

– O que houve? – quis saber ela.

Quem respondeu foi a Sra. Dai dos Pôneis:

– Todos foram despejados!

– Todos? – repetiu Ethel, sem entender. – Todos quem?

– Todos os mineradores locatários da Celtic Minerals.

– Meu Deus! – Ethel ficou horrorizada. – Deus tenha piedade de nós. – Seu choque foi seguido por incompreensão. – Mas por quê? O que a empresa ganha com isso? Eles vão ficar sem trabalhadores.

– Homens – disse a Sra. Dai. – Quando eles entram em uma briga, só pensam em ganhar. Seja qual for o custo, não desistem. São todos iguais. Não que eu não quisesse o meu Dai de volta, se isso fosse possível.

– Que horror! – Como a empresa iria encontrar fura-greves em número suficiente para manter a mina em atividade? Se a mina fosse fechada, a cidade iria morrer, pensou ela. O comércio ficaria sem clientes, as escolas ficariam vazias, os médicos não teriam pacientes... Seu pai também perderia o trabalho. Ninguém imaginava que Perceval Jones fosse ser tão intransigente.

– Fico pensando no que o rei iria dizer, se soubesse – falou a Sra. Dai.

Ethel se perguntava a mesma coisa. O rei parecera demonstrar uma compaixão genuína pelos operários. Mas ele provavelmente não sabia que as viúvas tinham sido despejadas.

Foi então que ela teve uma ideia.

– Talvez vocês devessem contar a ele – falou.

A Sra. Dai riu.

– Vou contar na próxima vez que estiver com ele.

– Poderiam lhe escrever uma carta.

– Ora, Eth, deixe de bobagem.

– Estou falando sério. É o que deveriam fazer. – Ela olhou para o grupo reunido à sua volta. – Uma carta assinada pelas viúvas que o rei visitou, dizendo que vocês estão sendo expulsas de suas casas e que a cidade está em greve. Isso chamaria a atenção dele, vocês não acham?

A Sra. Dai fez uma cara amedrontada.

– Eu não gostaria de arrumar problemas.

Quem lhe respondeu foi a Sra. Minnie Ponti, uma mulher magra e loura de opiniões fortes:

– Você não tem mais marido, nem casa, nem lugar nenhum para ir... Quer mais problema do que isso?

– Isso lá é verdade. Mas eu não saberia o que dizer. O certo é escrever "Prezado Rei", "Prezado Jorge V" ou o quê?

– Vocês devem escrever: "Senhor, com nossa humilde devoção." Trabalhando aqui, aprendi essa bobajada toda. Vamos escrever agora. Venham comigo até a ala dos criados.

– Isso não vai lhe causar problemas?

– Agora eu sou a governanta aqui, Sra. Dai. Sou eu que digo o que pode ou não ser feito.

As mulheres a acompanharam pela estradinha de acesso e deram a volta até a entrada da cozinha. Sentaram-se em volta da mesa de jantar dos criados e a cozinheira preparou um bule de chá. Ethel tinha uma pilha de papel de carta simples que usava para se corresponder com os comerciantes.

– "Senhor, com nossa humilde devoção" – disse ela, escrevendo. – E depois?

– "Perdoe nosso atrevimento por escrever para Vossa Majestade" – falou a Sra. Dai.

– Não – retrucou Ethel com firmeza. – Não peçam desculpas. Ele é nosso rei, temos o direito de lhe escrever. Vamos dizer o seguinte: "Nós somos as viúvas que Vossa Majestade visitou em Aberowen depois da explosão na mina."

– Muito bem – disse a Sra. Ponti.

– "Nos sentimos honradas pela sua visita e reconfortadas pelas suas condolências, bem como pela solidariedade generosa de Sua Majestade, a rainha" – continuou Ethel.

– Você leva jeito para isso, igualzinha ao seu pai – comentou a Sra. Dai.

– Mas agora chega de bajulação – disse a Sra. Ponti.

– Está bem. Vamos continuar: "Na condição de nosso rei, pedimos agora a sua ajuda. Como nossos maridos morreram, estamos sendo despejadas de nossas casas..."

– "... pela Celtic Minerals" – completou a Sra. Ponti.

– "Pela Celtic Minerals. Todos os mineradores entraram em greve para nos defender, mas agora eles também estão sendo despejados."

– Não se alongue muito – falou a Sra. Dai. – Ele pode estar ocupado demais para ler tudo.

– Certo. Vamos terminar assim: "Será que uma coisa dessas deveria ser permitida no reino de Vossa Majestade?"

– Está um pouco ameno – reclamou a Sra. Ponti.

– Não, está bom assim – discordou a Sra. Dai. – Isso vai apelar para a noção do rei de certo e errado.

– "Temos a honra, senhor, de continuar sendo suas mais humildes e obedientes servas" – concluiu Ethel.

– Precisamos mesmo pôr isso? – quis saber a Sra. Ponti. – Eu não sou serva de ninguém. Com todo o respeito, Ethel.

– É o normal nesses casos. O conde escreve isso sempre que manda uma carta para o *Times*.

– Então está bem.

Ethel fez a carta passar de mão em mão.

– Ponham seu endereço ao lado das assinaturas.

– Minha caligrafia é péssima, assine você o meu nome – disse a Sra. Ponti.

Ethel estava prestes a protestar quando lhe ocorreu que a Sra. Ponti talvez fosse analfabeta, de modo que não discutiu, apenas escreveu: "Sra. Minnie Ponti, Wellington Row, 19."

Em seguida, endereçou a carta:

Sua Majestade, o Rei
Palácio de Buckingham
Londres

Ela lacrou o envelope e colou nele um selo.

– Prontinho – falou.

As mulheres lhe deram uma salva de palmas. Ethel pôs a carta no correio no mesmo dia.

Ninguém jamais respondeu.

VI

O último sábado de março foi um dia nublado em Gales do Sul. Nuvens baixas escondiam o topo das montanhas e um chuvisco incessante caía sobre Aberowen. Ethel e a maioria dos empregados de Tŷ Gwyn abandonaram suas funções – o conde e a princesa estavam em Londres – e foram até a cidade.

Policiais haviam sido enviados de Londres para executar os despejos e era possível vê-los em cada rua, com suas capas de chuva pesadas gotejando. A Greve das Viúvas era notícia em todo o país, e repórteres de Cardiff e Londres tinham vindo no primeiro trem da manhã, fumando cigarros e fazendo anotações em seus blocos. Havia até mesmo uma câmera grande, apoiada em um tripé.

Ethel estava diante da porta de casa com a família, observando. Da trabalhava para o sindicato, não para a Celtic Minerals, e era dono da própria casa, mas a maioria de seus vizinhos estava sendo despejada. Durante a manhã, eles haviam trazido seus pertences para a rua: camas, mesas e cadeiras, panelas e penicos, um quadro emoldurado, um relógio, uma caixa de laranjas cheia de louça de barro e talheres, algumas roupas envoltas em jornal e amarradas com barbante. Em cada soleira, uma pequena pilha de bens quase sem valor se erguia como uma oferenda para algum sacrifício.

O rosto de Da era uma máscara de raiva contida. Billy parecia a fim de arranjar uma briga. Gramper não parava de sacudir a cabeça e dizer:

– Nunca vi coisa parecida, nunca em 70 anos de vida.

Mam parecia apenas desgostosa.

Ethel chorava sem parar.

Alguns dos mineradores haviam arrumado outros empregos, mas não era fácil: um mineiro não conseguia se adaptar de imediato a um trabalho de vendedor ou chofer de ônibus. Os patrões sabiam disso e os mandavam embora quando viam o pó de carvão debaixo de suas unhas. Meia dúzia deles havia entrado para a marinha mercante, aceitando empregos de foguista e pedindo um adiantamento para deixar com as esposas antes de irem embora. Alguns estavam indo para Cardiff ou Swansea, na esperança de conseguir trabalho na fundição de aço. Muitos tinham se mudado para a casa de parentes em cidades vizinhas. O restante estava apenas se apinhando em alguma casa de Aberowen, junto com uma família que não fosse de mineradores, até a greve acabar.

– O rei nunca respondeu à carta das viúvas – disse Ethel a Da.

– Você não fez do jeito certo – falou ele sem rodeios. – Veja só a Sra. Pankhurst. Eu não acredito no voto feminino, mas ela com certeza sabe se fazer notar.

– O que eu deveria ter feito: encontrado uma maneira de ser presa?

– Não precisa ir tão longe. Se eu soubesse o que vocês estavam fazendo, teria dito para mandarem uma cópia da carta para o *Western Mail*.

– Não cheguei a pensar nisso. – Ethel ficou arrasada ao se dar conta de que tivera a chance de fazer alguma coisa para impedir aqueles despejos e havia fracassado.

– O jornal perguntaria ao palácio se eles tinham recebido a carta e teria sido difícil para o rei dizer que iria simplesmente ignorá-la.

– Ah, que droga. Eu deveria ter pedido a sua opinião.

– Olhe a boca suja – falou sua mãe.

– Desculpe, mãe.

Os policiais londrinos observavam tudo com perplexidade, sem entender o orgulho e a teimosia tolos que haviam conduzido àquela situação. Perceval Jones não dera as caras. Um repórter do *Daily Mail* pediu uma entrevista a Da, mas, como o jornal era hostil à classe operária, ele se recusou a falar.

A cidade não tinha carrinhos de mão suficientes, então as pessoas se revezavam para transportar seus pertences. O processo levou muitas horas, porém no meio da tarde as últimas pilhas já haviam desaparecido e as chaves tinham sido deixadas penduradas nas fechaduras das casas. Os policiais voltaram para Londres.

Ethel ainda ficou na rua por mais algum tempo. As janelas das casas vazias a encaravam de volta, inexpressivas, e a água da chuva escorria inutilmente pela rua. Ela fitou a sucessão de telhas cinzentas molhadas que cobriam as casas, seu olhar descendo a encosta até os prédios espalhados ao redor da entrada da mina, no fundo do vale. Pôde ver um gato andando por uma linha de trem, mas, fora isso, não havia movimento. Nenhuma fumaça saía da casa de máquinas, e as duas roldanas do guindaste, grandes e idênticas, pairavam no alto de sua torre, imóveis e desnecessárias sob a chuva fina incessante.

CAPÍTULO CINCO

Abril de 1914

A embaixada alemã era uma grande mansão em Carlton House Terrace, uma das ruas mais elegantes de Londres. O prédio dava para um jardim exuberante que se estendia até o pórtico margeado de colunas do Athenaeum, o clube frequentado pelos intelectuais alemães. Nos fundos, seus estábulos davam para The Mall, o bulevar que ligava a Trafalgar Square ao Palácio de Buckingham.

Walter von Ulrich não morava ali – ainda. A única pessoa que tinha esse privilégio era o próprio embaixador, o príncipe Lichnowsky. Walter, um mero adido militar, vivia em um apartamento de solteiro a dez minutos a pé da embaixada, na Piccadilly. No entanto, ele esperava um dia poder ocupar o grandioso apartamento particular do embaixador, dentro da própria embaixada. Walter não era príncipe, mas seu pai era amigo íntimo do Kaiser Guilherme II. Falava inglês como um ex-aluno do Eton College, onde havia de fato estudado. Passara dois anos no Exército e três na Academia de Guerra antes de entrar para o Ministério das Relações Exteriores. Tinha 28 anos e era uma estrela em ascensão.

Não eram apenas o prestígio e a glória do cargo de embaixador que o atraíam. Ele acreditava, com grande paixão, que não havia vocação mais nobre do que servir ao próprio país. Seu pai achava a mesma coisa.

Os dois discordavam quanto a todo o resto.

Parados no hall de entrada da embaixada, os dois se encaravam. Tinham a mesma estatura, porém Otto era mais pesado e careca e usava um bigode mais antiquado, do tipo que cobria a boca inteira, enquanto Walter ostentava um moderno bigode à escovinha. Naquele dia, ambos estavam vestidos de forma idêntica, com ternos de veludo preto e calças na altura dos joelhos, meias de seda e sapatos de fivela. Os dois portavam uma espada e usavam um chapéu de duas pontas curvadas para cima. Incrivelmente, era esse o traje habitual para se comparecer à corte real inglesa.

– Parece que estamos prestes a subir no palco – disse Walter. – Que roupa ridícula.

– Pelo contrário – retrucou seu pai. – É uma tradição magnífica.

Otto von Ulrich havia passado grande parte da vida no Exército alemão. Jovem oficial na guerra franco-prussiana, liderara sua companhia na travessia de uma ponte flutuante na batalha de Sedan. Mais tarde, Otto se tornaria um dos amigos a quem o Kaiser Guilherme recorreu após a ruptura com Bismarck, o Chanceler de Ferro. Atualmente, Otto exercia um cargo itinerante, visitando capitais europeias como uma abelha a pousar em flores, sorvendo o néctar dos serviços de informação diplomáticos e levando tudo de volta para a colmeia. Ele acreditava na monarquia e na tradição militar prussiana.

Walter era igualmente patriota, mas, em sua opinião, a Alemanha precisava se tornar moderna e igualitária. Como o pai, tinha orgulho das conquistas de seu país na área de ciência e tecnologia, assim como do povo alemão trabalhador e eficiente. Mas pensava que eles tinham muito a aprender – democracia com os americanos liberais, diplomacia com os ardilosos britânicos e a arte de viver bem com os franceses cheios de estilo.

Pai e filho saíram da embaixada e desceram um largo lance de escadas até The Mall. Walter estava prestes a ser apresentado ao rei Jorge V, ritual considerado um privilégio, muito embora não acarretasse nenhum benefício especial. Os diplomatas em início de carreira como ele não costumavam gozar de tamanha honra, mas Otto não tinha escrúpulos em puxar as cordinhas em prol da carreira do filho.

– As metralhadoras tornam obsoletas todas as armas de mão – disse Walter, continuando uma discussão que estavam tendo mais cedo. As armas eram sua especialidade e ele estava convencido de que a Alemanha precisava dispor da tecnologia mais moderna em poder de fogo.

Otto discordava.

– Elas emperram, ficam superaquecidas e erram o alvo. Um homem com um rifle toma cuidado na hora de mirar. Mas basta lhe darem uma metralhadora para ele a manejar como se fosse uma mangueira de jardim.

– Quando sua casa está pegando fogo, você não joga água usando uma xícara, por mais exata que seja a sua mira. Você *precisa* de uma mangueira.

Otto sacudiu o dedo.

– Você nunca esteve no campo de batalha. Não tem ideia de como é. Escute o que eu digo, sei do que estou falando.

Era assim que geralmente terminavam suas discussões.

Walter achava a geração do pai arrogante. Entendia o que os deixara assim. Eles haviam vencido uma guerra, criado o Império Germânico unindo a Prússia e um punhado de monarquias independentes menores e depois transformado a Alemanha em uma das nações mais prósperas do mundo. É claro que se achavam maravilhosos. Mas isso os tornava incautos.

Algumas centenas de metros adiante no bulevar, Walter e Otto dobraram em direção ao Palácio de St. James. Essa pilha de tijolos do século XVI era mais antiga e menos impressionante do que o vizinho Palácio de Buckingham. Os dois deram seus nomes a um porteiro vestido como eles.

Walter estava um pouco nervoso. Era muito fácil cometer algum deslize de etiqueta – e não havia erros pequenos quando se estava lidando com a realeza.

Otto se dirigiu ao porteiro:

– O señor Diaz já chegou?

– Sim, senhor, faz alguns minutos.

Walter franziu o cenho. Juan Carlos Diego Diaz era um representante do governo mexicano.

– Qual o seu interesse em Diaz? – perguntou ele em alemão enquanto atravessavam uma série de cômodos cujas paredes eram decoradas com espadas e armas.

– A Marinha Real britânica está trocando o combustível de seus navios de carvão para petróleo.

Walter aquiesceu. A maioria das nações avançadas estava fazendo o mesmo. O petróleo era mais barato, mais limpo e mais fácil de manejar – bastava bombeá-lo, em vez de empregar exércitos de foguistas de cara preta.

– E os britânicos compram petróleo do México.

– Eles compraram poços de petróleo mexicanos para garantir o abastecimento da sua Marinha.

– Mas, se nós interferíssemos no México, o que os americanos iriam pensar?

Otto bateu na lateral do nariz.

– Ouça e aprenda. E, faça o que fizer, não diga nada.

Os homens prestes a serem apresentados ao rei aguardavam em uma antessala. A maioria usava a mesma roupa de veludo adotada na corte, embora um ou outro estivesse vestido com os trajes dignos de uma ópera-bufa usados pelos generais oitocentistas. Um deles – provavelmente escocês – ostentava um uniforme completo com um *kilt*. Walter e Otto percorreram o recinto, meneando a cabeça para rostos conhecidos do circuito diplomático, até chegarem a Diaz, um homem corpulento com um bigode enroscado nas pontas.

Depois das gentilezas de praxe, Otto disse:

– O senhor deve estar contente com o fato de o presidente Wilson ter revogado a proibição da venda de armas para o México.

– Venda de armas para os rebeldes – falou Diaz, como se quisesse corrigi-lo.

O presidente norte-americano, sempre inclinado a assumir uma postura moralista, havia se recusado a reconhecer o general Huerta, que subira ao poder após o assassinato de seu predecessor. Wilson chamava Huerta de assassino e apoiava um grupo rebelde, os constitucionalistas.

– Se armas podem ser vendidas para os rebeldes, com certeza também podem ser vendidas para o governo, não? – disse Otto.

Diaz pareceu surpreso.

– Está me dizendo que a Alemanha estaria disposta a fazer isso?

– De que o senhor precisa?

– O senhor já deve saber que precisamos desesperadamente de rifles e munição.

– Nós poderíamos conversar mais a respeito.

Walter estava tão espantado quanto Diaz. Aquilo iria causar problemas.

– Mas, pai, os Estados Unidos... – começou ele.

– Só um instante! – interrompeu-o o pai, erguendo uma das mãos para silenciá-lo.

– Vamos conversar mais sobre isso, sim, com certeza – falou Diaz. – Mas diga-me: que outros assuntos poderão surgir? – Ele imaginava que a Alemanha iria querer algo em troca.

A porta da Sala do Trono se abriu e um lacaio saiu lá de dentro trazendo uma lista. A apresentação estava prestes a começar. Otto, no entanto, continuou falando, sem pressa:

– Em tempos de guerra, um país soberano tem o direito de restringir a saída de produtos estratégicos.

– O senhor está falando de petróleo – comentou Diaz. Esse era o único produto estratégico que o México tinha.

Otto aquiesceu.

– Então vocês nos dariam armas... – disse o representante mexicano.

– Daríamos não, venderíamos – murmurou Otto.

– Vocês nos venderiam armas agora em troca de uma promessa de que não forneceríamos petróleo aos ingleses em caso de guerra. – Diaz obviamente não estava acostumado à complexa valsa das conversas diplomáticas normais.

– Talvez valha a pena conversar a respeito. – Em linguagem diplomática, isso equivalia a um sim.

O lacaio chamou:

– Monsieur Honoré de Picard de la Fontaine!

E as apresentações começaram.

Otto fitou Diaz nos olhos.

– O que eu gostaria de saber é como uma proposta desse tipo seria recebida na Cidade do México.

– Acho que o presidente Huerta ficaria interessado.

– Então, se o cônsul alemão no México, o almirante Paul von Hintze, fizesse uma proposta formal ao seu presidente, não receberia uma recusa?

Walter notou que o pai estava decidido a obter uma resposta inequívoca para a sua pergunta. Ele não queria que o governo alemão ficasse exposto ao constrangimento de ter uma proposta como aquela jogada de volta em sua cara.

Aflito, Walter achava que o constrangimento não era o maior perigo para a Alemanha naquele ardil diplomático. Ela corria o risco de fazer dos Estados Unidos um inimigo. No entanto, para sua frustração, era difícil salientar isso na presença de Diaz.

– Ele não receberia uma recusa – falou Diaz, respondendo à pergunta de Otto.

– Tem certeza? – insistiu o alemão.

– Eu garanto.

– Pai, posso falar com o senhor um instante? – perguntou Walter. Mas, antes que pudesse dizer qualquer coisa, o lacaio exclamou:

– Herr Walter von Ulrich!

Walter hesitou, ao que seu pai disse:

– É a sua vez. Ande logo!

Walter se virou e entrou na Sala do Trono.

Os britânicos gostavam de impressionar seus convidados. O teto alto decorado com caixotões tinha sancas cravejadas de diamantes; as paredes vermelhas revestidas de plush ostentavam imensos retratos pendurados; e, no fundo da sala, o trono era encimado por um dossel alto com cortinado de veludo escuro. O rei estava parado diante do trono, vestido com um uniforme da Marinha. Walter ficou feliz em ver o rosto conhecido de Sir Alan Tite ao lado do rei – sem dúvida sussurrando nomes no ouvido do monarca.

Walter se aproximou e fez uma reverência. O rei disse:

– É um prazer revê-lo, Von Ulrich.

Walter já havia ensaiado o que dizer.

– Espero que Vossa Majestade tenha achado interessantes as conversas que tivemos em Tŷ Gwyn.

– Bastante! Embora nosso encontro tenha ficado tragicamente em segundo plano, é claro.

– Por causa do acidente na mina. Sim, uma tragédia.

– Torço para nos reencontrarmos em breve.

Walter percebeu que isso era uma dispensa. Afastou-se sem se virar, fazendo várias mesuras até chegar à porta, conforme mandava a etiqueta.

Seu pai o aguardava na sala ao lado.

– Foi bem rápido! – comentou Walter.

– Pelo contrário, levou mais tempo do que o normal – disse Otto. – Em geral o rei diz: "É um prazer vê-lo em Londres", e a conversa termina por aí.

Os dois saíram juntos do palácio.

– Os britânicos são um povo admirável sob muitos aspectos, mas são frouxos – falou Otto enquanto eles subiam a St. James's Street até a Piccadilly. – O rei é controlado por seus ministros, os ministros estão subordinados ao Parlamento e os parlamentares são escolhidos pelo povo. Isso lá é jeito de governar um país?

Walter não se deixou provocar. Para ele, o sistema político alemão, com seu Parlamento fraco, incapaz de fazer frente ao Kaiser ou aos generais, estava ultrapassado, mas ele já tivera essa discussão com o pai muitas vezes. Além do mais, ainda estava preocupado com a conversa com o enviado mexicano.

– Foi arriscado aquilo que o senhor falou para Diaz – disse ele. – O presidente Wilson não vai gostar de nos ver vendendo rifles para Huerta.

– Que importância tem o que Wilson acha?

– O perigo está em fazer amizade com um país fraco como o México, conquistando a inimizade de um país forte como os Estados Unidos.

– Não vai haver guerra na América.

Walter achava o mesmo, mas, ainda assim, continuou apreensivo. Ele não gostava de pensar no seu país em conflito com os Estados Unidos.

Em seu apartamento, eles trocaram os trajes antiquados por ternos de tweed com camisas de colarinho mole e chapéus de feltro marrons. De volta à Piccadilly, embarcaram em um ônibus motorizado rumo a leste.

Otto ficara impressionado com o fato de Walter ter sido convidado a conhecer o rei em Tŷ Gwyn em janeiro.

– O conde Fitzherbert é um bom contato – comentara ele. – Se o Partido Conservador subir ao poder, talvez ele vire ministro, quem sabe um dia até ministro das Relações Exteriores. Você precisa manter essa amizade.

Walter ficara inspirado.

– Eu deveria ir visitar a clínica de caridade que ele mantém e fazer uma pequena doação.

– Excelente ideia.

– O senhor não gostaria de me acompanhar?

Seu pai tinha mordido a isca.

– Melhor ainda.

Walter tinha um motivo oculto, mas seu pai não desconfiou de nada.

O ônibus os fez passar pelos teatros da Strand, pelas sedes dos jornais na Fleet Street e pelos bancos do centro financeiro. Então as ruas se tornaram mais estreitas e mais sujas. Cartolas e chapéus-coco foram substituídos por boinas de pano. Os veículos puxados a cavalo eram maioria e havia poucos automóveis. Aquilo era o East End.

Os dois saltaram em Aldgate. Otto olhou em volta com um ar de desdém.

– Não sabia que você estava me levando a uma favela – comentou ele.

– Nós estamos indo visitar uma clínica de gente pobre – retrucou Walter. – Onde o senhor esperava que ela ficasse?

– O conde Fitzherbert costuma vir aqui?

– Desconfio que ele só pague as contas. – Walter sabia muito bem que Fitz jamais pusera os pés ali na vida. – Mas ele sem dúvida ficará sabendo sobre a nossa visita.

Eles ziguezaguearam por ruas secundárias até chegarem a uma capela protestante não anglicana. Uma placa de madeira pintada à mão informava: "Salão do Evangelho do Calvário". Presa à madeira, havia uma folha de papel com as palavras:

CLÍNICA PEDIÁTRICA
ATENDIMENTO GRATUITO
HOJE E
TODAS AS QUARTAS-FEIRAS

Walter abriu a porta e os dois entraram.

Otto emitiu um ruído de repulsa, em seguida sacou um lenço e o levou ao nariz. Walter já estivera ali antes, de modo que o cheiro não o surpreendeu, mas mesmo assim ele era espantosamente desagradável. O recinto estava cheio de mulheres maltrapilhas e crianças seminuas, todas imundas. As mulheres estavam sentadas em bancos, enquanto as crianças brincavam no chão. No fundo, havia duas portas, cada qual identificada por um letreiro provisório, um dizendo "Médico" e o outro, "Benfeitora".

Ao lado da porta estava sentada tia Herm, listando nomes em um caderno. Walter apresentou o pai à tia de Fitz.

– Lady Hermia Fitzherbert, este é meu pai, Otto von Ulrich.

Do outro lado da sala, a porta onde se lia "Médico" se abriu e uma mulher maltrapilha saiu lá de dentro carregando um bebê minúsculo e um frasco de remédio. Uma enfermeira pôs a cabeça para fora e disse:

– O próximo, por favor.

Lady Hermia consultou sua lista e chamou:

– Sra. Blatsky e Rosie!

Uma mulher mais velha e uma menina entraram no consultório.

– Espere aqui um instante, por favor, pai – pediu Walter –, enquanto vou chamar a diretora.

Ele caminhou depressa até a outra ponta da sala, contornando as crianças que engatinhavam pelo chão. Então bateu na porta onde estava escrito "Benfeitora" e entrou.

A sala era pouco maior do que uma despensa, e de fato havia um esfregão e um balde em um canto. Lady Maud Fitzherbert estava sentada diante de uma mesinha, escrevendo em um registro. Usava um vestido simples, cinza-claro, e um chapéu de aba larga. Ergueu o rosto e, ao ver Walter, um sorriso iluminou seus traços de tal forma que os olhos dele se encheram de lágrimas. Ela pulou da cadeira e correu para abraçá-lo.

Ele passara o dia inteiro aguardando esse momento. Beijou-a na boca, que se abriu para ele na mesma hora. Walter já havia beijado várias mulheres, mas nenhuma jamais apertara o corpo contra o dele daquela forma. Ficou constrangido, com medo de ela notar sua ereção, de modo que arqueou o corpo para longe; mas ela apenas o abraçou com mais força – como se quisesse realmente senti-la – e ele se deixou levar pelo prazer.

Maud encarava todas as coisas da vida com muita intensidade: a pobreza, os direitos femininos, a música – e Walter. Ele se sentia ao mesmo tempo surpreso e privilegiado por ela ter se apaixonado por ele.

Ela interrompeu o beijo, ofegante.

– Tia Herm vai ficar desconfiada – falou.

Walter aquiesceu.

– Meu pai está lá fora.

Maud passou a mão nos cabelos e alisou o vestido.

– Está bem.

Walter abriu a porta e os dois retornaram para o salão. Otto conversava amigavelmente com Hermia: ele gostava de senhoras de idade respeitáveis.

– Lady Maud Fitzherbert, permita-me lhe apresentar meu pai, Herr Otto von Ulrich.

Otto fez uma mesura por sobre a mão de Maud. Já havia aprendido a não bater os calcanhares: os ingleses achavam isso engraçado.

Walter observou os dois avaliarem um ao outro. Maud sorriu como se estivesse achando algo divertido e Walter concluiu que ela estava imaginando se era daquele jeito que *ele* seria no futuro. Otto avaliou com aprovação o vestido de caxemira caro e o chapéu elegante de Maud. Até ali, tudo estava indo muito bem.

Otto não sabia que os dois estavam apaixonados. O plano de Walter era que seu pai conhecesse Maud primeiro. Otto aprovava que mulheres ricas trabalhassem em obras de caridade e insistia para que a mãe e a irmã de Walter visitassem as famílias pobres de Zumwald, sua propriedade rural no leste da Prússia. Ele primeiro descobriria que mulher maravilhosa e excepcional era Maud e então, quando ficasse sabendo que Walter queria se casar com ela, suas defesas já não estariam mais armadas.

Walter sabia que era um pouco tolo ficar tão nervoso. Ele era um homem de 28 anos: tinha o direito de escolher a mulher que amava. Oito anos antes, no entanto, ele havia se apaixonado por outra mulher. Tilde era passional e inteligente, como Maud, mas tinha 17 anos e era católica. Os Von Ulrich eram protestantes. As duas famílias tinham demonstrado uma oposição feroz ao romance, e Tilde não conseguira desafiar o pai. Aquela era a segunda vez que Walter se apaixonava por uma mulher inadequada. Seria difícil para seu pai aceitar uma feminista estrangeira. Mas, desta vez, Walter era mais velho e mais astucioso – e Maud, mais forte e independente do que Tilde.

Mesmo assim, ele estava aterrorizado. Nunca se sentira daquele jeito em relação a mulher nenhuma, nem mesmo Tilde. Queria se casar com Maud e passar a vida inteira ao seu lado; na verdade, era incapaz de se imaginar longe dela. E não queria que o pai criasse problemas com isso.

Maud se comportou da melhor forma possível.

– É muita gentileza sua vir nos visitar, Herr Von Ulrich – disse ela. – O senhor deve ser um homem ocupadíssimo. Imagino que o trabalho nunca termine para o interlocutor de confiança de um monarca, como o senhor é para o seu Kaiser.

Otto ficou lisonjeado, o que era justamente a intenção dela.

– Infelizmente, acho que a senhorita tem razão – respondeu. – Mas seu irmão, o conde, é um amigo tão antigo de Walter que fiquei muito interessado em vir.

– Deixe-me apresentá-lo ao nosso médico. – Maud atravessou o salão na frente do grupo e bateu à porta do consultório. Walter estava curioso: ainda não conhecia o doutor. – Podemos entrar? – perguntou ela.

Eles então entraram naquele que deveria ter sido o gabinete do pastor, um cômodo mobiliado com uma pequena escrivaninha e uma prateleira de livros de registro e hinários. O médico, um rapaz atraente de sobrancelhas pretas e boca sensual, estava examinando a mão de Rosie Blatsky. Walter sentiu uma pontada de ciúme: Maud passava dias inteiros na companhia daquele sujeito bonito.

– Dr. Greenward, temos uma visita muito importante. Permita-me lhe apresentar Herr Von Ulrich.

– Como vai o senhor? – cumprimentou Otto com austeridade.

– O doutor trabalha aqui de graça – disse Maud. – Somos muito gratas a ele.

Greenward meneou a cabeça com um gesto brusco. Walter se perguntou o que estaria provocando a tensão evidente entre seu pai e o médico.

Este último tornou a dar atenção à paciente. A palma da mão da menina exibia um corte feio, e a mão e o pulso estavam inchados. Ele olhou para a mãe e perguntou:

– Como foi que ela se cortou?

Quem respondeu foi a menina:

– Minha mãe não fala inglês. Eu cortei a mão no trabalho.

– E o seu pai?

– Meu pai já morreu.

– Esta clínica é para famílias sem pai – falou Maud em voz baixa –, embora na prática não deixemos de atender ninguém.

– Quantos anos você tem? – perguntou Greenward a Rosie.

– Onze.

– Pensei que crianças menores de 13 anos não pudessem trabalhar – murmurou Walter.

– Há brechas na lei – respondeu Maud.

– Em que você trabalha? – quis saber Greenward.

– Eu sou faxineira na fábrica de roupas de Mannie Litov. Tinha uma gilete no meio do lixo.

– Sempre que você se cortar, deve lavar a ferida e pôr um curativo limpo. Depois, precisa trocar o curativo diariamente para que ele não fique muito sujo. – Greenward falava com certa rispidez, mas não deixava de ser gentil.

A mãe perguntou alguma coisa para a filha com uma voz rude, falando em russo com um sotaque carregado. Walter não entendeu o que ela disse, mas pescou algo da resposta da menina, que era uma tradução do que o médico acabara de dizer.

O médico se virou para sua enfermeira.

– Por favor, limpe a mão e faça um curativo. – Então dirigiu-se a Rosie. – Vou lhe dar uma pomada. Se o seu braço inchar mais, você deve voltar aqui na semana que vem. Entendido?

– Sim, senhor.

– Se deixar a infecção piorar, pode acabar perdendo a mão.

Os olhos de Rosie se encheram de lágrimas.

– Sinto muito por assustar você – falou o Dr. Greenward –, mas quero que entenda a importância de manter essa mão limpa.

A enfermeira preparou uma vasilha de um líquido que era aparentemente um antisséptico.

– Permita-me expressar minha admiração e meu respeito pelo trabalho que o senhor faz aqui, doutor – disse Walter.

– Obrigado. É um prazer para mim trabalhar como voluntário, mas nós precisamos comprar material hospitalar. Qualquer ajuda que o senhor puder oferecer será muito bem-vinda.

– Precisamos deixar o doutor voltar ao trabalho... – disse Maud. – Há pelo menos 20 pacientes aguardando.

Os visitantes saíram do consultório. Walter mal conseguia conter seu orgulho. O sentimento que movia Maud ia além da compaixão. Quando ouviam falar em crianças pequenas trabalhando em condições precárias, muitas damas da aristocracia se limitavam a enxugar uma lágrima com seus lenços bordados. Maud, no entanto, tinha a determinação e a coragem de ajudar de verdade.

E ela me ama!, pensou ele.

– Posso lhe oferecer algo para beber, Herr Von Ulrich? – perguntou Maud. – Minha sala é apertada, mas tenho uma garrafa do melhor xerez do meu irmão.

– É muito gentil da sua parte, mas precisamos ir andando.

Isso foi um pouco precipitado, pensou Walter. O charme de Maud havia parado de surtir efeito em Otto. Ele teve a sensação desagradável de que algo saíra errado.

Otto sacou a carteira e dela extraiu uma nota de dinheiro.

– Queira aceitar uma modesta contribuição para o seu excelente trabalho aqui, lady Maud.

– Quanta generosidade! – exclamou ela.

– A senhorita permite que eu também faça uma doação? – disse Walter, entregando-lhe uma nota semelhante.

– Agradeço qualquer coisa que possa me oferecer – falou ela. Walter torceu para ter sido o único a reparar no olhar furtivo que Maud lhe lançou ao dizer isso.

– Por favor, transmita minhas saudações ao conde Fitzherbert – pediu Otto.

Eles então se despediram. Walter estava preocupado com a reação do pai.

– Lady Maud não é maravilhosa? – perguntou ele em tom casual, enquanto caminhavam de volta até Aldgate. – Quem paga todas as despesas é Fitz, claro, mas é Maud quem faz todo o trabalho.

– Uma vergonha – disse Otto. – Uma vergonha completa.

Walter já havia percebido que o pai estava mal-humorado, mas esse comentário o surpreendeu.

– O que quer dizer com isso? O senhor sempre aprovou que mulheres bem-nascidas fizessem alguma coisa para ajudar os pobres!

– Levar um cesto de comida para camponeses adoentados é uma coisa – respondeu Otto. – Mas fico horrorizado em ver a irmã de um conde em um lugar daqueles ao lado de um médico judeu!

– Ah, meu Deus – resmungou Walter. É claro, o Dr. Greenward era judeu. Provavelmente filho de alemães chamados Grunwald. Aquela era a primeira vez que Walter encontrava o médico e, de toda forma, poderia muito bem não ter notado ou dado importância à sua raça. Mas Otto, como muitos homens de sua geração, se preocupava com esse tipo de coisa. – Pai, o homem está trabalhando de graça... – disse Walter. – Lady Maud não pode se dar ao luxo de recusar a ajuda de um bom médico pelo simples fato de ele ser judeu.

Otto não estava sequer escutando.

– Famílias sem pai... onde foi que ela arrumou essa expressão? – perguntou com repulsa. – Crias de prostitutas, é isso que ela quer dizer.

Walter ficou arrasado. Seu plano tinha sido um fracasso completo.

– O senhor não vê como ela é corajosa? – perguntou ele, desanimado.

– De forma alguma – disse Otto. – Se fosse minha irmã, eu lhe daria uma boa sova.

II

Havia uma crise na Casa Branca.

Nas primeiras horas da manhã do dia 21 de abril, Gus Dewar estava na Ala Oeste do complexo presidencial. Esse novo prédio havia proporcionado um imprescindível espaço administrativo, deixando a Casa Branca original livre para ser usada como residência. Gus estava sentado na sala do presidente, próxima do Salão Oval, um cômodo pequeno e insosso, iluminado por uma lâmpada de brilho mortiço. Sobre a escrivaninha, via-se a surrada máquina de escrever portátil, da marca Underwood, usada por Woodrow Wilson para escrever seus discursos e comunicados à imprensa.

Gus estava mais interessado no telefone. Caso ele tocasse, teria que decidir se acordaria ou não o presidente.

Essa decisão não podia ser tomada por nenhuma telefonista. Por outro lado, os conselheiros de maior escalão do presidente precisavam descansar. Dependendo do ponto de vista, Gus poderia ser considerado o mais reles dos conselheiros de Wilson, ou o mais graduado de seus assessores. De toda forma, coubera a ele a tarefa de passar a noite sentado junto ao telefone e decidir quando atrapalhar ou não o sono do presidente – ou o da primeira-dama, Ellen Wilson, que sofria de uma doença misteriosa. Gus estava nervoso, com medo de dizer ou fazer algo errado. De repente, toda a educação cara que havia tido lhe parecia supérflua: mesmo em Harvard ninguém jamais lhe ensinara quando deveria acordar o presidente. Estava torcendo para o telefone não tocar nunca.

Gus estava ali por causa de uma carta que tinha escrito. Havia relatado ao pai o encontro com o rei em Tŷ Gwyn e a conversa sobre o perigo de guerra na Europa depois do jantar. O senador Dewar achou sua carta tão interessante e divertida que a mostrou ao amigo Woodrow Wilson, que por sua vez disse: – Eu gostaria de ter esse rapaz trabalhando na minha equipe. Gus estava tirando um ano de folga entre os estudos em Harvard, onde cursara direito internacional, e seu primeiro emprego em um escritório de advocacia de Washington. Estava no meio de uma volta ao mundo, mas interrompeu sua viagem com entusiasmo e correu para casa a fim de prestar serviço ao presidente.

Nada fascinava tanto Gus quanto as relações entre países – as amizades e os ódios, as alianças e as guerras. Quando adolescente, havia assistido a sessões do Comitê de Relações Exteriores do Senado – do qual seu pai era membro – e as achara mais impressionantes do que uma peça de teatro.

– É assim que as nações geram paz e prosperidade, ou então guerra, devastação e fome – dissera-lhe o pai. – Se você quiser mudar o mundo, então as relações exteriores são o campo onde mais poderá fazer o bem... ou o mal.

E agora Gus estava envolvido em sua primeira crise internacional.

Um funcionário mais exaltado do governo mexicano tinha detido oito marinheiros norte-americanos no porto de Tampico. Os homens já haviam sido liberados, o funcionário pedira desculpas e o incidente trivial poderia ter se encerrado ali. Porém o comandante do esquadrão da Marinha, almirante Mayo, havia exigido uma salva de 21 tiros. O presidente Huerta se recusara. Para aumentar ainda mais a pressão, Wilson tinha ameaçado ocupar Veracruz, o maior porto do México.

Assim, os Estados Unidos estavam à beira de uma guerra. Gus admirava muito Woodrow Wilson e seus nobres princípios. O presidente não se contentava com a opinião cínica de que os mexicanos eram todos iguais, todos bandidos. Huerta era um reacionário que havia assassinado seu predecessor, de modo que Wilson vinha buscando um pretexto para depô-lo. Gus achava excitante o fato de um líder mundial dizer que não era aceitável um homem se valer de assassinato para alcançar o poder. Será que algum dia tal princípio seria aceito por todas as nações?

A crise fora ainda mais intensificada pelos alemães. Um navio alemão chamado *Ypiranga* estava se aproximando de Veracruz com um carregamento de rifles e munição para o governo de Huerta.

O dia inteiro fora de grande tensão, mas agora Gus estava brigando para continuar acordado. Sobre a mesa à sua frente, iluminado por um abajur de cúpula verde, havia um relatório datilografado do serviço de inteligência do Exército sobre o poderio dos rebeldes no México. A inteligência era um dos menores departamentos do Exército, com apenas dois funcionários e dois auxiliares de escritório, e o relatório era malfeito.

Em meio a toda essa crise, os pensamentos de Gus vagavam em outra direção: ele não conseguia parar de pensar em Caroline Wigmore.

Ao chegar a Washington, ele tinha feito uma visita ao professor Wigmore, um de seus professores de Harvard que se transferira para a Universidade de Georgetown. Wigmore não estava em casa, mas sua jovem segunda esposa, sim. Gus já havia encontrado Caroline em diversos eventos no campus, ocasiões em que se sentira fortemente atraído por seu jeito discreto e observador e por sua inteligência viva.

– Ele falou que precisava encomendar camisas novas – dissera ela, mas Gus pôde ver a tensão em seu rosto. – Mas eu sei que ele foi encontrar a amante – acrescentara em seguida. – Gus havia usado seu lenço de bolso para lhe enxugar as lágrimas e ela o beijara na boca, falando:

– Eu gostaria de ser casada com um homem em quem pudesse confiar.

Caroline havia se revelado surpreendentemente fogosa. Embora não permitisse relações sexuais, eles faziam todo o resto. As carícias dele já eram suficientes para lhe provocar orgasmos avassaladores.

O caso durava apenas um mês, mas Gus sabia que queria que ela se divorciasse de Wigmore para se casar com ele. Ela, no entanto, não queria nem ouvir falar nisso, embora não tivesse filhos. Dizia que isso seria o fim da carreira de Gus, e provavelmente tinha razão. Não seria possível agir com discrição, pois o escândalo seria irresistível – a esposa atraente que abandona um professor de renome para se casar logo em seguida com um rapaz mais novo e rico.

Gus sabia exatamente o que sua mãe diria sobre um casamento assim: "Se o professor foi infiel, é compreensível, mas é claro que não se pode frequentar socialmente uma mulher dessas." O presidente ficaria constrangido, bem como o tipo de gente que um advogado gostaria de ter como cliente. E Gus certamente daria adeus a qualquer esperança que pudesse acalentar de seguir os passos do pai no Senado.

Ele disse a si mesmo que não ligava para nada disso. Amava Caroline e iria tomá-la do marido. Tinha dinheiro de sobra e, quando o pai morresse, ficaria milionário. Encontraria outra carreira para seguir. Talvez se tornasse jornalista, correspondente em capitais estrangeiras.

Ainda assim, sentiu uma pontada de arrependimento. Havia acabado de conseguir um emprego na Casa Branca, o sonho de qualquer jovem como ele. Seria um verdadeiro sacrifício abrir mão dessa oportunidade e de tudo o que ela poderia representar para a sua carreira.

O telefone tocou e Gus levou um susto com o barulho repentino no silêncio noturno da Ala Oeste.

– Ai, meu Deus – falou ele, encarando o aparelho. – Ai, meu Deus, chegou a hora. – Gus hesitou vários segundos antes de finalmente pegar o fone. Quando o fez, ouviu a voz afeminada do secretário de Estado William Jennings Bryan.

– Gus, estou com Joseph Daniels na linha. – Daniels era o secretário da Marinha. – E o assistente do presidente está escutando em uma extensão.

– Sim, senhor secretário – respondeu Gus. Forçou-se a manter a voz calma, mas seu coração estava disparado.

– Vá acordar o presidente, por favor – pediu o secretário Bryan.

– Sim, senhor.

Gus cruzou o Salão Oval e saiu para o Rose Garden sob o ar fresco da noite. Atravessou correndo o jardim até o prédio antigo. Um guarda o deixou entrar. Ele subiu às pressas a escadaria principal e desceu o corredor até a porta do quarto. Respirou fundo e bateu com força, machucando os nós dos dedos.

Após alguns instantes, ouviu a voz de Wilson.

– Quem é?

– Gus Dewar, Sr. Presidente – disse ele. – Os secretários Bryan e Daniels estão ao telefone.

– Só um minuto.

O presidente Wilson saiu do quarto pondo os óculos sem armação, parecendo vulnerável com seu pijama e roupão. Era alto, mas não tão alto quanto Gus. Aos 57 anos, tinha cabelos cinza-escuros. Achava-se um homem feio, e não estava muito longe da verdade. Tinha um nariz aquilino e orelhas de abano, mas o queixo grande e protuberante dava a seu rosto um ar determinado que refletia com precisão a força de caráter que Gus tanto admirava. Quando o presidente falou, exibiu uma dentição em mau estado.

– Bom dia, Gus – disse ele cordialmente. – Que agitação toda é essa?

– Eles não me disseram.

– Bom, é melhor você ficar escutando na extensão da sala ao lado.

Gus foi depressa até a sala ao lado e pegou o telefone.

Ouviu a voz melodiosa de Bryan:

– Espera-se que o *Ypiranga* atraque às dez horas da manhã de hoje.

Gus sentiu um arrepio de apreensão. Agora o presidente mexicano sem dúvida iria ceder, não? Caso contrário, haveria derramamento de sangue.

Bryan leu uma mensagem por cabo do cônsul norte-americano em Veracruz:

– "O vapor *Ypiranga*, de propriedade da linha Hamburg-Amerika, chegará amanhã da Alemanha com 200 metralhadoras e 15 milhões de cartuchos. Irá para o píer quatro para começar a descarregar às dez e meia."

– Sr. Bryan, você entende o que isso significa? – indagou Wilson, e Gus pensou que sua voz soava queixosa. – Daniels, você está aí? O que acha?

– Não podemos permitir que a munição chegue até Huerta – respondeu Daniels. Gus ficou surpreso ao ouvir essa afirmação dura sair da boca do pacífico secretário da Marinha. – Posso mandar um cabo para o almirante Fletcher dizendo-lhe para impedir a entrega e ocupar a alfândega.

Houve uma longa pausa. Gus percebeu que estava segurando o fone com tanta força que sua mão doía. Por fim, o presidente falou:

– Daniels, envie a seguinte ordem para o almirante Fletcher: "Ocupe Veracruz imediatamente."

– Sim, Sr. Presidente – respondeu o secretário da Marinha.

E os Estados Unidos entraram em guerra.

III

Gus não dormiu naquela noite, tampouco na seguinte.

Pouco depois das oito e meia, o secretário Daniels trouxe a notícia de que um navio de guerra americano havia bloqueado a passagem do *Ypiranga*. O navio alemão, um cargueiro sem armas, reverteu os motores e foi embora. Fuzileiros navais americanos iriam desembarcar em Veracruz mais tarde naquela manhã, informou Daniels.

Gus estava apavorado com a rapidez com que a crise avançava, mas empolgado por estar no centro dos acontecimentos.

Woodrow Wilson não tinha medo da guerra. Sua peça de teatro preferida era *Henrique V*, de Shakespeare, e ele gostava de citar a fala: "Se ambicionar a honra é pecado, sou a alma mais pecadora que existe."

Notícias chegavam por telégrafo e por cabo, e cabia a Gus levar as mensagens até o presidente. Ao meio-dia, os fuzileiros navais assumiram o controle da alfândega de Veracruz.

Pouco depois, Gus foi avisado de que tinha uma visita – uma certa Sra. Wigmore.

Preocupado, franziu o cenho. Aquilo era uma indiscrição. Deveria ter acontecido alguma coisa.

Saiu apressado para o saguão. Caroline parecia abalada. Embora usasse um casaco de tweed alinhado e um chapéu simples, tinha os cabelos despenteados e os olhos vermelhos de tanto chorar. Gus ficou chocado e aflito ao vê-la nesse estado.

– Minha querida! – disse ele em voz baixa. – O que foi que houve?

– Está tudo terminado. Nunca mais posso ver você. Sinto muito – disse ela, começando a chorar.

Gus sentiu vontade de abraçá-la, mas não podia fazer isso ali. Não tinha sala própria. Olhou em volta. O guarda junto à porta os observava. Não havia nenhum lugar onde pudessem ficar a sós. Era enlouquecedor.

– Vamos sair – disse ele, pegando-a pelo braço. – Podemos dar uma volta.

Ela fez que não com a cabeça.

– Não. Eu vou ficar bem. Fique aqui.

– O que deixou você assim?

Ela se recusou a encará-lo, olhando para o chão.

– Preciso ser fiel ao meu marido. Tenho minhas obrigações.

– Deixe-me ser o seu marido.

Ela ergueu o rosto, e sua expressão de desejo partiu o coração de Gus.

– Ah, como eu queria poder fazer isso.

– Mas você pode!

– Eu já tenho marido.

– Ele não é fiel a você... por que você deveria ser fiel a ele?

Caroline ignorou o comentário.

– Ele aceitou um cargo em Berkeley. Vamos nos mudar para a Califórnia.

– Não vá.

– Já está decidido.

– É claro – disse Gus com uma voz sem vida. Tinha a sensação de ter sido nocauteado. Seu peito doía e ele estava com dificuldade para respirar. – Califórnia. Nossa...

Caroline viu que ele estava aceitando o inevitável, de modo que começou a recobrar a compostura.

– Este é nosso último encontro – disse ela.

– Não!

– Por favor, escute. Quero lhe contar uma coisa e esta é minha única chance.

– Está bem.

– Um mês atrás, eu estava prestes a me matar. Não me olhe assim, é verdade. Achava que era tão desprezível que ninguém daria importância se eu morresse. Então você apareceu à minha porta. Foi tão afetuoso, tão cortês, tão atencioso, que me fez pensar que valia a pena continuar viva. Você me tratou com carinho. – As lágrimas escorriam por suas faces, mas ela prosseguiu: – E ficou tão feliz quando o beijei... Percebi que, se eu era capaz de proporcionar uma alegria tão grande a alguém, não podia ser totalmente inútil; e esse pensamento me fez seguir em frente. Você salvou minha vida, Gus. Que Deus o abençoe.

Ele quase sentiu raiva.

– E o que me resta disso tudo?

– Lembranças – respondeu ela. – Espero que você as guarde com o mesmo amor com que guardo as minhas.

Caroline se virou para ir embora. Gus a seguiu até a porta, mas ela não olhou para trás. Saiu do prédio, e ele a deixou ir.

Quando ela sumiu de seu campo de visão, Gus tomou automaticamente o rumo do Salão Oval, mas logo em seguida mudou de direção: seus pensamentos estavam tumultuados demais para que fosse se encontrar com o presidente. Resolveu ir até o toalete masculino para ter alguns instantes de paz. Felizmente, não havia ninguém lá. Lavou o rosto e se olhou no espelho. Viu um homem magro, de cabeça grande: ele tinha o mesmo formato de um pirulito. Seus cabelos eram castanho-claros, seus olhos, castanhos, e não era muito bonito, mas as mulheres em geral gostavam dele – e Caroline o amava.

Ou, pelo menos, havia amado por algum tempo.

Ele não deveria tê-la deixado partir. Como podia ter assistido à sua partida sem fazer nada? Deveria tê-la convencido a adiar sua decisão, a pensar melhor, a conversar um pouco mais. Talvez os dois pudessem ter pensado em alternativas. Porém, no fundo, ele sabia não haver alternativa alguma. Imaginava que ela já tivesse refletido bastante sobre tudo aquilo. Provavelmente tinha ficado noites em claro, com o marido adormecido ao seu lado, passando e repassando a situação. Já havia se decidido antes de ir até lá.

Ele precisava voltar ao seu posto. Os Estados Unidos estavam em guerra. Mas como faria para tirar aquilo da cabeça? Quando não podia vê-la, passava o dia inteiro ansiando pelo próximo encontro. Agora não conseguia parar de pensar na vida sem ela. Era uma perspectiva estranha. O que iria fazer?

Um assessor entrou no toalete, então Gus secou as mãos em uma toalha e voltou para seu posto no escritório contíguo ao Salão Oval.

Logo em seguida, um mensageiro lhe trouxe um cabo enviado pelo cônsul norte-americano em Veracruz. Gus leu o papel e exclamou:

– Ah, não! – A mensagem dizia: "Quatro homens nossos mortos vírgula vinte feridos vírgula tiroteio generalizado nas cercanias do consulado ponto".

Quatro mortos, pensou Gus, horrorizado, quatro bons americanos, com mães e pais, mulheres ou namoradas. A notícia pareceu redimensionar sua própria tristeza. Pelo menos Caroline e eu estamos vivos, pensou ele.

Bateu na porta do Salão Oval e entregou o cabo a Wilson. O presidente ficou pálido ao ler a mensagem.

Gus o encarou com intensidade. Como o presidente se sentia sabendo que aqueles homens haviam morrido por causa da decisão que ele tomara no meio da noite?

Aquilo não deveria ter acontecido. Os mexicanos queriam se ver livres de governos tirânicos, não queriam? Eles deveriam ter recebido os americanos como libertadores. O que saíra errado?

Bryan e Daniels apareceram alguns minutos mais tarde, seguidos pelo secretário da Guerra, Lindley Garrison, homem em geral mais beligerante do que Wilson, e por Robert Lansing, o conselheiro do Departamento de Estado. Todos se reuniram no Salão Oval para aguardar novas notícias.

O presidente estava mais tenso do que uma corda de violino. Pálido, irrequieto e nervoso, ficava andando de um lado para outro. Era uma pena Wilson não fumar, pensou Gus – talvez ajudasse a acalmá-lo.

Todos sabíamos que poderia haver violência, refletiu ele, mas de alguma forma a realidade é mais chocante do que havíamos previsto.

Novos detalhes foram chegando esporadicamente e Gus entregava as mensagens a Wilson. As notícias eram todas ruins. As tropas mexicanas tinham resistido, disparando de seu forte contra os fuzileiros navais. Os soldados tiveram o apoio da população, que passou a atirar a esmo nos americanos das janelas mais altas de suas casas. Em retaliação, o *USS Prairie*, embarcação norte-americana ancorada próximo da costa, virou seus canhões de oito centímetros para a cidade e disparou.

As baixas aumentaram: seis americanos mortos, oito, 12 – e mais feridos. O confronto, no entanto, foi irremediavelmente desigual, e mais de 100 mexicanos morreram.

O presidente parecia atônito.

– Nós não queremos combater os mexicanos – disse ele. – Queremos ajudá-los. Queremos ajudar a humanidade.

Pela segunda vez no mesmo dia, Gus se sentiu levado a nocaute. O presidente e seus conselheiros não tinham nada além de boas intenções. Como as coisas podiam ter dado tão errado? Será que era mesmo tão difícil fazer o bem em matéria de relações internacionais?

O Departamento de Estado enviou uma mensagem. O embaixador alemão, conde Johann von Bernstorff, recebera instruções do Kaiser para telefonar ao secretário de Estado, e desejava saber se seria conveniente ligar às nove horas da manhã seguinte. Extraoficialmente, sua equipe deu a entender que o embaixador faria uma queixa formal contra o embargo ao *Ypiranga*.

– Uma queixa? – disse Wilson. – De que diabos eles estão falando?

Gus logo percebeu que o direito internacional estava do lado dos alemães.

– Sr. Presidente, não houve declaração de guerra nem de bloqueio, portanto, estritamente falando, os alemães têm razão.

– O quê? – Wilson se virou para Lansing. – É isso mesmo?

– Nós vamos verificar, é claro – respondeu o conselheiro do Departamento de Estado. – Mas tenho quase certeza de que Gus está certo. O que nós fizemos é uma violação do direito internacional.

– Então o que isso significa?

– Significa que teremos que pedir desculpas.

– Nunca! – respondeu Wilson com irritação.

Mas foi o que fizeram.

IV

Maud Fitzherbert estava admirada por ter se apaixonado por Walter von Ulrich. Por outro lado, teria ficado surpresa por ter se apaixonado por qualquer homem. Era raro gostar de algum. Muitos tinham ficado atraídos por ela, sobretudo nos seus tempos de debutante, mas seu feminismo logo afastara a maioria deles. Outros tinham planejado colocá-la nos eixos – como o mal-ajambrado marquês de Lowther, que dissera a Fitz que ela veria quanto estava equivocada quando conhecesse um homem que a dominasse de verdade. Pobre Lowthie: ela havia lhe mostrado que o equívoco era todo dele.

Walter a considerava maravilhosa do jeito que era. Qualquer coisa que Maud fizesse o deixava encantado. Quando ela defendia pontos de vista extremos, ele ficava impressionado com sua argumentação; quando chocava a sociedade ao ajudar mães solteiras e seus filhos, ele admirava sua coragem; e ainda adorava seu estilo ousado de se vestir.

Maud ficava entediada com os ingleses ricos de classe alta que consideravam a atual forma de organização da sociedade bastante satisfatória. Walter era diferente. Mesmo vindo de uma família alemã conservadora, ele era surpreendentemente radical. De onde ela estava sentada, na fileira de trás do camarote de seu irmão na ópera, podia ver Walter nas primeiras fileiras da plateia, ao lado de um pequeno grupo da embaixada alemã. Com seus cabelos penteados com esmero, seu bigode bem aparado e seu traje de gala sob medida, ele não parecia um rebelde. Fitava o palco com grande concentração enquanto Don Giovanni, acusado de tentar estuprar uma camponesa pobre, fingia descaradamente ter flagrado seu criado Leporello cometendo o crime.

Na verdade, pensou ela, *rebelde* não era a palavra certa para definir Walter. Embora fosse extraordinariamente aberto a novas ideias, ele às vezes era conservador. Tinha orgulho da grande tradição musical dos povos de língua alemã e se irritava com os espectadores ingleses blasés que chegavam atrasados, conversavam com os amigos durante os espetáculos e saíam antes do final. Àquela altura, estaria irritado com Fitz, por ele fazer comentários sobre a aparência física da soprano com seu amigo Bing Westhampton, e com Bea, por ela conversar com a duquesa de Sussex sobre a loja de Madame Lucille na Hanover Square, onde ambas haviam comprado seus vestidos. Maud sabia até o que Walter lhe diria: "Eles só escutam a música depois de esgotar todas as fofocas!"

Ela achava a mesma coisa, mas os dois eram uma minoria. Para a maior parte da alta sociedade londrina, a ópera era apenas mais uma oportunidade para exibir roupas e joias. No entanto, até mesmo aquela plateia fez silêncio por volta do final do primeiro ato, quando Don Giovanni ameaçou matar Leporello e a orquestra produziu uma verdadeira tempestade com seus tambores e contrabaixos. Então, com a indiferença que lhe era característica, Don Giovanni libertou Leporello e afastou-se com desenvoltura, desafiando todos a detê-lo; e o pano caiu.

Walter se levantou na mesma hora, olhou na direção do camarote e acenou. Fitz acenou de volta.

– Aquele é Von Ulrich – disse ele a Bing. – Os alemães estão todos cheios de si por terem deixado os americanos constrangidos no México.

Bing era um mulherengo endiabrado, de cabelos encaracolados, parente distante da família real. Pouco sabia sobre questões internacionais, e seus principais interesses eram jogar e beber nas capitais europeias. Intrigado, ele franziu as sobrancelhas e perguntou:

– Qual o interesse dos alemães pelo México?

– Boa pergunta – respondeu Fitz. – Se eles pensam que vão conseguir conquistar colônias nas Américas, estão enganados... os Estados Unidos jamais permitirão tal coisa.

Maud saiu do camarote e desceu a escadaria imponente, meneando a cabeça e sorrindo para conhecidos. Conhecia praticamente metade dos presentes: a sociedade londrina era surpreendentemente pequena. No saguão coberto com um tapete vermelho, encontrou um grupo reunido em volta da silhueta franzina e elegante de David Lloyd George, chanceler do Tesouro.

– Boa noite, lady Maud – disse ele, com a faísca que surgia em seus olhos azuis brilhantes sempre que se dirigia a uma mulher atraente. – Ouvi dizer que a visita do rei à sua casa correu bem. – Ele falava com o sotaque anasalado de Gales do Norte, menos melodioso do que o falar cadenciado de Gales do Sul. – Mas que tragédia na mina de Aberowen!

– As famílias dos mortos ficaram muito reconfortadas com as condolências do rei – disse Maud.

Uma mulher atraente de vinte e poucos anos fazia parte do grupo.

– Boa noite, Srta. Stevenson, é um prazer revê-la – falou Maud.

A secretária para assuntos políticos e amante de Lloyd George era uma rebelde, de modo que Maud simpatizava com ela. Além do mais, um homem sempre ficava grato às pessoas que tratavam sua amante com educação.

Lloyd George dirigiu-se ao grupo:

– No fim das contas, o navio alemão entregou as armas ao México assim mesmo. Ele simplesmente foi para outro porto e descarregou na surdina. O que significa que 19 soldados americanos morreram por nada. É uma humilhação terrível para Woodrow Wilson.

Maud sorriu e tocou o braço de Lloyd George.

– Chanceler, poderia me explicar uma coisa?

– Se estiver ao meu alcance, minha cara – disse ele, solícito.

A maioria dos homens ficava feliz quando uma pessoa lhe pedia que explicasse algo, pensou Maud, sobretudo se fosse uma jovem atraente.

– Por que alguém se interessaria pelo que acontece no México? – perguntou ela.

– Petróleo, minha cara senhora – respondeu Lloyd George. – Petróleo.

Alguma outra pessoa falou com ele, e o chanceler se virou.

Maud viu Walter. Os dois se encontraram ao pé da escadaria. Ele se curvou por sobre sua mão enluvada e ela teve de resistir à tentação de tocar seus cabelos louros. Seu amor por Walter havia despertado um profundo desejo adormecido, que era ao mesmo tempo atiçado e atormentado por seus beijos roubados e suas carícias furtivas.

– Está gostando da ópera, lady Maud? – indagou ele com formalidade, mas seus olhos cor de avelã diziam: *Queria que estivéssemos a sós.*

– Muito... o Don tem uma voz maravilhosa.

– Na minha opinião, o maestro está regendo um pouco depressa demais.

Walter era o único conhecido de Maud a levar a música tão a sério quanto ela.

– Discordo – foi sua resposta. – É uma comédia, então as melodias precisam ser velozes.

– Mas não é só uma comédia.

– É verdade.

– Quem sabe ele não diminui o ritmo quando as coisas desandarem no segundo ato?

– Parece que vocês conseguiram algum tipo de vitória diplomática no México – falou ela, mudando de assunto.

– Meu pai está... – Ele hesitou, procurando as palavras, coisa rara no seu caso. – Exultante – completou, após uma pausa.

– E você não está?

Sua expressão ficou sombria.

– Tenho minhas preocupações de que o presidente americano queira se vingar um dia.

Foi então que Fitz passou por eles e disse:

– Olá, Von Ulrich, venha ficar conosco no nosso camarote, temos um lugar vazio.

– Com prazer! – respondeu Walter.

Maud ficou encantada. Fitz estava apenas sendo hospitaleiro: não sabia que a irmã estava apaixonada por Walter. Ela teria que deixá-lo a par da notícia em breve. Não sabia ao certo como ele iria reagir. Seus países tinham divergências e, embora Fitz considerasse Walter um amigo, aceitá-lo como cunhado era uma história muito diferente.

Ela e Walter subiram as escadas e atravessaram o corredor. A fileira de trás do camarote de Fitz tinha apenas dois lugares com uma visão ruim do palco. Sem reclamar, Maud e Walter se sentaram neles.

Alguns minutos depois, as luzes do teatro se apagaram. Na penumbra, Maud quase conseguia se imaginar a sós com Walter. O segundo ato começou com um dueto entre o Don e Leporello. Maud gostava da forma como Mozart fazia patrões e criados cantarem juntos, mostrando as relações complexas e íntimas entre as classes superiores e inferiores. Muitas peças se atinham somente às classes superiores, retratando os criados como parte da mobília – coisa que muitos gostariam que eles fossem.

Bea e a duquesa voltaram para o camarote durante o trio "Ah! Taci, ingiusto core". Todos pareciam ter ficado sem assunto, pois estavam falando menos e escutando mais. Ninguém dirigiu a palavra a Maud nem a Walter, e nem sequer se virou para olhá-los, de modo que Maud se perguntou, animada, se poderia tirar vantagem da situação. Sentindo-se ousada, estendeu a mão e segurou furtivamente a de Walter. Ele sorriu e acariciou seus dedos com o polegar. Ela desejou poder beijá-lo, mas isso seria uma temeridade.

Quando Zerlina cantou sua ária "Vedrai, carino", em um comovente compasso 3/8, um impulso irresistível começou a instigar Maud – e, assim que Zerlina apertou a mão de Masetto junto ao coração, Maud levou a mão de Walter ao próprio seio. Ele soltou um arquejo involuntário, mas ninguém percebeu, pois Masetto produzia ruídos semelhantes, uma vez que acabara de levar uma surra de Don.

Ela virou a mão de Walter para que ele pudesse sentir seu mamilo com a palma. Walter adorava os seios de Maud e os tocava sempre que podia, ou seja, raramente. Ela desejava que fosse com mais frequência: adorava quando ele fazia isso. Essa era outra revelação. Já haviam tocado seus seios antes – um médico, um pastor anglicano, uma menina mais velha no curso de dança, um homem na multidão –, e ela ficara ao mesmo tempo perturbada e lisonjeada ao se pensar capaz de despertar a luxúria alheia, mas nunca havia gostado da sensação como agora. Olhou de relance para o rosto de Walter e viu que ele tinha os olhos fixos no palco, mas que sua testa exibia um brilho de transpiração. Imaginou se seria errado da sua parte excitá-lo de tal forma quando não podia satisfazê-lo; porém ele não fez nenhum movimento para retirar a mão, o que a fez concluir que apreciava aquilo. Assim como ela. Como sempre, no entanto, Maud queria mais.

O que a havia feito mudar? Nunca fora assim. Era ele, é claro, e a química que sentia entre os dois, uma intimidade tão intensa que lhe dava a impressão de poder dizer qualquer coisa, fazer o que bem entendesse, não esconder nada. O que o tornava tão diferente de todos os outros homens que haviam se sentido atraídos por ela? Um homem como Lowthie, ou mesmo Bing, esperava que uma mulher se comportasse como uma criança bem-educada: que escutasse respeitosamente quando ele dissesse algo maçante, risse de suas tiradas inteligentes, obedecesse quando ele se mostrasse dominador e o beijasse sempre que ele pedisse. Walter a tratava como adulta. Não fazia galanteios vazios, nem se mostrava condescendente ou exibido, e escutava pelo menos tanto quanto falava.

A música ficou sinistra quando a estátua ganhou vida e o Commendatore entrou com passos firmes na sala de jantar de Don Giovanni. Aquele era o clímax da ópera, e Maud tinha quase certeza de que ninguém olharia para trás. Talvez, pensou, pudesse satisfazer Walter afinal – e essa ideia a deixou sem fôlego.

Enquanto os trombones bradavam junto à voz de baixo grave do Commendatore, ela pôs a mão sobre a coxa de Walter. Pôde sentir o calor de sua pele através da lã fina da calça. Ele continuou sem olhar para ela, porém Maud notou que tinha a boca aberta e a respiração acelerada. Ela subiu a mão por sua coxa e, ao mesmo tempo que o Don segurava corajosamente a mão do Commendatore, encontrou o membro rijo de Walter e o empunhou.

Estava ao mesmo tempo excitada e curiosa. Nunca tinha feito aquilo antes. Explorou o órgão através do tecido da calça. Era maior do que ela imaginava, e mais duro também, parecendo mais um pedaço de madeira do que uma parte do corpo. Que estranho, pensou, o simples toque de uma mulher gerar uma modificação física tão notável. Quando ela ficava excitada, isso transparecia em pequenas mudanças: aquela sensação de inchaço quase imperceptível e a umidade lá dentro. No caso dos homens, era como hastear uma bandeira.

Ela sabia o que os meninos faziam, pois havia espionado Fitz quando o irmão tinha 15 anos; então imitou os gestos que o vira fazer, subindo e descendo a mão enquanto o Commendatore exigia que o Don se arrependesse e este se recusava a fazê-lo repetidas vezes. Àquela altura, Walter ofegava, mas ninguém conseguia escutá-lo porque a orquestra tocava muito alto. Maud estava radiante por ser capaz de lhe proporcionar tanto prazer. Ficou observando as nucas dos companheiros de camarote, morrendo de medo que alguém se virasse, mas envolvida demais no que estava fazendo para parar. Walter cobriu-lhe a mão com a sua, ensinando a ela como fazer, apertando com mais força ao descer e aliviando a pressão ao subir, e Maud imitou seus gestos. Enquanto o Don era arrastado para dentro das chamas, Walter teve um sobressalto. Ela sentiu uma espécie de espasmo em seu membro – uma, duas, três vezes – e, então, enquanto o Don morria de terror, Walter pareceu se afundar na cadeira, exausto.

Maud de repente se deu conta de que o que havia feito era uma loucura completa. Retirou a mão no mesmo instante, corando de vergonha. Percebeu que ofegava e tentou respirar normalmente.

No palco, iniciou-se a cena final com o elenco inteiro e Maud relaxou. Não sabia o que havia dado nela, mas conseguira escapar ilesa. O alívio da tensão lhe deu vontade de rir, mas ela se conteve.

Cruzou olhares com Walter. Ele a fitava com adoração. Maud sentiu uma onda de prazer. Ele se inclinou mais para perto e colou os lábios ao seu ouvido.

– Obrigado – murmurou.

Ela deu um suspiro e disse:

– Foi um prazer.

CAPÍTULO SEIS

Junho de 1914

No início de junho, Grigori Peshkov enfim juntou dinheiro suficiente para comprar uma passagem até Nova York. A família Vyalov de São Petersburgo lhe vendeu tanto o bilhete quanto os documentos necessários para emigrar para os Estados Unidos, incluindo uma carta do Sr. Josef Vyalov, de Buffalo, prometendo um emprego a Grigori.

Grigori beijou a passagem. Mal podia esperar para partir. Aquilo parecia um sonho, e ele tinha medo de acordar antes de o navio zarpar. Agora que a viagem estava tão próxima, ansiava ainda mais pelo instante em que estaria em pé no convés e olharia para trás para ver a Rússia desaparecer no horizonte e sair de sua vida para sempre.

Na noite anterior à partida, seus amigos organizaram uma festa.

A festa foi no bar do Mishka, próximo à Metalúrgica Putilov. Uma dúzia de colegas de trabalho estava presente, além de quase todos os membros do grupo de discussão bolchevique sobre socialismo e ateísmo e as moças da casa em que Grigori e Lev moravam. Todos haviam aderido à greve que se estendia por metade das fábricas de São Petersburgo, então ninguém tinha muito dinheiro, mas fizeram uma vaquinha para comprar um barril de cerveja e alguns arenques. Era uma noite quente de verão, e eles se sentaram em bancos num terreno baldio ao lado do bar.

Grigori não gostava muito de festas. Teria preferido passar a noite jogando xadrez. O álcool deixava as pessoas idiotas, e flertar com as esposas e namoradas dos outros lhe parecia uma perda de tempo. Seu amigo de cabelos revoltos, Konstantin, presidente do grupo de discussão, se desentendeu por causa da greve com o agressivo Isaak, o jogador de futebol, e eles acabaram aos gritos um com o outro. Grande Varya, mãe de Konstantin, bebeu quase uma garrafa inteira de vodca, deu um soco no marido e desmaiou. Lev trouxe vários amigos – homens que Grigori nunca havia encontrado e garotas que não queria conhecer –, que tomaram toda a cerveja sem pagar um tostão.

Grigori passou a noite inteira lançando olhares tristes para Katerina. Ela estava de bom humor; adorava festas. Sua saia comprida rodopiava e seus olhos azul-esverdeados faiscavam enquanto se movia de um lado para outro, provocando os homens e encantando as mulheres, sempre a sorrir com aquela boca larga e generosa. Suas roupas eram velhas e remendadas, mas seu corpo era lindo, bem do tipo que os homens russos gostavam, com seios fartos e quadris largos. Grigori se apaixonara por ela no dia em que a conhecera – e agora, quatro meses depois, continuava apaixonado. Mas ela preferia seu irmão.

Por quê? Não era uma questão de aparência física. Os dois eram tão parecidos que as pessoas às vezes os confundiam. Tinham a mesma altura e o mesmo peso e podiam usar as roupas um do outro. Mas Lev era extremamente charmoso. Era egoísta e irresponsável, além de viver à margem da lei, mas as mulheres o adoravam. Grigori era honesto e confiável, trabalhador e um intelectual sério, e era solteiro.

Nos Estados Unidos seria diferente. Tudo lá seria diferente. Os latifundiários norte-americanos não podiam enforcar seus trabalhadores. A polícia norte-americana era obrigada a julgar as pessoas antes de puni-las. O governo não podia sequer prender socialistas. Não havia nobres: todos lá eram iguais, até mesmo os judeus.

Será que isso era mesmo real? Às vezes achava que o que ouvia sobre os Estados Unidos era fantasioso demais, como as histórias que as pessoas contavam sobre as ilhas dos mares do Sul, onde lindas donzelas se entregavam a qualquer um que pedisse. Mas só podia ser verdade: milhares de emigrantes já haviam mandado cartas para casa. Na fábrica, um grupo de socialistas revolucionários tinha dado início a uma série de palestras sobre a democracia norte-americana, mas a polícia os proibira de continuar.

Ele se sentia culpado por deixar o irmão para trás, mas essa era a melhor solução.

– Cuide-se – disse ele a Lev perto do fim da noite. – Eu não vou mais estar aqui para tirar você de encrencas.

– Eu vou ficar bem – falou Lev, sem dar muita importância ao assunto. – Cuide-se, você.

– Vou mandar dinheiro para a sua passagem. Com o salário que os americanos pagam, não vai demorar muito.

– Estarei esperando.

– Não mude de casa... Nós poderíamos perder contato.

– Eu não vou a lugar nenhum, irmão.

Não haviam decidido se Katerina também iria posteriormente para os Estados Unidos. Grigori deixara a cargo de Lev trazer o assunto à baila, mas o irmão não fizera isso. Grigori não sabia se deveria ter esperanças ou medo de que Lev quisesse levá-la consigo.

Lev segurou o braço de Katerina e disse:

– Temos de ir agora.

Grigori ficou surpreso.

– Para onde vocês vão a esta hora da noite?

– Vou me encontrar com Trofim.

Trofim era um membro pouco importante da família Vyalov.

– Por que precisa encontrá-lo hoje?

Lev deu uma piscadela.

– Não se preocupe. Nós vamos voltar antes do amanhecer... com tempo de sobra para levar você até a ilha Gutuyevsky. – Era lá que ficavam atracados os vapores transatlânticos.

– Está bem – disse Grigori. – Não façam nada perigoso – acrescentou ele, sabendo que era um conselho inútil.

Lev acenou alegremente e desapareceu.

Já era quase meia-noite. Grigori se despediu dos presentes. Vários de seus amigos choraram, mas ele não sabia se era de tristeza ou apenas por causa do álcool. Voltou andando para casa acompanhado por algumas das garotas e, no hall de entrada, todas o beijaram. Então foi para o seu quarto.

Sua mala de segunda mão estava em cima da mesa. Embora fosse pequena, estava cheia só até a metade. Ele estava levando camisas, roupa de baixo e seu jogo de xadrez. Tinha apenas um par de botas. Não havia acumulado muita coisa durante os nove anos desde a morte da mãe.

Antes de ir para a cama, espiou dentro do armário onde Lev guardava seu revólver, um Nagant M1895 de fabricação belga. Sentiu um frio na barriga ao perceber que a arma não estava no seu lugar de sempre.

Para não ter de sair da cama e abrir a janela quando Lev chegasse, ele a destrancou.

Deitado na cama sem dormir, escutando o rumor familiar dos trens que passavam, ele se perguntou como seria a vida a mais de seis mil quilômetros dali. Sempre havia morado com Lev, fazendo as vezes de mãe e pai para o irmão caçula. A partir do dia seguinte, nem mesmo saberia se Lev teria passado a noite inteira fora ou se carregava uma arma. Seria um alívio ou ele se preocuparia ainda mais?

Como sempre, Grigori acordou às cinco. Seu navio zarpava às oito e o cais ficava a uma hora a pé de onde ele morava. Havia tempo de sobra.

Lev não voltara para casa.

Grigori lavou as mãos e o rosto. Olhando-se em um caco de espelho quebrado, aparou o bigode e a barba com uma tesoura de cozinha. Então vestiu seu melhor terno. Deixaria o outro para Lev.

Estava com uma panela de mingau no fogo quando ouviu alguém bater com força à porta.

Com certeza eram más notícias. Os amigos gritavam da rua; apenas as autoridades batiam à porta. Grigori pôs a boina na cabeça, saiu para o corredor e olhou escada abaixo. A senhoria estava abrindo a porta para dois homens com o uniforme preto e verde da polícia. Observando melhor, ele reconheceu o rosto gorducho em forma de lua cheia de Mikhail Pinsky e a pequena cabeça de rato de seu parceiro, Ilya Kozlov.

Grigori pensou depressa. Evidentemente, alguém na casa era suspeito de um crime. O culpado mais provável era Lev. Quer se tratasse de seu irmão ou de algum outro inquilino, todos no prédio seriam interrogados. Os dois policiais se lembrariam do incidente em fevereiro, quando Grigori havia salvado Katerina deles, e aproveitariam a oportunidade para prender Grigori.

E ele perderia seu navio.

Esse pensamento terrível o deixou paralisado. Perder o navio! Depois de todas as economias e de tanto esperar e torcer por esse dia. Não, pensou ele; eu não vou deixar isso acontecer.

Encolhendo-se, voltou ao quarto na mesma hora em que os dois policiais começaram a subir a escada. De nada adiantaria argumentar com eles – muito pelo contrário: se Pinsky descobrisse que Grigori estava prestes a emigrar, teria ainda mais prazer em prendê-lo. Grigori sequer teria uma chance de devolver a passagem e pegar seu dinheiro de volta. Todos aqueles anos de economia iriam por água abaixo.

Ele precisava fugir.

Em frenesi, correu os olhos pelo quarto. Havia uma porta e uma janela ali. Ele teria de sair da maneira que Lev entrava durante a noite. Olhou para fora: o quintal dos fundos estava vazio. A polícia de São Petersburgo era brutal, mas ninguém jamais diria que era muito esperta. Pinsky e Kozlov sequer haviam pensado em vigiar os fundos da casa. Talvez soubessem que não havia saída pelo quintal, exceto se você atravessasse a via férrea, mas trilhos ferroviários não representavam um grande obstáculo para um homem desesperado.

Grigori ouviu gritos e exclamações vindos do quarto das moças ao lado do seu: a polícia havia entrado lá primeiro.

Apalpou a frente do paletó. A passagem, seus documentos e o dinheiro estavam no bolso. Todo o resto dos seus bens materiais já estava dentro da mala usada de papelão.

Ele pegou a mala e se debruçou o máximo possível pela janela. Segurou-a para fora e a deixou cair. Ela aterrissou em pé e aparentemente intacta.

A porta de seu quarto se abriu de supetão.

Grigori passou as pernas por sobre o peitoril, sentando-se nele por uma fração de segundo, e então pulou sobre o telhado da lavanderia. Seus pés escorregaram nas telhas e ele levou um tombo, caindo sentado. Em seguida, escorregou pelo telhado inclinado até a calha. Ouviu um grito às suas costas, mas não olhou para trás. Pulou lá de cima até o chão e aterrissou sem se machucar.

Apanhou a mala e saiu correndo.

Um tiro ecoou, assustando-o e fazendo-o correr mais depressa. A maioria dos policiais não conseguiria acertar o Palácio de Inverno a três metros de distância, mas ninguém estava a salvo de um acidente. Ele subiu aos tropeços o talude que ia dar nos trilhos, consciente de que, ao se aproximar do nível da janela, tornava-se um alvo mais fácil. Quando ouviu o típico resfolegar de uma locomotiva, olhou para a direita e viu um trem de carga se aproximando depressa. Ouviu-se outro tiro e ele sentiu um baque em algum lugar, mas, como não sentiu dor, concluiu que a bala atingira a mala. Chegou ao topo da subida, sabendo que seu corpo agora se destacava contra o céu claro da manhã. O trem estava a poucos metros de distância. O maquinista fez soar forte e demoradamente a buzina. Um terceiro tiro ecoou. Grigori se jogou para o outro lado dos trilhos um segundo antes de o trem passar.

A locomotiva avançou com um estrondo, rodas de aço batendo em trilhos também de aço, deixando um rastro de vapor à medida que o som da buzina esmorecia. Grigori se levantou, desequilibrado. Agora estava protegido dos tiros por um comboio de vagões abertos carregados de carvão. Atravessou em disparada os trilhos que ainda restavam. Enquanto o último dos vagões de carvão passava, ele desceu a encosta oposta e passou pelo quintal de uma pequena fábrica até chegar à rua.

Olhou para a mala. Um dos cantos exibia um buraco de bala. Fora por pouco.

Andou depressa, tentando recuperar o fôlego, e se perguntou o que deveria fazer em seguida. Agora que estava seguro – pelo menos por hora –, começou a se preocupar com o irmão. Precisava saber se Lev estava em apuros e, caso estivesse, de que espécie.

Enquanto caminhava em direção ao bar, ficou nervoso com a possibilidade de ser avistado. Seria uma falta de sorte, mas não era impossível: Pinsky poderia muito bem estar rondando por aquelas ruas. Ele abaixou a boina sobre a testa, sem acreditar de todo que isso poderia disfarçar sua identidade. Cruzou com alguns operários a caminho do cais e juntou-se ao grupo, mas, com a mala na mão, destoava dos outros.

Contudo, conseguiu chegar ao bar do Mishka sem incidentes. O lugar era mobiliado com bancos e mesas de madeira rústicos. Recendia à cerveja e à fumaça de cigarro da noite anterior. Pela manhã, Mishka, o dono, servia pão e chá aos que não tinham lugar em casa para preparar o desjejum, mas o movimento estava fraco por causa da greve e o local estava praticamente vazio.

Grigori pretendia perguntar a Mishka se ele sabia para onde Lev estava indo quando saiu do bar, mas, antes de conseguir fazê-lo, viu Katerina. Ela parecia ter passado a noite em claro. Seus olhos azul-esverdeados estavam avermelhados; seus cabelos louros, desgrenhados e sua saia, amarrotada e manchada. Estava visivelmente abalada, com as mãos trêmulas e rastros de lágrimas no rosto encardido. Isso, no entanto, a tornava ainda mais bonita aos olhos de Grigori, e ele desejou poder tomá-la nos braços para reconfortá-la. Como não podia fazer isso, escolheu a segunda melhor opção e foi falar com ela.

– O que houve? – indagou. – Qual é o problema?

– Graças a Deus você apareceu – disse ela. – A polícia está atrás de Lev.

Grigori suspirou. Então seu irmão estava *mesmo* em apuros, e logo naquele dia.

– O que ele aprontou? – Grigori nem sequer se deu ao trabalho de considerar a hipótese de Lev ser inocente.

– Houve uma confusão ontem à noite. Nós devíamos descarregar uns cigarros de uma barca. – Cigarros roubados, presumiu Grigori. – Lev pagou por eles – prosseguiu Katerina –, mas o condutor da barca disse que o dinheiro não era suficiente e eles discutiram. Alguém começou a atirar. Lev atirou de volta e depois nós saímos correndo.

– Graças a Deus nenhum de vocês dois se machucou!

– Agora estamos sem os cigarros e sem o dinheiro.

– Que confusão! – Grigori olhou para o relógio acima do balcão. Eram seis e quinze. Ainda tinha bastante tempo. – Vamos nos sentar. Quer um pouco de chá? – Ele acenou para Mishka e pediu dois copos de chá.

– Obrigada – agradeceu Katerina. – Lev acha que um dos feridos deve ter alertado a polícia. E agora estão atrás dele.

– E você?

– Eu não corro perigo, ninguém sabe o meu nome.

Grigori assentiu.

– Nesse caso, o que precisamos fazer é manter Lev longe da polícia. Ele vai ter que ficar escondido por mais ou menos uma semana, depois fugir da cidade.

– Ele não tem dinheiro.

– É claro que não. – Lev nunca tinha dinheiro para comprar o básico, embora sempre conseguisse pagar uma bebida, apostar e sair com garotas. – Eu posso deixar algum com ele. – Grigori teria de mexer no dinheiro que juntara para a viagem. – Onde ele está?

– Ele disse que iria encontrar você no navio.

Mishka lhes trouxe o chá. Grigori percebeu que estava com fome, pois havia deixado o mingau no fogo. Ele pediu uma sopa.

– Quanto você pode deixar com Lev? – perguntou Katerina.

Ela o fitou com um olhar intenso que, como sempre, o fez pensar que faria qualquer coisa que ela pedisse. Grigori desviou os olhos.

– Quanto ele precisar – respondeu.

– Como você é bom!

Grigori deu de ombros.

– Ele é meu irmão.

– Obrigada.

Grigori gostava quando Katerina se mostrava agradecida, embora também ficasse constrangido. A sopa chegou e ele começou a comer, grato pela distração. A comida o deixou mais otimista. Lev estava sempre arrumando encrenca. Sairia daquela dificuldade como já havia feito muitas vezes. Isso não significava que precisasse perder o navio.

Katerina bebericou o chá enquanto observava Grigori. Ela não exibia mais o ar frenético de antes. Lev põe você em perigo e quem a salva sou eu, pensou Grigori, mas mesmo assim você prefere ficar com ele.

Àquela altura, Lev provavelmente já estava no cais, escondido à sombra de um guindaste, à espreita de algum policial enquanto aguardava com nervosismo. Grigori precisava ir. Mas talvez nunca mais fosse ver Katerina e mal conseguia suportar a ideia de se despedir dela para sempre.

Terminou de tomar a sopa e consultou o relógio. Eram quase sete horas. Ele estava começando a se arriscar.

– Preciso ir – falou, relutante.

Katerina o acompanhou até a porta.

– Não seja duro demais com Lev – pediu ela.

– Eu algum dia fui?

Ela pôs as duas mãos em seus ombros, ficou na ponta dos pés e o beijou rapidamente na boca.

– Boa sorte – disse.

Grigori foi embora.

Ele percorreu a passos largos as ruas do sudoeste de São Petersburgo, um bairro industrial repleto de armazéns, fábricas, pátios de armazenamento e favelas apinhadas de gente. A vergonhosa vontade de chorar passou em poucos minutos. Ele caminhava pelo lado da sombra, sempre com a boina puxada para baixo e o olhar no chão, evitando espaços amplos e abertos. Se Pinsky houvesse divulgado uma descrição de Lev, um policial alerta poderia muito bem prender Grigori.

Ele, no entanto, chegou ao cais sem ser visto. Seu navio, o *Anjo Gabriel*, era uma embarcação pequena e enferrujada que transportava tanto carga quanto passageiros. No momento, estava sendo carregado com caixotes de madeira bem pregados e assinalados com o nome do maior comerciante de peles da cidade. Diante de seus olhos, a última caixa foi armazenada no compartimento de carga, que a tripulação fechou em seguida.

Uma família de judeus mostrava suas passagens na beirada da passarela. Até onde Grigori sabia, todos os judeus queriam ir para os Estados Unidos. Tinham ainda mais motivos do que ele. Na Rússia, existiam leis que os impediam de possuir terras, trabalhar no serviço público e serem oficiais do Exército, além de inúmeras outras proibições. Judeus não podiam morar onde quisessem e cotas limitavam seu acesso às universidades. Era um milagre que alguns ainda conseguissem ganhar a vida. E se, contrariando todas as probabilidades, eles prosperassem, não demorava muito tempo para serem emboscados por alguma turba – geralmente instigada por policiais da laia de Pinsky – e espancados, além de terem as famílias aterrorizadas, as janelas de suas casas estilhaçadas e suas propriedades incendiadas. Surpreendente era algum deles continuar na Rússia, isso sim.

O navio tocou o apito de "todos a bordo".

Grigori não estava vendo o irmão. O que saíra errado? Teria Lev mudado de planos outra vez? Ou será que já havia sido preso?

Um menininho puxou a manga de Grigori.

– Um homem quer falar com o senhor – disse.

– Que homem?

– Ele é parecido com o senhor.

Graças a Deus, pensou Grigori.

– Onde ele está?

– Atrás daquelas tábuas.

No cais havia uma pilha de tábuas de madeira. Grigori a contornou às pressas e encontrou Lev escondido lá atrás, fumando um cigarro com agitação. Seu irmão estava irrequieto e pálido – coisa rara, visto que em geral ele permanecia alegre, mesmo em apuros.

– Estou encrencado – disse Lev.
– De novo.
– Aqueles condutores de barca são uns mentirosos!
– E ladrões também, provavelmente.
– Não me venha com sarcasmo. Não temos tempo para isso.
– Não, tem razão. Precisamos tirar você da cidade até a poeira baixar.

Lev fez que não com a cabeça, ao mesmo tempo que soltava com força a fumaça do cigarro.

– Um dos condutores morreu. Estou sendo procurado por assassinato.
– Ah, droga! – Grigori sentou-se em uma das tábuas de madeira e enterrou o rosto nas mãos. – Assassinato – repetiu.
– Trofim ficou gravemente ferido e a polícia conseguiu fazê-lo falar. Foi ele quem me dedurou.
– Como você sabe de tudo isso?
– Estive com Fyodor faz uma hora. – Fyodor era um policial corrupto conhecido de Lev.
– Péssima notícia.
– E não é o pior. Pinsky jurou me pegar... para se vingar de você.

Grigori aquiesceu.

– Era isso que eu temia.
– O que vou fazer?
– Você vai ter que ir para Moscou. Vai demorar muito tempo até São Petersburgo ser um lugar seguro para você outra vez, se é que voltará a ser um dia.
– Não sei se Moscou é longe o bastante, agora que a polícia tem telégrafos.

Grigori percebeu que ele tinha razão.

O navio tornou a apitar. Logo as passarelas seriam retiradas.

– Nosso tempo está acabando – alertou Grigori. – O que você vai fazer?
– Eu poderia ir para os Estados Unidos – disse Lev.

Grigori o encarou firme.

– Você poderia me dar sua passagem – falou seu irmão.

Grigori não queria sequer pensar nisso.

Mas Lev prosseguiu, com uma lógica sem remorso:

– Eu poderia usar seu passaporte e seus documentos para entrar nos Estados Unidos. Ninguém iria notar a diferença.

Grigori viu seu sonho se dissipar, como o final de um filme no cinema Soleil da Nevsky Prospekt, quando as luzes da sala se acendiam e revelavam as cores desbotadas e o piso sujo do mundo real.

– Dar minha passagem para você – repetiu ele, adiando desesperadamente a hora da decisão.

– Você estaria salvando a minha vida – disse Lev.

Grigori sabia que era a coisa certa a fazer, e compreender isso foi como uma punhalada no seu coração.

Tirou os documentos do bolso de seu melhor terno e os entregou a Lev. Passou-lhe todo o dinheiro que havia economizado para a viagem. E, por fim, a mala de papelão com o buraco de bala.

– Eu lhe mando o dinheiro para outra passagem – disse Lev com fervor. Grigori ficou calado, mas o ceticismo deve ter transparecido em seu rosto, porque Lev protestou: – Mando mesmo, eu juro. Vou economizar.

– Está bem – falou Grigori.

Os irmãos se abraçaram. Lev disse:

– Você sempre cuidou de mim.

– Sim, sempre.

Lev deu as costas e correu para o navio.

Os marinheiros já desamarravam as cordas. Estavam prestes a puxar a passarela, mas Lev gritou e eles o aguardaram por mais alguns segundos.

Ele subiu correndo até o convés.

Uma vez lá, girou o corpo, se apoiou no parapeito e acenou para Grigori.

Grigori não conseguiu se forçar a acenar de volta. Virou as costas e foi embora.

O apito do navio soou, mas ele não olhou para trás.

Sem o fardo da mala, seu braço direito parecia estranhamente leve. Ele atravessou o cais, olhando para a água profunda e escura lá embaixo, e ocorreu-lhe a estranha ideia de que poderia se jogar ali. Obrigou-se a voltar a si: não era homem de se deixar levar por esse tipo de ideia tola. Ainda assim, sentia-se deprimido e amargurado. A vida sempre lhe puxava o tapete.

Não conseguiu se alegrar enquanto refazia o caminho e voltava pelo bairro industrial. Caminhava com os olhos pregados no chão, sem nem mesmo se dar ao trabalho de manter um olho aberto caso a polícia aparecesse: àquela altura, pouco importava se o prendessem.

O que seria dele? Sentia-se incapaz de reunir energia para fazer qualquer coisa. Quando a greve terminasse, conseguiria de volta seu emprego na fábrica: era um bom operário e eles sabiam disso. Provavelmente deveria ir até lá agora mesmo para descobrir se houvera algum avanço na situação – mas não conseguiu se forçar a tanto.

Uma hora depois, viu que se aproximava do bar do Mishka. Pretendia passar direto por lá, mas, ao olhar para dentro, viu Katerina sentada no mesmo lugar em que a havia deixado duas horas antes, com um copo de chá frio à sua frente, e percebeu que precisava lhe contar o que havia acontecido.

Entrou no bar. Com exceção de Mishka, que varria o chão, ele estava vazio.

Katerina se levantou com um ar assustado.

– O que você está fazendo aqui? – perguntou ela. – Perdeu o navio?

– Não exatamente. – Ele não conseguia pensar em um jeito de lhe dar a notícia.

– O que houve, então? – quis saber ela. – Lev morreu?

– Não, ele está bem. Mas está sendo procurado por assassinato.

Ela o encarou.

– Onde ele está?

– Ele teve que ir embora.

– Para onde?

Não havia como dizer aquilo de forma sutil.

– Ele me pediu para lhe dar a minha passagem.

– Sua passagem?

– E o meu passaporte. Ele foi para os Estados Unidos.

– Não! – gritou Katerina.

Grigori só fez assentir com a cabeça.

– Não! – Ela tornou a gritar. – Ele não me deixaria! Não diga isso, nunca diga isso!

– Tente ficar calma.

Ela deu um tapa no rosto de Grigori. Era apenas uma menina, de modo que ele mal saiu do lugar.

– Seu porco! – berrou ela com uma voz esganiçada. – Você o mandou embora!

– Fiz isso para salvar a vida dele.

– Filho da mãe! Cachorro! Eu odeio você! Odeio sua cara idiota!

– Nada que você diga pode me deixar pior do que já estou – falou Grigori, mas ela não o escutava. Ignorando seus xingamentos, ele se afastou, a voz dela começando a morrer à medida que ele atravessava a porta.

Os gritos cessaram e ele ouviu passos apressados seguindo-o pela rua.

– Pare! – chamou ela. – Por favor, Grigori, pare, não vire as costas para mim, eu sinto muito.

Ele tornou a se virar.

– Grigori, você tem que cuidar de mim agora que Lev foi embora.

Ele fez que não com a cabeça.

– Você não precisa de mim. Os homens desta cidade vão fazer fila para cuidar de você.

– Não, eles não vão – disse ela. – Tem uma coisa que você não sabe.

O que será desta vez?, pensou Grigori.

– Lev não quis que eu lhe contasse.

– Diga.

– Estou esperando um bebê – falou ela, começando a chorar.

Grigori ficou imóvel, absorvendo a notícia. O filho era de Lev, é claro. E Lev sabia. Mesmo assim, tinha ido para os Estados Unidos.

– Um bebê – repetiu Grigori.

Ela aquiesceu, aos prantos.

O filho de seu irmão. Seu sobrinho ou sobrinha. Sua família.

Grigori a abraçou, puxando-a para junto de si. Katerina tremia, soluçante. Enterrou o rosto em seu paletó. Ele acariciou-lhe os cabelos.

– Está bem – falou. – Não se preocupe. Você vai ficar bem. Seu filho também. – Ele deu um suspiro. – Vou cuidar de vocês dois.

II

A viagem no *Anjo Gabriel* foi dura, mesmo para um rapaz saído dos bairros pobres de São Petersburgo. Havia apenas uma classe, a mais baixa, e os passageiros eram tratados como reles mercadorias. O navio era sujo e insalubre, sobretudo quando as ondas ficavam maiores e as pessoas passavam mal. Como ninguém da tripulação falava russo, era impossível reclamar. Lev não sabia ao certo qual era a nacionalidade deles, mas não conseguiu se comunicar nem com seu inglês capenga nem com seu alemão ainda mais limitado. Alguém disse que eram holandeses. Lev nunca ouvira falar de um povo com aquele nome.

Apesar de tudo, o clima entre os passageiros era de grande otimismo. Lev tinha a sensação de ter derrubado os muros da prisão do czar e fugido – e de que agora era um homem livre. Estava a caminho dos Estados Unidos, onde não existia nobreza. Quando o mar se acalmava, os passageiros sentavam-se no convés para contar as histórias que tinham ouvido sobre os Estados Unidos: a água quente que saía das torneiras, as botas de couro de qualidade que até os trabalhadores usavam e, acima de tudo, a liberdade para praticar qualquer religião, unir-se a qualquer grupo político, exprimir suas opiniões em público e não ter medo da polícia.

No final do décimo dia, Lev estava jogando cartas. Era a sua vez de distribuir, mas ele estava perdendo. Todos estavam perdendo exceto Spirya, rapaz de aparência inocente da mesma idade de Lev e que também viajava sozinho.

– Spirya ganha todas as noites – disse outro jogador, Yakov. A verdade era que Spirya ganhava quando Lev distribuía as cartas.

O vapor seguia lentamente por um nevoeiro. O mar estava calmo e o único ruído era o som grave e baixo dos motores. Lev não conseguira descobrir quando iriam chegar. Cada um dava uma resposta diferente. Os mais bem informados diziam que tudo dependia do tempo. A tripulação, como sempre, se mostrava inescrutável.

Quando a noite caiu, Lev colocou suas cartas na mesa.

– Estou limpo – falou. Na verdade, tinha muito mais dinheiro dentro da camisa, mas podia ver que os demais estavam ficando duros, com exceção de Spirya. – É isso aí – prosseguiu ele. – Quando chegarmos aos Estados Unidos, vou ter de arranjar uma velha rica e viver como um cachorro de estimação em seu palácio de mármore.

Os outros riram.

– Mas por que alguém iria querer você como animal de estimação? – perguntou Yakov.

– Senhoras de idade sentem frio à noite – respondeu ele. – Ela precisaria do meu aparelho de aquecimento.

O jogo terminou de forma bem-humorada e os jogadores se dispersaram.

Spirya foi até a popa e se debruçou sobre o parapeito, observando a espuma do navio desaparecer em meio à névoa. Lev foi se juntar a ele.

– A minha metade ficou em sete rublos – disse Lev.

Spirya tirou algumas notas de dinheiro do bolso e as entregou a Lev, ocultando a transação com o próprio corpo para ninguém ver o dinheiro mudando de mãos.

Lev guardou as notas no bolso e encheu o cachimbo de fumo.

– Me diga uma coisa, Grigori – disse Spirya. Lev estava usando os documentos do irmão, então tivera de dizer aos outros que seu nome era Grigori. – O que você faria se eu me recusasse a lhe dar a sua parte?

Esse tipo de conversa era um perigo. Lev guardou seu fumo devagar e pôs o cachimbo apagado de volta no bolso do paletó. Então agarrou Spirya pelas lapelas e ergueu seu corpo contra o parapeito, arqueando-o para trás sobre o mar. Spirya era mais alto do que Lev, mas estava longe de ser tão forte quanto ele.

– Eu quebraria o seu pescoço de idiota – disse Lev. – Depois pegaria de volta todo o dinheiro que você ganhou comigo. – Ele empurrou Spirya para mais além do parapeito. – E jogaria você nesse maldito mar.

Spirya ficou apavorado.

– Está bem! – falou ele. – Me solte!

Lev soltou sua lapela.

– Meu Deus! – disse Spirya, ofegante. – Eu só fiz uma pergunta.

Lev acendeu o cachimbo.

– E eu lhe dei a resposta – falou. – Não se esqueça.

Spirya foi embora.

Quando o nevoeiro se dissipou, eles já podiam avistar terra. Era de noite, mas Lev conseguiu ver as luzes de uma cidade. Onde estariam? Alguns diziam que era o Canadá, outros a Irlanda, mas ninguém sabia ao certo.

As luzes se aproximaram e o navio diminuiu a velocidade. Estavam prestes a atracar. Lev ouviu alguém dizer que já haviam chegado aos Estados Unidos! Dez dias parecia pouco. Mas como ele poderia saber? Ficou junto ao parapeito com a mala de papelão do irmão. Seu coração acelerou no peito.

A mala lembrava a ele que era Grigori quem deveria estar chegando aos Estados Unidos naquele instante. Lev não se esquecera da promessa que havia feito ao irmão de lhe mandar dinheiro para comprar outra passagem. Essa era uma promessa que pretendia cumprir. Grigori provavelmente tinha lhe salvado a vida – outra vez. Tenho sorte de ter um irmão assim, pensou Lev.

Ele estava fazendo dinheiro no navio, mas não depressa o suficiente. Sete rublos não davam para nada. Ele precisava ganhar uma bolada. Mas os Estados Unidos eram a terra da oportunidade. Era ali que iria fazer fortuna.

Lev ficara intrigado ao descobrir um buraco de bala na mala e um projétil cravado em uma caixa contendo um jogo de xadrez. Tinha vendido o jogo de xadrez a um dos judeus por cinco copeques. Perguntou-se em que circunstâncias Grigori quase havia levado um tiro no dia de sua partida.

Sentia saudades de Katerina. Adorava andar para lá e para cá de braços dados com uma garota daquelas, sabendo que todos os homens o invejavam. Mas haveria muitas garotas nos Estados Unidos.

Imaginou se Grigori já estaria sabendo sobre o bebê de Katerina. Lev sentiu uma pontada de arrependimento: será que algum dia veria seu filho ou sua filha? Disse a si mesmo para não se preocupar com o fato de deixar Katerina sozinha para criar a criança. Ela encontraria outra pessoa para cuidar dela. Era uma sobrevivente.

Já passava da meia-noite quando o navio finalmente atracou. O cais estava mal iluminado e não havia ninguém à vista. Os passageiros desembarcaram com suas sacolas, caixas e baús. Um tripulante do *Anjo Gabriel* os instruiu a irem até um barracão onde havia alguns bancos.

– Vocês devem esperar aqui até o pessoal da imigração vir buscá-los pela manhã – disse ele, demonstrando que, no fim das contas, falava um pouco de russo.

Aquilo foi um certo anticlímax para quem havia passado anos economizando dinheiro para chegar até ali. As mulheres se sentaram nos bancos e as crianças pegaram no sono enquanto os homens fumavam, esperando o dia raiar. Algum tempo depois, ouviram o motor do navio e Lev foi até lá fora para vê-lo se afastar lentamente do atracadouro. Talvez os caixotes de peles precisassem ser desembarcados em outro lugar.

Ele tentou se lembrar do que Grigori tinha lhe dito, durante uma conversa casual, sobre os primeiros passos naquele novo país. Os imigrantes tinham de passar por uma avaliação médica – um momento de tensão, pois quem não estivesse bem de saúde era mandado de volta, com o dinheiro desperdiçado e as esperanças destruídas. Às vezes os funcionários da imigração mudavam os nomes das pessoas, de modo a torná-los mais fáceis de pronunciar para os americanos. Do lado de fora do cais, um representante da família Vyalov estaria esperando para levá-los de trem até Buffalo. Lá, eles arrumariam empregos nos hotéis e fábricas de propriedade de Josef Vyalov. Lev se perguntou a que distância Buffalo ficaria de Nova York. Seria uma viagem de uma hora ou de uma semana? Ele desejou ter escutado Grigori com mais atenção.

O sol nasceu sobre quilômetros e mais quilômetros de cais abarrotados, e Lev voltou a ficar animado. Mastros e cordames antiquados conviviam lado a lado com as chaminés dos barcos a vapor. O cais era margeado por prédios imensos e barracões caindo aos pedaços, guindastes altos e cabrestantes atarracados, escadas, cordas e carrinhos. Na direção do continente, Lev podia ver fileiras compactas de vagões ferroviários cheios de carvão, centenas deles – não, centenas não, milhares – perdendo-se ao longe além do seu campo de visão. Ficou decepcionado por não conseguir ver a famosa Estátua da Liberdade empunhando sua tocha; imaginou que estivesse escondida por algum rochedo.

Os estivadores foram chegando, primeiro em pequenos grupos e, em seguida, aos montes. Navios zarpavam, outros chegavam. Uma dúzia de mulheres começou a descarregar sacos de batatas de um pequeno barco em frente ao barracão. Lev se perguntou quando iriam chegar os funcionários da imigração.

Spirya se aproximou dele. O rapaz parecia ter perdoado a forma como Lev o havia ameaçado.

– Eles nos esqueceram – disse ele.

– Parece que sim – concordou Lev, intrigado.

– Vamos dar uma volta? Ver se conseguimos encontrar alguém que fale russo?

– Boa ideia.

Spirya foi falar com um dos homens mais velhos.

– Nós vamos ver se conseguimos descobrir o que está acontecendo.

O homem parecia nervoso.

– Talvez seja melhor ficarmos aqui como eles mandaram.

Os dois rapazes o ignoraram e foram até as mulheres das batatas. Lev lhes exibiu seu melhor sorriso e perguntou:

– Alguma de vocês fala russo? – Uma das mulheres mais jovens sorriu de volta, mas ninguém respondeu à pergunta. Lev sentiu-se frustrado: todo o seu charme era inútil com quem não entendia o que ele estava dizendo.

Lev e Spirya foram andando na direção da qual a maioria dos trabalhadores do cais tinha vindo. Ninguém prestou atenção alguma neles. Depois de chegarem a um par de portões grandes, eles os atravessaram e foram dar em uma rua movimentada, cheia de lojas e escritórios. A rua em si estava coalhada de automóveis, bondes elétricos, cavalos e carrinhos de mão. De tantos em tantos metros, Lev falava com alguém, mas ninguém respondia.

Lev estava perplexo. Que lugar era aquele, onde as pessoas podiam descer de um navio e entrar na cidade sem permissão?

Ele viu um prédio que o deixou intrigado. Lembrava um pouco um hotel, não fosse por dois homens com roupas de pobre e boinas de marinheiro sentados nos degraus da frente, fumando.

– Olhe só aquele prédio – disse Lev.

– O que tem ele?

– Acho que é uma missão de marinheiros, como a de São Petersburgo.

– Nós não somos marinheiros.

– Mas talvez alguém lá dentro fale outras línguas.

Eles entraram. Uma mulher grisalha atrás de um balcão lhes dirigiu a palavra.

– Nós não falamos americano – disse Lev em sua própria língua.

A mulher respondeu com uma única palavra no mesmo idioma:

– Russo?

Lev aquiesceu.

Ela fez um gesto com o dedo, chamando-os para acompanhá-la, e a esperança de Lev cresceu.

Os dois rapazes seguiram a mulher por um corredor até uma salinha cuja única janela dava para o mar. Atrás da mesa, havia um homem que, aos olhos de Lev, parecia um judeu russo, embora ele não soubesse dizer por que achava isso.

– O senhor fala russo? – perguntou-lhe Lev.

– Eu sou russo – respondeu o homem. – Posso ajudar?

Lev poderia ter lhe dado um abraço. Em vez disso, fitou o homem nos olhos e abriu-lhe um sorriso caloroso.

– Alguém deveria ter ido nos receber no cais do porto para nos levar até Buffalo, mas ninguém apareceu – disse ele, falando em tom amigável, porém preocupado. – Somos cerca de 300... – Para conquistar a simpatia do homem, arrematou: – ... incluindo mulheres e crianças. O senhor acha que poderia nos ajudar a encontrar nosso contato?

– Buffalo? – disse o homem. – Onde vocês acham que estão?

– Em Nova York, é claro.

– Isto aqui é Cardiff.

Lev nunca tinha ouvido falar em Cardiff, mas pelo menos agora entendia qual era o problema.

– Aquele capitão idiota nos fez desembarcar no porto errado – falou. – Como é que se vai daqui até Buffalo?

O homem apontou pela janela em direção ao mar e Lev teve a sensação nauseante de que sabia o que estava por vir.

– É por ali – disse o homem. – A uns cinco mil quilômetros de distância.

III

Lev se informou sobre o preço de uma passagem de Cardiff até Nova York. Quando convertido em rublos, era dez vezes a quantia que ele trazia dentro da camisa.

Ele conteve sua raiva. Todos haviam sido enganados pela família Vyalov, ou pelo capitão do navio – ou, mais provavelmente, por ambos, já que teria sido mais fácil executar o golpe em dupla. Todo o dinheiro ganho com o suor do rosto de Grigori tinha sido roubado por aqueles porcos mentirosos. Se Lev tivesse a chance de agarrar o capitão do *Anjo Gabriel* pela garganta, ele o esganaria e riria ao vê-lo morrer.

Mas era inútil acalentar sonhos de vingança. O importante era não desistir. Ele iria arrumar um emprego, aprender a falar inglês e entrar em algum jogo de cartas de alto cacife. Levaria tempo. Ele teria de ser paciente. Precisava aprender a ser um pouco mais como Grigori.

Naquela primeira noite, todos dormiram no chão da sinagoga. Lev foi atrás dos outros. Os judeus de Cardiff não sabiam que alguns dos passageiros eram cristãos, ou talvez não ligassem para isso.

Pela primeira vez na vida, ele percebeu a vantagem de ser judeu. Na Rússia, os judeus eram tão perseguidos que Lev sempre havia se perguntado por que mais deles não abandonavam sua religião, mudavam de roupa e se misturavam ao resto. Isso teria salvado muitas vidas. Mas ele agora via que um judeu podia ir a qualquer parte do mundo e sempre encontrar alguém que o trataria como um membro da família.

Eles acabaram descobrindo que aquela não era a primeira vez que um grupo de russos comprava passagens para Nova York e ia parar em algum outro lugar. Já havia acontecido antes, em Cardiff e em outros portos britânicos. Além disso, como muitos dos emigrantes russos eram judeus, os anciãos da sinagoga tinham uma rotina. No dia seguinte, os viajantes abandonados puderam trocar seu dinheiro por libras, xelins e pence e, em seguida, foram levados até hospedarias onde puderam alugar quartos baratos.

Como todas as cidades do mundo, Cardiff tinha milhares de estrebarias. Lev aprendeu o suficiente da língua para dizer que tinha experiência no trato com cavalos e então percorreu a cidade à procura de um emprego. Logo as pessoas perceberam que ele tinha jeito com animais, porém mesmo os empregadores mais bem-intencionados quiseram fazer algumas perguntas que ele não conseguiu entender nem responder.

Desesperado, ele aprendeu mais depressa e, em poucos dias, já compreendia o preço das coisas e era capaz de pedir um pouco de pão ou cerveja. Os empregadores, no entanto, faziam perguntas complexas, possivelmente sobre onde ele havia trabalhado antes e se algum dia tivera problemas com a polícia.

Ele voltou à missão dos marinheiros e explicou seu problema ao russo da salinha. Este lhe deu um endereço em Butetown, o bairro mais próximo do cais, e lhe disse para procurar Filip Kowal, conhecido como Kowal, o Polaco. Tratava-se de um capataz que vendia mão de obra estrangeira a preços baixos e arranhava a maioria dos idiomas europeus. Ele disse a Lev para estar, com sua mala, no saguão da principal estação de trem da cidade às dez da manhã da segunda-feira seguinte.

Lev ficou tão contente que nem sequer perguntou de que se tratava o trabalho.

Na segunda, apareceu na estação junto com outros 200 homens, em sua maioria russos, mas também alemães, poloneses, eslavos e um africano de pele escura. Ficou satisfeito ao ver que Spirya e Yakov também estavam ali.

Todos foram embarcados em um trem a vapor, com as passagens pagas por Kowal, e partiram para o norte ao longo de uma bela paisagem montanhosa. Entre as encostas verdes, as cidades industriais se espalhavam pelos vales como poças de água escura. Um ponto em comum entre todas as cidades era a presença de pelo menos uma torre com duas rodas gigantescas em cima, e Lev descobriu que a principal atividade da região era a extração do carvão. Vários dos homens que o acompanhavam eram mineradores, enquanto outros tinham ofícios diferentes, como a metalurgia, e muitos eram trabalhadores sem qualificação.

Uma hora depois, eles desembarcaram do trem. Enquanto saíam da estação, Lev percebeu que aquele não era um trabalho como os outros. Uma multidão formada por várias centenas de homens, todos usando as boinas e roupas grosseiras dos operários, os aguardava na praça. A princípio, os homens mantiveram um silêncio ameaçador, até que um deles gritou alguma coisa e os outros o imitaram logo em seguida. Lev não tinha a menor ideia do que estavam dizendo, mas não restava dúvida de que era algo hostil. Havia também uns 20 ou 30 policiais ali, parados diante da multidão, mantendo os homens atrás de uma linha imaginária.

– Quem são essas pessoas? – perguntou Spirya com voz assustada.

– Homens baixos e musculosos, de semblante duro e mãos limpas... – disse Lev. – Eu diria que são mineradores em greve.

– Eles parecem querer nos matar. Que diabos está acontecendo?

– Nós somos os fura-greves – falou Lev com gravidade.

– Que Deus nos proteja.

Kowal, o Polaco, gritou "Venham comigo!" em várias línguas e todos se puseram a subir a rua principal. A multidão continuava a protestar e homens brandiam o punho, mas ninguém atravessou a linha. Era a primeira vez que Lev se sentia grato à polícia.

– Que horror – comentou.

– Agora você sabe o que é ser judeu – disse Yakov.

Eles deixaram para trás os mineradores aos gritos e subiram a encosta da colina, atravessando fileiras de casas geminadas. Lev reparou que muitas das casas pareciam vazias. As pessoas continuavam a encará-los quando eles passavam, mas os insultos cessaram. Kowal começou a distribuir os homens pelas casas. Lev e Spirya ficaram espantados ao receberem uma casa só para eles. Antes de ir embora, Kowal indicou onde ficava a mina – a torre com as rodas gêmeas – e lhes disse para estarem lá às seis da manhã do dia seguinte. Quem fosse minerador iria extrair carvão, enquanto os outros ficariam encarregados da manutenção dos túneis e equipamentos ou, no caso de Lev, de cuidar dos pôneis.

Lev correu os olhos por seu novo lar. A casa não era nenhum palácio, mas estava limpa e seca. Tinha um cômodo espaçoso no térreo e mais dois no andar de cima – um quarto para cada um! Lev nunca tivera um quarto só seu. Não havia móveis, mas eles estavam acostumados a dormir no chão e, como era junho, nem sequer precisavam de cobertas.

Lev não estava com a menor vontade de sair, mas, depois de algum tempo, os dois ficaram com fome. Não havia comida em casa, de modo que os dois saíram relutantes para conseguir um jantar. Apreensivos, entraram no primeiro pub que encontraram, porém os clientes, mais ou menos uma dúzia deles, os fuzilaram com seus olhares – e quando Lev pediu, em inglês, "Duas cervejas, por favor", o barman o ignorou.

Eles desceram a colina até o centro da cidade e encontraram um café. Ali, pelo menos, a clientela não parecia louca para começar uma briga. No entanto, passaram meia hora sentados diante de uma mesa, vendo a garçonete servir todos que chegavam depois deles, então foram embora.

Ia ser difícil viver ali, percebeu Lev. Mas não seria por muito tempo. Assim que tivesse dinheiro suficiente, iria para os Estados Unidos. Ainda assim, precisava comer enquanto estivesse naquele lugar.

Ele e Spirya entraram em uma padaria. Desta vez, Lev estava decidido a conseguir o que queria. Apontou para uma prateleira cheia de pães e falou em inglês:

– Um pão, por favor.

O padeiro fingiu não entender.

Lev estendeu o braço por cima do balcão e apanhou o pão que queria. Quero só ver ele tentar pegar de volta, pensou.

– Ei! – exclamou o padeiro, mas permaneceu do seu lado do balcão.

Lev sorriu e disse:

– Quanto é, por favor?

– Um quarto de pêni – respondeu o padeiro com a cara amarrada.

Lev pôs o dinheiro sobre o balcão.

– Muito obrigado – falou.

Ele partiu o pão, dando metade a Spirya, e os dois foram comendo pela rua. Chegaram à estação de trem, mas a multidão já havia se dispersado. No pátio da estação, um vendedor de jornais oferecia sua mercadoria. Os jornais estavam sendo vendidos depressa, e Lev imaginou se alguma coisa importante havia acontecido.

Um carro grande veio chegando pela rua, em alta velocidade, e eles tiveram de pular para sair do caminho. Ao olhar para a passageira sentada no banco de trás, Lev ficou atônito ao reconhecer a princesa Bea.

– Deus do céu! – exclamou.

Em uma fração de segundo, foi transportado de volta a Bulovnir, rumo à visão medonha do pai morrendo na forca enquanto aquela mulher assistia a tudo. O terror que sentira na época não se comparava a nenhuma outra sensação que houvesse experimentado. Nada jamais o amedrontaria daquele jeito, nem brigas de rua, nem os cassetetes da polícia, nem armas apontadas para ele.

O carro parou em frente à estação. Quando a princesa Bea desceu, Lev foi dominado por uma mistura de ódio, náusea e repulsa. O pão em sua boca pareceu feito de cascalho e ele o cuspiu.

– O que houve? – quis saber Spirya.

Lev se recompôs.

– Aquela mulher é uma princesa russa – respondeu ele. – Ela mandou enforcar meu pai 14 anos atrás.

– Vadia. O que ela pode estar fazendo aqui?

– Ela se casou com um aristocrata inglês. Eles devem morar aqui por perto. Talvez a mina seja dele.

O chofer e uma criada se ocuparam da bagagem. Lev ouviu Bea se dirigir à criada em russo, e a mulher respondeu na mesma língua. Todos entraram na estação, então a empregada voltou para comprar um jornal.

Lev foi abordá-la. Tirando a boina, fez uma reverência exagerada e falou em russo:

– A senhora deve ser a princesa Bea.

A criada riu com gosto.

– Deixe de ser bobo. Eu sou a criada dela, Nina. E o senhor, quem é?

Lev lhe disse o seu nome e o de Spirya, explicando como os dois tinham ido parar ali e por que não conseguiam comprar comida.

– Vou voltar hoje à noite – disse Nina. – Estamos indo apenas a Cardiff. Se vocês forem até a entrada de serviço de Tŷ Gwyn e baterem à porta da cozinha, posso lhes dar um pouco de carne fria. Basta seguirem a estrada que sai da cidade para o norte até chegarem a um palácio.

– Obrigado, bela dama.

– Eu tenho idade para ser sua mãe – disse ela, mas não sem abrir um sorriso acanhado. – É melhor eu levar o jornal da princesa.

– Qual é a grande notícia?

– Ah, foi no estrangeiro – respondeu ela, sem dar importância. – Houve um assassinato. A princesa está muito abalada. O arquiduque Francisco Ferdinando da Áustria foi morto em um lugar chamado Sarajevo.

– Deve ser assustador para uma princesa.

– Sim – respondeu Nina. – Mas não acho que vá fazer diferença para gente como você e eu.

– Não – concordou Lev. – Imagino que não.

CAPÍTULO SETE

Início de julho de 1914

A Igreja de St. James, na Piccadilly, tinha os fiéis mais bem-vestidos do mundo. Era o lugar de culto preferido da elite londrina. Em teoria, a ostentação era algo condenável; mas as mulheres precisavam usar chapéu e, ultimamente, era impossível achar qualquer um sem penas de avestruz, fitas, laços e flores de seda. Do fundo da nave, Walter von Ulrich observava uma profusão de formatos e cores extravagantes. Os homens, em contraste, pareciam todos iguais, com seus paletós pretos e seus colarinhos brancos duros, segurando as cartolas no colo.

A maioria daquelas pessoas não compreendia o que havia acontecido em Sarajevo sete dias antes, pensou ele com amargura; algumas sequer sabiam onde ficava a Bósnia. Estavam chocadas com o assassinato do arquiduque, mas não conseguiam entender o que isso significava para o resto do mundo. Estavam, no máximo, um pouco desnorteadas.

Walter não estava desnorteado. Sabia muito bem o que esse assassinato anunciava. Ele criava uma séria ameaça para a segurança da Alemanha, e cabia a pessoas como Walter proteger e defender seu país naquela hora de perigo.

Sua primeira tarefa era descobrir o que o czar russo estava pensando. Era o que todos queriam saber: o embaixador alemão, o pai de Walter, o ministro das Relações Exteriores em Berlim e o próprio Kaiser. E Walter, como bom agente de inteligência que era, tinha uma fonte.

Correu os olhos pela congregação, tentando identificar seu homem entre todas aquelas nucas, com medo de ele não ter vindo. Anton trabalhava como auxiliar de escritório na embaixada russa. Os dois se encontravam em igrejas anglicanas, porque Anton tinha certeza de que não haveria ninguém da sua embaixada nelas: a maioria dos russos pertencia à Igreja Ortodoxa cristã, e quem não pertencesse jamais arrumaria emprego no serviço diplomático.

Anton era encarregado do setor de telegrafia da embaixada russa, de modo que tinha acesso a todos os telegramas que chegavam e partiam. Suas informações tinham um valor inestimável, mas ele era difícil de administrar, o que causava grande ansiedade em Walter. A ideia de espionagem apavorava Anton e, quando ele ficava com medo, deixava de aparecer – geralmente em momentos de tensão internacional como aquele, quando Walter mais precisava dele.

Walter se distraiu ao ver Maud. Reconheceu seu pescoço comprido e gracioso despontando de um elegante colarinho de bico, em estilo masculino, e seu coração deixou de bater por um instante. Ele beijava aquele pescoço sempre que podia.

Quando pensava no perigo da guerra, era sempre com Maud que se preocupava primeiro, e somente depois com seu país. Sentia vergonha de seu egoísmo, mas não podia fazer nada a respeito. Seu maior medo era que alguém tirasse Maud dele; a ameaça à pátria vinha em segundo lugar. Ele estava disposto a morrer em nome da Alemanha – mas não a viver sem a mulher que amava.

Um homem na terceira fileira a partir do fundo olhou para trás e Walter cruzou olhares com ele. Anton tinha cabelos castanhos ralos e uma barba falhada. Aliviado, Walter desceu a nave sul da igreja como se estivesse procurando um lugar e, depois de uma breve hesitação, sentou-se.

Anton em geral aparecia, porque tinha a alma cheia de amargor. Cinco anos antes, um sobrinho muito querido dele fora acusado de atividades revolucionárias pela polícia secreta do czar e acabara sendo encarcerado na Fortaleza de Pedro e Paulo, do outro lado do rio, em frente ao Palácio de Inverno, no coração de São Petersburgo. O rapaz estudava teologia e era inocente de qualquer ato de subversão. No entanto, antes de conseguir ser libertado, havia contraído pneumonia e morrido. Desde então, Anton vinha executando sua vingança discreta, porém mortal, contra o governo do czar.

Era uma pena a igreja ser tão bem iluminada. Seu arquiteto, Christopher Wren, havia projetado fileiras compridas de grandes janelas arqueadas. Para aquele tipo de trabalho, a penumbra sinistra de uma igreja gótica teria sido melhor. Contudo, Anton havia escolhido bem a sua posição, no final de uma fileira, com uma criança ao lado e uma grossa coluna de madeira atrás.

– Você pegou um bom lugar – murmurou Walter.

– Ainda podem nos ver da galeria – disse Anton, aflito.

Walter sacudiu a cabeça, discordando.

– Todos estão olhando para a frente.

Anton era um homem de meia-idade, solteiro. De baixa estatura, era bem-arrumado a ponto de parecer neurótico: a gravata com o nó apertado, o paletó com cada botão fechado, os sapatos lustrosos. Seu terno um tanto gasto exibia o brilho de muitos anos de escova e ferro de passar. Walter achava que essa era a sua maneira de contrabalançar a sordidez do serviço de espionagem. Afinal de contas, ele estava traindo seu país. E eu estou aqui para incentivá-lo, pensou Walter com gravidade.

Durante o silêncio que precedeu o culto, Walter não disse nada, mas, assim que o primeiro hino começou, pôs-se a falar em voz baixa:

– Como está o clima em São Petersburgo?

– A Rússia não quer uma guerra – disse Anton.

– Ótimo.

– O czar teme que a guerra leve à revolução. – Ao mencionar o czar, Anton pareceu que fosse cuspir. – Metade de São Petersburgo já está em greve. É claro que não lhe ocorre que é a sua própria brutalidade imbecil que faz as pessoas quererem uma revolução.

– De fato. – Walter sempre tinha de se adaptar ao fato de que as opiniões de Anton eram distorcidas pelo ódio, mas, nesse caso, o espião não estava de todo errado. Walter não odiava o czar, mas seu poder o amedrontava. Ele tinha à disposição o maior exército do mundo. Qualquer conversa sobre a segurança da Alemanha precisava levá-lo em consideração. A Alemanha era como um homem cujo vizinho de porta tivesse um urso gigante acorrentado no jardim da frente.

– O que o czar vai fazer?

– Depende da Áustria.

Walter se conteve para não retrucar com impaciência. Todos estavam aguardando a reação do imperador austríaco. Ele tinha de fazer *alguma coisa,* pois o arquiduque assassinado era herdeiro de seu trono. Mais tarde naquele mesmo dia, Walter esperava receber notícias sobre as intenções da Áustria por meio de seu primo Robert. Essa parte da família era católica, como toda a elite austríaca, e Robert devia estar assistindo à missa da Catedral de Westminster naquele exato momento, mas Walter o encontraria para almoçar. Enquanto isso, precisava saber mais sobre os russos.

Ele teve de esperar outro hino. Tentou ser paciente. Ergueu os olhos e estudou as extravagantes dourações das abóbadas cilíndricas de Wren.

Os fiéis começaram a cantar o hino "Rocha Eterna".

– No caso de haver conflito nos Bálcãs – murmurou Walter para Anton –, os russos ficarão de fora?

– Não. O czar não pode ficar omisso caso a Sérvia seja atacada.

Walter sentiu um calafrio. Era exatamente esse o tipo de agravamento que ele temia.

– Entrar em guerra por causa disso seria loucura!

– É verdade. Mas os russos não podem deixar a Áustria controlar a região dos Bálcãs. Eles precisam proteger a rota do mar Negro.

Isso era indiscutível. A maioria das exportações da Rússia – milho dos milharais do sul e petróleo dos poços ao redor de Baku – era despachada para o mundo de portos no mar Negro.

– Por outro lado – prosseguiu Anton –, o czar também está aconselhando todos a agirem com cautela.

– Em suma, ele está com a mente indecisa.

– Se é que se pode chamar aquilo de mente.

Walter aquiesceu. O czar não era um homem inteligente. Seu sonho era fazer a Rússia voltar à idade de ouro do século XVII, e ele era burro o suficiente para pensar que isso fosse possível. Era como se o rei Jorge V tentasse recriar a Inglaterra pastoral e idílica da época de Robin Hood. Como o czar mal sabia pensar, era extremamente difícil prever o que ele faria.

Durante o último hino, o olhar de Walter se perdeu na direção de Maud, sentada duas fileiras mais à frente, do outro lado da nave. Ele observou seu perfil com ternura enquanto ela cantava vigorosamente.

O relatório ambivalente de Anton era perturbador. Havia deixado Walter mais preocupado do que uma hora antes.

– De agora em diante, preciso encontrar você todos os dias – falou.

Anton pareceu entrar em pânico.

– Isso não é possível! – protestou. – É arriscado demais.

– Mas a situação está mudando de hora em hora.

– Domingo que vem, de manhã, na Smith Square.

Esse era o problema com espiões idealistas, pensou Walter, frustrado: não havia como convencê-los. Por outro lado, não era possível confiar em homens que espionavam por dinheiro. Na esperança de ganhar um bônus, eles diziam o que você quisesse ouvir. Com Anton, se ele dizia que o czar estava indeciso, Walter podia ter certeza de que ele não havia tomado nenhuma decisão.

– Então me encontre uma vez no meio da semana – pediu ele enquanto o hino terminava.

Anton não respondeu. Em vez de se sentar, escapuliu dali, saindo da igreja.

– Maldição – xingou Walter baixinho, e a criança sentada ao seu lado o encarou com ar de reprovação.

Quando o culto terminou, ele ficou em pé no pátio cimentado da igreja, cumprimentando os conhecidos até Maud sair acompanhada por Fitz e Bea. Ela estava inacreditavelmente graciosa, usando um vestido estampado de veludo cinza com uma peça de crepe de um cinza mais escuro por cima. Aquela talvez não fosse uma cor muito feminina, mas realçava sua beleza de traços bem marcados e parecia fazer sua pele cintilar. Walter apertou a mão de todos, ansiando desesperadamente por alguns minutos a sós com ela. Trocou amenidades com Bea – um verdadeiro bibelô com sua roupa cor-de-rosa com rendas brancas – e concordou com um Fitz solene que o assassinato era um "mau negócio". Os Fitzherbert então se afastaram e Walter temeu ter perdido a sua chance. Na última hora, contudo, Maud murmurou:

– Estarei na casa da duquesa na hora do chá.

Walter sorriu para suas costas elegantes. Tinha se encontrado com Maud na véspera e iria encontrá-la no dia seguinte, mas, mesmo assim, a possibilidade de não encontrá-la hoje o apavorava. Seria mesmo incapaz de passar 24 horas longe dela? Não se considerava um homem fraco, porém Maud o havia enfeitiçado. E ele não tinha o menor desejo de escapar.

O que mais o atraía era o seu espírito independente. A maioria das mulheres de sua geração parecia se contentar em desempenhar o papel passivo que a sociedade lhes atribuía, usando roupas bonitas, organizando festas e obedecendo aos maridos. Esse gênero submisso entediava Walter. Maud era mais parecida com as mulheres que havia conhecido nos Estados Unidos, durante o período em que trabalhara na embaixada alemã em Washington. As americanas eram elegantes e encantadoras, mas não subservientes. Ser amado por uma mulher assim era a coisa mais excitante.

Ele subiu a Piccadilly com um andar confiante e parou diante de uma banca de jornais. Ler os jornais britânicos nunca era agradável: a maioria deles era intensamente antialemã, sobretudo o virulento *Daily Mail*. Queriam fazer os ingleses acreditarem que estavam cercados por espiões alemães. Como Walter queria que isso fosse verdade! Tinha cerca de uma dúzia de agentes em cidades costeiras, tomando nota das chegadas e partidas nas docas, como os britânicos faziam nos portos alemães, mas nada que se comparasse aos milhares de espiões mencionados pelos histéricos editores dos jornais.

Ele comprou um exemplar do *People*. A situação nos Bálcãs não era uma grande notícia ali em Londres: os britânicos estavam mais preocupados com a Irlanda. Uma minoria protestante governava a região há centenas de anos, pouco se importando com a maioria católica. Se a Irlanda alcançasse a independência, a situação iria se inverter. Ambos os lados estavam fortemente armados e havia o risco de uma guerra civil.

Um solitário parágrafo no final da primeira página fazia referência à "crise austro-sérvia". Como sempre, os jornais não faziam a menor ideia do que estava acontecendo.

Logo que Walter entrou no Hotel Ritz, Robert saltou de um táxi motorizado. De luto pelo arquiduque, ele usava um colete e uma gravata pretos. Robert fazia parte do grupo de Francisco Ferdinando – pelos padrões da corte vienense, ambos eram progressistas, apesar de serem conservadores sob qualquer outra ótica. Walter sabia que ele apreciava e respeitava o arquiduque assassinado e sua família.

Os dois deixaram suas cartolas na chapelaria e entraram juntos no salão de jantar. Walter tinha uma atitude protetora em relação a Robert. Desde que eram meninos, sabia que o primo era diferente. As pessoas chamavam homens como ele de afeminados, porém essa era uma palavra grosseira demais: Robert não era uma mulher em um corpo de homem. Mesmo assim, tinha várias características femininas, o que levava Walter a tratá-lo com uma espécie de cavalheirismo contido.

Robert era parecido com Walter, com as mesmas feições simétricas e olhos castanhos, mas tinha os cabelos mais compridos e o bigode encerado e com as pontas curvas.

– Como vão as coisas com lady M.? – perguntou ele enquanto se sentavam. Walter havia feito confidências ao primo. Robert era especialista em amores proibidos.

– Ela é maravilhosa, mas meu pai não consegue aceitar que ela trabalhe em uma clínica para pobres com um médico judeu.

– Ah, não... quanto rigor – disse Robert. – A objeção dele seria até compreensível se ela própria fosse judia.

– Eu tinha esperanças de que ele fosse aprender a gostar dela, ao encontrá-la socialmente aqui e ali e perceber que é amiga dos homens mais poderosos do país. Mas não está funcionando.

– Infelizmente, essa crise nos Bálcãs só vai aumentar a tensão nas... – Robert sorriu. – Me perdoe, nas relações internacionais.

Walter forçou uma risada.

– Aconteça o que acontecer, nós vamos dar um jeito.

Robert não disse nada, mas não parecia tão confiante.

Enquanto saboreavam um cordeiro galês e batatas ao molho de salsa, Walter transmitiu a Robert as informações vagas que havia colhido de Anton.

Robert também tinha notícias.

– Nós já concluímos que os assassinos conseguiram suas armas e bombas na Sérvia.

– Ah, que inferno! – disse Walter.

Robert deixou a raiva transparecer.

– As armas foram fornecidas pelo diretor da inteligência militar sérvia. Os assassinos tiveram aulas de tiro ao alvo em um parque de Belgrado.

– Os agentes de inteligência às vezes agem de forma independente – disse Walter.

– Com frequência. E o caráter sigiloso do trabalho deles significa que podem se safar.

– Então isso não prova que o governo sérvio tramou o assassinato. E, analisando friamente a questão, um país pequeno como a Sérvia, que está tentando desesperadamente preservar sua autonomia, seria louco de provocar um vizinho tão poderoso.

– É até possível que a inteligência sérvia tenha agido de forma diretamente oposta ao desejo do governo – admitiu Robert. Mas então continuou com firmeza: – Isso não faz a menor diferença. A Áustria deve tomar uma atitude contra a Sérvia.

Era isso que Walter temia. O caso não podia mais ser considerado um simples crime, a ser solucionado pela polícia e pelos tribunais. A situação havia se agravado, e agora um império precisava punir uma nação pequena. O imperador austríaco, Francisco José, tinha sido um grande homem no passado, um líder forte, apesar de conservador e muito religioso. Porém agora estava com 84 anos – e a idade o tornara ainda mais autoritário e intolerante. Homens assim achavam que sabiam tudo só porque eram velhos. O pai de Walter era igual.

O meu destino está nas mãos de dois monarcas, pensou Walter: o czar e o imperador. O primeiro é um tolo, o segundo está senil – no entanto, eles controlam o destino de Maud, o meu e o de milhões de outros europeus. Isso sim era um argumento contra a monarquia!

Enquanto comiam a sobremesa, Walter não parava de pensar. Quando o café foi servido, disse, otimista:

– Imagino que vocês pretendam ensinar uma lição dura à Sérvia sem envolver nenhum outro país.

Robert frustrou suas esperanças na mesma hora.

– Pelo contrário – falou ele. – Meu imperador escreveu uma carta pessoal para seu Kaiser.

Walter ficou atônito. Não tinha ouvido nada a respeito.

– Quando?

– A correspondência foi entregue ontem.

Como todo diplomata, Walter detestava quando os reis se comunicavam diretamente em vez de usarem seus representantes. Nesse caso, qualquer coisa poderia acontecer.

– O que ele dizia?

– Que a Sérvia deve ser eliminada como potência política.

– Não! – Era pior do que Walter temia. – O imperador está falando sério? – perguntou ele, chocado.

– Tudo depende da resposta.

Walter franziu o cenho. O imperador Francisco José estava pedindo o apoio do Kaiser Guilherme. Era esse o verdadeiro objetivo da carta. Os dois países eram aliados, de modo que o Kaiser era obrigado a se mostrar solícito, mas poderia privilegiar o entusiasmo ou a relutância, o encorajamento ou a cautela.

– Creio que a Alemanha vá apoiar a Áustria, qualquer que seja a decisão do meu imperador – disse Robert com severidade.

– Você não pode querer que a Alemanha ataque a Sérvia! – protestou Walter.

Robert ficou ofendido.

– Queremos uma garantia de que a Alemanha cumprirá suas obrigações como nossa aliada.

Walter controlou sua impaciência.

– O problema com essa forma de pensar é que ela aumenta os riscos. É como a Rússia alardeando seu apoio à Sérvia, um incentivo à agressão. O que nós deveríamos fazer é acalmar todos os envolvidos.

– Não tenho certeza se concordo – falou Robert, tenso. – A Áustria levou um golpe brutal. O imperador não pode parecer tolerante demais. Quem desafia um gigante deve ser esmagado.

– Vamos tentar ser sensatos.

Robert ergueu a voz.

– O herdeiro do trono foi assassinado! – Um homem na mesa ao lado ergueu os olhos e franziu as sobrancelhas ao escutar o tom raivoso da conversa em alemão. Robert suavizou a voz, mas não a expressão em seu rosto. – Não venha me falar em sensatez.

Walter tentou reprimir os próprios sentimentos. Seria estúpido e perigoso para a Alemanha envolver-se naquele conflito, mas dizer isso a Robert não iria adiantar nada. A tarefa de Walter era colher informações, não ter uma discussão.

– Entendo – disse ele. – Todos em Viena pensam como você?

– Em Viena, sim – respondeu Robert. – Tisza é contra. – István Tisza era o primeiro-ministro húngaro, porém subordinado ao imperador austríaco. – A alternativa que ele propõe é um cerco diplomático à Sérvia.

– Menos dramático, talvez, mas também menos arriscado – observou Walter com cautela.

– Fraco demais.

Walter pediu a conta. Estava profundamente abalado pelo que acabara de escutar. Mas não queria que houvesse rancor entre ele e Robert. Os dois confiavam um no outro e se ajudavam – e ele não queria que isso mudasse. Na calçada em frente ao hotel, apertou a mão de Robert e segurou-lhe o cotovelo em um gesto de companheirismo inabalável.

– Aconteça o que acontecer, primo, devemos continuar unidos – disse ele. – Nós somos aliados e sempre seremos. – Deixou a cargo de Robert decidir se ele estava se referindo aos dois ou a seus países. Eles se despediram como amigos.

Walter atravessou depressa o Green Park. Os londrinos estavam aproveitando o sol, mas uma nuvem de pessimismo pairava sobre a cabeça de Walter. Ele vinha esperando que a Alemanha e a Rússia ficassem de fora da crise nos Bálcãs, mas o que tinha ouvido até o momento naquele dia sugeria o contrário. Quando chegou à altura do Palácio de Buckingham, dobrou à esquerda e desceu The Mall até a entrada dos fundos da embaixada alemã.

Seu pai tinha uma sala na embaixada: passava mais ou menos uma semana a cada três ali. Em uma das paredes, havia um quadro retratando o Kaiser Guilherme e, sobre a mesa, uma fotografia emoldurada de Walter usando um uniforme de tenente. Otto segurava na mão um objeto de cerâmica. Ele colecionava cerâmicas inglesas e adorava sair à caça de peças raras. Ao observar com mais atenção, Walter viu que se tratava de um cesto de frutas feito de uma louça creme, conhecida como *creamware*, com as bordas delicadamente vazadas e moldadas para imitar a trama de um cesto de verdade. Conhecendo o gosto do pai, imaginou que fosse do século XVIII.

Gottfried von Kessel, um adido cultural de quem Walter não gostava, estava na sala junto com Otto. Gottfried tinha cabelos escuros e grossos penteados para o lado e usava óculos de lentes espessas. Tinha a mesma idade de Walter e seu pai também trabalhava no serviço diplomático, mas, apesar de tudo isso em comum, os dois não eram amigos. Walter considerava Gottfried um puxa-saco.

Ele meneou a cabeça para o visitante antes de se sentar.

– O imperador austríaco escreveu para o nosso Kaiser – falou.

– Nós já sabemos – apressou-se a dizer Gottfried.

Walter o ignorou. Gottfried estava sempre tentando medir forças.

– Com certeza a resposta do Kaiser será amigável – disse ele ao pai. – Porém, muito pode depender do tom escolhido.

– Sua Majestade ainda não se confidenciou comigo.

– Mas vai fazer isso.

Otto aquiesceu.

– É o tipo de coisa sobre o qual ele me consulta às vezes.

– E, se ele recomendar cautela, talvez consiga convencer os austríacos a serem menos beligerantes.

– Por que ele faria isso? – indagou Gottfried.

– Para impedir a Alemanha de ser arrastada para uma guerra por causa de um território tão insignificante quanto a Sérvia!

– Do que você está com medo? – perguntou Gottfried com sarcasmo. – Do Exército sérvio?

– Eu estou com medo do Exército russo, e você também deveria estar – retrucou Walter. – É o maior da história...

– Eu sei disso – falou Gottfried.

Walter ignorou a interrupção.

– Em teoria, o czar pode pôr seis milhões de homens no campo de batalha em poucas semanas...

– Eu sei...

– ... e isso é mais do que a população da Sérvia inteira.

– Eu sei.

Walter deu um suspiro.

– Von Kessel, você parece saber tudo. Por acaso sabe onde os assassinos arrumaram suas armas e bombas?

– Com nacionalistas eslavos, imagino.

– Algum grupo nacionalista eslavo *específico*, você imagina?

– Quem pode saber?

– Segundo minhas informações, os austríacos sabem. Eles acham que as armas vieram do diretor do serviço de inteligência sérvio.

Otto soltou um grunhido de surpresa.

– *Isso sim* deixaria os austríacos com sede de vingança – disse.

– A Áustria ainda é governada pelo seu imperador – falou Gottfried. – Em última instância, a decisão a favor da guerra só pode ser tomada por ele.

Walter assentiu.

– Não que um imperador Habsburgo algum dia tenha precisado de muita desculpa para se mostrar inclemente e brutal.

– De que outra forma se pode governar um império?

Walter não mordeu a isca.

– Com exceção do primeiro-ministro húngaro, que não tem muito peso, não parece haver ninguém recomendando cautela. Esse papel deve caber a nós. – Ele se levantou. Já havia relatado suas descobertas e não queria passar mais tempo no mesmo recinto que o irritante Gottfried. – Com sua licença, pai, vou tomar chá na casa da duquesa de Sussex e ver o que mais as pessoas estão falando pela cidade.

– Os ingleses não fazem visitas aos domingos – disse Gottfried.

– Eu fui convidado – respondeu Walter, saindo antes de perder a paciência.

Foi a pé de Mayfair até a Park Lane, onde ficava o palácio do duque de Sussex. Este não desempenhava papel algum no governo britânico; já a duquesa presidia um grupo de discussão sobre política. Quando Walter chegara a Londres, em dezembro, Fitz o havia apresentado a ela, que tomara providências para fazê-lo ser convidado a todos os eventos.

Ele entrou na sala de estar do palácio, fez uma mesura, apertou a mão roliça da duquesa e disse:

– Todos em Londres querem saber o que vai acontecer na Sérvia, de modo que, mesmo sendo domingo, vim aqui lhe perguntar isso, duquesa.

– Não haverá guerra – disse ela, aparentemente sem perceber que ele estava brincando. – Sente-se e tome uma xícara de chá. É claro que o que aconteceu com o pobre arquiduque e sua esposa foi uma tragédia, e sem dúvida os culpados serão punidos, mas é uma tolice pensar que duas grandes nações como a Alemanha e a Grã-Bretanha entrariam em guerra por causa da Sérvia.

Walter desejou poder sentir a mesma segurança. Escolheu uma cadeira perto de Maud, que deu um sorriso alegre, e de lady Hermia, que meneou a cabeça. Havia uma dúzia de pessoas na sala, incluindo o primeiro-lorde do Almirantado, Winston Churchill. A decoração era extremamente antiquada: um excesso de móveis pesados talhados à mão, tecidos grossos em uma dúzia de estampas diferentes e todas as superfícies cobertas de bibelôs, fotografias emolduradas e vasos de plantas secas. Um lacaio entregou a Walter uma xícara de chá e lhe ofereceu leite e açúcar.

Walter estava contente por estar ao lado de Maud, mas, como sempre, queria mais, e logo estava pensando se eles poderiam dar algum jeito de ficar sozinhos, mesmo que apenas por um ou dois minutos.

– O problema, obviamente, é a fraqueza dos turcos – falou a duquesa.

Aquela velha empolada tinha razão, pensou Walter. O Império Otomano estava em declínio, impedido de se modernizar por um clero muçulmano conservador. Por muitos séculos, o sultão turco havia mantido a ordem na península balcânica, do litoral mediterrâneo da Grécia até a Hungria ao norte, porém vinha recuando cada vez mais com o passar das décadas. As grandes potências mais próximas, Áustria e Rússia, tentavam preencher esse vácuo. Entre a Áustria e o mar Negro ficavam, sucessivamente, Bósnia, Sérvia e Bulgária. Fazia cinco anos que a Áustria tinha assumido o controle da Bósnia. Agora, estava em conflito com o país do meio, a Sérvia. Os russos olhavam para o mapa e viam que a Bulgária era a próxima peça do dominó, e que os austríacos poderiam acabar controlando toda a costa oeste do mar Negro, ameaçando o comércio internacional russo.

Enquanto isso, os povos subordinados ao Império Austríaco estavam começando a pensar que poderiam governar a si mesmos – era por isso que o nacionalista bósnio Gavrilo Princip havia atirado no arquiduque Francisco Ferdinando em Sarajevo.

– Que tragédia para a Sérvia – comentou Walter. – Imagino que o primeiro-ministro deles deva estar prestes a se atirar no Danúbio.

– Você quer dizer no Volga – disse Maud.

Walter olhou para ela, grato pela desculpa para devorá-la com os olhos. Maud havia trocado de roupa e usava um vestido informal azul-escuro por cima de uma blusa de renda cor-de-rosa clara. Para completar, um chapéu de feltro cor-de-rosa com um pompom azul.

– Certamente não, lady Maud – disse ele.

– O Volga passa por Belgrado, que é a capital da Sérvia – falou ela.

Walter estava prestes a protestar novamente, então hesitou. Maud sabia muito bem que o Volga ficava a mais de 1.500 quilômetros de distância de Belgrado. Aonde queria chegar com aquilo?

– Fico relutante em contradizer uma pessoa tão bem informada quanto a senhorita, lady Maud – disse ele. – Mas ainda assim...

– Vamos verificar – disse ela. – Meu tio, o duque, tem uma das maiores bibliotecas de Londres. – Ela se levantou. – Venha comigo e lhe mostrarei como está enganado.

Aquele era um comportamento ousado para uma moça de boa família, e a duquesa contraiu os lábios.

Walter deu de ombros, fingindo não ter saída, e seguiu Maud até a porta.

Por alguns instantes, lady Hermia pareceu disposta a acompanhá-los, mas estava confortavelmente acomodada em um acolhedor estofado de veludo, com uma xícara e um pires na mão e um pratinho no colo, de modo que teria de se esforçar muito para sair dali.

– Não demorem – disse ela em voz baixa, comendo em seguida outro pedaço de bolo. Os dois saíram da sala.

Maud subiu o corredor na frente de Walter, passando por um par de lacaios postados como dois sentinelas. Ela parou diante de uma porta e esperou que Walter a abrisse. Ambos entraram na biblioteca.

O amplo aposento estava silencioso. Eles estavam a sós. Maud se atirou nos braços de Walter. Ele a abraçou com força, pressionando o corpo dela contra o seu. Maud virou o rosto para cima.

– Eu amo você – disse, beijando-o com ardor.

Dali a um minuto, ela se desprendeu do abraço, ofegante. Walter a fitava com adoração.

– Você não existe – falou ele. – Dizer que o Volga passa por Belgrado!

– Deu certo, não foi?

Ele sacudiu a cabeça, admirado.

– Eu nunca teria pensado nisso. Como você é esperta.

– Nós precisamos de um atlas – disse ela. – Caso alguém entre aqui.

Walter correu os olhos pelas estantes. Aquela era a biblioteca de um colecionador, não de um leitor. Todos os livros tinham encadernações de luxo, sendo que a maioria parecia nunca ter sido aberta. Havia algumas obras de referência reunidas em um canto e ele sacou um atlas, encontrando um mapa dos Bálcãs.

– Esta crise – disse Maud, aflita. – A longo prazo... ela não vai nos separar, vai?

– Não se eu puder evitar – respondeu Walter.

Ele a arrastou para trás de uma estante, para que não fossem vistos de imediato se alguém entrasse, e tornou a beijá-la. Maud estava deliciosamente carinhosa naquele dia, esfregando-lhe os ombros, braços e costas com as mãos enquanto o beijava. Interrompeu o beijo para sussurrar:

– Levante a minha saia.

Ele engoliu em seco. Havia fantasiado aquilo. Agarrou o tecido e o suspendeu.

– As anáguas também – disse ela. Ele pegou um bolo de tecido em cada mão.

– Sem amarrotar – acrescentou. Ele tentou levantar-lhe as roupas sem amassar a seda, mas o pano escorregou de suas mãos. Impaciente, ela se curvou, segurou a saia e as anáguas pela bainha e ergueu tudo até a cintura. – Toque em mim – falou ela, encarando-o.

Walter estava nervoso, com medo de alguém entrar, mas o amor e o desejo que sentia eram grandes demais para ele se conter. Quando colocou a mão direita entre as suas coxas, soltou um arquejo chocado: ela estava nua ali. Descobrir que Maud havia planejado aquilo para lhe proporcionar prazer o deixou ainda mais arrebatado. Walter começou a acariciá-la com delicadeza, mas ela jogou o quadril para a frente e ele aumentou a pressão.

– Assim – disse Maud.

Ele fechou os olhos, mas ela pediu:

– Olhe para mim, querido, por favor, olhe para mim enquanto estiver fazendo isso. – Ele tornou a abrir os olhos. Maud tinha as faces coradas e respirava depressa pelos lábios entreabertos. Agarrou a mão dele para conduzi-lo, como ele a conduzira no camarote.

– Enfie o dedo – sussurrou ela, apoiando-se no ombro dele. Walter podia sentir o calor de seu hálito através das roupas. Ela não parava de arremeter contra a sua mão. Então emitiu um som fraco e gutural, como o grito contido de alguém que estivesse sonhando – por fim, deixou-se cair contra ele.

Walter ouviu o som da porta se abrindo, seguido pela voz de lady Hermia:

– Maud, querida, vamos, nós temos de ir embora.

Walter retirou a mão e Maud ajeitou a saia depressa. Com a voz trêmula, disse:

– Acho que eu estava errada, tia Herm, e Herr Von Ulrich tinha razão... o rio que passa por Belgrado é o Danúbio, não o Volga. Acabamos de encontrar aqui no atlas.

Os dois se curvaram por cima do livro na mesma hora em que lady Hermia acabava de contornar a estante.

– Nunca tive a menor dúvida – falou ela. – Os homens em geral têm razão quanto a esse tipo de coisa. Além disso, Herr Von Ulrich é um diplomata, precisa saber de muitas coisas com as quais as mulheres não têm necessidade de se preocupar. Você não deveria ser tão teimosa, Maud.

– Acho que você está certa – respondeu Maud com uma falsidade espantosa.

Os três saíram da biblioteca e atravessaram o corredor. Walter abriu a porta da sala de estar. Lady Hermia entrou primeiro. Ao passar, Maud fisgou o olhar dele. Ele ergueu a mão direita, levou a ponta do dedo até a boca e a chupou.

II

Aquilo não podia continuar assim, pensou Walter enquanto caminhava de volta para a embaixada. Ele parecia um colegial. Maud tinha 23 anos e ele 28, mas ainda assim os dois precisavam recorrer a subterfúgios absurdos para passar cinco minutos sozinhos. Já era hora de se casarem.

Ele teria de pedir a permissão de Fitz. Maud não tinha pai, então o chefe da família era seu irmão. Fitz sem dúvida preferiria que ela desposasse um inglês. No entanto, provavelmente acabaria aceitando: já deveria estar preocupado, achando que nunca conseguiria casar sua irmã espevitada.

Não, o maior problema era Otto. Ele queria que Walter se casasse com uma donzela prussiana bem-comportada, que se contentasse em passar o resto da vida gerando herdeiros. E, quando Otto queria alguma coisa, fazia todo o possível para consegui-la, esmagando qualquer oposição sem remorso – era justamente isso que o tornara um bom oficial do Exército. Jamais lhe ocorreria que o filho tivesse o direito de escolher a própria noiva sem interferência ou pressão. Walter preferia ter o incentivo e o apoio do pai; certamente não ansiava pelo confronto direto inevitável. Contudo, seu amor era uma força muito mais potente do que a deferência filial.

Era domingo à noite, mas Londres não estava tranquila. Embora o Parlamento não estivesse reunido e os mandachuvas de Whitehall já tivessem voltado para suas casas na região metropolitana, as negociações políticas prosseguiam nos palácios de Mayfair, nos clubes de cavalheiros da St. James's Street e nas embaixadas. Pelas ruas, Walter reconheceu vários membros do Parlamento, dois subsecretários do Ministério das Relações Exteriores britânico e alguns diplomatas europeus. Imaginou se o ministro das Relações Exteriores do país, Sir Edward Grey, cujo passatempo era a observação de pássaros, teria ficado na cidade durante o fim de semana em vez de ir para o seu querido chalé rural em Hampshire.

Walter encontrou o pai diante da escrivaninha, lendo telegramas decodificados.

– Talvez este não seja o melhor momento para lhe dar a minha notícia – começou Walter.

Otto grunhiu algo ininteligível e prosseguiu a leitura.

Walter continuou.

– Eu estou apaixonado por lady Maud.

Otto levantou os olhos.

– A irmã de Fitzherbert? Eu já desconfiava. Meus pêsames.

– Pai, por favor, fale sério.

– Não, fale sério você. – Otto atirou sobre a mesa os documentos que estava lendo. – Maud Fitzherbert é feminista, defensora do voto feminino e uma inconformista. Não é uma esposa adequada para homem nenhum, muito menos para um diplomata alemão de boa família. Então vamos esquecer esse assunto.

Palavras coléricas vieram à ponta da língua de Walter, mas ele cerrou os dentes e se controlou.

– Maud é uma mulher maravilhosa e eu a amo, então é melhor o senhor se referir a ela com educação, sejam quais forem as suas opiniões.

– Eu vou dizer o que penso – prosseguiu Otto com grosseria. – Ela é um desastre. – Ele baixou os olhos para os seus telegramas.

O olhar de Walter recaiu sobre a fruteira de porcelana que seu pai havia comprado.

– Não – disse ele, apanhando a fruteira. – O senhor não vai dizer o que pensa.

– Tome cuidado com isso.

Walter havia conquistado toda a atenção do pai.

– O meu instinto de proteção em relação a lady Maud é o mesmo que você tem por esta bugiganga.

– Bugiganga? Deixe-me lhe dizer uma coisa, isso vale...

– Com a ressalva, naturalmente, de que o amor é mais forte do que a gana do colecionador. – Walter lançou o delicado objeto no ar, pegando-o com uma só mão. Seu pai deixou escapar um grito angustiado de protesto. Walter prosseguiu sem lhe dar atenção: – Então, quando o senhor fala nela em termos insultuosos, eu me sinto da mesma forma que o senhor quando acha que vou deixar isto aqui cair no chão... só que mais ainda.

– Seu fedelho insolente...

Walter ergueu a voz mais alto que a do pai.

– E, se o senhor continuar a pisar nos meus sentimentos, eu vou esmigalhar este pedaço de cerâmica idiota com o calcanhar do meu sapato.

– Certo, você já disse o que queria, agora largue isso, pelo amor de Deus.

Walter interpretou a resposta como aquiescência e tornou a pousar o artefato sobre uma mesinha de canto.

– Mas há outra questão que você precisa levar em consideração... – disse Otto com malícia. – Se é que me permite mencioná-la sem pisar nos seus *sentimentos*.

– Prossiga.

– Ela é inglesa.

– Pelo amor de Deus! – protestou Walter. – Alemães bem-nascidos vêm se casando com aristocratas inglesas há anos. O príncipe Alberto de Saxe-Coburgo-Gotha se casou com a rainha Vitória... O neto dele é hoje rei da Inglaterra. E a rainha da Inglaterra nasceu princesa de Württemberg!

Otto levantou a voz.

– As coisas mudaram! Os ingleses estão decididos a nos manter como uma potência de segunda classe. São aliados de nossos adversários, a Rússia e a França. Você estaria se casando com uma inimiga da sua pátria.

Walter sabia que era assim que a velha guarda pensava, mas era uma opinião irracional.

– Nós não deveríamos ser inimigos – disse ele, irritado. – Não há motivo para tanto.

– Eles nunca nos deixarão competir em condição de igualdade.

– Isso é mentira! – Walter percebeu que estava gritando e tentou se acalmar. – Os ingleses acreditam no livre comércio... Eles nos permitem vender nossa produção industrial por todo o Império Britânico.

– Então leia isto aqui. – Otto lançou até a outra ponta da mesa o telegrama que estava lendo. – Sua Majestade, o Kaiser, solicitou minha opinião.

Walter pegou o papel. Era o rascunho de uma resposta à carta pessoal do imperador austríaco. Walter a leu com inquietação crescente. O texto terminava da seguinte forma: "Contudo, o imperador Francisco José pode estar certo de que Sua Majestade apoiará fielmente a Áustria-Hungria, conforme exigem as obrigações de sua aliança e de sua antiga amizade."

Walter estava horrorizado.

– Mas isto dá carta branca à Áustria! – falou ele. – Eles poderão fazer o que quiserem e nós vamos apoiá-los!

– Com algumas restrições.

– Não muitas. Isto aqui já foi enviado?

– Não, mas já está decidido. Será enviado amanhã.

– Nós podemos impedir?

– Não, e não tenho interesse em fazer isso.

– Mas assim ficamos obrigados a apoiar a Áustria em uma guerra contra a Sérvia.

– O que não é nada ruim.

– Nós não queremos uma guerra! – protestou Walter. – Precisamos de ciência, de manufaturas e de comércio. A Alemanha precisa se modernizar, se liberalizar, crescer. Queremos paz e prosperidade. – E, acrescentou ele em sua cabeça, também queremos um mundo em que um homem possa se casar com a mulher que ama sem ser acusado de traição.

– Escute aqui – disse Otto. – Nós temos inimigos poderosos de ambos os lados, a França a oeste e a Rússia a leste... e os dois são unha e carne. Não podemos travar uma guerra em duas frentes.

Walter sabia disso.

– É por esse motivo que temos o Plano Schlieffen – respondeu ele. – Se formos forçados a entrar em guerra, primeiro invadimos a França com uma força avassaladora, obtemos a vitória em poucas semanas e, então, com o oeste garantido, voltamos nossa atenção para o leste e enfrentamos a Rússia.

– Essa é a nossa única esperança – falou Otto. – Mas, quando esse plano foi adotado pelo Exército alemão, nove anos atrás, nosso serviço de inteligência nos disse que o Exército russo levaria 40 dias para se mobilizar. Isso nos dava quase seis semanas para conquistar a França. Desde então, os russos vêm aprimorando suas ferrovias... com dinheiro emprestado pelos franceses! – Otto deu um soco na mesa, como se pudesse esmagar a França com o punho. – Quanto menor o tempo de mobilização da Rússia, mais arriscado fica o Plano Schlieffen. O que significa que... – Ele apontou o dedo para Walter com um gesto dramático. – ... quanto antes travarmos essa guerra, melhor para a Alemanha!

– Não! – Por que o velho não conseguia ver como esse raciocínio era perigoso? – Isso significa que deveríamos estar buscando soluções pacíficas para disputas mesquinhas.

– Soluções pacíficas? – Otto balançou a cabeça com arrogância. – Você é jovem e idealista. Acha que toda pergunta tem uma resposta.

– O senhor quer mesmo uma guerra – falou Walter, incrédulo. – Quer de verdade.

– Ninguém quer uma guerra – disse Otto. – Mas às vezes ela é melhor do que a alternativa.

III

Maud havia herdado uma pensão irrisória do pai – 300 libras por ano, que mal davam para comprar seus vestidos para a temporada. O título de nobreza, as terras, os imóveis e quase toda a fortuna haviam ficado para Fitz. Assim era o sistema inglês. Mas não era isso que irritava Maud. O dinheiro pouco significava para ela. Na verdade, não precisava das suas 300 libras. Fitz pagava por tudo que ela quisesse sem questioná-la: para ele, a avareza não caía bem em um cavalheiro.

O grande ressentimento de Maud era não ter podido estudar. Aos 17 anos, havia anunciado que iria para a universidade – e todos riram na sua cara. Ela acabara descobrindo que, para ser admitida, era preciso antes ter estudado em uma boa escola e então passar nas provas. Maud nunca tinha ido à escola e, embora fosse capaz de conversar sobre política com os homens mais importantes do país, uma sucessão de governantas e professores particulares havia fracassado por completo na tarefa de qualificá-la para ser aprovada em qualquer tipo de exame. Ela passara dias chorando e se descabelando e, até hoje, pensar no assunto a deixava mal-humorada. Por isso havia se tornado uma sufragista: sabia que as mulheres só teriam uma boa instrução quando pudessem votar.

Ela muitas vezes se perguntara por que as mulheres se casavam. Comprometiam-se com uma vida de escravidão em troca de quê? Agora, porém, sabia a resposta. Jamais havia sentido nada tão intenso quanto seu amor por Walter. E as coisas que eles faziam para expressar esse amor lhe proporcionavam o mais delicioso prazer. Poderem se tocar daquela forma sempre que quisessem seria o paraíso. Ela teria se deixado escravizar três vezes, se o preço a pagar fosse esse.

Mas o preço não era a escravidão, pelo menos não com Walter. Maud já havia perguntado a ele se achava que uma esposa deveria obedecer ao marido em tudo e ouvira a seguinte resposta:

– Sem dúvida que não. Não vejo o que a obediência tem a ver com isso. Dois adultos que se amam deveriam ser capazes de tomar decisões juntos, sem que um tenha de obedecer ao outro.

Ela passava muito tempo pensando na vida que teriam juntos. Durante alguns anos, ele provavelmente seria transferido de uma embaixada para outra e os dois viajariam pelo mundo: Paris, Roma, Budapeste, talvez até lugares mais distantes, como Adis Abeba, Tóquio ou Buenos Aires. Ela pensou na história de Rute na Bíblia: "Aonde tu fores, eu também irei." Seus filhos aprenderiam a tratar as mulheres como iguais e suas filhas seriam independentes e decididas quando adultas. Talvez os dois acabassem fixando residência em Berlim, para os filhos poderem estudar em boas escolas alemãs. Em algum momento, Walter sem dúvida herdaria Zumwald, a casa de campo do pai no leste da Prússia. Quando eles ficassem velhos e seus filhos estivessem crescidos, poderiam passar mais tempo no campo, caminhando de mãos dadas pela propriedade, lendo juntos à noite e refletindo sobre como o mundo havia mudado desde a sua juventude.

Maud praticamente não conseguia pensar em outra coisa. Estava sentada diante de sua mesa no Salão do Evangelho do Calvário, encarando uma lista de preços de materiais hospitalares e se lembrando de como Walter havia chupado a ponta do dedo na porta da sala de estar da duquesa. As pessoas estavam começando a perceber sua distração: o Dr. Greenward havia lhe perguntado se ela estava se sentindo bem e até tia Herm lhe dissera para "acordar".

Ela tentou se concentrar novamente no formulário de pedidos e, desta vez, foi interrompida por uma batida na porta. Tia Herm pôs a cabeça para dentro da sala e falou:

– Um cavalheiro está aqui para vê-la. – Ela parecia um pouco atônita e entregou um cartão de visita a Maud.

General Otto von Ulrich
Adido
Embaixada do Império Germânico
Carlton House Terrace, Londres

– O pai de Walter! – disse Maud. – Mas o que ele...?

– O que devo fazer? – sussurrou tia Herm.

– Pergunte se ele gostaria de tomar chá ou xerez e mande-o entrar.

Von Ulrich usava um traje formal: sobrecasaca preta com lapelas de cetim, colete branco de piquê e calça listrada. O calor do verão fazia seu rosto vermelho transpirar. Ele era mais corpulento do que Walter e não tão bonito, mas os dois tinham o mesmo porte militar ereto e altivo.

Maud forçou-se a exibir o comportamento descontraído de sempre.

– Meu caro Herr Von Ulrich, esta é uma visita formal?

– Quero falar com a senhorita sobre o meu filho – disse ele. Seu inglês era quase tão bom quanto o de Walter, embora, ao contrário do filho, ele tivesse algum sotaque.

– É muito gentil da sua parte ir direto ao assunto dessa forma – retrucou Maud, com uma ponta de sarcasmo que Otto nem percebeu. – Sente-se, por favor. Lady Hermia irá pedir uma bebida.

– Walter vem de uma antiga família aristocrática.

– Assim como eu – retrucou Maud.

– Nós somos tradicionais, conservadores, muito religiosos... talvez um pouco antiquados.

– Também como a minha família – disse Maud.

A conversa não estava correndo conforme Otto planejara.

– Nós somos prussianos – disse ele com um quê de irritação.

– Ah – disse Maud, fingindo surpresa. – Enquanto nós, é claro, somos anglo-saxões.

Ela estava argumentando com ele, como se aquilo não passasse de um duelo de intelectos, mas no fundo estava assustada. O que ele estaria fazendo ali? Qual seria seu objetivo? Tinha a impressão de que boa coisa não era. O pai de Walter estava contra ela. Maud sentia, com uma certeza desoladora, que ele tentaria se opor à união dos dois.

De toda forma, Otto não iria se deixar demover por tiradas irônicas.

– A Alemanha e a Grã-Bretanha estão em conflito. Seu país é amigo de nossos inimigos, a Rússia e a França. Isso faz dele nosso adversário.

– Sinto muito que o senhor pense assim. Muitos pensam diferente.

– Não se chega à verdade por voto majoritário. – Maud tornou a perceber uma nota de aspereza em sua voz. Ele estava acostumado a ser ouvido sem críticas, sobretudo por mulheres.

A enfermeira do Dr. Greenward trouxe chá em uma bandeja e pôs-se a servi-lo. Otto permaneceu calado até ela se retirar. Então disse:

– Pode ser que nós entremos em guerra nas próximas semanas. Se o motivo de nossa disputa não for a Sérvia, haverá outros *casus belli*. Mais cedo ou mais tarde, Grã-Bretanha e Alemanha terão de brigar pelo domínio da Europa.

– Sinto muito que o senhor esteja tão pessimista.

– Muitos outros pensam como eu.

– Mas não se chega à verdade por voto majoritário.

Otto pareceu contrariado. Obviamente esperava que ela ficasse sentada e escutasse seu discurso pomposo em silêncio. Não gostava de ser alvo de zombarias. Irritado, falou:

– A senhorita deveria me dar ouvidos. Este é um assunto que a afeta diretamente. A maioria dos alemães considera a Grã-Bretanha uma inimiga. Imagine as consequências se Walter se casasse com uma inglesa.

– Pode ter certeza de que já imaginei. Walter e eu conversamos muito sobre isso.

– Em primeiro lugar, ele não teria a minha aprovação. Eu não poderia acolher uma nora inglesa na minha família.

– Walter acredita que o amor que o senhor tem por ele talvez o ajudasse a superar sua repulsa por mim. Será que isso é impossível?

– Em segundo lugar – disse ele, ignorando a pergunta dela –, ele seria visto como desleal ao Kaiser. Homens da sua classe deixariam de considerá-lo amigo. Ele e a esposa não seriam recebidos nos melhores lares.

Maud estava ficando zangada.

– Acho isso difícil de acreditar. Com certeza nem *todos* os alemães têm a mente tão fechada.

Otto pareceu não reparar na grosseria dela.

– Em terceiro e último lugar, a carreira de Walter é no Ministério das Relações Exteriores. Ele vai se distinguir nessa carreira. Eu o matriculei em escolas e universidades de vários países. Ele fala um inglês perfeito e domina razoavelmente bem o russo. Apesar de suas opiniões idealistas e imaturas, é bem-visto por seus superiores e o Kaiser já lhe dirigiu a palavra com apreço em mais de uma ocasião. Ele poderia se tornar ministro das Relações Exteriores.

– Ele é brilhante – comentou Maud.

– Porém, se ele se casar com a senhorita, será o fim da carreira dele.

– Que coisa mais ridícula – falou ela, chocada.

– Minha cara jovem, será que não é óbvio? Não se pode confiar em um homem casado com uma inimiga.

– Nós dois já conversamos a respeito. Naturalmente, a lealdade dele seria para com a Alemanha. Eu o amo o suficiente para aceitar isso.

– Talvez ele fique preocupado demais com a família da esposa para dedicar total lealdade ao próprio país. Mesmo que Walter ignorasse esse laço de forma implacável, outros homens continuariam desconfiados.

– O senhor está exagerando – disse ela, mas estava começando a ficar insegura.

– Certamente não poderia trabalhar em nenhum cargo que exigisse sigilo. Nenhum homem trataria de assuntos confidenciais na frente dele. Walter estaria acabado.

– Ele não precisa trabalhar com inteligência militar. Pode se transferir para outras áreas da diplomacia.

– Qualquer tipo de diplomacia envolve confidencialidade. Isso sem falar na minha própria posição.

Maud foi pega de surpresa. Ela e Walter não haviam levado em consideração a carreira de Otto.

– Eu sou confidente do Kaiser. Será que ele continuaria a depositar sua confiança absoluta em mim, caso meu filho fosse casado com uma estrangeira inimiga?

– É o que ele deveria fazer.

– Talvez o fizesse, se eu tomasse uma atitude firme e inflexível e deserdasse meu filho.

Maud soltou um arquejo.

– O senhor não faria isso.

Otto ergueu a voz.

– Eu seria obrigado!

Maud balançou a cabeça.

– O senhor teria escolha – falou ela, em desespero. – Um homem sempre tem escolha.

– Eu não vou sacrificar tudo o que conquistei... meu cargo, minha carreira, o respeito dos meus conterrâneos... por uma *garota* – disse ele com desprezo.

Maud sentiu como se tivesse levado um tapa.

Otto prosseguiu:

– Mas Walter sacrificará, é claro.

– O que o senhor está dizendo?

– Se Walter se casasse com a senhorita, perderia sua família, seu país e sua carreira. Mas ele vai fazer isso. Ele declarou seu amor pela senhorita sem pensar direito nas consequências e, mais cedo ou mais tarde, irá entender o erro catastrófico que cometeu. Mas, sem dúvida, já se considera seu noivo, mesmo que não oficialmente, e não vai recuar diante de um compromisso. É cavalheiro demais para agir de outra forma. "Pode me deserdar", dirá ele. Se não fizer isso, vai se considerar um covarde.

– É verdade – disse Maud. Ela estava pasma. Aquele homem horrível enxergava a verdade com mais clareza do que ela.

– Então é *a senhorita* quem deve romper o noivado – continuou Otto.

As palavras a atingiram como uma punhalada.

– Não!

– É a única forma de salvá-lo. A senhorita tem que abrir mão dele.

Maud abriu a boca para objetar novamente, mas percebeu que Otto tinha razão e não conseguiu pensar em nada para dizer.

Otto se inclinou para a frente e perguntou com uma insistência opressora:

– A senhorita vai romper com ele?

Lágrimas escorriam pelo rosto de Maud. Ela sabia o que precisava fazer. Não podia arruinar a vida de Walter, nem mesmo por amor.

– Vou – disse, aos soluços. Não lhe restava mais dignidade alguma, porém isso não tinha importância; a dor era grande demais. – Sim, vou romper com ele.

– Promete?

– Sim, prometo.

Otto se levantou.

– Obrigado pela gentileza de me escutar. – Ele fez uma mesura. – Desejo-lhe uma boa tarde. – E então foi embora.

Maud enterrou o rosto nas mãos.

CAPÍTULO OITO

Meados de julho de 1914

No quarto novo de Ethel em Tŷ Gwyn havia um espelho de pé. Era um espelho antigo, com a madeira da moldura rachada e o vidro embaçado, mas ela podia se ver de corpo inteiro. Considerava isso um grande luxo.

Observou o próprio reflexo vestida apenas com a roupa de baixo. Parecia ter ficado mais voluptuosa desde que se apaixonara. Tinha engordado um pouco na cintura e nos quadris, e seus seios pareciam mais fartos, talvez porque Fitz os acariciasse e apertasse tanto. Quando pensava nele, sentia os mamilos doloridos.

Fitz chegara naquela manhã, acompanhado pela princesa Bea e por lady Maud, e havia lhe dito com um sussurro que a encontraria na Suíte Gardênia depois do almoço. Ethel alojara Maud no Quarto Rosa, inventando uma desculpa sobre reformas no piso do seu aposento habitual.

Ethel fora então até seu quarto para se lavar e vestir roupas de baixo limpas. Adorava se preparar para Fitz dessa forma, imaginando como ele iria tocar seu corpo e beijar-lhe a boca, já escutando a forma como grunhiria de desejo e prazer, pensando no cheiro de sua pele e na textura luxuosa de suas roupas.

Quando abriu uma gaveta para pegar meias limpas, seus olhos recaíram sobre uma pilha de tiras limpas de algodão branco, os "paninhos" que usava ao ficar menstruada. Ocorreu-lhe que não os havia lavado desde que se mudara para aquele quarto. De repente, uma pequena semente de puro pânico surgiu em sua mente. Ela se deixou cair sentada na cama estreita. Eram meados de julho. A Sra. Jevons tinha ido embora no início de maio. Fazia dez semanas. Nesse intervalo, Ethel deveria ter usado os paninhos não apenas uma, mas duas vezes.

– Ah, não – disse em voz alta. – Ah, por favor, não!

Forçou-se a pensar com calma e tornou a fazer as contas. A visita do rei tinha sido em janeiro. Ela fora nomeada governanta logo depois, mas a Sra. Jevons estava adoentada demais para se mudar do quarto. Fitz havia ido à Rússia em fevereiro e voltado em março, data em que eles fizeram amor de verdade pela primeira vez. Em abril, a Sra. Jevons já estava melhor e o homem de negócios de Fitz, Albert Solman, tinha vindo de Londres para lhe explicar como seria a sua aposentadoria. Ela fora embora no início de maio e somente então Ethel havia se mudado para aquele quarto e guardado aquela assustadora pilha de tiras de algodão branco na gaveta. Dez semanas. Ethel não conseguia fazer a conta chegar a outro resultado.

Quantas vezes eles haviam se encontrado na Suíte Gardênia? Oito, no mínimo. Fitz sempre tirava antes do final, mas às vezes o fazia um pouco tarde, e ela podia sentir o primeiro de seus espasmos quando ele ainda estava dentro de seu corpo. Sentira-se felicíssima por compartilhar esse instante com ele e, no seu êxtase, tinha fechado os olhos para o risco. Agora estava pagando o preço.

– Oh, meu Deus, me perdoe – disse ela em voz alta.

Sua amiga Dilys Pugh havia ficado grávida. Dilys tinha a mesma idade de Ethel. Ela trabalhava como criada para a esposa de Perceval Jones e namorava Johnny Bevan. Ethel se lembrou de como os seios de Dilys tinham ficado maiores por volta da época em que ela percebeu que, sim, era possível engravidar fazendo aquilo em pé. Os dois agora estavam casados.

O que seria de Ethel? Ela não poderia se casar com o pai de seu filho. Tirando todo o resto, ele já era casado.

Estava na hora de ir encontrá-lo. Desta vez, não iriam rolar na cama. Teriam de conversar sobre o futuro. Ela pôs seu vestido de seda preta de governanta.

O que ela iria dizer? Ele não tinha filhos; será que ficaria contente ou horrorizado? Amaria aquele filho ilegítimo, ou sentiria vergonha dele? Seu amor por Ethel aumentaria pelo fato de ela ter ficado grávida, ou ele passaria a odiá-la?

Ela saiu de seu quarto no sótão e percorreu o corredor estreito, descendo em seguida a escada dos fundos até a ala oeste da casa. O papel de parede conhecido, com sua estampa de gardênias, despertou seu desejo da mesma forma que a visão da roupa de baixo dela excitava Fitz.

Ele já estava no quarto, parado diante da janela, admirando o jardim iluminado pelo sol e fumando um charuto; e, quando Ethel o viu, tornou a ficar impressionada com sua beleza. Ela atirou os braços em volta do pescoço de Fitz. Havia descoberto que a maciez surpreendente de seu terno marrom se devia ao fato de ele ser feito de caxemira.

– Ah, Teddy, meu amor, como estou feliz por ver você – disse ela. Gostava de ser a única pessoa a chamá-lo de Teddy.

– E eu por ver você – disse ele, mas não lhe acariciou os seios como costumava fazer.

Ela beijou sua orelha.

– Tenho uma coisa para lhe dizer – falou Ethel, em tom solene.

– Eu também tenho uma coisa para lhe dizer! Posso falar primeiro?

Ethel estava prestes a responder que não, mas ele se soltou de seu abraço, dando um passo para trás, e de repente o coração dela foi tomado por um mau pressentimento.

– O quê? – indagou ela. – O que foi?

– Bea está esperando um filho. – Ele deu uma tragada no charuto e expeliu a fumaça como se suspirasse.

A princípio, ela não conseguiu entender aquelas palavras.

– O quê? – repetiu com a voz atônita.

– Minha mulher, a princesa Bea, está grávida. Ela vai ter um filho.

– Você quer dizer que esteve com ela ao mesmo tempo que esteve comigo? – perguntou Ethel, furiosa.

Ele pareceu surpreso. Não esperava que aquilo fosse aborrecê-la.

– É a minha obrigação! – protestou. – Eu preciso de um herdeiro.

– Mas você disse que me amava!

– Eu amo e, de certa forma, sempre amarei.

– Não, Teddy! – gritou ela. – Não diga isso assim... por favor!

– Fale baixo!

– Falar baixo? Você está me dispensando! De que me importa agora se as pessoas descobrirem?

– A mim importa, mais que tudo.

Ethel estava consternada.

– Teddy, por favor, eu te amo.

– Mas está tudo acabado. Eu preciso ser um bom marido e um bom pai para o meu filho. Você tem que entender.

– Entender uma ova! – disse ela, irada. – Como pode dizer isso com tanta facilidade? Já vi você demonstrar mais emoção por causa de um cachorro que teve de ser sacrificado!

– Isso não é verdade – disse ele, e sua voz saiu embargada.

– Eu me entreguei a você, neste quarto, naquela cama ali.

– E eu não vou... – Ele se calou. Seu rosto, até então congelado em uma expressão de rígido autocontrole, exibiu de repente um ar de aflição. Ele lhe deu as costas, evitando encará-la. – Eu nunca vou me esquecer disso – murmurou.

Ethel se aproximou e viu lágrimas nas faces dele, o que fez sua raiva se dissipar por completo.

– Oh, Teddy, eu sinto tanto... – disse.

Ele tentou se recompor.

– Eu gosto muito de você, mas preciso cumprir o meu dever – falou. As palavras eram frias, mas sua voz soava atormentada.

– Ai, meu Deus. – Ela tentou parar de chorar. Ainda não havia lhe dado a sua notícia. Enxugou os olhos com a manga do vestido, fungou e engoliu em seco. – Dever? – indagou. – Você não sabe da missa a metade.

– Do que você está falando?

– Eu também estou grávida.

– Meu bom Senhor! – Ele levou o charuto à boca em um gesto mecânico, depois tornou a abaixá-lo sem tragar. – Mas eu sempre tirei!

– Depois do que devia, pelo jeito.

– Há quanto tempo você sabe?

– Acabei de me dar conta. Olhei dentro da minha gaveta e vi meus paninhos limpos. – Ele fez uma cara feia. Estava claro que o assunto menstruação o desagradava. Bem, ele teria que aguentar. – Calculei que não tenho minhas regras desde que me mudei para o antigo quarto da Sra. Jevons, ou seja, há dez semanas.

– Dois ciclos. Então não resta dúvida. Foi o que Bea disse. Ah, maldição! – Fitz levou o charuto aos lábios, percebeu que a brasa tinha se apagado e o deixou cair no chão com um grunhido irritado.

Um pensamento irônico passou pela cabeça de Ethel.

– Talvez você ganhe dois herdeiros.

– Não seja ridícula – disse ele com rispidez. – Bastardos não têm direito a heranças.

– Ah – falou ela. Não tivera de fato a intenção de fazer qualquer exigência em nome do filho. Por outro lado, até aquele momento não havia pensado nele como um bastardo. – Pobrezinho – falou. – Meu filho, o bastardo.

Ficou visível pela expressão de Fitz que ele se sentia culpado.

– Desculpe – disse. – Eu falei sem pensar. Me perdoe.

Ela podia ver que sua natureza de homem bom estava em conflito com seus instintos egoístas. Tocou-lhe o braço.

– Pobre Fitz.

– Deus não permita que Bea fique sabendo – falou ele.

Ethel sentiu-se mortalmente ferida. Por que a maior preocupação dele era com a outra mulher? Bea não teria problemas: era rica e casada e estava carregando o filho amado e legítimo do clã Fitzherbert.

– O choque poderia ser demais para ela – continuou Fitz.

Ethel recordou um boato de que Bea sofrera um aborto espontâneo no ano anterior. Todas as criadas haviam comentado o fato. Segundo Nina, a criada russa, a princesa punha a culpa do aborto em Fitz, que a deixara abalada ao cancelar uma viagem já marcada à Rússia.

Ethel estava se sentindo profundamente rejeitada.

– Então sua maior preocupação é que a notícia do nosso filho abale a sua mulher.

Ele a encarou.

– Eu não quero que ela aborte... é importante!

Fitz não fazia ideia de quanto estava sendo insensível.

– Maldito seja você – falou Ethel.

– O que você espera que eu faça? Bea está carregando o filho pelo qual eu tenho torcido e rezado. Quanto ao seu, você não o quer, nem eu, nem qualquer outra pessoa.

– Não é assim que penso – falou ela com voz miúda, e então recomeçou a chorar.

– Preciso pensar no assunto – disse ele. – Preciso ficar sozinho. – Ele a segurou pelos ombros. – Tornamos a conversar amanhã. Enquanto isso, não conte a ninguém. Entendido?

Ela assentiu.

– Prometa para mim.

– Eu prometo.

– Boa menina – disse ele, e saiu do quarto.

Ethel se abaixou e pegou o charuto apagado do chão.

II

Ela guardou segredo, mas foi incapaz de se comportar como se estivesse tudo bem, de modo que fingiu estar doente e foi para a cama. Enquanto ficava deitada sozinha horas a fio, sua tristeza logo cedeu lugar ao nervosismo. Como ela e o filho fariam para viver?

Ela perderia seu emprego ali em Tŷ Gwyn – isso seria automático, mesmo que o filho não fosse do conde. Esse fato por si só era doloroso. Sentira tanto orgulho de si mesma ao ser promovida a governanta. Gramper gostava de dizer que o orgulho sempre precede a queda. No seu caso, ele estava certo.

Ethel não tinha certeza se poderia voltar para a casa dos pais: a humilhação mataria seu pai de desgosto. Ela estava quase tão angustiada com isso quanto com a própria vergonha. De certa forma, ele ficaria mais magoado com aquilo do que ela – era muito rígido em relação a esse tipo de coisa.

De toda maneira, não queria viver como mãe solteira em Aberowen. Já havia duas ali: Maisie Owen e Gladys Pritchard. Eram criaturas deploráveis, sem lugar na estrutura social da cidade. Apesar de solteiras, nenhum homem se interessava por elas. Eram mães, mas moravam com os pais como se ainda fossem crianças. Não eram bem-vindas em nenhuma igreja, pub, loja ou clube. Como ela, Ethel Williams, que sempre havia se considerado melhor do que as outras, poderia descer ao nível mais baixo de todos?

Assim, ela precisava ir embora de Aberowen. Isso não a entristecia. Ficaria contente em dar as costas às fileiras de casas deprimentes, às pequenas capelas moralistas e às infindáveis disputas entre os mineradores e a administração da mina. Mas para onde ela iria? E será que conseguiria ver Fitz?

Enquanto a noite caía, Ethel ficou acordada olhando as estrelas pela janela e, por fim, concebeu um plano. Iria começar uma nova vida em um novo lugar. Usaria uma aliança de casamento e diria que seu marido havia morrido. Encontraria alguém para cuidar do bebê, arrumaria um emprego qualquer e ganharia dinheiro. Mandaria a criança à escola. Sentia que teria uma menina – uma menina inteligente, que viraria escritora ou médica, ou quem sabe uma militante como a Sra. Pankhurst, que defendia os direitos femininos e havia sido presa em frente ao Palácio de Buckingham.

Achava que não conseguiria dormir, mas a emoção a deixara exausta e ela adormeceu por volta da meia-noite, caindo em um sono pesado e sem sonhos.

Acordou com o sol raiando. Sentou-se na cama, ansiosa como sempre pelo novo dia que começava, mas então se lembrou de que sua antiga vida havia terminado, de que estava arruinada e sua vida se transformara em uma tragédia. Quase sucumbiu novamente à tristeza, porém resistiu a ela. Não podia se dar ao luxo de chorar. Precisava começar uma vida nova.

Vestiu-se e desceu até a ala dos criados, onde anunciou que estava totalmente recuperada do mal-estar da véspera e em plenas condições de voltar aos seus afazeres normais.

Lady Maud mandou chamá-la antes do café da manhã. Ethel preparou uma bandeja com café, que levou até o Quarto Rosa. Maud estava sentada diante de uma penteadeira usando um négligé de seda roxa. Ela havia chorado. Ethel tinha seus próprios problemas, mas mesmo assim se compadeceu da outra mulher.

– O que houve, minha senhora?

– Ah, Williams, eu tive que desistir dele.

Ethel imaginou que ela estivesse falando de Walter von Ulrich.

– Mas por quê?

– O pai dele foi falar comigo. Eu vinha me recusando a encarar o fato de que a Grã-Bretanha e a Alemanha são inimigas e de que se casar comigo arruinaria a carreira de Walter... e provavelmente também a do pai dele.

– Mas todo mundo está dizendo que não vai haver guerra, que a Sérvia não é importante o suficiente.

– Se não for agora, a guerra virá mais tarde; e, mesmo que nunca aconteça, a ameaça por si só já basta. – A penteadeira era enfeitada com um babado de renda cor-de-rosa, que Maud manuseava com aflição, rasgando o tecido caro. Aquilo levaria horas para ser remendado, pensou Ethel. Maud prosseguiu: – Ninguém no Ministério das Relações Exteriores alemão iria confidenciar nada a Walter se ele fosse casado com uma inglesa.

Ethel serviu o café e entregou uma xícara a Maud.

– Se a amar de verdade, Herr Von Ulrich abrirá mão do emprego.

– Mas eu não quero que ele faça isso! – Maud parou de rasgar a renda e bebeu um gole do café. – Não posso me tornar a pessoa que pôs fim à carreira dele. Que base é essa para um casamento?

Ele poderia ter outra carreira, pensou Ethel – e, se de fato a amasse, era isso que faria. Então pensou no homem que *ela* amava e na rapidez com que a paixão dele havia esfriado quando se tornou inconveniente. Vou guardar minhas opiniões para mim mesma, pensou, eu não sei porcaria nenhuma.

– O que Walter disse? – perguntou ela.

– Eu não estive com ele. Em vez disso, escrevi uma carta. Parei de ir a todos os lugares em que geralmente o encontro. Então ele passou a aparecer na minha casa, mas, quando começou a ficar constrangedor mandar os criados dizerem que eu não estava, eu vim para cá com Fitz.

– Por que a senhora não quer falar com ele?

– Porque eu sei o que vai acontecer. Ele vai me tomar nos braços, me beijar e eu vou ceder.

Eu conheço essa sensação, pensou Ethel.

Maud deu um suspiro.

– Você está bem calada hoje, Williams. Também deve ter suas próprias preocupações, é claro. As coisas estão muito difíceis com essa greve?

– Estão, sim, senhora. A cidade inteira está em regime de racionamento.

– Vocês continuam dando comida aos filhos dos mineradores?

– Todos os dias.

– Que bom. Meu irmão é muito generoso.

– Sim, minha senhora. – Quando lhe convém, pensou Ethel.

– Bem, é melhor você continuar com seu trabalho. Obrigada pelo café. Devo estar entediando você com meus problemas.

Em um impulso, Ethel segurou a mão de Maud.

– Por favor, não diga isso. A senhora sempre foi boa comigo. Eu sinto muito por Walter, e espero que sempre me conte seus problemas.

– Que palavras mais gentis. – Novas lágrimas brotaram nos olhos de Maud. – Muito obrigada, Williams. – Ela apertou a mão de Ethel, soltando-a em seguida.

Ethel pegou a bandeja e saiu do quarto. Quando chegou à cozinha, o mordomo Peel perguntou:

– Você fez alguma coisa errada?

Você nem imagina, pensou ela.

– Por que a pergunta?

– Sua Senhoria quer que você o encontre na biblioteca às dez e meia.

Então seria uma conversa formal, pensou Ethel. Talvez fosse melhor assim. Os dois estariam separados por uma escrivaninha, de modo que ela não ficaria tentada a se atirar nos braços dele. Isso a ajudaria a não chorar. Teria de ficar calma e não se deixar levar pelas emoções. O resto de sua vida seria definido por aquela conversa.

Ela foi cuidar de seus afazeres domésticos. Iria sentir falta de Tŷ Gwyn. Durante os anos em que havia trabalhado ali, passara a amar os belos móveis antigos. Tinha aprendido os nomes das peças, e hoje sabia reconhecer uma *torchère*, um aparador, uma cristaleira ou um revisteiro. Enquanto tirava o pó e encerava, ia reparando na marchetaria, nas guirlandas e volutas, nos pés em formato de patas de leão segurando esferas. De vez em quando, alguém como Peel dizia: "Isto aqui é francês. Estilo Luís XV", e ela havia percebido que cada cômodo era decorado e mobiliado em um só estilo, fosse ele barroco, neoclássico ou gótico. Ela nunca mais iria conviver com móveis assim.

Passada uma hora, encaminhou-se para a biblioteca. Os livros haviam sido reunidos pelos antepassados de Fitz. Atualmente, o cômodo não era usado com frequência: Bea lia apenas romances franceses e Fitz não lia nada. Os hóspedes às vezes iam à biblioteca para ter paz e tranquilidade, ou para usar o jogo de xadrez de marfim que ficava sobre a mesa de centro. Naquela manhã, as persianas estavam baixadas até a metade, conforme as instruções de Ethel, para proteger o cômodo do sol de julho e mantê-lo fresco. Consequentemente, a atmosfera era lúgubre.

Fitz estava sentado em uma poltrona de couro verde. Para surpresa de Ethel, Albert Solman também estava presente, usando um terno preto e uma camisa de colarinho duro. Advogado de formação, Solman era o que os cavalheiros da era eduardiana chamavam de homem de negócios. Administrava a fortuna de Fitz, verificando sua renda proveniente dos royalties do carvão e dos aluguéis, pagando as contas e providenciando dinheiro vivo para o salário dos empregados. Também cuidava das locações e dos demais contratos, além de às vezes mover processos contra pessoas que tentassem trapacear Fitz. Ethel já o havia encontrado antes e não simpatizava com ele. Achava-o convencido, um sabe-tudo. Talvez todos os advogados fossem assim, mas não podia afirmar com certeza: aquele era o único que ela jamais havia encontrado.

Fitz se levantou com ar constrangido.

– Expliquei a situação ao Sr. Solman – disse ele.

– Por quê? – indagou Ethel. Ela tivera de prometer não contar a ninguém. Ele ter contado àquele advogado parecia uma traição.

Fitz parecia envergonhado de si mesmo, coisa rara de se ver.

– Solman vai lhe comunicar a minha proposta – disse ele.

– Por quê? – tornou a indagar Ethel.

Fitz lançou-lhe um olhar de súplica, como se implorasse a Ethel para não piorar ainda mais a situação para ele.

Ethel, no entanto, não sentia compaixão alguma. Não era fácil para ela, então por que deveria ser para ele?

– O que você está com medo de me dizer pessoalmente? – perguntou ela, desafiadora.

Fitz havia perdido toda a sua segurança arrogante.

– Vou deixar que ele lhe explique – respondeu e, para espanto dela, saiu da biblioteca.

Quando a porta se fechou às suas costas, Ethel olhou para Solman e pensou: como posso conversar sobre o futuro do meu filho com este desconhecido?

Solman lhe deu um sorriso.

– Então a senhorita andou se assanhando?

O comentário a ofendeu.

– O senhor disse isso ao conde?

– É claro que não!

– Porque, como o senhor bem sabe, eu não fui a única. É preciso duas pessoas para fazer um bebê.

– Está certo, não é preciso entrar em detalhes.

– Só não fale como se eu tivesse feito tudo sozinha.

– Muito bem.

Ethel sentou-se e então tornou a olhar para ele.

– Pode se sentar, se quiser – disse ela, como se fosse a dona da casa dando permissão ao mordomo.

Solman enrubesceu. Não sabia se deveria se sentar, o que daria a entender que estivera esperando a permissão dela, ou se continuava em pé como um criado. Acabou decidindo andar de um lado para outro.

– Sua Senhoria me instruiu a lhe fazer uma oferta – disse ele. Andar de um lado para outro não funcionou muito bem, então ele parou e ficou em pé na sua frente. – É uma oferta generosa e aconselho a senhorita a aceitá-la.

Ethel não disse nada. A frieza de Fitz teve pelo menos um efeito útil: fez com que ela percebesse que aquilo era uma negociação. Esse era um território conhecido para Ethel. Seu pai vivia fazendo negociações, argumentando e lidando com a administração da mina, sempre tentando obter salários melhores, jornadas de trabalho mais curtas e melhores condições de segurança. Uma de suas máximas era: "Só abra a boca quando for preciso." Assim, ela continuou calada.

Solman a encarava com ansiedade. Quando percebeu que ela não iria responder, pareceu irritado. E então prosseguiu:

– Sua Senhoria está disposto a lhe conceder uma pensão de 24 libras por ano, com pagamento mensal adiantado. Acho muita bondade da parte dele, a senhorita não concorda?

Mas que sovina miserável, pensou Ethel. Como ele pode ser tão mesquinho comigo? Vinte e quatro libras era o salário de uma criada. Era metade do que Ethel ganhava como governanta, e ela ainda perderia casa e comida.

Por que os homens achavam que podiam fazer esse tipo de coisa e sair impunes? Provavelmente porque em geral era o que acontecia. Uma mulher não tinha direito algum. Era preciso duas pessoas para gerar um bebê, mas só uma era obrigada a cuidar da criança. Como as mulheres acabaram ficando em uma posição tão fraca? Isso a deixava furiosa.

Mesmo assim, ela permaneceu calada.

Solman puxou uma cadeira e sentou-se ao seu lado.

– Veja pelo lado bom. A senhorita terá 10 xelins por semana...

– Menos de 10 xelins – ela apressou-se a dizer.

– Bom, vamos arredondar para 26 libras por ano, isso dá 10 xelins por semana. O que me diz?

Ethel ficou quieta.

– Você consegue encontrar um bom quartinho em Cardiff por dois ou três xelins e vai poder gastar o resto com as suas coisas. – Ele afagou seu joelho. – E, quem sabe, talvez conheça outro homem generoso para facilitar um pouco a sua vida... hein? A senhorita é uma moça muito atraente, sabia?

Ethel fingiu não entender o que ele estava dizendo. A ideia de ser amante de um advogado repulsivo como Solman lhe dava engulhos. Será que ele pensava mesmo que poderia assumir o lugar de Fitz? Ela não deu ouvidos às suas insinuações.

– Tem alguma condição? – indagou com frieza.

– Condição?

– A oferta do conde tem alguma condição?

Solman pigarreou.

– As de sempre, é claro.

– As de sempre? Então o senhor já fez isso antes.

– Não para o conde Fitzherbert – respondeu ele depressa.

– Mas para outros, sim.

– Vamos nos ater ao assunto em pauta, por favor.

– Pode continuar.

– A senhorita está proibida de pôr o nome do conde na certidão de nascimento da criança, ou de revelar para quem quer que seja, de qualquer outra forma, que ele é o pai.

– E pela sua experiência, Sr. Solman, as mulheres em geral aceitam essas suas condições?

– Sim.

É claro que aceitam, pensou ela com amargura. Que alternativa lhes resta? Como não têm direito a nada, pegam o que conseguem obter. É óbvio que elas aceitam as condições.

– Algo mais?

– Depois que for embora de Tŷ Gwyn, a senhorita não deve fazer nenhuma tentativa para entrar em contato com o conde.

Então ele não quer nunca mais me ver nem conhecer o próprio filho, pensou Ethel. A decepção brotou dentro dela como uma onda de fraqueza. Se não estivesse sentada, poderia ter caído no chão. Cerrou os dentes para conter as lágrimas. Depois de se controlar, falou:

– Algo mais?

– Acho que é só.

Ethel se levantou.

Solman disse:

– A senhorita deverá entrar em contato comigo para indicar onde devo realizar os pagamentos. – Ele sacou uma caixinha de prata e tirou lá de dentro um cartão de visita.

– Não – disse Ethel quando ele lhe ofereceu o cartão.

– Mas vai precisar disso para entrar em contato comigo...

– Não, não vou – tornou a dizer ela.

– Como assim?

– A oferta não é aceitável.

– Ora, Srta. Williams, não seja boba...

– Vou repetir, Sr. Solman, para que o senhor não tenha dúvidas. A oferta não é aceitável. Minha resposta é não. Não tenho mais nada a lhe dizer. Tenha um bom dia. – Ela saiu e bateu a porta.

Voltou para o quarto, trancou-se e caiu em um pranto angustiado.

Como Fitz podia ser tão cruel? Será possível que nunca mais queria vê-la de novo? Nem ao seu filho? Será que ele acreditava mesmo que tudo o que havia acontecido entre os dois podia ser apagado por 24 libras por ano?

Ele de fato não a amava mais? Será que algum dia havia amado? Ela era uma boba, afinal?

Havia pensado que ele a amava. Tivera certeza de que isso significava *alguma coisa*. Talvez ele houvesse fingido o tempo todo para enganá-la, mas ela achava que não. Uma mulher percebia quando um homem estava fingindo.

Então o que ele estava fazendo agora? Provavelmente reprimindo os próprios sentimentos. Quem sabe não era um homem de emoções levianas? Era possível. Talvez a houvesse amado de verdade, mas com um amor fácil de esquecer quando se tornasse inconveniente. No auge da paixão, ela poderia muito bem não ter percebido essa sua fraqueza de caráter.

Pelo menos a crueldade dele tornava mais fácil para ela negociar. Já não precisava pensar nos sentimentos de Fitz. Podia se concentrar em tentar conseguir o melhor para ela mesma e para o bebê. Precisava ter sempre em mente como Da teria conduzido a situação. Apesar da lei, uma mulher não era totalmente impotente.

Naquele instante, Fitz deveria estar angustiado, imaginou ela. Provavelmente tinha pensado que ela iria aceitar a oferta, ou no pior dos casos exigir mais dinheiro; assim, teria a sensação de que o seu segredo estava bem guardado. Agora, era quase certo que estivesse perplexo e aflito.

Ethel não dera a Solman a oportunidade de perguntar o que ela *de fato* queria. Eles que tateassem no escuro um pouco. Fitz começaria a ficar com medo de que Ethel pretendesse se vingar, contando à princesa Bea sobre o bebê.

Ela olhou pela janela, em direção ao relógio no telhado da estrebaria. Faltavam alguns minutos para o meio-dia. No gramado da frente, os criados estariam se preparando para servir o almoço aos filhos dos mineradores. A princesa Bea gostava de se reunir com a governanta por volta do meio-dia. Geralmente para reclamar de alguma coisa: não havia gostado das flores no hall de entrada, os uniformes dos lacaios não estavam bem passados, a tinta estava descascando no patamar da escada. A governanta, por sua vez, teria perguntas a fazer sobre que quartos atribuir a quais hóspedes, sobre a reposição da louça e dos artigos de cristal, sobre a contratação e a demissão de criadas e ajudantes de cozinha. Fitz habitualmente ia à sala de estar matutina por volta de meio-dia e meia para tomar uma taça de xerez antes do almoço.

Nessa hora, Ethel iria aumentar a pressão.

III

Fitz observava os filhos dos mineradores fazendo fila para o almoço – que eles chamavam de "janta". Tinham os rostos sujos, os cabelos desgrenhados e as roupas rasgadas, mas pareciam felizes. Crianças eram uma coisa incrível. Aquelas dali estavam entre as mais pobres da região, e seus pais se encontravam no meio de uma disputa feroz, mas nenhuma delas dava mostras disso.

Desde que se casara com Bea, cinco anos antes, Fitz havia ansiado por um filho. Ela sofrera um aborto espontâneo, e a ideia de que isso pudesse se repetir o aterrorizava. Da última vez, ela tivera um chilique só porque ele havia cancelado a viagem dos dois à Rússia. Se descobrisse que ele havia engravidado a governanta, sua fúria seria incontrolável.

E esse segredo terrível estava nas mãos de uma empregada.

Ele estava se roendo de preocupação. Aquela era uma punição cruel para seu pecado. Em outras circunstâncias, o fato de ter um filho com Ethel talvez até lhe desse alguma alegria. Ele poderia ter instalado mãe e filho em uma casinha em Chelsea para visitá-los uma vez por semana. Comovido por esse devaneio, sentiu uma nova pontada de arrependimento e nostalgia. Não queria ser duro com Ethel. Seu amor havia lhe proporcionado grande prazer: seus beijos arrebatados, seu toque ávido, o calor de sua paixão juvenil. Mesmo quando estava lhe dando a má notícia, ele havia desejado poder acariciar aquele corpo esguio e senti-la beijar seu pescoço daquele jeito guloso que ele achava tão excitante. Contudo, precisava endurecer o próprio coração.

Além de ser a mulher mais sensual que ele jamais havia beijado, ela era também inteligente, bem informada e divertida. Havia lhe contado que seu pai sempre conversava com ela sobre assuntos da atualidade. E a governanta de Tŷ Gwyn tinha o direito de ler os jornais do conde depois que o mordomo acabasse de lê-los – uma regra da ala dos criados que Fitz desconhecia. Ethel lhe fazia perguntas inesperadas que ele nem sempre sabia responder, como, por exemplo:

"Quem governava a Hungria antes dos austríacos?" Ele sentiria falta disso, pensou com tristeza.

Ethel, no entanto, não estava se comportando como seria de esperar de uma amante rejeitada. Solman ficara abalado com a conversa que tivera com ela. "*O que ela quer?*", perguntara-lhe Fitz, mas Solman não sabia. Fitz nutria uma suspeita terrível de que Ethel talvez contasse a história toda para Bea, só por causa de algum desejo moralista deturpado de revelar a verdade. Que Deus me ajude a mantê-la afastada da minha mulher, rezou ele.

Ficou surpreso ao ver a forma baixinha e rotunda de Perceval Jones atravessar o gramado com uma calça verde na altura dos joelhos e botas de caminhada.

– Bom dia, senhor conde – disse o prefeito, tocando o chapéu de feltro marrom.

– Bom dia, Jones. – Como presidente da Celtic Minerals, Jones era fonte de grande parte da riqueza de Fitz, mas mesmo assim aquele homem o desagradava.

– As notícias não são boas – disse Jones.

– De Viena, o senhor quer dizer? Fiquei sabendo que o imperador austríaco ainda está burilando os termos de seu ultimato à Sérvia.

– Não, estou falando da Irlanda. Os habitantes da província de Ulster não querem aceitar a autonomia. Isso fará deles uma minoria dentro de um governo católico. O Exército já está se rebelando.

Fitz fechou o rosto. Não gostava de ouvir falar em motim no Exército britânico.

– Independentemente do que os jornais digam – falou ele, tenso –, não acredito que os oficiais britânicos irão desobedecer às ordens de seu governo soberano.

– Mas eles já desobedeceram! – disse Jones. – E quanto ao motim na planície de Curragh?

– Não houve desobediência alguma ali.

– Cinquenta e sete oficiais renunciaram depois de receber ordens para atacar os Voluntários de Ulster. O senhor pode não chamar isso de motim, milorde, mas todos os outros chamam.

Fitz soltou um grunhido. Infelizmente, Jones tinha razão. A verdade era que os oficiais ingleses se recusavam a atacar seus compatriotas para defender uma turba de católicos irlandeses.

– Nós nunca deveríamos ter prometido a independência à Irlanda – disse ele.

– Nisso eu concordo com o senhor – falou Jones. – Mas, na verdade, eu vim lhe falar sobre esta questão aqui. – Ele apontou para as crianças, sentadas em bancos diante de mesas apoiadas em cavaletes, comendo bacalhau cozido com repolho. – Gostaria que o senhor pusesse um fim nisso.

Fitz não gostava que gente abaixo dele na escala social lhe dissesse como agir.

– Eu não vou deixar as crianças de Aberowen morrerem de fome, mesmo que a culpa disso seja dos pais.

– O senhor está só prolongando a greve.

O fato de Fitz receber royalties por cada tonelada de carvão extraída não significava, na sua opinião, que fosse obrigado a tomar partido dos proprietários da mina contra os trabalhadores. Ofendido, ele falou:

– A greve é problema seu, não meu.

– Mas o dinheiro o senhor não recusa.

Fitz ficou indignado.

– Não tenho mais nada a lhe dizer. – Ele se virou para ir embora.

Jones se mostrou arrependido na mesma hora:

– Sinto muito, milorde, por favor, me perdoe... foi um comentário impensado e insensato, mas essa situação toda é extremamente desgastante.

Era difícil para Fitz recusar um pedido de desculpas. Ele não se deixou dobrar, mas mesmo assim tornou a se virar e respondeu a Jones com cortesia:

– Está bem, mas continuarei a alimentar as crianças.

– Milorde, o senhor precisa entender que um minerador pode ser teimoso à própria custa e suportar muitas dificuldades por causa de seu orgulho tolo, mas, no final das contas, o que o faz ceder é ver os filhos passarem fome.

– Mas o senhor continua operando a mina da mesma forma.

– Com mão de obra estrangeira de terceira categoria. A maioria dos homens não foi treinada para o trabalho e produz pouco. Nós os estamos usando sobretudo para a manutenção dos túneis e para cuidar dos cavalos. Não estamos extraindo muito carvão.

– Eu juro que não consigo entender por que vocês despejaram aquelas pobres viúvas de suas casas. Eram só oito e, afinal de contas, elas perderam os maridos dentro da maldita mina.

– É um precedente arriscado. A casa está atrelada ao minerador. Se abrirmos mão disso, vamos terminar como simples proprietários de barracos.

Então talvez não devessem ter construído barracos, pensou Fitz, mas segurou a língua. Não queria prolongar a conversa com aquele tiranozinho pomposo. Olhou para o relógio. Era meio-dia e meia: hora de uma taça de xerez.

– Não adianta, Jones – disse ele. – Não vou travar as suas batalhas no seu lugar. Tenha um bom dia. – E saiu andando a passos largos em direção à casa.

Jones era a menor de suas preocupações. O que ele iria fazer em relação a Ethel? Precisava garantir que Bea não tivesse nenhum aborrecimento. Além do perigo que isso representava para o filho que estava por nascer, ele sentia que talvez a gravidez pudesse ser um novo começo para seu casamento. Talvez aquela criança os aproximasse e recriasse a ternura e a intimidade que os dois tinham no início do relacionamento. Mas essa esperança iria por água abaixo se Bea descobrisse que ele tivera um caso com a governanta. Ela ficaria uma fera.

Fitz sentiu-se grato pela temperatura mais amena do hall de entrada, com seu piso de lajotas e seu teto gótico de madeira. Aquela decoração feudal havia sido escolhida por seu pai. O único livro que ele lera, com exceção da Bíblia, era *Declínio e queda do Império Romano*, de Gibbon. Segundo ele, o Império Britânico, ainda mais potente do que o romano, teria o mesmo destino a menos que os nobres lutassem para proteger suas instituições, sobretudo a Marinha Real, a Igreja Anglicana e o Partido Conservador. Fitz não tinha dúvidas de que seu pai estava certo.

Uma taça de xerez seco caía muito bem antes do almoço. A bebida o deixava alerta e abria seu apetite. Com uma agradável sensação de expectativa, ele adentrou a sala de estar matutina. E ficou horrorizado ao ver Ethel conversando com Bea. Deteve-se na soleira da porta e ficou olhando para as duas, consternado. O que Ethel estava dizendo? Será que ele havia chegado tarde demais?

– O que está havendo aqui? – perguntou com rispidez.

Bea olhou para ele com ar de surpresa e disse calmamente:

– Estou conversando sobre fronhas de travesseiro com minha governanta. Você esperava algo mais dramático? – Seu sotaque russo enrolou o erre da palavra "dramático".

Por um instante, ele não soube o que dizer. Percebeu que estava encarando sua mulher e sua amante. Pensar nas intimidades que havia tido com ambas era perturbador.

– Não sei – murmurou ele, indo se sentar diante de uma escrivaninha, de costas para elas.

As duas continuaram a conversa. De fato, o assunto eram as fronhas: quanto tempo duravam, como as usadas podiam ser remendadas e usadas pelos criados e se era melhor comprá-las bordadas ou lisas para depois mandar as criadas bordarem. Fitz, no entanto, continuava abalado. Aquela pequena cena de patroa e empregada entretidas em uma conversa tranquila lembrou-lhe como seria fácil para Ethel contar a verdade a Bea. Aquilo não podia seguir assim. Ele precisava tomar uma atitude.

Pegou na gaveta uma folha de papel de carta azul encabeçada pelo brasão da família, mergulhou uma pena no tinteiro e escreveu: "Encontre-me depois do almoço." Pressionou o mata-borrão sobre a carta e a inseriu dentro de um envelope da mesma cor.

Dali a alguns minutos, Bea dispensou Ethel. Quando ela estava de saída, Fitz disse, sem virar a cabeça.

– Williams, venha até aqui, por favor.

Ela veio até o seu lado. Ele notou o leve aroma de sabonete perfumado – ela havia confessado que os roubava de Bea. Por mais irritado que estivesse, ele se sentia desconfortavelmente consciente da proximidade de suas coxas esbeltas e firmes sob a seda preta do vestido de governanta. Sem olhar para ela, entregou-lhe o envelope.

– Mande alguém ao consultório do veterinário na cidade para comprar um frasco desse remédio para cães. É para tosse dos canis.

– Pois não, meu amo. – Ela saiu da sala.

Ele resolveria aquela situação dentro de poucas horas.

Serviu sua taça de xerez. Ofereceu uma a Bea, mas ela não quis. A bebida o aqueceu e aliviou-lhe a tensão. Ele foi se sentar ao lado da mulher, que lhe deu um sorriso simpático.

– Como está se sentindo? – perguntou ele.

– Fico enjoada pela manhã – disse ela. – Mas depois passa. Agora estou bem.

Ele logo voltou a pensar em Ethel. Ela o colocara na palma da mão. Não tinha dito nada, mas implicitamente estava ameaçando contar tudo a Bea. Era muito astucioso de sua parte. Fitz estava aflito e sem ter o que fazer. Quisera ele poder resolver o assunto ainda mais cedo, em vez de somente à tarde.

O casal almoçou na sala de jantar pequena, sentado a uma mesa de carvalho de pernas quadradas que poderia muito bem ter saído de um mosteiro medieval. Bea lhe disse ter descoberto que havia alguns russos em Aberowen.

– Mais de cem, segundo Nina.

Com esforço, Fitz afastou Ethel do pensamento.

– Eles devem fazer parte dos fura-greves trazidos por Perceval Jones.

– Parece que estão sendo marginalizados. Não conseguem ser atendidos nas lojas ou nos cafés.

– Preciso pedir ao reverendo Jenkins que faça um sermão sobre amor ao próximo, mesmo que o próximo seja um fura-greve.

– Você não pode simplesmente ordenar que os lojistas os atendam?

Fitz sorriu.

– Não, querida, não neste país.

– Bem, eu sinto pena deles e gostaria de fazer alguma coisa para ajudá-los.

Isso o deixou satisfeito.

– É um impulso bondoso da sua parte. O que você sugere?

– Acho que em Cardiff há uma igreja ortodoxa russa. Vou mandar vir um padre de lá para rezar uma missa para os russos um domingo desses.

Fitz franziu o cenho. Bea havia se convertido ao anglicanismo ao se casar com ele, mas ele sabia que a mulher ainda ansiava pela igreja de sua infância – e via isso como um sinal de que ela era infeliz em seu país de adoção. Mas não queria contrariá-la.

– Ótimo – falou.

– Nós poderíamos deixá-los jantar na ala dos criados.

– É uma ideia generosa, querida, mas talvez eles sejam homens rudes.

– Nós daremos comida apenas àqueles que comparecerem à missa. Assim excluímos os judeus e os piores arruaceiros.

– Muito sagaz. Embora os moradores da cidade talvez passem a vê-la com maus olhos.

– Mas que diferença isso faz para mim ou para você?

Ele aquiesceu.

– Está certo. Jones tem reclamado que eu estou apoiando a greve por dar de comer às crianças. Se você receber os fura-greves, pelo menos ninguém poderá dizer que estamos tomando partido.

– Obrigada – disse ela.

A gravidez já havia melhorado o relacionamento dos dois, pensou Fitz.

Durante o almoço, ele bebeu duas taças de vinho do Reno, porém sua ansiedade voltou ao sair da sala de jantar e tomar o rumo da Suíte Gardênia. Seu destino estava nas mãos de Ethel. O temperamento dela era suave e emotivo como o de qualquer mulher, mas, apesar disso, não aceitava ordens de ninguém. Ele não conseguia controlá-la, e isso o apavorava.

Contudo, Ethel ainda não estava no quarto. Ele olhou para o relógio. Eram duas e quinze. Ele dissera "depois do almoço". Ethel saberia a que horas o café tinha sido servido e, portanto, deveria estar à sua espera. Ele não havia especificado o local, mas ela sem dúvida seria capaz de adivinhar.

Ele começou a ficar apreensivo.

Passados cinco minutos, ficou tentado a ir embora. Ninguém o deixava esperando daquele jeito. No entanto, não queria deixar o assunto sem solução por mais um dia, nem sequer por mais uma hora, então ficou.

Ela entrou no quarto às duas e meia.

– O que você está tentando fazer comigo? – perguntou ele, zangado.

Ela ignorou a pergunta.

– Onde você estava com a cabeça para me mandar falar com um advogado de Londres?

– Pensei que assim seria menos emotivo.

– Não seja idiota. – Fitz ficou chocado. Ninguém falava assim com ele desde os tempos da escola. – Eu vou ter um filho seu – continuou ela. – Como isso poderia não ser emotivo?

Ela estava certa, havia sido uma tolice da parte dele, e as suas palavras o atingiram, mas ao mesmo tempo ele não pôde deixar de apreciar a musicalidade do seu sotaque – a palavra "emotivo" ganhava uma nota diferente para cada sílaba, fazendo-a parecer uma melodia.

– Desculpe – disse ele. – Eu pago o dobro...

– Não piore as coisas, Teddy – falou ela, porém seu tom estava mais brando. – Não negocie comigo como se tudo fosse uma simples questão de preço.

Fitz apontou para ela um dedo acusador.

– Você não pode falar com minha mulher, está me ouvindo? Eu não vou permitir!

– Não me dê ordens, Teddy. Eu não tenho motivo nenhum para lhe obedecer.

– Como você se atreve a falar assim comigo?

– Cale a boca e escute, que eu vou lhe explicar.

O tom de voz dela o estava deixando enfurecido, mas ele se lembrou de que não podia se dar ao luxo de hostilizá-la.

– Então fale – disse.

– Você agiu de forma muito insensível comigo.

Ele sabia que era verdade, por isso sentiu uma pontada de culpa. Estava arrasado por tê-la magoado. Mas tentou não demonstrar isso.

– Ainda te amo demais para querer estragar a sua felicidade – continuou ela.

Ele se sentiu ainda pior.

– Não quero magoar você – disse Ethel. Ela engoliu em seco e se virou para o outro lado, e ele viu lágrimas em seus olhos. Começou a falar, mas ela ergueu a mão para silenciá-lo. – Você está me pedindo para abandonar meu emprego e minha casa, então precisa me ajudar a começar uma vida nova.

– É claro – falou ele. – Se for isso que você deseja. – Falar em termos mais práticos ajudava ambos a reprimir seus sentimentos.

– Eu vou para Londres.

– Boa ideia. – Ele não pôde deixar de se sentir satisfeito: ninguém em Aberowen saberia que ela tivera um filho, muito menos de quem era a criança.

– Você vai me comprar uma casinha. Nada luxuoso... um bairro operário já estaria de ótimo tamanho. Mas eu quero seis cômodos, para poder morar no térreo e ter um inquilino. O aluguel vai custear os reparos e a manutenção da casa. Mesmo assim, vou ter que trabalhar.

– Você refletiu bastante sobre o assunto.

– Imagino que esteja se perguntando quanto isso irá lhe custar, mas não quer fazer a pergunta, porque um cavalheiro não gosta de perguntar o preço das coisas.

Era verdade.

– Eu pesquisei no jornal – disse ela. – Uma casa assim custa algo em torno de 300 libras. Provavelmente sairá mais barato do que me pagar duas libras por mês pelo resto da vida.

Trezentas libras não era nada para Fitz. Bea era capaz de gastar essa quantia em roupas numa só tarde na Maison Paquin de Paris.

– Mas você prometeria guardar segredo? – perguntou ele.

– E prometo amar e cuidar do seu filho, e criar o menino ou a menina para que cresça feliz, saudável e bem instruído, mesmo que você não esteja dando nenhum sinal de estar preocupado com isso.

Ele ficou indignado, mas percebeu que Ethel estava certa. Mal havia pensado na criança.

– Sinto muito – desculpou-se. – Estou preocupado demais com Bea.

– Eu sei – disse ela, suavizando a voz como sempre acontecia quando ele deixava sua aflição transparecer.

– Quando você vai embora?

– Amanhã de manhã. Estou com tanta pressa quanto você. Vou pegar o trem para Londres e começar imediatamente a procurar uma casa. Assim que encontrar o imóvel, escreverei para Solman.

– Você vai ter que ficar hospedada em algum lugar enquanto procura a casa. – Ele tirou a carteira do bolso interno do paletó e lhe estendeu duas notas brancas de cinco libras.

Ethel sorriu.

– Você não faz mesmo a menor ideia do preço das coisas, não é, Teddy? – Ela lhe devolveu uma das notas. – Cinco libras são mais do que suficientes.

Ele fez cara de ofendido.

– Não quero que ache que estou sendo mesquinho com você.

Ela mudou de postura e, por um instante, Fitz vislumbrou a raiva que a corrói por dentro.

– Ah, mas você está sendo mesquinho sim, Teddy – disse ela com amargura. – Só que não em matéria de dinheiro.

– Somos os dois responsáveis – falou ele na defensiva, olhando de relance para a cama.

– Mas só um de nós vai ter um filho.

– Bom, não vamos bater boca. Vou dizer a Solman para fazer o que você sugeriu.

Ela estendeu a mão.

– Adeus, Teddy. Sei que irá cumprir sua palavra. – A voz de Ethel estava firme, mas ele podia ver que ela se esforçava para manter a compostura.

Ele apertou sua mão, embora isso parecesse estranho para duas pessoas que já haviam feito amor com paixão.

– Pode contar com isso – disse.

– Agora, por favor, vá embora, rápido – disse ela, virando-se para o lado.

Ele ainda hesitou alguns instantes, mas então saiu do quarto.

Enquanto se afastava, ficou surpreso e envergonhado ao sentir lágrimas nada viris brotarem de seus olhos.

– Adeus, Ethel – sussurrou ele para o corredor vazio. – Que Deus a abençoe e a proteja.

IV

Ethel foi até o depósito de bagagens do sótão e roubou uma mala pequena, velha e surrada. Ninguém jamais daria falta dela. A mala pertencera ao pai de Fitz e tinha seu brasão gravado no couro: a douração já havia se desgastado há muito tempo, mas ainda era possível distinguir o desenho. Ela pôs lá dentro suas meias, sua roupa de baixo e alguns dos sabonetes perfumados da princesa.

Deitada na cama naquela noite, decidiu que afinal não queria ir para Londres. Estava assustada demais para passar por tudo aquilo sozinha. Queria ficar com a sua família. Precisava fazer perguntas à mãe sobre a gravidez. Seria melhor que estivesse em um lugar conhecido quando o bebê chegasse. Seu filho iria precisar dos avós e do tio Billy.

Pela manhã, vestiu as próprias roupas, deixou o uniforme de governanta pendurado no gancho e saiu às escondidas de Tŷ Gwyn bem cedo. No final da estrada de acesso, virou-se e olhou para a casa, com suas pedras encardidas de pó de carvão, suas longas fileiras de janelas que refletiam o sol nascente, e pensou em quanto havia aprendido desde que chegara ali para trabalhar aos 13 anos, recém-saída da escola. Agora sabia como vivia a elite. Eles comiam pratos estranhos, preparados de um jeito complicado, e desperdiçavam mais do que comiam. Todos falavam com o mesmo sotaque contido, mesmo alguns dos estrangeiros. Ela havia manuseado as roupas de baixo sofisticadas das mulheres ricas, feitas de algodão da melhor qualidade e de seda delicada, costuradas à mão, bordadas e debruadas de renda, 12 peças de cada empilhadas nas gavetas de suas cômodas. Era capaz de olhar para um aparador e dizer na hora em que século ele tinha sido fabricado. E, acima de tudo, pensou com amargura, havia aprendido que não se deve confiar no amor.

Ela desceu a encosta da montanha até Aberowen e tomou o caminho de Wellington Row. Como sempre, a porta da casa de seus pais estava destrancada. Ela entrou. O cômodo principal, a cozinha, era menor do que a Sala dos Vasos de Tŷ Gwyn, usada apenas para compor os arranjos de flores.

Mam estava sovando massa de pão, mas, ao ver a mala, parou o que estava fazendo e disse:

– Qual foi o problema?

– Eu voltei para casa – disse Ethel. Ela pousou a mala no chão e sentou-se diante da mesa quadrada da cozinha. Estava envergonhada demais para contar o que havia acontecido.

Mam, no entanto, adivinhou.

– Você foi demitida!

Ethel foi incapaz de olhar para a mãe.

– Fui. Sinto muito, Mam.

Mam enxugou as mãos em um pano de prato.

– O que você fez? – perguntou ela, irritada. – Pode ir dizendo!

Ethel deu um suspiro. O que a estava detendo?

– Fiquei grávida – disse ela.

– Ah, não... sua desnaturada!

Ethel reprimiu as lágrimas. Esperava compreensão, não condenação.

– Eu sou mesmo uma desnaturada – falou. Tirou o chapéu, tentando manter a compostura.

– Essa história toda subiu à sua cabeça... trabalhar na casa grande, conhecer o rei e a rainha. Fez você esquecer a forma como foi criada.

– Acho que a senhora tem razão.

– Seu pai vai morrer de desgosto.

– Ele não vai ter que parir – disse Ethel com sarcasmo. – Imagino que vá ficar bem.

– Não seja atrevida. Ele vai ficar com o coração partido.

– Onde ele está?

– Em outra reunião sobre a greve. Pense na posição dele na cidade: membro do conselho da capela, representante dos mineradores, secretário do Partido Trabalhista Independente... como ele vai conseguir ficar de cabeça erguida nas assembleias, com todo mundo dizendo que a filha dele é uma vadia?

Ethel não conseguiu mais se controlar.

– Eu sinto muito por causar tanta vergonha a ele – falou, começando a chorar.

A expressão de Mam mudou.

– Fazer o quê? – disse ela. – Essa é a história mais antiga do mundo. – Ela deu a volta na mesa e abraçou Ethel com força junto ao peito. – Passou, passou – disse, da mesma forma que costumava fazer quando Ethel era uma menina e ralava o joelho.

Depois de algum tempo, os soluços de Ethel foram diminuindo.

Mam a soltou e disse:

– É melhor tomarmos uma xícara de chá. – A chaleira ficava permanentemente na boca do fogão. Ela pôs folhas de chá dentro de um bule e despejou por cima a água fervente, mexendo em seguida com uma colher de pau. – Para quando é o bebê?

– Fevereiro.

– Ai, meu Deus! – Mam deu as costas para o fogão e olhou para Ethel. – Eu vou ser avó!

As duas riram. Mam pôs xícaras sobre a mesa e serviu o chá. Ethel bebeu um pouco e se sentiu melhor.

– Seus partos foram fáceis ou difíceis? – quis saber ela.

– Não existe parto fácil, mas, segundo a minha mãe, os meus foram melhores do que a maioria. Mesmo assim, fiquei com as costas ruins depois de Billy.

Billy desceu a escada perguntando:

– Quem está falando de mim? – Ele podia dormir até mais tarde porque estava em greve, percebeu Ethel. A cada vez que o via, ele lhe parecia mais alto e mais largo.

– Oi, Eth – disse ele, beijando-a e fazendo-a sentir seu bigode áspero. – Que mala é essa? – Sentou-se à mesa e Mam lhe serviu chá.

– Eu fiz bobagem, Billy – falou Ethel. – Vou ter um filho.

Ele a encarou, chocado demais para falar. Então enrubesceu, sem dúvida pensando no que ela havia feito para ficar grávida. Olhou para o chão, constrangido. Em seguida, tomou um pouco de chá. Por fim, perguntou:

– Quem é o pai?

– Ninguém que você conheça. – Ela havia pensado no assunto e inventado uma história. – Um lacaio que foi a Tŷ Gwyn com um dos convidados, mas ele agora entrou para o Exército.

– Mas vai cuidar de você.

– Eu nem sei onde ele está.

– Vou encontrar esse patife.

Ethel pôs a mão em seu braço.

– Não fique zangado, meu lindo. Se precisar da sua ajuda, eu peço.

Billy obviamente não sabia o que dizer. Era evidente que ameaças de vingança de nada adiantariam, mas ele não conseguia reagir de outra forma. Parecia desnorteado. Tinha apenas 16 anos.

Ethel se lembrou de quando o irmão era um bebê. Tinha apenas cinco anos quando ele nascera, mas ficara completamente fascinada por ele, por sua perfeição e sua vulnerabilidade. Logo eu também terei um lindo bebê indefeso, pensou – e não sabia se devia se sentir feliz ou aterrorizada.

– Imagino que Da não vá aceitar isso calado – falou Billy.

– É o que me preocupa – disse Ethel. – Gostaria de poder fazer alguma coisa para melhorar as coisas para ele.

Gramper desceu.

– Mandaram você embora? – disse ele ao ver a mala. – Foi por atrevimento?

– Não seja cruel, papai – disse Mam. – Ela está esperando um filho.

– Caramba! – comentou Gramper. – Foi um dos figurões lá da casa grande? Eu não me espantaria se tivesse sido o próprio conde.

– Não diga besteira, Gramper – falou Ethel, espantada por ele ter adivinhado a verdade tão depressa.

– Foi um lacaio que veio com um dos convidados – disse Billy. – Ele agora está no Exército. Ela não quer que a gente vá atrás dele.

– Ah, é? – disse Gramper. Ethel podia ver que seu avô não estava convencido, porém ele não insistiu. Em vez disso, acrescentou: – Isso é a italiana que existe dentro de você, minha menina. Sua avó tinha o sangue quente. Se eu não tivesse me casado com ela, teria arranjado encrenca. Mesmo assim, ela nem quis esperar o casamento. Na verdade...

– Pai! – interrompeu Mam. – Não na frente das crianças.

– O que pode chocá-las depois disso? – disse ele. – Estou velho demais para contos de fadas. As moças querem se deitar com os rapazes, e a vontade é tão grande que elas vão em frente, casadas ou não. Qualquer um que tente dizer outra coisa é um tolo... e isso inclui o seu marido, Cara.

– Cuidado com o que diz – falou Mam.

– Ah, esqueça – disse Gramper, calando-se e se pondo a tomar seu chá.

Minutos depois, Da entrou na casa. Mam olhou para ele com surpresa.

– Você chegou cedo! – disse ela.

Ele ouviu o desprazer na voz da mulher.

– Ouvindo você, parece até que não sou bem-vindo.

Mam se levantou da mesa, vagando uma cadeira para ele.

– Vou fazer mais chá.

Da não se sentou.

– A reunião foi cancelada. – Seus olhos recaíram sobre a mala de Ethel. – O que é isso?

Todos olharam para Ethel. Ela viu medo no rosto de Mam, rebeldia no de Billy e uma espécie de resignação no de Gramper. Então percebeu que cabia a ela responder à pergunta.

– Tenho uma coisa para lhe contar, Da – falou. – O senhor vai ficar zangado, e tudo que eu posso dizer é que sinto muito.

O semblante dele ficou carregado.

– O que foi que você fez?

– Saí do meu emprego em Tŷ Gwyn.

– Isso não é motivo para sentir muito. Nunca gostei de ver você se curvando e se rebaixando para aqueles parasitas.

– Eu fui embora por um motivo.

Ele chegou mais perto e ficou parado ao lado dela.

– Bom ou ruim?

– Estou em apuros.

Ele pareceu furioso.

– Espero que não esteja querendo dizer o que as garotas querem dizer quando falam assim.

Ela baixou os olhos para a mesa e assentiu.

– Você... – Ele se deteve, buscando as palavras certas. – Você cedeu à tentação moral?

– Cedi.

– Sua desnaturada!

A mesma expressão que Mam tinha usado. Ethel se encolheu de medo do pai, embora não esperasse de fato que ele fosse lhe bater.

– Olhe para mim! – ordenou ele.

Ela ergueu os olhos para encará-lo em meio a uma névoa de lágrimas.

– Então você está me dizendo que cometeu o pecado da carne?
– Eu sinto muito, Da.
– Com quem? – gritou ele.
– Com um lacaio.
– Como ele se chama?
– Teddy. – O nome lhe escapou antes de ela conseguir pensar.
– Teddy de quê?
– Não importa.
– Não importa? Como assim não importa?
– Ele esteve na casa durante uma visita de seu patrão. Quando percebi minha situação, ele já havia entrado para o Exército. Perdi contato com ele.
– Durante uma visita? Perdeu contato? – A voz de Da se transformou em um rugido irado. – Você quer dizer que nem sequer está noiva dele? Cometeu esse pecado... – Ele falou atropeladamente, mal conseguindo articular as palavras repulsivas. – Você cometeu este pecado imundo de forma *leviana*?
– Não fique zangado, Da – disse Mam.
– Não ficar zangado? Então quando é que um homem deveria se zangar?
Gramper tentou acalmá-lo.
– Não se altere, Dai. Gritar não adianta nada.
– Gramper, sinto muito ter de lembrar a você que esta é a minha casa, e quem decide o que adianta ou não sou eu.
– Está bem, está bem – falou Gramper com voz tranquila. – Como quiser.
Mam não estava disposta a desistir:
– Da, não diga nada de que vá se arrepender.
As tentativas de acalmar a fúria de Da conseguiram apenas irritá-lo ainda mais.
– Eu não vou acatar ordens de nenhuma mulher nem de nenhum velho! – gritou ele. Apontou o dedo para Ethel. – E não vou tolerar uma fornicadora em casa! Fora daqui!
Mam começou a chorar.
– Não, por favor, não diga isso.
– Fora! – gritou ele. – E nunca mais volte!
– Mas o seu neto! – disse Mam.
Billy interveio.
– Da, o senhor acataria a palavra de Deus? Jesus falou: "Eu não vim chamar justos, mas pecadores, ao arrependimento." Evangelho segundo Lucas, capítulo cinco, versículo 32.

Da virou-se para o filho.

– Deixe-me lhe dizer uma coisa, seu menino ignorante. Meus avós nunca se casaram. Ninguém sabe quem foi meu avô. Minha avó desceu ao nível mais baixo que uma mulher pode descer.

Mam soltou um arquejo. Ethel ficou chocada e pôde ver que Billy também estava atônito. Gramper fez uma expressão de quem já sabia.

– Ah, sim – falou Da, abaixando a voz. – Meu pai foi criado em uma casa de tolerância, se é que vocês me entendem; um lugar frequentado por marinheiros, lá no cais do porto de Cardiff. Então, um dia, quando a mãe dele estava bêbada de cair, Deus guiou seus passos infantis até a escola dominical de uma igreja, onde ele encontrou Jesus. No mesmo lugar, aprendeu a ler e escrever e, com o passar do tempo, criou os próprios filhos dentro dos caminhos da retidão.

– David, você nunca me contou isso – disse Mam com brandura. Ela raramente chamava o marido pelo nome de batismo.

– Eu esperava nunca mais ter que pensar no assunto. – O semblante de Da estava contorcido em uma máscara de vergonha e ira. Ele se apoiou na mesa e fitou os olhos da filha, sua voz se transformando em um sussurro. – Quando cortejei sua mãe, nós ficávamos de mãos dadas e eu a beijava no rosto todas as noites até o dia do casamento. – Ele deu um soco na mesa, fazendo as xícaras tremerem. – Pela graça de nosso Senhor Jesus Cristo, minha família se ergueu rastejando da sarjeta fétida. – Sua voz voltou a se tornar um grito. – Nós nunca mais voltaremos para lá! Nunca mais! Nunca! Nunca!

Houve um longo intervalo de silêncio atônito.

Da olhou para Mam.

– Ponha Ethel para fora daqui – disse ele.

Ethel se levantou.

– Minha mala está feita e eu tenho algum dinheiro. Vou pegar o trem para Londres. – Ela encarou o pai com firmeza. – Não vou arrastar minha família para a sarjeta.

Billy pegou a mala da irmã.

– Aonde você pensa que está indo, garoto? – perguntou Da.

– Vou acompanhá-la até a estação – disse Billy com ar amedrontado.

– Ela que carregue a própria mala.

Billy se abaixou para largá-la, mas então mudou de ideia. Uma expressão determinada tomou conta de seu rosto.

– Vou acompanhá-la até a estação – repetiu ele.

– Você vai fazer o que eu estou mandando! – berrou Da.

Billy ainda parecia assustado, mas desta vez também havia rebeldia em sua atitude.

– O que o senhor vai fazer? Me expulsar de casa também?

– Eu vou pôr você de bruços no colo e lhe dar uma surra – falou Da. – Você ainda não passou da idade para isso.

Billy estava pálido, mas olhou Da nos olhos.

– Passei, sim – disse ele. – Já passei dessa idade. – Ele transferiu a mala para a mão esquerda e cerrou o punho direito.

Da deu um passo à frente.

– Você vai ver no que dá cerrar o punho para mim, garoto.

– Não! – gritou Mam. Ela se interpôs entre pai e filho e deu um empurrão no peito de Da. – Já chega. Não vou tolerar briga na minha cozinha. – Ela apontou o dedo para o rosto de Da. – David Williams, abaixe essas mãos. Lembre-se de que você é membro do conselho da Capela de Bethesda. O que as pessoas iriam pensar?

Isso o acalmou.

Mam virou-se para Ethel.

– É melhor você ir. Billy vai com você. Saiam daqui, depressa.

Da sentou-se à mesa.

Ethel deu um beijo na mãe.

– Adeus, Mam.

– Escreva para mim – disse Mam.

– Não se atreva a escrever para ninguém desta casa! – falou Da. – Suas cartas serão queimadas ainda no envelope!

Mam virou as costas, chorando. Ethel saiu e Billy foi atrás.

Os irmãos desceram as ruas íngremes até o centro da cidade. Ethel manteve os olhos no chão, sem querer falar com nenhum conhecido e ter de explicar para onde estava indo.

Na estação, comprou uma passagem para Paddington.

– Bem – disse Billy enquanto os dois aguardavam na plataforma. – Dois choques em um dia só. Primeiro você, depois Da.

– Ele guardou isso dentro de si todos esses anos – disse Ethel. – Não é de admirar que seja tão rígido. Quase consigo perdoá-lo por ter me expulsado de casa.

– Mas eu não – disse Billy. – A nossa fé professa redenção e misericórdia, não guardar as coisas dentro de si e punir os outros.

Um trem de Cardiff chegou à estação e Ethel viu Walter von Ulrich saltar. Ele levou a mão ao chapéu para cumprimentá-la, o que foi uma gentileza de sua parte: cavalheiros em geral não faziam isso com criadas. Lady Maud lhe dissera ter rompido com ele. Talvez ele estivesse ali para reconquistá-la. Em seu íntimo, Ethel lhe desejou boa sorte.

– Quer que eu compre um jornal para você? – ofereceu Billy.

– Não, querido, obrigada – respondeu ela. – Acho que eu não conseguiria me concentrar na leitura.

Enquanto seu trem não chegava, ela disse:

– Você se lembra do nosso código? – Quando crianças, os dois haviam inventado uma forma simples de escrever bilhetes que seus pais não conseguiam entender.

Por um instante, Billy pareceu não entender, mas então sua expressão se iluminou.

– Ah, sim.

– Vou escrever para você em código, assim Da não vai conseguir ler.

– Certo – disse ele. – E mande a carta por Tommy Griffiths.

O trem entrou na estação em meio a nuvens de vapor. Billy abraçou Ethel. Ela podia ver que o irmão estava tentando não chorar.

– Cuide-se – recomendou ela. – E cuide da nossa Mam.

– Certo – disse ele, enxugando os olhos com a manga. – Nós vamos ficar bem. Tome cuidado lá em Londres.

– Vou tomar.

Ethel embarcou e foi se sentar junto à janela. Minutos depois, a composição deixou a estação. Conforme o trem ganhava velocidade, ela viu o guindaste da entrada da mina se afastando e imaginou se algum dia tornaria a ver Aberowen.

V

Já era tarde quando Maud tomou o café da manhã com a princesa Bea. A princesa estava de ótimo humor. Em geral, reclamava muito da vida na Inglaterra – embora Maud se lembrasse, do tempo que passara quando criança na embaixada britânica, que a vida na Rússia era muito mais desconfortável: as casas eram frias, as pessoas rabugentas, os serviços pouco confiáveis e o governo desorganizado. Naquele dia, contudo, Bea não tinha do que se queixar. Estava feliz por finalmente ter concebido um filho.

Chegou inclusive a falar bem de Fitz.

– Ele salvou minha família – disse ela para Maud. – Foi ele quem quitou as hipotecas de nossa propriedade. Mas até hoje não há ninguém para herdá-la, já que meu irmão não tem filhos. Seria uma tragédia se todas as terras de Andrei e todas as de Fitz fossem parar nas mãos de algum primo distante.

Maud não conseguia ver isso como uma tragédia. O primo distante em questão poderia muito bem ser seu filho. Mas ela jamais havia esperado herdar uma fortuna, de modo que não pensava muito nesse tipo de coisa.

Enquanto tomava café e brincava com uma torrada, Maud percebeu que não estava sendo muito boa companhia naquela manhã. Sentia-se oprimida pelo papel de parede vitoriano espalhafatoso, que cobria o teto e as paredes com sua estampa de folhagem, embora tivesse convivido com ele a vida inteira.

Ela não havia contado à família sobre seu romance com Walter, de modo que agora não podia lhes dizer que estava tudo terminado, e isso significava que não tinha ninguém para ampará-la. A única que conhecia a história era Williams, a vivaz governanta, e ela parecia ter sumido.

Maud leu a reportagem do *Times* sobre o discurso de Lloyd George na noite anterior, durante o jantar na Mansion House, a residência oficial do prefeito de Londres. Ele havia se mostrado otimista em relação à crise nos Bálcãs, dizendo que ela poderia ser solucionada de forma pacífica. Maud esperava que ele tivesse razão. Embora houvesse rompido com Walter, ainda ficava horrorizada ao pensar que ele talvez precisasse vestir um uniforme para ser morto ou aleijado em uma guerra.

No mesmo jornal, leu uma matéria curta escrita em Viena e intitulada A AMEAÇA SÉRVIA. Perguntou a Bea se a Rússia iria defender a Sérvia contra os austríacos.

– Espero que não! – respondeu Bea, alarmada. – Não quero que meu irmão vá à guerra.

As duas estavam na sala de jantar pequena. Maud se lembrava de tomar o café da manhã ali com Fitz e Walter durante as férias escolares, quando tinha 12 anos e os meninos 17. Os dois tinham um apetite de leão, recordou, e toda manhã devoravam ovos, linguiças e imensas pilhas de torradas com manteiga antes de irem montar a cavalo ou nadar no lago. Walter, bonito e estrangeiro, era uma presença muito glamourosa. Tratava-a com a mesma cortesia que dedicaria a alguém da própria idade, o que era lisonjeiro para uma menina tão jovem – e, como ela via agora, uma forma sutil de flerte.

Enquanto ela estava imersa nessas lembranças, o mordomo Peel entrou e, para seu espanto, disse a Bea:

– Herr Von Ulrich está aqui, Alteza.

Não era possível Walter estar ali, pensou Maud, atarantada. Ou será que era Robert? Igualmente improvável.

Logo em seguida, Walter entrou na sala.

Maud estava estupefata demais para falar.

– Que surpresa agradável, Herr Von Ulrich – disse Bea.

Walter usava um terno de verão leve feito de um tweed claro, cinza-azulado, com uma gravata de cetim azul. Maud desejou estar vestindo outra coisa que não o vestido simples de cor creme, bufante nos quadris, que lhe parecera perfeitamente apropriado para tomar café da manhã com a cunhada.

– Perdoe a minha intrusão, princesa – disse Walter a Bea. – Tive de ir ao nosso consulado em Cardiff para resolver uma situação desagradável... alguns marinheiros alemães arrumaram problemas com a polícia de lá.

Que mentira. Walter era adido militar: tirar marinheiros da cadeia não fazia parte do seu trabalho.

– Bom dia, lady Maud – disse ele, apertando sua mão. – Que surpresa encantadora encontrá-la aqui.

Outra mentira, pensou ela. Ele estava ali para vê-la. Ela saíra de Londres para fugir ao seu assédio, mas não poderia negar que, no fundo de seu coração, estava satisfeita com a insistência de Walter em segui-la até ali. Alvoroçada, disse apenas:

– Olá, como vai o senhor?

– Venha tomar café conosco, Herr Von Ulrich – disse Bea. – O conde saiu para cavalgar, mas logo estará de volta. – Ela naturalmente supunha que Walter estava ali para ver Fitz.

– Quanta gentileza a sua. – Walter se sentou.

– Vai ficar para o almoço?

– Eu adoraria. Depois tenho que pegar um trem de volta para Londres.

Bea se levantou.

– É melhor eu avisar à cozinheira.

Walter levantou-se com um pulo e puxou a cadeira de Bea.

– Fique conversando com lady Maud – disse ela ao sair da sala. – Tente alegrá-la. Ela está preocupada com a situação internacional.

Ao ouvir o tom de gozação na voz de Bea, Walter arqueou as sobrancelhas.

– Todas as pessoas sensatas estão preocupadas com a situação internacional – falou ele.

Maud ficou constrangida. Desesperada para encontrar algo a dizer, apontou para o *Times*.

– Você acha que é verdade que a Sérvia convocou 70 mil reservistas?

– Duvido que eles sequer tenham 70 mil reservistas – respondeu Walter com gravidade. – Mas estão tentando aumentar a pressão. Esperam que o risco de uma guerra mais generalizada deixe a Áustria cautelosa.

– Por que os austríacos estão demorando tanto para fazer suas reivindicações ao governo sérvio?

– Oficialmente, eles estão esperando o fim do período de colheita antes de fazer qualquer coisa que possa obrigá-los a convocar homens para o Exército. Extraoficialmente, eles sabem que o presidente e o ministro das Relações Exteriores franceses estão neste momento na Rússia, o que torna perigosamente fácil para os dois aliados orquestrarem uma reação em comum. Não vai haver nenhum comunicado austríaco antes de o presidente Poincaré ir embora de São Petersburgo.

Como seu raciocínio era límpido, pensou Maud. Adorava isso nele.

Subitamente, ele perdeu a reserva. Sua máscara formal de cortesia caiu e a angústia dominou seu rosto. Atropelando as palavras, ele falou:

– Por favor, volte para mim.

Ela abriu a boca para falar, mas sua garganta parecia bloqueada pela emoção e nenhuma palavra saiu.

– Sei que você rompeu comigo para o meu próprio bem – falou ele, desolado –, mas isso não vai funcionar. Eu a amo demais.

Maud encontrou as palavras.

– Mas o seu pai...

– Ele que decida o próprio destino. Não posso obedecer-lhe, não em relação a isso. – A voz dele se transformou em um sussurro. – Não suportaria perder você.

– Ele pode estar certo: talvez um diplomata alemão não possa ter uma esposa inglesa, pelo menos não agora.

– Nesse caso, eu seguirei outra carreira. Mas nunca poderia encontrar outra mulher como você.

Ela cedeu e seus olhos se marejaram de lágrimas.

Ele estendeu a mão por cima da mesa para segurar a sua.

– Posso falar com seu irmão?

Ela embolou seu guardanapo de linho branco e enxugou as lágrimas.

– Não fale com Fitz ainda – pediu. – Espere alguns dias, até a crise sérvia passar.

– Talvez isso leve mais do que alguns dias.

– Se for assim, nós tornaremos a pensar no assunto.

– Farei como você desejar, é claro.

– Eu amo você, Walter. Aconteça o que acontecer, quero ser sua mulher.

Ele beijou sua mão.

– Obrigado – falou em tom solene. – Você fez de mim um homem muito feliz.

VI

Um silêncio tenso tomou conta da casa de Wellington Row. Mam preparou o jantar e Da, Billy e Gramper comeram, mas ninguém disse muita coisa. Billy sentia-se corroído por uma raiva que não podia expressar. À tarde, havia subido a encosta da montanha e caminhado sozinho por muitos quilômetros.

Na manhã seguinte, a história de Jesus e da mulher adúltera não parava de lhe vir à mente. Sentado na cozinha com suas roupas de domingo, enquanto esperava a hora de sair com os pais e o avô para a Capela de Bethesda, onde assistiriam à comunhão, abriu sua Bíblia no Evangelho segundo João e encontrou o capítulo oito. Leu a história várias vezes. Parecia falar exatamente do tipo de crise que havia atingido a sua família.

Na capela, continuou a pensar na história. Olhou em volta para seus amigos e vizinhos: a Sra. Dai dos Pôneis, John Jones da Loja, a Sra. Ponti e seus dois filhos grandes, Hewitt Seboso... Todos sabiam que Ethel havia saído de Tŷ Gwyn na véspera e pegado um trem para Paddington; e, embora não soubessem por quê, podiam adivinhar. Em suas mentes, eles já a estavam julgando. Mas Jesus não estava.

Durante os hinos e as preces improvisadas, ele concluiu que o Espírito Santo o estava instruindo a ler aqueles versículos em voz alta. Por volta do final do culto, ele se levantou e abriu a Bíblia.

Ouviu-se um murmúrio discreto de surpresa. Ele era um pouco jovem para liderar a congregação. Contudo, não havia limite de idade: o Espírito Santo poderia inspirar qualquer um.

– Alguns versículos do Evangelho de João – disse ele. Sua voz exibia um leve tremor e ele tentou firmá-la. – "Disseram a Jesus: 'Mestre, esta mulher foi surpreendida em ato de adultério.'"

Um silêncio repentino baixou sobre a Capela de Bethesda: ninguém se movia, sussurrava ou tossia.

Billy continuou a leitura:

– "'Na Lei, Moisés nos ordena apedrejar tais mulheres. E o Senhor, que diz?' Eles estavam usando essa pergunta como armadilha, a fim de terem uma base para acusá-lo. Mas Jesus inclinou-se e começou a escrever no chão com o dedo. Visto que continuavam a interrogá-lo, ele se levantou e lhes disse..."

Nesse ponto, Billy fez uma pausa e ergueu os olhos.

Com ênfase deliberada, falou:

– "'Se algum de vocês estiver sem pecado, seja o primeiro a atirar pedra nela.'"

Todos os outros rostos da capela o fitavam. Ninguém se mexia.

Billy prosseguiu:

– "Inclinou-se novamente e continuou escrevendo no chão. Os que o ouviram foram saindo, um de cada vez, começando pelos mais velhos. Jesus ficou só, com a mulher em pé diante dele. Então Jesus pôs-se em pé e perguntou-lhe: 'Mulher, onde estão eles? Ninguém a condenou?' 'Ninguém, Senhor', disse ela."

Billy ergueu os olhos do livro. Não precisava ler a última linha: já a conhecia de cor. Olhou para o rosto pétreo do pai e falou bem devagar:

– "Declarou Jesus: 'Eu também não a condeno. Agora vá e abandone sua vida de pecado.'"

Depois de uma longa pausa, ele fechou a Bíblia com um estalo que ecoou pelo silêncio feito um trovão.

– Essa é a Palavra de Deus – falou.

Ele não se sentou. Em vez disso, encaminhou-se para a saída. A congregação inteira o encarava, fascinada. Ele abriu a grande porta de madeira e saiu da capela.

Nunca mais voltou lá.

CAPÍTULO NOVE

Final de julho de 1914

Walter von Ulrich não sabia tocar o ragtime.

Sabia tocar as melodias, que eram simples. Sabia tocar os acordes característicos, que geralmente usavam um intervalo de sétima bemol. E sabia tocar os dois juntos – mas a música não soava como ragtime. O ritmo lhe escapava. O resultado parecia mais algo executado por uma banda de rua em algum parque de Berlim. Para quem conseguia tocar sonatas de Beethoven sem esforço, era frustrante.

Maud havia tentado lhe ensinar o ritmo naquela manhã de sábado em Tŷ Gwyn, no piano vertical Bechstein, entre os vasos de palmeiras da pequena sala de estar matutina, com o sol de verão a entrar pelas janelas altas. Eles haviam se sentado lado a lado na banqueta do piano, de braços dados, e Maud rira das suas tentativas. Tinha sido um momento de suprema felicidade.

O humor de Walter havia piorado quando ela lhe contou como seu pai a convencera a romper com ele. Se tivesse encontrado o pai na noite em que retornara a Londres, teria havido um confronto. Otto, no entanto, viajara para Viena, e Walter precisou engolir a própria raiva. Continuava sem ver o pai desde então.

Ele havia concordado com a sugestão de Maud de guardarem segredo sobre seu relacionamento até o fim da crise nos Bálcãs. Embora a situação tivesse se acalmado, a crise ainda perdurava. Já fazia quase quatro semanas desde o assassinato em Sarajevo, porém o imperador austríaco ainda não enviara aos sérvios o comunicado que vinha formulando há tanto tempo. A demora fez crescer em Walter a esperança de que os ânimos houvessem arrefecido e de que as opiniões moderadas tivessem prevalecido em Viena.

Sentado diante do piano de cauda pequeno na sala de estar compacta de seu apartamento na Piccadilly, ele refletiu que os austríacos tinham muitas alternativas que não uma guerra para punir a Sérvia e aplacar seu orgulho ferido. Por exemplo, poderiam forçar o governo sérvio a fechar os jornais antiaustríacos e expulsar os nacionalistas do Exército e do funcionalismo público do país. Os sérvios provavelmente se sujeitariam a isso: seria humilhante, mas melhor do que uma guerra que eles não poderiam vencer.

Assim os líderes dos grandes países da Europa poderiam relaxar e se concentrar em seus problemas domésticos. Os russos poderiam esmagar a greve geral que os assolava, os ingleses poderiam apaziguar os protestantes irlandeses revoltados e os franceses poderiam saborear o julgamento por assassinato de Madame Caillaux, que matara a tiros o editor do *Le Figaro* por publicar as cartas de amor de seu marido.

E Walter poderia se casar com Maud.

Era nisso que ele estava concentrado agora. Quanto mais pensava nas dificuldades, mais decidido ficava a suplantá-las. Depois de contemplar durante alguns dias a perspectiva infeliz de uma vida sem a mulher que amava, tinha ainda mais certeza de querer desposá-la, fosse qual fosse o preço que ambos tivessem que pagar. Enquanto acompanhava com interesse o jogo diplomático travado no tabuleiro de xadrez da Europa, examinava cada movimento para avaliar primeiro seu efeito sobre ele e Maud, e somente depois sobre a Alemanha e o mundo.

Iria encontrá-la naquela noite durante o jantar e, em seguida, no baile da duquesa de Sussex. Já havia vestido o fraque e a gravata. Era hora de partir. Porém, assim que fechou a tampa do piano, a campainha tocou e seu criado anunciou o conde Robert von Ulrich.

Robert parecia mal-humorado. Walter estava habituado àquela expressão. Na época em que os dois estudavam juntos em Viena, Robert tinha sido um rapaz atormentado e infeliz. Seus sentimentos costumavam atraí-lo de forma irresistível na direção de um grupo que ele fora criado para considerar decadente. Então, ao voltar para casa de uma noite passada na companhia de homens como ele, exibia aquela mesma expressão, ao mesmo tempo culpada e desafiadora. Com o tempo, acabaria descobrindo que a homossexualidade, assim como o adultério, era condenada oficialmente, mas – pelo menos nos círculos mais sofisticados – extraoficialmente tolerada. E, assim, conseguiu fazer as pazes consigo mesmo. Naquele instante, a expressão no rosto de Robert tinha algum outro motivo.

– Acabo de ver o texto do comunicado do imperador – falou ele sem delongas.

O coração de Walter saltou no peito, esperançoso. Talvez aquele fosse o desfecho pacífico que ele vinha aguardando.

– E o que ele diz?

Robert lhe estendeu uma folha de papel.

– Eu copiei a parte mais importante.

– A mensagem já foi entregue ao governo da Sérvia?

– Sim, às seis da manhã, horário de Belgrado.

Havia dez exigências. Walter constatou com alívio que as três primeiras seguiam a linha que ele previra: a Sérvia deveria proibir a circulação dos jornais liberais, dissolver a sociedade secreta chamada Mão Negra e conter a propaganda nacionalista. Talvez, no final das contas, os moderados de Viena houvessem vencido a discussão, pensou aliviado.

A princípio, o item quatro parecia razoável – os austríacos exigiam que os nacionalistas que trabalhassem para o serviço público sérvio fossem expulsos de seus cargos –, mas havia um porém: quem daria os nomes seria a Áustria.

– Isso me parece um pouco pesado – disse Walter, aflito. – O governo da Sérvia não pode simplesmente demitir qualquer um ao bel-prazer dos austríacos.

Robert deu de ombros.

– Serão obrigados a fazer isso.

– Suponho que sim. – Em nome da paz, Walter torcia para que o fizessem.

Mas o pior ainda estava por vir.

O item cinco exigia que a Áustria auxiliasse o governo sérvio a acabar com a subversão, enquanto o item seis, leu Walter consternado, insistia para que oficiais austríacos participassem do inquérito judicial relativo ao assassinato.

– Mas a Sérvia não pode concordar com isso! – protestou Walter. – Seria o mesmo que abrir mão da sua soberania.

Robert fechou ainda mais o rosto.

– Não é bem assim – disse ele com impaciência.

– Nenhum país do mundo concordaria com isso.

– A Sérvia vai concordar. Ou isso, ou será destruída.

– Em uma guerra?

– Se for preciso.

– Uma guerra que poderia se espalhar pela Europa inteira!

Robert brandiu o dedo.

– Não se os outros governos se mostrarem sensatos.

Ao contrário do seu, pensou Walter, mas engoliu a resposta e continuou a ler. Os itens restantes estavam formulados com arrogância, mas os sérvios provavelmente poderiam aceitá-los: prender os conspiradores, impedir o contrabando de armas para o território austríaco e reprimir manifestações antiaustríacas de oficiais sérvios.

O prazo para resposta, no entanto, era de 48 horas.

– Meu Deus, isso é rigoroso demais – comentou Walter.

– Qualquer um que desafie o imperador austríaco deve esperar uma resposta rigorosa.

– Sim, eu sei, mas ele nem sequer lhes deu margem para uma saída digna.

– E por que deveria dar?

Walter deu vazão à sua raiva.

– Pelo amor de Deus, o imperador por acaso *quer* uma guerra?

– A família do imperador, a dinastia dos Habsburgo, vem governando grandes regiões da Europa há centenas de anos. O imperador Francisco José tem certeza de que a intenção de Deus é que ele governe os povos eslavos inferiores. É o seu destino.

– Que Deus nos proteja dos homens predestinados – murmurou Walter. – Minha embaixada já viu isto?

– Ela verá a qualquer momento.

Walter se perguntou como os demais iriam reagir. Aceitariam aquele documento, como Robert, ou ficariam indignados como Walter? Haveria um grito de protesto internacional, ou apenas um impotente dar de ombros diplomático? Ele iria descobrir naquela mesma noite. Olhou para o relógio sobre a lareira.

– Estou atrasado para o jantar. Você vai ao baile da duquesa de Sussex mais tarde?

– Vou. Vejo você lá.

Eles saíram da casa e se separaram na rua. Walter tomou o rumo da casa de Fitz, onde iria jantar. Sentia-se ofegante, como se tivesse sido nocauteado. A guerra que ele tanto temia estava perigosamente próxima.

Chegou bem a tempo de fazer uma reverência diante da princesa Bea, que usava um vestido lilás adornado por laços de seda, e apertar a mão de Fitz, inacreditavelmente elegante com uma camisa de colarinho de bico e uma gravata-borboleta branca; logo em seguida, foi anunciado o jantar. Walter ficou feliz ao ser escolhido para acompanhar Maud até a mesa. Ela usava um vestido vermelho-escuro feito de algum tecido macio, que modelava seu corpo bem do jeito que Walter gostava. Enquanto segurava a cadeira para ela sentar, comentou:

– Que vestido encantador.

– Paul Poiret – informou ela, citando um estilista tão famoso que até mesmo Walter já ouvira falar nele. Ela abaixou um pouco a voz. – Achei mesmo que você fosse gostar.

O comentário era apenas ligeiramente íntimo, mas mesmo assim causou um frisson nele, que foi rapidamente seguido por um calafrio de medo ao pensar que ainda podia perder aquela mulher fascinante.

A casa de Fitz não chegava a ser um palácio. A sala de jantar comprida, situada na esquina da rua, tinha vista para duas vias públicas diferentes. Candelabros elétricos iluminavam o recinto, apesar da claridade da tardinha de verão lá fora, e o reflexo das luzes cintilava nas taças de cristal e nos talheres de prata alinhados em cada lugar da mesa. Ao olhar em volta para as outras convidadas, Walter ficou novamente maravilhado com os decotes indecentes que as inglesas de classe alta exibiam no jantar.

Essas, no entanto, eram observações de adolescente. Já estava na hora de ele se casar.

Assim que Walter se sentou, Maud tirou um dos sapatos e subiu o dedo do pé coberto apenas com a meia pela perna de sua calça. Ele lhe deu um sorriso, mas ela viu na mesma hora que ele estava preocupado.

– O que houve? – perguntou.

– Puxe uma conversa sobre o ultimato austríaco – murmurou ele. – Diga que ouviu falar que ele já foi entregue.

Maud dirigiu a palavra a Fitz, que estava sentado na cabeceira da mesa.

– Parece que o comunicado do imperador austríaco foi finalmente entregue em Belgrado – disse ela. – Você ouviu alguma notícia, Fitz?

Fitz pousou sua colher de sopa.

– A mesma que você. Mas ninguém sabe o que ele diz.

– A meu ver, o comunicado é muito duro. Os austríacos insistem em participar do processo judicial sérvio – falou Walter.

– Participar! – exclamou Fitz. – Mas, se o primeiro-ministro sérvio concordar com isso, será obrigado a renunciar.

Walter aquiesceu. Fitz previa as mesmas consequências que ele.

– É quase como se os austríacos quisessem a guerra. – Ele estava perigosamente perto de se referir com deslealdade a um dos aliados da Alemanha, porém estava aflito o suficiente para não dar importância a isso. Cruzou olhares com Maud. Ela estava pálida e calada. Também percebera a ameaça na mesma hora.

– É claro que há de se entender a posição de Francisco José – disse Fitz. – Se não for abordada com firmeza, a subversão nacionalista pode desestabilizar um império. – Walter supôs que o amigo estivesse pensando nos separatistas irlandeses e nos bôeres sul-africanos que ameaçavam o Império Britânico. – Mas não é preciso um martelo para se quebrar uma noz – concluiu.

Lacaios levaram embora os pratos de sopa e serviram outro vinho. Walter não bebeu nada. A noite seria longa e ele precisaria estar com a mente lúcida.

– Eu por acaso encontrei o primeiro-ministro Asquith hoje – disse Maud em voz baixa. – Ele comentou que pode haver um verdadeiro apocalipse. – Ela parecia assustada. – Para falar a verdade, eu não acreditei... mas agora vejo que ele talvez tivesse razão.

– É o que todos tememos – disse Fitz.

Como sempre, Walter ficou impressionado com os contatos de Maud. Ela frequentava com desenvoltura os homens mais poderosos de Londres. Lembrou-se de que, quando Maud tinha 11 ou 12 anos e o pai era ministro de um governo conservador, ela questionava seus colegas de gabinete com seriedade quando estes visitavam Tŷ Gwyn; e, mesmo naquela época, homens desse naipe a escutavam com atenção e respondiam pacientemente às suas perguntas.

– Olhando pelo lado bom – prosseguiu ela –, se houver uma guerra, Asquith acredita que a Grã-Bretanha não precisará se envolver.

Walter sentiu o coração mais leve. Se a Grã-Bretanha ficasse de fora, a guerra não precisaria separá-lo de Maud.

Fitz, no entanto, parecia discordar daquilo.

– É mesmo? – indagou. – Mesmo que... – Ele olhou para Walter. – Perdoe-me, Von Ulrich... mesmo que a França seja derrotada pela Alemanha?

– Segundo Asquith, nós seremos espectadores – respondeu Maud.

– Confirmando meus antigos temores – disse Fitz, pomposo –, o governo não entende o equilíbrio de poder na Europa.

Na condição de conservador, o conde via o governo liberal com desconfiança, além de nutrir um ódio pessoal por Asquith, que havia debilitado a Câmara dos Lordes. Porém, e mais importante ainda, Fitz não estava totalmente horrorizado com a possibilidade de uma guerra. De certo modo, temia Walter, ele talvez fosse até simpático à ideia, da mesma forma que Otto. E com certeza preferia o conflito a qualquer tipo de enfraquecimento do poder britânico.

– Você tem certeza, meu caro Fitz, de que uma vitória alemã sobre a França perturbaria *de fato* o equilíbrio de poder? – indagou Walter. Esse era um assunto um tanto delicado para um jantar, contudo a questão era importante demais para ser varrida para debaixo do tapete caro de Fitz.

– Com todo o respeito ao seu honrado país e a Sua Majestade, o Kaiser Guilherme, creio que a Grã-Bretanha não poderia permitir que a Alemanha assumisse o controle da França – disse Fitz.

Era esse o problema, pensou Walter, esforçando-se ao máximo para não deixar transparecer a raiva e a frustração que aquelas palavras provocavam nele. Um ataque alemão à França, aliada russa, seria na verdade uma medida defensiva – contudo, os ingleses falavam como se a Alemanha estivesse tentando dominar a Europa. Forçando um sorriso amigável, ele disse:

– Nós derrotamos a França 43 anos atrás, no conflito que vocês chamam de guerra franco-prussiana. A Grã-Bretanha foi uma espectadora nessa ocasião. E vocês não sofreram com a nossa vitória.

– Foi o que Asquith disse – acrescentou Maud.

– Existe uma diferença – falou Fitz. – Em 1871, a França foi derrotada pela Prússia e por um grupo de reinos germânicos menos importantes. Depois da guerra, essa coalizão se tornou um país só, a Alemanha que conhecemos... e tenho certeza de que você vai concordar, Von Ulrich, meu velho amigo, que a Alemanha hoje é uma presença mais formidável do que a velha Prússia.

Homens como Fitz eram muito perigosos, pensou Walter. Com suas boas maneiras, podiam conduzir o mundo à destruição. Ele se esforçou para manter leve o tom da resposta.

– Você tem razão, é claro... mas talvez formidável não seja sinônimo de hostil.

– É essa a questão, não é mesmo?

Do outro lado da mesa, Bea tossiu em reprovação. Sem dúvida, considerava aquele assunto controverso demais para uma conversa educada. Jovial, falou:

– Está animado para ir ao baile da duquesa, Herr Von Ulrich?

Walter sentiu-se repreendido.

– Tenho certeza de que o baile vai ser absolutamente esplêndido – respondeu com entusiasmo, sendo recompensado com um grato menear de cabeça da anfitriã.

– Você dança tão bem! – comentou tia Herm.

Walter presenteou a velha senhora com um sorriso caloroso.

– A senhora me concederia a honra da primeira dança, lady Hermia?

Ela ficou lisonjeada.

– Valha-me Deus, estou velha demais para dançar. Além disso, vocês, jovens, conhecem passos que não existiam quando eu era debutante.

– A última sensação é a xarda, uma dança folclórica húngara. Talvez eu deva lhe ensinar.

– Você acha que isso se configuraria um incidente diplomático? – perguntou Fitz.

Não teve muita graça, mas todos riram, e a conversa passou para outros assuntos triviais, porém seguros.

Depois do jantar, os convivas embarcaram em carruagens para percorrer os 400 metros até Sussex House, o palácio do duque na Park Lane.

A noite havia caído e todas as janelas do palácio estavam iluminadas: a duquesa tinha finalmente cedido e mandado instalar energia elétrica. Walter subiu a escadaria grandiosa e adentrou o primeiro dos luxuosos salões de recepção. A orquestra tocava a música mais popular dos últimos anos, "Alexander's Ragtime Band". Sua mão esquerda começou a se agitar: o ritmo sincopado era fundamental naquele gênero.

Walter cumpriu a promessa e dançou com tia Herm. Esperava que ela tivesse vários pares, para que ficasse cansada e fosse cochilar em uma sala anexa, deixando Maud sem acompanhante. Ele não parava de pensar no que os dois tinham feito na biblioteca daquela casa poucas semanas antes. Suas mãos comichavam, tamanha a vontade de tocá-la através daquele vestido justo.

Antes, porém, ele tinha trabalho a fazer. Fez uma mesura para tia Herm, aceitou uma taça de champanhe rosé oferecida por um lacaio e começou a circular pela festa. Passou pelo Pequeno Salão de Baile, pelo Salão Intermediário e pelo Grande Salão de Baile, conversando com os convidados dos meios político e diplomático. Todos os embaixadores em Londres tinham sido convidados, e muitos estavam ali, entre eles o chefe de Walter, príncipe Lichnowsky. Vários membros do Parlamento também haviam comparecido. A maioria era conservadora, como a duquesa, mas havia alguns liberais, incluindo diversos ministros do governo. Robert estava entretido em uma conversa com lorde Remarc, sub-secretário do Departamento de Guerra. Não havia nenhum membro trabalhista do Parlamento à vista: a duquesa se considerava uma mulher de mente aberta, mas havia limites para tudo.

Walter ficou sabendo que os austríacos tinham enviado cópias de seu ultimato para todas as principais embaixadas de Viena. Ele seria transmitido por cabo para Londres e traduzido naquela mesma noite, de modo que pela manhã todos saberiam seu conteúdo. A maioria das pessoas estava chocada com as exigências, mas ninguém sabia o que fazer a respeito.

À uma da manhã, ele já havia descoberto tudo o que podia, então saiu à procura de Maud. Desceu a escada até o jardim, onde uma ceia estava servida sob uma tenda listrada. Como se servia comida na alta sociedade inglesa! Encontrou Maud manuseando um cacho de uvas. Felizmente, não havia sinal de tia Herm.

Walter deixou de lado suas preocupações.

– Como é que vocês ingleses conseguem comer tanto? – perguntou a Maud em tom de brincadeira. – A maioria das pessoas aqui tomou um café da manhã reforçado, fez uma refeição de cinco ou seis pratos na hora do almoço, tomou um chá com sanduíches e bolos e jantou pelo menos oito pratos. Será que ainda precisam mesmo de sopa, codornas recheadas, lagosta, pêssegos e sorvete?

Maud riu.

– Você nos acha vulgares, não é?

Ele não achava isso, mas, para provocá-la, fingiu que sim.

– Bem, o que os ingleses têm em termos de cultura?

Segurou-a pelo braço e, como se andasse a esmo, afastou-a da tenda para dentro do jardim. Lâmpadas decorativas enfeitavam as árvores, emitindo um brilho fraco. Nos caminhos sinuosos entre os arbustos, alguns poucos casais caminhavam e conversavam, um ou outro com as mãos dadas discretamente na penumbra. Walter tornou a ver Robert com lorde Remarc e imaginou se eles também estariam vivendo um romance.

– Quem são os compositores ingleses? – perguntou, ainda provocando Maud. – Gilbert e Sullivan. E os pintores? Enquanto os impressionistas franceses estavam mudando a forma como o mundo vê a si mesmo, os ingleses pintavam crianças de bochechas rosadas brincando com cachorrinhos. E as óperas? Todas italianas, quando não alemãs. E os balés? Russos.

– Mesmo assim nós dominamos meio mundo – disse ela com um sorriso zombeteiro.

Ele tomou-a nos braços.

– E sabem tocar o ragtime.

– É fácil, basta aprender o ritmo.

– É justamente essa parte que eu acho difícil.

– Você precisa de aulas.

Ele colou os lábios à orelha de Maud e sussurrou:

– Pode me ensinar, por favor? – O sussurro se transformou em gemido quando ela o beijou e, depois disso, eles passaram algum tempo sem dizer nada.

II

Isso foi na madrugada de sexta-feira, 24 de julho. Na noite seguinte, quando Walter compareceu a outro jantar e outro baile, o boato que todos repetiam era que os sérvios iriam acatar todas as exigências da Áustria, solicitando apenas um esclarecimento quanto aos itens cinco e seis. Os austríacos certamente não rejeitariam uma resposta tão submissa, pensou Walter com animação. A menos, é claro, que estivessem determinados a ter uma guerra de qualquer forma.

A caminho de casa, no raiar do dia de sábado, ele passou na embaixada para anotar o que havia descoberto no decorrer da noite. Estava sentado diante de sua escrivaninha quando o embaixador em pessoa, príncipe Lichnowsky, apareceu vestindo um impecável traje formal e carregando uma cartola cinza. Surpreso, Walter se levantou com um pulo, fez uma reverência e disse:

– Bom dia, Alteza.

– Você chegou bem cedo, Von Ulrich – comentou o embaixador. Então, ao reparar no traje de gala de Walter, concluiu: – Ou melhor, bem tarde. – O embaixador era um homem bonito, porém de traços rústicos, com um nariz grande e adunco sobre o bigode.

– Eu só estava escrevendo algumas observações para o senhor sobre as conversas que ouvi ontem à noite. Posso fazer algo por Vossa Alteza?

– Fui convocado por Sir Edward Grey. Pode vir comigo e tomar notas, se tiver outro paletó.

Walter ficou eufórico. O ministro das Relações Exteriores da Grã-Bretanha era um dos homens mais poderosos do mundo. Walter já cruzara com ele no pequeno círculo da diplomacia londrina, é claro, mas os dois nunca haviam trocado mais do que umas poucas palavras. Agora, com aquele convite casual típico de Lichnowsky, Walter estava prestes a assistir a um encontro informal entre dois homens que estavam decidindo o futuro da Europa. Gottfried von Kessel ficaria verde de inveja, pensou.

Repreendeu a si mesmo pelo pensamento mesquinho. Aquele poderia ser um encontro decisivo. Ao contrário do imperador austríaco, Grey talvez não quisesse uma guerra. Seria esse o objetivo do encontro? Evitar o conflito? Grey era difícil de prever. Que partido iria tomar? Se fosse contra a guerra, Walter faria tudo ao seu alcance para ajudá-lo.

Ele guardava uma sobrecasaca em um gancho atrás da porta exatamente para emergências como aquela. Tirou o fraque e abotoou o paletó diurno por cima do colete branco. Pegou um bloco de anotações e deixou o prédio com o embaixador.

Os dois atravessaram o St. James's Park em meio ao ar fresco do início da manhã. Walter contou ao chefe os rumores que ouvira sobre a resposta da Sérvia. O embaixador tinha seus próprios boatos a relatar.

– Albert Ballin jantou com Winston Churchill ontem à noite – falou. Ballin, magnata alemão do comércio marítimo, era próximo do Kaiser, embora fosse judeu. Churchill comandava a Marinha Real. – Adoraria saber o que foi dito – concluiu Lichnowsky.

O príncipe evidentemente temia que o Kaiser estivesse passando por cima dele e mandando recados para os britânicos por intermédio de Ballin.

– Tentarei descobrir – disse Walter, grato pela oportunidade.

Os dois adentraram o Ministério das Relações Exteriores, edifício neoclássico que fazia Walter pensar em um bolo de casamento. Foram conduzidos até a suntuosa sala do ministro, com vista para o parque. Somos o povo mais rico do mundo, pareciam dizer os britânicos com aquele prédio, e podemos fazer o que quisermos com o restante de vocês.

Sir Edward Grey era um homem magro cujo rosto parecia uma caveira. Não gostava de estrangeiros e quase nunca viajava para o exterior: para os britânicos, isso fazia dele um ministro das Relações Exteriores perfeito.

– Muito obrigado por virem – disse ele, educado. Estava sozinho, com exceção de um auxiliar que segurava um bloco de anotações. Assim que todos se sentaram, Grey foi direto ao assunto: – Temos de fazer o possível para acalmar a situação nos Bálcãs.

A esperança de Walter cresceu. Aquilo soava pacífico. O ministro não queria guerra.

Lichnowsky aquiesceu. O príncipe pertencia à ala pacifista do governo alemão. Havia despachado um telegrama incisivo para Berlim instando seu governo a refrear os austríacos. Discordava do pai de Walter e dos demais que acreditavam ser melhor para a Alemanha travar uma guerra agora do que mais tarde, quando Rússia e França talvez estivessem mais fortes.

Grey prosseguiu.

– O que quer que os austríacos façam não deve ser ameaçador o bastante para a Rússia a ponto de provocar uma reação militar do czar.

Exatamente, pensou Walter, animado.

Lichnowsky obviamente concordava com esse ponto de vista.

– Se me permite, ministro, o senhor acertou na mosca – disse.

Grey não dava a mínima para elogios.

– Minha sugestão é que vocês e nós, ou seja, a Alemanha e a Grã-Bretanha, peçamos juntos aos austríacos que aumentem o prazo para a resposta. – Pensativo, ele relanceou os olhos para o relógio na parede: passava um pouco das seis da manhã. – Eles exigiram uma resposta até as seis da tarde de hoje, horário de Belgrado. Dificilmente se recusariam a dar mais um dia aos sérvios.

Walter ficou desapontado. Esperava que Grey tivesse um plano para salvar o mundo. Aquele adiamento era irrisório. Talvez não fizesse nenhuma diferença. E, na opinião do jovem diplomata, os austríacos eram tão beligerantes que poderiam *sim* recusar o pedido, por menor que fosse. No entanto, ninguém o consultou – e, levando em conta a companhia estratosfericamente elevada em que se encontrava, não falaria nada a menos que lhe dirigissem a palavra.

– Que ideia esplêndida – disse Lichnowsky. – Vou transmiti-la a Berlim com meu aval.

– Obrigado – agradeceu Grey. – Mas, se isso não funcionar, tenho outra sugestão.

Então Grey na verdade não estava muito confiante em que os austríacos dariam mais tempo à Sérvia, pensou Walter.

O ministro seguiu falando:

– Proponho que Grã-Bretanha, Alemanha, Itália e França se unam como mediadores, reunindo-se em uma conferência de quatro potências para produzir uma solução que satisfaça à Áustria sem ameaçar a Rússia.

Agora sim, pensou Walter com empolgação.

– É claro que a Áustria não concordaria de antemão em se restringir às decisões da conferência – continuou Grey. – Mas isso não é necessário. Poderíamos solicitar que o imperador austríaco ao menos não tome nenhuma atitude antes de ouvir o que a conferência tem a dizer.

Walter ficou radiante. Seria difícil para a Áustria recusar um plano concebido tanto por seus aliados quanto por seus rivais.

Lichnowsky também parecia satisfeito.

– Recomendarei isso a Berlim com grande ênfase.

– Foi muita bondade do senhor vir me encontrar assim tão cedo – disse Grey.

Lichnowsky tomou isso como uma dispensa e se levantou.

– Não há de quê – falou. – O senhor irá a Hampshire hoje?

Os hobbies de Grey eram a pesca com vara e a observação de pássaros, e seus momentos de maior felicidade se davam em seu chalé às margens do rio Itchen, em Hampshire.

– À noite, espero – respondeu Grey. – O tempo está maravilhoso para pescar.

– Desejo ao senhor um bom domingo de descanso – disse Lichnowsky, ao que os dois se retiraram.

Enquanto atravessavam o parque de volta, Lichnowsky falou:

– Os ingleses são espantosos. A Europa está à beira de uma guerra e o ministro das Relações Exteriores vai pescar.

Walter estava exultante. Grey poderia não ter o menor senso de urgência, mas era a primeira pessoa a sugerir uma solução factível. Walter estava grato. Vou convidá-lo para o meu casamento, pensou, e fazer um agradecimento a ele no discurso.

Quando chegaram à embaixada, ele ficou surpreso ao se deparar com o pai.

Otto acenou para Walter acompanhá-lo até sua sala. Gottfried von Kessel estava lá. Walter estava louco para confrontar o pai em relação a Maud, mas não iria abordar esse tipo de assunto na frente de Von Kessel, então disse:

– A que horas você chegou?

– Faz alguns minutos. Vim de barco de Paris e peguei o trem de integração noturno. O que você estava fazendo com o embaixador?

– Fomos convocados para uma reunião com Sir Edward Grey. – Walter ficou satisfeito ao ver uma expressão invejosa cruzar o semblante de Von Kessel.

– E o que ele tinha a dizer? – quis saber Otto.

– Ele propôs uma conferência de quatro potências para mediar a situação entre a Áustria e a Sérvia.

– Que perda de tempo – afirmou Von Kessel.

Walter o ignorou e perguntou ao pai:

– O que o senhor acha?

Otto apertou os olhos.

– Interessante – disse ele. – Grey é astuto.

Walter não conseguiu conter seu entusiasmo.

– Acha que o imperador austríaco pode concordar?

– De forma alguma.

Von Kessel deu uma risadinha sarcástica.

Walter ficou arrasado.

– Mas por quê?

– E se a conferência propuser uma solução e ela for rejeitada pela Áustria? – indagou Otto.

– Grey mencionou essa possibilidade. Ele disse que a Áustria não seria obrigada a aceitar as recomendações da conferência.

Otto sacudiu a cabeça.

– É claro que não... mas e depois? Se a Alemanha participar de uma conferência para fazer uma proposta de paz e a Áustria rejeitar nossa proposta, como poderíamos apoiar os austríacos quando eles entrarem em guerra?

– Não seria possível.

– Então o objetivo de Grey ao sugerir algo assim é criar uma cisão entre a Áustria e a Alemanha.

– Ah! – Walter sentiu-se tolo. Não havia percebido nada disso. Seu otimismo caiu por terra. Desanimado, ele tornou a falar: – Então nós não vamos apoiar o plano de paz de Grey?

– Não há a menor chance – respondeu seu pai.

III

A proposta de Sir Edward Grey não deu em nada e Walter e Maud ficaram observando, hora após hora, o mundo se aproximar cada vez mais do desastre.

O dia seguinte era um domingo e Walter foi se encontrar com Anton. Mais uma vez, todos estavam desesperados para saber o que os russos fariam. Os sérvios tinham cedido a quase todas as exigências da Áustria, solicitando apenas mais tempo para debater as duas cláusulas mais severas. Os austríacos, no entanto, haviam anunciado que isso era inaceitável, de modo que a Sérvia já havia começado a mobilizar seu pequeno Exército. O confronto era iminente, mas a Rússia participaria ou não?

Walter foi à Igreja de St. Martin-in-the-Fields, que não ficava no campo, como a palavra *fields* poderia indicar, mas sim na Trafalgar Square, o cruzamento mais movimentado de Londres. A igreja era uma construção setecentista em estilo palladiano e Walter ponderou que seus encontros com Anton, além de lhe proporcionarem informações sobre as intenções da Rússia, estavam lhe dando aulas de história da arquitetura inglesa.

Ele subiu os degraus da igreja e adentrou a nave por entre as colunas imensas. Olhou em volta, ansioso: mesmo nas melhores circunstâncias, temia que Anton não fosse aparecer – e aquele seria o pior momento possível para o homem desistir. O interior da igreja era bem iluminado por uma grande janela de três folhas em estilo veneziano na extremidade leste da nave, e ele viu Anton na mesma hora. Aliviado, sentou-se ao lado do espião vingativo poucos segundos antes de a missa começar.

Como sempre, os dois conversaram durante os hinos.

– O Conselho de Ministros se reuniu na sexta-feira – disse Anton.

Walter sabia disso.

– O que eles resolveram?

– Nada. Eles só fazem recomendar. Quem resolve é o czar.

Walter sabia disso também. Controlou a impaciência.

– Desculpe. O que eles *recomendaram*?

– Permitir que quatro circunscrições militares russas se preparem para a mobilização.

– Não! – O grito de Walter foi involuntário, e as pessoas que cantavam o hino à sua volta se viraram para olhar. Aquele era o primeiro passo em direção à guerra. Acalmando-se com esforço, tornou a falar: – O czar concordou?

– Ele sancionou a decisão ontem.

Em desespero, Walter perguntou:

– Quais circunscrições?

– Moscou, Kazan, Odessa e Kiev.

Durante as preces, Walter imaginou um mapa da Rússia. Moscou e Kazan ficavam no meio do vasto país, a mais de 1.500 quilômetros de suas fronteiras europeias, mas Odessa e Kiev ficavam no sudoeste, perto dos Bálcãs. No hino seguinte, ele falou:

– Eles estão se mobilizando contra a Áustria.

– Não é uma mobilização... é um preparativo para a mobilização.

– Já entendi – disse Walter, paciente. – Mas ontem nós estávamos falando sobre a Áustria atacar a Sérvia, um conflito balcânico de pouca importância. Hoje estamos falando na Áustria e na Rússia e em uma guerra de vulto na Europa.

O hino terminou e Walter aguardou o seguinte com inquietação. Criado pela mãe, uma protestante devota, ele sempre sentia uma ponta de culpa ao usar os cultos como disfarce para seu trabalho clandestino. Fez uma prece breve para ser perdoado.

Quando a congregação voltou a cantar, Walter disse:

– Por que eles estão com tanta pressa de fazer esses preparativos para a guerra?

Anton deu de ombros.

– Os generais disseram ao czar: "Cada dia que o senhor demora dá uma vantagem ao inimigo." É sempre a mesma coisa.

– Será que eles não percebem que os preparativos tornam a guerra mais provável?

– Soldados querem ganhar guerras, não evitá-las.

O hino terminou e o culto chegou ao fim. Quando Anton se levantou, Walter segurou-lhe o braço.

– Precisamos nos ver com mais frequência – falou.

Anton exibiu uma expressão de pânico.

– Nós já conversamos sobre isso...

– Pouco importa. A Europa está à beira de uma guerra. Você diz que os russos estão *se preparando* para a mobilização em *algumas* circunscrições. E se eles autorizarem outras circunscrições a ficarem a postos? Que outras atitudes irão tomar? Quando é que preparativos viram uma mobilização de verdade? Eu vou precisar de relatórios diários. De hora em hora seria melhor.

– Não posso correr esse risco. – Anton tentou desvencilhar o braço.

Walter apertou com mais força.

– Encontre-me na Abadia de Westminster todos os dias de manhã antes de ir para a embaixada. No Canto dos Poetas, no transepto sul. A igreja é tão grande que ninguém vai reparar em nós.

– De jeito nenhum.

Walter deu um suspiro. Teria de fazer ameaças, o que o desagradava, entre outras coisas porque criava um risco de o espião desistir totalmente de colaborar. Mas ele precisava correr esse risco.

– Se você não aparecer lá amanhã, irei à sua embaixada procurá-lo.

Anton empalideceu.

– Você não pode fazer isso! Eles vão me matar!

– Eu preciso das informações! Estou tentando evitar uma guerra.

– Eu *torço* para que haja uma guerra – disse o pequeno auxiliar de escritório com ferocidade. Sua voz se transformou em um sibilo: – Espero que o meu país seja esmagado e destruído pelo Exército alemão. – Walter o encarava, atônito. – Espero que o czar seja morto, brutalmente assassinado, junto com toda a sua família. E torço para todos eles irem para o inferno, como merecem.

Ele deu meia-volta e saiu depressa da igreja em direção ao burburinho da Trafalgar Square.

IV

Nas tardes de terça-feira, durante a hora do chá, a princesa Bea podia ser "encontrada em casa". Era quando suas amigas iam visitá-la para conversar sobre as festas às quais tinham ido e para exibir seus trajes diurnos. Maud era obrigada a comparecer, assim como tia Herm, uma vez que ambas eram parentes pobres que viviam da generosidade de Fitz. Nesse dia, quando tudo sobre o que queria falar era se haveria ou não uma guerra, Maud achou as conversas particularmente imbecilizantes.

A sala de estar da casa de Mayfair era moderna. Bea sempre seguia as tendências da decoração. Cadeiras e sofás de bambu do mesmo feitio estavam dispostos em pequenos grupos para facilitar a conversa, mas deixando bastante espaço para que as pessoas circulassem. O estofado tinha uma estampa lilás discreta e o tapete era marrom-claro. A parede não era coberta de papel, mas pintada num tom de bege que acalmava os sentidos. Não havia nenhum aglomerado vitoriano de fotografias emolduradas, enfeites, almofadas e vasos. As pessoas chiques diziam que não era preciso ostentar a própria riqueza abarrotando os cômodos de coisas. Maud concordava.

Entretida com a duquesa de Sussex, Bea fofocava sobre a amante do primeiro--ministro, Venetia Stanley. Sua cunhada deveria estar preocupada, pensou Maud; se a Rússia entrasse em guerra, o irmão dela, príncipe Andrei, teria de lutar. Bea, no entanto, parecia muito tranquila. Na verdade, estava particularmente bonita naquele dia. Talvez tivesse um amante. Isso não era raro nos círculos sociais mais elevados, em que muitos dos casamentos eram de conveniência. Algumas pessoas reprovavam o adultério – a duquesa era capaz de riscar uma mulher adúltera de sua lista de convidados para todo o sempre –, mas outras faziam vista grossa. Porém Maud não achava realmente que Bea fosse desse tipo.

Fitz, que dera uma escapulida de uma hora da Câmara dos Lordes, entrou para o chá. Walter veio logo atrás dele. Estavam ambos elegantes, de terno cinza e colete transpassado. Sem querer, Maud os imaginou usando uniformes militares. Se a guerra se alastrasse, era provável que ambos tivessem de lutar – quase com certeza em lados opostos. Seriam oficiais, mas nenhum dos dois usaria artifícios para conseguir um cargo seguro no quartel-general: iriam querer conduzir os soldados na frente de batalha. Os dois homens que amava talvez acabassem atirando um contra o outro. Ela sentiu um calafrio. Era uma ideia insuportável.

Maud evitou cruzar olhares com Walter. Tinha a sensação de que as mais intuitivas das amigas de Bea já haviam percebido quanto tempo os dois passavam conversando. Não se importava com essas desconfianças – elas logo ficariam sabendo a verdade, afinal –, mas não queria que os boatos chegassem aos ouvidos de Fitz antes de ele ser oficialmente informado. Caso contrário, seu irmão ficaria extremamente ofendido. Assim, ela vinha tentando não deixar seus sentimentos transparecerem.

Fitz sentou-se ao seu lado. Tentando encontrar um assunto que não envolvesse Walter, ela pensou em Tŷ Gwyn e perguntou:

– Que fim levou aquela sua governanta galesa, Williams? Ela sumiu e, quando perguntei aos outros criados, todos me deram respostas vagas.

– Tive de mandá-la embora – respondeu Fitz.

– Nossa! – Maud ficou surpresa. – Não sei por quê, mas eu tinha a impressão de que você gostava dela.

– Não especialmente. – Ele parecia encabulado.

– O que ela fez para desagradá-lo?

– Ela sofreu as consequências da falta de castidade.

– Fitz, deixe de ser pomposo! – falou Maud, rindo. – Está querendo dizer que ela ficou grávida?

– Fale baixo, por favor. Você conhece a duquesa.

– Pobre Williams. Quem é o pai?

– Minha cara, você acha que eu perguntei?

– Não, claro que não. Espero que ele "faça a coisa certa", como se diz.

– Pouco me importa. Pelo amor de Deus, ela é uma criada.

– Você não costuma ser tão insensível em relação aos seus empregados.

– Não se deve recompensar a imoralidade.

– Eu gostava de Williams. Ela era mais inteligente e interessante do que a maioria destas dondocas aqui.

– Não seja ridícula.

Maud desistiu. Por algum motivo, Fitz estava fingindo não ligar para Williams. Mas seu irmão nunca gostava de se explicar, e era inútil pressioná-lo.

Walter se aproximou dos dois, equilibrando uma xícara, um pires e um pratinho de bolo em uma das mãos. Sorriu para Maud, porém dirigiu-se a Fitz.

– Você conhece Churchill, não conhece?

– O pequeno Winston? – disse Fitz. – É claro que conheço. Ele começou a carreira no meu partido, mas depois virou liberal. Acho que no fundo ele ainda é um conservador como nós.

– Na sexta-feira passada, ele jantou com Albert Ballin. Eu adoraria saber o que Ballin tinha a dizer.

– Eu posso lhe contar... Winston anda repetindo para todo mundo. Em caso de guerra, Ballin falou que, se a Grã-Bretanha ficar de fora, a Alemanha promete deixar a França intacta depois do conflito, sem reivindicar nenhum território a mais... ao contrário da última vez, em que eles anexaram a Alsácia e a Lorena sem a menor cerimônia.

– Ah – comentou Walter com satisfação. – Obrigado. Venho tentando descobrir isso há dias.

– A sua embaixada não sabe?

– Está claro que o objetivo era fazer essa mensagem evitar os canais diplomáticos normais.

Maud estava intrigada. Aquela parecia uma fórmula promissora para manter a Grã-Bretanha fora de uma guerra na Europa. Talvez Fitz e Walter não precisassem atirar um no outro, afinal.

– Como Winston reagiu? – perguntou ela.

– De forma evasiva – respondeu Fitz. – Ele relatou a conversa ao gabinete, mas ela não foi discutida.

Maud estava prestes a perguntar, indignada, por que não, quando Robert von Ulrich apareceu com um ar desolado, como se tivesse sido informado naquele instante da morte de alguém querido.

– Mas o que há de errado com Robert? – disse Maud enquanto ele fazia uma reverência para Bea.

Robert então se virou, dirigindo-se a todos os presentes.

– A Áustria declarou guerra à Sérvia – anunciou.

Por um instante, Maud teve a impressão de que o mundo havia parado. Ninguém se mexeu, ninguém falou nada. Ela encarou a boca de Robert debaixo do bigode retorcido e desejou que ele retirasse as palavras que acabara de dizer. Então o relógio sobre a lareira bateu e um murmúrio de consternação se ergueu na sala.

Os olhos de Maud se encheram de lágrimas. Walter lhe ofereceu um lenço de linho branco dobrado com esmero.

– Você vai ter que lutar – disse ela a Robert.

– É claro que sim – respondeu Robert. Falou depressa, como se estivesse afirmando o óbvio, mas parecia amedrontado.

Fitz se levantou.

– É melhor eu voltar para a Câmara e descobrir o que está acontecendo.

Várias outras pessoas foram embora. Na agitação generalizada, Walter falou baixinho com Maud:

– De repente, a proposta de Albert Ballin ficou dez vezes mais importante.

Maud achava o mesmo.

– Será que nós podemos fazer alguma coisa?

– Preciso saber o que o governo britânico de fato pensa a respeito.

– Vou tentar descobrir. – Ela estava grata pela oportunidade de agir.

– Tenho que voltar para a embaixada.

Maud observou Walter partir, desejando poder lhe dar um beijo de despedida. A maioria dos convidados foi embora na mesma hora e Maud subiu às escondidas para seu quarto.

Uma vez lá, tirou o vestido e se deitou na cama. Pensar em Walter indo à guerra a fez chorar descontroladamente. Depois de algum tempo, acabou pegando no sono.

Quando acordou, já era hora de sair. Ela havia sido convidada para o sarau de lady Glenconner. Sentiu-se tentada a ficar em casa, mas então lhe ocorreu que poderia haver um ou dois ministros do governo na casa dos Glenconner. Talvez pudesse descobrir algo útil para Walter. Levantou-se e foi se vestir.

Maud e tia Herm atravessaram o Hyde Park na carruagem de Fitz até Queen Anne's Gate, onde os Glenconner moravam. Entre os convidados estava Johnny Remarc, amigo de Maud e subsecretário no Departamento de Guerra; mais importante que isso, contudo, era que Sir Edward Grey estava presente. Ela se decidiu a falar com ele sobre Albert Ballin.

A música começou antes de a oportunidade surgir e ela se sentou para escutar. Campbell McInnes cantava uma seleção de canções de Händel – compositor alemão que vivera em Londres durante a maior parte da vida, pensou Maud com ironia.

Durante o recital, ela ficou observando discretamente Sir Edward Grey. Não gostava muito dele, que pertencia a um grupo político chamado imperialistas liberais, mais tradicional e conservador do que a maioria do partido. No entanto, sentiu uma compaixão repentina por Grey. Ele nunca fora um homem alegre, mas naquela noite seu rosto cadavérico parecia muito pálido, como se ele carregasse nos ombros todo o peso do mundo – o que obviamente era o caso.

McInnes cantava bem e Maud imaginou com pesar quanto Walter teria apreciado aquela noite, caso não estivesse ocupado demais para comparecer.

Assim que a música terminou, ela encurralou o ministro das Relações Exteriores.

– O Sr. Churchill me disse que lhe transmitiu um recado interessante de Albert Ballin – disse ela. Viu o semblante de Grey se retesar, mas continuou assim mesmo. – Se nós ficarmos de fora de uma guerra na Europa, a Alemanha promete não anexar nenhum território francês.

– Algo desse tipo – respondeu Grey com frieza.

Estava claro que ela havia puxado um assunto indigno. As regras de etiqueta exigiam que o abandonasse na mesma hora. Aquilo, contudo, não era apenas uma manobra diplomática: dizia respeito ao fato de Fitz e Walter terem ou não de ir à guerra. Ela insistiu:

– Pelo que entendi, a principal preocupação do senhor é que o equilíbrio de poder na Europa não seja perturbado, então imaginei que a proposta de Herr Ballin pudesse ser satisfatória para nós. Eu estava enganada?

– Com toda a certeza – respondeu ele. – Essa proposta é infame. – O ministro estava quase alterado.

Maud se desanimou. Como ele podia desdenhar a proposta de Ballin? Ela representava uma centelha de esperança!

– O senhor poderia explicar a uma simples mulher, que não entende esses assuntos com tanta rapidez, por que diz isso com tanta firmeza? – pediu ela.

– Fazer o que Ballin sugeriu seria o mesmo que preparar o terreno para a Alemanha invadir a França. Nós seríamos cúmplices. Estaríamos traindo de forma sórdida um país amigo.

– Ah – disse ela. – Acho que entendi. É como se alguém dissesse: "Vou assaltar seu vizinho, mas, se você ficar quieto e não interferir, prometo não queimar a casa dele também." É isso?

Grey se mostrou um pouco mais caloroso.

– Uma boa analogia – falou, com um sorriso mirrado. – Eu próprio vou usá-la.

– Obrigada – disse Maud. Não poderia estar mais decepcionada, e sabia que seu rosto mostrava isso, mas não conseguia evitar. – Infelizmente, isso nos deixa perigosamente próximos da guerra – concluiu com desânimo.

– Temo que sim – respondeu o ministro das Relações Exteriores.

V

Como a maioria dos parlamentos mundo afora, o britânico era dividido em duas câmaras. Fitz era membro da Câmara dos Lordes, que incluía a nata da aristocracia, os bispos e os juízes do alto escalão. A Câmara dos Comuns era formada por representantes eleitos conhecidos como membros do Parlamento. Ambas se reuniam no Palácio de Westminster, prédio gótico vitoriano construído para esse fim e dotado de uma torre com relógio. O relógio era chamado de Big Ben, embora Fitz gostasse de esclarecer que esse na verdade era o nome do grande sino existente no palácio.

Quando o Big Ben bateu o meio-dia da quarta-feira, 29 de julho, Fitz e Walter pediram um xerez para tomar antes do almoço na varanda ao lado do malcheiroso rio Tâmisa. Fitz, como sempre, admirou o palácio com satisfação: era extraordinariamente grande, rico e sólido, assim como o império governado a partir de suas salas e corredores. O prédio parecia capaz de durar mil anos – mas será que o império iria sobreviver? Fitz sentiu um calafrio ao pensar nas ameaças que pairavam sobre ele: sindicalistas arruaceiros, mineradores em greve, o Kaiser, o Partido Trabalhista, os irlandeses, as militantes feministas – até a própria irmã.

No entanto, não deu vazão a esses pensamentos sombrios, principalmente por estar diante de um convidado estrangeiro.

– Este lugar parece um clube – falou, descontraído. – Tem bares, salões de jantar, além de uma senhora biblioteca. E eles só deixam as pessoas adequadas entrarem. – Nesse instante, um membro liberal do Parlamento passou acompanhado de um membro liberal da Câmara dos Lordes, ao que Fitz concluiu: – Embora de vez em quando a ralé consiga passar pelo porteiro.

Walter estava animado com as últimas notícias.

– Você já soube? – indagou ele. – O Kaiser mudou completamente de atitude.

Fitz não estava sabendo.

– Como assim?

– Ele disse que a resposta sérvia não deixa mais motivos para uma guerra e que os austríacos não devem marchar além de Belgrado.

Fitz desconfiava dos planos de paz. Sua maior preocupação era que a Grã-Bretanha mantivesse seu posto de nação mais poderosa do mundo. Temia que o governo liberal colocasse isso a perder em nome de alguma crença tola de que todas as nações eram igualmente soberanas. Sir Edward Grey era um homem bastante sensato, mas poderia ser afastado pela ala esquerdista do partido – provavelmente liderada por Lloyd George –, e, nesse caso, tudo seria possível.

— Não marchar além de Belgrado – disse ele, pensativo. A capital sérvia ficava na fronteira: para capturá-la, o Exército austríaco teria de se aventurar menos de dois quilômetros no território da Sérvia. Os russos poderiam ser convencidos a considerar isso uma ação policial interna que não constituía ameaça para eles. – Pergunto-me o que isso significa.

Fitz não queria a guerra, mas parte dele acalentava em segredo essa possibilidade. Seria sua oportunidade de provar a própria coragem. Seu pai havia sido condecorado por sua participação em batalhas navais, mas Fitz jamais participara de um combate. Um homem precisava fazer certas coisas antes de poder realmente ser chamado de homem – e lutar pelo rei e pelo país era uma delas.

Eles foram abordados por um mensageiro vestido com libré – calça de veludo na altura do joelho e meias de seda brancas.

— Boa tarde, conde Fitzherbert – disse ele. – Seus convidados já chegaram e foram direto para o salão de jantar.

Depois de o mensageiro se retirar, Walter perguntou:

— Por que vocês os obrigam a se vestirem desse jeito?

— Tradição – respondeu Fitz.

Os dois esvaziaram suas taças e entraram. O corredor ostentava um tapete vermelho grosso e paredes revestidas de lambris entalhados. Eles seguiram até o salão de jantar dos membros da Câmara dos Lordes. Maud e tia Herm já estavam à mesa.

Aquele almoço fora ideia de Maud: Walter nunca tinha entrado no palácio, dissera ela. Enquanto Walter fazia uma mesura e Maud lhe dava um caloroso sorriso, um pensamento despropositado cruzou a mente de Fitz: será que havia uma certa *tendresse* entre eles? Não, isso era ridículo. Maud era capaz de qualquer coisa, é claro, mas Walter era um homem sensato demais para cogitar um matrimônio anglo-germânico em um momento de tensão como aquele. Além do mais, os dois eram como irmãos.

Quando os homens se sentaram, Maud disse:

— Estive na sua clínica pediátrica hoje pela manhã, Fitz.

Ele arqueou as sobrancelhas.

— A clínica é *minha*?

— Quem paga as contas é você.

— Pelo que me lembro, foi você quem me disse que deveria haver uma clínica no East End para mães e filhos sem nenhum homem para sustentá-los. Eu apenas concordei e, quando percebi, já estava recebendo as contas.

— Como você é generoso!

Fitz não se incomodava com aquilo. Um homem da sua condição tinha que fazer caridade, e era cômodo que Maud se encarregasse de todo o trabalho. Ele não espalhava aos quatro ventos que a maioria das mães que frequentavam a clínica não era casada nem nunca fora: não queria escandalizar sua tia duquesa.

– Duvido que você adivinhe quem apareceu lá mais cedo – prosseguiu Maud. – Williams, a governanta de Tŷ Gwyn. – Fitz ficou gelado. – Nós falamos sobre ela ontem à noite! – acrescentou Maud alegremente.

Fitz tentou manter uma expressão de indiferença inabalável. Como a maioria das mulheres, Maud tinha grande talento para interpretar os sentimentos masculinos. Não queria que ela desconfiasse da verdadeira natureza de seu envolvimento com Ethel: era embaraçoso demais.

Ele sabia que Ethel estava em Londres. Encontrara uma casa em Aldgate, que Fitz instruíra Solman a comprar no nome dela. Fitz temia o constrangimento de encontrá-la na rua, mas fora Maud quem havia topado com ela.

Por que teria ido à clínica? Fitz esperava que ela estivesse passando bem.

– Espero que ela não esteja doente – disse ele, tentando imprimir o tom de um simples comentário cortês.

– Nada grave – disse Maud.

Fitz sabia que as grávidas costumavam sofrer pequenas mazelas. Bea tivera um sangramento que a deixara preocupada, mas o professor Rathbone garantira que isso era comum por volta do terceiro mês e que geralmente não queria dizer nada, embora ela não devesse fazer muito esforço – não que houvesse o menor risco de Bea fazer esforço.

– Eu me lembro de Williams – disse Walter. – Cabelos encaracolados e um sorriso atrevido. Quem é o marido dela?

– Um lacaio que visitou Tŷ Gwyn com o patrão alguns meses atrás – respondeu Maud. – Teddy Williams é o nome dele.

Fitz sentiu o rosto corar um pouco. Então ela vinha chamando aquele marido imaginário de Teddy! Ele desejou que Maud não a tivesse encontrado. Queria esquecer Ethel. Mas ela se recusava a ir embora. Para esconder o constrangimento, ele fingiu olhar em volta à procura de um garçom.

Disse a si mesmo que precisava parar de frescura. Ethel era uma criada e ele um conde. Os homens da aristocracia sempre haviam buscado o prazer onde pudessem encontrá-lo. Esse tipo de coisa acontecia há centenas de anos, provavelmente milhares. Deixar-se levar por sentimentalismos era uma tolice.

Ele mudou de assunto repetindo, para as senhoras, as notícias de Walter sobre o Kaiser.

– Também fiquei sabendo – disse Maud. – Deus permita que os austríacos lhe deem ouvidos – acrescentou ela com fervor.

Fitz ergueu uma sobrancelha para a irmã.

– Por que tanto alvoroço?

– Eu não quero que você leve um tiro! – disse ela. – E não quero que Walter seja nosso inimigo. – A voz dela ficou embargada, e Fitz se perguntou por que as mulheres eram sempre tão emotivas.

– Lady Maud, a senhorita por acaso sabe como as sugestões do Kaiser foram recebidas por Asquith e Grey? – indagou Walter.

Maud se recompôs.

– Grey disse que, combinadas com a sua proposta de uma conferência de quatro poderes, elas poderiam evitar a guerra.

– Excelente! – disse Walter. – Era essa a minha esperança. – Ele estava entusiasmado como um menino, e a expressão em seu rosto fez Fitz se lembrar de quando ainda estavam na escola. Era daquele jeito que Walter tinha ficado ao ganhar o Prêmio de Música durante a gincana anual.

– Vocês viram que aquela horrível Madame Caillaux foi inocentada? – disse tia Herm.

Fitz ficou pasmo.

– Inocentada? Mas ela deu um tiro naquele homem! Foi a uma loja, comprou uma arma, colocou balas nela, foi até a redação do *Le Figaro*, pediu para ver o editor e o alvejou até a morte... como pode não ser culpada?

– Ela disse: "Essas armas disparam sozinhas." – respondeu tia Herm. – Francamente!

Maud soltou uma risada.

– O júri deve ter gostado dela – disse Fitz. Estava irritado com Maud por ela ter rido. Júris volúveis eram uma ameaça à ordem social. Não se podia tratar assassinato de forma leviana. – Típico dos franceses – falou ele com repulsa.

– Eu admiro Madame Caillaux – disse Maud.

Fitz soltou um grunhido de reprovação.

– Como você pode falar isso sobre uma assassina?

– Acho que mais gente deveria atirar em editores de jornal – disse ela, gracejando. – Talvez isso melhore a qualidade da imprensa.

VI

No dia seguinte, uma quinta-feira, Walter ainda estava cheio de esperança quando foi visitar Robert.

Apesar da pressão de homens como Otto, o Kaiser ainda hesitava. O ministro da Guerra alemão, Erich von Falkenhayn, havia exigido uma declaração *Zustand drohender Kriegsgefahr*, uma ação preliminar que acenderia o pavio da guerra – mas o Kaiser havia se recusado a fazê-la, pois acreditava ser possível evitar um conflito generalizado se os austríacos não marchassem além de Belgrado. E, quando o czar russo ordenara a mobilização de seu exército, o Kaiser Guilherme enviara um telegrama pessoal pedindo-lhe que reconsiderasse a questão.

Os dois eram primos. A mãe do Kaiser e a sogra do czar tinham sido irmãs, ambas filhas da rainha Vitória. Os monarcas falavam-se em inglês e se tratavam por "Nicky" e "Willy". A mensagem do primo Willy havia comovido o czar Nicolau, que emitira uma contraordem para deter a mobilização.

Se ambos conseguissem se manter firmes, talvez o futuro pudesse sorrir para Walter e Maud e para milhões de outras pessoas que só queriam viver em paz.

A embaixada austríaca era uma das casas mais imponentes da prestigiosa Belgrave Square. Walter foi conduzido até a sala de Robert. Os dois sempre compartilharam informações. Não havia motivo para ser de outra forma: seus dois países eram aliados próximos.

– O Kaiser parece decidido a fazer funcionar seu plano de "não marchar além de Belgrado" – disse Walter enquanto se sentava. – Depois, todas as questões pendentes poderão ser solucionadas.

Robert não demonstrava o mesmo otimismo.

– Não vai dar certo – falou.

– Mas por que não?

– Nós não estamos dispostos a parar em Belgrado.

– Pelo amor de Deus! – disse Walter. – Você tem certeza?

– A questão vai ser discutida pelos ministros em Viena amanhã de manhã, mas temo que o resultado já esteja certo. Não podemos parar em Belgrado sem garantias da Rússia.

– Garantias? – repetiu Walter, indignado. – Vocês precisam parar de lutar e *depois* conversar sobre os problemas. Não podem exigir garantias de antemão!

– Infelizmente nós não pensamos assim – disse Robert, inflexível.

– Mas nós somos seus aliados. Como vocês podem rejeitar nosso plano de paz?

– É simples. Pense um pouco. O que vocês podem fazer? Se a Rússia se mobilizar, ficarão ameaçados e terão de se mobilizar também.

Walter estava prestes a protestar, mas viu que Robert tinha razão. O Exército russo, uma vez mobilizado, seria uma ameaça grande demais.

Robert prosseguiu sem dó:

– Vocês são obrigados a lutar do nosso lado, quer queiram, quer não. – Seu rosto assumiu uma expressão contrita. – Perdoe-me se eu estiver soando arrogante. Estou apenas expondo a realidade.

– Que inferno! – exclamou Walter. Estava com vontade de chorar. Vinha se agarrando a uma esperança, mas as palavras implacáveis de Robert o haviam abalado. – A situação está degringolando, não é? – falou. – Os que querem a paz vão sair perdendo.

A voz de Robert mudou e, de repente, ele pareceu triste.

– Eu sabia disso desde o princípio – falou ele. – A Áustria tem que atacar.

Até então, Robert havia soado impetuoso, não triste. Por que a mudança? Para sondar o primo, Walter disse:

– Você talvez precise sair de Londres.

– Você também.

Walter assentiu. Se a Grã-Bretanha entrasse na guerra, todo o corpo diplomático austríaco e alemão teria que voltar para seus respectivos países sem delongas. Ele abaixou a voz:

– Você... vai sentir falta de alguém em especial?

Robert assentiu. Havia lágrimas em seus olhos.

Walter arriscou um palpite:

– Lorde Remarc?

Robert deu uma risada sem alegria.

– É tão óbvio assim?

– Só para quem conhece você.

– Johnny e eu achamos que estivéssemos sendo tão discretos... – Robert sacudiu a cabeça, pesaroso. – Pelo menos você pode se casar com Maud.

– Quem me dera.

– O que o impede?

– Um casamento entre um alemão e uma inglesa, com os dois países em guerra? Ela seria rejeitada por todos que conhece. E eu também. No meu caso, não ligaria para isso, mas jamais poderia impor algo assim a ela.

– Casem-se em segredo.

– Em Londres?

– Casem-se em Chelsea. Ninguém conhece vocês lá.

– Não é preciso morar no local?

– Basta mostrar um envelope com seu nome e um endereço no bairro. Eu moro em Chelsea... posso lhe dar uma carta endereçada ao Sr. Von Ulrich. – Ele vasculhou uma das gavetas de sua escrivaninha. – Tome. Uma conta do meu alfaiate endereçada ao Ilmo. Von Ulrich. Eles acham que Von é o meu primeiro nome.

– Talvez não haja mais tempo.

– Você pode pedir uma autorização especial.

– Minha nossa! – exclamou Walter. Estava atordoado. – Você tem razão. Posso mesmo.

– Vai precisar ir à prefeitura.

– Sim.

– Quer que eu lhe mostre onde fica?

Walter refletiu por um bom tempo, então falou:

– Quero, por favor.

VII

– Os generais venceram – disse Anton na sexta-feira, 31 de julho, parado em frente ao túmulo de Eduardo, o Confessor na Abadia de Westminster. – O czar cedeu ontem à tarde. Os russos estão se mobilizando.

Aquilo era uma sentença de morte. Walter sentiu seu coração gelar.

– É o começo do fim – continuou Anton, e Walter pôde ver o brilho da vingança nos olhos dele. – Os russos se acham fortes porque têm o maior exército do mundo. Mas a liderança deles é fraca. Vai ser o apocalipse.

Era a segunda vez na semana que Walter ouvia a mesma palavra. Mas, dessa vez, sabia que ela era justificável. Em poucas semanas, o Exército russo de seis milhões de homens – seis *milhões* – estaria reunido nas fronteiras da Alemanha e da Hungria. Nenhum líder europeu poderia ignorar uma ameaça dessas. A Alemanha teria que se mobilizar; o Kaiser não tinha mais escolha.

Não havia nada que Walter pudesse fazer. Em Berlim, o Estado-Maior Geral pressionava pela mobilização alemã e o chanceler, Theobald von Bethmann--Hollweg, havia prometido uma decisão até o meio-dia de sexta. Aquela notícia significava que lhe restava apenas uma decisão a tomar.

Walter precisava informar Berlim imediatamente. Despediu-se às pressas de Anton e saiu da igreja majestosa. Caminhou o mais rápido que pôde pela ruela chamada Storey's Gate, seguiu trotando pela borda leste do St. James's Park e subiu correndo os degraus junto ao monumento ao duque de York para entrar na embaixada alemã.

A porta da sala do embaixador estava aberta. O príncipe Lichnowsky estava sentado à sua mesa, com Otto em pé ao seu lado. Gottfried von Kessel estava ao telefone. Havia mais uma dúzia de pessoas na sala, enquanto auxiliares de escritório entravam e saíam apressados.

Walter estava sem ar. Ofegante, perguntou ao pai:

– O que está acontecendo?

– Berlim recebeu um cabo de nossa embaixada em São Petersburgo que diz apenas: "Primeiro dia de mobilização 31 de julho." Eles estão tentando confirmar a informação.

– O que Von Kessel está fazendo?

– Mantendo aberta a linha de telefone com Berlim para termos notícias.

Walter respirou fundo e deu um passo à frente.

– Alteza – disse ele ao príncipe Lichnowsky.

– Sim?

– Posso confirmar a mobilização russa. Minha fonte me informou menos de uma hora atrás.

– Certo. – Lichnowsky estendeu a mão para o telefone e Von Kessel lhe passou o aparelho.

Walter olhou para o relógio. Faltavam dez minutos para as onze – muito pouco para o prazo de meio-dia em Berlim.

– A mobilização russa foi confirmada por uma fonte segura aqui – disse Lichnowsky ao telefone.

Ele passou alguns segundos escutando. A sala estava em silêncio. Ninguém se movia.

– Sim – falou Lichnowsky por fim. – Entendo. Muito bem.

Ele desligou com um clique que pareceu uma trovoada.

– O chanceler decidiu – disse ele. Em seguida, repetiu as palavras que Walter vinha temendo ouvir. – *Zustand drohender Kriegsgefahr*. Preparem-se para a guerra iminente.

CAPÍTULO DEZ

1-3 de agosto de 1914

Maud estava louca de preocupação. Na manhã de sábado, sentada na sala do café da manhã da casa de Mayfair, não conseguia comer nada. O sol de verão entrava pelas janelas altas. A decoração deveria trazer uma sensação de paz – tapetes persas, paredes verde-água, cortinas azul-claras –, mas nada conseguia acalmá-la. A guerra estava chegando e ninguém parecia capaz de impedi-la: nem o Kaiser, nem o czar, nem Sir Edward Grey.

Bea entrou, usando um vestido de verão diáfano e um xale de renda. Grout, o mordomo, serviu-lhe café com as mãos enluvadas e ela apanhou um pêssego em uma fruteira.

Maud olhou para o jornal, mas não conseguiu passar das manchetes. Estava nervosa demais para se concentrar. Atirou o jornal de lado. Grout o pegou, dobrando-o com perfeição.

– Não se preocupe, senhora – disse ele. – Nós daremos uma sova nos alemães se for preciso.

Ela o fuzilou com o olhar, mas não disse nada. Era uma tolice discutir com criados – eles sempre acabavam concordando, por deferência.

Com tato, tia Herm se livrou do mordomo.

– Tenho certeza de que você está certo, Grout – falou. – Traga mais uns brioches quentes, sim?

Fitz entrou. Perguntou a Bea como estava se sentindo, e ela deu de ombros. Maud percebia que algo no relacionamento dos dois havia mudado, mas estava distraída demais para pensar no assunto. Sem demora, perguntou a Fitz:

– O que aconteceu ontem à noite? – Sabia que ele havia se reunido com a cúpula do Partido Conservador em uma casa de campo chamada Wargrave.

– F.E. apareceu com um recado de Winston. – F.E. Smith, membro conservador do Parlamento, era amigo íntimo do liberal Winston Churchill. – Ele propôs um governo de coalizão formado por liberais e conservadores.

Maud ficou chocada. Em geral, sabia o que estava acontecendo nos círculos liberais, mas o primeiro-ministro Asquith havia guardado esse segredo.

– Isso é inadmissível! – disse ela. – Assim a guerra se torna *mais* provável ainda.

Com uma calma irritante, Fitz pegou algumas linguiças na travessa aquecida sobre o aparador.

– A ala esquerdista do Partido Liberal é quase pacifista. Imagino que Asquith esteja com medo de que eles tentem atar suas mãos. Mas ele não tem apoio suficiente no próprio partido para derrubá-los. Para quem pode pedir ajuda? Só mesmo para os conservadores. Daí a proposta de coalizão.

Era o que Maud temia.

– O que Bonar Law disse sobre a proposta? – Andrew Bonar Law era o líder dos conservadores.

– Ele recusou.

– Graças a Deus.

– E eu o apoiei.

– Por quê? Você não quer que Bonar Law tenha um cargo no governo?

– Estou esperando mais do que isso. Se Asquith quer a guerra e se Lloyd George liderar uma rebelião da ala esquerdista, os liberais talvez fiquem divididos demais para governar. Nesse caso, o que aconteceria? Nós, conservadores, precisaríamos assumir... e Bonar Law se tornaria primeiro-ministro.

Furiosa, Maud disse:

– Está vendo como tudo parece conspirar a favor da guerra? Asquith quer uma coalizão com os conservadores porque eles são mais agressivos. Se Lloyd George liderar uma rebelião contra Asquith, os conservadores assumirão o poder de qualquer forma. Todos estão disputando posições em vez de lutar pela paz!

– E você? – indagou Fitz. – Foi a Halkyn House ontem à noite? – A casa do conde de Beauchamp era o quartel-general da ala pacifista.

Maud se animou. Havia uma nesga de esperança.

– Asquith convocou uma reunião do gabinete para hoje de manhã. – Algo raro de acontecer aos sábados. – Morley e Burns querem uma declaração de que a Grã-Bretanha não lutará contra a Alemanha em hipótese alguma.

Fitz sacudiu a cabeça.

– Eles não podem antecipar a decisão dessa forma. Grey renunciaria no ato.

– Grey vive ameaçando renunciar, mas nunca o faz.

– Mesmo assim, eles não podem correr o risco de uma cisão no gabinete agora, com seus adversários à espera de uma oportunidade, ansiosos para assumir o comando.

Maud sabia que Fitz estava certo. Poderia ter gritado de tanta frustração.

Bea largou a faca e emitiu um ruído estranho.

– Você está bem, querida? – perguntou Fitz.

Ela se levantou, segurando a barriga. Estava pálida.

– Com licença – falou, saindo às pressas da sala.

Maud se levantou, preocupada.

– É melhor eu ir ajudá-la.

– Deixe que eu vou – disse Fitz, surpreendendo-a. – Termine seu café.

A curiosidade de Maud a impediu de desconsiderar o assunto. Enquanto Fitz ia até a porta, ela perguntou:

– Bea está tendo enjoos matinais?

Fitz parou na soleira.

– Não conte a ninguém – disse ele.

– Parabéns. Estou muito feliz por vocês.

– Obrigado.

– Mas a criança... – A voz de Maud ficou presa na garganta.

– Ah! – disse tia Herm, compreendendo. – Mas que maravilha!

Com esforço, Maud prosseguiu.

– A criança vai nascer em um mundo em guerra?

– Misericórdia – disse tia Herm. – Eu não tinha pensado nisso.

Fitz deu de ombros.

– Não fará diferença para um recém-nascido.

Maud sentiu que lágrimas lhe subiam aos olhos.

– Para quando é o bebê?

– Janeiro – respondeu Fitz. – Por que você está tão abalada?

– Fitz – disse Maud, incapaz de conter as lágrimas. – Fitz, será que você ainda vai estar vivo?

II

A manhã de sábado foi frenética na embaixada alemã. Walter estava na sala do embaixador, filtrando telefonemas, trazendo telegramas e tomando notas. Aquele deveria estar sendo o momento mais empolgante de sua vida, não estivesse ele tão preocupado com seu futuro com Maud. No entanto, não conseguia saborear a adrenalina de participar de um grande jogo de poder internacional porque estava torturado pelo medo de que ele e a mulher que amava fossem se tornar inimigos de guerra.

Já não havia mais mensagens cordiais entre Willy e Nicky. Na tarde da véspera, o governo alemão havia transmitido um ultimato frio aos russos, dando-lhes 12 horas para deterem a mobilização de seu monstruoso exército.

O prazo havia passado sem nenhuma resposta de São Petersburgo.

Mesmo assim, Walter ainda acreditava que a guerra pudesse ficar limitada ao leste da Europa, de modo que a Alemanha e a Grã-Bretanha talvez continuassem amigas. O embaixador Lichnowsky compartilhava seu otimismo. Até mesmo Asquith tinha dito que a França e a Grã-Bretanha poderiam ficar como espectadoras. Afinal de contas, nenhum dos dois países tinha muito envolvimento com o futuro da Sérvia e da região dos Bálcãs.

A chave de tudo era a França. Berlim havia despachado um segundo ultimato na tarde anterior, desta vez para Paris, pedindo que os franceses se declarassem neutros. Era uma chance mínima, embora Walter se agarrasse a ela com desespero. O ultimato vencia ao meio-dia. Enquanto isso, Joseph Joffre, chefe do Estado-Maior, havia exigido a mobilização imediata do Exército francês e o governo se reuniria naquela manhã para deliberar sobre o assunto. Como em qualquer país, pensou Walter com pessimismo, os oficiais do Exército estavam pressionando seus chefes políticos para que dessem os primeiros passos rumo à guerra.

A dificuldade de prever que partido os franceses tomariam era frustrante.

Às 10h45, faltando 75 minutos para o prazo da França se esgotar, Lichnowsky recebeu uma visita surpresa: Sir William Tyrrell. Oficial importante, com larga experiência em assuntos internacionais, Tyrrell era secretário particular de Sir Edward Grey. Walter o conduziu imediatamente à sala do embaixador. Com um gesto, Lichnowsky pediu a Walter que ficasse.

Tyrrell falou em alemão:

– O ministro das Relações Exteriores pediu que eu lhes avisasse que um conselho de ministros reunido neste exato momento talvez lhe permita fazer um pronunciamento para vocês.

Tratava-se obviamente de um discurso ensaiado. Embora o alemão de Tyrrell fosse perfeitamente fluente, ainda assim Walter não conseguiu entender o que aquilo significava. Lançou um olhar para Lichnowsky e viu que ele também estava confuso.

– Um pronunciamento que talvez se mostre útil para evitar a grande catástrofe – prosseguiu Tyrrell.

Aquilo era animador, porém vago. Walter teve vontade de dizer: *Vá direto ao assunto!*

Lichnowsky respondeu com a mesma formalidade diplomática forçada.

– Que indicações o senhor pode me dar em relação ao teor do pronunciamento, Sir William?

Pelo amor de Deus, pensou Walter, esta é uma questão de vida ou morte!

O representante do governo falou com uma precisão calculada:

– Existe a possibilidade de que, se a Alemanha não atacar a França, tanto a França quanto a Grã-Bretanha venham a repensar se estão de fato obrigadas a intervir no conflito na Europa Oriental.

Walter ficou tão chocado que deixou cair o lápis. A França e a Grã-Bretanha fora da guerra – era o que ele queria! Encarou Lichnowsky. O embaixador também parecia surpreso e exultante.

– Isso é muito promissor – disse ele.

Tyrrell ergueu uma das mãos em sinal de cautela.

– Entenda, por favor, que não posso prometer nada.

Claro, pensou Walter, mas o senhor não veio aqui para jogar conversa fora.

– Então deixe-me dizer somente que uma proposta de restringir a guerra ao leste da Europa seria examinada com grande interesse por Sua Majestade o Kaiser Guilherme e pelo governo alemão – falou Lichnowsky.

– Obrigado. – Tyrrell se levantou. – Transmitirei essa resposta a Sir Edward.

Walter conduziu Tyrrell até a saída. Estava eufórico. Se a França e a Grã-Bretanha ficassem fora da guerra, nada poderia impedi-lo de se casar com Maud. Estaria ele se iludindo?

Retornou à sala do embaixador. Antes que os dois pudessem conversar sobre o que Tyrrell dissera, o telefone tocou. Walter atendeu e ouviu uma voz inglesa conhecida dizer:

– Aqui é Grey. Posso falar com Sua Excelência?

– Naturalmente, senhor. – Walter passou o fone para o embaixador. – Sir Edward Grey.

– Lichnowsky falando. Bom dia... Sim, Sir William acaba de sair daqui...

Walter ficou encarando o embaixador, ouvindo com sofreguidão a sua metade da conversa e tentando interpretar suas expressões.

– É uma sugestão muito interessante... Permita-me deixar clara a nossa posição. A Alemanha não tem nada contra a França ou a Grã-Bretanha.

Grey parecia estar corroborando o que Tyrrell tinha dito. Os ingleses sem dúvida estavam levando aquilo muito a sério.

– Está claro que a mobilização russa é uma ameaça que não pode ser ignorada – disse Lichnowsky –, mas é uma ameaça à nossa fronteira oriental e à de nossa aliada, a Áustria-Hungria. Nós pedimos à França uma garantia de neutralidade. Se a França puder nos dar isso, ou se, como alternativa, a Grã-Bretanha puder garantir a neutralidade francesa, não haverá motivo para uma guerra na Europa

Ocidental... Obrigado, ministro. Perfeito... ligarei para o senhor às três e meia da tarde de hoje. – Ele desligou.

Ele olhou para Walter. Ambos sorriram, triunfantes.

– Ora – disse Lichnowsky –, por essa eu não esperava!

III

Maud estava em Sussex House, onde um grupo de influentes membros conservadores das câmaras dos Comuns e dos Lordes havia se reunido na sala de estar matutina da duquesa para tomar chá. Foi então que Fitz apareceu, bufando de raiva.

– Asquith e Grey estão desmoronando! – exclamou ele, apontando para um suporte de bolo feito de prata. – Desmoronando como aquela broa despedaçada. Eles vão trair nossos amigos. Sinto vergonha de ser britânico.

Maud vinha temendo isso. Fitz não fazia concessões. Para o irmão, cabia à Grã-Bretanha dar ordens e ao mundo obedecê-las. A ideia de que o governo tivesse que negociar com terceiros em pé de igualdade lhe causava repulsa. E o número de pessoas que concordavam com ele era preocupante.

– Acalme-se, Fitz querido, e conte-nos o que aconteceu – pediu a duquesa.

– Asquith mandou uma carta para Douglas hoje de manhã – disse Fitz. Maud supôs que ele estivesse se referindo ao general Sir Charles Douglas, chefe do Estado-Maior Imperial. – O nosso primeiro-ministro pretendia deixar registrado que o governo jamais havia prometido enviar soldados britânicos à França no caso de guerra contra a Alemanha!

Maud, que era a única liberal no recinto, sentiu-se obrigada a defender o governo:

– Mas é verdade, Fitz. Asquith está só deixando claro que as nossas alternativas ainda estão em aberto.

– Então para que serviram todas as conversas que tivemos com as Forças Armadas francesas?

– Para explorar possibilidades! Para fazer planos de contingência! Conversas não são contratos... sobretudo em termos de política internacional.

– Amigos são amigos. A Grã-Bretanha é um líder mundial. Uma mulher não entende a complexidade desse tipo de situação, mas as pessoas esperam que nós protejamos nossos vizinhos. Como cavalheiros, temos aversão a qualquer indício de engodo e deveríamos agir da mesma forma como país.

Era esse o tipo de conversa que ainda podia levar a Grã-Bretanha a se envolver em uma guerra, pensou Maud, sentindo uma pontada de pânico. Não conseguia de forma alguma fazer o irmão entender o perigo. O amor que nutriam um pelo outro sempre tinha sido mais forte do que suas diferenças políticas, mas agora os dois estavam tão contrariados que poderiam brigar feio. E, quando Fitz se desentendia com alguém, nunca fazia as pazes. No entanto, era ele quem teria de lutar e, quem sabe, morrer – baleado, transpassado por uma baioneta ou destroçado por uma bomba. Ele e Walter também. Como Fitz não enxergava isso? Maud tinha vontade de gritar.

Enquanto ela lutava para encontrar as palavras certas, um dos presentes falou. Maud o reconheceu como o editor da seção internacional do jornal *The Times*, um homem chamado Steed.

– Eu posso lhes dizer que está havendo uma suja tentativa financeira internacional por parte dos judeus alemães para intimidar meu jornal e fazê-lo defender a neutralidade – disse ele.

A duquesa contraiu os lábios: não gostava do linguajar chulo da imprensa marrom.

– Por que o senhor diz isso? – perguntou Maud a Steed com frieza.

– Lorde Nathan Rotschild falou ontem com nosso editor de economia – respondeu o jornalista. – Ele quer que moderemos o tom antialemão de nossos artigos em nome da paz.

Maud conhecia Natty Rotschild, que era um liberal.

– E o que lorde Northcliffe pensa sobre o pedido de Rotschild? – perguntou ela. Northcliffe era o dono do jornal.

Steed sorriu.

– Ele mandou que publicássemos um artigo ainda mais duro hoje. – Steed pegou um exemplar do *Times* em uma mesa de canto e o brandiu no ar. – "A paz não é nosso maior interesse" – citou.

Maud não conseguia pensar em nada mais desprezível do que incentivar a guerra de forma tão deliberada. Notou que até Fitz achava repulsiva a atitude frívola do jornalista. Ela estava prestes a dizer algo quando o irmão, cuja cordialidade jamais falhava, nem mesmo diante dos homens mais grosseiros, mudou de assunto.

– Encontrei há pouco o embaixador francês, Paul Cambon, saindo do Ministério das Relações Exteriores – disse. – Estava branco como papel. "*Ils vont nous lâcher*", disse ele. "Eles vão nos abandonar." Tinha acabado de conversar com Grey.

– Você sabe o que Grey disse para deixar Monsieur Cambon tão abalado? – perguntou a duquesa.

– Sei, Cambon me disse. Parece que os alemães estão dispostos a deixar a França em paz se ela prometer ficar fora da guerra... E, se os franceses recusarem essa proposta, os britânicos não se sentirão obrigados a defendê-los.

Maud sentiu pena do embaixador francês, mas seu coração deu um pulo de esperança diante da possibilidade de a Grã-Bretanha não participar da guerra.

– Mas a França é obrigada a recusar essa proposta – argumentou a duquesa. – Ela assinou um tratado com a Rússia, pelo qual um país deve ajudar o outro em caso de guerra.

– Exatamente! – disse Fitz com irritação. – De que adianta fazer alianças internacionais se é para rompê-las em momentos de crise?

– Isso é tolice – retrucou Maud, ciente de que estava sendo grosseira, mas pouco se importando. – As alianças internacionais são rompidas sempre que os países julgam conveniente. A questão não é essa.

– E posso saber qual é? – perguntou Fitz com voz gélida.

– Eu acho que Asquith e Grey estão apenas tentando dar um choque de realidade nos franceses. A França não conseguiria derrotar a Alemanha sem a nossa ajuda. Se acharem que podem ter de lutar sozinhos, talvez os franceses assumam uma postura pacifista e pressionem seus aliados russos a abrirem mão de uma guerra contra a Alemanha.

– E a Sérvia?

– Mesmo a esta altura, não é tarde demais para a Rússia e a Áustria se sentarem à mesa e negociarem uma solução para os Bálcãs aceitável para ambas – disse Maud.

O silêncio que se seguiu durou vários segundos, então Fitz falou:

– Duvido muito que vá acontecer coisa parecida.

– Mas não deveríamos – disse Maud, notando, enquanto falava, o desespero na própria voz –, não deveríamos manter viva essa esperança?

IV

Sentada em seu quarto, Maud não conseguia reunir forças para mudar de roupa e ir jantar. Sua criada havia separado um vestido e algumas joias, porém Maud só conseguia olhar para eles.

No período conhecido como temporada londrina, que se estendia do final da Páscoa até meados de agosto, ela costumava ir a festas quase todas as noites, porque grande parte da política e da diplomacia que tanto a fascinavam ocorria durante eventos sociais. Naquela noite, contudo, sentia-se incapaz de sair – não conseguiria se mostrar glamourosa e encantadora; não conseguiria convencer homens poderosos a lhe dizer o que estavam pensando; não conseguiria jogar o jogo de fazê-los mudar de opinião sem que eles desconfiassem que estavam sendo convencidos.

Walter iria à guerra. Vestiria um uniforme e portaria uma arma, e soldados inimigos iriam disparar contra ele bombas, morteiros e rajadas de metralhadora para tentar matá-lo ou feri-lo de tal forma que ele jamais voltaria a ficar em pé. Ela tinha dificuldade de pensar em qualquer outra coisa e vivia à beira das lágrimas. Chegara até a trocar palavras ásperas com seu adorado irmão.

Alguém bateu na porta. Grout estava em pé do lado de fora.

– Herr Von Ulrich está aqui, senhora – anunciou o mordomo.

Maud ficou chocada. Não estava esperando Walter. O que ele estaria fazendo ali?

Ao perceber sua surpresa, Grout acrescentou:

– Quando eu disse que meu patrão não estava em casa, ele pediu para ver a senhorita.

– Obrigada – disse Maud, passando por Grout e começando a descer a escada.

Grout ainda falou:

– Herr Von Ulrich está na sala de estar. Vou avisar a lady Hermia para se juntar a vocês. – Até mesmo Grout sabia que Maud não devia ser deixada sozinha com um rapaz. Tia Herm, no entanto, não era nada rápida, de modo que vários minutos se passariam antes de ela chegar.

Maud entrou às pressas na sala de estar e se atirou nos braços de Walter.

– O que nós vamos fazer? – lamentou-se. – Walter, o que nós vamos fazer?

Ele a abraçou com força, fitando-a em seguida com expressão grave. Seu rosto estava sombrio e abatido. Era como se tivesse recebido a notícia da morte de alguém.

– A França não respondeu ao ultimato alemão – disse ele.

– Eles não disseram nada? – perguntou ela com um grito.

– O nosso embaixador em Paris insistiu em receber uma resposta. A mensagem do primeiro-ministro Viviani foi: "A França cuidará de seus próprios interesses." Eles não vão prometer neutralidade.

– Mas talvez ainda haja tempo...

– Não. Eles decidiram se mobilizar. Joffre ganhou a discussão... assim como os militares de todos os países. Os telegramas foram enviados às quatro da tarde de hoje, horário de Paris.

– Mas tem que haver alguma coisa que vocês possam fazer!

– A Alemanha agora ficou sem alternativas – disse ele. – Não podemos lutar contra a Rússia com uma França hostil atrás de nós, armada e ávida para recuperar a Alsácia-Lorena. Então devemos atacar a França. O Plano Schlieffen já foi acionado. Em Berlim, as multidões estão cantando o *Kaiserhymne* nas ruas.

– Você vai ter que se juntar ao seu regimento – disse ela, sem conseguir segurar as lágrimas.

– Naturalmente.

Ela enxugou o rosto. Seu lenço era pequeno demais, um retalho idiota de cambraia de linho bordada. Em vez do lenço, usou a manga da roupa.

– Quando? – indagou. – Quando terá que ir embora de Londres?

– Vai demorar alguns dias. – Maud notou que ele próprio estava contendo as lágrimas. – Existe alguma chance de a Grã-Bretanha ficar de fora da guerra? – perguntou. – Assim eu pelo menos não estaria lutando contra o seu país.

– Não sei – respondeu Maud. – O futuro dirá. – Ela o puxou para mais perto. – Por favor, me abrace forte. – Então, recostou a cabeça em seu ombro e fechou os olhos.

V

Fitz sentiu raiva ao ver uma passeata contra a guerra ocupar a Trafalgar Square na tarde de domingo.

Keir Hardie, membro trabalhista da Câmara dos Comuns, estava discursando, vestido com um terno de tweed. Parece um guarda de caça, pensou Fitz. Em pé no pedestal da Coluna de Nelson, Hardie gritava com a voz rouca em seu sotaque escocês, denegrindo a lembrança do herói que morreu pela Grã-Bretanha na batalha de Trafalgar.

Ele dizia que a guerra iminente seria a maior catástrofe que o mundo já havia testemunhado. Representava um distrito minerador – Merthyr, próximo a Aberowen. Era filho ilegítimo de uma criada e, antes de entrar para a política, havia sido minerador. O que aquele sujeito sabia sobre a guerra?

Fitz se afastou, enojado, e entrou na casa da duquesa para tomar o chá. No hall de entrada, deparou com Maud, que estava muito entretida em uma conversa com Walter. Para seu profundo pesar, a crise o estava afastando de ambos. Ele amava a irmã e gostava muito de Walter, porém Maud era liberal e Walter era alemão, assim, em um momento como aquele, era difícil sequer lhes dirigir a palavra. De qualquer maneira, ele fez o possível para soar simpático quando disse a Maud:

– Ouvi dizer que a reunião do gabinete hoje de manhã foi atribulada.

Ela aquiesceu.

– Churchill mobilizou a frota ontem à noite sem consultar ninguém. Pela manhã, John Burns renunciou em protesto.

– Não posso fingir que lamento. – Burns era um velho radical, o mais fervoroso antibelicista dos ministros do gabinete. – Então os demais devem ter apoiado a ação de Winston.

– Com relutância.

– Devemos agradecer pelas pequenas coisas. – Fitz ficava consternado ao pensar que, em um momento de perigo para a nação, o governo estivesse nas mãos daqueles esquerdistas titubeantes.

– Mas recusaram o pedido de Grey para nos comprometermos a defender a França – disse Maud.

– Continuam agindo como covardes, então – comentou Fitz. Sabia que estava sendo grosseiro com a irmã, mas sentia-se contrariado demais para se conter.

– Não exatamente – disse Maud com tranquilidade. – Eles concordaram em impedir a Marinha alemã de atravessar o canal da Mancha para atacar a França.

Fitz se animou um pouco.

– Bem, já é alguma coisa.

– O governo alemão reagiu dizendo que não temos nenhuma intenção de mandar navios atravessarem o canal da Mancha – interveio Walter.

– Viu o que acontece quando se age com firmeza? – perguntou Fitz a Maud.

– Não seja tão presunçoso, Fitz – respondeu ela. – Se nós entrarmos em guerra, será porque pessoas como você não se esforçaram o suficiente para evitá-la.

– Ah, é mesmo? – Ele estava ofendido. – Bem, nesse caso, deixe-me lhe dizer uma coisa. Falei com Sir Edward Grey ontem à noite no clube Brook's. Ele pediu tanto aos franceses quanto aos alemães que respeitassem a neutralidade da Bélgica. Os franceses concordaram na hora. – Fitz lançou um olhar desafiador para Walter. – Os alemães não responderam.

– É verdade. – Walter deu de ombros, como se pedisse desculpas. – Meu caro Fitz, você, como soldado, entende que nós não poderíamos dar uma resposta, fosse ela positiva ou negativa, sem revelarmos nossos planos de guerra.

– De fato, eu entendo, mas, levando-se em conta o que eu disse, quero saber por que minha irmã me considera um fomentador da guerra, enquanto você seria um pacifista.

Maud se esquivou da pergunta.

– Lloyd George acha que a Grã-Bretanha deveria intervir apenas se o Exército alemão invadir o território belga de forma *significativa*. Ele talvez proponha isso na reunião do gabinete hoje à noite.

Fitz sabia o que isso significava. Furioso, falou:

– Então vamos dar à Alemanha permissão para atacar a França pela extremidade sul da Bélgica?

– Esse me parece ser exatamente o sentido da proposta.

– Eu sabia – disse Fitz. – Traidores de uma figa. Eles estão querendo se desobrigar do seu dever. Farão qualquer coisa para evitar uma guerra!

– Quem me dera você tivesse razão – falou Maud.

VI

Maud fora à Câmara dos Comuns na segunda-feira à tarde para ouvir o discurso de Sir Edward Grey aos membros do Parlamento. Todos concordavam que seria um divisor de águas. Tia Herm foi também. Pela primeira vez, Maud sentiu-se grata pela companhia reconfortante de uma senhora de idade.

O destino de Maud seria decidido naquela tarde, bem como o de milhares de homens em idade militar. Dependendo do que Grey dissesse e de como o Parlamento reagisse, mulheres da Europa inteira poderiam ficar viúvas e seus filhos, órfãos.

Maud já não sentia mais raiva – talvez tivesse esgotado todo o seu rancor. Agora tudo o que sentia era medo. Guerra ou paz, casamento ou solidão, vida ou morte: seu destino.

Era feriado, de modo que uma imensa população de bancários, funcionários públicos, advogados, corretores da Bolsa e comerciantes da cidade estava de folga. A maioria parecia ter se aglomerado nas cercanias das grandes repartições do governo em Westminster, na esperança de saber as notícias em primeira mão. O chofer conduziu lentamente a limusine Cadillac de sete lugares de Fitz por entre a multidão reunida na Trafalgar Square, na Avenida Whitehall e na Parliament Square. O tempo estava nublado mas quente, e os jovens mais modernos usavam chapéus de palha. Maud viu um reclame do *Evening Standard* que dizia: À BEIRA DA CATÁSTROFE.

A multidão vibrou quando o carro parou em frente ao Palácio de Westminster, soltando um grunhido de decepção quando não viu nada mais interessante do que duas senhoras saírem de dentro dele. As pessoas queriam ver seus heróis, homens como Lloyd George e Keir Hardie.

Aquele palácio era um símbolo da obsessão vitoriana com a decoração, pensou Maud. A pedra era intrincadamente esculpida, todas as paredes eram revestidas de lambris, os ladrilhos do piso e os vitrais eram multicoloridos e os tapetes todos estampados.

Embora fosse feriado, os parlamentares estavam reunidos, e o prédio estava cheio de membros das câmaras dos Comuns e dos Lordes, a maioria ostentando o uniforme da casa, composto de casaca preta e cartola de seda também preta. Somente os membros trabalhistas contrariavam o código de vestimenta usando ternos de tweed ou de passeio.

Maud sabia que a ala pacifista ainda era maioria no gabinete. Lloyd George obtivera uma vitória na véspera e o governo não iria intervir caso a Alemanha cometesse uma violação meramente técnica do território belga.

Para melhorar um pouco a situação, os italianos haviam declarado neutralidade, dizendo que seu tratado com a Áustria só os obrigava a entrar em uma guerra defensiva, enquanto as ações austríacas na Sérvia eram claramente ofensivas. Até ali, pensou Maud, a Itália era o único país a ter demonstrado algum bom senso.

Fitz e Walter aguardavam no saguão central em formato octogonal. Maud perguntou na mesma hora:

– Não fiquei sabendo o que aconteceu na reunião de hoje de manhã do gabinete... e vocês?

– Mais três renúncias – disse Fitz. – Morley, Simon e Beauchamp.

Todos os três eram contra a guerra. Maud ficou desanimada, mas também intrigada.

– E Lloyd George, não?

– Não.

– Que estranho! – Ela sentiu um calafrio, como se pressentisse algo ruim. Teria havido uma cisão na ala pacifista? – O que Lloyd George está tramando?

– Não sei, mas posso adivinhar – respondeu Walter. Ele exibia um ar solene. – Ontem à noite, a Alemanha exigiu salvo-conduto para os nossos soldados atravessarem a Bélgica.

Maud arquejou de espanto.

– O governo belga ficou reunido das nove da noite de ontem até as quatro da manhã de hoje, depois rejeitou o pedido e disse que o país iria à guerra – continuou Walter.

Aquilo era terrível.

– Então Lloyd George estava errado... – disse Fitz. – O Exército alemão não vai cometer uma violação meramente técnica.

Walter não disse nada, mas abriu os braços em um gesto de impotência.

Maud temia que o ultimato brutal da Alemanha, bem como a insubordinação temerária do governo belga, pudesse ter minado a ala pacifista do gabinete.

Bélgica e Alemanha lembravam demais Davi e Golias. Lloyd George tinha um faro para a opinião pública. Teria ele sentido que o clima estava prestes a mudar?

– Precisamos tomar nossos lugares – disse Fitz.

Muito apreensiva, Maud atravessou uma pequena porta e subiu a escadaria comprida que dava na Galeria dos Espectadores, com vista para a sala da Câmara dos Comuns. Era ali que se reunia o governo soberano do Império Britânico. Naquele lugar, questões de vida ou morte eram decididas para os 444 milhões de pessoas que viviam, de uma forma ou de outra, sob domínio britânico. Sempre que entrava ali, Maud ficava impressionada com o tamanho do recinto, que era menor do que a maioria das igrejas de Londres.

Governo e oposição estavam sentados frente a frente em fileiras sucessivas de bancos, separados por um espaço que – segundo rezava a lenda – tinha o comprimento de duas espadas, de modo a impedir uma luta entre os oponentes. Durante a maior parte dos debates, a Câmara ficava quase vazia, com no máximo uma dúzia de parlamentares esparramados à vontade sobre os estofados de couro verde. Naquele dia, porém, os bancos estavam apinhados e os membros do Parlamento que não haviam conseguido encontrar um lugar encontravam-se de pé junto à porta. Apenas as fileiras da frente estavam vazias, uma vez que esses lugares eram tradicionalmente reservados para os ministros do governo, de um lado, e para os líderes da oposição do outro.

Era sugestivo, pensou Maud, que o debate fosse ocorrer naquela sala, em vez de na Câmara dos Lordes. Na verdade, muitos dos membros da câmara alta, a exemplo de Fitz, estavam na galeria como observadores. A autoridade da Câmara dos Comuns provinha do fato de seus membros terem sido eleitos por voto popular – embora o direito de voto fosse restrito a pouco mais da metade dos homens adultos e não se estendesse às mulheres. Asquith passara a maior parte do seu mandato como primeiro-ministro lutando contra os membros da Câmara dos Lordes, sobretudo quando o assunto eram os planos de Lloyd George de conceder uma pequena pensão aos idosos. As batalhas tinham sido ferozes, mas os Comuns sempre haviam saído vitoriosos. O motivo por trás disso, segundo Maud, era que a aristocracia inglesa morria de medo de que a Revolução Francesa se repetisse no país, de modo que no final sempre fazia uma concessão.

Os ocupantes das primeiras fileiras entraram e Maud percebeu na mesma hora o clima que reinava entre os liberais. O primeiro-ministro Asquith sorria depois de ouvir algum comentário do quacre Joseph Pease, e Lloyd George conversava com Sir Edward Grey.

– Minha nossa! – murmurou ela.

– O que foi? – quis saber Walter, sentado ao seu lado.

– Olhe só para eles – disse Maud. – Parece até uma reunião de amigos. Esqueceram as desavenças.

– Não dá para saber isso só de olhar.

– Dá, sim.

O presidente entrou usando uma peruca antiquada e foi se sentar no trono elevado. Ele chamou o ministro das Relações Exteriores e Grey pôs-se de pé; seu rosto emaciado estava pálido e aflito.

Grey não tinha talento para a oratória. Era prolixo e maçante. Mesmo assim, os membros do Parlamento apinhados nos bancos e os visitantes na galeria lotada o escutaram em meio a um silêncio atento, aguardando com paciência a parte mais importante.

Ele falou durante 45 minutos antes de mencionar a Bélgica. Então, por fim, revelou os detalhes do ultimato alemão que Walter havia explicado a Maud cerca de uma hora antes. Os membros do Parlamento ficaram em polvorosa. Maud constatou que, como ela havia temido, aquilo mudava tudo. As duas alas do Partido Liberal – os imperialistas de direita e os esquerdistas defensores dos direitos das pequenas nações – ficaram indignadas.

Grey citou Gladstone e perguntou:

– Será que, nas atuais circunstâncias, este país, dotado de tamanha influência e poder, ficará parado sem fazer nada diante do crime mais grave que já maculou as páginas da história, tornando-se assim participante desse pecado?

Mas que tolice, pensou Maud. A invasão da Bélgica não seria o crime mais grave da história. E quanto ao massacre de Cawnpore? E quanto ao tráfico de escravos? A Grã-Bretanha não intervinha sempre que um país era invadido. Era um absurdo afirmar que esse tipo de inação tornava o povo britânico participante do pecado.

No entanto, poucos ali pensavam como ela. Os parlamentares de ambos os lados aplaudiram. Maud observou, consternada, a primeira fila reservada para os governantes. Todos os ministros que na véspera se opunham fervorosamente à guerra agora aquiesciam em sinal de aprovação: o jovem Herbert Samuel; Lewis "Lulu" Harcourt; o quacre Joseph Pease, presidente da Sociedade para a Paz; e, o que era ainda pior, o próprio Lloyd George. Ela percebeu, desesperada, que o fato de Lloyd George estar apoiando Grey significava que a batalha política havia chegado ao fim. A ameaça alemã à Bélgica unira as duas alas opostas.

Grey não era capaz de mobilizar as emoções de seus ouvintes como Lloyd George – e tampouco soava como um profeta do Antigo Testamento como era o caso de Churchill. Naquele dia, contudo, ele não precisava desses talentos, pensou Maud: os fatos davam conta de todo o trabalho. Ela se virou para Walter e perguntou, com um sussurro exaltado:

– Por quê? Por que a Alemanha fez isso?

O rosto dele se contorceu em uma expressão de agonia, mas Walter respondeu com a mesma lógica serena de sempre:

– Ao sul da Bélgica, a fronteira entre Alemanha e França é muito bem fortificada. Se atacássemos ali, nós venceríamos, mas seria demorado... a Rússia teria tempo de se mobilizar e nos atacar por trás. A única forma de garantirmos uma vitória rápida é cruzando a Bélgica.

– Mas isso também garante que a Grã-Bretanha vai entrar em guerra contra vocês!

Walter assentiu.

– Mas o Exército britânico é pequeno. Vocês contam apenas com a Marinha, e esta não é uma guerra naval. Nossos generais acham que a Grã-Bretanha não fará muita diferença.

– Você concorda?

– Na minha opinião, nunca é inteligente transformar um vizinho rico e poderoso em inimigo. Mas eu fui voto vencido.

E era isso que havia acontecido repetidas vezes ao longo das últimas duas semanas, pensou Maud, sem esperanças. Em todos os países, aqueles que eram contra a guerra haviam sido derrotados. Os austríacos tinham atacado a Sérvia quando poderiam ter evitado isso; os russos se mobilizaram em vez de negociar; os alemães se recusaram a participar de uma conferência internacional para resolver a questão; os franceses haviam desdenhado a oportunidade de permanecerem neutros; e agora os britânicos estavam prestes a entrar na guerra quando poderiam facilmente ter ficado de fora.

Grey havia chegado ao final de seu discurso.

– Eu expus a esta Casa os fatos mais importantes, e se, como não parece improvável, nós formos forçados, e forçados rapidamente, a tomar uma posição firme em relação a essas questões, então eu acredito que, quando o país perceber o que está em jogo, quais são os verdadeiros problemas, a magnitude dos perigos iminentes no oeste da Europa, coisas que me esforcei para descrever diante desta Casa, seremos apoiados integralmente não apenas pela Câmara dos Comuns, mas pela determinação, pela confiança, pela coragem e pela resistência do país inteiro.

Ele foi se sentar ao som de uma vibração generalizada. Não houvera votação e Grey sequer fizera qualquer proposta, mas a reação do Parlamento deixava claro que seus membros estavam prontos para a guerra.

Andrew Bonar Law, líder da oposição, levantou-se para dizer que o governo podia contar com o apoio dos conservadores. Isso não surpreendeu Maud: eles sempre se mostravam mais belicosos do que os liberais. No entanto, ficou pasma, assim como todos os demais, quando o líder nacionalista irlandês disse o mesmo. Maud teve a sensação de estar vivendo em um hospício. Seria ela a única pessoa do mundo a querer a paz?

O único a se opor foi o líder do Partido Trabalhista.

– Eu acho que ele está errado – disse Ramsay MacDonald, referindo-se a Grey. – Acho que o governo que ele representa e do qual é porta-voz está errado. Acho que o veredicto da história será que eles estão errados.

Mas ninguém lhe deu ouvidos. Alguns membros do Parlamento já deixavam a sala. A galeria também estava se esvaziando. Fitz se levantou e o resto do grupo o imitou. Maud os seguiu, apática. Mais abaixo, na sala da Câmara, MacDonald dizia:

– Se um cavalheiro correto e honrado tivesse vindo aqui hoje e nos dito que nosso país corre perigo, pouco me importaria o seu partido ou a sua classe: nós o apoiaríamos... De que adianta falarmos em ajudar a Bélgica quando na verdade vocês estão entrando em uma guerra que envolverá toda a Europa? – Maud saiu da galeria e não ouviu mais nada.

Aquele era o pior dia de sua vida. Seu país iria travar uma guerra desnecessária, seu irmão e o homem que ela amava arriscariam as próprias vidas e ela seria separada de seu noivo, talvez para sempre. Não havia mais esperança alguma – ela estava dominada pelo desespero.

O grupo desceu a escadaria liderado por Fitz.

– Foi muito interessante, meu caro Fitz – disse tia Herm com educação, como se tivesse sido levada a uma exposição de arte que acabou se revelando melhor do que o esperado.

Walter segurou o braço de Maud para detê-la. Ela esperou que três ou quatro pessoas os ultrapassassem, até Fitz não poder mais escutá-los. Mas não estava preparada para o que ouviu.

– Case-se comigo – disse Walter em voz baixa.

Seu coração disparou.

– O quê? – sussurrou ela. – Como?

– Por favor, case-se comigo, amanhã.

– Mas não é possível...

– Eu consegui uma autorização especial. – Ele apalpou o bolso da frente do paletó. – Fui ao Cartório de Chelsea na sexta-feira.

A cabeça de Maud estava a mil. Tudo o que ela conseguiu dizer foi:

– Nós combinamos que iríamos esperar. – Logo que disse essas palavras, ela quis retirá-las.

Ele, no entanto, já estava falando outra vez:

– Nós já esperamos. A crise acabou. Amanhã ou depois o seu país e o meu estarão em guerra. Eu terei que ir embora da Grã-Bretanha. Quero me casar com você antes de partir.

– Nós não sabemos o que vai acontecer! – disse ela.

– É verdade. Mas, seja qual for o futuro, eu quero que você seja minha mulher.

– Mas... – Maud se calou. Por que estava fazendo objeções? Ele estava certo. Ninguém sabia o que o futuro reservava, mas isso já não fazia mais diferença. Ela queria ser a mulher dele, e nenhum futuro que pudesse conceber mudaria isso.

Antes que ela pudesse dizer qualquer outra coisa, os dois chegaram ao pé da escadaria e adentraram o saguão central, onde uma multidão em polvorosa conversava com animação. Maud estava louca para fazer mais perguntas a Walter, mas Fitz, galante, insistiu em acompanhá-la até a rua, juntamente com tia Herm, por causa da confusão. Uma vez na Parliament Square, Fitz pôs as duas dentro do carro. O chofer acionou a manivela automática, o motor roncou e o carro se afastou aos solavancos, deixando Fitz e Walter em pé na calçada junto à multidão de cidadãos que esperavam para conhecer o seu destino.

VII

Maud queria ser a mulher de Walter. Era a única coisa de que tinha certeza. Agarrou-se a esse pensamento enquanto perguntas e dúvidas zuniam pela sua cabeça. Deveria abraçar os planos de Walter, ou seria melhor esperar? Caso concordasse em se casar com ele no dia seguinte, para quem daria a notícia? Qual seria o destino deles após a cerimônia? Será que iriam morar juntos? Se fosse assim, onde?

Naquela noite, antes do jantar, a criada lhe trouxe um envelope em uma bandeja de prata. Dentro dele, havia uma única folha de papel grosso de cor creme coberta com a caligrafia precisa e reta de Walter em tinta azul.

Seis da tarde.

Meu grande amor,
Às três e meia da tarde de amanhã, estarei esperando você em um carro em frente à casa de Fitz. Estarei acompanhado das duas testemunhas necessárias.

Devemos estar no cartório às quatro. Reservei uma suíte no Hotel Hyde. Já me registrei no hotel, assim poderemos ir para o quarto sem perdermos tempo no saguão. Seremos o Sr. e a Sra. Woolridge. Não se esqueça do véu.

Eu te amo, Maud.
Seu prometido,
W.

Com a mão trêmula, ela pousou a folha de papel sobre o tampo de mogno encerado de sua penteadeira. Sua respiração estava acelerada. Ficou encarando o papel de parede florido e tentou pensar com calma.

Ele havia escolhido bem o horário: o meio da tarde era uma hora tranquila, em que Maud talvez conseguisse sair de casa sem ninguém notar. Tia Herm sempre tirava um cochilo depois do almoço, enquanto Fitz estaria na Câmara dos Lordes.

Fitz não podia ficar sabendo com antecedência, ou então tentaria impedi-la. Talvez simplesmente a trancasse no quarto. Poderia até mandar interná-la em um hospício. Um aristocrata rico poderia fazer isso com uma mulher da família sem muita dificuldade. Tudo o que Fitz precisaria era encontrar dois médicos dispostos a concordar com ele que sua irmã devia estar louca por querer se casar com um alemão.

Ela não iria contar a *ninguém*.

O nome falso e o véu indicavam que Walter pretendia agir de forma clandestina. O Hyde era um hotel discreto em Knightsbridge, onde dificilmente encontrariam qualquer conhecido. Ela sentiu um calafrio ao pensar que passaria a noite com Walter.

Mas o que os dois fariam no dia seguinte? Não se podia manter um casamento em segredo para sempre. Walter iria embora da Grã-Bretanha dali a dois ou três dias. Será que ela o acompanharia? Tinha medo de que fosse prejudicar sua carreira. Como ele inspiraria confiança de que iria lutar por seu país se fosse casado com uma inglesa? E, se de fato lutasse, ele estaria longe de casa – então de que adiantava ela ir para a Alemanha?

Apesar de todas as incertezas, Maud estava tomada por um entusiasmo delicioso.

– Sra. Woolridge – disse para o quarto à sua volta, abraçando o próprio corpo de tanta alegria.

CAPÍTULO ONZE

4 de agosto de 1914

Quando o dia raiou, Maud se levantou e sentou-se à penteadeira para escrever uma carta. Tinha na gaveta uma pilha do papel de carta azul de Fitz e os criados enchiam seu tinteiro prata diariamente. *Meu querido*, começou ela, e então parou para pensar.

Reparou em seu reflexo no espelho oval. Tinha os cabelos despenteados e a camisola amarrotada. Uma expressão preocupada vincava sua testa e repuxava os cantos de sua boca para baixo. Ela tirou um pedaço de alguma verdura que estava preso entre os dentes. Se ele me visse agora, pensou, talvez desistisse de se casar comigo. Então percebeu que, caso seguisse o plano de Walter, era exatamente daquela forma que ele a veria na manhã do dia seguinte. Era um pensamento estranho, ao mesmo tempo empolgante e assustador.

Ela escreveu:

Sim, de todo o meu coração, eu quero me casar com você. Mas qual é o seu plano? Onde iríamos viver?

Ela havia passado metade da noite pensando sobre isso. Os obstáculos pareciam imensos.

Se você ficar na Grã-Bretanha, será posto em um campo de detenção. Se formos para a Alemanha, nunca poderei vê-lo porque você estará longe de casa, no Exército.

Além disso, parentes dos dois talvez criassem mais problemas do que as autoridades.

Quando vamos contar às nossas famílias sobre o casamento? Não antes, por favor, porque Fitz encontrará uma maneira de nos impedir. Mesmo depois, teremos problemas com ele e com seu pai. Diga-me o que está pensando.

Eu te amo muito.

Ela lacrou o envelope e o endereçou ao apartamento de Walter, que ficava a menos de 500 metros de distância. Tocou a sineta e, dentro de poucos minutos, sua criada bateu à porta. Sanderson era uma moça roliça de sorriso largo. Maud falou:

– Se o Sr. Ulrich tiver saído, vá à embaixada alemã em Carlton House Terrace. Seja como for, espere a resposta dele. Entendido?

– Sim, senhora.

– Não comente com nenhum dos outros criados sobre o que está fazendo.

Um ar preocupado tomou conta do rosto jovem de Sanderson. Muitas criadas eram cúmplices das intrigas das patroas, porém Maud nunca tivera romances secretos, de modo que Sanderson não estava acostumada a dissimulações.

– O que devo dizer quando o Sr. Grout me perguntar aonde estou indo?

Maud pensou por alguns instantes.

– Diga a ele que precisa comprar um certo tipo de artigo feminino para mim. – O constrangimento iria refrear a curiosidade de Grout.

– Sim, senhora.

Sanderson foi embora e Maud se vestiu.

Não sabia bem como iria conseguir manter uma fachada de normalidade diante da família. Fitz talvez não reparasse em sua mudança de humor – os homens quase nunca percebiam essas coisas –, mas tia Herm não era tão distraída assim.

Ela desceu na hora do café da manhã, embora estivesse tensa demais para ter fome. Tia Herm comia um peixe defumado e o cheiro deixou Maud bastante enjoada. Ela se pôs a bebericar um café.

Em poucos minutos, Fitz apareceu. Serviu-se do peixe defumado sobre o aparador e abriu o *Times*. O que costumo fazer nessas horas?, perguntou-se Maud. Converso sobre política. Então é isso que devo fazer.

– Aconteceu alguma coisa ontem à noite? – perguntou.

– Encontrei-me com Winston depois da reunião do gabinete – respondeu Fitz. – Nós vamos pedir ao governo alemão que retire seu ultimato à Bélgica. – Ele imprimiu uma ênfase desdenhosa ao verbo *pedir*.

Maud não se atreveu a ter esperanças.

– Isso significa que nós ainda não desistimos totalmente de buscar a paz?

– Como se fizesse alguma diferença – disse ele com desprezo. – O que quer que os alemães estejam pensando, duvido que mudem de ideia por causa de um pedido educado.

– Um homem que está se afogando se agarra até a um graveto.

– Não estamos nos agarrando a graveto nenhum. Estamos executando os rituais que antecedem uma declaração de guerra.

Ele tinha razão, pensou ela com desânimo. Todos os governos prefeririam afirmar que, embora não desejassem a guerra, tinham sido forçados a entrar nela. Fitz não demonstrava ter noção do perigo que ele próprio corria, nem sinal de que aquele duelo diplomático poderia acabar lhe causando um ferimento mortal.

Maud, ao mesmo tempo que ansiava por protegê-lo, tinha vontade de esganá-lo por sua teimosia inconsequente.

Para se distrair, ela folheou o *Manchester Guardian*. Nele, havia um anúncio de página inteira publicado pela Liga da Neutralidade com o slogan: "Britânicos, cumpram o seu dever e mantenham seu país fora de uma guerra cruel e estúpida." Maud ficou satisfeita ao constatar que alguns ainda pensavam como ela. Mas eles não tinham a menor chance de vencer.

Sanderson chegou trazendo um envelope em uma bandeja de prata. Com um choque, Maud reconheceu a caligrafia de Walter. Ficou indignada. Onde a criada estava com a cabeça? Será que não percebia que, se a primeira mensagem era segredo, a resposta também deveria ser?

Ela não podia ler o bilhete de Walter na frente do irmão. Com o coração disparado, pegou-o com um desinteresse fingido, largando-o ao lado do prato. Em seguida, pediu mais café para Grout.

Para esconder o pânico que sentia, olhou para o jornal. Fitz não censurava sua correspondência, mas, como chefe da família, tinha o direito de ler qualquer carta endereçada a parentes do sexo feminino que morassem na sua casa. Nenhuma mulher respeitável se oporia a isso.

Maud precisava terminar o café da manhã quanto antes e levar o bilhete ainda fechado consigo. Tentou comer um pedaço de torrada, forçando as migalhas pela garganta seca abaixo.

Fitz ergueu os olhos do jornal.

– Não vai ler a carta? – quis saber ele. Então, para seu horror, acrescentou: – A letra parece a de Von Ulrich.

Maud não teve escolha. Abriu o envelope usando uma faca de manteiga limpa, enquanto tentava manter uma expressão neutra no rosto.

Nove da manhã.

Meu grande amor,
Todos nós aqui na embaixada recebemos a ordem de fazer as malas, pagar as contas e estar prontos para deixar a Grã-Bretanha a qualquer hora.
Você e eu não devemos contar nosso plano a ninguém. Amanhã voltarei para a Alemanha e você ficará aqui, morando com seu irmão. Todos concordam que essa guerra não pode durar mais do que algumas semanas, ou, no máximo, alguns meses. Assim que ela terminar, se ambos ainda estivermos vivos, daremos ao mundo a nossa boa notícia e começaremos nossa nova vida juntos.

E, caso não sobrevivamos à guerra, por favor, que tenhamos ao menos uma noite de felicidade como marido e mulher.
Eu te amo.
W.

P.S.: A Alemanha invadiu a Bélgica há uma hora.

A cabeça de Maud estava em alvoroço. Um casamento secreto! Ninguém iria saber. Por ignorarem seu casamento com uma inimiga, os superiores de Walter continuariam a confiar nele. Além disso, ele poderia lutar conforme exigia sua honra e até mesmo trabalhar no serviço secreto. Julgando-a solteira, outros homens continuariam a cortejar Maud, mas isso não seria problema: há anos ela descartava pretendentes. Os dois viveriam separados até o final da guerra, que terminaria no máximo dali a alguns meses.

Fitz interrompeu seus devaneios.

– O que ele diz?

Maud teve um branco. Não podia contar nada disso ao irmão. Como iria responder à sua pergunta? Baixou os olhos para a folha de papel grosso creme e para a caligrafia reta e viu o P.S.

– Ele diz que a Alemanha invadiu a Bélgica às oito horas da manhã de hoje.

Fitz pousou o garfo.

– Então é isso. – Ele parecia chocado.

– A pequena Bélgica! – exclamou tia Herm. – Esses alemães são mesmo uns brutamontes terríveis. – Então, parecendo confusa, acrescentou: – Tirando Herr Von Ulrich, é claro. Ele é encantador.

– Era uma vez o pedido educado do governo britânico – disse Fitz.

– Isso é uma loucura – falou Maud, desolada. – Milhares de homens morrerão em uma guerra que ninguém quer.

– Imaginei que você fosse apoiar a guerra – disse Fitz, puxando uma discussão. – Afinal de contas, nós vamos defender a França, que é a única outra democracia de verdade na Europa. E nossos inimigos serão a Alemanha e a Áustria, cujos parlamentos eleitos são praticamente fantoches.

– Mas a nossa aliada vai ser a Rússia – comentou Maud com amargura. – De modo que estaremos lutando para proteger a monarquia mais brutal e retrógrada da Europa.

– Entendo o que quer dizer.

– Todos na embaixada receberam ordens para fazer as malas – disse ela. –

Talvez não tornemos a ver Walter. – Ela pousou a carta sobre a mesa com um gesto casual.

Não funcionou.

– Posso ver? – pediu Fitz.

Maud gelou. Jamais poderia mostrar a carta ao irmão. Ele não iria apenas trancafiá-la: se lesse a frase sobre *uma noite de felicidade*, seria capaz de pegar uma arma e dar um tiro em Walter.

– Posso? – repetiu Fitz, estendendo a mão.

– Claro – respondeu ela, hesitando mais um instante. Por fim, fez menção de apanhar a carta. No último segundo, em um arroubo de inspiração, derrubou sua xícara, derramando café sobre o papel. – Ah, que desastrada! – falou, percebendo com alívio que o café tinha feito a tinta azul borrar e as palavras ficarem ilegíveis.

Grout deu um passo à frente e começou a limpar a bagunça. Fingindo tentar ajudá-lo, Maud recolheu a carta e a dobrou, garantindo assim que qualquer palavra intocada pelo café ficasse ensopada.

– Sinto muito, Fitz – desculpou-se. – Mas, de qualquer maneira, ele não dizia mais nada.

– Tudo bem – falou seu irmão, voltando a ler o jornal.

Maud levou as duas mãos ao colo para disfarçar como tremiam.

II

Isso foi apenas o começo.

Seria difícil para Maud sair de casa sozinha. Como qualquer dama da aristocracia, ela não deveria ir a lugar nenhum desacompanhada. Os homens fingiam que isso se dava por estarem muito preocupados com a segurança de suas mulheres, quando na verdade era uma forma de controle. Algo que sem dúvida iria perdurar até as mulheres conquistarem o direito de voto.

Maud havia passado metade da vida encontrando formas de burlar essa regra. Teria que sair de casa de fininho, sem ser vista. Seria bem complicado. Embora apenas quatro membros da família morassem na mansão de Fitz em Mayfair, havia pelo menos uma dúzia de empregados ali a qualquer hora do dia.

E depois ainda teria de passar a noite inteira fora sem ninguém perceber.

Maud executou seu plano com esmero.

– Estou com dor de cabeça – disse ao terminar de almoçar. – Bea, você me perdoaria se eu não descesse para jantar hoje à noite?

– É claro que sim – respondeu Bea. – Posso fazer alguma coisa? Quer que eu mande chamar o professor Rathbone?

– Não, obrigada, não é nada grave. – Uma dor de cabeça nada grave era um eufemismo para menstruação, de modo que todos aceitavam a desculpa sem maiores perguntas.

Até ali, tudo bem.

Ela subiu ao quarto e tocou a sineta para chamar a criada.

– Sanderson, vou me deitar – falou, iniciando um discurso bem ensaiado. – Provavelmente ficarei na cama pelo resto do dia. Por favor, avise aos outros criados que não quero ser incomodada, seja qual for o motivo. Talvez eu peça para trazerem o jantar numa bandeja, mas duvido: me parece que eu seria capaz de dormir até amanhã.

Isso deveria garantir que sua ausência passasse despercebida até o fim do dia.

– Está doente, senhora? – perguntou Sanderson com ar preocupado. Algumas senhoras ficavam acamadas com frequência, mas isso era raro no caso de Maud.

– É o mal feminino de sempre, só pior que de costume.

Maud pôde ver que Sanderson não estava acreditando nela. Pela manhã, a empregada já havia sido despachada para entregar um recado secreto, algo que jamais acontecera antes. Sanderson sabia que alguma coisa estranha estava acontecendo. Mas criadas não tinham permissão para interrogar suas patroas. Sanderson teria que continuar na dúvida.

– E não me acorde amanhã de manhã – acrescentou Maud. Não sabia a que horas iria voltar, nem como entraria de volta na casa sem ser notada.

Sanderson foi embora. Eram três e quinze. Maud tirou a roupa depressa e então examinou seu armário.

Não estava acostumada a escolher as próprias roupas – em geral, quem fazia isso era Sanderson. O chapéu do seu vestido de passeio preto tinha um véu, mas ela não poderia usar preto no próprio casamento.

Olhou para o relógio sobre a lareira: três e vinte. Não havia tempo a perder.

Ela escolheu um traje francês cheio de estilo. Vestiu uma blusa de renda branca justa, cujo colarinho alto realçava seu pescoço comprido. Por cima, pôs um vestido azul-celeste tão claro que era quase branco. Em sintonia com a moda ousada da época, ele terminava uns cinco centímetros acima do tornozelo. Colocou também um chapéu de palha azul-escuro de aba larga, com um véu da mesma cor, apanhando uma sombrinha azul vistosa com forro branco. Tinha uma bolsa de veludo azul, fechada por um cordão, que combinava com a roupa. Dentro dela, guardou um pente, um pequeno frasco de perfume e roupa de baixo limpa. O relógio bateu as três e meia. Walter já deveria estar esperando na rua. Ela sentiu o coração esmurrar-lhe o peito.

Jogou o véu sobre o rosto e examinou-se em um espelho de corpo inteiro. Não era exatamente um vestido de casamento, mas ela imaginava que não destoaria em um cartório. Nunca havia assistido a um casamento civil, então não podia ter certeza.

Tirou a chave do trinco e ficou parada diante da porta fechada, escutando. Não queria cruzar com ninguém que pudesse questioná-la. Talvez não houvesse problema se fosse vista por um lacaio ou por um engraxate – que estariam se lixando para o que ela fizesse –, mas, àquela altura, todas as criadas já deveriam estar sabendo que ela estava indisposta e, caso esbarrasse com alguém da família, sua mentira seria desmascarada no ato. Pouco se importava com o constrangimento, mas temia que tentassem impedi-la.

Estava prestes a abrir a porta quando escutou passos pesados e sentiu um leve cheiro de fumaça. Era provavelmente Fitz, ainda terminando seu charuto de depois do almoço, saindo para a Câmara dos Lordes ou talvez para o clube White's. Ela aguardou com impaciência.

Após alguns instantes de silêncio, espiou para fora do quarto. O amplo corredor estava deserto. Atravessou a porta, trancando-a logo em seguida e guardando a chave dentro da bolsa de veludo. Assim, qualquer pessoa que tentasse abrir a porta pensaria que ela estava dormindo lá dentro.

Percorreu em silêncio o corredor acarpetado até chegar ao alto da escada. Olhou para baixo e viu que não havia ninguém no hall do térreo. Então, desceu os degraus rapidamente. Quando chegou ao patamar intermediário, ouviu um barulho e congelou. A porta do porão se abriu e Grout surgiu lá de dentro. Maud prendeu a respiração. Ficou encarando o domo calvo da cabeça de Grout mais abaixo enquanto ele atravessava o hall carregando dois decantadores de vinho do Porto. Ele estava de costas para a escada e entrou na sala de jantar sem levantar os olhos.

Quando a porta da sala se fechou atrás dele, Maud desceu correndo o último lance da escada, esquecendo qualquer cautela. Abriu a porta da frente e, batendo-a às suas costas, saiu de casa. Desejou ter se lembrado de fechá-la delicadamente, mas era tarde demais.

Em Mayfair, a rua tranquila ardia sob o sol de agosto. Depois de olhar para um lado e para outro, viu uma carroça de peixeiro puxada a cavalo, uma babá passeando com um carrinho e um taxista trocando a roda de um táxi motorizado. Cem metros mais à frente, do outro lado da rua, havia um carro branco com uma capota de lona azul estacionado. Maud, que gostava de carros, reconheceu naquele o Benz 10/30 de Robert, primo de Walter.

Enquanto Maud atravessava a rua, Walter desceu do carro, e o coração dela se encheu de alegria. Ele usava um fraque cinza-claro enfeitado com um cravo branco. Seus olhares se cruzaram e ela notou, pela expressão no rosto dele, que até aquele momento ele não tinha certeza se ela viria. Esse pensamento fez uma lágrima brotar no olho de Maud.

Mas agora o semblante de Walter estava radiante de satisfação. Que coisa estranha e maravilhosa, pensou ela, ser capaz de causar tamanha felicidade a outra pessoa.

Ela olhou de volta para a casa de Fitz com nervosismo. Grout estava à porta, olhando de um lado para outro da rua com uma expressão intrigada. Maud supôs que ele tivesse escutado a porta bater. Decidida, virou o rosto para a frente e o pensamento que lhe passou pela cabeça foi: Enfim livre!

Walter beijou-lhe a mão. Ela queria lhe dar um beijo de verdade, mas o véu atrapalhava. Além disso, não era de bom tom antes do casamento. Também não havia necessidade de se jogar *todas* as convenções pela janela.

Maud viu que Robert estava ao volante. Ao vê-la, ele tocou sua cartola cinza para cumprimentá-la. Walter confiava no primo. Ele seria uma das testemunhas.

Walter então abriu a porta e Maud entrou no banco de trás. Já havia alguém lá dentro, e Maud reconheceu a governanta de Tŷ Gwyn.

– Williams! – exclamou.

A governanta sorriu.

– Acho que agora é melhor a senhora me chamar de Ethel – respondeu ela. – Vou ser testemunha do seu casamento.

– É claro... desculpe. – Em um impulso, Maud a abraçou. – Obrigada por ter vindo.

O carro começou a andar.

Maud se inclinou para a frente e perguntou a Walter:

– Como você achou Ethel?

– Você me disse que ela havia aparecido na sua clínica. Peguei o endereço dela com o Dr. Greenward. Sabia que você confiava nela, porque a escolheu para nos acompanhar naquele passeio em Tŷ Gwyn.

Ethel estendeu um ramalhete de flores para Maud.

– Seu buquê.

Era um buquê de rosas cor-de-rosa: a flor da paixão. Será que Walter conhecia a linguagem das flores?

– Quem escolheu as flores?

– Foi sugestão minha – disse Ethel. – E Walter gostou quando expliquei o significado. – Ela enrubesceu.

Maud percebeu que Ethel sabia quanto os dois estavam apaixonados, pois vira o beijo que haviam trocado.

– Estão perfeitas – falou.

Ethel usava um vestido cor-de-rosa claro que parecia novo e um chapéu decorado com mais rosas como as do buquê. Walter provavelmente tinha pagado por aquela roupa. Como ele era atencioso.

O carro desceu a Park Lane e pegou o caminho para Chelsea. Eu vou me casar, pensou Maud. No passado, sempre que pensava no próprio casamento, imaginava que seria igual ao de todas as suas amigas – um dia interminável de cerimônias maçantes. Daquele jeito era bem melhor. Nada de planejamento, lista de convidados ou bufê. Nada de hinos, discursos ou parentes bêbados tentando beijá-la: apenas os noivos e duas pessoas de quem gostavam e em quem confiavam.

Ela afastou da mente qualquer pensamento sobre o futuro. A Europa estava em guerra, e tudo poderia acontecer. Iria apenas aproveitar o dia – e a noite – que tinha pela frente.

Enquanto desciam a King's Road, ela de repente começou a ficar aflita. Segurou a mão de Ethel para tomar coragem. Teve uma visão aterrorizante de Fitz seguindo-os em seu Cadillac aos gritos de "Segurem essa mulher!". Maud olhou para trás. Obviamente, não havia sinal de seu irmão, ou do carro dele.

Pararam em frente à fachada clássica da prefeitura de Chelsea. Robert tomou o braço de Maud e a conduziu escada acima até a entrada, enquanto Walter seguia atrás com Ethel. Transeuntes paravam para olhar: todo mundo adorava um casamento.

Por dentro, o prédio tinha uma decoração vitoriana extravagante, com piso de lajotas coloridas e frisos de gesso nas paredes. Parecia um lugar adequado para se casar.

Eles tiveram de esperar no saguão: o casamento das três e meia ainda não havia terminado. Os quatro ficaram em pé, formando um pequeno círculo, e ninguém conseguiu pensar em nada para dizer. Maud sorveu o aroma das rosas que segurava e o perfume lhe subiu à cabeça, dando-lhe a sensação de ter virado uma taça inteira de champanhe.

Alguns minutos depois, o grupo do casamento anterior saiu da sala – a noiva usava um vestido comum e o noivo um uniforme de sargento do Exército. Talvez eles também houvessem tomado uma decisão repentina por causa da guerra.

Maud e seus acompanhantes entraram. O tabelião estava sentado diante de uma mesa simples, de fraque e gravata prateada. Tinha um cravo preso à lapela, o que Maud achou um detalhe simpático. Atrás dele havia um escrevente vestido com um terno comum. Eles se apresentaram como o Sr. Von Ulrich e a Srta. Maud Fitzherbert. Maud levantou o véu.

– Srta. Fitzherbert, trouxe algum documento de identidade? – perguntou o tabelião.

Ela não entendeu a que ele estava se referindo.

Ao ver seu olhar de incompreensão, ele acrescentou:

– Sua certidão de nascimento, talvez?

Ela não havia levado sua certidão de nascimento. Não sabia que haveria necessidade e, mesmo que soubesse, teria sido impossível obtê-la, pois Fitz a guardava no cofre junto com outros documentos da família, como o próprio testamento. O pânico a dominou.

Então Walter disse:

– Creio que isto aqui vá servir. – Ele tirou do bolso um envelope carimbado e franqueado cujo destinatário era a Srta. Maud Fitzherbert, no endereço da clínica pediátrica. Devia ter apanhado o envelope quando foi falar com o Dr. Greenward. Quanta esperteza sua.

O tabelião entregou de volta o envelope sem nenhuma objeção.

– É meu dever lembrar-lhes a natureza solene e oficial dos votos que estão prestes a fazer – disse ele.

Maud se sentiu ligeiramente ofendida ante a sugestão de que ela talvez não soubesse o que estava fazendo, mas logo se deu conta de que ele era obrigado a dizer isso a todo mundo.

Walter se empertigou. É isso, pensou Maud: agora não tem mais volta. Não lhe restava a menor dúvida de que queria se casar com Walter – porém, mais do que isso, tinha plena consciência de que chegara aos 23 anos sem ter conhecido nenhum outro homem com quem houvesse ao menos considerado a possibilidade de se casar. Todos os que conhecera tratavam as mulheres em geral, e ela em particular, como crianças crescidas. Apenas Walter era diferente. Era ele ou ninguém.

O tabelião recitava palavras para Walter repetir:

– Eu declaro solenemente não ter conhecimento de qualquer impedimento legal para que eu, Walter von Ulrich, possa me unir em matrimônio a Maud Elizabeth Fitzherbert. – Ele pronunciou o próprio nome à moda inglesa, fazendo o "w" soar como um "u", e não como um "v".

297

Enquanto ele falava, Maud observava seu rosto. A voz de Walter soava firme e clara.

Ele, por sua vez, a observou com um ar solene enquanto ela fazia sua declaração. Maud adorava aquela seriedade. A maioria dos homens, até os mais inteligentes, assumia um tom bobo ao falar com mulheres. Walter se dirigia a ela da mesma forma articulada com que falava com Robert ou com Fitz e, além disso – o que era ainda menos frequente –, escutava suas respostas.

Em seguida vieram os votos. Walter a encarou nos olhos enquanto a aceitava como esposa e, desta vez, ela ouviu um frêmito de emoção em sua voz. Essa era outra coisa que adorava: sabia ser capaz de abalar sua seriedade. Ela possuía o dom de fazê-lo tremer de amor, de felicidade ou de desejo.

Ela fez o mesmo voto:

– Solicito que as pessoas aqui presentes sejam testemunhas de que eu, Maud Elizabeth Fitzherbert, aceito você, Walter von Ulrich, como meu legítimo esposo. – Sua voz não falhou e ela sentiu-se constrangida por não ter ficado visivelmente emocionada; mas não era esse o seu estilo. Ela preferia se mostrar calma mesmo quando estava nervosa. Walter entendia isso e, mais do que ninguém, conhecia a tormenta invisível de paixão que se agitava em seu peito.

– O senhor trouxe a aliança? – perguntou o tabelião.

Maud sequer havia pensado nisso, mas Walter sim. Tirou do bolso do colete uma aliança de ouro simples, tomou-lhe a mão e pôs o anel em seu dedo. Devia ter tentado adivinhar o tamanho, mas o anel ficou quase perfeito, talvez apenas um número maior do que o seu. Como o casamento dos dois era um segredo, ela ainda levaria algum tempo para usar a aliança.

– Eu agora os declaro marido e mulher – disse o tabelião. – Pode beijar a noiva.

Walter beijou-lhe suavemente os lábios. Ela o abraçou pela cintura e o puxou para mais perto.

– Eu te amo – sussurrou ela.

– Agora a certidão de casamento – disse o tabelião. – Talvez prefira se sentar... Sra. Von Ulrich.

Walter sorriu, Robert deu uma risadinha e Ethel vibrou discretamente. Maud sentiu que o tabelião gostava de ser o primeiro a chamar a noiva por seu nome de casada. Todos então se sentaram e o escrevente começou a preencher a certidão. Walter listou a profissão do pai como oficial do Exército, e seu local de nascimento como Danzig. Maud declarou que seu pai, George Fitzherbert, era agricultor – de fato, Tŷ Gwyn tinha um pequeno rebanho de ovelhas, de modo que não deixava de ser verdade –, e que seu local de nascimento era Londres. Robert e Ethel assinaram como testemunhas.

De repente, estava tudo acabado, e os quatro saíram da sala e atravessaram o saguão – no qual outra noiva bonita esperava ao lado de um noivo nervoso a hora de assumir um compromisso para a vida inteira. Enquanto os dois desciam de braços dados a escadaria em direção ao carro parado no acostamento, Ethel atirou um punhado de confetes em cima deles. Entre os passantes, Maud notou uma mulher de classe média, mais ou menos da sua idade, segurando um embrulho. A mulher deu uma boa olhada em Walter, voltando em seguida sua atenção para Maud, que pôde perceber a inveja em seus olhos. Sim, pensou Maud, eu sou uma garota de sorte.

Walter e Maud sentaram-se no banco de trás, enquanto Robert e Ethel se acomodaram na frente. Quando o carro partiu, Walter pegou a mão de Maud e a beijou. Os dois trocaram olhares e riram. Maud já tinha visto outros casais agirem daquele mesmo jeito, que sempre considerara bobo e piegas, mas naquele instante lhe parecia a coisa mais natural do mundo.

Em poucos minutos, os quatro chegaram ao Hotel Hyde. Maud tirou o véu. Walter a segurou pelo braço e os dois atravessaram o saguão até a escada.

– Vou pedir o champanhe – disse Robert.

Walter havia reservado a melhor suíte, que enchera de flores. Devia haver uma centena de rosas no quarto. Os olhos de Maud se encheram de lágrimas e Ethel soltou um arquejo de admiração. Sobre um aparador via-se uma grande fruteira repleta de frutas e uma caixa de chocolates. O sol da tarde brilhava através das janelas amplas sobre poltronas e sofás estofados com tecidos de cor viva.

– Vamos nos acomodar! – disse Walter com animação.

Enquanto Maud e Ethel inspecionavam a suíte, Robert entrou seguido por um garçom, que trazia champanhe e taças em uma bandeja. Walter estourou a rolha e serviu. Quando todos estavam cada um com seu copo, Robert disse:

– Eu gostaria de propor um brinde. – Ele pigarreou e Maud percebeu, achando graça, que Robert estava prestes a fazer um discurso.

– Meu primo Walter é um homem incomum – começou ele. – Sempre pareceu mais velho do que eu, embora na verdade tenhamos a mesma idade. Quando estudávamos juntos em Viena, ele nunca ficava bêbado. Se saíssemos em grupo à noite para visitar determinados estabelecimentos da cidade, ele ficava em casa estudando. Cheguei a achar que fosse o tipo de homem que não gostasse de mulheres. – Robert sorriu com ironia. – Na verdade, quem era assim era eu... mas essa é outra história, como dizem os ingleses. Walter ama sua família e seu trabalho, e ama a Alemanha, mas nunca amou mulher nenhuma... até agora. Ele mudou. – Robert abriu um sorriso maroto. – Vive comprando gravatas novas. Não para de me fazer perguntas: quando é que se deve beijar uma garota, se um homem deve usar água-de-colônia, que cores lhe caem melhor... como se eu fizesse ideia do que agrada às mulheres. E o mais terrível de tudo, na minha opinião – Robert fez uma pausa teatral. – Ele agora toca o ragtime!

Os demais riram. Robert ergueu a taça.

– Um brinde à mulher que provocou essas mudanças todas... à noiva!

Depois que todos beberam, para surpresa de Maud, Ethel falou.

– Cabe a mim propor o brinde ao noivo – disse ela, como se tivesse passado a vida inteira fazendo discursos.

Como uma criada vinda do País de Gales havia adquirido tamanha desenvoltura? Então Maud se lembrou de que o pai de Ethel era pregador da igreja e ativista político, de modo que a moça tinha a quem puxar.

– Lady Maud é diferente de qualquer outra mulher da sua classe que eu já conheci – começou Ethel. – Quando comecei a trabalhar como criada em Tŷ Gwyn, ela foi a única da família a prestar atenção em mim. Aqui em Londres, quando alguma jovem solteira tem um bebê, a maioria das damas respeitáveis da sociedade se limita a resmungar sobre decadência moral, enquanto Maud lhes proporciona uma ajuda prática, real. Na região do East End, ela é considerada uma santa. Mas também tem lá seus defeitos, e eles são graves.

O que será que ela vai dizer?, pensou Maud.

– Ela é séria demais para atrair um homem normal – prosseguiu Ethel. – Todos os solteiros mais cobiçados de Londres já se interessaram por sua beleza e por sua personalidade alegre, mas logo foram afugentados por sua inteligência e por seu obstinado realismo político. Já faz algum tempo que eu percebi que só um homem raro seria capaz de conquistá-la. Ele teria de ser inteligente, mas com a mente aberta; dotado de uma moral de ferro, sem ser ortodoxo; forte, mas não dominador. – Ethel sorriu. – Achei que isso fosse impossível. Então, em janeiro, ele subiu a colina vindo de táxi da estação de trem de Aberowen, entrou em Tŷ Gwyn e a espera terminou. – Ela ergueu a taça. – Ao noivo!

Todos tornaram a beber e Ethel agarrou o braço de Robert.

– Agora você pode me levar para jantar no Ritz – disse ela.

Walter fez cara de surpresa.

– Pensei que fôssemos todos jantar aqui, juntos – falou.

Ethel lançou-lhe um olhar cheio de malícia.

– Ora, não seja bobo – disse. Então andou até a porta, arrastando Robert.

– Boa noite – disse Robert, embora fossem apenas seis da tarde. Os dois saíram e fecharam a porta.

Maud riu. Walter falou:

– Essa governanta é muito inteligente.

– Ela me entende – disse Maud. Foi até a porta e girou a chave. – E agora... – prosseguiu. – O quarto.

– Você prefere tirar a roupa sozinha? – perguntou Walter com ar preocupado.

– Na verdade, não – respondeu Maud. – Você não gostaria de assistir?

Ele engoliu em seco e, quando falou, sua voz saiu um pouco rouca.

– Sim, por favor – disse. – Gostaria, sim. – Ele segurou a porta do quarto para ela passar.

Apesar da demonstração de ousadia, ela estava nervosa ao se sentar na beira da cama e tirar os sapatos. Ninguém a via nua desde os seus 8 anos. Como nunca tinha visto o corpo de outra mulher, não sabia se o seu era bonito. Em comparação aos nus exibidos nos museus, seus seios eram pequenos e seus quadris largos. E havia entre as suas pernas um tufo de pelos que os quadros nunca mostravam. Será que Walter acharia seu corpo feio?

Ele tirou o paletó e o colete e pendurou-os com naturalidade. Ela imaginou que um dia iriam se acostumar com aquilo. Afinal, era algo que as pessoas faziam o tempo todo. Apesar disso, de certa forma era uma sensação estranha, mais intimidadora do que excitante.

Ela tirou as meias e o chapéu. Não estava usando mais nada de supérfluo. O passo seguinte era o mais importante. Ela se levantou.

Walter parou de desatar a gravata.

Com gestos rápidos, Maud abriu o vestido e o deixou cair no chão. Então tirou a anágua e puxou a blusa de renda por cima da cabeça. Ficou parada na frente dele só com a roupa de baixo e observou sua expressão.

– Como você é linda! – disse ele, meio falando, meio sussurrando.

Maud sorriu. Ele sempre dizia a coisa certa.

Walter tomou-a nos braços e a beijou. Maud começou a se sentir menos ansiosa, quase relaxada. Saboreou o contato da boca dele contra a sua, os lábios delicados, os pelos do bigode. Acariciou sua bochecha, apertou o lóbulo de sua orelha entre as pontas dos dedos e passou a mão por toda a extensão de seu pescoço, experimentando todas aquelas sensações com mais intensidade do que nunca e pensando: "Isto tudo agora é meu."

– Vamos nos deitar – disse ele.

– Não – respondeu ela. – Ainda não. – Deu um passo para longe dele. – Espere. – Ela então tirou o corselete, revelando que usava uma daquelas peças femininas modernas chamada sutiã. Levando as mãos até as costas, Maud abriu o fecho e jogou a peça no chão. Olhou para ele com uma expressão audaciosa, como se o desafiasse a não gostar dos seus seios.

– Eles são lindos... posso beijá-los? – perguntou ele.

– Você pode fazer o que quiser – respondeu ela, sentindo-se deliciosamente libertina.

Ele curvou a cabeça e beijou um seio e depois o outro, fazendo os lábios roçarem delicadamente seus mamilos, que se retesaram de repente, como se o ar houvesse esfriado. Ela teve um desejo súbito de fazer o mesmo com ele, mas ficou em dúvida se ele acharia estranho.

Walter poderia ter ficado beijando seus seios até o fim dos tempos. Ela o afastou com delicadeza.

– Tire o resto da roupa – falou. – Depressa.

Ele tirou os sapatos, as meias, a camisa, a camiseta que usava por baixo e a calça e então hesitou.

– Estou encabulado – falou, rindo. – Não sei por quê.

– Eu vou primeiro – disse ela. Em seguida, desatou o cordão da calcinha e a tirou. Quando ergueu os olhos, ele também estava nu, e ela constatou, chocada, que seu pênis se erguia, teso, do tufo de pelos claros em sua virilha. Lembrou-se de quando o havia segurado por cima da roupa na ópera e desejou tocá-lo de novo.

– Agora podemos nos deitar? – perguntou ele.

Seu pedido soou tão correto que ela riu. Uma expressão magoada atravessou o semblante de Walter e ela imediatamente se arrependeu de ter rido.

– Eu te amo – disse Maud, fazendo a expressão dele se desanuviar. – Por favor, vamos nos deitar. – Ela se sentia capaz de explodir de tanta excitação.

No início, os dois ficaram deitados lado a lado, beijando-se e tocando-se.

– Eu te amo – repetiu ela. – Quanto tempo você vai levar para ficar cansado de me ouvir dizer isso?

– Eu nunca vou me cansar – respondeu ele, galante.

Maud acreditou nele.

Depois de algum tempo, Walter perguntou:

– Agora?

Ela fez que sim com a cabeça, abrindo as pernas. Ele se deitou por cima dela, apoiando o próprio peso nos cotovelos. Ela estava tensa de tanta expectativa. Passando o peso do corpo para o braço esquerdo, Walter levou a mão até o meio de suas pernas e Maud pôde sentir os dedos dele afastando seus lábios úmidos, seguidos por algo maior. Ele fez força para a frente e ela sentiu uma dor repentina. Soltou um grito.

– Desculpe! – disse ele. – Machuquei você. Sinto muito, muito mesmo.

– Espere só um instante – pediu ela. A dor não era muito forte. Ela estava mais chocada do que qualquer outra coisa. – Tente de novo – falou. – Mas devagar.

Ela sentiu a cabeça do pênis dele tocar seus lábios novamente e soube que ele não conseguiria entrar: era grande demais, ou então ela era apertada demais, ou as duas coisas. Mesmo assim, deixou-o insistir, torcendo para tudo dar certo. Doeu, mas desta vez ela cerrou os dentes e conteve o grito. Seu estoicismo de nada adiantou. Depois de alguns instantes, ele desistiu.

– Não entra – falou.

– Qual é o problema? – perguntou ela, entristecida. – Achei que isso devesse acontecer naturalmente.

– Não entendo – disse ele. – Não tenho experiência.

– E eu menos ainda. – Ela estendeu a mão para baixo e empunhou seu pênis. Adorava a sensação de tê-lo nas mãos, ao mesmo tempo rijo e tenro. Tentou guiá-lo para dentro de si, erguendo os quadris para facilitar, mas depois de alguns instantes ele se afastou, dizendo:

– Ai! Desculpe! Está doendo em mim também.

– Você acha que é maior do que o normal? – perguntou ela, hesitante.

– Não. Quando estava no Exército, vi vários homens nus. Alguns são bem grandes, e sentem muito orgulho disso, mas eu estou na média. De qualquer forma, nunca ouvi nenhum deles reclamar desse tipo de dificuldade.

Maud aquiesceu. O único outro pênis que tinha visto na vida era o de Fitz e, até onde se lembrava, era mais ou menos do mesmo tamanho do de Walter.

– Talvez eu seja apertada demais.

Ele fez que não com a cabeça.

– Quando eu tinha 16 anos, passei uma temporada no castelo da família de Robert na Hungria. Eles tinham uma criada, Greta, que era muito... cheia de vida. Não chegamos a ter relações, mas fizemos algumas experiências. Eu a toquei da mesma forma que toquei você na biblioteca de Sussex House. Espero que não fique irritada por eu estar lhe contando isso.

Ela lhe deu um beijo no queixo.

– Nem um pouco.

– Greta não era muito diferente de você nesse departamento.

– Então qual é o problema?

Ele deu um suspiro e rolou o corpo para sair de cima dela. Pôs o braço sob sua cabeça e puxou-a para si, beijando-lhe a testa.

– Ouvi dizer que os casais recém-casados às vezes têm dificuldades. Alguns homens ficam tão nervosos que sequer conseguem ter uma ereção. Também ouvi falar que outros ficam excitados demais e ejaculam antes mesmo da relação em si. Acho que devemos ser pacientes e carinhosos e ver o que acontece.

– Mas nós só temos uma noite! – Maud começou a chorar.

Walter a afagou e disse:

– Calma, calma.

Não adiantou. Ela se sentia um grande fracasso. Achei que eu fosse tão esperta, pensou, por ter escapado do meu irmão e me casado com Walter em segredo, e agora a coisa toda se transformou em um desastre. Estava decepcionada por si mesma, porém mais ainda por Walter. Como devia ser terrível para ele esperar até os 28 anos e então se casar com uma mulher incapaz de satisfazê-lo!

Queria poder conversar com alguém sobre aquilo, com outra mulher – mas com quem? A ideia de abordar o assunto com tia Herm era ridícula. Algumas mulheres compartilhavam segredos com suas criadas, porém Maud nunca tivera esse tipo de relação com Sanderson. Talvez pudesse falar com Ethel. Pensando bem, fora ela quem lhe dissera que era normal ter pelos entre as pernas. Mas Ethel fora embora com Robert.

Walter sentou-se na cama.

– Vamos pedir o jantar... quem sabe uma garrafa de vinho – sugeriu ele. – Podemos nos sentar à mesa como marido e mulher e conversar sobre assuntos corriqueiros. Depois, mais tarde, tentamos outra vez.

Maud estava sem apetite e não conseguia se imaginar jogando conversa fora, mas, como não tinha ideia melhor, aceitou. Desanimada, colocou suas roupas de volta. Walter se vestiu depressa, foi até o cômodo ao lado e tocou a sineta para chamar um garçom. Ela o ouviu pedir frios, peixe defumado, saladas e uma garrafa de vinho do Reno.

Os dois se sentaram ao lado de uma janela aberta e ficaram olhando a rua lá embaixo. O reclame de um jornal dizia ULTIMATO BRITÂNICO À ALEMANHA. Walter poderia morrer naquela guerra. Ela não queria que ele morresse virgem.

Quando a comida chegou, Walter a chamou e ela foi se juntar a ele no cômodo ao lado. O garçom havia coberto a mesa com uma toalha branca e servido salmão defumado, lascas de presunto, alface, tomate, pepino e fatias de pão de forma. Ela não estava com fome, mas bebericou o vinho branco que ele serviu e mordiscou um pedaço de salmão para demonstrar boa vontade.

No fim das contas, eles de fato jogaram conversa fora. Walter relembrou a própria infância, a mãe e os estudos em Eton. Maud falou das festas de Tŷ Gwyn quando seu pai ainda era vivo. Os homens mais poderosos do país eram convidados para elas e sua mãe precisava acomodar os hóspedes de modo que ficassem perto de suas amantes.

No início, Maud sentiu que estava forçando assunto, como se os dois mal se conhecessem, mas logo ambos relaxaram, voltando a conversar com a intimidade de sempre, e ela simplesmente passou a dizer o que lhe vinha à cabeça. O garçom tirou a mesa do jantar e os dois passaram para o sofá, onde continuaram a conversar, de mãos dadas. Especularam sobre a vida sexual alheia: a de seus pais, a de Fitz, a de Robert, a de Ethel e até mesmo a da duquesa. Maud ficou fascinada ao ouvir que existiam homens como Robert e descobrir onde eles se encontravam, como se reconheciam e o que faziam juntos. Walter lhe disse que eles se beijavam da mesma forma que os homens beijavam as mulheres e que faziam o que ela fizera com ele na ópera, além de outras coisas... Embora Walter dissesse não ter certeza quanto aos detalhes, Maud achou que ele sabia, mas tinha vergonha de contar.

Ficou surpresa quando o relógio sobre a lareira bateu a meia-noite.

– Vamos para a cama – falou. – Quero me deitar nos seus braços, mesmo que as coisas não aconteçam como deveriam.

– Está bem. – Ele se levantou. – Você se importa se eu fizer uma coisa antes? Há um telefone para os hóspedes no saguão do hotel. Eu gostaria de ligar para a embaixada.

– É claro.

Ele saiu. Maud foi até o banheiro mais adiante no corredor e depois voltou para a suíte. Tirou a roupa e se deitou na cama. Quase não se importava mais com o que poderia ou não acontecer. Eles se amavam e estavam juntos – e, se isso fosse tudo, já seria o suficiente.

Walter voltou dali a alguns minutos. Tinha a expressão carregada e ela soube na mesma hora que as notícias eram ruins.

– A Grã-Bretanha declarou guerra à Alemanha – disse ele.

– Ah, Walter, eu sinto tanto!

– A embaixada recebeu o comunicado uma hora atrás. O jovem Nicholson o trouxe do Ministério das Relações Exteriores e tirou o príncipe Lichnowsky da cama para mostrá-lo.

Ambos já davam isso como praticamente certo, mas, mesmo assim, a realidade atingiu Maud como um soco. Ela podia ver que Walter também estava abalado.

Ele tirou as roupas de forma automática, como se há anos se despisse na sua frente.

– Nós vamos embora amanhã – disse. Quando ele tirou a roupa de baixo, Maud viu que, no estado normal, seu pênis era pequeno e enrugado. – Tenho que estar na estação da Liverpool Street, com as malas feitas, às dez da manhã. – Ele desligou a luz elétrica e foi se deitar junto dela.

Os dois ficaram ali, lado a lado, sem se tocarem, e durante alguns instantes terríveis Maud pensou que ele fosse adormecer daquela forma. Mas então Walter se virou para ela, tomou-a nos braços e beijou-lhe a boca. Apesar de tudo, ainda estava cheia de desejo por ele; na verdade, era como se os problemas a houvessem feito amá-lo com mais ardor e desespero. Ela sentiu o pênis de Walter crescer e se retesar contra seu ventre macio. Logo em seguida, ele a cobriu com seu corpo. Como antes, se apoiou no braço esquerdo e pôs-se a tocá-la com a mão direita. Como antes, ela sentiu seu membro duro pressionar-lhe os lábios. Doeu novamente – mas não por muito tempo. Desta vez, ele a penetrou.

Houve mais alguns segundos de resistência, mas então ela perdeu a virgindade. De repente, ele estava dentro dela por inteiro e os dois estavam envolvidos no mais antigo dos abraços.

– Ah, graças aos céus – disse ela. Então o alívio cedeu lugar ao prazer e ela começou a se movimentar, com alegria, no mesmo ritmo que ele – e, por fim, os dois fizeram amor.

Parte Dois

GUERRA DE GIGANTES

CAPÍTULO DOZE

De início a meados de agosto de 1914

Katerina estava angustiada. Quando os cartazes referentes à mobilização começaram a se espalhar por toda São Petersburgo, ela se sentou no quarto de pensão de Grigori e chorou, passando os dedos de forma distraída pela cabeleira loura e repetindo:

– O que será de mim? O que será de mim?

Isso o fez querer tomá-la nos braços, beijá-la até secar-lhe as lágrimas e prometer que jamais a abandonaria. Porém essa era uma promessa que ele não podia fazer e, além do mais, ela amava seu irmão.

Grigori já havia prestado serviço militar, portanto era reservista e teoricamente estava pronto para o combate. Mas, na verdade, havia passado a maior parte do treinamento apenas marchando e construindo estradas. Ainda assim, imaginava que fosse estar entre os primeiros convocados.

Isso o deixava possesso. Aquela guerra era tão idiota e inútil quanto qualquer outra medida do czar. Um assassinato ocorrera na Bósnia e, um mês depois, a Rússia entrava em guerra contra a Alemanha! Milhares de trabalhadores e camponeses iriam morrer de ambos os lados – e ninguém ganharia nada com isso. Para Grigori, assim como para todas as pessoas que ele conhecia, isso provava que a nobreza russa era burra demais para governar.

Ainda que ele sobrevivesse, a guerra estragaria seus planos. Ele estava economizando para comprar outra passagem para os Estados Unidos. Com o salário que recebia da Metalúrgica Putilov, talvez conseguisse fazer isso em dois ou três anos, mas, com o soldo do exército, levaria séculos. Por quantos anos mais precisaria suportar a injustiça e a brutalidade do governo do czar?

Katerina o preocupava mais ainda. O que ela faria caso ele precisasse ir à guerra? Ela dividia um quarto com outras três garotas na pensão e trabalhava na metalúrgica, embalando balas de fuzil em caixas de papelão. No entanto, teria que parar de trabalhar quando o bebê nascesse, pelo menos por algum tempo. Sem Grigori, como faria para se manter e sustentar o bebê? Ela ficaria numa situação muito difícil – e ele sabia o que garotas camponesas faziam em São Petersburgo quando precisavam desesperadamente de dinheiro. Pediu a Deus que a poupasse de precisar vender o próprio corpo nas ruas.

Contudo, ele não foi convocado no primeiro dia e tampouco na primeira semana. Segundo os jornais, dois milhões e meio de reservistas haviam sido mobilizados no último dia de julho, mas isso não passava de boato. Era impossível que tantos homens fossem reunidos, uniformizados e despachados em trens para a frente de batalha em apenas um dia, ou mesmo em um mês. Eles eram convocados em grupos, alguns mais cedo, outros mais tarde.

À medida que os primeiros dias quentes de agosto foram passando, Grigori começou a pensar que talvez o tivessem deixado de fora. Era uma possibilidade sedutora. O Exército era uma das instituições mais mal geridas daquele país lamentavelmente desorganizado, então era provável que milhares de homens fossem ignorados por pura incompetência.

Katerina se habituara a passar em seu quarto todos os dias de manhã bem cedo, enquanto ele preparava o café. Era o melhor momento do dia de Grigori. Nessas horas, ele já estava sempre de banho tomado e vestido, mas ela aparecia com o vestido que usava para dormir e os cabelos adoravelmente despenteados, bocejando. Agora que estava engordando, a roupa parecia pequena para ela. Pelos seus cálculos, Katerina deveria estar grávida de quatro meses e meio. Os seios e os quadris dela estavam maiores, enquanto sua barriga exibia uma protuberância discreta. A voluptuosidade de Katerina era uma tortura deliciosa. Grigori se esforçava para não ficar olhando para o seu corpo.

Certa manhã, ela apareceu enquanto Grigori preparava dois ovos mexidos em uma frigideira. Ele não podia mais se dar ao luxo de limitar o café da manhã a um mingau: o filho ainda por nascer de seu irmão precisava de comida de verdade para crescer forte e saudável. Quase todos os dias, Grigori tinha algo de nutritivo para dividir com Katerina: presunto, arenque, ou então linguiça, o prato preferido dela.

Katerina vivia com fome. Ela se sentou à mesa, cortou uma fatia grossa de pão preto e começou a comer, impaciente demais para esperar. Com a boca cheia, falou:

– Quando um soldado morre, quem fica com seu soldo?

Grigori se lembrava de ter fornecido o nome e o endereço de seu parente mais próximo.

– No meu caso, Lev – respondeu.

– Fico pensando se ele já está nos Estados Unidos.

– Deve estar. A viagem não leva oito semanas.

– Espero que ele tenha arranjado um emprego.

– Não se preocupe. Ele deve estar bem. Todos gostam dele. – Grigori sentiu uma pontada de ressentimento do irmão. Era Lev quem deveria estar ali na Rússia, cuidando de Katerina e do bebê que estava por vir e ainda se preocupando com a mobilização, enquanto Grigori começava a vida nova para a qual havia economizado e que passara tanto tempo planejando. Mas Lev havia lhe roubado essa possibilidade. Mesmo assim, Katerina se afligia com o homem que a abandonara, não com o que tinha ficado ao seu lado.

– Tenho certeza de que ele está bem nos Estados Unidos, mas, de qualquer forma, queria que recebêssemos uma carta dele – disse ela.

Grigori raspou o canto de um queijo duro por cima dos ovos e acrescentou um pouco de sal. Perguntou-se com tristeza se algum dia teriam notícias dos Estados Unidos. Lev nunca tinha sido uma pessoa sentimental – poderia muito bem ter decidido deixar o passado para trás, como um lagarto que se livra da pele antiga. Grigori, no entanto, não deu voz a esse pensamento por respeito a Katerina, que ainda esperava que ele fosse mandar buscá-la.

– Você acha que vai ter que ir à guerra? – perguntou ela.

– Não se eu puder evitar. Por que estamos lutando?

– Dizem que é pela Sérvia.

Grigori serviu, com uma colher, os ovos em dois pratos e sentou-se à mesa.

– A questão é se a Sérvia vai ser tiranizada pelo imperador austríaco ou pelo czar russo. Seja como for, duvido que os sérvios liguem para isso. Eu, com certeza, não ligo. – Ele começou a comer.

– Pelo czar, então.

– Eu lutaria por você, por Lev, por mim mesmo ou por seu bebê... mas pelo czar? Não.

Katerina comeu os ovos depressa e limpou o prato com uma segunda fatia de pão.

– De que nomes de menino você gosta?

– Meu pai se chamava Sergei, e o pai dele, Tikhon.

– Eu gosto de Mikhail – disse ela. – Como o arcanjo.

– Você e quase todo mundo. Por isso é um nome tão comum.

– Talvez eu devesse batizar o bebê de Lev. Ou mesmo de Grigori.

Ao ouvir isso, Grigori ficou comovido. Adoraria ter um sobrinho com o mesmo nome que o seu. Mas não gostava de exigir nada de Katerina.

– Lev seria um bom nome – falou.

O apito da metalúrgica tocou – um som que se podia ouvir em todo o bairro de Narva – e Grigori se levantou para sair.

– Eu lavo os pratos – disse Katerina. Seu expediente só começava às sete, uma hora depois que o de Grigori.

Ela virou a bochecha para cima e Grigori a beijou. Foi apenas um beijo rápido, e ele não deixou que os lábios se demorassem, mas, ainda assim, se deliciou com a maciez de sua pele e com o cheiro cálido de seu pescoço, que lembrava uma cama quentinha.

Então pôs a boina na cabeça e saiu.

Embora fosse cedo, o clima de verão já estava quente e úmido. Grigori começou a suar enquanto caminhava a passos largos pelas ruas.

Nos dois meses desde a partida de Lev, Grigori e Katerina haviam estabelecido uma amizade constrangida. Ela confiava nele e ele cuidava dela, mas não era isso que nenhum dos dois queria. Grigori queria amor, não amizade. Katerina queria Lev, não Grigori. Mas assegurar que ela se alimentasse bem proporcionava satisfação a Grigori. Era a única forma que ele tinha de expressar seu amor. Dificilmente poderiam ficar como estavam muito tempo, porém, àquela altura, era difícil pensar a longo prazo. Ele ainda tinha planos de fugir da Rússia e de conseguir chegar à terra prometida: os Estados Unidos.

Cartazes de mobilização haviam sido afixados ao portão da metalúrgica e os homens estavam reunidos em volta deles, os analfabetos pedindo aos outros que lessem em voz alta. Grigori se viu parado ao lado de Isaak, o capitão do time de futebol. Ambos tinham a mesma idade e haviam servido o Exército juntos. Grigori correu os olhos pelos avisos, procurando o nome de sua unidade.

Desta vez, estava lá.

Ele tornou a ler, mas não havia dúvida: regimento de Narva.

Foi descendo pela lista até encontrar seu nome.

Não havia acreditado de fato que aquilo pudesse acontecer. Mas vinha enganando a si mesmo. Tinha 25 anos, era forte e estava em boa forma física: o soldado perfeito. É claro que iria à guerra.

O que seria de Katerina? E do bebê?

Isaak soltou um palavrão. Seu nome também estava na lista.

Uma voz atrás deles disse:

– Não precisam se preocupar.

Eles se viraram e deram de cara com a forma esguia de Kanin, o amigável supervisor da seção de fundição, um engenheiro de seus 30 e poucos anos.

– Como assim não precisamos nos preocupar? – repetiu Grigori com ceticismo. – Katerina está grávida de Lev e não tem ninguém para cuidar dela. O que eu vou fazer?

– Fui falar com o responsável pela mobilização neste bairro – disse Kanin. – Ele prometeu conseguir dispensa para qualquer operário meu. Somente os arruaceiros terão de ir.

O coração de Grigori saltou no peito com esperança renovada. Parecia bom demais para ser verdade.

– O que nós temos que fazer? – perguntou Isaak.

– É só não irem ao quartel. Vocês não vão ter problema nenhum. Está tudo combinado.

Isaak tinha um temperamento agressivo – sem dúvida era isso que o tornava tão bom no esporte – e não se contentou com a resposta de Kanin.

– Combinado como? – quis saber.

– O Exército fornece à polícia uma lista dos homens que não comparecem e a polícia tem que apanhá-los. O nome de vocês simplesmente não estará na lista.

Isaak soltou um grunhido de insatisfação. Como ele, Grigori não gostava daquele tipo de acerto semioficial – havia margem demais para algo sair errado –, mas lidar com o governo era sempre assim. Kanin devia ter subornado um oficial, ou então feito algum outro tipo de favor. Criar caso por causa disso era inútil.

– Que ótimo – disse Grigori a Kanin. – Obrigado.

– Não me agradeçam – respondeu Kanin com brandura. – Eu fiz isso por mim... e pela Rússia. Nós precisamos de homens qualificados como vocês para fabricar trens, não para deter as balas alemãs. Isso um camponês analfabeto pode fazer. Os governantes ainda não entenderam essa questão, mas com o tempo vão entender. E ainda me agradecerão pelo que estou fazendo.

Grigori e Isaak atravessaram os portões da fábrica.

– Acho que podemos confiar nele – disse Grigori. – O que temos a perder? – Os dois fizeram fila para bater o ponto, deixando cair um quadradinho de metal numerado dentro de uma caixa. – É uma boa notícia – completou.

Isaak não estava convencido.

– Eu só queria me sentir mais seguro – disse ele.

Ambos se encaminharam para a seção onde eram fabricadas as rodas. Grigori afastou as preocupações da cabeça e se preparou para o dia de trabalho. A Metalúrgica Putilov estava produzindo mais trens do que nunca. O Exército tinha que partir do princípio de que locomotivas e vagões seriam destruídos por bombas, de modo que seria necessário repor peças assim que os combates começassem. A equipe de Grigori estava sendo pressionada a produzir rodas mais depressa.

Ele começou a arregaçar as mangas assim que entrou na oficina. Tratava-se de um galpão pequeno, que a fornalha deixava quente durante o inverno e um verdadeiro forno naquela época, o auge do verão. O metal rangia e estalava ao ser moldado e polido pelos tornos.

Grigori viu Konstantin em pé diante de seu torno e franziu as sobrancelhas ao notar a postura do amigo. A expressão de Konstantin transmitia um aviso: alguma coisa estava errada. Isaak também percebeu. Reagindo mais rápido que Grigori, ele se deteve, segurou o braço de Grigori e disse:

– O que...?

Não pôde terminar a pergunta.

Um homem de uniforme preto e verde saiu de trás da fornalha e golpeou Grigori no rosto com uma marreta.

Ele tentou se esquivar, mas foi um segundo mais lento do que o necessário e, embora tenha se encolhido, a cabeça de madeira da ferramenta grande o atingiu no alto da maçã do rosto, derrubando-o no chão. Uma dor agonizante varou sua cabeça e ele soltou um berro.

Sua visão demorou vários segundos para clarear. Por fim, ergueu os olhos e viu a silhueta corpulenta de Mikhail Pinsky, capitão de polícia daquele distrito.

Deveria ter imaginado que aquilo fosse acontecer. Havia se safado com facilidade demais daquela briga em fevereiro. Policiais nunca esqueciam esse tipo de coisa.

Ele também viu Isaak brigando com o parceiro de Pinsky, Ilya Kozlov, e dois outros policiais.

Grigori continuou no chão. Não iria revidar a menos que fosse obrigado. Pinsky que se vingasse, quem sabe assim ficaria satisfeito.

No instante seguinte, não conseguiu manter essa decisão.

Pinsky ergueu a marreta. Percebendo o óbvio em um lampejo, Grigori viu que a arma era sua própria ferramenta, usada para encaixar os moldes na areia de fundição. Então ela desceu em direção à sua cabeça.

Ele se inclinou para a direita, mas Pinsky corrigiu o golpe, fazendo a pesada ferramenta de carvalho bater no seu ombro esquerdo. Ele soltou um rugido de dor e raiva. Enquanto Pinsky recuperava o equilíbrio, Grigori se levantou com um pulo. Seu braço esquerdo pendia frouxo e inútil, mas não havia nada de errado com o direito, de modo que ele recuou o punho para acertar Pinsky, sem pensar nas consequências.

Nunca chegou a desferir o soco. Dois homens de uniforme preto e verde em quem Grigori não havia reparado se materializaram de cada lado dele, agarrando seus braços e o imobilizando. Ele tentou em vão se desvencilhar de seus captores. Através de uma névoa de raiva, viu Pinsky recuar a marreta e desferir outro golpe. A pancada o atingiu no peito e ele sentiu as costelas se partirem. O golpe seguinte foi mais baixo, atingindo-lhe a barriga. Ele teve um espasmo e vomitou o café da manhã. Então uma nova marretada atingiu a lateral da sua cabeça. Por alguns segundos, ele perdeu os sentidos e, quando voltou a si, seu corpo pendia mole dos braços dos dois policiais. Isaak também estava imobilizado por dois outros homens.

– Mais calmo agora? – perguntou Pinsky.

Grigori cuspiu sangue. Seu corpo inteiro doía e ele não conseguia pensar direito. O que estava acontecendo? Pinsky o detestava, mas alguma coisa devia ter acontecido para provocar aquilo. E era muita audácia dele, agir bem ali no meio da fábrica, cercado por trabalhadores que não tinham motivo algum para gostar da polícia. Por alguma razão, ele devia estar se sentindo seguro de si.

Pinsky ergueu a marreta e assumiu uma expressão pensativa, como se estivesse cogitando desferir mais um golpe. Grigori se contraiu e lutou contra a tentação de implorar clemência. Então Pinsky perguntou:

– Qual é o seu nome?

Grigori tentou falar. A princípio, tudo o que saiu de sua boca foi sangue. Por fim, ele conseguiu dizer:

– Grigori Sergeivich Peshkov.

Pinsky lhe deu outra marretada na barriga. Grigori gemeu e vomitou sangue.

– Mentiroso – disse Pinsky. – Qual é o seu nome? – Ele tornou a erguer a marreta.

Konstantin se afastou de seu torno para chegar mais perto.

– Senhor agente, este homem é Grigori Peshkov! – protestou ele. – Todos nós o conhecemos há muitos anos!

– Não minta para mim – disse Pinsky, levantando mais um pouco a marreta. – Ou vai ter um gostinho disto aqui.

A mãe de Konstantin, Varya, se manifestou.

– Não é mentira, Mikhail Mikhailovich – disse ela. O uso do patronímico significava que ela conhecia Pinsky. – Ele é quem diz ser. – Ela ficou parada com os braços cruzados sobre o peito farto, como se desafiasse o policial a duvidar dela.

– Então explique isto aqui – falou Pinsky, sacando do bolso uma folha de papel. – Grigori Sergeivich Peshkov deixou São Petersburgo dois meses atrás a bordo do *Anjo Gabriel*.

Kanin, o supervisor, apareceu e perguntou:

– O que está acontecendo aqui? Por que ninguém está trabalhando?

Pinsky apontou para Grigori.

– Este homem é Lev Peshkov, irmão de Grigori... procurado pelo assassinato de um policial!

Todos começaram a gritar ao mesmo tempo. Kanin levantou a mão para pedir silêncio e disse:

– Senhor agente, eu conheço tanto Grigori quanto Lev Peshkov e passei vários anos vendo os dois quase diariamente. Como todos os irmãos, eles se parecem, mas posso lhe garantir que este aqui é Grigori. E o senhor está impedindo o trabalho desta seção.

– Se este aqui é Grigori – disse Pinsky, com ar de quem lança mão de um trunfo –, então quem embarcou no *Anjo Gabriel*?

Assim que ele fez a pergunta, a resposta ficou clara. Depois de alguns instantes, Pinsky se deu conta e ficou com cara de bobo.

– Meu passaporte e minha passagem foram roubados – disse Grigori.

Pinsky começou a enrubescer.

– E por que você não deu queixa à polícia?

– De que iria adiantar? Lev já tinha saído do país. Vocês não iriam conseguir trazê-lo de volta, e menos ainda meus documentos.

– Isso faz de você cúmplice da fuga dele.

Kanin tornou a intervir.

– Capitão Pinsky, o senhor começou acusando este homem de assassinato. Talvez isso fosse motivo suficiente para paralisar a produção da seção de rodas. Mas já reconheceu que estava enganado e agora está alegando apenas que meu funcionário não deu queixa do roubo de alguns documentos. Enquanto isso, seu país está em guerra e o senhor está atrasando a fabricação de locomotivas de vital importância para o Exército russo. A menos que queira ver seu nome mencionado no nosso próximo relatório ao alto-comando do Exército, sugiro que encerre seu trabalho aqui imediatamente.

Pinsky olhou para Grigori.

– Qual é a sua unidade de reservistas?

Grigori respondeu sem pensar:

– O regimento de Narva.

– Rá! – disse Pinsky. – Eles foram convocados hoje. – O policial olhou para Isaak. – Você também, aposto.

Isaak permaneceu calado.

– Podem soltá-los – ordenou Pinsky.

Grigori cambaleou quando lhe soltaram os braços, mas conseguiu ficar de pé.

– É melhor vocês aparecerem no quartel conforme solicitado – disse Pinsky a Grigori e Isaak. – Senão vou atrás de vocês. – Ele deu meia-volta e saiu com o pouco de dignidade que lhe restava. Seus homens o acompanharam.

Grigori deixou-se cair sobre um banquinho. Sua cabeça latejava, suas costelas doíam e ele sentia a barriga machucada. Precisava se encolher em um canto e desmaiar. O pensamento que o mantinha acordado era um desejo ardente de destruir Pinsky e todo o sistema do qual ele fazia parte. Um dia, ele não parava de pensar, nós vamos acabar com Pinsky, com o czar e com tudo o que eles representam.

– O Exército não virá atrás de vocês – disse Kanin. – Isso eu já garanti... mas infelizmente não posso fazer nada quanto à polícia.

Grigori meneou a cabeça com raiva. Era o que ele temia. O golpe mais violento de Pinsky, pior do que qualquer um que houvesse desferido com a marreta, era garantir que Grigori e Isaak se apresentassem ao Exército.

– Não gosto da ideia de perdê-lo – disse Kanin. – Você tem sido um bom operário. – Ele parecia sinceramente comovido, mas estava de mãos atadas. Ficou calado por mais alguns segundos, então ergueu as mãos para o alto em um gesto de impotência e saiu do galpão.

Varya surgiu na frente de Grigori com uma tigela cheia de água e um pano limpo. Limpou o sangue do seu rosto. Era uma mulher corpulenta, mas suas mãos largas tinham um toque delicado.

– Você deveria ir para o alojamento da fábrica – disse ela. – Achar uma cama vazia e se deitar por uma hora.

– Não – respondeu Grigori. – Eu vou para casa.

Varya deu de ombros e virou-se para Isaak, cujos ferimentos não eram tão graves.

Com esforço, Grigori se levantou e a fábrica rodopiou à sua volta por alguns segundos. Quando ele titubeou, Konstantin segurou-lhe o braço, mas, depois de algum tempo, se sentiu capaz de ficar em pé sozinho.

Konstantin recolheu a boina do amigo do chão e a devolveu a ele.

Quando Grigori começou a andar, sentiu-se trôpego, mas recusou com um gesto qualquer oferta de ajuda. Então, depois de alguns passos, voltou a andar normalmente. O esforço clareou sua mente, mas a dor em suas costelas o obrigava a pisar com cuidado. Ele foi percorrendo devagar o labirinto de bancos e tornos, fornalhas e prensas, até chegar ao lado de fora do galpão e depois ao portão da fábrica.

Foi quando topou com Katerina, que estava chegando.

– Grigori! – exclamou ela. – Você foi convocado, eu vi o cartaz! – Ela então reparou em seu rosto ferido. – O que aconteceu?

– Tive um encontro com seu chefe de polícia preferido.

– Pinsky, aquele porco. Você está ferido!

– Os machucados vão melhorar.

– Vou levar você para casa.

Grigori ficou surpreso. Aquilo era uma inversão de papéis. Katerina nunca havia se oferecido para cuidar dele antes.

– Posso chegar lá sozinho – disse ele.

– Mas eu vou com você mesmo assim.

Ela o tomou pelo braço e os dois saíram caminhando pelas ruas estreitas na contramão do fluxo de milhares de trabalhadores que se dirigiam à fábrica. O corpo de Grigori doía e ele se sentia mal; mesmo assim era uma alegria caminhar de braços dados com Katerina enquanto o sol nascia por sobre as casas malconservadas e as ruas sujas.

A caminhada pelo trajeto conhecido, no entanto, o deixou mais cansado do que ele esperava. Então, quando por fim chegaram em casa, ele se sentou pesadamente sobre a cama, deitando-se logo em seguida.

– Eu tenho uma garrafa de vodca escondida no quarto das meninas – disse Katerina.

– Não, obrigado, mas gostaria de um chá.

Grigori não tinha um samovar em casa, mas ela preparou o chá em uma panela e lhe entregou uma xícara na qual havia colocado um torrão de açúcar. Depois de beber, ele se sentiu um pouco melhor.

– O pior de tudo é que eu poderia ter escapado da convocação... – falou. – Mas Pinsky jurou que ia garantir que isso não acontecesse.

Ela se sentou ao seu lado na cama e tirou um panfleto do bolso.

– Uma das meninas me deu isto aqui.

Grigori olhou de relance para o papel. Parecia algo sem graça e oficial, como uma publicação do governo. O título era "Ajuda às Famílias dos Soldados".

– Se você for esposa de um soldado, tem direito a uma pensão mensal do Exército – disse Katerina. – Não é só para os pobres, qualquer um pode receber.

Grigori se lembrava vagamente de ter ouvido falar nisso. Como não lhe dizia respeito, não tinha dado muita importância ao assunto.

– E não é só isso – continuou Katerina. – Você também tem descontos na compra de combustível para calefação e de passagens de trem e ainda recebe uma ajuda para custear a educação dos filhos.

– Que maravilha! – disse Grigori. Ele queria dormir. – Chega a ser estranho tanto bom senso vindo do Exército.

– Mas é preciso ser casada.

Grigori ficou mais atento. Será possível que ela estava pensando...?

– Por que você está me dizendo isso? – perguntou ele.

– Do jeito que as coisas estão agora, eu não vou receber nada.

Grigori se apoiou em um dos cotovelos e olhou para ela. De repente, seu coração estava disparado.

– Se eu fosse casada com um soldado, minha situação seria melhor – disse ela. – E a do meu filho também.

– Mas... você ama Lev.

– Eu sei. – Ela começou a chorar. – Mas Lev está nos Estados Unidos e nem sequer se dá ao trabalho de escrever perguntando como estou.

– Mas então... o que você quer fazer? – Grigori sabia a resposta, mas precisava escutá-la.

– Eu quero me casar – disse ela.

– Só para ter direito à pensão de uma esposa de soldado.

Ela aquiesceu, eliminando com esse gesto uma esperança tênue e ingênua que havia brotado no peito dele por um instante.

– Seria tão importante para mim... – disse ela. – Ter um dinheirinho quando o bebê nascesse... principalmente agora que você vai estar longe, no Exército.

– Eu entendo – disse ele com o coração pesado.

– Podemos nos casar? – indagou ela. – Por favor?

– Sim – respondeu ele. – É claro que podemos.

||

Cinco casais foram unidos ao mesmo tempo na Igreja da Virgem Abençoada. O padre correu com a cerimônia e Grigori observou, irritado, que ele não encarava ninguém nos olhos. Aquele homem mal teria percebido se uma das noivas fosse um gorila.

Grigori pouco se importava. Sempre que passava por uma igreja, lembrava-se do padre que havia tentado ter algum tipo de relação sexual com Lev quando o irmão tinha 11 anos. O desprezo de Grigori pelo cristianismo havia sido reforçado mais tarde pelas palestras sobre ateísmo do grupo de discussão bolchevique de Konstantin.

Grigori e Katerina estavam se casando às pressas, assim como os outros quatro casais. Todos os noivos estavam fardados. A mobilização havia provocado uma onda de matrimônios e a Igreja estava se esforçando para dar conta da demanda. Grigori detestava aquela farda; para ele, um símbolo de servidão.

Não havia contado a ninguém sobre o casamento. Não via nele motivo para comemoração. Katerina deixara bem claro que se tratava de uma medida puramente prática, uma forma de conseguir o dinheiro do governo. Nesse sentido, era uma ótima ideia – e, quando estivesse no Exército, Grigori ficaria menos ansioso ao saber que ela gozava de alguma segurança financeira. Mesmo assim, não conseguia evitar a sensação de que aquele casamento tinha algo de horrivelmente farsesco.

Já Katerina não foi tão reservada, de modo que todas as moças da pensão estavam na igreja, assim como vários operários da metalúrgica.

Depois da cerimônia, houve uma festa no quarto que Katerina dividia com as meninas, com cerveja, vodca e um violinista que tocou músicas folclóricas conhecidas por todos. Quando as pessoas começaram a ficar embriagadas, Grigori saiu de fininho e foi para seu quarto. Tirou as botas e se deitou na cama vestindo a calça e a camisa do uniforme. Apagou a vela com um sopro, mas conseguia enxergar graças à luz da rua. Ainda estava dolorido por causa da surra de Pinsky: sentia dor no braço esquerdo sempre que tentava usá-lo e uma pontada nas costelas fraturadas a cada vez que se virava na cama.

No dia seguinte, estaria a bordo de um trem rumo ao oeste. Os combates começariam a qualquer momento. Ele estava com medo: somente um louco não ficaria. Mas era um homem inteligente e decidido e faria o melhor para permanecer vivo – como vinha fazendo desde a morte da mãe.

Ainda estava acordado quando Katerina entrou no quarto.

– Você saiu cedo da festa – reclamou ela.

– Não queria ficar bêbado.

Ela suspendeu a saia do vestido.

Ele ficou estupefato. Não conseguiu desgrudar os olhos do corpo desenhado pela luz dos postes da rua, das longas curvas das coxas e dos cachos louros. Ficou excitado e confuso.

– O que você está fazendo? – perguntou.

– Indo para a cama, é claro.

– Aqui, não.

Ela descalçou os sapatos.

– Que história é essa? Nós agora somos casados.

– Só para você poder receber a pensão.

– Mesmo assim, você merece alguma coisa em troca. – Ela se deitou na cama e beijou-lhe a boca com hálito de vodca.

Grigori não conseguiu evitar o desejo que nasceu dentro dele, fazendo-o corar de paixão e de vergonha. Apesar disso, conseguiu articular um "Não" com a voz engasgada.

Ela puxou a mão dele e a encostou no seu seio. Ele a acariciou, contra a vontade, apertando com delicadeza a carne macia e encontrando, com a ponta dos dedos, o mamilo através do tecido grosseiro do vestido.

– Está vendo? – disse ela. – Você quer.

Seu tom de voz triunfante o deixou zangado.

– É claro que quero – respondeu ele. – Eu amei você desde o primeiro dia em que a vi. Mas você ama Lev.

– Ai, por que você vive pensando em Lev?

– É um hábito que tenho desde que ele era pequeno e vulnerável.

– Bom, ele agora é um homem feito, além disso, não liga a mínima para você ou para mim. Ele pegou seu passaporte, sua passagem e seu dinheiro e nos deixou sem nada a não ser este bebê.

Ela estava certa: Lev sempre fora egoísta.

– Mas você não ama seus parentes porque eles são gentis e compreensivos. Você os ama porque são seus parentes.

– Ah, dê um presente para você mesmo – disse ela, irritada. – Amanhã você vai entrar para o Exército. Duvido que queira morrer arrependido por não ter trepado comigo quando teve a oportunidade.

Ele estava muito tentado. Ainda que ela estivesse meio embriagada, o corpo ao seu lado era quente e convidativo. Não teria ele direito a uma noite de prazer?

Katerina subiu a mão pela perna dele e empunhou seu pênis rijo.

– Vamos, você se casou comigo, agora pode muito bem gozar dos seus direitos.

E era justamente esse o problema, pensou Grigori. Ela não o amava. Estava se oferecendo em pagamento pelo que ele tinha feito. Aquilo era prostituição. Sentiu-se tão ofendido que ficou com raiva – e o fato de estar louco para ceder só fazia piorar a situação.

Ela começou a esfregar seu membro para cima e para baixo. Furioso e exaltado, ele a empurrou. O empurrão foi mais violento do que pretendia e a fez cair da cama.

Ela soltou um grito de surpresa e dor.

Aquela não fora sua intenção, mas ele estava furioso demais para se desculpar.

Durante vários segundos, Katerina ficou deitada no chão, chorando e praguejando ao mesmo tempo. Ele resistiu à tentação de ajudá-la. Com dificuldade, ela se levantou, titubeando por causa da vodca.

– Seu porco! – falou. – Como pode ser tão cruel? – Ela endireitou o vestido, cobrindo as belas pernas. – Que tipo de noite de núpcias é este para uma garota... ser chutada para fora da cama do próprio marido?

As palavras deixaram Grigori sentido, mas ele continuou deitado sem dizer nada.

– Nunca pensei que você pudesse ter um coração tão duro – disse ela, irada. – Vá para o inferno! Vá para o inferno! – Ela recolheu os sapatos, abriu a porta com violência e saiu do quarto pisando firme.

Grigori se sentiu totalmente arrasado. Em seu último dia como civil, havia brigado com a mulher que adorava. Agora, se viesse a morrer em combate, morreria infeliz. Que mundo podre, pensou, que vida miserável!

Ele foi até a porta para fechá-la e ouviu Katerina no quarto ao lado, falando com uma jovialidade forçada:

– Grigori não conseguiu... estava bêbado demais! – disse ela. – Alguém me dê mais um pouco de vodca e vamos dançar outra música!

Ele bateu a porta e se jogou na cama.

III

Grigori acabou tendo um sono agitado. Na manhã seguinte, acordou cedo. Lavou-se, vestiu a farda e comeu um pouco de pão.

Quando passou a cabeça pela porta do quarto das meninas, viu que todas dormiam profundamente e que o chão estava coberto de garrafas, e o ar carregado de fumaça de cigarro e rançoso de cerveja derramada. Passou um minuto inteiro encarando Katerina, que dormia com a boca aberta. Então saiu da casa, sem saber se algum dia tornaria a vê-la, dizendo a si mesmo que não se importava.

Mas seu humor melhorou com a animação e a correria de se apresentar ao regimento, receber arma e munição, encontrar o trem certo e conhecer os novos companheiros. Ele tirou Katerina da cabeça e começou a pensar no futuro.

Embarcou em um trem junto com Isaak e várias outras centenas de reservistas, todos vestidos com as calças e túnicas de seu novo uniforme cinza-esverdeado. Como os demais, carregava um fuzil Mosin-Nagant de fabricação russa que, com sua comprida baioneta pontuda, tinha a mesma altura que ele. O grande hematoma deixado pela marreta, que cobria quase totalmente um dos lados de seu rosto, fez os outros pensarem que ele era algum tipo de criminoso, o que os levou a tratá-lo com um respeito cauteloso. O trem saiu de São Petersburgo cuspindo fumaça e foi resfolegando em um ritmo constante por campos e florestas.

O sol poente estava diante do trem, à direita, o que significava que estavam indo para sudoeste, na direção da Alemanha. Isso parecia evidente para Grigori, porém, quando comentou a respeito com seus companheiros de farda, eles ficaram surpresos e impressionados: a maioria não sabia onde ficava a Alemanha.

Aquela era a segunda vez que andava de trem na vida, e se lembrou com clareza da primeira. Quando tinha 11 anos, sua mãe o havia levado a São Petersburgo junto com Lev. Fazia poucos dias que seu pai tinha sido enforcado. A cabeça do pequeno Grigori estava cheia de medo e tristeza, mas, como qualquer criança, ele ficara muito entusiasmado com a viagem: o cheiro de óleo da locomotiva gigantesca, as rodas imensas, a camaradagem dos camponeses no vagão de terceira classe e a velocidade estonteante com a qual a paisagem campestre passava pela janela. Ele voltou a experimentar um pouco do mesmo entusiasmo e não pôde deixar de sentir que havia iniciado uma aventura que poderia ser não só terrível, mas também empolgante.

Desta vez, no entanto, ele viajava em um vagão de animais, assim como todos, exceto os oficiais. O vagão abrigava cerca de 40 homens: operários de São Petersburgo com a pele clara e malícia no olhar; camponeses de barbas compridas e voz arrastada, que examinavam tudo com uma curiosidade cheia de fascínio; e meia dúzia de judeus de olhos e cabelos escuros.

Um dos judeus sentou-se ao lado de Grigori e se apresentou como David. Segundo ele, seu pai fabricava baldes de ferro no quintal dos fundos de sua casa e depois os vendia de vilarejo em vilarejo. Havia muitos judeus no Exército, explicou, porque era mais difícil para eles conseguir uma dispensa do serviço militar.

Estavam todos sob o comando de um tal sargento Gavrik, um soldado comum que parecia ansioso, ladrava ordens e blasfemava muito. Ele fingia pensar que todos os homens fossem camponeses e os chamava de fodedores de vacas. Tinha a mesma idade de Grigori, jovem demais para ter participado da guerra contra o Japão de 1904-1905, e Grigori imaginava que, por baixo de toda aquela bravata, ele estava com medo.

De tantas em tantas horas, o trem parava em uma estação do interior e os homens desciam. Às vezes recebiam sopa e cerveja, outras, apenas água. Entre as paradas, ficavam sentados no chão do vagão. Gavrik se certificou de que todos sabiam limpar o fuzil e relembrou-lhes as diferentes patentes militares e as formas de tratamento que deveriam ser usadas com os oficiais. Tenentes e capitães eram "Sua Excelência", mas os oficiais de alta patente demandavam uma série de títulos honoríficos que iam até "Mais Alto Fulgor" para os que também fossem aristocratas.

No segundo dia, Grigori calculou que já estivessem no território da Polônia russa.

Perguntou ao sargento de que seção do Exército faziam parte. Sabia que formavam o regimento de Narva, mas ninguém lhes dissera como se encaixavam no contexto global das Forças Armadas.

– Não é da sua conta, porra – disse Gavrik. – Vá para onde mandarem, faça o que disserem e pronto. – Grigori imaginou que ele não soubesse a resposta.

Um dia e meio depois, o trem parou em uma cidade chamada Ostrolenka. Grigori nunca tinha ouvido falar nela, mas pôde ver que era o final da linha do trem, então imaginou que deveria ficar próxima à fronteira alemã. Centenas de vagões estavam sendo desembarcados ali. Homens e cavalos suavam e se esforçavam para retirar imensas peças de artilharia dos trens. Milhares de soldados aguardavam enquanto oficiais carrancudos tentavam agrupá-los em pelotões e companhias. Ao mesmo tempo, toneladas de mantimentos precisavam ser transferidas para carroças puxadas a cavalo: peças de carne, sacos de farinha, barris de cerveja, caixotes de munição, embalagens contendo projéteis e muitas toneladas de aveia para alimentar todos os cavalos.

Em determinado momento, Grigori viu o rosto odiado do príncipe Andrei. Ele usava uma farda suntuosa – Grigori não conhecia tão bem os emblemas e listras para identificar seu regimento ou sua patente – e estava montado em um cavalo baio de grande porte. Um cabo vinha atrás dele, carregando um canário dentro de uma gaiola. Eu poderia matá-lo agora com um tiro e vingar meu pai, pensou Grigori. É claro que era uma ideia idiota, mas ele ficou alisando o gatilho do fuzil enquanto o príncipe e seu pássaro engaiolado desapareciam em meio à multidão.

O tempo estava quente e seco. Naquela noite, Grigori dormiu no chão com o restante dos homens de seu vagão. Atinou que formavam um pelotão e que ficariam juntos por algum tempo. Na manhã seguinte, foram apresentados ao seu comandante, um segundo-tenente aflitivamente jovem chamado Tomchak. Ele os conduziu por uma estrada que seguia em direção ao noroeste, fazendo-os sair de Ostrolenka.

O tenente Tomchak disse a Grigori que eles formavam a Unidade 13, comandada pelo general Klyuev, que fazia parte do Segundo Exército sob as ordens do general Samsonov. Os outros homens ficaram assustados quando Grigori transmitiu essa notícia a eles, pois o número 13 trazia má sorte, e o sargento Gavrik disse:

– Eu disse a você que isso não era da sua conta, Peshkov, sua bicha de merda.

O pelotão não estava muito longe da cidade quando a estrada pavimentada terminou, virando uma trilha de areia que cortava uma floresta. Os veículos de mantimentos atolaram e os condutores perceberam que um único cavalo não conseguia puxar uma carroça do Exército cheia por um solo arenoso. Todos os cavalos tiveram de ser desarreados e reatrelados de dois em dois, de modo que metade dos vagões teve de ser abandonada à beira da estrada.

Eles marcharam o dia inteiro e dormiram outra vez ao relento. A cada noite, antes de dormir, Grigori pensava com seus botões: mais um dia e eu ainda estou vivo para cuidar de Katerina e do bebê.

Naquela noite Tomchak não recebeu nenhuma ordem, portanto eles passaram a manhã seguinte inteira sentados debaixo das árvores. Grigori achou ótimo: a marcha da véspera o deixara com as pernas doloridas e as botas novas machucavam seus pés. Os camponeses estavam acostumados a passar o dia inteiro caminhando e riam da fraqueza dos recrutas da cidade.

Ao meio-dia, um mensageiro trouxe, com quatro horas de atraso, ordens de que deveriam ter partido às oito da manhã.

Não havia como prover os homens de água durante a marcha, então eles tinham que beber dos poços e riachos que surgiam pelo caminho. Logo aprenderam a beber o máximo de água possível a cada oportunidade e a manter seus respectivos cantis sempre cheios. Tampouco era possível cozinhar – e a única comida que recebiam eram bolachas duras e secas. De poucos em poucos quilômetros, eram convocados para ajudar a desatolar um canhão de algum brejo ou banco de areia.

Eles marcharam até o pôr do sol e dormiram novamente debaixo das árvores.

Na metade do terceiro dia, emergiram da mata e se depararam com uma bela casa de fazenda localizada entre campos de aveia e trigo maduro. Tinha dois andares e um telhado íngreme. No quintal havia uma fonte de concreto e uma construção de pedra baixa que parecia um chiqueiro, embora estivesse limpo. O lugar parecia a propriedade de algum rico dono de terras, ou talvez do filho caçula de algum nobre. Estava trancado e deserto.

Quase dois quilômetros mais adiante, para espanto geral, a estrada cortava um vilarejo inteiro composto de propriedades do mesmo tipo, todas abandonadas. Grigori começou a se dar conta de que havia cruzado a fronteira com a Alemanha e de que aquelas eram as casas luxuosas dos agricultores alemães que, junto com suas famílias e animais, haviam fugido para escapar do Exército russo que se aproximava. Mas onde estavam os casebres dos camponeses pobres? Que fim tinha levado a sujeira dos porcos e das vacas? Por que não havia nenhum curral de madeira caindo aos pedaços, com as paredes remendadas e buracos no telhado?

Os soldados ficaram radiantes.

– Eles estão fugindo de nós! – disse um dos camponeses. – Estão com medo dos russos. Nós vamos conquistar a Alemanha sem disparar um tiro!

Por frequentar o grupo de discussão de Konstantin, Grigori sabia que o plano alemão era conquistar antes a França para só depois lidar com a Rússia. Os alemães não estavam se rendendo, mas apenas escolhendo o melhor momento para lutar. Mesmo assim, seria surpreendente se estivessem de fato abrindo mão daquele território tão rico sem resistência.

– Que parte da Alemanha é esta, Excelência? – perguntou ele a Tomchak.

– Eles a chamam de Prússia Oriental.

– É a parte mais rica da Alemanha?

– Creio que não – respondeu o tenente. – Não estou vendo nenhum palácio.

– O povo comum da Alemanha é rico o suficiente para morar em casas como essas?

– Parece que sim.

Era óbvio que Tomchak, que parecia recém-saído da escola, não sabia muito mais do que Grigori.

Grigori continuou andando, mas sentia-se desmoralizado. Considerava-se um homem bem informado, mas não fazia ideia de que os alemães vivessem tão bem.

Foi Isaak quem deu voz às suas inseguranças.

– Nosso Exército já está com dificuldade para nos alimentar, apesar de nenhum tiro ter sido disparado ainda – falou em voz baixa. – Como vamos lutar contra um povo tão bem organizado a ponto de criar porcos em chiqueiros de pedra?

IV

Walter estava eufórico com os acontecimentos na Europa. Tudo indicava que a guerra seria curta e que a Alemanha conquistaria uma vitória rápida. Ele poderia reencontrar Maud no Natal.

A menos, é claro, que morresse. Mas, se fosse o caso, morreria um homem feliz.

Ele estremecia de alegria sempre que se lembrava da noite que haviam passado juntos. Não tinham desperdiçado seu precioso tempo dormindo. Fizeram amor três vezes. No fim das contas, a penosa dificuldade inicial só intensificara a euforia de ambos. Entre cada uma das vezes, haviam ficado deitados lado a lado, conversando e afagando preguiçosamente um ao outro. Nenhuma conversa se comparava às que tiveram. Tudo o que pudesse dizer a si mesmo, Walter podia dizer a Maud. Nunca se sentira tão íntimo de outra pessoa.

Perto do raiar do dia, os dois haviam comido todas as frutas da fruteira e todos os chocolates da caixa. Por fim, tiveram que ir embora: Maud para voltar às escondidas para a casa de Fitz – dizendo aos empregados que saíra para dar uma caminhada matinal – e Walter rumo ao seu apartamento, para trocar de roupa, fazer as malas e deixar instruções com o lacaio para enviar seus demais pertences por navio a sua casa em Berlim.

No táxi, durante o curto trajeto entre os distritos de Knightsbridge e Mayfair, eles ficaram segurando as mãos um do outro com força, sem dizer muita coisa. Walter mandara o motorista parar na esquina da casa de Fitz. Maud o beijara uma última vez, enroscando a língua na dele com uma paixão desesperada, indo embora em seguida e deixando-o a pensar se um dia tornaria a vê-la.

A guerra havia começado bem. O exército alemão avançava de forma implacável pela Bélgica. Mais ao sul, os franceses – movidos mais pelo entusiasmo do que pela estratégia – haviam invadido a Lorena apenas para serem triturados pela artilharia alemã. Agora estavam em franca retirada.

O Japão havia entrado na guerra ao lado da França e da Grã-Bretanha, o que infelizmente não permitia que soldados russos no Extremo Oriente fossem transferidos para a frente de batalha na Europa. Os norte-americanos, contudo, para grande alívio de Walter, haviam confirmado sua neutralidade. Como o mundo havia ficado pequeno, refletiu ele: o Japão ficava no limite oriental do mundo, e os Estados Unidos no limite ocidental. Aquela guerra dava a volta ao mundo.

De acordo com os serviços de inteligência alemães, os franceses haviam enviado uma série de telegramas para São Petersburgo implorando ao czar que atacasse, na esperança de que isso distraísse os alemães. Os russos, por sua vez, haviam se movido depressa demais, contrariando todas as previsões. Seu Primeiro Exército tinha surpreendido o mundo inteiro ao cruzar a fronteira alemã em apenas 12 dias de mobilização. Enquanto isso, o Segundo Exército invadia o país mais ao sul, a partir do terminal ferroviário de Ostrolenka, em uma trajetória que faria as duas frentes se encontrarem perto de uma cidade chamada Tannenberg. Nenhum dos dois exércitos encontrou qualquer oposição.

A estranha apatia alemã que tornou isso possível não tardou a acabar. O comandante supremo da região, general Prittwitz, conhecido como *Der Dicke*, O Gordo, foi rapidamente afastado pelo alto-comando e substituído pela dupla formada por Paul von Hindenburg, que teve de abandonar sua aposentadoria, e Erich Ludendorff, um dos poucos oficiais veteranos que não tinha o "von" dos aristocratas no sobrenome. Aos 49 anos, Ludendorff era também um dos generais mais jovens. Walter o admirava por ter chegado tão alto por puro mérito e estava feliz em ser seu contato com a inteligência.

No dia 23 de agosto, um domingo, enquanto estavam indo da Bélgica para a Prússia, eles fizeram uma breve parada em Berlim. Lá, Walter pôde passar alguns instantes com a mãe na plataforma da estação. Seu nariz fino estava avermelhado por causa de um resfriado de verão. Ela o abraçou com força, tremendo de emoção.

– Você está bem – disse.

– Sim, mãe, estou bem.

– Estou muito preocupada com Zumwald. Os russos estão tão perto! – Zumwald era a propriedade rural dos Von Ulrich, no leste do país.

– Tenho certeza de que vai ficar tudo bem.

Ela não se deixou convencer com tanta facilidade.

– Eu falei com a esposa do Kaiser. – Sua mãe a conhecia bem. – Várias outras senhoras fizeram o mesmo.

– Você não deveria incomodar a família real – disse Walter, repreendendo a mãe. – Eles já têm muito com que se preocupar.

Sua mãe fungou.

– Não podemos deixar nossas propriedades nas mãos do Exército russo!

Walter sentia o mesmo. Ele também detestava pensar nos camponeses russos primitivos e seus senhores bárbaros sempre de chicote na mão pisoteando os pastos e pomares bem cuidados da propriedade dos Von Ulrich. Aqueles agricultores alemães tão esforçados, com suas mulheres musculosas, seus filhos asseados e seu gado gordo, mereciam proteção. Não era esse o motivo da guerra? Além disso, ele planejava um dia levar Maud para conhecer Zumwald e mostrar o lugar para sua esposa.

– Ludendorff vai deter o avanço dos russos, mãe – disse ele, torcendo para que fosse verdade.

Antes que ela pudesse responder, o trem apitou e Walter lhe deu um beijo, embarcando em seguida.

Ele sentia uma pontada de responsabilidade pessoal pelas derrotas alemãs na frente oriental. Foi um dos especialistas em inteligência a prever que os russos não conseguiriam atacar tão depressa uma vez ordenada a mobilização. Sempre que pensava nisso, ficava mortificado de vergonha. Porém desconfiava que não tivesse se enganado por completo, e que os russos estavam enviando à frente de batalha tropas despreparadas e sem suprimentos adequados.

Quando chegou à Prússia Oriental mais tarde naquele mesmo domingo, acompanhado pela comitiva de Ludendorff, essa desconfiança foi reforçada por relatórios segundo os quais o Primeiro Exército russo, ao norte, havia parado de avançar. Ele havia penetrado apenas uns poucos quilômetros em território alemão e, segundo a lógica militar, deveria seguir em frente. O que os russos estavam esperando? Walter suspeitava que estivessem ficando sem comida.

A frente sul do Exército russo, no entanto, continuava a avançar – e a prioridade de Ludendorff era detê-la.

Na manhã seguinte, segunda-feira, 24 de agosto, Walter entregou a Ludendorff dois relatórios de valor inestimável. Eram duas mensagens telegráficas dos russos, interceptadas e traduzidas pelo serviço de inteligência alemão.

A primeira, enviada às cinco e meia daquela manhã pelo general Rennenkampf, ordenava ao Primeiro Exército russo que retomasse a marcha. Finalmente Rennenkampf havia voltado a agir, mas, em vez de tomar o rumo do sul para encontrar o Segundo Exército e reunir as duas frentes, estava avançando de forma inexplicável para oeste, o que não representava ameaça alguma para as forças alemãs.

A segunda mensagem fora enviada meia hora mais tarde pelo general Samsonov, comandante do Segundo Exército russo. Ele ordenava às suas Unidades 13 e 15 que fossem ao encalço da Unidade XX dos alemães, que ele acreditava estar batendo em retirada.

– Isso é espantoso! – comentou Ludendorff. – Como foi que conseguimos estas informações? – Ele tinha um ar desconfiado, como se Walter pretendesse enganá-lo. Já Walter tinha a impressão de que Ludendorff suspeitava dele por vê-lo como um membro da antiga aristocracia militar. – Nós sabemos os códigos deles? – quis saber o general.

– Eles não usam códigos – disse-lhe Walter.

– Eles enviam ordens às claras? Meu Deus, mas por quê?

– Os soldados russos não são instruídos o bastante para lidar com códigos – explicou Walter. – As informações que colhemos antes da guerra indicaram que mal há homens alfabetizados suficientes para operar os transmissores de telégrafo.

– Então por que não usam telefones de campanha? Uma chamada telefônica não pode ser interceptada.

– Acho que eles provavelmente ficaram sem fios de telefone.

Ludendorff tinha os lábios virados para baixo, um queixo proeminente e parecia estar sempre franzindo o cenho de um jeito agressivo.

– Isso não poderia ser um truque, poderia?

Walter fez que não com a cabeça.

– Essa ideia é inconcebível, senhor. Os russos mal conseguem se comunicar por vias normais. Usar sinais falsos de telégrafo para enganar o inimigo está tão fora da capacidade deles quanto voar até a Lua.

Ludendorff curvou a cabeça calva por cima do mapa sobre a mesa à sua frente. Ele era um trabalhador incansável, porém muitas vezes se via assaltado por dúvidas terríveis, e Walter imaginou que o que o impulsionava era o medo do fracasso. Ludendorff pôs o dedo sobre o mapa.

– As Unidades 13 e 15 de Samsonov formam o centro da linha de frente russa – disse ele. – Se elas avançarem...

Walter percebeu na mesma hora o que Ludendorff estava pensando: os russos poderiam ser atraídos para uma armadilha, ficando cercados por três lados.

– À nossa direita, temos Von François e sua Unidade I. Ao centro, Scholtz e a Unidade XX, que recuou um pouco, mas não está batendo em retirada, ao contrário do que os russos parecem pensar. E, à nossa esquerda, porém 50 quilômetros mais ao norte, temos Mackensen e a Unidade XVII. Mackensen está de olho na frente norte dos russos, mas, se esse grupo estiver se dirigindo para o lado errado, talvez possamos ignorá-lo, por enquanto, e mandar Mackensen avançar para o sul.

– Uma manobra clássica – disse Walter. Era simples, mas ele próprio não havia cogitado aquela medida antes de Ludendorff a assinalar. Era por isso que Ludendorff era general, pensou com admiração.

– Mas isso só vai funcionar se Rennenkampf e o Primeiro Exército russo continuarem avançando na direção errada.

– O senhor viu a mensagem interceptada. As ordens russas já foram emitidas.

– Vamos torcer para Rennenkampf não mudar de ideia.

V

O batalhão de Grigori estava sem comida, mas uma carroça cheia de pás havia chegado, de modo que eles fizeram uma trincheira. Os homens se revezavam para cavar, substituindo-se a cada meia hora, portanto, não demorou muito. Não ficou perfeita, mas daria para o gasto.

Mais cedo naquele mesmo dia, Grigori, Isaak e seus camaradas haviam passado por uma posição alemã abandonada. Na ocasião, Grigori percebera que as trincheiras inimigas eram cavadas em uma espécie de zigue-zague, o que formava reentrâncias a intervalos regulares, de modo que não se conseguia ver muito à frente. O tenente Tomchak disse que essas reentrâncias se chamavam recessos, mas ele não sabia para que serviam. Não ordenou a seus homens que copiassem o modelo alemão. Grigori, no entanto, estava certo de que ele tinha alguma função.

Grigori ainda não havia disparado sua arma. Ouvira tiros de fuzil, de metralhadora e de canhão, e sua unidade conquistara um bom pedaço de território alemão, mas, até aquele momento, ele não tinha atirado em ninguém e ninguém atirara nele. Aonde quer que os soldados da Unidade 13 chegassem, eles descobriam que os alemães haviam acabado de fugir.

Isso não fazia o menor sentido. Aos poucos ele percebia que, na guerra, o caos reinava. Ninguém sabia ao certo onde estava ou quem era o inimigo. Dois homens do pelotão de Grigori tinham morrido, mas não pelas mãos dos alemães: um havia dado um tiro de fuzil na própria coxa por acidente e sangrara até a morte com uma rapidez espantosa, enquanto o outro havia sido pisoteado por um cavalo desembestado e nunca mais recobrara a consciência.

Há dias que eles não viam uma carroça de comida. Suas rações de emergência e até as bolachas tinham acabado. Estavam todos em jejum desde a manhã da véspera. Depois de cavarem a trincheira, foram dormir com fome. Felizmente era verão, então pelo menos não estavam com frio.

O tiroteio começou ao raiar do dia seguinte.

O barulho surgiu à esquerda de Grigori, a alguma distância de onde estavam, mas ele pôde ver nuvens de metralha explodindo no ar e a terra solta jorrar repentinamente do solo onde os projéteis aterrissavam. Sabia que deveria estar apavorado, mas não estava. Estava com fome, com sede, cansado, dolorido e entediado, mas não com medo. Imaginou se os alemães estariam sentindo o mesmo.

Também havia fogo cerrado à sua direita, alguns quilômetros mais ao norte, mas, no local onde estavam, reinava o silêncio.

– Parece o olho do furacão – comentou David, o vendedor de baldes judeu.

Logo chegaram ordens para que avançassem. Cansados, abandonaram suas trincheiras e seguiram em frente.

– Imagino que deveríamos ficar gratos – disse Grigori.

– Gratos por quê? – quis saber Isaak.

– Marchar é melhor do que lutar. Nossos pés estão cheios de bolhas, mas estamos vivos.

À tarde, eles se aproximaram de uma cidade que o tenente Tomchak disse se chamar Allenstein. Reuniram-se nos arredores em formação de marcha e assim adentraram o centro.

Para surpresa geral, Allenstein estava repleta de cidadãos alemães bem-vestidos tocando normalmente suas rotinas de quinta-feira à tarde – pondo cartas no correio, fazendo compras e passeando com bebês em carrinhos. A unidade de Grigori parou em um pequeno parque, onde os homens se sentaram à sombra de árvores altas. Tomchak entrou em uma barbearia próxima e saiu de lá barbeado e com os cabelos cortados. Isaak foi comprar vodca, mas voltou dizendo que o Exército havia postado sentinelas na entrada de todas as lojas de bebidas alcoólicas com ordens para não deixarem os soldados entrar.

Por fim, um cavalo e uma carroça apareceram com um barril de água fresca. Os homens fizeram fila para encher os cantis. Conforme a tarde avançava e a temperatura diminuía, outras carroças chegaram com pães comprados ou requisitados às padarias da cidade. A noite caiu e eles dormiram sob as árvores.

Quando o dia raiou, não houve desjejum. Um batalhão foi deixado para trás para garantir o domínio da cidade, enquanto Grigori e o restante da Unidade 13 saíram marchando de Allenstein, rumo ao sudoeste pela estrada para Tannenberg.

Embora ainda não houvessem travado combate, Grigori percebeu que o clima entre os oficiais tinha mudado. Estavam sempre percorrendo as fileiras de homens a passos largos e se reuniam em grupinhos agitados para conversar. Vozes se alteravam, enquanto um major apontava para um lado e um capitão gesticulava na direção oposta. Grigori continuava ouvindo artilharia pesada ao norte e ao sul, embora o barulho parecesse estar avançando para leste, ao passo que a Unidade 13 seguia para oeste.

– De quem é essa artilharia? – perguntou o sargento Gavrik. – Nossa ou deles? E por que está indo para leste, quando nós estamos indo para oeste? – O fato de o sargento não ter dito nenhum palavrão sugeriu a Grigori que ele estava seriamente preocupado.

A alguns quilômetros de Allenstein, um batalhão ficou para trás para proteger a retaguarda, o que surpreendeu Grigori, pois ele supunha que o inimigo estivesse à frente, não atrás. A Unidade 13 estava minguando, pensou ele com uma expressão carregada.

Mais ou menos no meio do dia, seu batalhão foi destacado da formação principal. Enquanto seus camaradas prosseguiam rumo ao sudoeste, seu grupo foi conduzido para o sudeste por uma trilha larga que atravessava uma floresta.

Foi ali que, finalmente, Grigori se deparou com o inimigo.

O batalhão parou para descansar junto a um riacho e os homens encheram os cantis. Grigori se embrenhou na mata para fazer suas necessidades. Estava em pé atrás de um tronco grosso de pinheiro quando ouviu um barulho à sua esquerda e, para sua surpresa, a poucos metros de onde estava, viu um oficial alemão fardado, inclusive com o capacete pontudo, em cima de um belo cavalo negro. O alemão espiava com um telescópio o local onde o batalhão havia parado. Grigori se perguntou o que ele estava olhando: não conseguiria ver muito longe entre as árvores. Talvez quisesse descobrir se os uniformes eram russos ou alemães. De tão imóvel, mais parecia um monumento numa praça em São Petersburgo, embora seu cavalo não estivesse tão tranquilo, movendo-se e repetindo o barulho que o havia alertado.

Grigori abotoou a calça com cuidado, pegou o fuzil e recuou sem se virar, mantendo sempre a árvore entre ele e o alemão.

De repente, o homem se moveu. Grigori sentiu medo por um instante, pensando que tivesse sido visto. O alemão, no entanto, fez o cavalo dar meia-volta com habilidade e, colocando o animal para trotar, seguiu rumo a oeste.

Grigori voltou correndo para junto do sargento Gavrik.

– Eu vi um alemão! – disse ele.

– Onde?

Grigori apontou.

– Ali... eu estava dando uma mijada.
– Tem certeza de que era um alemão?
– Ele estava de capacete pontudo.
– O que ele estava fazendo?
– Estava montado a cavalo, usando um telescópio para olhar para cá.
– Um batedor! – exclamou Gavrik. – Você atirou nele?

Somente então Grigori recordou que estava ali para matar soldados alemães, não para fugir deles.

– Pensei que deveria vir contar ao senhor – disse ele com voz fraca.
– Seu veadinho, por que você acha que nós lhe demos uma arma, porra? – berrou Gavrik.

Grigori olhou para o fuzil carregado que trazia na mão, com sua baioneta amedrontadora. Era óbvio que deveria tê-lo usado. Onde estava com a cabeça?

– Eu sinto muito – falou.
– Agora que você o deixou escapar, o inimigo sabe onde estamos!

Grigori se sentiu humilhado. Não havia sido treinado para aquele tipo de situação quando serviu o Exército, mas deveria ter conseguido se virar sozinho.

– Em que direção ele foi? – quis saber Gavrik.

Pelo menos isso Grigori sabia responder.

– Para oeste.

Gavrik deu-lhe as costas e andou depressa até o tenente Tomchak, que fumava encostado em uma árvore. Logo em seguida, Tomchak jogou o cigarro no chão e correu em direção ao major Bobrov, um oficial mais velho e boa-pinta, com uma cabeleira grisalha.

Depois disso, tudo aconteceu depressa. Eles não tinham artilharia, mas a seção de metralhadoras descarregou suas armas. Os 600 homens do batalhão foram espalhados em uma linha irregular de um quilômetro de comprimento, estendendo-se de norte a sul. Alguns homens foram escolhidos para seguir em frente. Os demais começaram a avançar lentamente para oeste, em direção ao sol da tarde que se punha em meio à folhagem.

Minutos depois, o primeiro projétil aterrissou. Depois de cruzar o ar com um barulho estridente, ele varou as copas das árvores, finalmente atingindo o chão poucos metros atrás de Grigori e explodindo com um estrondo grave que fez a terra tremer.

– Aquele batedor informou a nossa distância – disse Tomchak. – Eles estão atirando na nossa posição anterior. Ainda bem que saímos de lá.

Os alemães, no entanto, também sabiam usar a lógica, de modo que pareceram notar o próprio erro, pois o projétil seguinte aterrissou bem diante da linha russa que avançava.

Os homens em volta de Grigori começaram a ficar nervosos. Não paravam de olhar ao redor com os fuzis em riste, xingando uns aos outros à menor provocação. David olhava o tempo todo para cima, como se achasse ser capaz de ver uma bomba chegando e driblá-la. Isaak estava com a mesma expressão agressiva que costumava exibir no campo de futebol quando o time adversário começava a jogar sujo. Grigori descobriu que a ideia de que alguém estava dando o melhor de si para matá-lo era incrivelmente opressiva. Sentia-se como se tivesse recebido uma notícia muito ruim mas não conseguisse recordar direito qual era ela. Teve uma fantasia boba de cavar um buraco no chão e se esconder lá dentro.

Perguntou-se quanto os artilheiros conseguiam enxergar. Haveria um observador situado no alto de uma colina, rastreando a floresta com um potente binóculo alemão? Um só homem ficava invisível em uma floresta, mas talvez fosse possível ver 600 se movendo juntos em meio às árvores.

Alguém havia decidido que a distância estava certa, pois nos próximos segundos houve uma chuva de projéteis, sendo que alguns acertaram em cheio. Grigori se viu cercado de estrondos ensurdecedores, chafarizes de terra jorrando pelo ar, homens aos berros e partes de corpos humanos que voavam pelos ares. Aterrorizado, ele tremia. Não havia nada a fazer, nenhum jeito de se proteger: ou o projétil acertava você, ou não. Grigori apertou o passo, como se andar mais depressa pudesse ajudar. Os outros devem ter pensado a mesma coisa, porque, sem receberem ordem alguma, puseram-se a andar em ritmo acelerado.

Grigori segurava o fuzil com as mãos suadas, tentando não entrar em pânico. Mais bombas caíram, atrás dele e na sua frente, à esquerda e à direita. Ele correu mais depressa.

O fogo de artilharia ficou tão cerrado que ele não conseguia mais distinguir um projétil do outro: o barulho era um só, contínuo, como uma centena de trens em alta velocidade. Então o batalhão pareceu sair da linha de fogo, pois os projéteis começaram a aterrissar às suas costas. O bombardeio logo arrefeceu. Pouco depois, Grigori entendeu por quê. À sua frente, uma metralhadora começou a disparar e ele percebeu, com um pavor nauseante, que estava próximo da linha inimiga.

Rajadas de metralhadora alvejaram a floresta, rasgando a folhagem e estraçalhando os pinheiros. Grigori ouviu um grito ao seu lado e viu Tomchak cair. Ajoelhou-se ao lado do tenente e viu sangue em seu rosto e no peito da farda. Horrorizado, notou que um de seus olhos havia sido destroçado. Tomchak tentou se mexer e soltou um grito de dor.

– O que é que eu faço? O que é que eu faço? – perguntou Grigori. Teria conseguido fazer um curativo em um ferimento superficial, mas como ajudar um homem que levara um tiro no olho?

Ele sentiu um impacto na cabeça e, quando ergueu os olhos, viu Gavrik passar correndo por ele, gritando:

– Continue correndo, Peshkov, seu imbecil!

Ainda ficou olhando mais um pouco para Tomchak. Pareceu-lhe que o oficial não estava mais respirando. Era impossível ter certeza, mesmo assim se levantou e saiu correndo.

O tiroteio se intensificou. O medo de Grigori se transformou em raiva. As balas do inimigo trouxeram à tona uma sensação de indignação. No fundo de sua mente, sabia que era um sentimento irracional, mas não conseguia evitá-lo. De repente, teve vontade de matar aqueles desgraçados. Uns 200 metros mais à frente, depois de uma clareira, viu uniformes cinza e capacetes pontudos. Apoiou-se sobre um dos joelhos atrás de uma árvore, deu uma espiada pela lateral do tronco, ergueu o fuzil, mirou em um alemão e, pela primeira vez, puxou o gatilho.

Nada aconteceu – então ele se lembrou da trava de segurança.

Não era possível destravar um Mosin-Nagant com ele sobre o ombro. Abaixou a arma, sentou-se no chão atrás da árvore, aninhou a coronha do fuzil na dobra do cotovelo e girou o grande ferrolho serrilhado que liberava a culatra.

Olhou em volta. Assim como ele, seus camaradas haviam parado de correr e buscado proteção. Vários estavam disparando, outros recarregavam as armas, e outros, feridos, contorciam-se em agonia, alguns já tomados pela paralisia da morte.

Grigori espiou novamente por trás do tronco da árvore, levou o fuzil ao ombro e apertou os olhos para enxergar ao longo do cano. Viu a ponta de um fuzil saindo de um arbusto e um capacete pontudo logo acima. Com o coração cheio de ódio, apertou o gatilho cinco vezes com rapidez. O fuzil no qual ele estava mirando recuou depressa, mas não caiu, de modo que Grigori imaginou ter errado. Sentiu-se decepcionado e frustrado.

O Mosin-Nagant só disparava cinco tiros. Ele abriu a bolsa de munição e recarregou a arma. Agora queria matar alemães o mais rápido possível.

Quando tornou a espiar de trás da árvore, viu um alemão correndo por uma clareira na mata. Esvaziou o pente, mas o homem continuou a correr e desapareceu atrás de um grupo de árvores jovens.

Grigori percebeu que de nada adiantava apenas atirar. Acertar o inimigo era muito mais difícil em um combate de verdade do que nos poucos treinamentos de tiro ao alvo que havia recebido. Teria de se esforçar mais.

Quando estava recarregando de novo, ouviu uma metralhadora abrir fogo, e a vegetação ao seu redor foi crivada de balas. Ele pressionou as costas no tronco da árvore e encolheu as pernas, tornando-se um alvo menor. Aos seus ouvidos, parecia que a metralhadora estava a uns 200 metros à sua esquerda.

Quando os tiros cessaram, ele ouviu Gavrik gritar:

– Mirem naquela metralhadora, seus imbecis! Atirem enquanto eles estiverem recarregando!

Grigori esticou a cabeça para fora, à procura da metralhadora. Viu o tripé montado entre duas árvores grandes. Mirou o fuzil, mas então se deteve. Não adianta só atirar, lembrou a si mesmo. Respirou pausadamente, posicionou o cano pesado e mirou em um capacete pontudo. Abaixou um pouco o cano, até conseguir ver o peito do alemão. O dólmã do uniforme estava aberto no pescoço: o homem sentia calor por conta do esforço.

Grigori puxou o gatilho.

E errou. O alemão pareceu não ter notado o tiro. Grigori nem desconfiava onde tinha ido parar a bala.

Disparou de novo, esvaziando o pente inteiro em vão. Era enlouquecedor. Aqueles porcos estavam tentando matá-lo e ele era incapaz de acertar um deles que fosse. Talvez estivesse longe demais. Ou talvez simplesmente fosse um mau atirador.

A metralhadora tornou a abrir fogo e todos congelaram.

O major Bobrov apareceu, rastejando de quatro pelo chão da floresta.

– Ei, vocês! – gritou ele. – Ao meu comando, avancem para cima daquela metralhadora!

Você só pode estar maluco, pensou Grigori. Mas eu não estou.

O sargento Gavrik repetiu a ordem.

– Preparem-se para atacar o ninho da metralhadora! Aguardem o meu comando!

Bobrov se levantou e saiu correndo agachado pela linha de fogo. Grigori o ouviu gritar a mesma ordem um pouco mais adiante. Você está gastando saliva à toa, pensou ele. Está achando que somos um pelotão suicida, por acaso?

O barulho da metralhadora cessou e o major se levantou, expondo-se sem a menor cautela. Havia perdido o capacete, de modo que seus cabelos grisalhos faziam dele um alvo fácil.

– Agora! – gritou ele.

Gavrik repetiu a ordem.

– Vão, vão, vão!

Para servirem de exemplo, Bobrov e Gavrik saíram correndo por entre as árvores em direção ao ninho da metralhadora. De repente, Grigori se viu fazendo a mesma coisa, varando os arbustos e pulando por cima de troncos caídos, correndo meio agachado e tentando não deixar cair o fuzil difícil de carregar. A metralhadora continuou silenciosa, mas os alemães puseram-se a atirar com todas as outras armas que tinham. O efeito de dezenas de fuzis atirando ao mesmo tempo pareceu igualmente ruim, mas Grigori continuou correndo como se não tivesse alternativa. Conseguia ver a equipe responsável pela metralhadora recarregando a arma em desespero, manuseando atabalhoadamente o pente, com os rostos pálidos de medo. Alguns dos russos já estavam disparando, porém Grigori não teve tanta presença de espírito – simplesmente correu. Ainda estava um pouco longe da metralhadora quando viu três alemães escondidos atrás de um arbusto. Pareciam muito jovens, encarando-o com suas caras assustadas. Partiu para cima deles com a baioneta do fuzil erguida à sua frente como uma lança medieval. Ouviu alguém gritar e percebeu que era ele próprio. Os três soldados saíram correndo.

Ele os perseguiu, mas, como estava fraco de fome, eles se distanciaram com facilidade. Cem metros depois parou, exausto. Por toda parte, alemães fugiam perseguidos por russos. A equipe da metralhadora havia abandonado sua arma. Grigori imaginou que devesse estar atirando, mas por ora não tinha energia para erguer o fuzil.

O major Bobrov reapareceu, correndo junto à linha de soldados russos.

– Em frente! – gritou ele. – Não os deixem fugir! Matem todos, ou eles vão voltar outro dia para atirar em vocês! Vão!

Sem forças, Grigori começou a correr. Então a situação mudou. Ele ouviu um tumulto à sua esquerda: tiros, gritos, palavrões. De repente, soldados russos surgiram daquela direção, correndo a toda a velocidade. Bobrov, que estava ao lado de Grigori, exclamou:

– Mas que droga é essa?

Grigori então percebeu que eles estavam sendo atacados pelo flanco.

– Aguentem firme! – gritou Bobrov. – Protejam-se e atirem!

Ninguém lhe deu ouvidos. Os recém-chegados se enfiaram pela mata, em pânico, e os camaradas de Grigori começaram a se juntar à debandada, virando para a direita e disparando rumo ao norte.

– Ei, vocês, mantenham a posição! – gritava Bobrov. Ele sacou a pistola. – Eu disse para manterem a posição! – O major mirou nos soldados russos que passavam correndo por ele. – Estou avisando: vou atirar nos desertores! – Ouviu-se um estalo e os cabelos do oficial se tingiram de sangue. Ele caiu no chão. Grigori não sabia se Bobrov havia sido abatido por uma bala perdida alemã ou por uma de seus próprios companheiros.

Grigori deu meia-volta e saiu correndo com os outros.

Àquela altura, os tiros vinham de todos os lados. Grigori não sabia quem estava atirando em quem. Os russos se espalharam pela mata e aos poucos ele parecia estar deixando para trás o barulho do combate. Seguiu correndo até não aguentar mais, então finalmente desabou sobre um tapete de folhas, incapaz de se mexer. Ficou um bom tempo deitado ali, sentindo-se paralisado. Ainda estava segurando o fuzil, o que foi uma surpresa: não sabia por que não o havia largado.

Por fim, ele se levantou vagarosamente. Há algum tempo sua orelha direita estava dolorida. Ao tocá-la, soltou um grito de dor. Seus dedos voltaram pegajosos de sangue. Com delicadeza, tornou a apalpá-la. Para seu horror, notou que ela havia sido quase toda arrancada. Tinha sido ferido sem perceber. Em algum momento, uma bala levara embora a metade de cima da sua orelha.

Ele verificou o fuzil. O pente estava vazio. Recarregou a arma, embora não soubesse ao certo por quê: parecia incapaz de acertar quem quer que fosse. Armou a trava de segurança.

Parecia-lhe que os russos haviam caído em uma emboscada. Tinham sido instigados a seguir em frente até ficarem cercados, e então os alemães fecharam a arapuca.

O que ele deveria fazer agora? Não havia ninguém por perto, de modo que não podia perguntar a nenhum oficial quais eram as ordens. Contudo, não podia ficar onde estava. A unidade havia batido em retirada, isso era certo, então imaginou que devesse voltar. Se ainda restasse algo das tropas russas, elas supostamente estariam a leste dali.

Ele deu as costas para o sol poente e começou a andar. Moveu-se da forma mais silenciosa possível pela floresta, sem saber onde os alemães poderiam estar. Perguntou a si mesmo se o Segundo Exército inteiro não teria sido derrotado e fugira, dando-se conta de que poderia morrer de fome naquela floresta.

Uma hora depois, parou para beber água de um regato. Cogitou limpar o ferimento, mas decidiu que talvez fosse melhor deixá-lo quieto. Depois de matar a sede, resolveu descansar de cócoras, com os olhos fechados. Logo iria escurecer. Felizmente o tempo estava seco e ele podia dormir no chão.

Estava quase pegando no sono quando ouviu um barulho. Erguendo os olhos, ficou chocado ao ver um oficial alemão a cavalo movendo-se vagarosamente em meio às árvores, a 10 metros dali. O homem havia passado sem reparar em Grigori agachado junto ao regato.

Furtivamente, Grigori pegou o fuzil e girou a trava de segurança. Ajoelhando-se, levou a arma ao ombro e mirou com cuidado no meio das costas do alemão. O homem estava a 15 metros dele, uma distância curta para um tiro de fuzil.

No último segundo, o alemão foi alertado por um sexto sentido e se virou na sela.

Grigori apertou o gatilho.

O barulho foi ensurdecedor no silêncio da floresta. O cavalo saltou para a frente. O oficial caiu de lado e bateu no chão, porém um de seus pés continuou preso ao estribo. O cavalo ainda o arrastou por uns 100 metros pela vegetação rasteira, mas então desacelerou até parar.

Grigori ficou prestando atenção para ver se o som do tiro havia atraído alguma outra pessoa. No entanto, a única coisa que ouviu foi a brisa suave de fim de tarde agitando as folhas.

Andou em direção ao cavalo. Quando chegou mais perto, levou o fuzil ao ombro e apontou-o para o oficial, mas sua cautela se mostrou desnecessária. O homem estava imóvel, com o rosto virado para cima, os olhos arregalados, o capacete pontudo caído no chão ao seu lado. Tinha cabelos louros cortados rente à cabeça e olhos verdes muito bonitos. Talvez fosse o mesmo homem que Grigori tinha visto mais cedo: ele não conseguiu ter certeza. Lev saberia – teria se lembrado do cavalo.

Grigori abriu os alforjes que ladeavam a sela. Um deles continha mapas e um telescópio. O outro, uma linguiça e um naco grande de pão preto. Grigori estava faminto. Mordeu um pedaço da linguiça. A carne estava carregada de pimenta, ervas e alho. A pimenta deixou suas bochechas quentes e suadas. Mastigou depressa, engoliu e, em seguida, enfiou um pouco do pão na boca. A comida estava tão boa que ele se sentiu capaz de chorar. Ficou em pé ali, recostado no flanco do enorme cavalo e comendo o mais depressa possível, enquanto o homem que havia matado o encarava com seus olhos verdes vidrados.

VI

– Nossa estimativa é de 30 mil russos mortos, meu general – disse Walter a Ludendorff. Estava tentando não deixar sua euforia transparecer demais, mas a vitória alemã era tão acachapante que ele não conseguia tirar o sorriso do rosto.

Ludendorff mantinha uma calma inabalável.

– Quantos prisioneiros?

– Na última contagem, cerca de 92 mil, senhor.

Era uma estatística incrível, mas Ludendorff absorveu a informação com serenidade.

– Algum general?

– O general Samsonov se matou com um tiro. Temos o cadáver. Martos, comandante da Unidade 15 dos russos, foi capturado. Nós confiscamos 500 peças de artilharia.

– Em suma – disse Ludendorff, finalmente erguendo os olhos de sua mesa improvisada –, o Segundo Exército russo foi dizimado. Não existe mais.

Walter não pôde deixar de sorrir.

– Sim, senhor.

Ludendorff não retribuiu o sorriso. Em vez disso, brandiu o pedaço de papel que vinha analisando.

– O que torna esta notícia aqui ainda mais irônica.

– Que notícia, senhor?

– Nós vamos receber reforços.

Walter ficou pasmo.

– O quê? Não entendi direito, meu general... reforços?

– Estou tão surpreso quanto você. Três unidades e uma divisão de cavalaria.

– De onde?

– Da França... Precisamos da maior quantidade de homens possível se quisermos que o Plano Schlieffen funcione.

Walter lembrou que Ludendorff havia esmiuçado o Plano Schlieffen com a energia e a meticulosidade que lhe eram habituais, então sabia o que era necessário na França – até o número exato de homens, cavalos e balas.

– Mas o que provocou isso? – quis saber Walter.

– Não sei, mas posso adivinhar. – O tom de Ludendorff se encheu de amargura. – É uma decisão política. As princesas e condessas de Berlim têm falado aos prantos com a esposa do Kaiser que as propriedades de suas famílias estão sendo arrasadas pelos russos. O alto-comando cedeu à pressão.

Walter sentiu que estava corando. Sua mãe tinha feito a mesma coisa. Mulheres ficarem aflitas e implorarem por proteção podia ser compreensível, mas o Exército ceder a seus pedidos e pôr em risco toda a estratégia da guerra era imperdoável.

– Não é exatamente isso que os Aliados querem? – disse ele, indignado. – Os franceses convenceram os russos a realizar a invasão com um exército despreparado, na esperança de que nós entrássemos em pânico e mandássemos reforços para a frente oriental, o que enfraqueceria nosso exército na França!

– Exatamente. Os franceses estão batendo em retirada. Encontram-se em desvantagem numérica, sem armas suficientes, derrotados. A única esperança deles era que tivéssemos uma distração. E o desejo deles foi realizado.

– Então – falou Walter, desconsolado –, apesar da nossa vitória espetacular na frente oriental, os russos conseguiram a vantagem estratégica de que seus aliados precisam na frente ocidental!

– Isso – respondeu Ludendorff. – Exatamente.

CAPÍTULO TREZE

De setembro a dezembro de 1914

O som de uma mulher chorando acordou Fitz.

A princípio, ele achou que fosse Bea. Então se lembrou de que sua mulher estava em Londres e ele em Paris. A mulher ao seu lado na cama não era uma princesa grávida de 23 anos, mas sim uma garçonete francesa de 19 com um rosto angelical.

Apoiou-se em um dos cotovelos e olhou para ela. A moça tinha cílios louros que repousavam em suas faces como borboletas sobre pétalas de flores. Eles agora estavam molhados de lágrimas.

– *J'ai peur* – soluçou ela. – Estou com medo.

Ele acariciou-lhe os cabelos.

– *Calme-toi* – falou. – Fique calma. – Havia aprendido mais francês com mulheres como Gini do que em todo o seu tempo na escola. Gini era apelido de Ginette, que por sua vez também parecia inventado. Seu nome de batismo provavelmente era algo prosaico, como Françoise.

Era uma manhã de sol e uma brisa morna entrava pela janela aberta do quarto de Gini. Fitz não estava ouvindo tiros ou botas marchando sobre as pedras do calçamento.

– Paris ainda não caiu – murmurou ele em um tom de voz tranquilizador.

Não foi um comentário feliz, pois provocou novos soluços.

Fitz olhou para o relógio de pulso. Eram oito e meia. Tinha que estar de volta ao seu hotel às dez sem falta.

– Se os alemães chegarem, você cuida de mim? – perguntou Gini.

– É claro, *chérie* – respondeu ele, dissimulando uma pontada de culpa. Se pudesse, até cuidaria dela, mas não seria a maior de suas prioridades.

– Quando eles vão chegar? – perguntou ela com uma vozinha miúda.

Fitz bem que gostaria de saber. O Exército alemão era duas vezes maior do que o serviço de inteligência francês previra. Havia avançado de forma implacável pelo noroeste da França, ganhando todas as batalhas. Agora, a avalanche tinha alcançado uma frente ao norte de Paris – onde exatamente, Fitz descobriria dentro de poucas horas.

– Há quem diga que a cidade não vai ser defendida – disse Gini, ainda chorando. – É verdade?

Essa era outra coisa que Fitz não sabia. Caso Paris resistisse, a cidade seria castigada pela artilharia alemã. Suas esplêndidas construções seriam destruídas, crateras seriam abertas em seus amplos bulevares, seus bistrôs e lojas seriam transformados em entulho. Era tentador pensar que a cidade *deveria* se render para escapar de tudo isso.

– Talvez seja melhor para vocês – disse ele a Gini, fingindo sinceridade. – Você vai fazer amor com um general prussiano gordo que a chamará de *Liebling*.

– Eu não quero nenhum prussiano. – A voz dela se tornou um sussurro. – É você quem eu amo.

Talvez amasse mesmo, pensou ele; ou talvez o visse apenas como uma passagem para longe dali. Todos os que podiam estavam deixando a cidade, mas isso não era fácil. A maioria dos carros particulares havia sido confiscada pelo Exército. Os trens poderiam ser requisitados a qualquer momento e os passageiros civis expulsos dos vagões e abandonados no meio do nada. Um táxi até Bordeaux custava 1.500 francos, o preço de uma casa pequena.

– Talvez isso não aconteça – disse-lhe ele. – Os alemães devem estar exaustos a esta altura. Já faz um mês que estão marchando e lutando. Não vão aguentar esse ritmo para sempre.

Ele de fato acreditava um pouco nisso. Os franceses haviam lutado com afinco durante a retirada. Seus soldados estavam exaustos, famintos e desmoralizados, mas poucos tinham sido capturados e somente um punhado de armas tinha sido perdido. O inabalável chefe do Estado-Maior do Exército francês, general Joffre, conseguira manter as forças aliadas unidas e recuar até uma frente a sudeste de Paris, onde estava reorganizando suas tropas. Também fora implacável ao afastar oficiais veteranos que não haviam se mostrado à altura da situação: dois comandantes de exército, sete comandantes de unidade e dezenas de outros oficiais tinham sido dispensados sem dó.

Os alemães não percebiam isso. Fitz tinha lido mensagens alemãs decodificadas que davam a impressão de um excesso de confiança. O alto-comando alemão chegara até mesmo a deslocar soldados da França para mandá-los como reforço para a Prússia Oriental. Fitz achava que isso poderia ser um erro. Os franceses ainda não estavam derrotados.

Quanto aos britânicos, ele não tinha tanta certeza.

A Força Expedicionária Britânica era pequena: cinco divisões e meia, em comparação com as 70 divisões francesas atualmente mobilizadas. Os britânicos haviam lutado bravamente em Mons, deixando Fitz orgulhoso; mas em cinco dias tinham perdido 15 mil de seus 100 mil homens e, em seguida, bateram em retirada.

Os Fuzileiros Galeses faziam parte das forças britânicas, porém Fitz não estava entre eles. A princípio, ficara desapontado ao ser enviado a Paris como oficial de ligação entre os franceses e os britânicos; ansiava por combater com seu regimento. Tinha certeza de que os generais o estavam tratando como um amador, que deveria ser enviado para um lugar onde não pudesse causar maiores estragos. No entanto, ele conhecia Paris e falava francês, de modo que não podia negar ser qualificado para o cargo.

No fim das contas, sua função se mostrou mais importante do que ele imaginara. As relações entre os comandantes franceses e seus equivalentes britânicos eram perigosamente ruins. A Força Expedicionária Britânica era comandada por um sujeito melindroso, criador de caso, que se chamava Sir John French, sobrenome que, por si só, causava certa confusão. Logo de início, ele se ofendera ao considerar que o general Joffre havia deixado de consultá-lo em determinada questão e ficara emburrado. Apesar do clima de hostilidade, Fitz se esforçava para sustentar o fluxo de dados e informações de inteligência entre os dois comandantes aliados.

Tudo isso era constrangedor e um pouco vergonhoso, e Fitz, como representante britânico, sentia-se humilhado com o mal disfarçado desprezo dos oficiais franceses. Mas a situação havia piorado drasticamente na semana anterior. Sir John dissera a Joffre que seus soldados precisavam de dois dias de descanso. No dia seguinte, ampliara a solicitação para 10 dias. Os franceses tinham ficado horrorizados, e Fitz sentira uma profunda vergonha de seu país.

Tinha ido se queixar com o coronel Hervey, o ajudante lambe-botas de Sir John, porém sua reclamação fora recebida com indignação e negativas. No fim das contas, Fitz havia falado ao telefone com lorde Remarc, que era subsecretário no Departamento de Guerra. Os dois tinham estudado juntos em Eton e Remarc era um dos amigos fofoqueiros de Maud. Fitz não se sentira confortável passando por cima de seus oficiais superiores dessa forma, mas a situação da luta por Paris era tão periclitante que ele sentira que precisava agir. Havia aprendido que o patriotismo não era uma coisa tão simples assim.

O efeito de sua reclamação foi explosivo. O primeiro-ministro Asquith despachou para Paris o novo ministro da Guerra, lorde Kitchener, e Sir John acabou sendo duramente repreendido por seu chefe. Fitz tinha grandes esperanças de que ele seria substituído em breve. E, mesmo que não fosse, pelo menos o homem talvez saísse daquela letargia.

Fitz logo iria descobrir.

Ele se virou de costas para Gini e pôs os pés no chão.

– Já está indo embora? – perguntou ela.

Ele se levantou da cama.

– Preciso trabalhar.

Ela afastou com as pernas o lençol que a cobria. Fitz admirou seus seios perfeitos. Ela notou seu olhar, sorriu em meio às lágrimas e abriu as pernas de forma convidativa.

Ele resistiu à tentação.

– Faça um café, *chérie* – pediu.

Gini vestiu um roupão de seda verde-claro e foi esquentar a água enquanto Fitz se vestia. Na noite anterior, ele havia jantado na embaixada britânica vestido com o uniforme de seu regimento, mas depois do jantar havia trocado o casaco vermelho chamativo por um smoking curto para se misturar aos seus inferiores.

Ela lhe estendeu um café forte em uma xícara grande que mais parecia uma tigela.

– Vou esperar por você hoje à noite no Clube Albert – falou.

As casas noturnas, assim como os teatros e cinemas, estavam oficialmente fechadas. Até mesmo o Folies Bergère estava às escuras. Os cafés fechavam às oito e os restaurantes às nove e meia. Mas não era tão fácil pôr fim à vida noturna de uma grande cidade. Assim, homens empreendedores como Albert não tardaram a abrir casas clandestinas onde podiam vender champanhe a preços exorbitantes.

– Vou tentar chegar lá à meia-noite – respondeu ele.

O café estava amargo, mas levou embora os últimos vestígios de sonolência. Ele entregou a Gini um soberano britânico. Era um pagamento generoso por uma noite e, em tempos como aqueles, as pessoas preferiam de longe ouro a cédulas.

Quando foi dar um beijo de despedida em Gini, ela o abraçou.

– Você vai estar lá hoje à noite, não vai? – perguntou.

Fitz sentiu pena dela. Seu mundo estava ruindo, e ela não sabia o que fazer. Quem lhe dera poder abrigá-la sob a sua asa e prometer cuidar dela, mas era impossível. Sua mulher estava grávida e qualquer aborrecimento poderia fazer Bea perder o bebê. Mesmo que ele fosse solteiro, comprometer-se com uma prostituta francesa o transformaria em motivo de piada. De toda forma, Gini era apenas uma entre vários milhões. Com exceção dos mortos, todos estavam com medo.

– Vou fazer o possível – falou ele, desprendendo-se do abraço.

Seu Cadillac azul estava parado no acostamento. Uma pequena bandeira da Grã-Bretanha tremulava sobre o capô. Não havia muitos carros particulares na rua e a maioria ostentava uma bandeira, em geral da França ou da Cruz Vermelha, para deixar claro que eles estavam sendo usados para tarefas indispensáveis à guerra.

Trazer o carro de Londres até lá havia exigido um uso inescrupuloso dos contatos de Fitz e uma pequena fortuna em subornos, porém ele estava satisfeito por ter insistido. Precisava transitar diariamente entre o quartel-general britânico e o francês, e era um alívio não precisar implorar por um carro ou um cavalo dos sobrecarregados exércitos.

Ele acionou a ignição automática e o motor deu partida e começou a girar. Quase não havia tráfego nas ruas. Até os ônibus tinham sido requisitados para suprir o Exército na frente de batalha. Ele teve que parar para dar passagem a um grande rebanho de ovelhas que cruzava a cidade, provavelmente a caminho da Gare de l'Est para ser despachado em um trem a fim de alimentar as tropas.

Ficou intrigado ao ver uma pequena multidão reunida em volta de um cartaz recém-colado ao muro do Palais Bourbon. Parou o carro e juntou-se às pessoas que estavam lendo o texto.

EXÉRCITO DE PARIS
CIDADÃOS DE PARIS

Fitz examinou a parte de baixo do cartaz e viu que trazia a assinatura do general Galliéni, comandante militar da cidade. Galliéni, um oficial veterano e linha-dura, havia sido conclamado a abandonar a aposentadoria. Era famoso por suas reuniões em que ninguém podia se sentar: segundo ele, as pessoas decidiam mais rápido assim.

Como de hábito, sua mensagem era concisa:

Os membros do Governo da República
deixaram Paris para renovar
as forças de defesa nacionais.

Fitz ficou assombrado. O governo tinha fugido! Os dias anteriores foram marcados por boatos de que os ministros iriam bater em retirada para Bordeaux, mas os políticos haviam hesitado, pois não queriam abandonar a capital. Agora, porém, tinham ido embora. Era um péssimo sinal.

O restante do comunicado possuía um tom desafiador:

Fui incumbido da tarefa
de defender Paris do invasor.

Então, no fim das contas, Paris não vai se render, pensou Fitz. A cidade vai lutar. Isso era ótimo! Com certeza favorecia os interesses britânicos. Se a capital tinha de cair, que pelo menos o inimigo fosse obrigado a pagar caro pela conquista.

Dever este que cumprirei
sejam quais forem as consequências.

Fitz não pôde deixar de sorrir. Deus abençoe os veteranos.

As reações das pessoas à sua volta eram variadas. Alguns comentários eram de admiração. Galliéni era um lutador e não deixaria que tomassem Paris, disse alguém em tom de satisfação. Outros se mostravam mais realistas. O governo nos abandonou, lamentou uma mulher, concluindo que os alemães chegariam a qualquer momento. Um homem com uma maleta contou que havia mandado a esposa e os filhos para a casa do irmão no interior. Uma mulher bem-vestida disse ter estocado 30 quilos de feijão no armário da cozinha.

Fitz, por sua vez, sentiu apenas que a contribuição britânica ao esforço de guerra e sua participação nela haviam se tornado mais importantes do que nunca.

Com uma profunda sensação de mau agouro, conduziu o carro até o Ritz.

Entrou no saguão do hotel e foi até um telefone público. De lá, ligou para a embaixada britânica e deixou um recado para o embaixador, contando-lhe sobre o comunicado de Galliéni, caso a notícia ainda não tivesse chegado à rue du Faubourg Saint-Honoré.

Ao sair da cabine, topou com o ajudante de Sir John, coronel Hervey.

Hervey olhou para o smoking de Fitz e disse:

– Major Fitzherbert! Quer me explicar por que está vestido assim?

– Bom dia, coronel – disse Fitz, fazendo questão de não responder à pergunta. Era evidente que havia passado a noite fora.

– Ora essa, são nove da manhã! Por acaso não sabe que estamos em guerra?

Mais uma pergunta que não precisava de resposta. Calmo, Fitz perguntou:

– Posso fazer alguma coisa pelo senhor?

Hervey era um brigão que detestava aqueles que não conseguia intimidar.

– Deixe de insolência, major – respondeu ele. – Já estamos ocupados demais com esses malditos visitantes de Londres interferindo em tudo.

Fitz arqueou uma das sobrancelhas.

– Lorde Kitchener é o *ministro* da Guerra.

– Os políticos deveriam nos deixar fazer nosso trabalho. Mas foram atiçados por alguém com amigos importantes. – Ele parecia desconfiar de Fitz, mas não tinha coragem de dizer às claras.

– Não me diga que o senhor ficou surpreso com o fato de o Departamento de Guerra se mostrar preocupado – disse Fitz. – Dez dias de descanso, com os alemães às portas da cidade!

– Os homens estão exaustos!

– Daqui a 10 dias a guerra pode muito bem ter acabado. Para que nós estamos aqui, se não é para salvar Paris?

– Kitchener tirou Sir John de seu quartel-general em um dia de combate crucial – disparou Hervey.

– Pelo que vi, Sir John não estava com tanta pressa assim de voltar para junto de suas tropas – rebateu Fitz. – Na noite em questão, eu o vi jantando aqui mesmo no Ritz. – Sabia que estava sendo desaforado, mas não conseguia se controlar.

– Suma da minha frente – disse Hervey.

Fitz deu meia-volta e subiu a escada.

Não estava tão despreocupado quanto fingira estar. Nada o faria baixar a crista para idiotas como Hervey, mas era importante para ele ter uma carreira militar bem-sucedida. Detestava a ideia de que as pessoas talvez comentassem que ele não era um homem da mesma categoria do pai. Hervey não tinha grande serventia para o Exército porque gastava todo o seu tempo e energia favorecendo seus protegidos e sabotando seus rivais, mas, por outro lado, tinha o poder de arruinar as carreiras dos homens que estivessem concentrados em outros assuntos, tais como ganhar a guerra.

Fitz ficou remoendo aquilo enquanto tomava banho, fazia a barba e vestia seu uniforme cáqui de major dos Fuzileiros Galeses. Sabendo que provavelmente não comeria nada até a hora do jantar, ligou para o serviço de quarto e pediu uma omelete acompanhada de mais café.

Às dez em ponto, seu dia de trabalho começou e ele tirou da cabeça o odioso Hervey. O tenente Murray, um escocês jovem e sagaz, chegou do quartel-general da Grã-Bretanha, trazendo para a suíte de Fitz a poeira da rua e o relatório de reconhecimento aéreo daquela manhã.

Fitz traduziu o documento para o francês rapidamente e o redigiu com sua caligrafia clara e bem desenhada no papel de carta azul-claro do Ritz. Todas as manhãs aviões britânicos sobrevoavam as posições alemãs e registravam a direção em que as forças inimigas estavam se movendo. Cabia a Fitz transmitir essa informação ao general Galliéni o mais depressa possível.

Quando estava atravessando o saguão do hotel, foi chamado pelo porteiro--chefe para atender a um telefonema.

A voz que perguntou "É você, Fitz?" soou distante e distorcida, mas, para seu espanto, era a inconfundível voz de sua irmã Maud.

– Como você conseguiu ligar para cá? – perguntou ele. Somente o governo e os militares podiam telefonar de Londres para Paris.

– Estou na sala de Johnny Remarc, no Departamento de Guerra.

– Que bom ouvir sua voz – disse Fitz. – Como você está?

– Estão todos muito preocupados por aqui – respondeu ela. – No início, os jornais publicavam apenas notícias boas. Só quem conhecesse um pouco de geografia entendia que, depois de cada vitória honrosa dos franceses, os alemães pareciam ter avançado mais 80 quilômetros pelo território da França. Mas, no domingo, o *Times* publicou uma edição especial. Não é curioso? O jornal diário é tão cheio de mentiras que, quando resolvem dizer a verdade, eles precisam circular uma edição extra.

Ela estava tentando ser espirituosa e cínica, mas Fitz conseguia detectar o medo e a raiva ocultos.

– O que a edição especial dizia?

– Ela mencionava o nosso "exército enfraquecido e em franca retirada". Asquith está uma fera. Agora todos imaginam que Paris vá cair a qualquer momento. – Então, perdendo a fachada de tranquilidade, Maud deixou escapar um soluço ao perguntar: – Fitz, você vai ficar bem?

Ele não podia mentir para a irmã.

– Não sei. O governo se transferiu para Bordeaux. Sir John French levou uma bronca feia, mas continua aqui.

– Sir John deu queixa ao Departamento de Guerra de que Kitchener foi a Paris vestido com um uniforme de marechal de campo, o que foi uma quebra de etiqueta porque ele agora é ministro do governo e, portanto, civil.

– Meu Deus. Em uma hora dessas, ele fica pensando em etiqueta! Por que não o demitiram?

– Segundo Johnny, as pessoas veriam isso como um reconhecimento de que fracassamos.

– E se Paris for tomada pelos alemães? Como as pessoas verão isso?

– Ai, Fitz! – Maud começou a chorar. – E o bebê que Bea está esperando... o seu filho?

– Como vai Bea? – perguntou Fitz, sentindo-se culpado ao recordar onde havia passado a noite.

Maud fungou e engoliu em seco. Mais calma, falou:

– Bea está passando bem e parou de ter aqueles enjoos matinais desagradáveis.

– Diga a ela que estou com saudades.

347

Houve um chiado de interferência e outra voz entrou na linha por alguns segundos, desaparecendo em seguida. Isso significava que a ligação poderia cair a qualquer momento. Quando Maud tornou a falar, sua voz estava chorosa:

– Fitz, quando isso vai terminar?

– Nos próximos dias – respondeu Fitz. – De uma forma ou de outra.

– Por favor, cuide-se bem!

– Não se preocupe.

O telefone ficou mudo.

Fitz pôs o fone no gancho, deu uma gorjeta ao porteiro-chefe e saiu em direção à Place Vendôme.

Ele entrou no carro e saiu da praça. Maud o deixara perturbado ao mencionar a gravidez de Bea. Fitz estava disposto a morrer por seu país e esperava morrer com bravura, mas queria conhecer seu bebê. Era um pai de primeira viagem e estava ansioso para conhecer o filho, vê-lo aprender e crescer, ajudá-lo a se tornar adulto. Não queria que seu filho ou filha fosse criado sem pai.

Ele atravessou o rio Sena até o complexo de edifícios militares conhecido como Les Invalides. Galliéni havia estabelecido seu quartel-general em uma escola das cercanias chamada Lycée Victor-Duruy, que ficava atrás de um bosque. A entrada era muito bem vigiada por sentinelas vestidos com dólmãs de um azul vivo e calças e barretes vermelhos, uma roupa muito mais elegante do que o uniforme cáqui cor de lama do Exército britânico. Os franceses ainda não haviam percebido que a precisão dos fuzis modernos fazia com que os soldados de hoje em dia precisassem desaparecer em meio à paisagem.

Os guardas já conheciam Fitz, de modo que ele entrou direto no prédio. Era uma escola para meninas, com desenhos de animais de estimação e flores e verbos latinos conjugados em quadros-negros que haviam sido afastados do caminho. Os fuzis das sentinelas e as botas dos oficiais pareciam uma ofensa à delicadeza que antes reinava ali.

Fitz foi imediatamente para a sala de reuniões. Logo que entrou, sentiu o clima de entusiasmo. Na parede, havia um grande mapa da região metropolitana da França, no qual as posições dos exércitos haviam sido marcadas com alfinetes. Galliéni era um homem alto, magro e aprumado, apesar do câncer de próstata que o levara a se aposentar em fevereiro. De volta à sua farda, ele examinava o mapa com uma expressão agressiva através do pincenê.

Fitz bateu continência e cumprimentou com um aperto de mão, ao estilo francês, o major Dupuys, seu equivalente no Exército aliado. Em seguida, perguntou-lhe num sussurro o que estava acontecendo.

– Nós estamos seguindo Von Kluck – falou Dupuys.

Galliéni tinha uma esquadrilha de nove aeronaves velhas que vinha usando para monitorar os movimentos do exército invasor. O general Von Kluck comandava o Primeiro Exército, que era a força terrestre alemã mais próxima de Paris.

– O que vocês descobriram? – perguntou Fitz.

– Recebemos dois relatórios. – Dupuys apontou para o mapa. – Nosso reconhecimento aéreo indica que Von Kluck está indo para sudeste, em direção ao rio Marne.

Isso confirmava o relatório dos britânicos. Caso mantivesse essa trajetória, o Primeiro Exército passaria a leste de Paris. E, como Von Kluck comandava a ala direita dos alemães, isso significava que todas as suas tropas iriam passar ao largo da cidade. Será que Paris seria poupada afinal?

– Temos também um relatório de um batedor da cavalaria que sugere o mesmo – continuou Dupuys.

Fitz assentiu, pensativo.

– Na teoria militar alemã, é preciso antes destruir o exército inimigo, para só depois invadir as cidades.

– Mas você não está vendo? – indagou Dupuys com animação. – Eles estão deixando o flanco exposto!

Fitz estava preocupado demais com o destino de Paris para pensar nisso. Agora percebia que Dupuys estava certo e que esse era o motivo do clima de entusiasmo. Se as informações da inteligência estivessem corretas, Von Kluck havia cometido um erro militar clássico. O flanco de um exército era mais vulnerável do que a sua frente. Atacá-lo por ali era como lhe dar uma punhalada nas costas.

O que levara Von Kluck a cometer aquele erro? Ele devia pensar que os franceses estavam tão enfraquecidos que seriam incapazes de contra-atacar.

De qualquer forma, estava enganado.

Fitz dirigiu a palavra ao general.

– Creio que isto aqui vai interessá-lo bastante, senhor – falou, entregando-lhe um envelope. – É o nosso reconhecimento aéreo de hoje pela manhã.

– Ah! – exclamou Galliéni, empolgado.

Fitz se aproximou do mapa.

– O senhor me permite, meu general?

O general meneou a cabeça, aquiescendo. Os britânicos não eram muito queridos, mas qualquer informação era bem-vinda.

Após consultar o original em inglês, Fitz disse:

– Segundo as nossas informações, o exército de Von Kluck está aqui. – Ele pregou outro alfinete no mapa. – E está se movendo para cá. – Aquilo confirmava o que os franceses já estavam pensando.

A sala ficou em silêncio por alguns instantes.

– Então é verdade – falou Dupuys em voz baixa. – Eles expuseram seu flanco.

Os olhos do general Galliéni cintilavam por trás do pincenê.

– Então – disse ele –, esta é a nossa hora de atacar.

II

O auge do pessimismo de Fitz foi às três da manhã, deitado ao lado do corpo esbelto de Gini, quando o sexo já havia terminado e ele se viu sentindo saudades da esposa. Naquela hora, pensou, desanimado, que Von Kluck com certeza iria se dar conta do próprio erro e reverter a trajetória de seu exército.

Na manhã seguinte, contudo, sexta-feira, 4 de setembro, para alegria da resistência francesa, Von Kluck prosseguiu rumo ao sudeste. Isso bastou para o general Joffre. Ele deu ordens para o Sexto Exército francês sair de Paris na manhã seguinte e atacar a retaguarda dos alemães.

Os britânicos, no entanto, continuaram a recuar.

À noite, quando Fitz encontrou Gini no Clube Albert, ele estava desesperado.

– Esta é a nossa última oportunidade – explicou ele enquanto tomava um coquetel de champanhe que não melhorava em nada seu humor. – Se conseguirmos abalar os alemães seriamente agora que eles estão exaustos e que suas linhas de abastecimento estão mais distantes do que nunca, podemos deter seu avanço. Mas, se este contra-ataque fracassar, Paris vai cair.

Sentada em um dos bancos do bar, ela cruzou as pernas compridas com um leve roçar das meias de seda.

– Mas por que você está tão abatido?

– Porque, numa hora destas, os britânicos estão recuando. Se Paris cair agora, nós nunca superaremos tanta vergonha.

– O general Joffre precisa enfrentar Sir John e exigir que os britânicos lutem! Você precisa falar com Joffre pessoalmente!

– Ele não recebe majores britânicos. Além do mais, é bem provável que achasse que é algum truque de Sir John. O que me deixaria encrencado, por mais que eu esteja me lixando para isso.

– Então fale com um dos conselheiros dele.

– O problema é o mesmo. Eu não posso entrar no quartel-general do Exército francês e anunciar que eles estão sendo traídos pelos britânicos.

– Mas poderia ter uma conversa discreta com o general Lourceau, sem que ninguém ficasse sabendo.

– Como?

– Ele está sentado bem ali.

Fitz acompanhou o olhar de Gini e viu um francês de cerca de 60 anos, à paisana, sentado à mesa com uma moça de vestido vermelho.

– Ele é muito simpático – acrescentou Gini.

– Você o conhece?

– Nós fomos amigos durante algum tempo, mas ele preferiu Lizette.

Fitz hesitou. Mais uma vez, estava cogitando passar por cima de seus superiores. Porém aquela não era hora para sutilezas. Paris estava em jogo. Ele precisava fazer tudo ao seu alcance.

– Apresente-me a ele – falou.

– Me dê só um minuto. – Com elegância, Gini desceu do banco e atravessou o salão, rebolando de leve ao som do piano que tocava um ragtime, até chegar à mesa do general. Deu-lhe um beijo nos lábios, sorriu para a moça que o acompanhava e sentou-se. Após alguns instantes de conversa animada, ela acenou para Fitz.

Lourceau se levantou e os dois homens trocaram um aperto de mãos.

– É uma honra conhecê-lo, senhor – disse Fitz.

– Este não é um lugar para conversas sérias – falou o general. – Mas Gini me garantiu que o senhor tem algo urgentíssimo para me dizer.

– Não tenha dúvidas – respondeu Fitz, sentando-se.

III

No dia seguinte, Fitz foi ao acampamento britânico na comuna de Melun, 40 quilômetros a sudeste de Paris, onde ficou sabendo, para sua consternação, que a Força Expedicionária continuava a recuar.

Talvez sua mensagem não tivesse chegado aos ouvidos do general Joffre. Ou talvez sim e Joffre simplesmente achasse que não havia nada a fazer.

Fitz entrou em Vaux-le-Pénil, o magnífico castelo em estilo Luís XV que Sir John vinha usando como quartel-general, e topou com o coronel Hervey no saguão.

– Senhor, posso perguntar por que estamos recuando quando nossos aliados estão lançando um contra-ataque? – disse ele com a maior educação possível.

– Não, não pode – respondeu Hervey.

Fitz insistiu, engolindo a raiva.

– Os franceses acham que eles e os alemães estão em pé de igualdade, e que mesmo o nosso pequeno contingente pode fazer a diferença.

Hervey soltou uma risada sarcástica.

– Tenho certeza de que eles acham isso. – Ele falava como se os franceses não tivessem o direito de exigir a ajuda de seus aliados.

Fitz sentiu que estava perdendo o autocontrole.

– Paris pode cair por causa da nossa covardia!

– Não se atreva a usar essa palavra, major.

– Nós fomos mandados para cá para defender a França. Esta pode ser a batalha decisiva. – Fitz não pôde deixar de erguer a voz. – Se Paris for perdida, e com ela a França inteira, como iremos explicar, quando voltarmos para casa, que estávamos *descansando* na ocasião?

Em vez de responder, Hervey olhou por cima do ombro de Fitz. Este se virou e viu uma silhueta pesada, vagarosa, usando o uniforme francês: um dólmã preto desabotoado na cintura grossa, uma calça vermelha mal ajustada na altura dos joelhos e um quepe vermelho e dourado de general bem enterrado na cabeça. Olhos sem cor encimados por sobrancelhas grisalhas se voltaram por um instante para os dois. Fitz reconheceu o general Joffre.

Depois que o general passou com lentidão por eles, acompanhado por seu séquito, Hervey perguntou:

– O senhor é responsável por isso?

Fitz sentia-se orgulhoso demais para mentir.

– Provavelmente – falou.

– Isto não vai ficar assim – disse Hervey, dando meia-volta e saindo apressado atrás de Joffre.

Sir John recebeu Joffre em uma pequena sala na presença de apenas alguns oficiais, sendo que Fitz não estava entre eles. Ele ficou esperando no refeitório dos oficiais, perguntando-se o que o general francês estaria dizendo e se ele conseguiria convencer Sir John a pôr fim à vergonhosa debandada britânica e participar do ataque.

Foi informado do resultado duas horas depois pelo tenente Murray.

– Parece que Joffre tentou de tudo – relatou Murray. – Ele implorou, chorou e até insinuou que a honra britânica corria o risco de ser maculada para sempre. E conseguiu o que queria. Amanhã nos deslocaremos para o norte.

Fitz sorriu de orelha a orelha.

– Aleluia! – bradou.

No minuto seguinte, o coronel Hervey se aproximou deles. Fitz se levantou em cortesia.

– O senhor foi longe demais – falou Hervey. – O general Lourceau me contou tudo. Ele achou que estava lhe fazendo um elogio.

– E eu o aceito de bom grado – disse Fitz. – O desfecho da situação indica que foi a coisa certa a fazer.

– Escute aqui, Fitzherbert – retrucou Hervey, baixando a voz. – Seus dias estão contados, seu merda. Você foi desleal para com um oficial superior. Seu nome agora carrega uma mancha negra que nunca será apagada. Jamais será promovido, nem que esta guerra dure um ano. É major hoje e o será para o resto da vida.

– Obrigado por sua franqueza, coronel – disse Fitz. – Mas eu entrei para o Exército para ganhar batalhas, não promoções.

IV

Aos olhos de Fitz, a mobilização organizada por Sir John no domingo foi constrangedora de tão cautelosa, mas, para seu alívio, bastou para forçar Von Kluck a reagir enviando tropas das quais não poderia abrir mão com facilidade. Os alemães agora estavam lutando em duas frentes, oeste e sul: o pesadelo de qualquer comandante.

Fitz acordou otimista na segunda-feira, após uma noite dormida sobre um cobertor no chão do castelo. Tomou o café da manhã no refeitório dos oficiais e ficou esperando ansiosamente os aviões de reconhecimento voltarem de sua incursão matinal. A guerra alternava momentos de correria enlouquecida com outros de um marasmo inútil. No terreno do castelo havia uma igreja supostamente construída no ano 1000, de modo que ele foi até lá dar uma olhada, embora nunca houvesse entendido direito que graça as pessoas viam em igrejas antigas.

O relatório do reconhecimento foi apresentado no magnífico salão com vista para o parque e para o rio. Sentados em cadeiras dobráveis diante de uma mesa de tábua improvisada, os oficiais estavam cercados por decorações luxuosas do século XVIII. Sir John tinha um queixo proeminente e uma boca que, por baixo do bigode branco e cheio, parecia estar o tempo todo contorcida em uma expressão de orgulho ferido.

Os aviadores relataram haver um vazio diante da força britânica, pois as colunas alemãs estavam se afastando em direção ao norte.

Fitz ficou exultante. O contra-ataque aliado fora inesperado e, ao que tudo indicava, os alemães tinham sido pegos desprevenidos. É claro que logo estariam reorganizados, mas por ora pareciam estar em apuros.

Ele esperava que Sir John fosse ordenar um avanço rápido, mas, para sua decepção, o comandante se limitou a reiterar os objetivos modestos estabelecidos anteriormente.

Fitz escreveu seu relatório em francês e depois pegou o carro. Percorreu os 40 quilômetros até Paris o mais rápido que pôde, no contrafluxo dos caminhões, carros e veículos puxados a cavalo que saíam da cidade, todos abarrotados de gente e transportando pilhas de bagagens, fugindo rumo ao sul para escapar dos alemães.

Em Paris, foi atrasado por uma tropa de soldados argelinos de pele escura que atravessava a cidade, marchando de uma estação de trem para outra. Seus oficiais seguiam montados em mulas e usavam capas vermelhas vistosas. À medida que os soldados passavam, mulheres entregavam-lhes flores e frutas e donos de cafés traziam-lhes bebidas geladas.

Quando a tropa acabou de passar, Fitz foi até Les Invalides e entrou na escola carregando seu relatório.

Mais uma vez, a equipe de reconhecimento britânica confirmou os relatórios franceses. Algumas forças alemãs estavam recuando.

– Precisamos intensificar o ataque! – disse o velho general. – Onde estão os britânicos?

Fitz se encaminhou para o mapa, indicando a posição britânica e aonde a marcha deveria chegar ao fim do dia, segundo as ordens de Sir John.

– Não é suficiente! – disse Galliéni, possesso. – Vocês têm que ser mais agressivos! Precisamos que ataquem para que Von Kluck fique ocupado demais e não consiga reforçar o flanco. Quando vocês vão atravessar o rio Marne?

Fitz não sabia dizer. Sentiu vergonha. Concordava com cada uma das palavras mordazes que Galliéni dizia, mas, como não podia admitir isso, falou apenas:

– Vou enfatizar isso com toda a firmeza para Sir John, meu general.

Galliéni, no entanto, já estava pensando em como compensar a inoperância britânica.

– Nós enviaremos a Divisão 7 da Unidade 4 para reforçar o exército de Manoury no rio Ourcq hoje à tarde – falou com determinação.

Na mesma hora, seus ajudantes começaram a redigir ordens.

Então o coronel Dupuys falou:

– Meu general, nós não temos trens suficientes para levar todos para lá até o final do dia.

– Então usem carros – disse Galliéni.

– Carros? – Dupuys parecia perplexo. – Onde vamos arranjar tantos carros assim?

– Aluguem táxis!

Todos na sala o encararam. Será que o general tinha enlouquecido?

– Telefonem para o chefe de polícia – disse Galliéni. – Peçam para ele mandar seus homens pararem todos os táxis da cidade, expulsarem os passageiros de dentro deles e instruírem os motoristas a virem para cá. Nós vamos encher os táxis de soldados e mandá-los para o campo de batalha.

Ao ver que Galliéni estava falando sério, Fitz sorriu. Era desse tipo de atitude que ele gostava. Vamos fazer o que for preciso, contanto que obtenhamos a vitória.

Dupuys encolheu os ombros e pegou um telefone.

– Por favor, ligue para o chefe de polícia imediatamente – disse ele.

Preciso ver isso, pensou Fitz.

Ele saiu da escola e acendeu um charuto. Não precisou esperar muito. Em questão de minutos, um táxi Renault vermelho atravessou a ponte Alexandre III, contornou o amplo gramado ornamental e parou em frente ao prédio principal. Ele foi seguido por mais dois outros, depois por mais uma dúzia, e então por mais cem.

Em duas horas, várias centenas de táxis vermelhos idênticos estavam parados em frente aos Invalides. Fitz nunca tinha visto coisa parecida.

Recostados em seus carros, os taxistas fumavam cachimbo e conversavam animadamente, aguardando instruções. Cada motorista tinha uma teoria diferente sobre o motivo que os trouxera até ali.

Algum tempo depois, Dupuys saiu da escola e atravessou a rua com um megafone em uma das mãos e um maço de formulários de requisição do Exército na outra. Ele subiu em cima do capô de um táxi e todos os motoristas se calaram.

– O comandante militar de Paris precisa de 500 táxis para irem daqui até Blagny – gritou ele pelo megafone.

Os motoristas o encararam em meio a um silêncio incrédulo.

– Lá cada carro deverá apanhar cinco soldados e transportá-los até Nanteuil.

A comuna de Nanteuil ficava cerca de 50 quilômetros a leste de Paris, colada à frente de combate. Os taxistas começaram a entender. Entreolharam-se, meneando as cabeças e sorrindo. Fitz sentiu que eles estavam contentes por participar do esforço de guerra, sobretudo de forma tão incomum.

– Por favor, antes de partirem, peguem um destes formulários aqui e preencham para solicitar seu pagamento na volta.

Aquilo causou um burburinho entre os motoristas. Eles ainda seriam pagos! Era o que faltava para garantir a colaboração de todos.

– Quando 500 carros tiverem partido, darei as instruções para os próximos 500. *Vive Paris! Vive la France!*

Os taxistas começaram a vibrar com animação e cercaram Dupuys para apanhar seus formulários. Encantado, Fitz ajudou a distribuir os documentos.

Logo os pequenos carros começaram a partir, manobrando em frente ao grande prédio e tomando a direção da ponte sob a luz do sol, buzinando entusiasmados, como uma longa e reluzente corda salva-vidas vermelha para as forças na frente de batalha.

V

Os britânicos levaram três dias para marchar 40 quilômetros. Fitz ficou envergonhado. As tropas avançavam praticamente sem resistência: se tivessem andado mais depressa, poderiam ter desferido um golpe decisivo.

Na manhã da quarta-feira, dia 9, porém, ele encontrou os homens de Galliéni em clima de otimismo. Von Kluck estava recuando.

– Os alemães estão com medo! – disse o coronel Dupuys.

Fitz não acreditava que os alemães estivessem com medo, e o mapa proporcionava uma explicação mais plausível. Os britânicos, por mais lentos e tímidos que fossem, haviam marchado até uma brecha que se abrira entre o Primeiro e o Segundo Exército alemães, quando Von Kluck havia deslocado suas tropas para oeste para resistir ao ataque vindo de Paris.

– Nós encontramos um ponto fraco e estamos tentando expandi-lo – disse Fitz com um frêmito de esperança na voz.

Ele disse a si mesmo para se acalmar. Os alemães tinham vencido todas as batalhas até ali. Por outro lado, suas linhas de abastecimento estavam distantes, seus homens, exaustos e seu contingente havia sido reduzido pela necessidade de enviar reforços à Prússia Oriental. Em contraste, os franceses daquela zona haviam recebido pesados reforços e praticamente não precisavam se preocupar com linhas de abastecimento, uma vez que estavam em seu próprio território.

As esperanças de Fitz andaram para trás quando os britânicos pararam a 8 quilômetros do rio Marne. Por que Sir John estava parando? Mal havia encontrado resistência!

Os alemães, no entanto, pareceram não notar a timidez dos britânicos, pois continuavam a recuar, de modo que as esperanças se renovaram no *Lycée*.

Conforme as sombras das árvores se alongavam do lado de fora das janelas da escola e os últimos relatórios do dia chegavam, uma sensação de júbilo contido começou a tomar conta dos ajudantes de Galliéni. Ao fim do dia, os alemães estavam em franca retirada.

Fitz mal conseguia acreditar. O desespero da semana anterior havia se transformado em esperança. Ele se sentou em uma cadeira pequena demais para o seu corpo e ficou encarando o mapa pregado na parede. Sete dias antes, a linha alemã parecia um trampolim para o ataque que decidiria o conflito; agora, parecia uma parede diante da qual eles haviam sido obrigados a recuar.

Quando o sol se pôs por trás da Torre Eiffel, os Aliados não haviam obtido exatamente uma vitória, mas pela primeira vez em semanas o avanço alemão havia cessado.

Dupuys abraçou Fitz, beijando-o em seguida nas duas faces, e pela primeira vez Fitz não se importou nem um pouco com isso.

– Nós conseguimos detê-los – disse Galliéni, e, para surpresa de Fitz, lágrimas reluziram por trás do pincenê do general. – Conseguimos detê-los.

VI

Logo após a batalha do Marne, ambos os lados começaram a cavar trincheiras.

O calor de setembro deu lugar à chuva fria e deprimente de outubro. O impasse na extremidade oriental da linha de batalha se alastrou irremediavelmente para oeste, como uma paralisia que toma conta do corpo de um moribundo.

A batalha decisiva do outono foi travada pelo domínio da cidade belga de Ypres, no extremo oeste da linha, a pouco mais de 30 quilômetros do mar. O ataque alemão foi feroz, uma tentativa radical de obrigar o flanco das forças britânicas a desviar sua rota. O combate durou quatro semanas. Ao contrário de todas as batalhas anteriores, esta foi estática, com os oponentes entrincheirados contra a artilharia inimiga e saindo apenas para incursões suicidas contra as metralhadoras do adversário. No fim das contas, os britânicos foram salvos por reforços, incluindo uma unidade de indianos que tremiam de frio em seus uniformes tropicais. Quando a batalha terminou, 75 mil soldados britânicos haviam morrido e a Força Expedicionária estava arrasada; mas os Aliados haviam conseguido fechar uma barricada defensiva que ia da fronteira suíça ao canal da Mancha e os invasores alemães haviam sido detidos.

No dia 24 de dezembro, um Fitz sorumbático se encontrava no quartel-general britânico na cidade de Saint-Omer, não muito longe de Calais. Lembrou-se da loquacidade com que ele e outros haviam garantido a seus homens que todos estariam em casa para o Natal. Agora, parecia que a guerra poderia durar um ano, ou até mais. Ambos os exércitos passavam dia após dia enfurnados em suas trincheiras, comendo comida ruim, acometidos por disenteria, gangrena nos pés e piolhos, e matando inutilmente os ratos que engordavam à custa dos cadáveres espalhados pelo território que separava as frentes inimigas, chamado de terra de ninguém. Fitz já não conseguia se lembrar dos motivos, antes tão claros para ele, que haviam levado a Grã-Bretanha a entrar em guerra.

Naquele dia, a chuva deu trégua e o tempo esfriou. Sir John mandou um alerta para todas as unidades de que o inimigo estava cogitando um ataque natalino. Fitz sabia que o alerta era totalmente inventado: não havia qualquer informação de inteligência para sustentá-lo. A verdade era que Sir John não queria que os homens relaxassem a vigilância no dia de Natal.

Cada soldado iria receber um presente da princesa Maria, filha de 17 anos do rei e da rainha britânicos. Ele consistia em uma caixa de latão gravada contendo fumo e cigarros, um retrato da princesa e um cartão de Natal do rei. Os não fumantes, *sikhs* e enfermeiras, por sua vez, receberiam como presente chocolate ou balas em vez de tabaco. Fitz ajudou a distribuir as caixas para os Fuzileiros Galeses. No final do dia, como já era tarde demais para retornar ao relativo conforto de Saint-Omer, ele teve de passar a noite no quartel-general do Quarto Batalhão, um abrigo subterrâneo úmido cerca de meio quilômetro atrás da frente de combate, lendo uma história de Sherlock Holmes e fumando os charutos pequenos e finos que preferia atualmente. Não eram tão bons quanto seus Panatelas, mas ele quase não tinha mais tempo de fumar os charutos maiores inteiros. Estava acompanhado de Murray, que fora promovido a capitão depois da batalha de Ypres. Fitz continuava com a mesma patente: Hervey vinha mantendo sua promessa.

Assim que a noite caiu, ele ficou surpreso ao escutar tiros esparsos de fuzil. Mais tarde, constatou-se que os homens tinham visto luzes e pensado que o inimigo estivesse tentando realizar um ataque surpresa. Na verdade, as luzes eram lanternas coloridas que os alemães estavam usando para decorar o parapeito de suas trincheiras.

Murray, que passara algum tempo na frente de combate, estava falando sobre os soldados indianos que defendiam o setor mais próximo.

– Coitados, eles chegaram aqui com seus uniformes de verão, porque alguém lhes disse que a guerra terminaria antes de o tempo esfriar – disse ele. – Mas vou lhe contar uma coisa, Fitz: esses soldados criulinhos são danados de engenhosos. Você sabe que temos pedido ao Departamento de Guerra para nos dar morteiros como os que os alemães têm, daqueles que lançam granadas por cima do parapeito da trincheira? Pois bem, os indianos fabricaram seus próprios morteiros com sobras de canos de ferro fundido. Parecem aqueles pedaços de encanamento remendado que você vê nos banheiros dos pubs, mas funciona!

Pela manhã, a névoa estava gelada e o chão duro feito pedra. Fitz e Murray distribuíram os presentes da princesa ao raiar do dia. Alguns homens estavam reunidos em volta do fogo para se aquecer, mas disseram estar gratos pelo gelo, que era melhor do que a lama, sobretudo para os que tinham os pés gangrenados. Fitz percebeu que alguns conversavam em galês entre si, embora sempre se dirigissem aos oficiais em inglês.

A linha alemã, a uns 400 metros de distância, estava escondida por uma bruma matinal da mesma cor que os uniformes germânicos: um azul desbotado puxado para o prateado, conhecido como "cinza de campanha". Fitz ouviu música ao longe: os alemães estavam cantando hinos natalinos. Fitz não tinha muito ouvido para música, mas pensou reconhecer "Noite feliz".

Ele voltou ao abrigo subterrâneo para tomar um café da manhã horroroso, composto de pão dormido e presunto enlatado, na companhia dos outros oficiais. Depois de comer, saiu para fumar do lado de fora. Nunca havia se sentido tão deprimido na vida. Pensou no desjejum que estaria sendo servido em Tŷ Gwyn naquele momento: linguiças quentes, ovos frescos, rins de porco ao molho picante, peixe defumado, torradas amanteigadas e um café bem cheiroso com creme. Ele ansiava por roupas de baixo limpas, por uma camisa bem passada e por um terno de lã macia. Queria se sentar ao lado da lareira acesa da sala de estar matinal sem nada melhor para fazer que ler as piadas idiotas da revista *Punch*.

Murray veio se juntar a ele do lado de fora do abrigo e disse:

– Telefone, major. É do quartel-general.

Fitz ficou surpreso. Alguém havia se esforçado bastante para localizá-lo. Esperava que não fosse por causa de alguma briga surgida entre os franceses e os britânicos enquanto ele estava distribuindo presentes de Natal. Com o rosto fechado de preocupação, abaixou a cabeça para entrar no abrigo e empunhou o telefone de campanha.

– Fitzherbert falando.

– Bom dia, major – disse uma voz que ele não reconheceu. – Aqui é o capitão Davies. O senhor não me conhece, mas me pediram para lhe transmitir um recado de casa.

De casa? Fitz torceu para não serem más notícias.

– É muita gentileza sua, capitão – disse ele. – Qual o recado?

– Sua mulher deu à luz um menino muito saudável, senhor. Mãe e filho passam bem.

– Oh! – Fitz sentou-se de pronto em uma caixa. Ainda era cedo para o bebê nascer; estava uma ou duas semanas adiantado. Bebês prematuros eram vulneráveis. Mas o recado dizia que o menino estava bem de saúde. E Bea também.

Fitz tivera um filho homem, e o condado havia ganhado um herdeiro.

– Major, o senhor está na linha? – perguntou o capitão Davies.

– Estou, estou – respondeu Fitz. – Só estou um pouco chocado. Ainda era cedo.

– Como hoje é Natal, senhor, achamos que a notícia poderia alegrá-lo.

– E me alegra mesmo, pode ter certeza!

– Permita-me ser o primeiro a lhe dar os parabéns.

– Muito gentil da sua parte – disse Fitz. – Obrigado. – Mas o capitão Davies já havia desligado.

Depois de alguns instantes, Fitz percebeu que os outros oficiais presentes o encaravam sem dizer nada. Por fim, um deles perguntou:

– Notícia boa ou ruim?

– Boa! – respondeu Fitz. – Maravilhosa, para falar a verdade. Eu sou pai.

Todos apertaram sua mão e lhe deram tapinhas nas costas. Embora ainda fosse cedo, Murray apanhou a garrafa de uísque e todos beberam à saúde do bebê.

– Como vai se chamar o menino? – perguntou Murray.

– Visconde de Aberowen, enquanto eu estiver vivo – respondeu Fitz, e então se deu conta de que Murray não estava perguntando sobre o título de nobreza do bebê, mas sim sobre seu nome de batismo. – George, em homenagem ao meu pai, e William em homenagem ao meu avô. O pai de Bea se chamava Petr Nikolaevich, então talvez ponhamos esses nomes também.

Murray pareceu achar graça.

– George William Peter Nicholas Fitzherbert, visconde de Aberowen – disse ele. – É nome para dar e vender!

Fitz aquiesceu, bem-humorado.

– Mais ainda se você pensar que ele deve ter só uns três quilos e meio.

Ele estava explodindo de orgulho e felicidade, e sentiu o impulso de compartilhar a notícia.

– Acho que vou até a frente de batalha – falou, quando finalmente terminaram o uísque. – Distribuir uns charutos para os soldados.

Ele saiu do abrigo e percorreu a trincheira de comunicação. Sentia-se eufórico. Não havia tiroteio e o ar estava gelado e limpo, exceto quando ele passou pela latrina. Foi então que se viu pensando não em Bea, mas em Ethel. Será que ela já havia tido o bebê? Estaria feliz na casa que comprara depois de extorquir o dinheiro de Fitz? Embora continuasse abismado com a forma dura como Ethel havia negociado com ele, não conseguia se esquecer de que era o seu filho que ela carregava no ventre. Torceu para que tivesse um parto seguro, como Bea.

Todos esses pensamentos desapareceram de sua mente quando ele chegou ao front. Ao fazer a curva para entrar na trincheira da linha de frente, teve um choque.

Não havia ninguém ali.

Ele percorreu a trincheira, contornando um dos recessos, depois o próximo, e não encontrou vivalma. Parecia uma história de fantasmas, ou um daqueles navios encontrados à deriva, intactos, porém sem nenhum tripulante.

Tinha de haver alguma explicação. Será que ocorrera algum ataque sobre o qual Fitz de alguma forma não tinha sido informado?

Ocorreu-lhe então olhar por sobre o parapeito.

Isso não era algo a se fazer de forma impensada. Muitos homens eram mortos em seu primeiro dia na linha de frente porque resolviam dar uma olhadinha por sobre o parapeito.

Fitz apanhou uma das pás de cabo curto usadas para cavar as trincheiras. Foi empurrando a pá para cima aos poucos, até ela passar pela borda. Então subiu no degrau de tiro e ergueu a cabeça devagar, até conseguir olhar pela brecha estreita entre o parapeito e a pá.

Ficou pasmo com o que viu.

Os homens estavam todos no deserto esburacado que compreendia a terra de ninguém. Mas não estavam lutando. Estavam reunidos em grupos, conversando.

Fitz achou que havia algo de estranho neles e, depois de alguns instantes, percebeu que alguns dos uniformes eram cáqui, enquanto os outros eram cinza de campanha.

Os homens estavam conversando com o inimigo.

Fitz largou a pá, ergueu a cabeça totalmente por sobre o parapeito e ficou olhando a cena. A terra de ninguém estava ocupada por centenas de soldados, britânicos e alemães, todos misturados, espalhando-se até onde sua vista alcançava, tanto para a esquerda quanto para a direita.

Aquilo não fazia o menor sentido.

Ele encontrou uma escada e atravessou o parapeito. Saiu marchando pela terra revirada. Os homens estavam mostrando fotografias de seus parentes e namoradas, oferecendo cigarros e tentando se comunicar uns com os outros com frases do tipo: "Eu, Robert, e você?"

Ele reconheceu dois sargentos, um britânico e outro alemão, muito entretidos em uma conversa. Cutucou o ombro do britânico.

– Ei, você! – falou. – O que acha que está fazendo?

O homem lhe respondeu com o sotaque monocórdio e gutural da região do cais do porto de Cardiff.

– Não sei como aconteceu exatamente, senhor. Alguns dos chucrutes subiram até o parapeito deles, desarmados, e gritaram "Feliz Natal", e então um dos nossos rapazes fez a mesma coisa, daí eles foram andando uns na direção dos outros e, quando a gente se deu conta, todos estavam fazendo a mesma coisa.

– Mas não tem ninguém nas trincheiras! – disse Fitz, irado. – Não está vendo que isso pode ser um truque?

O sargento olhou para um lado da frente de batalha e depois para o outro.

– Não, senhor, para ser sincero, não vejo esse perigo – respondeu ele, despreocupado.

Fitz percebeu que ele tampouco. Como o inimigo poderia tirar vantagem do fato de as duas linhas de frente adversárias terem ficado amigas?

O sargento apontou para o alemão.

– Este é Hans Braun, senhor – disse ele. – Ele era garçom no Hotel Savoy de Londres. E fala inglês!

O sargento alemão bateu continência para Fitz.

– É um prazer conhecê-lo, major – disse ele. – Feliz Natal. – O homem tinha menos sotaque do que o sargento de Cardiff. Ele estendeu um cantil.

– Aceita um gole de *schnapps*?

– Meu Deus do céu – disse Fitz, afastando-se dali.

Não havia nada que ele pudesse fazer. Mesmo com a ajuda dos suboficiais, como aquele sargento galês, seria difícil dar fim àquilo. Sem ela, era impossível. Ele decidiu que era melhor relatar a situação a um superior e transferir o problema para outra pessoa.

No entanto, antes de conseguir ir embora, ouviu alguém chamar seu nome.

– Fitz! Fitz! É você mesmo?

A voz era conhecida. Ele se virou e viu um alemão se aproximando. Quando ele chegou perto, Fitz o reconheceu.

– Von Ulrich? – falou, assombrado.

– Em carne e osso! – Walter abriu um grande sorriso e estendeu a mão. Fitz a segurou sem pensar. Walter o cumprimentou vigorosamente. Ele estava mais magro, pensou Fitz, e sua pele clara estava castigada pelas intempéries. Imagino que eu também tenha mudado, pensou Fitz.

– Mas isso é incrível... – disse Walter. – Que coincidência!

– Fico feliz em ver você bem, com saúde – disse Fitz. – Embora imagine que não devesse ficar.

– Eu digo o mesmo!

– O que nós vamos fazer em relação a isso? – Fitz gesticulou na direção dos soldados que confraternizavam. – Acho preocupante.

– Eu concordo. Quando chegar amanhã, talvez não queiram atirar nos novos amigos.

– E o que faríamos se isso acontecesse?

– Precisamos urgentemente de uma batalha para que eles voltem ao normal. Se ambos os lados começarem a atacar pela manhã, logo os homens vão começar a se detestar de novo.

– Espero que tenha razão.

– E você, como está, velho amigo?

Fitz se lembrou da boa notícia que havia recebido e seu rosto se iluminou.

– Acabo de ser pai – disse. – Bea deu à luz um menino. Tome aqui um charuto.

Ambos acenderam seus charutos. Walter contou que estivera na frente oriental.

– Os russos são uns corruptos – disse ele com repulsa. – Os oficiais vendem suprimentos no mercado negro e deixam a infantaria passar fome e frio. Metade da população da Prússia Oriental está calçando botas do exército russo compradas a preço de banana, enquanto os próprios soldados andam descalços.

Fitz falou de sua estadia em Paris.

– Seu restaurante preferido continua aberto, o Voisin – disse.

Os soldados deram início a uma partida de futebol, Grã-Bretanha contra Alemanha, empilhando as boinas de seus uniformes para marcar as traves dos gols.

– Preciso ir relatar o que está acontecendo – disse Fitz.

– Eu também – falou Walter. – Mas antes me diga uma coisa: como vai lady Maud?

– Bem, imagino.

– Ficaria muito feliz se você pudesse lhe transmitir as minhas lembranças.

Fitz ficou intrigado com a ênfase que Walter deu àquele comentário que, caso contrário, soaria tão banal.

– Naturalmente – respondeu. – Algum motivo especial?

Walter desviou o olhar.

– Logo antes de sair de Londres... eu dancei com ela no baile de lady Westhampton. Foi a última coisa civilizada que fiz antes desta *verdammten* guerra.

Walter parecia muito emocionado. Sua voz tremia, e era raríssimo ele resvalar para o alemão ao falar em outra língua. Talvez também houvesse sido contagiado pelo espírito natalino.

– Gostaria muito que ela soubesse que eu estava pensando nela no dia de Natal – prosseguiu Walter. Ele encarou Fitz com os olhos marejados. – Posso contar com você para dizer isso a ela, meu velho amigo?

– Pode, sim – respondeu Fitz. – Tenho certeza de que ela ficará muito contente.

CAPÍTULO CATORZE

Fevereiro de 1915

– Eu fui ao médico – falou a mulher ao lado de Ethel. – E disse a ele: "Minha xereca está coçando."

Uma onda de risadas varreu o aposento. Ele ficava no andar de cima de uma pequena casa na região leste de Londres, perto de Aldgate. Vinte mulheres estavam sentadas diante de máquinas de costura em fileiras compactas, que se estendiam pelos dois lados de uma mesa de trabalho comprida. Não havia lareira e a única janela estava bem fechada para não deixar entrar o frio de fevereiro. As tábuas do piso estavam nuas. O reboco caiado das paredes se esfarelava de tão antigo e dava para ver as ripas atrás dele em alguns pontos. Com vinte mulheres respirando o mesmo ar, o cômodo ficava abafado, mas nunca parecia se aquecer, de modo que todas usavam chapéus e sobretudos.

Haviam acabado de fazer um intervalo, e os pedais sob seus pés estavam momentaneamente em silêncio. A mulher ao lado de Ethel era Mildred Perkins, uma londrina do East End que tinha a mesma idade que ela. Mildred era também a inquilina de Ethel. Teria sido uma moça bonita, não fossem os dentes da frente proeminentes. As piadas sujas eram sua especialidade. Ela prosseguiu:

– O médico então me disse: "Você não deveria dizer isso, é uma palavra feia."

Ethel sorriu. Mildred sempre conseguia criar momentos de alegria na árdua jornada de trabalho de 12 horas. Ethel nunca tinha escutado esse tipo de conversa antes. Em Tŷ Gwyn, todos os empregados eram bem-educados. Aquelas londrinas eram capazes de dizer qualquer coisa. Ali havia mulheres de todas as idades e nacionalidades, sendo que algumas mal falavam inglês – incluindo duas refugiadas da Bélgica ocupada pelos alemães. A única coisa que todas tinham em comum era o fato de estarem desesperadas o suficiente para aceitar aquele tipo de emprego.

– Eu falei para ele: "O que eu deveria dizer então, doutor?" E ele me respondeu: "Diga que o seu dedo está coçando."

Elas estavam costurando uniformes do Exército britânico, milhares de uniformes, túnicas e calças. Dia após dia, as peças de tecido cáqui grosso chegavam de uma fábrica na rua ao lado, grandes caixas de papelão cheias de mangas, costas e pernas, e as mulheres ali as costuravam antes de mandá-las para outra pequena fábrica, onde as roupas recebiam botões e casas. O pagamento era de acordo com o número de peças que terminavam.

– Então ele me perguntou: "O seu dedo coça o tempo todo, Sra. Perkins, ou só de vez em quando?"

Mildred fez uma pausa e as mulheres ficaram caladas, esperando o fim da piada.

– E eu falei: "Não, doutor, só quando eu mijo com ele."

Todas explodiram em risos e exclamações.

Uma menina magra de 12 anos entrou pela porta com uma vara de madeira em cima do ombro. Nela, havia 20 canecas de diferentes tamanhos penduradas. A menina, que se chamava Allie, pousou a vara com cuidado sobre a mesa de trabalho. As canecas continham chá, chocolate quente, caldos ou café aguado. Cada mulher tinha a sua. Duas vezes por dia, no meio da manhã e no meio da tarde, entregavam seus trocados a Allie, e ela ia enchê-las no café ao lado da fábrica.

As mulheres tomaram pequenos goles de suas bebidas, esticaram os braços e pernas e esfregaram os olhos. O trabalho não era tão árduo quanto a mineração de carvão, pensou Ethel, mas era cansativo: ficar horas e horas curvada sobre a máquina, vigiando a costura com atenção. E tudo precisava ficar perfeito. O patrão, Mannie Litov, verificava cada peça e, se a costura estivesse errada, você não recebia – embora Ethel desconfiasse que ele despachava os uniformes defeituosos de qualquer maneira.

Dali a cinco minutos, Mannie entrou na oficina, batendo palmas e dizendo:

– Vamos, de volta ao trabalho. – As mulheres terminaram suas bebidas e tornaram a se virar para a mesa de trabalho.

Mannie era um verdadeiro feitor de escravos, mas, segundo as mulheres, não era dos piores. Pelo menos não apalpava as garotas ou exigia favores sexuais. Tinha cerca de 30 anos, olhos escuros e uma barba preta. Seu pai era um alfaiate que viera da Rússia para abrir uma fábrica na Mile End Road, onde fazia ternos baratos para funcionários de banco e mensageiros da Bolsa de Valores. Mannie havia aprendido o ofício com o pai e depois iniciara um empreendimento mais ambicioso.

A guerra era boa para os negócios. Um milhão de homens haviam se alistado voluntariamente no Exército entre agosto e o Natal, e todos precisavam de uniformes. Mannie estava contratando todas as costureiras que conseguisse encontrar. Felizmente, Ethel havia aprendido a manejar a máquina de costura em Tŷ Gwyn.

Ela precisava de um emprego. Embora sua casa estivesse paga e ela cobrasse aluguel de Mildred, tinha de economizar dinheiro para quando o bebê chegasse. Contudo, a experiência de procurar trabalho havia lhe causado frustração e aborrecimento.

Estavam surgindo muitos empregos novos para mulheres, mas Ethel não tardou a descobrir que homens e mulheres ainda eram desiguais. Trabalhos que pagavam três ou quatro libras por semana aos homens estavam sendo oferecidos a mulheres por uma libra. E, além disso, as mulheres tinham que aturar hostilidade e perseguição. Passageiros de ônibus homens se recusavam a mostrar as passagens a uma condutora mulher; mecânicos derramavam óleo dentro da caixa de ferramentas de suas colegas do sexo feminino; e as operárias eram proibidas de entrar no pub junto ao portão da fábrica. O que deixava Ethel ainda mais furiosa era que esses mesmos homens eram capazes de chamar uma mulher de preguiçosa e incompetente caso seus filhos andassem maltrapilhos.

No fim das contas, com relutância e raiva, ela havia escolhido um ramo de trabalho no qual as mulheres eram empregadas tradicionalmente, jurando que iria mudar esse sistema injusto antes de morrer.

Ela esfregou as costas. O bebê iria nascer dali a uma ou duas semanas e Ethel teria que parar de trabalhar a qualquer momento. Costurar era complicado com aquela barriga imensa, mas o que ela achava pior era o cansaço que ameaçava tomar todo o seu corpo.

Duas outras mulheres entraram pela porta, uma delas com a mão coberta por uma atadura. As costureiras muitas vezes se espetavam com as agulhas ou se cortavam com as tesouras afiadas que usavam para acertar as roupas.

– Está vendo, Mannie, você deveria ter um kit de primeiros socorros aqui, uma lata com ataduras, um frasco de iodo e mais uma coisa ou outra – disse Ethel.

– Você acha que sou feito de dinheiro? – devolveu ele. Era sua resposta-padrão para qualquer exigência de suas funcionárias.

– Mas você perde dinheiro toda vez que uma de nós se machuca – falou Ethel com um tom de sensatez ponderada. – Como tiveram que ir à farmácia cuidar de um corte, essas duas mulheres passaram quase uma hora fora da máquina.

A mulher da atadura sorriu.

– Além disso, tive que passar no Dog and Duck para acalmar os nervos – disse ela, referindo-se a um pub das redondezas.

Falando com sarcasmo, Mannie disse a Ethel:

– Imagino que você vá querer que eu também ponha uma garrafa de gim no kit de primeiros socorros.

Ethel ignorou o comentário.

– Vou fazer uma lista para descobrir quanto vai custar tudo e então você decide. Que tal?

– Não prometo nada – disse Mannie, e isso era o mais próximo que ele jamais chegava de se comprometer com qualquer coisa.

– Então está certo. – Ethel tornou a se virar para a máquina.

Era sempre ela quem solicitava a Mannie pequenas melhorias no local de trabalho, ou que protestava quando ele fazia mudanças desfavoráveis, como estabelecer que elas deveriam pagar para afiar as próprias tesouras. Sem querer, parecia ter caído no mesmo tipo de papel que o pai desempenhava.

Do lado de fora da janela encardida, a tarde curta já estava escurecendo. Ethel considerava as últimas três horas de trabalho as mais difíceis. Suas costas doíam e o brilho das lâmpadas no teto lhe dava dor de cabeça.

Quando chegava o fim do turno, às sete horas, no entanto, ela não queria voltar para casa. A ideia de passar a noite sozinha era deprimente demais.

Assim que Ethel chegou a Londres, vários rapazes haviam prestado atenção nela. Não tinha sentido atração de verdade por nenhum deles, mas aceitara convites para cinemas, cabarés, recitais e noitadas em pubs. Chegara até a beijar um dos rapazes, mas sem muita paixão. Porém, logo que sua gravidez começou a ficar clara, todos haviam perdido o interesse. Uma garota bonita era uma coisa, mas uma mulher com um bebê era outra muito diferente.

Felizmente, naquela noite haveria uma assembleia do Partido Trabalhista. Ethel havia se inscrito no núcleo de Aldgate do Partido Trabalhista Independente logo depois de comprar a casa. Muitas vezes se perguntava o que seu pai pensaria disso caso soubesse. Será que iria querer expulsá-la do partido dele assim como a expulsara de casa? Ou ficaria feliz em segredo? Ela provavelmente jamais saberia.

A palestrante daquela noite seria Sylvia Pankhurst, uma das líderes das sufragistas, que militavam pelo voto feminino. A guerra havia provocado uma cisão na famosa família Pankhurst. Emmeline, a mãe, renunciara à campanha enquanto durasse o conflito. Uma das filhas, Christabel, apoiava a mãe, mas a outra, Sylvia, havia rompido com as duas e dado continuidade à luta. Ethel estava do lado de Sylvia: as mulheres eram oprimidas tanto em tempos de guerra quanto de paz – e nunca conseguiriam justiça enquanto não tivessem o direito de votar.

Quando chegou à calçada, ela deu boa-noite às colegas. A rua iluminada por lampiões a gás estava cheia de operários voltando para casa, pessoas fazendo compras para o jantar e farristas a caminho de uma noite de diversão. Uma lufada de ar morno e inebriante emanava da porta aberta do Dog and Duck. Ethel entendia as mulheres que passavam a noite inteira em lugares como aquele. Os pubs eram mais aconchegantes do que a casa da maioria das pessoas, e neles havia sempre companhia agradável e a anestesia barata oferecida pelo gim.

Ao lado do pub, ficava uma mercearia chamada Lippmann's, mas ela estava fechada: havia sido vandalizada por um bando de patriotas por causa do nome alemão e sua fachada estava coberta por tábuas. Por ironia, o dono do estabelecimento era um judeu de Glasgow, cujo filho combatia na Infantaria Leve das Terras Altas escocesas.

Ethel pegou um ônibus. Eram só duas paradas, mas ela estava cansada demais para andar.

A reunião era no Salão do Evangelho do Calvário, o mesmo lugar onde funcionava a clínica de lady Maud. Ethel fora morar em Aldgate porque era o único bairro de Londres de que tinha ouvido falar, pois Maud costumava mencioná-lo com frequência.

O salão estava claro por conta das belas luminárias a gás espalhadas pelas paredes e um braseiro de carvão no meio do aposento deixava o ar menos frio. Cadeiras dobráveis baratas haviam sido dispostas em fileiras diante de uma mesa e de um púlpito. Ethel foi recebida pelo secretário do núcleo, Bernie Leckwith, homem estudioso e pedante, mas de bom coração. Ele estava com um ar preocupado.

– Nossa palestrante não vem mais – disse.

Ethel ficou decepcionada.

– O que nós vamos fazer? – perguntou ela, correndo os olhos pelo salão. – Já tem mais de 50 pessoas aqui.

– Eles vão mandar uma substituta, mas ela ainda não chegou e não sei se vai ser boa. Ela nem é do partido.

– Quem é?

– O nome dela é lady Maud Fitzherbert – disse Bernie. – Pelo que entendi, a família é dona de minas de carvão – acrescentou em tom de reprovação.

Ethel riu.

– Quem diria! – exclamou. – Eu já trabalhei para ela.

– Ela fala bem?

– Não faço a menor ideia.

Ethel estava intrigada. Não via Maud desde aquela fatídica terça-feira em que a ex-patroa se casara com Walter von Ulrich e a Grã-Bretanha declarara guerra à Alemanha. Ethel ainda guardava o vestido que Walter tinha comprado para ela, cuidadosamente envolto em papel de seda e pendurado em seu guarda-roupa. Era feito de seda cor-de-rosa, com uma segunda camada de tecido diáfano por cima – a coisa mais linda que ela já tivera na vida. É claro que não cabia mais naquele vestido. Além do mais, ele era bonito demais para ser usado em uma assembleia do Partido Trabalhista. Ethel conservara o chapéu também, na mesma caixa em que tinha sido embalado na loja da Bond Street.

Ela se sentou, grata pela chance de dar um descanso aos pés, e se acomodou para aguardar o início da assembleia. Jamais se esqueceria de quando fora ao Ritz depois do casamento com o primo bonitão de Walter, Robert von Ulrich. Ao entrar no restaurante, uma ou outra das mulheres presentes a encarou feio, fazendo-a imaginar que, embora estivesse usando um vestido caro, algo em sua aparência entregava o fato de que pertencia à classe operária. Mas Ethel estava pouco se lixando para isso. Robert a fizera rir com comentários venenosos sobre as roupas e joias das outras mulheres, ao passo que ela lhe contara um pouco sobre a vida em uma cidade mineradora do País de Gales – coisa que lhe pareceu mais estranha do que a existência dos esquimós.

Onde estariam eles agora? Tanto Robert quanto Walter tinham ido à guerra, é claro – Walter pelo Exército alemão e Robert pelo austríaco –, e Ethel não tinha como saber se estavam mortos ou vivos. Nunca mais tivera notícias de Fitz. Imaginava que ele houvesse ido para a França com os Fuzileiros Galeses, mas nem disso tinha certeza. Mesmo assim, sempre passava os olhos pela lista de mortos que saía nos jornais, com medo de ler o nome Fitzherbert. Detestava-o pela forma como a havia tratado, mas, de qualquer forma, ficava profundamente aliviada quando não encontrava seu nome.

Ela poderia ter mantido contato com Maud simplesmente indo à clínica em alguma quarta-feira, mas como teria explicado a visita? Com exceção de um pequeno susto em julho – um leve sangramento em sua roupa de baixo que o Dr. Greenward lhe garantiu não ser nada preocupante –, não havia nada de errado com ela.

No entanto, Maud não havia mudado naqueles seis meses. Entrou no salão vestida de forma mais espetacular do que nunca, usando um chapéu de aba larga com uma pena comprida que despontava da fita como o mastro de um iate. De repente, Ethel se sentiu molambenta com seu velho sobretudo marrom.

Maud cruzou olhares com ela e se aproximou.

– Olá, Williams! Quer dizer, Ethel... me perdoe. Que surpresa agradável!

Ethel apertou-lhe a mão.

– Peço desculpas por não me levantar – falou ela, alisando a barriga inchada. – Acho que neste momento eu não conseguiria ficar de pé nem para o rei.

– Imagine! Será que podemos conversar por alguns minutos depois da assembleia?

– Seria ótimo.

Maud foi até a mesa e Bernie deu início à assembleia. Como muitos outros habitantes do East End londrino, Bernie era um judeu russo. Na verdade, poucas pessoas daquela região eram inglesas de fato. Havia muitos galeses, escoceses e irlandeses. Antes da guerra, costumava ser grande o número de alemães; agora, havia milhares de refugiados belgas. Era no East End que eles desembarcavam do navio, então acabavam naturalmente se instalando ali.

Embora estivessem recebendo uma convidada especial, Bernie fez questão de primeiro ler as justificativas dos que não puderam vir, seguidas pela ata da reunião anterior e por outros procedimentos de rotina tediosos. Ele trabalhava como bibliotecário para o conselho do bairro e era obcecado por detalhes.

Por fim, Bernie apresentou Maud. Ela falou com segurança e conhecimento de causa sobre a opressão das mulheres.

– Uma mulher que faça o mesmo trabalho de um homem deveria receber o mesmo salário – falou. – Só que o homem tem que sustentar uma família, é o que muitas vezes ouvimos.

Vários dos homens na plateia menearam a cabeça enfaticamente, concordando: era isso que sempre diziam.

– Mas e quanto à *mulher* que precisa sustentar uma família?

Isso gerou um burburinho de aprovação entre as mulheres.

– Na semana passada, em Acton, eu conheci uma garota que está tentando alimentar e vestir os cinco filhos com duas libras por semana, enquanto o marido, que a abandonou, ganha quatro libras e dez xelins fabricando hélices de navio em Tottenham e gasta o dinheiro todo em um pub!

– É isso aí! – exclamou uma mulher atrás de Ethel.

– Acabei de conversar com uma mulher em Bermondsey cujo marido foi morto na batalha de Ypres... ela precisa sustentar os quatro filhos dele, mas recebe um salário de mulher.

– Que vergonha! – comentaram várias das ouvintes.

– Se um patrão acha justo pagar a um homem um xelim por peça para fabricar bielas, deveria achar justo pagar o mesmo salário a uma mulher.

Os homens se remexeram nas cadeiras, pouco à vontade.

Maud correu um olhar duro como aço pela plateia.

– Quando ouço homens socialistas defenderem salários iguais para todos, eu lhes pergunto: "Mas vocês permitem que patrões gananciosos tratem as mulheres como mão de obra barata?"

Ethel achava que era preciso muita coragem e independência para uma mulher com as origens de Maud pensar dessa forma. Também sentia inveja dela. De suas lindas roupas e de seu estilo fluente ao falar. E, para completar, Maud ainda era casada com o homem que amava.

Depois da palestra, Maud foi interrogada de forma agressiva pelos homens do Partido Trabalhista. O tesoureiro do núcleo, um escocês de rosto vermelho chamado Jock Reid, perguntou:

– Como vocês podem continuar choramingando pelo voto feminino quando nossos rapazes estão morrendo na França? – Um alarido de aprovação ecoou pelo recinto.

– Que bom que o senhor me perguntou isso, porque é uma questão que incomoda muitos homens e muitas mulheres também – disse Maud. Ethel admirou o tom conciliatório da resposta, que contrastava muito bem com a hostilidade da pergunta. – Seria melhor que as atividades políticas não prosseguissem normalmente durante a guerra? Seria melhor que vocês não estivessem participando de uma reunião do Partido Trabalhista? Seria melhor que os sindicatos parassem de lutar contra a exploração dos trabalhadores? O Partido Conservador por acaso está em recesso durante a guerra? A injustiça e a opressão foram temporariamente suspensas? Minha resposta é não, camarada. Não podemos deixar os inimigos do progresso tirarem vantagem da guerra. Ela não deve servir de desculpa para os tradicionalistas nos impedirem de avançar. Como diz o senhor Lloyd George, temos que continuar tocando o barco.

Após a reunião, um chá foi preparado – pelas mulheres, naturalmente –, e Maud veio se sentar ao lado de Ethel, retirando as luvas para segurar nas mãos macias uma xícara e um pires feitos de uma cerâmica azul grossa. Ethel achou que seria indelicado de sua parte dizer a Maud a verdade sobre o irmão dela, de modo que lhe contou a última versão de sua saga fictícia, falando que "Teddy Williams" tinha sido morto em combate na França.

– Eu digo às pessoas que nós éramos casados – falou ela, tocando o anel barato que usava no dedo. – Não que alguém se importe com isso agora. Antes de os rapazes irem para a guerra, as garotas querem lhes dar prazer, casadas ou não. – Ela baixou a voz. – Imagino que a senhora não tenha notícias de Walter, ou tem?

Maud sorriu.

– Aconteceu uma coisa extraordinária. Você leu nos jornais sobre a trégua de Natal?

– Li, claro... britânicos e alemães trocando presentes e jogando futebol na terra de ninguém. Uma pena eles não terem continuado a trégua e se recusado a lutar.

– Sem dúvida. Mas Fitz encontrou Walter!

– Ora, mas que maravilha!

– Fitz não sabe que estamos casados, é claro, então Walter teve que tomar cuidado com o que disse. Mas mandou um recado dizendo que estava pensando em mim no dia de Natal.

Ethel apertou a mão de Maud.

– Então ele está bem!

– Ele lutou na Prússia Oriental, e agora está na frente de combate na França, mas não foi ferido.

– Graças aos céus. Mas não imagino que a senhora vá ter mais notícias dele. Esse tipo de sorte nunca se repete.

– Não. Minha única esperança é que, por algum motivo, ele seja enviado para um país neutro, como a Suécia ou os Estados Unidos, de onde possa escrever para mim. Caso contrário, terei que esperar o fim da guerra.

– E o conde?

– Fitz está bem. Passou as primeiras semanas da guerra fazendo farra em Paris.

Enquanto eu procurava um emprego em uma oficina exploradora, pensou Ethel com rancor.

– A princesa Bea teve um menino – continuou Maud.

– Fitz deve ter ficado feliz em ganhar um herdeiro.

– Estamos todos muito contentes – disse Maud, o que fez Ethel se lembrar de que, além de rebelde, ela era também uma aristocrata.

A assembleia chegou ao fim. Um táxi aguardava Maud e as duas se despediram. Bernie Leckwith pegou o ônibus com Ethel.

– Ela se saiu melhor do que eu esperava – comentou. – Uma mulher da classe alta, sem dúvida, mas com a cabeça no lugar. E simpática, sobretudo com você. Imagino que uma criada acabe conhecendo muito bem a família para quem trabalha.

Você não sabe da missa a metade, pensou Ethel.

Ela morava em uma rua tranquila de pequenas casas geminadas, antigas mas bem construídas, a maioria ocupada por trabalhadores com melhor condição financeira, artesãos e supervisores, e por suas famílias. Bernie a acompanhou até a porta da frente. Ethel percebeu que ele provavelmente queria lhe dar um beijo de boa-noite. Considerou a possibilidade de permitir que fizesse isso, pelo simples fato de estar grata por ele ser o único homem do mundo que ainda a considerava atraente. Mas o bom senso falou mais alto: não queria lhe dar falsas esperanças.

– Boa noite, camarada! – disse ela alegremente, entrando em casa.

Não havia nenhum barulho ou luz no andar de cima: Mildred e os filhos já estavam dormindo. Ethel tirou a roupa e entrou na cama. Apesar do cansaço, sua mente estava agitada e ela não conseguiu dormir. Depois de algum tempo, levantou-se e foi preparar um chá.

Por fim, decidiu escrever para o irmão. Abriu seu bloco e começou:

Minha irmãzinha Libby, meu amor querido,

Na escrita em código que os dois usavam quando crianças, apenas uma em cada três palavras contava, e os nomes próprios eram embaralhados, de modo que a frase significava simplesmente *Billy querido*.

Ela se lembrou de que seu método era escrever a mensagem que desejava enviar, para depois preencher os espaços. Então escreveu:

Estou aqui sentada, sozinha e triste.

Em seguida, transformou a frase em código:

Há dias estou neste lugar aqui, à mesa sentada, nem sempre sozinha, ora alegre e às vezes triste.

Quando era pequena, ela adorava essa brincadeira de inventar uma mensagem imaginária para ocultar a verdadeira. Ela e Billy haviam bolado truques para facilitar: as palavras riscadas contavam, enquanto as sublinhadas, não.

Decidiu escrever a carta inteira, para só depois transformá-la em código.

As ruas de Londres não são calçadas de ouro, pelo menos não em Aldgate.

Cogitou escrever uma carta alegre, fazendo seus problemas não parecerem tão graves. Então pensou: Ah, que se dane, posso dizer a verdade ao meu irmão.

Eu costumava achar que fosse especial, não me pergunte por quê. "Ela se acha boa demais para Aberowen", as pessoas diziam, e tinham razão.

Ela teve de piscar para conter as lágrimas ao pensar naquela época: no seu uniforme bem passado, nas refeições fartas na impecável ala dos criados e, sobretudo, no corpo lindo e esbelto que não tinha mais.

Agora, olhe só para mim. Sou explorada 12 horas por dia na fábrica de Mannie

Litov. Tenho enxaquecas todas as noites e sinto uma dor constante nas costas. Vou ter um filho que ninguém quer. E ninguém me quer tampouco, exceto um bibliotecário chato e quatro-olhos.

Ela mordiscou a ponta do lápis por alguns instantes, pensativa, e por fim escreveu:

Daria no mesmo se eu estivesse morta.

II

No segundo domingo de cada mês, um padre ortodoxo pegava o trem de Cardiff e subia o vale até Aberowen, trazendo uma mala cheia de ícones e castiçais embalados com esmero para celebrar a Divina Liturgia para os russos.

Lev Peshkov detestava padres, mas sempre comparecia à missa – era preciso, se você quisesse ter direito ao jantar gratuito oferecido em seguida. O culto acontecia na sala de leitura da biblioteca pública. Segundo uma placa no saguão, aquela era uma das bibliotecas Carnegie, construída com dinheiro doado pelo filantropo de mesmo nome. Lev sabia ler, mas não entendia direito as pessoas que consideravam a leitura um prazer. Os jornais ali eram afixados a suportes de madeira pesados, para que ninguém os roubasse, e por todo lado havia placas que diziam: SILÊNCIO. Como alguém poderia se divertir em um lugar daqueles?

Quase tudo em Aberowen desagradava Lev.

Os cavalos eram iguais em qualquer parte, mas ele odiava trabalhar debaixo da terra: o ambiente estava sempre mal iluminado e o pó de carvão o fazia tossir. Na superfície, chovia o tempo inteiro. Ele nunca tinha visto tanta chuva. Não eram tempestades nem pancadas repentinas seguidas pelo alívio de um céu claro e de um tempo seco. Pelo contrário, era uma garoa que caía o dia todo, às vezes a semana toda, subindo pelas pernas de sua calça e descendo pelas costas de sua camisa.

A greve havia começado a perder força em agosto, depois de a guerra estourar, e os mineradores aos poucos tinham voltado ao trabalho. A maioria tornara a ser contratada e recebera de volta suas antigas casas. As exceções eram os homens considerados agitadores pela administração da mina, sendo que a maior parte destes tinha ido se juntar aos Fuzileiros Galeses na frente de batalha. As viúvas despejadas tinham encontrado lugares para morar. Os fura-greves já não eram mais marginalizados: com o tempo, os moradores da cidade haviam passado a entender que os estrangeiros também tinham sido manipulados pelo sistema capitalista.

Mas não era para isso que Lev havia fugido de São Petersburgo. A Grã-Bretanha, é claro, era melhor do que a Rússia: os trabalhadores podiam se organizar em sindicatos, a polícia não estava totalmente fora de controle e até mesmo os judeus eram livres. Mesmo assim, ele não iria se contentar com uma vida de trabalho extenuante em uma cidade mineradora no fim do mundo. Não era com isso que ele e Grigori haviam sonhado. Aquilo ali não era a América.

Mesmo que porventura estivesse tentado a continuar ali, teria que seguir em frente: devia isso a Grigori. Sabia ter agido mal com o irmão, mas havia jurado mandar-lhe o dinheiro da passagem. Lev tinha quebrado várias promessas durante sua curta vida, mas aquela ele pretendia cumprir.

Já havia juntado quase o valor inteiro para uma passagem de Cardiff até Nova York. O dinheiro estava escondido sob uma lajota do piso da cozinha de sua casa em Wellington Row, junto com sua arma e o passaporte do irmão. Obviamente, essas economias não vinham de seu salário semanal – que mal bastava para custear sua cerveja e seu tabaco –, mas sim das suas partidas de cartas semanais.

Spirya não era mais seu colaborador. O rapaz tinha ido embora de Aberowen em poucos dias e voltara a Cardiff para procurar um trabalho mais fácil. Contudo, homens gananciosos nunca eram raros de se encontrar, e Lev ficara amigo de um subgerente da mina chamado Rhys Price. Lev garantia as vitórias constantes de Rhys no carteado e, em seguida, os dois dividiam os lucros. Era importante não exagerar na dose: vez por outra, outras pessoas tinham de ganhar. Se os mineradores descobrissem o que estava acontecendo, eles não só dariam um basta no grupo de carteado, mas provavelmente também matariam Lev. Assim, suas economias cresciam devagar, de modo que ele não podia se dar ao luxo de recusar uma boca-livre.

O padre era sempre recebido na estação pelo carro do conde. Em seguida, era conduzido até Tŷ Gwyn, onde lhe ofereciam xerez e bolo. Caso a princesa Bea estivesse em casa, ela o acompanhava até a biblioteca e entrava na sala de leitura alguns segundos antes dele – o que a livrava de ter que esperar na companhia de pessoas comuns.

Naquele dia, o relógio de parede da sala de leitura marcava pouco mais de 11 horas quando ela entrou, usando um casaco de pele branco e um chapéu para se proteger do frio de fevereiro. Lev se esforçou para conter um arrepio: não conseguia olhar para ela sem reviver o terror absoluto de um menino de 6 anos diante do enforcamento do pai.

O padre entrou em seguida, trajando vestes de cor creme com um cinturão dourado. Pela primeira vez, vinha acompanhado de outro homem vestido como um noviço – e Lev ficou chocado e horrorizado ao reconhecer seu antigo comparsa, Spirya.

A mente de Lev rodopiava enquanto os dois clérigos preparavam os cinco pães e punham água no vinho tinto em preparação para a missa. Teria Spirya encontrado Deus e mudado de vida? Ou seria aquela roupa sacerdotal apenas mais um disfarce para roubar e enganar os outros?

O padre mais velho entoou a bênção. Alguns dos homens mais religiosos tinham formado um coral – iniciativa aprovada com entusiasmo por seus vizinhos galeses – e então cantaram o primeiro Amém. Lev imitou os demais quando eles fizeram o sinal da cruz, mas o tempo todo pensava com nervosismo em Spirya. Seria típico de um padre contar a verdade e botar tudo a perder: os jogos de cartas, a passagem para os Estados Unidos, o dinheiro para Grigori.

Lev recordou o último dia a bordo do *Anjo Gabriel*, quando havia ameaçado jogar Spirya da borda do navio apenas por ele ter aventado a possibilidade de traí-lo. Spirya poderia muito bem se lembrar disso naquele instante. Lev desejou não ter humilhado o outro homem.

Ficou observando Spirya durante a missa, buscando interpretar seu rosto. Quando foi até a frente do grupo para receber a comunhão, tentou cruzar olhares com o antigo amigo, mas ele não parecia sequer reconhecê-lo: Spirya estava, ou fingia estar, totalmente concentrado no culto.

Depois da missa, os dois clérigos foram embora no mesmo carro que a princesa, seguidos a pé pelos cerca de 30 cristãos russos. Lev se perguntou se Spirya iria falar com ele em Tŷ Gwyn, e ficou preocupado com o que o outro poderia dizer. Será que fingiria que o golpe armado pelos dois nunca tinha acontecido? Ou será que daria com a língua nos dentes, fazendo a ira dos mineradores se abater sobre Lev? Ou, em vez disso, cobraria ele um preço pelo seu silêncio?

Lev sentiu-se tentado a deixar a cidade no mesmo instante. Havia trens para Cardiff a cada hora, ou de duas em duas horas. Se ele tivesse mais dinheiro, poderia ter ido embora. Mas, como não tinha o suficiente para comprar a passagem, continuou a subir a colina, afastando-se da cidade em direção ao palácio do conde para a refeição do meio-dia.

Eles foram servidos na ala dos criados, no subsolo da casa. A comida foi farta: carneiro ensopado com pão à vontade e cerveja para acompanhar. Nina, a criada russa da princesa, se juntou a eles para servir de intérprete. Ela tinha uma queda por Lev, então garantiu que ele recebesse mais cerveja que os outros.

O padre almoçou com a princesa, mas Spirya desceu até a ala dos criados e sentou-se ao lado de Lev. Este abriu seu sorriso mais acolhedor.

– Ora, meu velho amigo, mas que surpresa! – falou em russo. – Meus parabéns!

Spirya não se deixou seduzir.

– Você continua jogando cartas, meu filho? – foi sua resposta.

Lev manteve o sorriso, mas abaixou a voz:

– Eu fico de bico calado em relação a isso, se você também ficar. Acha justo?

– Conversamos depois do almoço.

Lev ficou frustrado. Que caminho escolheria Spirya: o da virtude ou o da chantagem?

Quando a refeição terminou, Spirya saiu pela porta dos fundos e Lev foi atrás dele. Sem dizer nada, Spirya o conduziu até uma rotunda branca que parecia um templo grego em miniatura. Como esta ficava um pouco elevada, eles podiam ver qualquer um que se aproximasse. Estava chovendo e a água escorria pelas colunas de mármore. Lev sacudiu a boina para secá-la e depois a pôs de volta.

– Você se lembra de quando lhe perguntei, no navio, o que você faria se eu me recusasse a lhe dar metade do dinheiro? – perguntou Spirya.

Lev havia empurrado metade do corpo dele por cima da balaustrada, ameaçando quebrar seu pescoço e atirá-lo no mar.

– Não, não me lembro – mentiu.

– Pouco importa – disse Spirya. – Eu queria apenas perdoar você.

A virtude, então, pensou Lev com alívio.

– O que nós fizemos foi pecaminoso – disse Spirya. – Eu me confessei e fui absolvido.

– Então não vou chamar seu padre para jogar cartas comigo.

– Pare de brincadeira.

Lev sentiu vontade de agarrar Spirya pelo pescoço, como havia feito no navio, mas o outro homem não parecia mais disposto a se deixar intimidar. Por ironia, o hábito tinha lhe dado colhões.

– Eu deveria revelar seu crime para aqueles que você roubou – prosseguiu Spirya.

– Eles não vão ficar agradecidos. Podem se vingar não só de mim, mas de você também.

– Minhas vestes sacerdotais vão me proteger.

Lev fez que não com a cabeça.

– Quase todas as pessoas que você e eu roubamos eram judeus pobres. Provavelmente têm lembranças de padres assistindo sorridentes enquanto eles levavam surras dos cossacos. Talvez, ao verem seu hábito, eles se mostrem ainda mais dispostos a chutar você até a morte.

Uma sombra de raiva atravessou o rosto jovem de Spirya, mas ele se forçou a dar um sorriso bondoso.

– Estou mais preocupado com você, meu filho. Não gostaria de provocar nenhuma violência contra você.

Lev sabia quando estava sendo ameaçado.

– O que você vai fazer?

– A questão é: o que você vai fazer?

– Se eu parar, você fica de bico calado?

– Se você se confessar, se demonstrar arrependimento genuíno e parar de pecar, Deus o perdoará... e, nesse caso, não caberá a mim puni-lo.

E você também se safa, pensou Lev.

– Está bem, eu aceito – disse. Assim que acabou de falar, percebeu que havia cedido depressa demais.

As palavras seguintes de Spirya confirmaram que ele não se deixaria enganar com tanta facilidade.

– Eu vou ficar de olho – falou ele. – E, se descobrir que você descumpriu a promessa feita para mim e para Deus, revelarei seu crime para suas vítimas.

– E elas me matarão. Bom trabalho, padre.

– Ao que me parece, essa é a melhor saída para um dilema moral. E meu superior concorda. Então, é pegar ou largar.

– Eu não tenho escolha.

– Deus o abençoe, meu filho – disse Spirya.

Lev se afastou.

Deixou o terreno de Tŷ Gwyn e caminhou debaixo da chuva até Aberowen, bufando de raiva. Era típico de um padre – pensou com rancor – tirar de um homem a oportunidade de se tornar uma pessoa melhor. Spirya agora estava confortável, tinha comida, roupas e uma casa para morar, tudo fornecido, para sempre, pela Igreja e pelos fiéis miseráveis que doavam um dinheiro que não tinham. Pelo resto da vida, tudo o que Spirya precisaria fazer era entoar os cânticos da missa e dar golpes nos coroinhas.

O que seria de Lev? Se parasse de jogar cartas, levaria uma eternidade para juntar o dinheiro da sua passagem. Estaria fadado a passar anos cuidando dos pôneis da mina, quase um quilômetro debaixo da terra. E nunca iria se redimir, pois não poderia mandar para Grigori o dinheiro da passagem dele para os Estados Unidos.

Ele nunca havia escolhido o caminho mais fácil.

Tomou a direção do pub Two Crowns. No religioso País de Gales, os pubs não eram autorizados a abrir aos domingos, mas em Aberowen as regras não eram levadas muito a sério. Havia apenas um policial na cidade e, como a maioria das pessoas, ele tirava folga aos domingos. Para manter as aparências, o Two Crowns fechava a porta da frente, mas os clientes assíduos entravam pela cozinha e os negócios prosseguiam normalmente.

Os irmãos Ponti, Joey e Johnny, estavam no balcão. Ambos bebiam uísque, o que não era comum. Mineradores em geral bebiam cerveja. Uísque era para os ricos – e no Two Crowns uma garrafa provavelmente durava o ano inteiro.

Lev pediu uma jarra de cerveja e se dirigiu ao irmão mais velho.

– Olá, Joey.

– Olá, Grigori. – Lev continuava usando o nome do irmão, que constava do passaporte.

– Está a fim de esbanjar hoje, Joey?

– Isso mesmo. Eu e o moleque fomos a Cardiff ontem assistir a uma luta de boxe.

Os próprios irmãos pareciam lutadores de boxe, pensou Lev: ombros largos, pescoços grossos, mãos imensas.

– E se deram bem? – perguntou Lev.

– Darkie Jenkins contra Roman Tony. Apostamos em Tony, porque ele é italiano como a gente. A aposta pagava 13 para um e ele derrubou Jenkins no terceiro assalto.

Lev às vezes tinha dificuldades com a língua recém-aprendida, mas conhecia o significado de "13 para um".

– Vocês deveriam vir jogar cartas – falou. – Estão... – Depois de hesitar um pouco, lembrou-se da expressão. – Estão numa maré de sorte.

– Ah, eu não quero perder o dinheiro tão rápido quanto ganhei – disse Joey.

No entanto, quando o grupo de carteado se reuniu no galpão meia hora mais tarde, Joey e Johnny apareceram. Os demais jogadores eram uma mistura de russos e galeses.

Eles jogavam uma versão local do pôquer chamada pôquer de três. Depois das três primeiras cartas, nenhuma outra era dada ou trocada, de modo que o jogo andava rápido. Se um dos jogadores aumentasse a aposta, o próximo tinha que cobri-la imediatamente – não poderia permanecer no jogo apostando o mesmo que antes. Assim, o pote aumentava depressa. As apostas continuavam até restarem apenas dois jogadores e, quando isso acontecia, qualquer um deles poderia encerrar a rodada dobrando a aposta anterior, o que forçava o oponente a mostrar suas cartas. A melhor mão era a que tivesse três cartas iguais, chamada de *prial*, ou trinca, sendo que a mais alta de todas era a trinca de três.

Lev tinha um instinto natural para probabilidades e, na maioria das vezes, acabaria ganhado mesmo sem trapacear – mas isso era lento demais.

A cada mão, quem dava as cartas era o jogador à esquerda do que as havia distribuído na anterior – assim, não era sempre que Lev podia manipular o jogo. Mas havia mil maneiras de trapacear, e ele inventara um código simples que permitia a Rhys avisar quando tirava uma boa mão. Lev então continuava na mesa, fossem quais fossem as cartas que tivesse, para forçar a aposta a subir e aumentar o pote. Quase sempre, todos os demais abandonavam a partida, ao que Lev perdia para Rhys.

À medida que a primeira mão de cartas era distribuída, Lev decidiu que aquela seria sua última partida. Se limpasse os irmãos Ponti, provavelmente conseguiria comprar sua passagem. No domingo seguinte, Spirya procuraria saber se Lev ainda organizava um grupo de carteado. A essa altura, Lev já queria estar no mar.

Ao longo das duas horas seguintes, Lev viu os ganhos de Rhys aumentarem e disse a si mesmo que cada centavo o deixava mais perto dos Estados Unidos. Em geral, não gostava de limpar ninguém, pois os queria de volta na semana seguinte. Mas aquele era o dia de tentar a sorte grande.

Quando a tarde começava a escurecer lá fora, chegou a sua vez de dar as cartas. Ele distribuiu três ases para Joey Ponti e uma trinca de três para Rhys. Naquele jogo, os três valiam mais do que os ases. Ficou com um par de reis, para justificar suas apostas altas. Continuou apostando até quase limpar Joey – não queria ter que aceitar nenhuma promessa de dívida. Joey usou o último dinheiro que tinha para ver a mão de Rhys. A expressão em seu rosto quando este lhe mostrou uma trinca de três foi ao mesmo tempo cômica e deplorável.

Rhys recolheu o dinheiro. Lev se levantou e disse:

– Estou liso. – O jogo acabou, e todos voltaram para o balcão, onde Rhys pagou uma rodada de bebidas para consolar os perdedores. Os irmãos Ponti retornaram para a cerveja, ao que Joey disse:

– Bem, é aquela história: o que vem fácil vai fácil, não é mesmo?

Alguns minutos depois, Lev tornou a sair do pub e Rhys fez o mesmo. Não havia banheiro no Two Crowns, então os homens usavam o beco atrás do galpão. A única luz vinha de um poste de rua distante. Rhys entregou rapidamente a Lev a sua metade dos lucros, parte em moedas e parte nas notas coloridas recém-lançadas: a verde, de uma libra, e a marrom, de dez xelins.

Lev sabia exatamente quanto deveria receber. A aritmética era algo tão natural para ele quanto calcular as probabilidades no carteado. Contaria o dinheiro depois, mas tinha certeza de que Rhys não iria enganá-lo. Ele já havia tentado uma vez. Lev percebera que faltavam cinco xelins na sua parte do dinheiro – quantia que um homem descuidado talvez nem tivesse notado. Tinha ido até a casa de Rhys, enfiado o cano do revólver dentro de sua boca e armado o cão. Rhys borrara as calças de tanto medo. Depois disso, o dinheiro sempre vinha exato, até o último centavo.

Lev guardou o dinheiro no bolso do casaco e os dois voltaram para o bar.

Quando entraram, Lev viu Spirya.

Seu antigo comparsa havia tirado o hábito e vestido o mesmo sobretudo que usara no navio. Estava em pé diante do balcão, mas não bebia – em vez disso, conversava animadamente com um pequeno grupo de russos, incluindo alguns do grupo de carteado.

Seu olhar encontrou o de Lev por um instante.

Lev deu meia-volta e saiu do pub, mas sabia que era tarde demais.

Afastou-se depressa, subindo a colina em direção a Wellington Row. Não tinha dúvidas de que Spirya iria traí-lo. Talvez estivesse explicando naquele exato momento como Lev fazia para trapacear nas cartas e, mesmo assim, dar a impressão de estar perdendo. Os homens ficariam furiosos – e os irmãos Ponti exigiriam seu dinheiro de volta.

Quando ele estava chegando perto de casa, notou um homem vindo na direção oposta, carregando uma mala, e à luz do poste reconheceu um jovem vizinho cujo apelido era Billy com Jesus.

– Olá, Billy – cumprimentou.

– Olá, Grigori.

O rapaz parecia estar saindo da cidade, o que despertou a curiosidade de Lev.

– Vai viajar?

– Estou indo para Londres.

Lev ficou ainda mais interessado.

– Em que trem?

– No das seis horas para Cardiff. – Os passageiros com destino a Londres precisavam trocar de trem em Cardiff.

– Que horas são agora?

– Vinte para as seis.

– Até logo, então. – Lev entrou em casa. Decidiu pegar o mesmo trem que Billy.

Lev acendeu a luz elétrica da cozinha e ergueu a lajota do piso. Recolheu suas economias, o passaporte com o nome e a fotografia do irmão, uma caixa de balas e sua arma, um revólver Nagant M1895 que ganhara nas cartas de um capitão do Exército. Verificou o tambor para se certificar de que havia uma bala nova em cada câmara: as usadas não eram ejetadas automaticamente, precisando ser retiradas manualmente a cada recarga. Enfiou o dinheiro, o passaporte e a arma nos bolsos do sobretudo.

No andar de cima, apanhou a mala de papelão de Grigori furada a bala. Dentro dela, guardou a munição, sua outra camisa, sua roupa de baixo sobressalente e dois baralhos.

Não tinha relógio, mas calculou terem se passado cinco minutos desde o encontro com Billy. Isso lhe dava 15 minutos para andar até a estação – tempo suficiente.

Foi então que ouviu as vozes de vários homens vindas da rua.

Ele não queria confronto. Era durão, mas os mineradores também. Mesmo que ganhasse a briga, perderia o trem. Poderia usar a arma, é claro, mas, naquele país, a polícia se empenhava em capturar assassinos, mesmo quando as vítimas eram zés-ninguém. No mínimo, iriam verificar os passageiros no cais do porto, o que tornaria difícil para ele comprar uma passagem. Sob todos os aspectos, seria melhor se conseguisse deixar a cidade sem violência.

Saiu de casa pela porta dos fundos e atravessou a rua de trás às pressas, fazendo o mínimo de barulho possível com suas botas pesadas. O chão sob seus pés estava enlameado, como de hábito no País de Gales, então felizmente seus passos não fizeram muito barulho.

No final da rua, dobrou em um beco e, descendo-o, emergiu sob as luzes da via principal. Os toaletes localizados no meio da rua o protegiam dos olhares de qualquer um que estivesse em frente à sua casa. Ele se afastou depressa.

Duas ruas mais adiante, percebeu que aquele caminho o faria passar pelo Two Crowns. Parou para pensar por alguns instantes. Conhecia a planta da cidade: sua única alternativa o obrigaria a dar meia-volta. Mas talvez os homens cujas vozes ele havia escutado ainda estivessem perto da sua casa.

Ele tinha que arriscar o Two Crowns. Virou em outro beco e pegou a ruela que passava atrás do pub.

Ao se aproximar do galpão em que havia jogado cartas, ouviu vozes e viu dois homens, talvez mais, delineados pela luz fraca do poste no fim da rua. Seu tempo estava se esgotando, mas mesmo assim ele parou e os esperou tornarem a entrar. Ficou em pé junto a uma cerca de madeira alta, para se tornar menos visível.

Os homens pareceram demorar uma eternidade.

– Vamos logo – sussurrou ele. – Vocês não querem voltar para o quentinho? – A chuva pingava de sua boina e escorria por sua nuca.

Finalmente eles entraram, e Lev emergiu das sombras, seguindo em frente às pressas. Passou pelo galpão sem incidentes, mas, quando estava se afastando, ouviu outras vozes. Soltou um palavrão. Os clientes estavam tomando cerveja desde o meio-dia, de modo que, àquela hora da tarde, precisavam visitar com frequência a rua de trás. Ele ouviu alguém chamá-lo.

– Ei, amigo. – O fato de o estarem chamando assim significava que ele não fora reconhecido.

Ele fingiu não escutar e continuou andando.

Pôde ouvir uma conversa sussurrada. A maioria das palavras era ininteligível, mas ele pensou ter escutado um dos homens dizer: "Parece um russo." As roupas russas eram diferentes das britânicas, e Lev imaginou que eles talvez conseguissem distinguir o corte do seu sobretudo ou o formato de sua boina à luz do poste de rua, do qual ele se aproximava depressa. Mas, quando um homem saía de um pub para fazer suas necessidades, geralmente não podia esperar, então Lev achou que eles não iriam segui-lo antes de terem aliviado a bexiga.

Dobrou no beco seguinte e sumiu de vista. Infelizmente, duvidava que aqueles homens o tivessem esquecido. Àquela altura, Spirya provavelmente já havia contado sua história – e alguém logo entenderia o significado de um sujeito com roupas russas andando em direção ao centro da cidade, de mala na mão.

Ele precisava embarcar naquele trem.

Começou a correr.

A estrada de ferro passava bem no fundo do vale, e, para chegar à estação, era preciso descer toda a encosta. Lev corria com facilidade, dando passos largos. Por cima dos telhados, conseguia ver as luzes da estação e, quando chegou mais perto, a fumaça de um trem parado na plataforma.

Atravessou correndo a praça e entrou no saguão da bilheteria. Os ponteiros do grande relógio marcavam um minuto para as seis. Ele foi depressa até o guichê e fisgou o dinheiro do bolso.

– Uma passagem, por favor – pediu.

– Para onde o senhor gostaria de ir esta noite? – indagou o bilheteiro, simpático.

Lev apontou para a plataforma com afobação.

– Aquele trem ali!

– Esse trem para em Aberdare, Pontypridd...

– Cardiff! – Lev ergueu os olhos e viu o ponteiro dos minutos se mover com um clique pelo último intervalo e parar, tremendo de leve, na hora redonda.

– Só ida, ou ida e volta? – perguntou o bilheteiro sem pressa.

– Só ida, rápido!

Lev escutou o apito. Desesperado, examinou as moedas que tinha na mão. Sabia o preço da passagem – já havia ido a Cardiff duas vezes nos últimos seis meses –, então depositou o dinheiro sobre o balcão.

O trem começou a andar.

O bilheteiro lhe entregou sua passagem.

Lev a apanhou e virou as costas.

– Não esqueça o seu troco! – disse o bilheteiro.

Lev deu os poucos passos que o separavam da barreira.

– Passagem, por favor – pediu o cobrador, embora tivesse acabado de ver Lev comprar o bilhete.

Ao olhar para além da barreira, Lev viu o trem ganhando velocidade.

O cobrador furou sua passagem e perguntou:

– Não vai querer o troco?

A porta do saguão da bilheteria foi escancarada com violência e os irmãos Ponti entraram correndo.

– Aí está você! – gritou Joey, correndo para cima de Lev.

Para surpresa de Joey, Lev deu um passo na sua direção e lhe acertou um soco na cara. Joey parou onde estava. Johnny trombou contra as costas do irmão mais velho e ambos caíram de joelhos no chão.

Lev arrancou sua passagem da mão do cobrador e correu para a plataforma. O trem já estava andando bem depressa. Por alguns instantes, ele correu ao seu lado. De repente, uma porta se abriu e Lev viu o rosto amigo de Billy com Jesus.

– Pule! – gritou o rapaz.

Lev arriscou um salto e conseguiu pôr um dos pés no degrau do trem. Billy agarrou seu braço. Os dois oscilaram por alguns instantes, enquanto Lev tentava desesperadamente jogar seu peso para dentro do vagão. Por fim, Billy deu um puxão, trazendo Lev a bordo.

Agradecido, o russo se deixou cair em um dos assentos.

Billy fechou a porta e se sentou na sua frente.

– Obrigado – falou Lev.

– Foi por pouco – disse Billy.

– Mas consegui – respondeu Lev com um sorriso. – Isso é tudo o que importa.

III

Na manhã seguinte, na estação de Paddington, Billy pediu informações sobre como chegar a Aldgate. Um londrino simpático lhe deu uma enxurrada de instruções detalhadas, das quais ele não entendeu patavina. De qualquer forma, agradeceu ao homem e saiu da estação.

Era sua primeira vez em Londres, mas Billy sabia que Paddington ficava a oeste e que os pobres moravam a leste, então seguiu em direção ao sol do meio da manhã. A cidade era ainda maior do que ele imaginara – muito mais movimentada e confusa do que Cardiff –, mas ele adorou o que viu: o barulho, o tráfego veloz, as multidões e, sobretudo, as lojas. Não sabia que era possível haver tantas lojas no mundo. Ficou imaginando quanto dinheiro se gastava por dia nas lojas de Londres. Provavelmente milhares de libras... ou talvez milhões.

Teve uma sensação de liberdade um tanto vertiginosa. Ninguém ali o conhecia. Em Aberowen, ou mesmo quando ia a Cardiff de vez em quando, sempre corria o risco de ser visto por amigos ou parentes. Em Londres, poderia passear pelas ruas de mãos dadas com uma garota bonita e seus pais jamais ficariam sabendo. Não que tivesse a intenção de fazer isso, mas a ideia de que poderia, se quisesse – aliada ao fato de haver tantas garotas bonitas e bem-vestidas por ali –, era inebriante.

Dali a algum tempo, viu um ônibus com "Aldgate" escrito na frente e pulou a bordo. A carta de Ethel havia mencionado Aldgate.

Ao decodificar a carta da irmã, ele ficara muito preocupado. Obviamente, não podia conversar a respeito dela com os pais. Tinha esperado os dois saírem para a missa da noite na Capela de Bethesda – que ele próprio já não frequentava – para então escrever um recado:

Querida Mam,
Estou preocupado com a nossa Eth e fui atrás dela. Desculpe sair assim de fininho, mas não quero briga.
Seu filho que a ama,
Billy

Como era domingo, ele já estava de banho tomado, barbeado e vestido com as melhores roupas que tinha. Seu terno, que havia herdado do pai, estava surrado, mas ele usava uma camisa branca limpa e uma gravata preta de tricô. Em Cardiff, tinha cochilado na sala de espera da estação e pegara o trem leiteiro na madrugada de segunda-feira.

O condutor do ônibus o avisou quando chegaram a Aldgate e ele saltou. O bairro era pobre, com casebres decadentes, barracas vendendo roupas de segunda mão na rua e crianças descalças brincando em escadarias imundas. Ele não sabia onde Ethel morava – sua carta não tinha endereço de remetente. Sua única dica era: "*Sou explorada 12 horas por dia na fábrica de Mannie Litov.*"

Ele estava louco para dar notícias de Aberowen a Eth. A irmã já deveria ter ficado sabendo pelos jornais do fracasso da greve das viúvas. Billy fervia de raiva ao pensar nisso. Os patrões podiam agir da forma mais imoral porque tinham tudo em suas mãos. Eram donos da mina, das casas e se comportavam como se fossem donos das pessoas também. Por conta de uma série de regras eleitorais complexas, a maioria dos mineradores não tinha direito de voto; assim, o membro do Parlamento que representava Aberowen era um conservador que invariavelmente tomava o partido da empresa. Segundo o pai de Tommy Griffiths, nada jamais mudaria sem uma revolução como a que ocorrera na França. Já o pai de Billy dizia que eles precisavam de um governo trabalhista. Billy não sabia qual dos dois tinha razão.

Abordou um rapaz de aspecto solícito e perguntou:

– O senhor sabe como se chega à fábrica de Mannie Litov?

O homem respondeu em uma língua que parecia russo.

Billy tentou novamente e, desta vez, conseguiu alguém que falava inglês, mas que não conhecia nenhum Mannie Litov. Aldgate não era como Aberowen, onde qualquer pessoa na rua sabia o caminho de todos os estabelecimentos comerciais da cidade. Teria ele vindo de tão longe – e gastado todo aquele dinheiro com a passagem – em vão?

Mas ainda não estava disposto a entregar os pontos. Examinou a rua movimentada em busca de pessoas com aparência britânica e que parecessem estar trabalhando de alguma forma – carregando ferramentas ou empurrando carrinhos de mão. Abordou outras cinco sem sucesso, até topar com um limpador de janelas que carregava uma escada.

– Mannie Litov? – repetiu o homem. Ele fez a proeza de dizer "Litov" sem pronunciar o "t", emitindo em vez disso um som gutural que mais parecia um pequeno tossido. – Fábic di rupas? – Seu sotaque era fortíssimo.

– Desculpe – disse Billy com educação. – Pode repetir?

– Fábic di rupas... Lugar qui se faz rupas... casacu, calça, colsas – falou o homem, ainda com aquele sotaque incompreensível.

– Hum... é, deve ser – disse Billy, já perdendo as esperanças.

O limpador de janelas aquiesceu.

– Reto, 400 metros, direita, Ark Rav Rahd.

– Seguir reto? – repetiu Billy. – Uns 400 metros?

– Esso, dipois direita.

– À direita?

– Ark Rav Rahd.

– Ark Rav Road?

– Não erro.

O nome da rua acabou se revelando Oak Grove Road. Embora Oak Grove significasse bosque dos carvalhos, não havia bosque nenhum ali – e muito menos carvalhos. Era uma rua estreita, sinuosa, cheia de prédios de tijolo em mau estado e de pessoas, cavalos e carrinhos de mão. Depois de pedir informação mais duas vezes, Billy chegou até uma casa espremida entre o pub Dog and Duck e uma loja interditada chamada Lippmann's. A porta da frente estava aberta. Billy subiu a escada até o último andar e se viu em uma sala onde cerca de 20 mulheres costuravam uniformes do Exército britânico.

As mulheres continuaram a trabalhar, operando seus pedais, parecendo não reparar nele, até que por fim uma delas falou:

– Entre, querido, nós não vamos comer você... se bem que, pensando bem, talvez eu queira uma provinha. – Todas caíram na gargalhada.

– Estou procurando por Ethel Williams – disse ele.

– Ela não veio – falou a mulher.

– Por que não? – perguntou ele, aflito. – Ela está doente?

– O que você tem com isso? – A mulher se levantou de sua máquina. – Eu sou Mildred... e você, quem é?

Billy a encarou. Ela era bonita, embora dentuça. Usava um batom vermelho vivo e cachos louros despontavam de sua touca. Vestia um sobretudo cinza, grosso e disforme, mas, apesar disso, ele pôde notar o gingado de seus quadris quando ela veio em sua direção. Estava impressionado demais com aquela mulher para responder.

– Você não é o patife que embuchou Ethel e depois picou a mula, é?

Ele encontrou a própria voz:

– Sou o irmão dela.

– Ah! – exclamou a mulher. – Puta merda, você é o Billy?

Billy ficou de queixo caído. Nunca tinha escutado uma mulher falar daquele jeito.

Ela o examinou com olhar destemido.

– Está na cara que você é irmão dela, só que parece ter mais de 16 anos. – Ela abrandou o tom de voz de um jeito que o fez sentir um forte calor por dentro. – Você tem os mesmos olhos escuros e os mesmos cabelos encaracolados que sua irmã.

– Onde posso encontrá-la? – perguntou ele.

Ela o fitou com um olhar desafiador.

– Eu sei que ela não quer que a família descubra onde está morando.

– É por medo do meu pai – disse Billy. – Mas ela me escreveu uma carta. Fiquei preocupado, então vim até aqui de trem.

– Desde aquele buraco lá em Gales onde ela nasceu?

– Lá não é um buraco – retrucou Billy, indignado. Então deu de ombros e concordou: – Bom, na verdade, acho que é, sim.

– Adorei seu sotaque – disse Mildred. – Para mim, é como se você estivesse cantando.

– Você sabe onde ela mora?

– Como foi que você chegou até aqui?

– Ela disse que trabalhava na fábrica de Mannie Litov, em Aldgate.

– Ora, mas você é um belo de um Sherlock Holmes, hein? – comentou ela, não sem um quê de admiração relutante.

– Se você não me disser onde ela está, alguma outra pessoa vai dizer – falou ele, com mais segurança do que de fato sentia. – Eu não volto para casa sem vê-la.

– Ela vai me matar, mas tudo bem – respondeu Mildred. – Nutley Street, 23.

Billy perguntou como chegar lá, pedindo que ela falasse devagar.

– Não precisa me agradecer – disse Mildred quando ele se despediu. – Só me proteja se Ethel tentar me matar.

– Combinado – respondeu Billy, pensando em como seria emocionante protegê-la de alguma coisa.

As outras mulheres gritaram despedidas e jogaram beijos quando ele saiu, deixando-o encabulado.

A Nutley Street era um oásis de calmaria. As casas geminadas haviam sido construídas em um arranjo que, depois de apenas um dia em Londres, Billy já considerava familiar. Eram bem maiores do que as casas dos mineradores, com pequenos quintais na frente em vez de uma porta que se abria para a rua. O efeito de ordem e simetria era criado por janelas de guilhotina idênticas, cada qual com 12 vidraças, dispostas em fila por toda a fachada.

Ele bateu à porta do número 23, mas ninguém atendeu.

Estava preocupado. Por que ela não fora trabalhar? Será que estava doente? Se não fosse o caso, por que não estava em casa?

Billy espiou pela fresta da caixa de correio e viu um hall com piso de tábuas enceradas e uma chapeleira da qual pendia um velho sobretudo marrom que ele reconheceu. O dia estava frio. Ethel não teria saído sem o agasalho.

Ele chegou mais perto da janela e tentou olhar lá para dentro, mas não conseguiu ver através da cortina rendada.

Voltou à porta e tornou a olhar pela fresta. A cena lá dentro continuava a mesma, mas, desta vez, ele ouviu um barulho. Foi um gemido longo e angustiado. Ele aproximou a boca da fresta e gritou:

– Eth! É você? Sou eu aqui fora, Billy.

Houve um longo silêncio, e então o gemido se repetiu.

– Ai, cacete – praguejou ele.

A porta tinha uma fechadura de tambor. Isso significava que o trinco estava provavelmente preso ao batente por dois parafusos. Bateu na porta com a base da mão. Não lhe pareceu especialmente sólida – e ele imaginou que a madeira fosse um pinho vagabundo, já bem antigo. Então, inclinou-se para trás, levantou a perna direita e deu um chute na porta com o calcanhar da pesada bota de minerador. Pelo barulho, a madeira pareceu estar se despedaçando. Ele deu vários outros chutes, mas a porta não abriu.

Quem dera tivesse um martelo.

Olhou para ambos os lados da rua, torcendo para ver algum operário com ferramentas, mas não havia ninguém ali, exceto dois meninos de rosto encardido que o observavam com interesse.

Ele percorreu o curto caminho do jardim até o portão, deu meia-volta e correu em direção à porta, atingindo-a com o ombro direito. Ela se escancarou e ele caiu dentro da casa.

Billy se levantou, esfregando o ombro dolorido, e tirou a porta arrombada do caminho. A casa parecia silenciosa.

– Eth? – chamou ele. – Cadê você?

Então ouviu outro gemido e seguiu o barulho até o quarto da frente, no térreo. Era um quarto de mulher, com bibelôs de porcelana sobre o consolo da lareira e cortinas floridas na janela. Ethel estava na cama, usando um vestido cinzento que a cobria feito uma barraca. Não estava deitada, mas sim apoiada sobre os joelhos e as mãos, gemendo.

– O que há com você, Eth? – perguntou Billy, sua voz um ganido aterrorizado.

Ela recuperou o fôlego.

– O bebê vai nascer.

– Ah, droga! É melhor eu chamar um médico.

– Não dá mais tempo, Billy. Meu Deus, como dói.

– Parece que você está morrendo!

– Não, Billy, parir uma criança é assim mesmo. Venha aqui e me dê a mão.

Billy se ajoelhou ao lado da cama e Ethel segurou sua mão. Ela apertou com mais força e grunhiu. O som foi mais longo e angustiado do que antes, e ela apertou a mão de Billy com tanta força que ele pensou que fosse quebrar algum osso. O gemido terminou com um grito agudo, e ela então começou a ofegar como se tivesse corrido uns dois quilômetros.

Dali a um minuto, falou:

– Sinto muito, Billy, mas você vai ter que olhar por baixo da minha saia.

– Ah! – disse ele. – Está bem. – Não entendeu muito bem, mas achou melhor obedecer assim mesmo. Ergueu a barra do vestido de Ethel. – Oh, meu Deus! – exclamou. O lençol debaixo dela estava ensopado de sangue. E ali, bem no meio, havia uma coisinha cor-de-rosa coberta de muco. Ele distinguiu uma cabeçorra redonda com olhos fechados, dois braços minúsculos e duas pernas. – É um bebê! – falou.

– Pegue-o, Billy – disse Ethel.

– Eu? – falou ele. – Ah, claro, está bem. – Ele se inclinou sobre a cama. Pôs uma das mãos debaixo da cabeça do bebê e a outra debaixo do seu bumbum. Viu que era um menino. O bebê estava escorregadio e pegajoso, mas Billy conseguiu apanhá-lo. Um cordão ainda o prendia a Ethel.

– Pegou? – perguntou ela.

– Peguei – respondeu ele. – Peguei, sim. É um menino.

– Ele está respirando?

– Não sei. Como é que se vê isso? – Billy tentou conter o pânico. – Não, ele não está respirando. Acho que não.

– Dê um tapa no bumbum dele, sem muita força.

Billy virou o bebê, segurando-o facilmente com uma só mão, e deu-lhe um belo tapa no traseiro. A criança abriu a boca na mesma hora, sorveu o ar e deu um grito de protesto. Billy ficou encantado.

– Ouça só isso! – disse ele.

– Segure-o um instantinho enquanto eu me viro. – Ethel se sentou na cama e ajeitou o vestido. – Me dê ele aqui.

Billy entregou-lhe o bebê com cuidado. Ethel segurou-o na dobra do braço e limpou seu rostinho com a manga do vestido.

– Ele é lindo – disse ela.

Billy tinha lá suas dúvidas.

O cordão preso ao umbigo do bebê, antes azul e retesado, agora estava esbranquiçado e murcho. Ethel falou:

– Abra aquela gaveta ali e me dê a tesoura e um rolo de barbante de algodão.

Ethel amarrou dois nós no cordão, cortando-o em seguida entre eles.

– Pronto – falou. Então desabotoou a frente do vestido. – Não acho que você vá ficar encabulado, depois do que já viu – disse ela, puxando um dos seios para fora e levando o mamilo à boca do bebê, que começou a mamar.

Ethel tinha razão: Billy não ficou encabulado. Uma hora antes, teria morrido de vergonha se visse o peito nu da irmã, mas, àquela altura, seria tolice. Tudo o que sentia era um enorme alívio pelo fato de o bebê estar bem. Ficou encarando a cena, vendo-o mamar, maravilhado com seus dedos minúsculos. Tinha a sensação de ter testemunhado um milagre. Seu rosto estava molhado de lágrimas e ele se perguntou quando havia chorado antes: não conseguia se lembrar.

O bebê logo adormeceu. Ethel abotoou o vestido.

– Daqui a pouco nós damos banho nele – disse ela. Então fechou os olhos. – Meu Deus – falou. – Não imaginei que fosse doer tanto.

– Quem é o pai, Eth? – perguntou Billy.

– O conde Fitzherbert – respondeu ela, abrindo os olhos logo em seguida. – Ah, droga, não era para eu ter contado isso a você.

– Mas que desgraçado! – disse Billy. – Vou matar aquele sujeito!

CAPÍTULO QUINZE

De junho a setembro de 1915

À medida que o navio adentrava o porto de Nova York, ocorreu a Lev Peshkov que os Estados Unidos talvez não fossem tão maravilhosos quanto seu irmão Grigori tinha dito. Ele se preparou para uma terrível decepção. Mas não havia necessidade disso. Os Estados Unidos eram tudo o que ele imaginava: um país rico, agitado, empolgante e livre.

Três meses depois, em uma tarde quente de junho, ele estava trabalhando em um hotel de Buffalo, nas estrebarias, escovando o cavalo de um dos hóspedes. O dono do hotel era Josef Vyalov, que pusera uma cúpula em forma de cebola no alto da antiga Taberna Central e a rebatizara de Hotel São Petersburgo, talvez por nostalgia da cidade que havia deixado para trás ainda criança.

Lev trabalhava para Vyalov, assim como a maioria dos imigrantes russos de Buffalo, mas nunca o havia encontrado. Caso um dia viesse a fazê-lo, não sabia muito bem o que diria. Na Rússia, a família Vyalov havia enganado Lev, abandonando-o em Cardiff, e ele se ressentia disso. Por outro lado, os documentos fornecidos pelos Vyalov de São Petersburgo tinham permitido que Lev passasse pelo serviço de imigração dos Estados Unidos sem o menor problema. E bastara mencionar o nome Vyalov em um bar da Canal Street para conseguir um emprego na mesma hora.

Já fazia um ano que ele falava inglês todos os dias, desde que desembarcara em Cardiff, e estava ficando fluente. Os americanos diziam que ele tinha sotaque britânico e não conheciam algumas das expressões típicas do Reino Unido que ele havia aprendido em Aberowen. Mas Lev era capaz de dizer praticamente tudo o que precisava – e as garotas ficavam caidinhas quando ele usava *my lovely* para dizer que eram lindas.

Faltando alguns minutos para as seis, pouco antes de terminar o expediente, seu amigo Nick entrou na estrebaria com um cigarro na boca.

– É da marca Fatima – informou ele. Tragou a fumaça com uma satisfação exagerada. – Tabaco turco. Excelente.

O nome completo de Nick era Nicolai Davidovich Fomek, mas ali ele se chamava Nick Forman. De vez em quando, desempenhava o papel que já havia pertencido a Spirya e a Rhys Price nas partidas de cartas de Lev, embora fosse, sobretudo, um ladrão.

– Quanto custam? – quis saber Lev.

– Nas lojas, uma latinha de 100 cigarros sai por 50 centavos. Para você, faço por 10 centavos. Você pode vender por 25.

Lev sabia que os cigarros Fatima eram populares. Seria fácil vendê-los pela metade do preço. Correu os olhos pelo pátio. O patrão não estava por ali.

– Está bem.

– Quantos você vai querer? Tenho um porta-malas cheio.

Lev tinha um dólar no bolso.

– Vinte latas – respondeu. – Posso pagar um dólar agora e um dólar depois.

– Não vendo fiado.

Lev sorriu e levou a mão ao ombro de Nick.

– Ora, meu caro, você pode confiar em mim. Nós somos camaradas ou não somos?

– Vinte, então. Já volto.

Lev encontrou um saco de ração velho em um canto. Nick voltou com 20 latas verdes compridas, todas com o desenho de uma mulher de véu na tampa. Lev pôs as latas no saco e entregou um dólar a Nick.

– É sempre bom poder ajudar um compatriota – disse Nick antes de ir embora caminhando alegremente.

Lev limpou a rascadeira e o renete que usava para fazer a higiene dos cavalos. Às seis e cinco, despediu-se do chefe dos cavalariços e tomou a direção do First Ward, um dos distritos de Buffalo. Sentiu que estava chamando um pouco de atenção, carregando um saco de ração pelas ruas, e perguntou-se o que iria dizer caso algum policial o parasse e pedisse para ver o que havia dentro dele. Mas não estava muito preocupado: era capaz de se safar de praticamente qualquer situação usando a lábia.

Foi até um bar grande e concorrido chamado Irish Rover. Sedento, abriu caminho por entre a multidão, pediu um canecão de cerveja e tomou metade de uma golada só. Então foi se sentar próximo a um grupo de trabalhadores que falavam uma mistura de polonês e inglês. Depois de alguns instantes, perguntou:

– Alguém aqui fuma cigarros Fatima?

Um careca de avental de couro respondeu:

– Sim, eu fumo um Fatima de vez em quando.

– Quer comprar uma lata por metade do preço? Cem cigarros por 25 centavos.

– Qual é o problema com os cigarros?

– Eles se perderam. Alguém encontrou.

– Parece meio arriscado.

– Por que não fazemos assim? Ponha o dinheiro na mesa. Eu só pego quando você me autorizar.

Isso fez os homens se interessarem. O careca levou a mão ao bolso e sacou uma moeda de 25 centavos. Lev pegou uma lata no saco e a entregou ao homem, que a abriu. Ele retirou um pequeno retângulo de papel lá de dentro e o desdobrou, revelando uma fotografia.

– Olhem, tem até uma figurinha de beisebol! – falou. Levou um dos cigarros à boca e o acendeu. – Está certo – disse a Lev. – Pode pegar os seus 25 centavos.

Outro homem espiava por cima do ombro de Lev.

– Quanto é? – quis saber. Lev respondeu e ele comprou duas latas.

Dali a meia hora, Lev tinha vendido todos os cigarros. Ficou satisfeito: havia transformado dois dólares em cinco em menos de uma hora. No trabalho, precisava de um dia e meio para ganhar três dólares. Talvez comprasse mais latas roubadas de Nick no dia seguinte.

Ele pediu outra cerveja, bebeu e saiu do bar, deixando o saco vazio no chão. Uma vez lá fora, tomou o rumo do distrito de Lovejoy, uma região pobre de Buffalo onde morava a maioria dos russos, além de muitos italianos e poloneses. Poderia comprar um bife no caminho de casa e fritá-lo com batatas. Ou poderia apanhar Marga e levá-la para dançar. Ou quem sabe comprar um terno novo.

Deveria guardar o dinheiro para a passagem de Grigori até os Estados Unidos, pensou, sabendo, com uma pontada de culpa, que jamais faria isso. Três dólares eram uma gota no oceano. Ele precisava mesmo era ganhar uma bolada. Então poderia mandar a grana para o irmão de uma só vez, antes de ficar tentado a gastá-la.

Ele foi despertado de seus devaneios por um tapinha no ombro.

Seu coração saltou, culpado, dentro do peito. Ele se virou, quase esperando ver um uniforme da polícia. Mas a pessoa que o havia abordado não era um policial. Era um sujeito corpulento de macacão, com um nariz quebrado e uma carranca agressiva. Lev ficou tenso: um homem daqueles só podia ter uma função.

– Quem mandou você vender cigarros no Irish Rover?

– Só estou tentando ganhar uns trocados – respondeu Lev com um sorriso. – Espero não ter ofendido ninguém.

– Foi Nick Forman? Ouvi dizer que ele roubou um carregamento de cigarros.

Lev não iria dar essa informação a um desconhecido.

– Não conheço ninguém com esse nome – disse, mantendo um tom de voz agradável.

– Você não sabe que o Irish Rover pertence ao Sr. V?

Lev sentiu uma onda de raiva. O Sr. V não podia ser outro senão Josef Vyalov. Deixou de lado o tom conciliatório.

– Nesse caso, ponham uma placa.

– Ninguém vende nada nos bares do Sr. V a não ser que ele mande.

Lev deu de ombros.

– Não sabia.

– Então tome aqui uma coisa para ajudar você a se lembrar – disse o homem, girando o punho no ar.

Lev estava esperando o golpe e recuou com rapidez. O braço do capanga descreveu um arco no vazio e ele cambaleou, perdendo o equilíbrio. Lev deu um passo à frente e chutou-lhe a canela. O punho em geral era uma arma ruim, nem de perto tão dura quanto um pé calçado com bota. Lev desferiu o chute com toda a força, mas não foi o suficiente para quebrar um osso. O homem soltou um rugido irado e desferiu outro soco, mas tornou a errar.

De nada adiantava bater no rosto de um homem daqueles – ele provavelmente havia perdido toda a sensibilidade ali. Lev deu um bico na sua virilha. O homem levou as duas mãos ao sexo e arquejou, sem fôlego, enquanto dobrava o corpo para a frente. Lev chutou-lhe a barriga. O homem abria e fechava a boca como um peixe dourado, incapaz de respirar. Dando um passo de lado, Lev chutou as pernas do homem para derrubá-lo. O capanga caiu de costas no chão. Lev mirou com cuidado e deu-lhe um pontapé no joelho, para que não conseguisse andar depressa quando levantasse.

Então, ofegando de cansaço, falou:

– Diga ao Sr. V que ele deveria ser mais educado.

Ele se afastou, respirando com dificuldade. Às suas costas, ouviu alguém perguntar:

– Ei, Ilya, que porra é essa? O que aconteceu?

Duas ruas mais adiante, sua respiração se acalmou e as batidas de seu coração desaceleraram. Josef Vyalov que fosse para o inferno, pensou. O desgraçado me enganou e não vou me deixar intimidar.

Vyalov não ficaria sabendo quem dera a surra em Ilya. Ninguém no Irish Rover conhecia Lev. Poderia até ficar puto da vida, mas não teria como fazer nada a respeito.

Lev começou a se sentir eufórico. Levei Ilya à lona, pensou, e saí sem um arranhão!

Ainda estava cheio de dinheiro no bolso. Parou para comprar dois bifes e uma garrafa de gim.

Lev morava em uma rua de casas de tijolo decadentes, subdivididas em pequenos apartamentos. Em frente à casa que ficava ao lado da sua, Marga estava sentada na soleira, lixando as unhas. Era uma russa bonita de uns 19 anos, morena e com um sorriso sensual. Trabalhava como garçonete, mas queria fazer carreira como cantora. Lev já havia lhe pagado um ou outro drinque e chegara a beijá-la uma vez. Ela retribuíra o beijo ardorosamente.

– Oi, garota! – gritou ele.

– Quem você está chamando de garota?

– O que vai fazer hoje à noite?

– Eu tenho um encontro – respondeu ela.

Lev não necessariamente acreditou nela. Marga jamais admitiria não ter nada para fazer.

– Dispense o sujeito – falou. – Ele tem mau hálito.

Ela sorriu.

– Você nem sabe quem é!

– Venha me visitar. – Ele ergueu o saco de papel. – Vou fazer bifes.

– Vou pensar no seu caso.

– Traga gelo. – Ele entrou na casa onde morava.

Seu apartamento era barato pelos padrões americanos, mas aos olhos de Lev parecia espaçoso e luxuoso. Havia um cômodo que servia de quarto e sala ao mesmo tempo e uma cozinha com água corrente e luz elétrica – e tudo só para ele! Em São Petersburgo, um apartamento como aquele abrigaria dez pessoas ou mais.

Ele tirou o paletó, arregaçou as mangas e lavou as mãos e o rosto na pia da cozinha. Esperava que Marga aparecesse. Ela era bem o seu tipo de garota, sempre disposta a rir, dançar ou cair na farra, sem nunca se preocupar muito com o futuro. Ele descascou e fatiou algumas batatas, pôs uma frigideira sobre o fogão elétrico e derreteu nela um pedaço de banha. Enquanto as batatas fritavam, Marga chegou trazendo uma jarra de gelo picado. Ela preparou bebidas com gim e açúcar.

Lev bebericou seu drinque, beijando-a de leve na boca em seguida.

– Está gostoso! – falou.

– Seu atrevido – disse ela, mas não foi um protesto sério. Ele começou a imaginar se conseguiria levá-la para a cama mais tarde.

Então, pôs-se a fritar os bifes.

– Estou impressionada – disse ela. – É raro um homem saber cozinhar.

– Meu pai morreu quando eu tinha 6 anos, e minha mãe quando eu tinha 11 – explicou Lev. – Fui criado pelo meu irmão. Nós aprendemos a fazer tudo sozinhos. Mas é claro que nunca tivemos bife para comer na Rússia.

Ela lhe perguntou sobre o irmão e, durante o jantar, ele lhe contou a história de sua vida. A maioria das moças ficava comovida com a saga de dois meninos sem mãe lutando para sobreviver, trabalhando em uma imensa fábrica de locomotivas e alugando um pedaço de cama para dormir. Sentindo uma pontada de culpa, ele omitiu o fato de ter abandonado a namorada grávida.

Eles tomaram o segundo drinque no cômodo que servia de quarto e sala. Quando começaram o terceiro, já escurecia do lado de fora e ela estava sentada em seu colo. Entre um gole e outro, Lev a beijava. Quando Marga abriu a boca para que sua língua entrasse, ele levou a mão ao seu seio.

Nessa hora, a porta foi escancarada com violência.

A moça soltou um grito.

Três homens entraram na casa. Marga, ainda aos berros, pulou do colo de Lev. Um dos homens lhe deu um tapa na boca com as costas da mão e disse:

– Cale a boca, piranha. – Ela correu em direção à porta, segurando os lábios ensanguentados com as duas mãos. Os homens a deixaram ir.

Lev se levantou com um salto e partiu para cima do homem que havia batido em Marga. Conseguiu encaixar um bom soco, acertando-o logo acima do olho. Então os outros dois agarraram seus braços. Eles eram fortes, de modo que ele não conseguiu se soltar. Enquanto o seguravam, o primeiro homem, que parecia ser o líder, deu-lhe um soco na boca e depois vários na barriga. Lev cuspiu sangue e vomitou o bife que tinha comido.

Quando já estava sem forças e sofrendo de dor, eles o carregaram escada abaixo, para fora da casa. Um Hudson azul estava parado no acostamento com o motor ligado. Eles o jogaram no chão diante do banco de trás. Dois dos homens se sentaram com os pés em cima dele, enquanto o outro entrou na frente e saiu dirigindo.

A dor era tanta que Lev nem sequer conseguia pensar em para onde estavam indo. Imaginou que aqueles homens trabalhassem para Vyalov, mas como foi que o haviam encontrado? E o que iriam fazer com ele? Tentou não se deixar dominar pelo medo.

Depois de alguns minutos, o carro parou e ele foi arrastado para fora. Estavam em frente a um depósito. A rua estava deserta e às escuras. Ao sentir o cheiro do lago, ele se deu conta de que estavam perto da água. Pensou com um fatalismo sinistro que aquele era um bom lugar para matar alguém. Não haveria testemunhas e o corpo poderia ser jogado no lago Erie, amarrado dentro de um saco, com alguns tijolos para garantir que afundasse.

Eles o arrastaram para dentro do depósito. Ele tentou se recompor. Aquela era a pior enrascada em que havia se metido na vida. Não sabia bem se conseguiria se safar dela na base da conversa. "Por que eu tenho que fazer essas coisas?", perguntou a si mesmo.

O depósito estava cheio de pneus novos, dispostos em pilhas de 15 ou 20. Eles o carregaram pelo meio das pilhas até os fundos e pararam em frente a uma porta vigiada por outro homem corpulento, que ergueu um braço para detê-los.

Ninguém falou palavra.

Passado um minuto, Lev disse:

– Parece que vamos ter que esperar um tempinho. Alguém tem um baralho?

Ninguém ao menos sorriu.

Por fim, a porta se abriu e Nick Forman saiu por ela. Seu lábio superior estava inchado e ele não conseguia abrir um dos olhos. Assim que viu Lev, disse:

– Eu tive que contar. Senão eles teriam me matado.

Então foi por intermédio de Nick que eles me encontraram, pensou Lev.

Um homem magro de óculos apareceu na porta do escritório. Não é possível que este seja Vyalov, pensou Lev – era franzino demais.

– Traga-o para dentro, Theo – disse ele.

– Certo, Sr. Niall – falou o líder dos capangas.

O escritório fez Lev pensar no casebre de camponeses em que havia nascido. Fazia calor demais lá dentro e o ar estava cheio de fumaça. Em um dos cantos, havia uma mesinha com ícones de santos.

Sentado atrás de uma mesa de aço, via-se um homem de meia-idade com os ombros mais largos do que o comum. Ele vestia um terno de passeio que parecia caro, com colarinho e gravata, e a mão que segurava o cigarro exibia dois anéis.

– Que porra de cheiro é esse? – perguntou o homem.

– Desculpe, Sr. V, é vômito – respondeu Theo. – Ele reagiu e nós tivemos que acalmá-lo um pouco, então ele devolveu a janta.

– Soltem-no.

Os homens soltaram os braços de Lev, mas continuaram por perto.

O Sr. V o encarou.

– Eu recebi seu recado – disse ele. – Dizendo que eu deveria ser mais educado.

Lev tomou coragem. Não iria morrer choramingando.

– O senhor é Josef Vyalov? – perguntou.

– Meu Deus, você é mesmo atrevido – disse o homem. – Perguntar quem eu sou...

– Eu estava procurando pelo senhor.

– *Você* estava procurando por *mim*?

– A família Vyalov me vendeu uma passagem de São Petersburgo para Nova York e me largou em Cardiff – falou Lev.

– E daí?

– Quero meu dinheiro de volta.

Vyalov o encarou por um bom tempo e então riu.

– É mais forte do que eu – falou. – Gostei de você.

Lev prendeu a respiração. Isso por acaso significava que Vyalov não iria matá-lo?

– Você tem emprego? – perguntou Vyalov.

– Eu trabalho para o senhor.

– Onde?

– No Hotel São Petersburgo, nas estrebarias.

Vyalov aquiesceu.

– Acho que podemos lhe oferecer algo melhor do que isso – disse ele.

II

Em junho de 1915, os Estados Unidos deram um passo em direção à guerra.

Gus Dewar ficou chocado. Não achava que seu país devesse entrar naquele conflito europeu. O povo americano concordava com ele, bem como o presidente Woodrow Wilson. No entanto, de alguma forma, o perigo se aproximava.

A crise ocorrera em maio, quando um submarino alemão torpedeou o *Lusitania*, navio britânico que transportava 173 toneladas de fuzis, munição e explosivos. O transatlântico também transportava dois mil passageiros, incluindo 128 cidadãos norte-americanos.

Os americanos ficaram tão chocados quanto se houvesse ocorrido um assassinato. Os jornais entraram em um frenesi de indignação.

– As pessoas estão pedindo que o senhor faça o impossível! – disse Gus ao presidente no Salão Oval, ultrajado. – Querem que seja duro com os alemães, mas sem que haja risco de entrar na guerra.

Wilson fez que sim com a cabeça. Ergueu os olhos da máquina de escrever e falou:

– Não existe nenhuma regra dizendo que a opinião pública deve ser coerente.

Gus achava a calma de seu chefe admirável, mas um pouco frustrante.

– E como se lida com um absurdo desses?

Wilson sorriu, mostrando os dentes ruins.

– Gus, quem disse que política é uma coisa fácil?

No fim das contas, Wilson mandou um recado duro para o governo alemão, exigindo o fim dos ataques às embarcações. Ele e seus conselheiros, incluindo Gus, estavam torcendo para que os alemães aceitassem algum tipo de acordo. Contudo, caso resolvessem desafiar os Estados Unidos, Gus não via como Wilson poderia impedir que a situação degringolasse. Aquele era um jogo perigoso, e Gus constatou ser incapaz de manter a calma e a tranquilidade que Wilson parecia demonstrar diante de tamanho risco.

Enquanto os telegramas diplomáticos atravessavam o Atlântico, Wilson foi para sua casa de verão em New Hampshire e Gus para Buffalo, onde ficou hospedado na mansão dos pais na Avenida Delaware. Seu pai tinha uma casa em Washington, mas Gus morava em seu próprio apartamento na capital, de modo que, quando voltava para Buffalo, sua cidade natal, aproveitava o conforto de uma casa administrada pela mãe: a tigela de prata com pétalas de rosas sobre a mesa de cabeceira; os brioches quentes no café da manhã; a toalha de mesa de linho branco engomada, trocada a cada refeição; e a forma como um terno sempre aparecia em seu armário, limpo e passado a ferro, sem que ele sequer tivesse notado sua ausência.

A casa era mobiliada com uma simplicidade proposital, uma reação de sua mãe à ornamentação excessiva típica da geração de seus pais. A maior parte dos móveis era Biedermeier, estilo alemão utilitário que estava voltando à moda. A sala de jantar tinha um quadro de boa qualidade em cada uma das quatro paredes e um único castiçal de três braços sobre a mesa. No primeiro dia, durante o almoço, sua mãe disse:

– Imagino que você pretenda ir ao bairro pobre assistir a alguma luta de boxe, não?

– Não há nada de errado com o boxe – respondeu Gus. O esporte era sua grande paixão. Chegara a tentar lutar quando era um rapaz destemido de 18 anos: seus braços compridos tinham lhe rendido algumas vitórias, mas faltava-lhe o instinto assassino.

– Boxe é tão *canaille* – falou sua mãe com desdém. Era uma expressão esnobe que ela havia aprendido na Europa e que significava algo como "vulgar".

– Eu gostaria da oportunidade de me distrair da política internacional.

– Hoje à tarde vai haver uma palestra sobre Ticiano na Albright, com projeções de lanterna mágica – disse ela.

A Galeria de Arte Albright, prédio branco neoclássico que ficava no Delaware Park, era uma das instituições culturais mais importantes de Buffalo.

Gus crescera rodeado por quadros renascentistas e tinha um carinho especial pelos retratos de Ticiano, mas não estava muito interessado em assistir a uma palestra. No entanto, aquele era justamente o tipo de evento ao qual compareceriam os rapazes e moças ricos da cidade, então seria uma boa chance de retomar antigas amizades.

A Albright ficava a poucos minutos de carro, subindo a Avenida Delaware. Lá chegando, ele atravessou o átrio cercado por colunas, escolheu um lugar e sentou-se. Conforme havia imaginado, conhecia vários dos presentes. Viu que estava sentado ao lado de uma moça incrivelmente bonita que não lhe era estranha.

Abriu um sorriso indeciso para ela, que falou com animação:

– Não está lembrado de mim, não é, Sr. Dewar?

Ele se sentiu bobo.

– Ééé... eu passei algum tempo fora da cidade.

– Olga Vyalov. – Ela estendeu uma das mãos. Usava luvas brancas.

– Claro – respondeu Gus. Ela era filha de um imigrante russo cujo primeiro emprego fora expulsar bêbados de um bar na Canal Street. Agora, era o dono da rua. Era também membro da Câmara Municipal e um dos sustentáculos da Igreja Ortodoxa Russa. Gus havia encontrado Olga várias vezes, embora não se lembrasse que ela fosse tão encantadora; talvez houvesse crescido de repente, ou algo desse tipo. Avaliou que tivesse uns 20 anos. Sua pele era clara e seus olhos eram azuis. Ela vestia um casaco cor-de-rosa de gola alta e um chapéu tipo *cloche*, enfeitado com flores de seda também cor-de-rosa.

– Ouvi dizer que o senhor está trabalhando com o presidente – disse ela. – O que acha do Sr. Wilson?

– Eu o admiro muito – respondeu Gus. – Ele é um político pragmático, mas que não abandonou seus ideais.

– Que empolgante estar no centro do poder!

– É, sim, mas, por estranho que pareça, tenho a sensação de que não é o centro do poder. Em uma democracia, o presidente está subordinado aos eleitores.

– Mas ele com certeza não faz apenas o que o povo quer.

– Não, não exatamente. Segundo o presidente Wilson, um líder deve lidar com a opinião pública da mesma forma que um marinheiro lida com o vento, usando-a para conduzir o navio em uma determinada direção, mas nunca tentando ir contra ela por completo.

Ela deu um suspiro.

– Eu adoraria estudar essas coisas, mas meu pai não me deixa entrar para a universidade.

Gus sorriu.

– Ele deve achar que a senhorita iria aprender a fumar cigarros e beber gim.

– E coisa pior, sem dúvida – respondeu ela. Era um comentário ousado para uma mulher solteira, e a surpresa deve ter transparecido no rosto de Gus, pois ela emendou: – Desculpe se choquei o senhor.

– De forma alguma. – Na verdade, ele estava encantado. Para fazê-la continuar falando, perguntou: – O que a senhorita estudaria se pudesse entrar para a universidade?

– História, acho.

– Eu adoro história. Algum período específico?

– Eu gostaria de entender meu próprio passado. Por que meu pai teve que sair da Rússia? Por que é tão melhor aqui nos Estados Unidos? Deve haver motivos para essas coisas.

– Exatamente!

Gus estava fascinado que uma moça tão bonita também compartilhasse de sua curiosidade intelectual. Vislumbrou de repente os dois casados, conversando sobre os acontecimentos do mundo no toucador dela, depois de alguma festa, enquanto se preparavam para dormir: ele sentado, de pijama, observando-a tirar sem pressa as joias e as roupas... Então, ao cruzar olhares com ela, teve a sensação de que Olga havia adivinhado seus pensamentos e ficou constrangido. Tentou encontrar alguma coisa para dizer, mas descobriu que sua língua estava presa.

Foi então que o palestrante chegou e a plateia parou de falar.

Ele gostou mais da palestra do que esperava. O palestrante havia preparado slides de algumas das telas de Ticiano, projetando-os em uma grande tela branca com sua lanterna mágica.

Quando a palestra terminou, ele quis conversar um pouco mais com Olga, mas foi impedido. Chuck Dixon, um conhecido dos tempos da escola, aproximou-se deles. Chuck possuía um charme natural que Gus invejava. Os dois tinham a mesma idade, 25 anos, mas Chuck fazia Gus se sentir um colegial desengonçado.

– Olga, você precisa conhecer meu primo – disse o rapaz alegremente. – Ele ficou olhando o tempo todo para você do outro lado do salão. – Chuck sorriu com simpatia para Gus. – Desculpe-me por privá-lo desta companhia tão fascinante, Dewar, mas você também não pode ficar com ela a tarde inteira, não é? – Ele passou um braço possessivo pela cintura de Olga e a levou embora.

Gus ficou desolado. Tinha a sensação de estar se dando tão bem com ela... Para ele, aquelas primeiras interações com uma garota eram sempre as mais difíceis, mas com Olga não sentira a menor dificuldade. E agora Chuck Dixon, que sempre fora o pior aluno da turma, acabara de levá-la embora com toda a facilidade, como se tivesse apanhado uma bebida na bandeja de um garçom.

Enquanto Gus olhava em volta à procura de algum outro conhecido, foi abordado por uma moça caolha.

Na primeira vez em que havia encontrado Rosa Hellman – em um jantar beneficente em prol da Orquestra Sinfônica de Buffalo, na qual o irmão dela tocava –, pensou que a moça estivesse lhe dando uma piscadela. Na verdade, um de seus olhos vivia permanentemente fechado. Tirando isso, seu rosto era bonito, o que tornava aquela deformidade ainda mais evidente. Além disso, ela sempre se vestia com elegância, numa atitude desafiadora. Desta vez, com um chapéu de palha enviesado sobre a cabeça, havia conseguido ficar interessante.

Da última vez que a vira, ela era editora de um jornal radical de pequena circulação chamado *Buffalo Anarchist*, de modo que Gus perguntou:

– Os anarquistas se interessam por arte?

– Eu agora trabalho para o *Evening Advertiser* – respondeu ela.

Gus ficou surpreso.

– O editor sabe das suas opiniões políticas?

– Já não tenho opiniões tão extremadas quanto antes, mas ele conhece a minha história.

– Ele deve ter pensado que, se você consegue transformar um jornal anarquista em um sucesso, só pode ser boa.

– Ele diz que me deu o emprego porque tenho mais colhões do que dois de seus repórteres homens juntos.

Gus sabia que ela gostava de chocar, mas, mesmo assim, ficou boquiaberto.

Rosa soltou uma risada.

– Mas ele continua me mandando cobrir exposições de arte e desfiles de moda. – Ela mudou de assunto. – E você, como é trabalhar na Casa Branca?

Gus tinha consciência de que qualquer coisa que dissesse poderia sair no jornal.

– Muito emocionante – respondeu. – Eu acho Wilson um grande presidente, talvez o melhor de todos os tempos.

– Como você pode dizer uma coisa dessas? Ele está a um passo de nos fazer entrar em uma guerra na Europa.

A atitude de Rosa era comum entre as pessoas de origem germânica, que naturalmente viam o lado alemão da história, e entre os esquerdistas, que desejavam a derrota do czar. No entanto, muitos que não eram nem alemães nem de esquerda pensavam a mesma coisa. Gus respondeu com cautela:

– Quando submarinos alemães matam cidadãos americanos, o presidente não pode... – Ele estava prestes a dizer *se fingir de cego*. Hesitou, enrubesceu e acabou dizendo: ... não pode ignorar o fato.

Ela não pareceu notar seu constrangimento.

– Mas os britânicos estão bloqueando portos alemães, o que é uma violação do direito internacional, e, consequentemente, mulheres e crianças estão morrendo de fome na Alemanha. Enquanto isso, a guerra na França está em um impasse: há seis meses que nenhum dos dois lados modifica sua posição em mais de alguns metros. Os alemães *precisam* afundar navios britânicos, de outra forma vão perder a guerra.

A clareza com que Rosa entendia a complexidade das coisas era impressionante: era por isso que Gus sempre gostava de conversar com ela.

– Eu estudei direito internacional – disse ele. – Estritamente falando, os britânicos não estão agindo de forma ilegal. Os bloqueios navais foram proibidos pela Declaração de Londres de 1909, mas ela nunca chegou a ser ratificada.

Rosa não se deixaria ludibriar com tanta facilidade.

– Esqueçamos os aspectos legais. Os alemães avisaram os americanos para não viajarem em navios britânicos. Pelo amor de Deus, eles chegaram a pôr um anúncio no jornal! O que mais podem fazer? Imagine que estivéssemos em guerra contra o México e que o *Lusitania* fosse um navio mexicano cheio de armamentos destinados a matar soldados americanos. Nós o deixaríamos passar?

Era uma boa pergunta, para a qual Gus não tinha nenhuma resposta aceitável.

– Bem, o secretário de Estado Bryan concorda com você – disse ele. William Jennings Bryan havia renunciado após o comunicado emitido por Wilson aos alemães. – Segundo ele, bastaria avisarmos os americanos para não viajarem em navios das nações em conflito.

Ela, no entanto, não estava interessada em deixá-lo escapar.

– Bryan entende que Wilson assumiu um grande risco – disse ela. – Se os alemães não recuarem agora, dificilmente conseguiremos evitar entrar em guerra contra eles.

Gus não iria admitir a uma jornalista que temia o mesmo. Wilson havia exigido que o governo alemão repudiasse os ataques a navios mercantes, pagasse uma indenização e tomasse medidas para evitar que eles se repetissem – em outras palavras, que desse aos britânicos liberdade para navegar os mares ao mesmo tempo que aceitava que seus próprios navios ficassem presos nos portos por causa do bloqueio. Era difícil pensar que algum governo fosse concordar com tais exigências.

– Porém a opinião pública aprova o que o presidente fez.

– A opinião pública pode estar errada.

– Mas o presidente não pode ignorá-la. Wilson está numa corda bamba, entende? Ele quer nos manter fora da guerra, mas não quer que os Estados Unidos demonstrem fraqueza no âmbito da diplomacia internacional. Por enquanto, me parece que ele encontrou um bom equilíbrio.

– Mas e no futuro?

Era essa a pergunta preocupante.

– Ninguém pode prever o futuro – respondeu Gus. – Nem mesmo Woodrow Wilson.

Ela riu.

– Uma resposta digna de um político. Você ainda vai longe em Washington. – Alguém a abordou e ela se virou para o outro lado.

Gus se afastou, com a leve impressão de ter participado de uma luta de boxe que houvesse terminado empatada.

Alguns membros da plateia foram convidados a tomar chá com o palestrante. Gus foi um dos privilegiados, porque sua mãe contribuía financeiramente para o museu. Ele se despediu de Rosa e foi até uma sala privativa. Ao entrar, ficou encantado em ver Olga ali. Sem dúvida o pai dela também estava entre os doadores.

Ele pegou uma xícara de chá e se aproximou dela.

– Se algum dia a senhorita for a Washington, eu adoraria lhe mostrar a Casa Branca – disse.

– Ah! Será que o senhor poderia me apresentar ao presidente?

Ele queria responder: *Sim, o que você quiser!* Mas hesitava em fazer promessas que talvez não conseguisse cumprir.

– Pode ser que sim – respondeu. – Desde que o presidente não esteja muito ocupado. Quando ele se senta atrás daquela máquina e começa a escrever discursos ou comunicados à imprensa, ninguém pode incomodá-lo.

– Fiquei muito triste quando a esposa dele faleceu – disse Olga. Ellen Wilson havia morrido quase um ano antes, pouco depois de a guerra na Europa estourar.

Gus aquiesceu.

– Ele ficou arrasado.

– Mas ouvi dizer que ele já está envolvido com uma viúva rica.

Gus ficou perplexo. Em Washington, o fato de Wilson ter se apaixonado perdidamente, feito um colegial, pela voluptuosa Sra. Edith Galt apenas oito meses após a morte da mulher não era segredo para ninguém. O presidente tinha 58 anos e sua escolhida, 41. Naquele exato momento, os dois estavam juntos em New Hampshire. Gus fazia parte de um grupo muito seleto que sabia também que Wilson a havia pedido em casamento um mês antes, mas a Sra. Galt ainda não lhe dera uma resposta.

– Quem lhe contou isso? – perguntou ele a Olga.

– É verdade?

Ele estava louco para impressioná-la com suas informações privilegiadas, mas conseguiu resistir à tentação.

– Não posso conversar sobre esse tipo de coisa – respondeu com relutância.

– Ah, que decepção. Estava torcendo para que o senhor pudesse me contar alguma fofoca secreta.

– Sinto muito por desapontá-la.

– Não seja bobo. – Olga tocou o braço dele, causando-lhe um arrepio que mais pareceu um choque elétrico. – Convidei algumas pessoas para jogar tênis amanhã à tarde – disse ela. – O senhor joga?

Gus, com seus braços e pernas compridos, era um ótimo tenista.

– Jogo, sim – respondeu ele. – Adoro tênis.

– Então o senhor aceita o convite?

– Com muito prazer.

III

Lev aprendeu a dirigir em um dia. Bastaram algumas horas para ele dominar a segunda função mais importante de um chofer: trocar pneus furados. Ao final de uma semana, já sabia também encher o tanque, trocar o óleo e ajustar os freios. Se o carro não andasse, aprendeu a verificar se a bateria estava arriada ou se algum duto de combustível estava entupido.

Cavalos eram o transporte do passado, dissera-lhe Josef Vyalov. Cavalariços ganhavam mal: eram numerosos demais. Já os motoristas eram poucos, por isso recebiam salários altos.

Além disso, Vyalov gostava de ter um chofer durão o suficiente para servir também de guarda-costas.

O carro de Vyalov era um Packard Twin Six novinho em folha, uma limusine para sete passageiros. Os outros motoristas ficaram impressionados. O modelo fora lançado poucas semanas antes, e seu motor de 12 cilindros causava inveja até aos que dirigiam um Cadillac V8.

Lev não ficou tão admirado assim com a mansão ultramoderna de Vyalov. Para ele, parecia o maior curral de vacas do mundo. Era comprida e baixa, com as abas do telhado largas e salientes. O jardineiro-chefe lhe disse que aquele estilo era chamado de "Prairie House", a última moda em construção.

– Se eu tivesse uma casa grande assim, iria querer que ela parecesse um *palácio* – disse Lev.

Ele pensou em escrever para Grigori e lhe contar sobre Buffalo, o emprego e o carro, mas hesitou. Sentiria vontade de dizer que havia guardado algum dinheiro para a passagem do irmão, quando, na verdade, não economizara nada. Prometeu a si mesmo que, assim que tivesse uma pequena quantia guardada, iria escrever. Enquanto isso, Grigori não podia escrever, pois não tinha o endereço de Lev.

A família Vyalov era composta por três pessoas: o próprio Josef, sua mulher, Lena, que raramente abria a boca, e Olga, a filha bonita e de olhar atrevido, mais ou menos da idade de Lev. Josef era atencioso e gentil com a mulher, embora passasse a maioria das noites fora com os amigos. Já com a filha, era afetuoso, porém rígido. Muitas vezes voltava para casa de carro no meio do dia para almoçar com Lena e Olga. Depois do almoço, ele e Lena tiravam um cochilo.

Enquanto Lev esperava para levar Josef de volta ao centro da cidade, às vezes conversava com Olga.

Ela gostava de fumar cigarros – coisa que seu pai proibia, pois estava determinado a torná-la uma moça respeitável e fazê-la entrar para a elite de Buffalo por meio de um bom casamento. Havia alguns lugares na propriedade aos quais Josef nunca ia, e a garagem era um deles, então Olga se refugiava lá para fumar. Sentava-se no banco de trás do Packard – seu vestido de seda sobre o couro novo –, enquanto Lev ficava recostado na porta, com o pé apoiado no estribo, conversando com ela.

Ele sabia que ficava bonito com o uniforme de chofer e usava o quepe inclinado para trás de um jeito charmoso. Logo descobriu que a forma de agradar Olga era elogiá-la por pertencer à classe alta. Ela adorava ouvir que caminhava como uma princesa, conversava como uma primeira-dama e se vestia como uma socialite de Paris. Era uma esnobe – e seu pai também. Durante a maior parte do tempo, Josef era agressivo e violento, mas Lev já havia reparado que ele se tornava educado, quase deferente, ao conversar com homens importantes, como presidentes de banco e congressistas.

Lev tinha uma intuição rápida, de modo que não tardou a entender como Olga funcionava. Ela era uma menina rica e superprotegida que não tinha como dar vazão a seus impulsos românticos e sexuais. Ao contrário das garotas que Lev conhecera nos bairros pobres de São Petersburgo, Olga não podia escapulir para encontrar um rapaz ao anoitecer e deixar que ele a apalpasse na escuridão da soleira de alguma loja. Aos 20 anos, ainda era virgem. Talvez até nunca tivesse sido beijada.

De longe, Lev ficou observando a partida de tênis, embriagando-se com a visão do corpo forte e esbelto de Olga e com a forma como seus seios se moviam sob o algodão leve do vestido quando corria pela quadra. Ela estava jogando contra um homem muito alto, que usava uma calça de flanela branca. Lev tomou um susto ao reconhecê-lo. Depois de observá-lo por um tempo, recordou onde o vira antes. Tinha sido na Metalúrgica Putilov. Lev havia arrancado um dólar dele com um truque e Grigori lhe perguntara se Josef Vyalov era mesmo um figurão em Buffalo. Qual era mesmo o nome daquele sujeito? Era igual ao de uma marca de uísque. Dewar, era isso. Gus Dewar.

Um grupo de meia dúzia de jovens assistia à partida, as moças trajando vestidos de verão de cores alegres e os rapazes de chapéu de palha. A Sra. Vyalov assistia a tudo com um sorriso contente debaixo de sua sombrinha. Uma criada de uniforme servia limonada.

Gus Dewar ganhou de Olga e os dois deixaram a quadra. Foram imediatamente substituídos por outro casal. Ousada, Olga aceitou um cigarro de seu adversário. Lev o viu acendê-lo para ela. Ansiava por ser um daqueles jovens que jogavam tênis com roupas bonitas e tomavam limonada.

Uma raquetada mal dada lançou a bola em sua direção. Ele a pegou e, em vez de jogá-la de volta, decidiu levá-la até a quadra, entregando-a a um dos jogadores. Olhou para Olga. Ela estava entretida em uma conversa com Dewar, flertando com ele sedutoramente, assim como fazia com Lev na garagem. Sentindo uma pontada de ciúme, teve vontade de dar um soco na boca daquele varapau. Cruzou olhares com Olga e lançou-lhe seu sorriso mais charmoso, mas ela desviou os olhos sem cumprimentá-lo. Os outros jovens o ignoraram totalmente.

Aquilo era mais que natural, pensou com seus botões: uma garota podia ser simpática com o chofer enquanto estivesse fumando na garagem e depois tratá-lo como se não existisse quando estava acompanhada pelos amigos. Ainda assim, seu orgulho ficou ferido.

Ele deu as costas para o grupo – e viu o pai de Olga descendo o caminho de cascalho em direção à quadra de tênis. Vyalov usava roupas de trabalho, um terno informal com colete. Vinha cumprimentar os convidados da filha antes de voltar para o centro, imaginou Lev.

A qualquer instante, veria a filha fumando – e ela estaria em apuros.

Inspirado, Lev deu dois passos e chegou até onde Olga estava sentada. Com um movimento rápido, arrancou o cigarro aceso de seus dedos.

– Ei! – protestou ela.

Gus Dewar fechou o rosto e perguntou:

– O que você acha que está fazendo?

Lev virou-lhes as costas, levando o cigarro à boca. Logo em seguida, foi visto por Vyalov.

– O que você está fazendo aqui? – perguntou, contrariado. – Vá pegar o carro.
– Sim, senhor – respondeu Lev.
– E apague esse raio de cigarro quando estiver falando comigo.
Lev apagou a brasa e guardou a guimba no bolso.
– Desculpe, Sr. Vyalov, eu me distraí.
– Que isso não se repita.
– Sim, senhor.
– Agora saia daqui.

Lev se afastou a passos largos, então olhou por cima do ombro. Os rapazes haviam se levantado com um pulo e Vyalov apertava alegremente a mão de todos. Olga, com ar culpado, apresentava os amigos ao pai. Quase havia sido apanhada. Cruzou olhares com Lev, fitando-o com uma expressão agradecida.

Lev retribuiu com uma piscadela e continuou andando.

IV

A sala de estar de Ursula Dewar tinha alguns enfeites, cada qual precioso à sua maneira: um busto de mármore de Elie Nadelman, uma primeira edição da Bíblia de Genebra, uma rosa solitária em um vaso de vidro lapidado e um retrato emoldurado de seu avô, que abrira uma das primeiras lojas de departamentos dos Estados Unidos. Quando Gus entrou na sala, às seis da tarde, ela estava sentada ali, com um vestido de noite de seda, lendo um romance chamado *O bom soldado*.

– Que tal o livro? – perguntou ele.
– Extraordinário, mas, paradoxalmente, ouvi dizer que o autor é um canalha da pior espécie.

Ele preparou-lhe um coquetel de uísque com angustura, bem do jeito que ela gostava, sem açúcar. Estava nervoso. Na minha idade, já não deveria ter medo da minha mãe, pensou. Mas ela podia ser extremamente mordaz. Entregou-lhe o drinque.

– Obrigada – agradeceu ela. – Está gostando das suas férias de verão?
– Muito.
– Achei que a esta altura você já fosse estar ansioso para retornar ao burburinho de Washington e da Casa Branca.

Gus tinha imaginado o mesmo, mas as férias haviam trazido prazeres inesperados.

– Eu voltarei assim que o presidente voltar, mas, por enquanto, estou me divertindo bastante.

– Você acha que Woodrow vai declarar guerra à Alemanha?

– Espero que não. Os alemães estão dispostos a recuar, mas querem que os americanos parem de vender armas aos Aliados.

– E nós vamos parar? – Ursula era descendente de alemães, assim como cerca de metade da população de Buffalo, mas, quando dizia "nós", referia-se aos Estados Unidos.

– De jeito nenhum. Nossas fábricas estão ganhando dinheiro demais com as encomendas britânicas.

– Então é um impasse?

– Ainda não. Por ora, estamos pisando em ovos. Enquanto isso, como se quisesse nos lembrar de que os países neutros estão sob pressão, a Itália se uniu aos Aliados.

– Isso vai fazer alguma diferença?

– Não o suficiente. – Gus respirou fundo. – Eu fui jogar tênis na casa dos Vyalov hoje à tarde – disse. Sua voz não soou tão despreocupada quanto ele esperava.

– Você ganhou, querido?

– Ganhei. Eles têm uma Prairie House. É impressionante.

– Que coisa mais *nouveau riche*.

– Se não me engano, nós também já fomos *nouveaux riches* um dia, não? Quando seu avô abriu a loja, talvez?

– Acho uma chatice quando você começa a falar como um socialista, Angus, mesmo sabendo que não é a sério. – Ela tomou um gole da bebida. – Hum, está perfeito!

Ele tornou a respirar fundo.

– Mãe, você faria uma coisa para mim?

– É claro, querido, se eu puder.

– Você não vai gostar.

– O que é?

– Quero que convide a Sra. Vyalov para um chá.

Sua mãe pousou a bebida com um gesto lento e deliberado.

– Entendo – disse ela.

– Não vai me perguntar por quê?

– Eu sei por quê – respondeu ela. – Só existe um motivo possível. Eu conheci a filha deslumbrante deles.

– A senhora não deveria ficar zangada. Vyalov é um homem importante nesta cidade, além de muito rico. E Olga é um anjo.

– Ou, se não for um anjo, pelo menos que seja cristã.

– Os Vyalov são da Igreja Ortodoxa Russa – disse Gus. Era melhor dar logo todas as notícias ruins, pensou. – Frequentam a Igreja de São Pedro e São Paulo na Ideal Street. – Os Dewar pertenciam à Igreja Episcopal.

– Mas não são judeus, graças a Deus. – Sua mãe já tivera medo de que Gus se casasse com Rachel Abramov, de quem ele gostara muito, mas que nunca chegara a amar. – E imagino que podemos ficar gratos pelo fato de Olga não ser uma caçadora de fortunas.

– Podemos mesmo. Tenho a impressão de que Vyalov é mais rico do que papai.

– Não faço a menor ideia. – Não ficava bem que mulheres como Ursula entendessem de dinheiro. Gus desconfiava que elas soubessem o valor da fortuna dos seus maridos e dos maridos das amigas até o último centavo, mas tinham que fingir ignorância.

Ela não ficou tão zangada quanto ele temera.

– Então a senhora faria isso? – perguntou, ansioso.

– É claro. Vou mandar um convite para a Sra. Vyalov.

Apesar de eufórico, Gus foi invadido por um novo temor.

– Veja bem, não vá convidar suas amigas esnobes para fazer a Sra. Vyalov se sentir inferior.

– Eu não tenho nenhuma amiga esnobe.

O comentário foi tão absurdo que ele nem o levou em consideração.

– Convide a Sra. Fischer, ela é simpática. E tia Gertrude.

– Está certo.

– Obrigado, mãe. – Gus sentiu um grande alívio, como se tivesse sobrevivido a um calvário. – Eu sei que Olga não é a noiva que você teria sonhado para mim, mas estou certo de que em pouquíssimo tempo irá gostar muito dela.

– Meu filho querido, você já está com quase 26 anos. Cinco anos atrás, eu poderia ter tentado convencê-lo a não se casar com a filha de um empresário de reputação duvidosa. Mas, ultimamente, o que tenho pensado é se algum dia terei netos. A esta altura, se você me dissesse que quer se casar com uma garçonete polonesa divorciada, minha primeira preocupação seria se ela é jovem o suficiente para ter filhos.

– Não apresse as coisas... Olga não aceitou se casar comigo. Eu nem mesmo pedi a mão dela.

– Mas como ela poderia resistir a você? – Ela se levantou e o beijou. – Agora, prepare outro drinque para mim.

V

– Você salvou a minha vida! – disse Olga a Lev. – Papai teria me matado.

Lev sorriu.

– Eu o vi chegando. Tive que agir depressa.

– Estou tão agradecida! – disse Olga, dando-lhe um beijo na boca.

Lev ficou espantado. Ela se afastou antes que ele pudesse se aproveitar do momento, mas ele sentiu de imediato que havia chegado a um nível totalmente diferente em sua relação com Olga. Nervoso, correu os olhos pela garagem, mas os dois estavam sozinhos.

A jovem sacou um maço e levou um cigarro à boca. Ele o acendeu, imitando Gus Dewar na véspera. Era um gesto íntimo, que obrigava a mulher a inclinar a cabeça e permitia que o homem observasse seus lábios. Era um tanto romântico.

Olga se reclinou no banco traseiro do Packard e soprou a fumaça. Lev entrou no carro e sentou-se ao seu lado. Ela não reclamou. Ele também acendeu um cigarro. Os dois passaram algum tempo sentados na penumbra, a fumaça de seus cigarros se misturando ao cheiro de óleo, de couro e do perfume floral que Olga usava.

Para quebrar o silêncio, Lev disse:

– Espero que tenha gostado da sua festa na quadra de tênis.

Ela deu um suspiro.

– Todos os rapazes da cidade têm medo do meu pai – disse ela. – Acham que ele vai lhes dar um tiro se me beijarem.

– E ele vai mesmo?

Ela riu.

– É provável.

– Eu não tenho medo dele. – Isso era quase verdade. A questão não era que Lev não sentisse medo, mas sim que o ignorava, sempre contando com sua lábia para escapar de qualquer problema.

Mas ela não pareceu acreditar.

– Tem certeza?

– Foi por isso que ele me contratou. – Isso também estava algo distante da realidade, mas não muito. – Pergunte a ele.

– Talvez eu pergunte mesmo.

– Gus Dewar gosta bastante da senhorita.

– Meu pai adoraria que eu me casasse com ele.

– Por quê?

– Ele é rico, sua família pertence à velha aristocracia de Buffalo e o pai dele é senador.

– Você sempre faz o que o seu pai quer?

Ela tragou o cigarro, pensativa.

– Sempre – respondeu, soprando a fumaça.

– Adoro olhar para a sua boca quando você fuma – disse Lev.

Ela ficou calada, mas lançou-lhe um olhar curioso.

Isso foi um convite suficiente para Lev, e ele a beijou.

Ela soltou um pequeno gemido no fundo da garganta e empurrou seu peito de leve com a mão, mas nenhum dos dois protestos foi muito sério. Ele jogou o cigarro para fora do carro e pôs a mão em seu seio. Ela agarrou-lhe o pulso como se fosse empurrar sua mão para longe, mas, em vez disso, apertou-a com mais força contra a carne macia.

Lev tocou seus lábios fechados com a língua. Ela se afastou para encará-lo, assustada. Ele percebeu que Olga não sabia que as pessoas se beijavam daquele jeito. Era mesmo inexperiente.

– Está tudo bem – disse ele. – Confie em mim.

Ela atirou o cigarro longe, puxou-o para mais perto, fechou os olhos e o beijou com a boca aberta.

Depois disso, tudo aconteceu muito depressa. O desejo de Olga tinha uma urgência desesperada. Lev, que já estivera com várias mulheres, achava mais sensato deixar que elas determinassem o ritmo. Não se podia apressar uma mulher titubeante, enquanto uma mulher impaciente não devia ser contida. Quando conseguiu pôr a mão sob a roupa de baixo de Olga e acariciou o relevo macio de seu sexo, ela ficou tão excitada que soluçou de paixão. Se ela havia de fato chegado aos 20 anos sem ser beijada por nenhum dos rapazes tímidos de Buffalo, provavelmente estava cheia de frustração contida, imaginou. Ela ergueu os quadris com sofreguidão para que Lev tirasse sua calcinha. Quando ele a beijou entre as pernas, ela soltou um grito de espanto e prazer. Com certeza era virgem, mas ele estava excitado demais para que essa constatação o fizesse parar.

Ela se deitou com um dos pés em cima do banco e o outro no chão, com a saia embolada em volta da cintura e as coxas separadas, pronta para recebê-lo. Tinha a boca aberta e a respiração ofegante. Ficou observando com os olhos arregalados enquanto ele desabotoava a calça. Ele a penetrou com cautela, sabendo como era fácil machucar uma garota ali, mas Olga agarrou-lhe os quadris e o puxou para dentro de si com impaciência, como se temesse que, no último instante, fossem lhe tirar o que queria. Ele sentiu a membrana de sua virgindade resistir por um instante, rompendo-se com facilidade em seguida – o que provocou nela apenas um leve arquejo, como numa pontada de dor que tivesse desaparecido tão rápido quanto surgira. Ela se moveu contra o corpo de Lev, estabelecendo seu próprio ritmo, e novamente ele a deixou conduzir a situação, sentindo que ela estava cedendo a um impulso irresistível.

Para ele, fazer amor nunca tinha sido tão excitante. Algumas garotas eram experientes; outras, inocentes mas dispostas a agradar o parceiro; outras ainda faziam questão de satisfazer o homem antes de buscar o próprio prazer. Mas Lev nunca havia encontrado um desejo em estado tão bruto quanto o de Olga, o que, por sua vez, o deixou mais excitado do que nunca.

Ele se conteve. Olga deu um grito e ele tapou-lhe a boca com a mão para abafar o som. Empinando feito um pônei, ela enterrou o rosto em seu ombro. Com uma exclamação contida, chegou ao orgasmo e, logo em seguida, ele também.

Lev saiu de cima dela e sentou-se no chão. Ela continuou deitada, ofegante. Durante um minuto inteiro, ficaram os dois calados. Depois de algum tempo, ela se sentou.

– Meu Deus! – falou. – Eu não sabia que seria assim.

– Geralmente não é – respondeu ele.

Houve uma pausa longa, introspectiva, e então ela perguntou em voz baixa:

– O que foi que eu fiz?

Ele não respondeu.

Olga pegou a calcinha no chão do carro e a vestiu. Ainda ficou mais alguns instantes sentada, recuperando o fôlego, então saiu do carro.

Lev ficou olhando para ela, esperando que dissesse alguma coisa, mas ela não falou nada. Caminhou até a porta dos fundos da garagem, abriu-a e foi embora.

Mas voltou no dia seguinte.

VI

Edith Galt aceitou o pedido de casamento do presidente Wilson no dia 29 de junho. Em julho, o presidente voltou temporariamente à Casa Branca.

– Preciso voltar para Washington por alguns dias – disse Gus a Olga, enquanto os dois passeavam pelo Jardim Zoológico de Buffalo.

– Quantos?

– Enquanto o presidente precisar de mim.

– Que emocionante!

Gus aquiesceu.

– É o melhor emprego do mundo. Mas também significa que não tenho controle sobre a minha vida. Se a crise com a Alemanha piorar, posso demorar bastante para voltar a Buffalo.

– Vamos sentir sua falta.

– E eu vou sentir a sua. Ficamos tão amigos desde que voltei para cá. – Os dois tinham ido passear de barco no lago do Delaware Park e tomar banho em Crystal Beach; tinham subido o rio num vapor até Niagara Falls e atravessado o lago até o Canadá; e também jogado tênis dia sim, dia não, sempre com um grupo de jovens amigos e observados no mínimo por uma mãe atenta. Naquele dia, a Sra. Vyalov os acompanhava, andando alguns passos mais atrás e conversando com Chuck Dixon. – Você nem faz ideia de quanto vou sentir saudades suas.

Olga sorriu, mas não respondeu nada.

– Este foi o verão mais feliz da minha vida – disse Gus.

– Da minha também! – falou ela, girando a sombrinha vermelha e branca de bolinhas.

Gus ficou encantado ao ouvir aquilo, embora não tivesse certeza de que era a sua companhia a causa da felicidade dela. Ainda não conseguia entendê-la por completo. Olga sempre parecia gostar de encontrá-lo e conversava de bom grado com ele por horas a fio. Mas Gus não conseguia ver nenhuma emoção, nenhum sinal de que seus sentimentos por ele pudessem ser de paixão, e não só de amizade. É claro que uma moça respeitável jamais deveria deixar transparecer esse tipo de coisa, pelo menos não até ficar noiva – mas, mesmo assim, Gus estava confuso. Talvez esse fosse um dos seus atrativos.

Ele não se esquecia de como Caroline Wigmore costumava lhe dizer o que queria com uma clareza inconfundível. Pegava-se pensando muito nela, a única mulher, além de Olga, que já havia amado. Se ela era capaz de deixar claros os seus desejos, por que Olga não conseguia? Caroline, no entanto, era uma mulher casada, enquanto Olga era uma moça virgem criada em um ambiente protegido.

Gus parou em frente à jaula do urso-pardo e eles ficaram olhando por entre as barras de aço para o pequeno urso que os encarava de volta.

– Fico pensando se todos os nossos dias poderiam ser felizes assim – disse Gus.

– Por que não? – indagou ela.

Seria essa resposta um incentivo? Gus lançou-lhe um olhar. Ela não o retribuiu, continuando a fitar o urso. Ele examinou seus olhos azuis, a curva suave de sua bochecha rosada, a pele delicada de seu pescoço.

– Quem me dera ser Ticiano – falou. – Eu pintaria você.

A mãe dela e Chuck passaram pelos dois e continuaram andando, deixando Gus e Olga para trás. Os dois estavam mais a sós do que jamais ficariam.

Ela finalmente o encarou e Gus pensou ver em seu olhar algo semelhante a ternura. Isso lhe deu coragem. Ele pensou: se um presidente que ficou viúvo há menos de um ano consegue fazer isso, por que eu não conseguiria?

– Eu amo você, Olga – disse ele.

Ela ficou calada, mas continuou a encará-lo.

Ele engoliu em seco. Mais uma vez, não conseguia desvendá-la.

– Será que existe alguma chance... – começou. – Será que eu posso ter esperanças de que um dia você me ame também? – Ele a fitou nos olhos, com a respiração presa. Ali, naquele instante, sua vida estava nas mãos dela.

Houve uma pausa demorada. Será que ela estava pensando? Pesando os prós e os contras? Ou apenas hesitando antes de uma decisão que mudaria sua vida?

Por fim, Olga sorriu e disse:

– Ah, sim.

Ele mal conseguiu acreditar.

– Sério?

Ela riu com alegria.

– Sério.

Ele apanhou sua mão.

– Você me ama?

Ela aquiesceu.

– Você tem que falar.

– Sim, Gus, eu amo você.

Ele beijou-lhe a mão.

– Vou falar com seu pai antes de voltar para Washington.

Ela sorriu.

– Acho que eu sei o que ele vai dizer.

– Depois disso, podemos contar para todo mundo.

– Sim.

– Obrigado – disse ele com fervor. – Você me fez muito feliz.

VII

Gus foi até o escritório de Josef Vyalov pela manhã para lhe pedir formalmente a mão de sua filha em casamento. Vyalov se disse encantado. Por mais que já esperasse essa resposta, o rapaz ficou com as pernas bambas de tanto alívio.

Como Gus estava a caminho da estação para pegar um trem rumo a Washington, concordaram em adiar a comemoração para quando ele conseguisse voltar, deixando os preparativos a cargo da mãe de Olga e da sua.

Ao entrar saltitante na Central Station, na Exchange Street, ele topou com Rosa Hellman, que vinha saindo com um chapéu vermelho, carregando uma pequena valise.

– Olá – cumprimentou ele. – Posso ajudá-la com a sua bagagem?

– Não, obrigada, está leve – respondeu ela. – Passei só uma noite fora. Fui fazer uma entrevista numa agência de notícias.

Ele arqueou as sobrancelhas.

– Para uma vaga de repórter?

– Sim. E consegui.

– Meus parabéns! Perdoe-me se pareci surpreso... Achava que as agências não contratassem repórteres do sexo feminino.

– É raro, mas já aconteceu. O *New York Times* contratou sua primeira repórter mulher em 1869. O nome dela era Maria Morgan.

– E o que você vai fazer?

– Vou ser assistente do correspondente em Washington. A verdade é que a vida amorosa do presidente os fez pensar que eles precisam de uma mulher lá. Os homens costumam deixar passar as matérias românticas.

Gus ficou imaginando se ela teria mencionado ser amiga de um dos assessores mais próximos de Wilson. Achou que sim: repórteres nunca tinham esse tipo de prurido. Sem dúvida a havia ajudado a conseguir o emprego.

– Eu estou voltando – disse ele. – Pelo jeito, nos vemos lá.

– Espero que sim.

– Também tenho boas notícias – disse ele, cheio de alegria. – Pedi Olga Vyalov em casamento e ela disse sim. Nós vamos nos casar.

Ela o olhou demoradamente, então disse:

– Seu idiota.

Gus teria ficado menos chocado se ela houvesse lhe dado um tapa. Ficou olhando para ela, boquiaberto.

– Seu grandessíssimo idiota! – repetiu ela e saiu andando.

VIII

Dois outros americanos morreram no dia 19 de agosto, quando os alemães torpedearam outro grande navio britânico, o *Arabic*.

Gus sentiu pena das vítimas, mas ficou ainda mais consternado com o fato de os Estados Unidos estarem sendo arrastados, de forma inexorável, em direção ao conflito europeu. Sentia que o presidente estava a um passo de dar início às hostilidades. Gus queria se casar em um mundo de paz e felicidade; causava-lhe horror pensar em um futuro conspurcado pelo caos, pela crueldade e pela destruição da guerra.

Conforme as instruções de Wilson, Gus disse a alguns repórteres, em off, que o presidente estava prestes a romper relações diplomáticas com a Alemanha. Enquanto isso, o novo secretário de Estado, Robert Lansing, tentava fazer algum tipo de acordo com o embaixador alemão, conde Johann von Bernstorff.

Aquilo poderia sair terrivelmente errado, pensou Gus. Os alemães poderiam denunciar o blefe de Wilson e confrontá-lo. O que ele faria então? Se ficasse de braços cruzados, passaria por idiota. O presidente disse a Gus que o rompimento das relações diplomáticas não *necessariamente* levaria à guerra. Gus ficou com a sensação apavorante de que a crise estava fora de controle.

O Kaiser, no entanto, não queria uma guerra contra os Estados Unidos, e, para imenso alívio de Gus, a aposta de Wilson deu certo. No final de agosto, os alemães prometeram não atacar navios de passageiros sem aviso prévio. Não era uma garantia totalmente satisfatória, mas pelo menos pôs fim ao impasse.

Os jornais norte-americanos, que não pescaram nenhuma das sutilezas envolvidas, mostraram-se exultantes. No dia 2 de setembro, Gus leu em voz alta para Wilson, em tom triunfal, um parágrafo de um artigo elogioso publicado no *New York Evening Post* daquele dia:

– "Sem mobilizar regimento algum nem reunir uma frota sequer, graças à simples, tenaz e incansável persistência na defesa do que é certo, ele forçou à rendição a mais orgulhosa, arrogante e bem armada de todas as nações."

– Eles ainda não se renderam – comentou o presidente.

IX

Em uma noite no final de setembro, Lev foi levado até o depósito, despido de todas as roupas e teve as mãos amarradas nas costas. Então Vyalov saiu de seu escritório.

– Seu cachorro! – disse ele. – Seu cachorro louco!

– O que eu fiz? – implorou Lev.

– Você sabe muito bem, seu vira-lata imundo – respondeu Vyalov.

Lev estava aterrorizado. Não conseguiria se safar na base da lábia caso Vyalov se recusasse a escutá-lo.

Vyalov tirou o paletó e arregaçou as mangas da camisa.

– Vá buscar – ordenou.

Norman Niall, seu contador franzino, entrou no escritório e voltou trazendo um cnute.

Lev olhou para o instrumento. Era um açoite do tipo russo, usado tradicionalmente para punir criminosos. Tinha um cabo de madeira comprido e três correias de couro reforçado, cada qual com uma bola de chumbo na ponta. Lev nunca havia sido açoitado na vida, mas já vira o castigo ser aplicado. Na zona rural, era uma punição corriqueira para pequenos roubos ou adultério. Em São Petersburgo, o cnute era reservado, em geral, para criminosos políticos. Vinte chibatadas poderiam deixar um homem aleijado; cem o mandavam para a cova.

Ainda usando o colete transpassado pela corrente de seu relógio de ouro, Vyalov ergueu o cnute. Niall deu uma risadinha. Ilya e Theo observavam com interesse.

Amedrontado, Lev tentou fugir, virando-se de costas e indo se encolher junto a uma pilha de pneus. O açoite varou o ar com um sibilo cruel, acertando-lhe o pescoço e os ombros, e ele soltou um grito de dor.

Vyalov o golpeou novamente com o cnute. Desta vez, a dor foi maior.

Lev não conseguia acreditar no tamanho de sua idiotice. Havia trepado com a filha virgem de um homem poderoso e violento. Onde é que estava com a cabeça? Por que nunca conseguia resistir à tentação?

Vyalov tornou a bater. Desta vez, Lev se esquivou do cnute, tentando evitar o golpe. Apenas as pontas das correias o atingiram, mas, ainda assim, cravaram-se em sua carne, causando uma dor excruciante e fazendo-o gritar novamente. Tentou se afastar, mas os homens de Vyalov o empurraram de volta, rindo.

Vyalov voltou a erguer o açoite, começou a descê-lo, interrompeu o movimento enquanto Lev se esquivava e por fim desferiu o golpe. As pernas de Lev foram cortadas e ele viu sangue escorrendo das feridas. Quando Vyalov golpeou mais uma vez, ele começou a correr para longe, desesperado, então tropeçou e caiu no chão de concreto. Enquanto ficava deitado de costas, perdendo as forças com rapidez, Vyalov o açoitou na parte da frente, atingindo sua barriga e suas coxas. Lev se virou de bruços, ferido e amedrontado demais para se levantar, mas o cnute não dava trégua. Ele reuniu energia suficiente para engatinhar um pouco, feito um bebê, mas escorregou no próprio sangue e o açoite tornou a castigá-lo. Ele parou de gritar: não tinha mais fôlego. Concluiu que Vyalov iria açoitá-lo até a morte. Tudo o que queria era perder os sentidos.

Vyalov, contudo, negou-lhe esse alívio. Ofegante por conta do esforço, ele deixou cair o cnute.

– Eu deveria matar você – disse ele, após recuperar o fôlego. – Mas não posso.

Lev ficou perplexo. Deitado em uma poça de sangue, voltou-se e encarou seu torturador.

– Ela está grávida – falou Vyalov.

Em meio a uma névoa de medo e dor, Lev tentou raciocinar. Eles haviam usado preservativos. Era possível comprá-los em qualquer grande cidade americana. Ele nunca tinha deixado de colocá-los... exceto naquela primeira vez, é claro, quando imaginava que nada fosse acontecer... e naquela outra em que ela decidira lhe mostrar a casa vazia e os dois haviam transado na cama grande do quarto de hóspedes... além daquela ocasião no jardim, depois do escurecer...

Percebeu que tinham sido várias vezes.

– Ela ia se casar com o filho do senador Dewar – disse Vyalov, e Lev pôde detectar tanto amargura quanto raiva na voz áspera. – O meu neto poderia ter sido presidente.

Lev estava com dificuldade para pensar direito, mas entendeu que o casamento teria de ser cancelado. Gus Dewar jamais se casaria com uma garota grávida de outro homem, por mais que a amasse. A menos que...

Lev conseguiu articular algumas palavras roucas:

– Ela não precisa ter o bebê... existem médicos aqui mesmo na cidade...

Vyalov apanhou de volta o cnute e Lev se encolheu.

– Nem pense numa coisa dessas! – gritou Vyalov. – É contra a vontade de Deus!

Lev ficou pasmo. Conduzia a família Vyalov à igreja todos os domingos, mas sempre havia pensado que, para Josef, a religião fosse uma farsa. O homem levava uma vida de desonestidade e violência. E, mesmo assim, não podia ouvir falar em aborto! Lev teve vontade de perguntar se a Igreja dele não proibia subornos e espancamentos.

– Você tem ideia da humilhação que está me causando? – perguntou Vyalov. – Todos os jornais da cidade anunciaram o noivado. – O rosto dele ficou vermelho e sua voz se transformou em um rugido. – O que vou dizer ao senador Dewar? Eu já reservei a igreja! Já contratei o bufê! Os convites estão na gráfica! Posso até ver a Sra. Dewar, aquela vaca velha e arrogante, rindo de mim por trás daquela mão enrugada. E tudo por causa de uma porra de um chofer!

Ele tornou a erguer o cnute, mas então o atirou longe com um gesto brusco.

– Não posso matar você. – Ele se virou para Theo. – Leve este merda ao médico – ordenou. – Peça para darem um jeito nele. Ele vai se casar com a minha filha.

CAPÍTULO DEZESSEIS

Junho de 1916

– Podemos ter uma conversinha, rapaz? – perguntou o pai de Billy.

Billy ficou espantado. Há quase dois anos, desde que ele tinha parado de frequentar a Capela de Bethesda, os dois mal se falavam. Havia sempre uma tensão no ar na pequena casa de Wellington Row. Billy quase não se lembrava mais de como era ouvir vozes conversando em tom tranquilo e amigável na cozinha – ou mesmo em tom exaltado, como durante as discussões acaloradas que eles costumavam ter. O clima ruim em casa era metade da razão que levara Billy a se alistar no Exército.

O tom de Da, no entanto, era quase humilde. Billy examinou a expressão do pai com cuidado. Seu rosto estava em sintonia com a voz: nenhuma hostilidade, nenhuma provocação, apenas um pedido.

Mesmo assim, Billy não estava preparado para dançar conforme a música dele.

– Para quê? – perguntou.

Da abriu a boca para retrucar com rispidez, mas se conteve.

– Eu agi com orgulho – disse ele. – Isso é um pecado. Talvez você também tenha sido orgulhoso, mas essa questão é entre você e o Senhor, não serve de desculpa para mim.

– Levou dois anos para o senhor perceber isso?

– Teria levado mais ainda se você não tivesse entrado para o Exército.

Billy e Tommy haviam se alistado voluntariamente no ano anterior, após mentirem a respeito da idade. Entraram para o 8º Batalhão dos Fuzileiros Galeses, conhecido como Aberowen Pals, ou "amigos de Aberowen". Os batalhões daquele tipo eram uma ideia recente. Homens da mesma cidade eram mantidos juntos para treinar e combater ao lado de pessoas que conheciam desde crianças. Isso era considerado bom para o moral das tropas.

O grupo de Billy havia treinado durante um ano, na maior parte do tempo em um quartel novo perto de Cardiff. Ele havia gostado da experiência. Era mais fácil do que extrair carvão e bem menos perigoso. Além de uma boa quantidade de puro tédio – "treinamento" muitas vezes significava o mesmo que "espera" –, havia esportes, jogos e a camaradagem de um grupo de rapazes aprendendo coisas novas. Durante um longo período sem nada para fazer, ele havia apanhado um livro a esmo e, quando se deu conta, estava lendo a peça *Macbeth*. Para sua surpresa, ficara empolgado com a história e achara a poesia do texto estranhamente fascinante. A língua de Shakespeare não era difícil para quem tinha passado tantas horas estudando o inglês seiscentista da Bíblia protestante. Desde então, ele tinha lido a obra completa do autor, relendo várias vezes as melhores peças.

Agora o treinamento havia terminado e o batalhão tinha dois dias de folga antes de ir para a França. Da achava que talvez aquela seria a última vez que veria Billy com vida. Devia ser por isso que estava descendo do seu pedestal para conversar.

Billy olhou para o relógio. Fora até lá apenas para se despedir da mãe. Estava planejando passar a folga em Londres, com a irmã Ethel e sua inquilina sensual. O rosto bonito de Mildred, com seus lábios vermelhos e seus dentes de coelho, não lhe havia saído da cabeça desde que ela o chocara ao dizer: *Puta merda, você é o Billy?* Sua bolsa de soldado estava no chão ao lado da porta, carregada e pronta. As obras completas de Shakespeare faziam parte da bagagem. Tommy o aguardava na estação.

– Tenho um trem para pegar – disse ele.

– Há trens de sobra – falou Da. – Sente-se, Billy... por favor.

O rapaz não se sentia à vontade com o pai daquele jeito. Da podia ser moralista, arrogante e duro, mas pelo menos era forte. Billy não queria vê-lo fraquejar.

Gramper estava sentado em sua cadeira de sempre, escutando a conversa.

– Vamos, Billy, seja um bom garoto – disse, tentando convencer o neto. – Dê uma chance ao seu pai, sim?

– Então está bem. – Billy sentou-se à mesa da cozinha.

Sua mãe entrou vinda da área de serviço.

Houve um instante de silêncio. Billy se deu conta de que poderia nunca mais entrar naquela casa. Ao voltar de um quartel do Exército, percebera pela primeira vez como ela era pequena, os cômodos escuros, o ar carregado de poeira de carvão e cheiro de comida. Acima de tudo, depois de viver no clima descontraído do alojamento militar, entendera que havia sido criado dentro de uma moral religiosa inflexível, em que muito daquilo que era humano e natural fora reprimido. Ainda assim, a ideia de ir embora dali o deixava triste. Não estava deixando para trás apenas aquele lugar, mas aquela vida também. Tudo ali tinha sido simples. Ele havia acreditado em Deus, obedecido ao pai e confiado em seus colegas na mina. Os donos da mineradora eram maus, o sindicato protegia os trabalhadores e o socialismo oferecia um futuro melhor. Mas a vida não era tão simples assim. Ele poderia até voltar a Wellington Row, mas jamais voltaria a ser o menino que havia morado ali.

Da entrelaçou os dedos das mãos, fechou os olhos e disse:

– Ó, Deus, ajude Seu servo a ser humilde e dócil como Jesus. – Então abriu os olhos e perguntou: – Por que você fez isso, Billy? Por que se alistou?

– Porque nós estamos em guerra – respondeu o rapaz. – Quer o senhor goste ou não, temos que lutar.

– Mas você não percebe... – Da se interrompeu e ergueu a mão em um gesto de paz. – Deixe-me começar de novo. Você não acredita no que leu nos jornais sobre os alemães serem homens maus que estupram freiras, acredita?

– Não – respondeu Billy. – Os jornais nunca disseram nada além de mentiras sobre os mineradores, então duvido que estejam falando a verdade em relação aos alemães.

– Para mim, esta é uma guerra capitalista que não tem nada a ver com a classe trabalhadora – falou Da. – Mas talvez você não concorde.

Billy estava impressionado com o esforço do pai para se mostrar diplomático. Era a primeira vez na vida que o ouvia dizer *talvez você não concorde*.

– Eu não sei grande coisa sobre capitalismo – retrucou –, mas imagino que o senhor tenha razão. Mesmo assim, alguém precisa deter os alemães. Eles se acham no direito de governar o mundo!

– Nós somos britânicos – falou Da. – Nosso império tem sob seu domínio mais de 400 milhões de pessoas. Quase nenhuma delas possui direito de voto. Elas não têm controle sobre seus próprios países. Pergunte ao britânico médio qual é a razão disso e ele responderá que governar povos inferiores é o nosso destino. – Da estendeu as mãos uma para cada lado em um gesto que significava *Não é óbvio?* – Billy, meu filho, não são os alemães que se acham no direito de governar o mundo... somos nós!

Billy suspirou. Concordava com tudo aquilo.

– Mas nós estamos sendo atacados. Os motivos da guerra podem estar errados, mas precisamos lutar assim mesmo.

– Quantos homens morreram nos últimos dois anos? – perguntou Da. – Milhões! – Sua voz saiu um pouco mais alta, porém ele estava mais triste do que irritado. – Isso vai continuar enquanto houver rapazes dispostos a matar uns aos outros *assim mesmo*, como você diz.

– Vai continuar até alguém vencer, me parece.

– Imagino que você esteja com medo de ser visto como covarde – disse sua mãe.

– Não é isso – respondeu ele, mas sua mãe tinha razão.

Suas justificativas racionais para o fato de ter se alistado eram só parte da verdade. Como sempre, Mam enxergou dentro do seu coração. Há quase dois anos

423

Billy vinha lendo e ouvindo falar que rapazes saudáveis como ele eram covardes se não lutassem. Era o que saía nos jornais e o que as pessoas diziam nas lojas e nos pubs. No centro de Cardiff, garotas bonitas entregavam penas brancas a qualquer rapaz sem farda, enquanto os sargentos encarregados do recrutamento zombavam dos jovens civis pelas ruas. Billy sabia que não passava de propaganda, mas nem por isso deixava de se abalar. Mal conseguia suportar a ideia de que as pessoas o considerassem um medroso.

Imaginava-se explicando àquelas garotas que distribuíam penas brancas que extrair carvão era mais perigoso do que estar no Exército. Com exceção dos soldados do front, a maioria tinha menos chances de morrer ou se ferir do que os mineradores. E a Grã-Bretanha precisava do carvão. Era ele que abastecia metade da Marinha. Na verdade, o governo havia pedido aos mineradores que não se alistassem. Mas nada disso fazia qualquer diferença. Desde que vestira a túnica e a calça do áspero uniforme cáqui e que calçara as botas novas e pusera o quepe sobre a cabeça, Billy se sentia melhor.

– As pessoas acham que vai haver uma grande ofensiva no final do mês – disse Da.

Billy aquiesceu.

– Os oficiais não dizem nada, mas é o que todos os outros estão falando. Por isso, essa pressa toda em mandar mais homens para o front, imagino.

– Os jornais dizem que essa talvez seja a batalha que vai fazer a maré virar... o início do fim.

– Bem, tomara.

– Graças a Lloyd George, agora não deve mais faltar munição para vocês.

– É verdade. – No ano anterior, houvera uma escassez de projéteis. Os protestos da imprensa sobre o que ficou conhecido como o Escândalo dos Projéteis tinham quase derrubado o primeiro-ministro Asquith. Este havia formado um governo de coalizão, criado o novo cargo de ministro das Munições e confiado o posto ao membro mais popular do gabinete, David Lloyd George. Desde então, a produção havia aumentado vertiginosamente.

– Tente se cuidar – falou Da.

– Não banque o herói – disse Mam. – Deixe isso para quem começou a guerra... os aristocratas, os conservadores, os oficiais. Cumpra suas ordens e pronto.

– Guerra é guerra – disse Gramper. – Não tem como ser segura.

Eles estavam se despedindo. Billy sentiu uma vontade de chorar que reprimiu com dureza.

– Então é isso – falou, levantando-se.

Gramper apertou sua mão. Mam lhe deu um beijo. Da também apertou a mão dele, e então, cedendo a um impulso, o abraçou. Billy não conseguia se lembrar da última vez que o pai fizera isso.

– Que Deus o abençoe e o proteja, Billy – falou Da. Seus olhos estavam marejados de lágrimas.

Billy quase perdeu o autocontrole.

– Até a volta, então – disse.

Pegou sua sacola. Ouviu a mãe soluçar. Sem olhar para trás, saiu de casa e fechou a porta às suas costas.

Respirou fundo e se recompôs. Em seguida, começou a descer a rua íngreme em direção à estação.

II

O rio Somme serpenteava pela França de leste a oeste a caminho do mar. A frente de batalha, que corria de norte a sul, cruzava o rio não muito longe de Amiens. Mais ao sul, a linha de frente dos Aliados era defendida pelas tropas francesas até a Suíça. Ao norte, a maioria dos soldados vinha da Grã-Bretanha e da Commonwealth.

A partir dali, uma série de colinas se estendia a noroeste por cerca de 30 quilômetros. As trincheiras alemãs nessa região haviam sido escavadas na encosta das colinas. De dentro de uma delas, Walter von Ulrich espiava as posições britânicas através de um poderoso binóculo Zeiss *Doppelfernrohr*.

Era um dia de sol no começo do verão, e ele podia ouvir o canto dos pássaros. Em um pomar próximo que até então conseguira escapar da artilharia, corajosas macieiras floresciam. O homem era o único animal que matava seus semelhantes aos milhões e que transformava a natureza em um deserto de crateras de arame farpado. Talvez a raça humana acabasse se extinguindo por completo, deixando o mundo para os pássaros e árvores, pensou Walter, apocalíptico. Talvez fosse melhor assim.

A localização elevada tinha muitas vantagens, refletiu ele, voltando a pensar em questões práticas. Os britânicos teriam que atacar encosta acima. Ainda mais útil era a capacidade dos alemães de verem tudo o que os inimigos estavam fazendo. E Walter teve certeza de que, naquele exato momento, eles estavam preparando um ataque maciço.

Era praticamente impossível ocultar uma atividade desse tipo. Há meses que os britânicos vinham, de forma preocupante, aprimorando as estradas e ferrovias daquela região antes sossegada do interior da França. Agora, usavam essas linhas de abastecimento para trazer centenas de armas pesadas, milhares de cavalos e dezenas de milhares de homens. Atrás da frente de batalha, fluxos constantes de caminhões e trens descarregavam caixotes de munição, barris de água potável e fardos de feno. Walter focalizou as lentes do binóculo em uma unidade de comunicações, que escavava uma trincheira estreita e desenrolava um rolo imenso, sem dúvida de cabo telefônico.

Eles devem estar sonhando alto, pensou, apreensivo. A mobilização de pessoal, dinheiro e esforços era colossal. A única justificativa para tanto seria os britânicos acharem que aquele ataque decidiria a guerra. Walter torcia para que fosse o caso – independentemente do resultado.

Sempre que olhava para o território inimigo, pensava em Maud. A fotografia que levava na carteira, um recorte da revista *Tatler*, mostrava-a usando um vestido de baile muito simples no Hotel Savoy, com a legenda *Lady Maud Fitzherbert sempre vestida na última moda*. Walter imaginou que ela não andasse dançando muito ultimamente. Será que havia encontrado uma maneira de participar do esforço de guerra, a exemplo da irmã de Walter, Greta, que levava pequenos agrados para os feridos nos hospitais de campanha de Berlim? Ou teria se refugiado no campo, como a mãe de Walter, que passara a plantar batatas nos canteiros de flores por causa da escassez de comida?

Ele não sabia se havia falta de alimentos na Grã-Bretanha. A Marinha alemã estava presa nos portos por conta do bloqueio britânico, de modo que as importações marítimas continuavam paralisadas há quase dois anos. Mas os ingleses recebiam mantimentos dos Estados Unidos. Submarinos alemães atacavam transatlânticos de forma intermitente, mas o alto-comando ainda não deslanchara um ataque total – conhecido como guerra submarina irrestrita – por medo de que isso fizesse os Estados Unidos entrarem na guerra. Portanto, Walter imaginava que Maud não deveria estar passando tanta fome quanto ele. Ainda assim, ele estava em melhor situação do que os civis alemães. Em algumas cidades, eclodiram greves e protestos contra a escassez de comida.

Ele não lhe escrevera, e ela tampouco. Não havia serviço postal entre a Alemanha e a Grã-Bretanha. A única chance seria se um deles viajasse até um país neutro – para os Estados Unidos ou a Suécia, talvez – e enviasse a carta de lá. Porém, ele ainda não tivera essa oportunidade – e, ao que tudo indicava, ela também não.

Era um suplício não saber nada a seu respeito. Walter vivia atormentado pelo temor de que ela pudesse estar no hospital, doente, sem ele saber. Ansiava pelo fim da guerra para poder ficar ao seu lado. Queria desesperadamente que a Alemanha vencesse, é claro, mas às vezes tinha a sensação de que não se importaria em perder, contanto que Maud ficasse bem. Seu maior pesadelo era, quando terminasse a guerra, voltar a Londres para encontrá-la e descobrir que estava morta.

Empurrou esse pensamento assustador para os confins de sua mente. Abaixou o binóculo, focalizou as lentes em um ponto mais próximo e examinou as defesas de arame farpado, do lado alemão da terra de ninguém. Eram dois cinturões, cada qual com uns cinco metros de largura. O arame farpado era preso ao chão com firmeza por estacas de ferro, o que tornava difícil movê-lo. Isso criava uma barreira formidável, tranquilizadora.

Ele saiu do parapeito da trincheira e depois desceu um longo lance de degraus de madeira, até um abrigo profundo. A desvantagem da posição na colina era que as trincheiras ficavam mais visíveis para a artilharia inimiga, então, para compensar, os abrigos naquele setor haviam sido escavados bem fundo no terreno, de modo a garantir proteção contra qualquer ataque – com a exceção de um disparo certeiro do maior tipo de projétil. Havia espaço para abrigar todos os homens da guarnição da trincheira durante um bombardeio. Alguns abrigos eram interligados, proporcionando uma saída alternativa caso o ataque bloqueasse a entrada.

Walter sentou-se em um banco de madeira e sacou seu bloco de anotações. Passou alguns minutos escrevendo lembretes resumidos sobre tudo o que tinha visto. Seu relatório confirmaria as informações de outras fontes da inteligência. Os agentes secretos já vinham alertando o alto-comando sobre o que os britânicos chamavam de "grande ofensiva".

Ele percorreu o labirinto de trincheiras até a retaguarda. Os alemães haviam construído três linhas de trincheiras a dois ou três quilômetros de distância uma da outra, de modo que, se fossem rechaçados da linha de frente, poderiam se refugiar em uma segunda linha, e, caso isso também fracassasse, em uma terceira. Fosse qual fosse o resultado, pensou com uma satisfação considerável, os britânicos não teriam uma vitória fácil.

Walter pegou seu cavalo e foi até o quartel-general do Segundo Exército, chegando na hora do almoço. No refeitório dos oficiais, ficou surpreso ao encontrar o pai. Como oficial superior do Estado-Maior, Otto passara a ir de um campo de batalha a outro da mesma forma que, em tempos de paz, viajava entre as várias capitais europeias.

Otto estava com uma aparência envelhecida. Havia emagrecido – assim como todos os alemães. Sua franja de monge estava cortada tão curta que ele parecia careca. Mas também parecia lépido e alegre. A guerra lhe fazia bem. Ele gostava da agitação, da correria, das decisões rápidas e da sensação de emergência constante.

Seu pai nunca falava de Maud.

– O que você viu? – perguntou ele a Walter.

– Vai haver um ataque maciço aqui nesta região nas próximas semanas.

Otto sacudiu a cabeça com ceticismo.

– O setor do rio Somme é a parte mais bem defendida do nosso front. Nós temos a vantagem de uma posição elevada e três linhas de trincheiras. Em uma guerra, deve-se atacar o inimigo no ponto mais fraco, não no mais forte... até os britânicos sabem disso.

Walter relatou o que acabara de ver: os caminhões, os trens e a unidade de comunicações instalando linhas telefônicas.

– Acho que é um blefe – disse Otto. – Se este fosse o verdadeiro local do ataque, eles estariam mais preocupados em ocultar suas atividades. Haverá um ataque simulado aqui, seguido pela ofensiva de verdade mais ao norte, em Flandres.

– O que Von Falkenhayn pensa a respeito? – indagou Walter. Fazia quase dois anos que Erich von Falkenhayn era chefe do Estado-Maior.

Seu pai sorriu.

– Ele pensa o que eu digo para ele pensar.

III

Depois do almoço, enquanto o café era servido, lady Maud perguntou a lady Hermia:

– Tia, em caso de emergência, você saberia como entrar em contato com o advogado de Fitz?

Tia Herm pareceu ligeiramente chocada.

– Querida, por que eu iria me meter com advogados?

– Nunca se sabe. – Maud se virou para o mordomo, que pousava o bule de café sobre uma trempe de prata. – Grout, você me traria, por gentileza, uma folha de papel e um lápis? – Grout se retirou, voltando em seguida com o pedido. Maud escreveu o nome e o endereço do advogado da família.

– Por que eu precisaria disso? – perguntou tia Herm.

– Talvez eu seja presa hoje à tarde – disse Maud com animação. – Se for o caso, por favor, peça a ele para me tirar da cadeia.

– Ah! – exclamou tia Herm. – Você não pode estar falando sério!

– Não se preocupe, tenho certeza de que não vai chegar a tanto – falou Maud. – Mas é sempre bom se precaver, não é? – Ela deu um beijo na tia e saiu.

A atitude de tia Herm enfurecia Maud, mas era assim que a maioria das mulheres se comportava. Era impróprio para uma dama sequer saber o nome do seu próprio advogado, quanto mais compreender seus direitos legais. Não era de espantar que elas fossem exploradas sem dó.

Maud vestiu o chapéu, as luvas e um casaco leve de verão. Em seguida, saiu de casa e pegou um ônibus para Aldgate.

Estava sozinha. As regras quanto a acompanhantes haviam ficado menos rígidas desde o início da guerra. Já não era um escândalo uma mulher solteira sair desacompanhada durante o dia. Tia Herm reprovava essa mudança, mas não podia trancar Maud em casa – tampouco podia recorrer a Fitz, que estava na França, de modo que era obrigada a aceitar a situação, por mais emburrada que ficasse.

Maud era editora do jornal *The Soldier's Wife*, "a esposa do soldado", um periódico de baixa circulação que militava em prol de um tratamento mais justo aos dependentes dos militares. Um membro conservador do Parlamento havia descrito o jornal como "um estorvo pernicioso para o governo" – frase que desde então enfeitava o cabeçalho da primeira página de cada edição. A militância obstinada de Maud era movida por sua indignação perante a repressão contra as mulheres, bem como pelo horror que o massacre desproposidado da guerra lhe causava. Usando sua pequena herança, ela subsidiava o jornal. Afinal, nem precisava daquele dinheiro: Fitz sempre arcava com todas as suas despesas.

Ethel Williams era gerente do jornal. Ficara feliz em trocar a fábrica de roupas por um salário melhor e por um papel na militância. Ethel compartilhava da indignação de Maud, mas suas habilidades eram outras. Maud entendia a política em seus níveis mais elevados – encontrava-se socialmente com ministros e conversava com eles sobre as questões da atualidade. Ethel conhecia um mundo político diferente: o Sindicato Nacional dos Trabalhadores da Indústria Têxtil, o Partido Trabalhista Independente, as greves, lockouts e passeatas.

Conforme o combinado, Maud encontrou Ethel em frente ao escritório de Aldgate da Associação das Famílias de Soldados e Marinheiros, só que do outro lado da rua.

Antes da guerra, essa bem-intencionada instituição de caridade permitia que senhoras ricas proporcionassem, generosamente, auxílio e conselhos às necessitadas mulheres dos militares. Agora seu papel era outro. O governo pagava uma libra e um xelim para cada mulher de soldado com dois filhos que estivesse separada do marido por causa da guerra. O benefício era conhecido como auxílio-separação. Não era grande coisa – cerca de metade do salário de um minerador –, mas bastava para tirar da miséria milhões de mulheres e crianças. A Associação das Famílias de Soldados e Marinheiros administrava essa pensão.

O dinheiro, no entanto, só era pago às mulheres que apresentassem "bom comportamento", de modo que as administradoras da instituição às vezes não repassavam o benefício do governo àquelas que recusassem seus conselhos sobre criação dos filhos, administração da casa e os perigos de se frequentar cabarés e beber gim.

Maud também achava que seria melhor para aquelas mulheres ficarem longe do gim, mas isso não dava a ninguém o direito de jogá-las na miséria. Ficava possessa de indignação quando via gente de classe média e vida confortável dando lições de moral às esposas dos soldados e privando-as da oportunidade de alimentar os filhos. O Parlamento não permitiria um abuso desses, pensou, se as mulheres pudessem votar.

Junto com Ethel, havia uma dúzia de mulheres de classe operária e um homem, Bernie Leckwith, secretário do núcleo de Aldgate do Partido Trabalhista Independente. O partido aprovava o jornal de Maud e apoiava suas campanhas.

Quando Maud se juntou ao grupo reunido na calçada, Ethel estava conversando com um rapaz que segurava um bloco de anotações.

– O auxílio-separação não é uma esmola – dizia ela. – As mulheres dos soldados têm direito a esse dinheiro. O senhor por acaso precisa passar por um teste de boa conduta para receber seu salário de repórter? Alguém pergunta ao Sr. Asquith quanto vinho Madeira ele bebe antes de poder receber seus honorários de membro do Parlamento? Essas mulheres têm direito ao benefício exatamente como se ele fosse um salário.

Ethel havia desenvolvido um estilo próprio, pensou Maud. Expressava-se de forma simples e incisiva. Talvez tivesse herdado o talento do pai pregador.

O repórter olhava para Ethel com admiração. Parecia a meio caminho de se apaixonar por ela. Quase como se pedisse desculpas, falou:

– Seus opositores dizem que uma mulher não deveria receber o auxílio caso estivesse sendo infiel ao marido soldado.

– E quem está de olho nos maridos? – perguntou Ethel, indignada. – Imagino que existam casas de tolerância na França e onde quer que nossos homens estejam servindo. Por acaso o Exército anota os nomes dos homens casados que frequentam essas casas e corta seus salários? Adultério é pecado, mas não serve de motivo para empobrecer a pecadora e fazer seus filhos morrerem de fome.

Ethel carregava o filho Lloyd no colo. O menino estava com um ano e quatro meses e já sabia andar, ou melhor, cambalear. Tinha cabelos escuros finos e olhos verdes e era bonito como a mãe. Maud estendeu as mãos para pegá-lo e o bebê foi todo feliz para o seu colo. Ela sentiu uma pontada de tristeza: quase desejava ter engravidado na única noite que passara com Walter, apesar de todos os problemas que isso teria acarretado.

Não tinha notícia nenhuma dele desde o Natal retrasado. Nem mesmo sabia se ele estava vivo ou morto. Talvez já fosse viúva. Tentava não ficar remoendo aquilo, mas às vezes era assolada por pensamentos terríveis e tinha de segurar o choro.

Depois de falar com o repórter, Ethel apresentou Maud a uma mulher com duas crianças agarradas à barra da saia.

– Esta é Jayne McCulley, de quem lhe falei. – Jayne tinha um rosto bonito e uma expressão determinada.

Maud a cumprimentou com um aperto de mão e disse:

– Espero que consigamos justiça para a senhora hoje.

– É muita bondade sua, senhora, de verdade. – A deferência era um hábito difícil de perder, mesmo nos movimentos políticos igualitários.

– Estamos todos prontos? – perguntou Ethel.

Maud devolveu Lloyd à mãe e o grupo atravessou junto a rua, entrando pela porta da frente do escritório da instituição. Havia uma área de recepção, com uma mulher de meia-idade sentada atrás de uma escrivaninha. Ela pareceu assustada ao ver tanta gente.

– Não há motivo para preocupação – disse-lhe Maud. – A Sra. Williams e eu viemos falar com sua gerente, a Sra. Hargreaves.

A recepcionista se levantou.

– Vou ver se ela está – respondeu com nervosismo.

– Eu sei que ela está – disse Ethel. – Acabei de vê-la entrar pela porta meia hora atrás.

A recepcionista se retirou às pressas.

A mulher que voltou em sua companhia não se deixava intimidar com tanta facilidade. A Sra. Hargreaves era uma quarentona roliça, que usava saia e casaco franceses e um chapéu da moda, enfeitado por um grande laço plissado. Em seu corpo atarracado, o traje perdia toda a elegância, pensou Maud venenosamente, mas a mulher tinha a confiança que costuma andar de braços dados com a riqueza. Além de um nariz enorme.

– Pois não? – perguntou ela com rispidez.

Na luta pela igualdade feminina, pensou Maud, às vezes era preciso combater não apenas homens, mas mulheres também.

– Vim até aqui porque estou preocupada com a forma como a senhora vem tratando a Sra. McCulley.

A Sra. Hargreaves fez cara de surpresa, sem dúvida por causa do sotaque aristocrático de Maud. Analisou-a de cima a baixo. Provavelmente tinha percebido que as roupas de Maud eram tão caras quanto as suas. Quando tornou a falar, seu tom foi menos arrogante:

– Infelizmente não posso discutir casos individuais.

– Mas a Sra. McCulley me pediu para falar com a senhora. E está aqui para provar isso.

– Não se lembra de mim, Sra. Hargreaves? – perguntou Jayne McCulley.

– Para dizer a verdade, lembro sim. A senhora foi muito descortês comigo.

Jayne se virou para Maud:

– Eu disse para ela meter o nariz na vida de outra pessoa.

A referência ao nariz causou risadinhas entre as mulheres, o que fez a Sra. Hargreaves enrubescer.

– Mas a senhora não pode recusar um pedido de pensão sob o pretexto de que foi destratada pela solicitante – disse Maud. Controlando a própria raiva, ela tentou falar em um tom de fria reprovação. – Com certeza sabe disso, não?

Na defensiva, a Sra. Hargreaves empinou o queixo.

– A Sra. McCulley foi vista no pub Dog and Duck e no cabaré de Stepney, em ambas as ocasiões acompanhada de um rapaz. A pensão é para esposas de boa conduta. O governo não está interessado em financiar libertinagens.

Maud sentiu vontade de estrangular a mulher.

– A senhora não me parece estar entendendo muito bem a sua função – falou. – Não é de sua alçada recusar pagamentos com base em suspeitas.

A Sra. Hargreaves pareceu um pouco menos segura de si.

– Imagino que o Sr. Hargreaves esteja bem seguro em casa, não está? – atalhou Ethel.

– Não, não está – apressou-se a responder a mulher. – Ele está com o exército no Egito.

– Ah! – disse Ethel. – Nesse caso, a senhora também está recebendo o auxílio-separação.

– Isso não vem ao caso.

– Por acaso alguém vai à sua casa verificar a sua conduta, Sra. Hargreaves? Eles medem o nível do xerez no decantador em cima do seu aparador? Fazem perguntas sobre a sua amizade com o entregador da mercearia?

– Como a senhora se atreve?!

– A sua indignação é compreensível – disse Maud. – Mas talvez agora entenda melhor por que a Sra. McCulley reagiu daquela forma ao seu questionamento.

A Sra. Hargreaves ergueu a voz:

– Isso é ridículo! Não há a menor comparação!

– Não há a menor comparação? – rebateu Maud, furiosa. – O marido dela, assim como o seu, está arriscando a vida pelo país. Tanto a senhora quanto ela solicitam a pensão do governo. Mas a senhora tem o direito de julgar o comportamento dela e de confiscar seu dinheiro, enquanto ninguém pode julgá-la. Por quê? As mulheres de oficiais às vezes exageram na bebida.

– E também cometem adultério – acrescentou Ethel.

– Agora chega! – gritou a Sra. Hargreaves. – Eu me recuso a ser insultada.

– Jayne McCulley diz o mesmo – falou Ethel.

– O homem que a senhora viu com a Sra. McCulley é irmão dela – disse Maud. – Ele tinha vindo da França de licença. Ficaria apenas dois dias na cidade e ela quis que o irmão se divertisse antes de voltar para as trincheiras. Foi por isso que o levou ao pub e ao cabaré.

A Sra. Hargreaves pareceu envergonhada, mas então assumiu um ar desafiador:

– Se é assim, ela deveria ter me explicado isso quando eu a questionei. Por favor, preciso pedir a vocês que saiam daqui.

– Agora que a senhora conhece a verdade, imagino que vá aprovar o pedido da Sra. McCulley.

– Veremos.

– Insisto para que faça isso agora mesmo.

– Impossível.

– Nós não vamos sair enquanto a senhora não aprovar esse pedido.

– Nesse caso, vou chamar a polícia.

– Como quiser.

A Sra. Hargreaves foi embora.

Ethel se virou para o repórter que a admirava.

– Onde está seu fotógrafo?

– Esperando lá fora.

Minutos depois, um policial corpulento de meia-idade chegou.

– Vamos lá, minhas senhoras – disse ele. – Sem confusão, por favor. Saiam sem fazer alarde e pronto.

Maud deu um passo à frente.

– Eu me recuso a sair – disse ela. – Não precisa se preocupar com os outros.

– E posso saber quem é a senhora?

– Eu me chamo lady Maud Fitzherbert e, se o senhor quiser que eu saia, vai ter que me carregar para fora.

– Se a senhora insiste – disse o policial, levantando-a do chão.

Quando os dois saíram do prédio, o fotógrafo bateu uma foto.

IV

– Você não está com medo? – perguntou Mildred.

– Estou – reconheceu Billy. – Um pouco.

Ele conseguia se abrir com Mildred. De toda forma, ela parecia saber tudo a seu respeito. Há dois anos que vivia com sua irmã, e as mulheres sempre contavam tudo umas às outras. No entanto, havia outra coisa em Mildred que o deixava à vontade. As garotas de Aberowen viviam tentando impressionar os rapazes, dizendo frases de efeito e se olhando no espelho, mas Mildred era simplesmente ela mesma. Às vezes dizia coisas chocantes e fazia Billy rir. Ele tinha a sensação de que podia lhe contar tudo.

Quase não conseguia acreditar em quanto ela era atraente. O que o fascinava não eram seus cabelos claros encaracolados ou seus olhos azuis, mas sim sua atitude de quem não ligava para o que os outros estavam pensando. Havia também a diferença de idade. Mildred tinha 23 anos, enquanto ele ainda não completara 18. Ela parecia muito experiente, mas apesar disso estava claramente interessada nele, o que era muito lisonjeiro. Do outro lado do aposento, ele a encarava com desejo no olhar, torcendo por uma chance de conversar com ela a sós, imaginando se teria coragem de tocar sua mão, passar o braço ao seu redor e beijá-la.

Estavam todos sentados na cozinha de Ethel em volta da mesa quadrada: Billy, Tommy, Ethel e Mildred. Era uma noite quente e a porta do quintal dos fundos estava aberta. No chão de pedra, as duas filhas pequenas de Mildred brincavam com Lloyd. Enid e Lillian tinham três e quatro anos respectivamente, porém Billy ainda não sabia dizer qual era qual. Por causa das crianças, as mulheres tinham preferido não sair, então Billy e Tommy trouxeram algumas garrafas de cerveja do pub.

– Você vai ficar bem – disse Mildred a Billy. – Foi treinado para isso.

– Sim, fui. – Não que o treinamento tivesse aumentado grande coisa a confiança de Billy. Eles passaram um bom tempo marchando de um lado para outro, batendo continência e praticando golpes de baioneta. Mas ele não tinha a sensação de ter aprendido a sobreviver.

– Se, chegando lá, todos os alemães forem bonecos recheados de estopa amarrados em postes, nós vamos saber enfiar as baionetas neles – disse Tommy.

– Mas vocês sabem disparar as armas, não sabem? – perguntou Mildred.

Durante algum tempo, eles haviam treinado com fuzis enferrujados e defeituosos marcados com as iniciais "F.T.", ou seja, para "Fins de Treinamento", o que significava que não podiam ser disparados sob hipótese alguma. Mas depois cada um deles havia recebido um fuzil de ferrolho manual Lee Enfield, com um cartucho removível contendo dez balas calibre 303. Billy acabou descobrindo que atirava bem, conseguindo esvaziar o cartucho em menos de um minuto e mesmo assim acertar um alvo do tamanho de um homem a 300 metros de distância. Os recrutas haviam sido informados que o Lee Enfield era famoso pela sua cadência de tiro rápida: o recorde mundial era de 38 disparos por minuto.

– O problema não é o armamento – respondeu Billy a Mildred. – O que me preocupa são os oficiais. Até hoje, não conheci nenhum em quem pudesse confiar se estivéssemos em uma emergência na mina.

– Os bons oficiais estão todos na França, imagino – disse Mildred, otimista. – Eles deixam os babacas aqui para conduzir os treinamentos.

Billy riu de sua escolha de palavras. Mildred não tinha o menor pudor.

– Espero que você esteja certa.

Na verdade, ele tinha medo mesmo era de sair correndo quando os alemães começassem a atirar nele. Esse era o seu maior temor. Para ele, a humilhação seria pior do que um ferimento. Às vezes ficava tão atormentado com isso que ansiava pela chegada daquele momento terrível, só para saber de uma vez como iria reagir.

– Seja como for, estou contente por você estar indo meter bala naqueles alemães malvados – disse Mildred. – São todos uns estupradores.

– Se eu fosse você, não acreditaria em tudo o que sai no *Daily Mail* – falou Tommy. – Eles quererem colocar na sua cabeça que todos os sindicalistas são traidores. Eu sei que isso não é verdade. Quase todos os membros da minha seção do sindicato se alistaram voluntariamente. Então talvez os alemães não sejam tão maus quanto o *Mail* anda pintando.

– É, você deve ter razão. – Mildred tornou a se virar para Billy. – Você já viu *O vagabundo*?

– Vi, adoro Charlie Chaplin.

Ethel pegou o filho no colo.

– Dê boa-noite ao tio Billy. – O menino se contorceu no seu colo, sem querer ir para a cama.

Billy se lembrou de quando o sobrinho era recém-nascido e de como havia aberto a boca para chorar então. Parecia tão grande e forte agora.

– Boa noite, Lloyd – disse ele.

Ethel batizara o filho em homenagem a Lloyd George. Billy era o único a saber que ele também tinha um nome do meio: Fitzherbert. Estava registrado em sua certidão de nascimento, mas Ethel não tinha contado a mais ninguém.

Billy bem que gostaria de ter o conde Fitzherbert na mira de seu Lee Enfield.

– Ele se parece com Gramper, você não acha? – perguntou Ethel.

Billy não conseguia ver a semelhança.

– Quando ele tiver bigode eu respondo.

Mildred pôs as duas filhas na cama ao mesmo tempo. As mulheres então anunciaram que queriam jantar. Ethel e Tommy saíram para comprar ostras, deixando Billy e Mildred sozinhos.

Assim que eles se foram, Billy falou:

– Eu gosto muito de você, Mildred.

– Também gosto de você – respondeu ela. Billy então puxou sua cadeira para perto dela e a beijou.

Ela retribuiu o beijo com entusiasmo.

Ele já havia feito isso antes. Beijara várias garotas na fila de trás do cinema Majestic, na Cwm Street. Elas sempre abriam a boca sem demora, de modo que ele fez o mesmo.

Mildred o afastou com delicadeza.

– Não tão depressa – falou. – Faça assim. – Então ela o beijou com a boca fechada, roçando os lábios em suas bochechas, pálpebras e pescoço, e, por fim, em sua boca. Foi estranho, mas ele gostou.

– Faça a mesma coisa comigo – disse ela. Billy seguiu suas instruções. – Agora assim – falou ela, e ele sentiu a ponta de sua língua nos lábios, tocando-os com a maior delicadeza possível. Novamente a imitou. Ela então lhe mostrou ainda mais uma forma de beijar, mordiscando-lhe o pescoço e o lóbulo das orelhas. Ele teve a sensação de que poderia ficar fazendo aquilo para sempre.

Quando os dois pararam para respirar, ela acariciou sua bochecha e disse:

– Você aprende depressa.

– Você é linda – disse ele.

Tornou a beijá-la e apertou seu seio. Ela o deixou fazer isso por algum tempo, mas, quando Billy começou a ficar ofegante, afastou-lhe a mão.

– Não se empolgue demais – falou. – Eles vão voltar a qualquer momento.

Logo em seguida, ele ouviu o barulho da porta da frente.

– Ah, droga! – disse.

– Tenha paciência – sussurrou ela.

– Paciência? – respondeu ele. – Eu vou para a França amanhã.

– Bom, amanhã ainda não chegou, certo?

Billy ainda estava se perguntando o que ela queria dizer quando Ethel e Tommy entraram na sala.

Os quatro jantaram e terminaram a cerveja. Ethel lhes contou a história de Jayne McCulley e de como lady Maud havia sido carregada para fora da instituição de caridade por um policial. Fez a história parecer cômica, porém Billy mal se continha de orgulho da irmã e da forma como ela lutava pelos direitos das mulheres pobres. E ela era a gerente de um jornal e amiga de lady Maud! Ele estava decidido a um dia também ser um defensor das pessoas comuns. Era isso que admirava no pai. Da podia ser tacanho e cabeça-dura, mas havia passado a vida inteira lutando pelos trabalhadores.

A noite caiu e Ethel anunciou que era hora de dormir. Usou almofadas para improvisar camas no chão da cozinha para Billy e Tommy. Todos se recolheram.

Billy ficou deitado ali, acordado, perguntando-se o que Mildred quisera dizer com *Amanhã ainda não chegou*. Talvez estivesse apenas prometendo beijá-lo de novo pela manhã, quando ele estivesse saindo para pegar o trem rumo a Southampton. Mas parecia ter sugerido mais do que isso. Seria mesmo possível que quisesse revê-lo ainda naquela noite?

A ideia de ir ao quarto dela o deixou tão agitado que ele não conseguiu dormir. Ela estaria de camisola e, sob os lençóis, seu corpo estaria quente, pensou ele. Imaginou seu rosto sobre o travesseiro, sentindo ciúme da fronha por ela estar tocando sua face.

Quando a respiração de Tommy lhe pareceu regular, Billy escapuliu dos lençóis.

– Aonde você vai? – perguntou Tommy, que não estava tão ferrado no sono quanto Billy pensara.

– Ao banheiro – sussurrou Billy. – Cerveja demais.

Tommy deu um grunhido e se virou para o outro lado.

Só de cueca, Billy subiu a escada. Três portas davam para o patamar. Ele hesitou. E se tivesse entendido Mildred errado? Ela poderia soltar um grito ao vê-lo. Seria um constrangimento só.

Não, ela não é do tipo que grita, pensou.

Ele abriu a primeira das portas. Uma luz fraca vinha da rua e ele pôde ver uma cama estreita com as cabeças louras das duas meninas sobre o travesseiro. Fechou a porta sem fazer barulho. Sentia-se um ladrão.

Tentou a porta seguinte. Nesse quarto, havia uma vela acesa, e seus olhos levaram alguns instantes para se adaptarem à sua luz trêmula. Viu uma cama maior, com apenas uma cabeça sobre o travesseiro. O rosto de Mildred estava virado na sua direção, mas ele não conseguia ver se seus olhos estavam abertos. Esperou um protesto, mas ela continuou calada.

Então entrou no quarto e fechou a porta às suas costas.

– Mildred? – sussurrou, hesitante.

Com uma voz muito clara, ela disse:

– Já não era sem tempo, Billy. Deite na cama, rápido.

Ele se enfiou entre os lençóis e a abraçou. Ao contrário do que havia esperado, Mildred não estava usando camisola. Na verdade, percebeu, chocado, ela estava nua.

De repente, ficou nervoso.

– Eu nunca... – começou a falar.

– Eu sei – disse ela. – Você vai ser o meu primeiro virgem.

V

Em junho de 1916, o major conde Fitzherbert foi lotado no 8º Batalhão dos Fuzileiros Galeses, ficando responsável pela Companhia B, composta por 128 soldados e quatro tenentes. Nunca havia comandado homens durante uma batalha e, no seu íntimo, estava dominado pela ansiedade.

Ele estava na França, mas o batalhão continuava na Inglaterra. Eram recrutas que haviam acabado de concluir seu treinamento. Conforme o brigadeiro explicou para Fitz, aqueles novatos seriam endurecidos por um punhado de veteranos. O exército profissional que fora mandado para a França em 1914 já não existia – mais da metade dos homens morrera –, e aquele era o Novo Exército de Kitchener. O batalhão de Fitz chamava-se Aberowen Pals.

– O senhor deve conhecer a maioria deles – falou o brigadeiro, que não parecia ter noção da largura do abismo que separava condes e mineradores de carvão.

Fitz recebeu suas ordens junto com meia dúzia de outros oficiais, então pagou uma rodada de bebidas no refeitório para comemorar. O capitão que ficara responsável pela Companhia A ergueu o copo de uísque e disse:

– Fitzherbert? O senhor deve ser o dono da mina de carvão. Meu nome é Gwyn Evans, eu sou lojista. O senhor provavelmente compra todos os seus lençóis e toalhas comigo.

Agora havia um monte de comerciantes metidos a besta como aquele no Exército. Era típico de um homem dessa laia falar como se ele e Fitz fossem iguais e apenas se dedicassem a ramos profissionais diferentes. Fitz, no entanto, também sabia que as habilidades de organização dos comerciantes eram valorizadas pelas Forças Armadas. Ao se apresentar como lojista, o capitão estava demonstrando uma falsa modéstia. O nome Gwyn Evans cobria as fachadas de lojas de departamentos em todas as maiores cidades de Gales do Sul. Havia muito mais pessoas em sua folha de pagamento do que na Companhia A. Quanto a Fitz, ele jamais havia organizado nada mais complexo do que um time de críquete e, além disso, a complexidade assustadora da máquina de guerra o tornava mais do que ciente da própria inexperiência.

– Imagino que este seja o ataque combinado em Chantilly – disse Evans.

Fitz sabia do que ele estava falando. Em dezembro do ano anterior, Sir John French finalmente havia sido demitido e Sir Douglas Haig assumira o posto de chefe do Estado-Maior do Exército britânico na França. Poucos dias depois, Fitz – que ainda trabalhava como agente de comunicação – havia assistido a uma conferência dos Aliados em Chantilly. Nela, os franceses propuseram uma ofensiva maciça na frente ocidental durante o ano de 1916, enquanto os russos concordaram em realizar uma operação semelhante na frente oriental.

– O que eu ouvi dizer na época – prosseguiu Evans – foi que os franceses iriam atacar com 40 divisões, e nós com 25. Agora, isso é impossível.

Fitz não gostava daquele tipo de conversa pessimista – já estava apreensivo o suficiente –, mas infelizmente Evans tinha razão.

– Tudo por causa de Verdun – falou. Desde o acordo em dezembro, os franceses haviam perdido 250 mil homens defendendo a cidade fortificada de Verdun, o que os deixava com poucos soldados disponíveis para enviar ao Somme.

– Seja qual for o motivo, estamos praticamente sozinhos – disse Evans.

– Não me parece que vá fazer diferença – disse Fitz com uma despreocupação que não sentia de forma alguma. – Nós vamos atacar no nosso trecho do front, independentemente do que eles façam.

– Discordo – disse Evans, com uma confiança que por pouco não era insolente. – O recuo dos franceses libera muitos soldados da reserva alemã. Eles podem ser enviados em massa para o nosso setor como reforços.

– Creio que iremos avançar rápido demais para isso.

– Tem certeza, senhor? – indagou Evans com a voz tranquila, outra vez beirando o desrespeito. – Se passarmos pela primeira linha de arame farpado alemã, ainda teremos que passar pela segunda e pela terceira.

Evans estava começando a dar nos nervos de Fitz. Aquele tipo de conversa era ruim para o moral.

– O arame farpado vai ser destruído pela nossa artilharia – disse ele.

– Até onde sei, a artilharia não é muito eficiente contra arame farpado. Uma bomba de metralha dispara bolas de aço para baixo e para a frente...

– Eu sei como funciona esse tipo de bomba, obrigado.

Evans ignorou o comentário.

– ... de modo que precisa estourar poucos metros acima e diante do alvo, senão é inútil. A questão é que nossas armas não têm essa precisão toda. E uma bomba de alta potência detona ao atingir o solo, então mesmo um tiro certeiro às vezes apenas joga para cima o arame, que cai de volta sem ser danificado de verdade.

– O senhor está subestimando a magnitude da nossa barragem de artilharia. – A irritação de Fitz com Evans era intensificada pela incômoda desconfiança de que o outro talvez tivesse razão. E, para piorar, essa mesma desconfiança aumentava o nervosismo de Fitz. – Não vai sobrar nada depois do ataque. As trincheiras alemãs ficarão arrasadas.

– Espero que o senhor esteja certo. Se eles se esconderem nos abrigos durante o bombardeio e depois saírem com suas metralhadoras, nossos homens serão massacrados.

– Acho que o senhor não está entendendo – disse Fitz, zangado. – Nunca houve um bombardeio tão intenso quanto este em toda a história da guerra. Nós temos uma arma de artilharia para cada 18 metros de front. Nosso plano é disparar mais de um milhão de projéteis! Não vai sobrar nada vivo do outro lado.

– Bom, pelo menos em um ponto nós concordamos – disse o capitão Evans. – Como o senhor diz, isso nunca foi feito antes, então nenhum de nós pode ter certeza de qual será o desfecho.

VI

Lady Maud compareceu diante do Tribunal de Primeira Instância de Aldgate usando um grande chapéu vermelho com fitas e penas de avestruz e levou uma multa de um guinéu por perturbação da paz.

– Espero que o primeiro-ministro Asquith fique sabendo disso – disse ela a Ethel enquanto as duas deixavam o tribunal.

Ethel não estava otimista.

– Nós não temos como forçá-lo a agir – falou, irritada. – Esse tipo de coisa só vai parar quando as mulheres tiverem o poder de derrubar um governo pelo voto. – O movimento das sufragistas havia planejado transformar o voto feminino na grande questão das eleições gerais de 1915, mas, por conta da guerra, o Parlamento havia adiado o pleito. – Talvez tenhamos que esperar o fim do conflito.

– Não necessariamente – disse Maud. Depois de posarem para uma fotografia nos degraus do tribunal, as duas seguiram rumo à redação do *The Soldier's Wife*. – Asquith está lutando para manter a coalizão entre liberais e conservadores. Se ela cair por terra, terá de haver uma eleição. E essa é a nossa chance.

Ethel ficou surpresa. Achava que a questão do voto feminino estivesse com os dias contados.

– Por quê? – quis saber ela.

– O governo tem um problema. No atual sistema, os soldados que estão em serviço não podem votar porque não têm domicílio fixo. Isso não tinha muita importância antes da guerra, quando havia apenas 100 mil homens no Exército. Mas agora eles são mais de um milhão. O governo não se atreveria a realizar uma eleição e deixá-los de fora. Estamos falando de homens que estão morrendo pelo país. Haveria um motim – explicou Maud.

– E, se eles reformarem o sistema, como poderão deixar as mulheres de fora?

– Asquith, aquele covarde, está buscando uma forma de fazer isso neste exato momento.

– Mas ele não pode! As mulheres são tão importantes para o esforço de guerra quanto os homens: fabricam munição, cuidam dos soldados feridos na França e realizam inúmeros trabalhos que antigamente só os homens faziam.

– Asquith espera conseguir se esquivar desse debate.

– Então precisamos garantir que ele não consiga – disse Ethel.

Maud sorriu.

– Exato – disse ela. – Acho que essa será a nossa próxima campanha.

VII

– Eu me alistei para escapar do reformatório – disse George Barrow, recostado na amurada do navio a vapor que zarpava de Southampton transportando os soldados. – Fui condenado por invasão de propriedade quando tinha 16 anos e peguei três anos de cadeia. Depois de um ano lá dentro, cansei de chupar o pau do carcereiro e falei que queria me alistar. Ele me levou até o posto de recrutamento, e aqui estou eu.

Billy olhou para ele. Barrow tinha um nariz torto, uma orelha deformada e uma cicatriz na testa. Parecia um lutador de boxe aposentado.

– E quantos anos você tem agora? – perguntou.

– Dezessete.

Os rapazes com menos de 18 anos não podiam entrar para o Exército e, oficialmente, precisavam completar 19 antes de serem mandados para o estrangeiro. As Forças Armadas, no entanto, violavam ambas as leis a todo momento. Os sargentos e os oficiais médicos responsáveis pelo recrutamento recebiam meia coroa cada por recruta aprovado, de modo que quase nunca questionavam aqueles que se diziam mais velhos do que aparentavam. Havia um rapaz no batalhão chamado Owen Bevin que parecia ter uns 15 anos.

– Foi por uma ilha que nós acabamos de passar? – perguntou George.

– Foi – respondeu Billy. – A ilha de Wight.

– Ah – disse George. – Pensei que fosse a França.

– Não, a França fica bem mais longe.

A viagem durou até a manhãzinha do dia seguinte, quando todos desembarcaram em Le Havre. Billy desceu da prancha e pisou em solo estrangeiro pela primeira vez na vida. Na verdade, não era solo de fato, e sim paralelepípedos, sobre os quais era difícil marchar calçando botas com travas nas solas. Eles atravessaram a cidade, observados com indiferença pela população francesa. Billy tinha ouvido falar sobre garotas francesas bonitas que abraçavam agradecidas os soldados britânicos recém-chegados, mas tudo o que viu foi um monte de mulheres de meia-idade apáticas com lenços na cabeça.

Eles marcharam até um quartel onde passaram a noite. Na manhã seguinte, embarcaram em um trem. Estar no estrangeiro era menos empolgante do que Billy havia imaginado. Tudo era diferente, mas só um pouco. Assim como a Grã-Bretanha, a França era composta, sobretudo, por campos e vilarejos, estradas e ferrovias. Os campos eram delimitados por cercas no lugar de sebes e os chalés pareciam maiores e mais bem construídos, mas essas eram as únicas diferenças. Era frustrante. No final do dia, eles chegaram ao seu destino – um imenso quartel novo, formado por alojamentos erguidos às pressas.

Billy tinha sido promovido a cabo, de modo que era responsável pela sua seção: oito homens, incluindo Tommy, o jovem Owen Bevin e George Barrow, o rapaz do reformatório. Havia ainda o misterioso Robin Mortimer, que era soldado raso embora aparentasse 30 anos. Quando eles se sentaram para tomar chá com pão e geleia em um refeitório comprido que comportava cerca de mil homens, Billy falou:

– Então, Robin, nós aqui somos todos novatos, mas você parece mais experiente. Qual é a sua história?

Mortimer respondeu com o leve sotaque de um galês instruído, mas a linguagem que usou foi a da mina.

– Não é da sua conta, seu galesinho de merda – respondeu ele, indo se sentar em outro lugar.

Billy deu de ombros. "Galesinho" não era um xingamento tão ofensivo assim, sobretudo vindo de outro galês.

Quatro seções formavam um pelotão, e o sargento do pelotão deles era Elijah Jones, de 20 anos, filho de John Jones da Loja. Como já fazia um ano que estava no front, ele era considerado um veterano empedernido. Jones frequentava a Capela de Bethesda e Billy o conhecia desde os tempos de escola, onde ele recebera o apelido de Profeta Jones por conta do nome de batismo tirado do Antigo Testamento.

Profeta tinha escutado a conversa com Mortimer.

– Vou dar uma palavrinha com ele, Billy – falou. – Ele é um baita de um convencido, mas não pode falar desse jeito com um cabo.

– E por que está tão mal-humorado?

– Ele era major. Não sei o que fez, mas foi levado à corte marcial e destituído, ou seja, perdeu a patente de oficial. Então, como ainda estava apto a servir, foi imediatamente recrutado como soldado raso. É isso que eles fazem com os oficiais insubordinados.

Depois do chá, eles conheceram o líder de seu pelotão, o segundo-tenente James Carlton-Smith, um rapaz da mesma idade de Billy. Tenso e encabulado, parecia jovem demais para comandar quem quer que fosse.

– Homens – disse ele, com um sotaque aristocrático contido –, é uma honra para mim liderar vocês. Tenho certeza de que serão verdadeiros leões na batalha que está por vir.

– Verme desgraçado – murmurou Mortimer.

Billy sabia que os segundos-tenentes eram chamados de "vermes", mas só pelos outros oficiais.

Carlton-Smith então apresentou o comandante da Companhia B, major conde Fitzherbert.

– Maldição! – exclamou Billy.

Ficou olhando, boquiaberto, enquanto o homem que mais odiava no mundo subia em cima de uma cadeira para se dirigir à companhia. Fitz usava um uniforme cáqui bem cortado e carregava a bengala de madeira de freixo ostentada por alguns dos oficiais. Falava com o mesmo sotaque de Carlton-Smith e disse os mesmos lugares-comuns. Billy mal conseguia acreditar na própria falta de sorte. O que Fitz estava fazendo ali? Engravidando criadas francesas? Era difícil de engolir que aquele cretino fosse seu comandante.

Assim que os oficiais saíram, Profeta se dirigiu em voz baixa a Billy e Mortimer.

– Ano passado mesmo, o tenente Carlton-Smith ainda estava em Eton – falou. Eton era uma escola esnobe da classe alta. Fitz também tinha estudado lá.

– Mas então por que ele é oficial? – perguntou Billy.

– Ele era monitor lá em Eton.

– Ah, maravilha! – disse Billy com sarcasmo. – Agora eu fiquei tranquilo.

– Ele pode não saber muita coisa sobre guerra, mas tem o bom senso de não abusar da autoridade, então, contanto que fiquemos de olho nele, não acho que vá criar problemas. Se você notar que ele está prestes a fazer alguma idiotice muito grande, fale comigo. – Encarando Mortimer, Profeta acrescentou: – Você sabe como é, não sabe?

Mortimer concordou com a cabeça, emburrado.

– Veja bem, estou contando com você.

Alguns minutos depois, as luzes foram apagadas. Não havia camas de campanha, apenas esteiras de palha enfileiradas no chão. Deitado sem conseguir dormir, Billy pensou com admiração no que Profeta tinha feito com Mortimer. Ao se deparar com um subordinado difícil, ele o transformara em um aliado. Era como Da teria lidado com um encrenqueiro.

O recado que o sargento havia transmitido a Mortimer também valia para Billy. Será que identificara Billy como um rebelde? Ele se lembrou de que Profeta estava presente na capela no dia em que Billy lera a história da mulher adúltera. Faz sentido, pensou. Eu sou mesmo um encrenqueiro.

Ainda havia luz lá fora e Billy não estava com sono, mas adormeceu imediatamente. Foi acordado por um barulho terrível, como se estivesse caindo um temporal com trovoada. Sentou-se na esteira. A luz baça da aurora entrava pelas janelas riscadas de chuva, mas não estava chovendo.

Os outros homens também ficaram espantados.

– Meu Jesus do céu, o que foi isso? – perguntou Tommy.

Mortimer estava acendendo um cigarro.

– Fogo de artilharia – disse ele. – Somos nós que estamos atirando. Bem-vindo à França, galesinho.

Billy não estava escutando. Tinha os olhos fixos em Owen Bevin, na esteira em frente à sua. O rapaz estava sentado, mordendo, aos prantos, uma das beiradas do lençol.

VIII

Maud sonhou que Lloyd George punha a mão por baixo de sua saia e ela lhe dizia que era casada com um alemão. Então ele a delatava para a polícia, que vinha prendê-la, batendo na janela de seu quarto.

Sentou-se na cama, confusa. Em um instante, percebeu como era improvável a polícia vir bater na janela de um quarto no segundo andar, mesmo que quisessem de fato levá-la para a prisão. O sonho se dissipou, mas o barulho prosseguiu. Havia também um ronco grave, como o de um trem distante.

Ela acendeu a luz da cabeceira. O relógio de prata art nouveau no console da lareira lhe informou que eram quatro da manhã. Teria sido um terremoto? Uma explosão em uma fábrica de munições? Um acidente ferroviário? Ela afastou para o lado a colcha bordada e se levantou.

Abriu a cortina pesada de listras verdes e azuis e olhou pela janela para a rua tranquila de Mayfair. À luz da aurora, viu uma jovem de vestido vermelho, decerto uma prostituta a caminho de casa, conversando agitada com o condutor de uma carroça de leite. Não havia mais ninguém à vista. A janela de Maud continuava a tremer sem motivo aparente. Não estava sequer ventando.

Ela vestiu um roupão de seda *moiré* por cima da camisola e olhou-se de relance no espelho de pé. Seus cabelos estavam desgrenhados, mas, tirando isso, parecia respeitável o suficiente. Saiu para o corredor.

Tia Herm estava parada ali, usando uma touca de dormir e ladeada por Sanderson, a criada de Maud, cujo rosto redondo estava pálido de medo. Então, Grout apareceu na escada.

– Bom dia, lady Maud. Bom dia, lady Hermia – disse ele com uma formalidade imperturbável. – Não há com o que se preocupar. É a artilharia.

– Que artilharia? – perguntou Maud.

– Na França, minha senhora – respondeu o mordomo.

IX

A barragem de artilharia britânica durou uma semana.

A princípio, duraria apenas cinco dias, mas, para consternação de Fitz, apenas um deles foi de tempo bom. Embora estivessem no verão, todos os outros dias foram de nuvens baixas e chuva. Isso tornava difícil para os artilheiros fazerem disparos precisos. Significava também que os aviões de reconhecimento não conseguiam avaliar os resultados e ajudá-los a ajustar a mira. A situação era mais difícil ainda para os encarregados da contrabateria – ou seja, de destruir a artilharia alemã –, pois o adversário, espertamente, não parava de mudar as armas de lugar, fazendo os projéteis britânicos caírem em posições vazias, sem causar nenhum dano.

Fitz estava sentado no abrigo úmido que servia de quartel-general ao batalhão, fumando charutos com desânimo e tentando ignorar o estrondo incessante. Na falta de fotografias aéreas, ele e os outros comandantes de companhia organizaram ataques-surpresa contra as trincheiras. Assim, pelo menos conseguiam observar diretamente o inimigo. Essa, no entanto, era uma tática arriscada – e as equipes de ataque que passavam muito tempo fora nunca retornavam. Dessa forma, os homens precisavam observar às pressas um pequeno trecho da linha inimiga e voltar correndo em seguida.

Para grande irritação de Fitz, os relatórios trazidos pelas equipes de observação eram contraditórios. Algumas trincheiras alemãs haviam sido destruídas, enquanto outras continuavam intactas. Parte do arame farpado havia sido cortada, mas nem de longe todo ele. O mais preocupante era que algumas patrulhas eram empurradas de volta pelo fogo inimigo. Se os alemães ainda eram capazes de atirar, era óbvio que a artilharia britânica não tinha conseguido destruir suas posições.

Fitz sabia que exatos 12 prisioneiros alemães haviam sido capturados pelo quarto Exército durante a barragem. Todos tinham sido interrogados, mas fornecido informações discrepantes, o que era enfurecedor. Alguns diziam que seus abrigos tinham sido destruídos, outros que os alemães estavam sãos e salvos debaixo da terra, enquanto os britânicos desperdiçavam sua munição na superfície.

Os britânicos tinham tantas dúvidas quanto aos resultados de seu bombardeio que Haig adiou o ataque, programado para 29 de junho. O tempo, no entanto, continuou ruim.

– Teremos que cancelar o ataque – disse o capitão Evans durante o café da manhã do dia 30 de junho.

– Acho difícil – comentou Fitz.

– Nós só vamos atacar após a confirmação de que as defesas inimigas foram destruídas – disse Evans. – É uma regra básica da guerra de sítio.

Fitz sabia que esse princípio havia sido acordado no início do planejamento, mas depois descartado.

– Seja realista – disse ele a Evans. – Há seis meses que estamos preparando essa ofensiva. É nossa principal ação no ano de 1916. Concentramos todos os nossos esforços nela. Como poderia ser cancelada? Haig teria de renunciar. Uma coisa dessas poderia até derrubar o governo de Asquith.

Evans pareceu se irritar com o comentário. Ficou com o rosto vermelho e levantou um pouco a voz:

– Seria melhor o governo cair do que nós mandarmos nossos homens para cima de trincheiras cheias de metralhadoras.

Fitz balançou a cabeça.

– Veja os milhões de toneladas de suprimentos trazidos para cá de navio, as estradas e ferrovias que construímos para transportá-los, as centenas de milhares de homens treinados, armados e deslocados para cá de toda a Grã-Bretanha. O que faríamos com eles? Mandaríamos todos para casa?

Após um longo silêncio, Evans falou:

– O senhor tem razão, major, é claro. – Suas palavras eram conciliatórias, mas seu tom era de raiva mal contida. – Nós não vamos mandá-los para casa – disse ele entredentes. – Vamos enterrá-los aqui mesmo.

Ao meio-dia parou de chover e o sol saiu. Pouco depois, veio a confirmação: "Atacamos amanhã."

CAPÍTULO DEZESSETE

1º de julho de 1916

Walter von Ulrich estava no inferno.

O bombardeio britânico já durava sete dias e sete noites. Cada homem dentro das trincheiras alemãs parecia dez anos mais velho do que na semana anterior. Eles se amontoavam em seus abrigos – cavernas que haviam escavado nas profundezas do terreno atrás das trincheiras –, mesmo assim o barulho era ensurdecedor e a terra sob seus pés tremia o tempo todo. O pior de tudo era saber que um disparo certeiro do projétil de maior calibre era capaz de aniquilar até mesmo o mais sólido dos abrigos.

Sempre que o bombardeio cessava, eles saíam do abrigo para as trincheiras, prontos para repelir o grande ataque aguardado por todos. Uma vez convencidos de que os britânicos ainda não estavam avançando, punham-se a avaliar os estragos. Encontravam uma trincheira desmoronada, a entrada de um abrigo sepultada sob uma pilha de terra e – em uma tarde triste – uma cantina devastada, cheia de louça quebrada, vidros de geleia espatifados e sabão líquido derramado. Exaustos, retiravam a terra caída com pás, remendavam o revestimento das trincheiras com novas tábuas de madeira e solicitavam mais provisões.

As encomendas não chegavam. Pouquíssima coisa alcançava o front. O bombardeio tornava perigosa qualquer aproximação. Os homens estavam famintos e sedentos. Mais de uma vez, Walter ficara grato por poder beber a água da chuva acumulada na cratera feita por uma bomba.

No intervalo entre os bombardeios, os homens não podiam permanecer nos abrigos. Tinham que ficar nas trincheiras, preparados para os britânicos. Sentinelas mantinham uma vigilância constante. Os demais soldados ficavam sentados nas entradas dos abrigos, ou perto delas, prontos para descer correndo os degraus e se refugiar debaixo da terra quando as grandes peças de artilharia abrissem fogo, ou então subir correndo até o parapeito e defender sua posição caso o ataque começasse. A cada vez, as metralhadoras tinham que ser levadas para os abrigos, para depois serem trazidas de volta e recolocadas em seus lugares.

Entre uma barragem de artilharia e outra, os britânicos atacavam com morteiros de trincheira. Embora essas bombas pequenas fizessem pouco barulho ao serem disparadas, tinham potência suficiente para estilhaçar a madeira do revestimento das trincheiras. No entanto, elas atravessavam a terra de ninguém em um arco lento, de modo que era possível vê-las chegando e se proteger. Walter já havia se esquivado de uma dessas bombas, afastando-se o suficiente para não ser ferido, embora o disparo houvesse espirrado terra em cima de todo o seu jantar, obrigando-o a jogar fora uma boa tigela de um encorpado guisado de porco. Essa havia sido sua última refeição quente e, se a tivesse em mãos agora, iria comê-la, pensou – com ou sem terra.

Mas os projéteis não eram tudo. Aquele setor havia sido alvo de um ataque com gás. Os homens tinham máscaras, porém o fundo da trincheira estava coalhado de cadáveres de ratos, camundongos e outros pequenos animais mortos pelo gás de cloro. Os canos dos fuzis tinham adquirido um tom preto esverdeado.

Logo depois da meia-noite na sétima noite de bombardeio, a chuva de projéteis arrefeceu, e Walter decidiu sair em patrulha.

Vestiu um gorro de lã e esfregou terra no rosto para escurecê-lo. Sacou sua pistola, a Luger 9mm padrão dos oficiais alemães. Ejetou o cartucho da câmara e verificou o carregador. A arma estava totalmente carregada.

Ele subiu uma escada de mão e passou por cima do parapeito, um ato que à luz do dia seria um desafio à morte, mas que no escuro era relativamente seguro. Abaixado, desceu correndo a encosta pouco íngreme até a barreira de arame farpado alemã. Havia uma brecha no arame, posicionada de forma intencional, bem em frente a um ninho de metralhadora alemão. Ele passou engatinhando por ela.

Aquilo lhe trouxe à memória as histórias de aventura que costumava ler nos tempos de escola. Geralmente eram protagonizadas por jovens alemães de queixo quadrado, ameaçados por peles-vermelhas, pigmeus com zarabatanas ou espiões ingleses ardilosos. Ele se lembrava de muitas cenas em que os personagens engatinhavam pela vegetação rasteira, pela selva ou pela grama alta das pradarias.

Ali não havia muita vegetação. Dezoito meses de guerra tinham deixado apenas uns poucos tufos de grama e arbustos, além de uma ou outra árvore pequena perdida no meio de um deserto de lama e crateras de bombas.

Isso piorava ainda mais as coisas, pois não havia como se proteger. A noite estava sem lua, mas a paisagem era iluminada de quando em quando pelo clarão de uma explosão, ou pela luz intensa de um sinalizador. Quando era assim, tudo o que Walter podia fazer era se jogar rente ao chão e ficar imóvel. Se estivesse dentro de uma cratera, seria mais difícil vê-lo. Caso contrário, restava-lhe apenas torcer para que ninguém estivesse olhando na sua direção.

Havia muitos projéteis britânicos não detonados espalhados pelo terreno. Walter calculava que cerca de um terço da munição do inimigo estivesse com defeito. Sabia que Lloyd George fora encarregado da munição – e imaginava que o demagogo sedutor de multidões houvesse privilegiado a quantidade em detrimento da qualidade. Os alemães jamais cometeriam um erro desses, pensou.

Ele chegou ao arame farpado britânico, engatinhou ao longo dele até achar uma brecha e passou para o outro lado.

Quando a linha de frente britânica começou a ficar visível, como uma pincelada de tinta preta contra o cinza-chumbo que cobria o céu, ele se jogou de bruços no chão e tentou avançar sem fazer barulho. Precisava chegar mais perto: era esse o objetivo. Queria ouvir o que os homens estavam dizendo nas trincheiras.

Ambos os lados despachavam patrulhas todas as noites. Walter em geral enviava um ou dois soldados que parecessem espertos e estivessem entediados o suficiente para topar uma aventura, por mais perigosa que fosse. Às vezes, no entanto, ele próprio ia – em parte para mostrar que estava disposto a arriscar a própria vida e também porque suas observações em geral eram mais detalhadas.

Apurou os ouvidos, esforçando-se para escutar um tossido, algumas palavras murmuradas, ou quem sabe um peido seguido por um suspiro de alívio. Parecia estar diante de um setor tranquilo. Virou à esquerda, rastejou por cerca de 50 metros e parou. Então ouviu um som desconhecido, semelhante ao ronco distante de uma máquina.

Seguiu rastejando, esforçando-se para manter o senso de direção. Era fácil se perder totalmente no escuro. Certa noite, depois de rastejar por um bom tempo, havia se deparado com o mesmo arame farpado pelo qual passara meia hora antes, percebendo que estava se movendo em círculos.

Walter ouviu uma voz dizer bem baixinho:

– Por aqui.

Ele se deteve. Uma lanterna camuflada entrou em seu campo de visão, como um vaga-lume. Sob a luz fraca que ela emitia, Walter distinguiu três soldados a uns 30 metros de distância, usando capacetes de aço ao estilo britânico. Ficou tentado a rolar para longe deles, mas decidiu que o movimento provavelmente acabaria por delatá-lo. Sacou a pistola: se fosse morrer, levaria junto alguns dos inimigos. A trava de segurança ficava do lado esquerdo da arma, logo acima da empunhadura. Usando o polegar, ele a empurrou para cima e para a frente. A trava emitiu um clique que lhe pareceu uma trovoada, mas os soldados britânicos não pareceram escutá-lo.

Dois deles carregavam um rolo de arame farpado. Walter imaginou que estivessem ali para consertar um trecho danificado pela artilharia alemã durante o dia. Talvez eu devesse abatê-los rapidamente, pensou, um-dois-três. Amanhã eles tentarão me matar. Porém tinha um trabalho mais importante a fazer, por isso se conteve e não puxou o gatilho ao vê-los passar afastando-se na escuridão.

Tornou a armar a trava de segurança, guardou a pistola no coldre e rastejou mais para perto da trincheira britânica.

O barulho ali estava mais alto. Passou alguns segundos deitado, concentrando-se. Era o ruído de uma multidão. Eles estavam tentando fazer silêncio, mas era impossível deixar de ouvir um aglomerado de homens. O som era constituído pelo arrastar de pés, pelo farfalhar de roupas, por fungadas, bocejos e arrotos. Acima disso, erguia-se de vez em quando uma palavra em voz baixa, pronunciada em tom de autoridade.

Mas o que deixou Walter intrigado e surpreso foi que parecia haver de fato muitos soldados ali. Não conseguia estimar quantos. Ultimamente, os britânicos vinham escavando trincheiras novas, mais largas, como se almejassem comportar grandes quantidades de provisões ou peças de artilharia muito grandes. Mas talvez essas trincheiras fossem para uma quantidade maciça de homens.

Walter precisava olhar.

Rastejou mais para a frente. O barulho ficou mais alto. Tinha que olhar para dentro da trincheira, mas como poderia fazer isso sem ser visto também?

Ouviu uma voz atrás de si, e seu coração parou.

Ele se virou e viu a lanterna parecida com um vaga-lume. O destacamento do arame farpado estava voltando. Jogou-se em direção à lama e então sacou a pistola devagar.

Os homens andavam depressa, sem se importarem com o barulho que faziam – apenas satisfeitos por terem cumprido sua tarefa e ansiosos por retornarem à segurança da trincheira. Chegaram perto de Walter, mas não olharam para onde ele estava.

Quando passaram, ele teve uma ideia e levantou-se com um pulo.

Agora, se alguém apontasse uma lanterna em sua direção e o visse, ele pareceria fazer parte do grupo.

Seguiu os soldados. Não achava que fossem ouvir seus passos com clareza suficiente para distingui-los dos seus próprios. Nenhum dos homens olhou para trás.

Ele lançou um olhar para o lugar de onde vinha o barulho. Agora conseguia ver dentro da trincheira, mas, a princípio, divisou apenas alguns pontinhos de luz, provavelmente lanternas. Aos poucos, porém, seus olhos se ajustaram à penumbra e, quando por fim entendeu o que estava vendo, ficou perplexo.

Estava olhando para milhares de homens.

Parou de avançar. A trincheira larga, cujo objetivo antes não ficara claro, agora havia se revelado uma trincheira de agrupamento. Os britânicos estavam reunindo suas tropas para a grande ofensiva. Todos os homens aguardavam, indóceis, enquanto a luz das lanternas dos oficiais refletia nas baionetas e capacetes de aço – eram fileiras e mais fileiras deles. Walter tentou contar: 10 fileiras de 10 davam 100 homens, vezes dois eram 200, então 400, 800... Havia 1.600 homens em seu campo de visão, depois a escuridão ocultava os outros.

A ofensiva dos britânicos era iminente.

Ele precisava voltar o mais rápido possível com essa notícia. Se a artilharia alemã abrisse fogo naquele momento, eles poderiam matar milhares de inimigos ali mesmo, atrás das linhas britânicas, antes de o ataque começar. Era uma oportunidade enviada pelos céus, ou talvez pelos demônios que lançavam os dados cruéis da guerra. Assim que chegasse ao front, ligaria para o quartel-general.

Um sinalizador foi disparado para cima. O clarão lhe possibilitou ver um vigia britânico, que espiava por cima do parapeito com o fuzil apontado, olhando direto para ele.

Walter se jogou no chão e enterrou o rosto na lama.

Um tiro ecoou. Então um dos homens do destacamento do arame farpado gritou:

– Não atire, seu maluco, somos nós! – O sotaque trouxe à mente de Walter os empregados da casa de Fitz no País de Gales, e ele imaginou que aquele deveria ser um regimento galês.

O sinalizador morreu. Walter se levantou e saiu correndo em direção ao lado alemão. O vigia passaria alguns segundos sem conseguir enxergar nada, com os olhos ofuscados pelo clarão. Walter nunca havia corrido tão depressa na vida, esperando ouvir o disparo do fuzil a qualquer momento. Em meio minuto, chegou ao arame farpado britânico e caiu de joelhos, cheio de gratidão. Engatinhou depressa para o outro lado por uma brecha. Mais um sinalizador foi lançado. Ele ainda estava ao alcance de um tiro de fuzil, mas já não era tão fácil vê-lo. Jogou-se no chão. O sinalizador estava logo acima dele, e um bolo perigoso de magnésio incandescente caiu a um metro da sua mão, mas não houve mais tiros.

Quando o sinalizador se apagou, ele se levantou e saiu correndo até a linha de frente alemã.

||

Cerca de três quilômetros atrás da linha de frente britânica, Fitz observava, ansioso, o 8º Batalhão se formar pouco depois das duas da manhã. Temia que aqueles homens recém-treinados fossem lhe causar vergonha, mas não foi o caso. Os soldados estavam dóceis e obedeceram às ordens prontamente.

O brigadeiro, montado em seu cavalo, dirigiu-se rapidamente à tropa. Um sargento o iluminava de baixo com sua lanterna, fazendo-o parecer o vilão de um filme americano.

– A nossa artilharia dizimou as defesas inimigas – falou ele. – Quando vocês chegarem ao outro lado, encontrarão apenas alemães mortos.

Próximo dali, uma voz galesa murmurou:

– Não é espantoso como esses putos desses alemães conseguem atirar em nós mesmo depois de mortos?

Fitz correu os olhos pela fileira para identificar quem havia falado, mas foi impossível naquela escuridão.

O brigadeiro prosseguiu:

– Invadam e ocupem suas trincheiras, que logo em seguida as cozinhas de campanha virão lhes dar um jantar quente.

A Companhia B marchou rumo ao front, conduzida pelos sargentos de pelotão. Atravessaram os campos, deixando as estradas desimpedidas para os veículos. Enquanto partiam, começaram a cantar "Guiai meus passos, ó Grande Jeová". Suas vozes pairaram no ar noturno por alguns minutos antes de eles sumirem no escuro.

Fitz voltou para o quartel-general do batalhão. Um caminhão aberto aguardava para levar os oficiais até a frente de batalha. Fitz sentou-se ao lado do tenente Roland Morgan, filho do gerente da mina de carvão de Aberowen.

Estava fazendo todo o possível para desencorajar as conversas derrotistas, mas não conseguia deixar de imaginar se o brigadeiro não teria exagerado demais no otimismo. Nenhum exército jamais havia montado uma ofensiva daquele porte – e ninguém poderia prever o seu desfecho. Sete dias de bombardeio *não* haviam dizimado as defesas inimigas: os alemães continuavam atirando de volta, como aquele soldado anônimo havia observado com sarcasmo. Na verdade, Fitz tinha dito a mesma coisa em um relatório, levando o coronel Hervey a perguntar se ele estava com medo.

Fitz estava preocupado. Quando o Estado-Maior fazia vista grossa às más notícias, homens morriam.

Como para provar que ele tinha razão, uma bomba explodiu na estrada atrás deles. Fitz olhou para trás e viu partes de um caminhão igual àquele que o transportava voando pelos ares. Um carro que vinha logo depois desviou para dentro de uma vala e, por sua vez, foi atingido por outro caminhão. Foi uma cena de massacre, porém o motorista do caminhão de Fitz agiu corretamente e não parou para ajudar. Os feridos eram de responsabilidade das equipes médicas.

Outras bombas atingiam os campos à esquerda e à direita da estrada. Os alemães estavam mirando nos soldados que se encaminhavam para o front, não no front em si. Eles provavelmente haviam entendido que a grande ofensiva estava prestes a começar – era quase impossível ocultar um movimento de tropas daquela magnitude do seu setor de inteligência – e, com uma eficiência mortífera, estavam matando homens que nem sequer tinham chegado às trincheiras. Fitz reprimiu um sentimento de pânico, mas seu medo perdurou. A Companhia B talvez nem chegasse à frente de batalha.

Ele chegou à área de formação das tropas sem novos incidentes. Já havia vários milhares de homens ali, apoiados nos fuzis e conversando em voz baixa. Fitz ouviu dizer que alguns grupos já haviam sido dizimados pelo bombardeio. Aguardou, perguntando-se com pessimismo se a sua companhia ainda existia. Dali a algum tempo, contudo, os Aberowen Pals chegaram intactos, para seu alívio, e entraram em formação. Fitz os conduziu pelas últimas centenas de metros até a trincheira de agrupamento do front.

A partir daí, restava-lhes apenas aguardar o momento do ataque. A trincheira estava cheia d'água, e as perneiras de Fitz logo ficaram encharcadas. Já não era mais permitido cantar: os inimigos poderiam ouvi-los de suas trincheiras. Também era proibido fumar. Alguns dos homens rezavam. Um soldado alto sacou seu livro de soldo e começou a preencher a página reservada ao "Testamento" sob o estreito facho da lanterna do sargento Elijah Jones. Quando Fitz viu que o soldado escrevia com a mão esquerda, percebeu que se tratava de Morrison, ex-lacaio de Tŷ Gwyn e lançador canhoto do time de críquete.

O dia raiou cedo – o auge do verão acabara de passar. Com a luz, alguns dos homens apanharam as fotos que traziam consigo, pondo-se a olhá-las ou cobri-las de beijos. Aquilo pareceu piegas, de modo que Fitz hesitou em imitá-los, mas, depois de algum tempo, foi o que acabou fazendo. Era uma foto de seu filho, George, que todos chamavam de Boy. Àquela altura, ele já estava com um ano e meio, mas a foto fora tirada em seu primeiro aniversário. Parecia que Bea o levara ao estúdio de um fotógrafo, pois atrás dele havia um fundo de mau gosto, mostrando uma clareira florida. Ele não se parecia muito com um menino, pois usava uma espécie de camisola branca e uma touca, mas era perfeito e saudável – e herdaria o condado caso Fitz morresse ali.

Bea e Boy deviam estar em Londres naquele instante, imaginou Fitz. Era julho, e a temporada de eventos sociais prosseguia, embora de forma discreta: as moças precisavam debutar, caso contrário, como poderiam conhecer maridos adequados?

A luz ficou mais forte e, logo em seguida, o sol apareceu. Os capacetes de aço dos Aberowen Pals brilharam e suas baionetas lançaram reflexos do dia recém-nascido. Para a maioria dos homens, aquela era a primeira batalha. Que batismo de fogo os aguardava – a vitória ou a derrota total.

Com o raiar do dia, os britânicos lançaram uma barragem de artilharia colossal. Os artilheiros estavam dando o melhor de si. Talvez esse último esforço finalmente destruísse as posições alemãs. Devia ser isso que o general Haig estava pedindo a Deus.

Os Aberowen Pals não participaram da primeira leva do ataque, mas Fitz se adiantou para olhar para o campo de batalha, deixando os tenentes no comando da Companhia B. Atravessou aos empurrões a multidão de homens que aguardavam e foi até a trincheira da linha de frente, onde subiu no degrau de tiro e espiou por um buraco aberto no parapeito feito de sacos de areia.

A névoa matinal se dispersava, afugentada pelos raios do sol nascente. O céu azul estava manchado pela fumaça escura das bombas. O clima ficaria agradável, pensou Fitz, um lindo dia de verão francês.

– Que tempo bom para matar alemães – falou, para ninguém em especial.

A hora do ataque se aproximava, e ele continuou no front. Queria ver o que acontecia com a primeira leva. Talvez houvesse alguma lição a aprender. Embora já fizesse quase dois anos que era oficial na França, aquela seria a primeira vez que comandaria homens em uma batalha – e estava mais preocupado com isso do que com a própria morte.

Cada um dos homens recebeu uma dose de rum. Fitz bebeu um pouco. Apesar da quentura da bebida em seu estômago, sentiu sua tensão aumentar. O ataque estava marcado para as sete e meia. Quando deu sete horas, os homens ficaram imóveis.

Às sete e vinte, a artilharia britânica se calou.

– Não! – disse Fitz em voz alta. – Ainda não... é cedo demais! – É claro que ninguém estava escutando. Mas ele ficou horrorizado. Aquilo avisaria aos alemães que um ataque estava por vir. Agora, seus soldados deviam estar saindo dos abrigos, trazendo as metralhadoras para a superfície e assumindo suas posições. Nossos artilheiros tinham dado ao inimigo 10 minutos inteiros para se preparar!

Eles deveriam ter continuado a atirar até o último instante possível, até as sete horas, 29 minutos e 59 segundos.

Mas já não havia mais nada a fazer.

Fitz se perguntou com pesar quantos homens morreriam só por causa daquele erro estúpido.

Sargentos gritaram ordens e os homens em volta de Fitz subiram pelas escadas, passando por cima do parapeito. Entraram em formação junto ao arame farpado britânico, sem atravessá-lo. Estavam a cerca de 400 metros da linha alemã, porém nenhum inimigo havia disparado contra eles. Para surpresa de Fitz, os sargentos bradaram:

– Direita, coluna por um... cobrir! – Os homens começaram a se enfileirar como se estivessem em um campo de treinamento, ajustando cuidadosamente a distância que os separava até ficarem alinhados à perfeição, como pinos em um jogo de boliche. Fitz achou aquilo uma loucura: apenas dava mais tempo para os alemães se prepararem.

Às sete e meia, um apito soou, todos os sinaleiros abaixaram suas bandeiras e a primeira linha avançou.

Os soldados não saíram correndo, por conta do peso do equipamento que carregavam: munição extra, uma lona impermeável, comida e água e duas granadas de mão de quase um quilo cada uma. Avançaram em ritmo de trote, chapinhando nas crateras das bombas, e passaram pelas brechas do arame farpado britânico. Conforme as instruções, tornaram a formar fileiras e seguiram em frente, ombro a ombro, pela terra de ninguém.

Quando estavam na metade do caminho, as metralhadoras alemãs abriram fogo.

Fitz viu os homens começarem a cair um segundo antes de seus ouvidos escutarem o conhecido matraquear. Um deles caiu, depois uma dúzia, depois 20, depois mais.

– Meu Deus – disse Fitz enquanto eles tombavam: 50, 100 homens. Consternado, ficou assistindo ao massacre. Alguns jogavam as mãos para cima ao serem atingidos; outros gritavam ou se debatiam; outros apenas se desmilinguiam, caindo no chão feito uma bolsa largada.

Aquilo era pior do que as previsões pessimistas de Gwyn Evans – pior do que os temores mais terríveis de Fitz.

Antes de chegarem ao arame farpado alemão, a maioria dos homens já havia sido abatida.

Outro apito soou, e a segunda linha começou a avançar.

III

O soldado raso Robin Mortimer estava furioso.

– Mas que estupidez do caralho – disse ele quando o matraquear das metralhadoras se fez ouvir. – Nós deveríamos ter atacado no escuro. Não dá para atravessar a terra de ninguém em plena luz do dia. Eles não estão nem produzindo uma cortina de fumaça. Isso é suicídio, cacete.

Os homens reunidos na trincheira de agrupamento estavam aflitos. O moral baixo dos Aberowen Pals deixava Billy preocupado. Durante a marcha do quartel até o front, eles haviam sido submetidos ao seu primeiro ataque de artilharia. Embora não tivessem sofrido um impacto direto, grupos que estavam mais à frente e atrás deles haviam sido massacrados. Quase tão ruim quanto isso era o fato de terem marchado por uma série de fossas recém-escavadas, todas com exatos 1,80m de profundidade, e concluído que eram valas comuns, prontas para receber os mortos do dia.

– A direção do vento não está boa para uma cortina de fumaça – disse Profeta Jones com brandura. – É por isso que eles também não estão usando gás.

– Porra, que loucura – murmurou Mortimer.

Animado, George Barrow falou:

– Os mandachuvas sabem o que é melhor. Foram criados para governar. Acho que devemos confiar neles.

Tommy Griffiths não podia deixar aquilo passar.

– Como você pode achar uma coisa dessas quando eles o mandaram para o reformatório?

– Eles precisam colocar gente como eu na cadeia – falou George com determinação. – Senão todo mundo seria bandido. Eu mesmo poderia ser roubado!

Todos riram, exceto o carrancudo Mortimer.

O major Fitzherbert reapareceu, com uma expressão carregada, trazendo uma jarra de rum. O tenente distribuiu a bebida, servindo-a nas latas que os soldados estendiam. Billy tomou a sua sem prazer algum. O álcool alegrou os homens, mas não por muito tempo.

A única vez em que Billy se sentira daquela maneira fora em seu primeiro dia na mina, quando Rhys Price o deixara sozinho e sua lamparina se apagara. Naquela ocasião, uma visão viera em seu auxílio. Infelizmente, Jesus só aparecia para meninos de imaginação fértil, não para homens sensatos e racionais. Desta vez, Billy estava sozinho.

Faltava pouco para o teste supremo, talvez apenas alguns minutos. Será que ele conseguiria manter sua coragem? Caso fracassasse – encolhendo-se no chão em posição fetal e fechando os olhos, desatando a chorar, ou então saindo correndo –, sentiria vergonha pelo resto da vida. Prefiro morrer, pensou, mas será que ainda vou me sentir assim quando a fuzilaria começar?

Todos avançaram alguns passos.

Ele sacou a carteira. Mildred lhe dera uma foto sua. Nela, estava de sobretudo e chapéu. Billy, no entanto, teria preferido se lembrar dela da maneira que a havia encontrado na noite em que fora ao seu quarto.

Perguntou-se o que ela estaria fazendo naquele momento. Era sábado, então provavelmente estava na fábrica de Mannie Litov, costurando uniformes. Como a manhã estava no meio, as mulheres deveriam estar parando para um intervalo. Talvez Mildred lhes contasse uma história engraçada.

Billy pensava nela o tempo todo. A noite que passaram juntos havia sido uma extensão da aula de beijo. Ela o impedira de agir como um touro tentando derrubar uma porteira e ensinara-lhe formas mais lentas, mais lúdicas, carícias que haviam lhe provocado um prazer intenso, maior do que ele poderia ter imaginado. Ela havia beijado seu pênis e depois lhe pedido que fizesse o equivalente com ela. Melhor ainda, mostrara-lhe como fazer, o que a levara a gritar de prazer. No final, havia retirado um preservativo da gaveta do criado-mudo. Era a primeira vez que Billy via um, embora os rapazes falassem a respeito, chamando-os de camisinhas. Ela havia colocado o preservativo nele – e até isso tinha sido incrível.

Mais parecera um sonho, e ele precisava ficar lembrando a si mesmo de que havia realmente acontecido. Nada em sua criação o havia preparado para a atitude despreocupada e ávida de Mildred em relação ao sexo – e fora uma revelação para ele. Seus pais, assim como a maioria das pessoas de Aberowen, a tachariam de "inadequada", por ter dois filhos e nem sinal de marido. Billy, no entanto, pouco teria ligado se ela tivesse seis filhos. Ela lhe abrira as portas do paraíso, e tudo o que ele queria era voltar para lá. Mais do que qualquer outra coisa, queria sobreviver àquele dia para poder tornar a ver Mildred e passar outra noite com ela.

Enquanto os Pals avançavam, aproximando-se devagar da trincheira da linha de frente, Billy percebeu que estava suando.

Owen Bevin começou a chorar. Billy, então, falou com rispidez:

– Controle-se, soldado Bevin. Chorar não adianta nada, adianta?

– Eu quero ir para casa – disse o menino.

– Eu também, garoto, eu também.

– Por favor, cabo, eu não imaginava que fosse ser assim.

– Quantos anos você tem, afinal?

– Dezesseis.

– Maldição! – exclamou Billy. – Como você foi recrutado?

– Eu disse ao médico quantos anos tinha e ele falou: "Vá embora e volte amanhã de manhã. Você é alto para a sua idade, pode ser que amanhã já tenha 18 anos." Daí ele piscou para mim, entende, e eu soube que precisava mentir.

– Filho da mãe – disse Billy. Ele olhou para Owen. O menino seria inútil no campo de batalha. Estava tremendo e soluçando.

Billy foi falar com o tenente Carlton-Smith.

– Bevin tem só 16 anos, senhor.

– Meu Deus! – reagiu o tenente.

– Ele deveria ser mandado de volta. Vai nos atrapalhar.

– Isso eu já não sei. – Carlton-Smith parecia atônito e impotente.

Billy recordou como Profeta Jones havia tentado transformar Mortimer em aliado. Profeta era um bom líder, que planejava o futuro e agia para evitar problemas. Carlton-Smith, por sua vez, parecia não ter serventia nenhuma, mas mesmo assim era o oficial superior. Não é à toa que se fala em sistema de classes, teria dito Da.

Dali a um minuto, Carlton-Smith se aproximou de Fitzherbert e disse algo em voz baixa. O major fez que não com a cabeça, ao que Carlton-Smith deu de ombros como quem não pode fazer nada.

Billy não havia sido criado para ficar calado diante de uma crueldade.

– O menino tem só 16 anos, senhor!

– Agora é tarde para dizer isso – respondeu Fitzherbert. – E não fale a menos que alguém lhe dirija a palavra, cabo.

Billy sabia que Fitzherbert não o havia reconhecido. Ele era apenas um das centenas de homens que trabalhavam nas minas do conde. Fitzherbert não sabia que ele era irmão de Ethel. De qualquer forma, todo aquele desdém deixou Billy com raiva.

– É contra a lei – disse ele com teimosia. Em outras circunstâncias, Fitzherbert teria sido o primeiro a dar sermão quanto à necessidade de se respeitar as leis.

– Isso quem decide sou eu – respondeu Fitz, irritado. – É por isso que sou oficial.

O sangue de Billy começou a ferver. Ali estavam Fitzherbert e Carlton-Smith, com seus uniformes de alfaiataria, olhando com hostilidade para Billy – que se coçava inteiro em seu uniforme cáqui – e pensando que podiam fazer o que quisessem.

– A lei é uma só – disse Billy.

Profeta falou em voz baixa:

– Estou vendo que o senhor esqueceu sua bengala hoje, major Fitzherbert. Quer que eu mande Bevin buscá-la para o senhor no quartel-general?

Era um meio-termo que permitia a Fitz não perder a autoridade, pensou Billy. Muito bem, Profeta.

Fitzherbert, no entanto, não deu o braço a torcer.

– Deixe de ser ridículo – falou ele.

De repente, Bevin saiu correndo. Embrenhou-se na multidão de homens às suas costas e sumiu de vista num piscar de olhos. Aquilo foi tão surpreendente que alguns dos homens riram.

– Ele não vai muito longe – disse Fitzherbert. – E, quando o apanharem, não vai ter graça nenhuma.

– Ele é uma criança!

Fitzherbert o encarou.

– Qual é o seu nome? – quis saber.

– Williams, senhor.

Fitzherbert pareceu surpreso, mas se recompôs depressa.

– Temos centenas de Williams – disse. – Qual é o seu nome de batismo?

– William, senhor. Meu apelido é Billy Duplo.

Fitzherbert olhou firme para ele.

Ele sabe, pensou Billy. Sabe que Ethel tem um irmão chamado Billy Williams. Devolveu o olhar de Fitz sem hesitar.

– Mais uma palavra da sua boca, cabo William Williams, e será punido – disse Fitzherbert.

Ouviu-se um assobio mais acima. Billy se abaixou. De trás dele, veio um estrondo ensurdecedor. Um furacão soprou à sua volta: torrões de terra e fragmentos de tábuas passaram voando. Ele ouviu gritos. De súbito, viu-se deitado rente ao chão, sem saber ao certo se havia sido derrubado ou se tinha se jogado por conta própria. Algo pesado atingiu sua cabeça e ele soltou um palavrão. Então uma bota pisou o chão ao lado de seu rosto. Presa a ela havia uma perna e nada mais.

– Deus do céu! – exclamou ele.

Levantou-se. Não estava ferido. Olhou ao redor para os homens da sua seção: Tommy, George Barrow, Mortimer... estavam todos de pé. Então começaram a avançar, pois de repente o front lhes parecia uma rota de fuga.

– Homens, mantenham a posição! – gritou o major Fitzherbert.

– Última forma, última forma – ordenou Profeta Jones.

O impulso para a frente foi interrompido. Billy tentou limpar a lama do uniforme. Então outro projétil aterrissou atrás deles. Desta vez, na verdade, o impacto foi mais atrás, mas isso fez pouca diferença. Houve um estrondo, um furacão e uma chuva de detritos e partes de corpos. Os homens começaram a escalar aos trancos a trincheira de agrupamento pela frente e pelos dois lados. Billy e sua seção fizeram o mesmo. Fitzherbert, Carlton-Smith e Roland Morgan gritavam para os homens ficarem onde estavam, mas ninguém os ouvia.

Todos correram para a frente, tentando chegar a uma distância segura do bombardeio. Ao se aproximarem do arame farpado britânico, diminuíram o passo e pararam à beira da terra de ninguém, percebendo que mais adiante havia um perigo tão grande quanto aquele de que estavam fugindo.

Os oficiais, tentando aproveitar aquela situação, juntaram-se aos soldados.

– Formem uma linha! – gritou Fitzherbert.

Billy olhou para Profeta. Depois de hesitar, o sargento acatou a ordem.

– Em linha, em linha! – ordenou.

– Olhe só aquilo – falou Tommy para Billy.

– O quê?

– Depois do arame.

Billy olhou.

– Os corpos – disse Tommy.

Billy viu do que ele estava falando. O solo estava abarrotado de corpos vestidos de cáqui, alguns terrivelmente mutilados, outros deitados com um ar tranquilo, como se estivessem dormindo, e outros ainda enlaçados como dois amantes.

Havia milhares deles.

– Jesus nos ajude – sussurrou Billy.

Ele ficou enojado. Que tipo de mundo era aquele? Por que motivo Deus deixaria uma coisa como aquela acontecer?

A Companhia A se alinhou e Billy e o restante da Companhia B assumiram suas posições atrás deles.

O horror de Billy se transformou em raiva. O conde Fitzherbert e outros de sua laia haviam planejado aquilo. Estavam no comando, de modo que a culpa por aquele massacre era deles. Deveriam ser fuzilados, pensou, enfurecido – toda aquela corja desgraçada.

O tenente Morgan soprou um apito e a Companhia A saiu correndo para a frente como atacantes de rúgbi. Carlton-Smith imitou Morgan, e Billy também começou a correr em um ritmo mais lento.

Então as metralhadoras alemãs abriram fogo.

Os homens da Companhia A começaram a cair – e Morgan foi o primeiro. Nem sequer haviam disparado suas armas. Aquilo não era uma batalha, era um massacre. Billy olhou para os homens à sua volta. Sentiu vontade de se rebelar. Os oficiais haviam fracassado. Os homens tinham que tomar suas próprias decisões. As ordens que fossem para o inferno.

– Que se dane! – gritou ele. – Protejam-se! – Dito isso, jogou-se para dentro de uma cratera de bomba.

As laterais do buraco estavam enlameadas, e o fundo, coberto por uma água fétida, mas ele se sentiu grato ao pressionar o corpo contra a terra fria e úmida enquanto as balas zuniam por cima de sua cabeça. Logo em seguida, Tommy aterrissou ao seu lado, seguido pelo resto da seção. Homens de outras seções começaram a imitar a de Billy.

Fitzherbert passou correndo pela cratera onde estavam.

– Homens, continuem avançando! – gritou ele.

– Se ele continuar insistindo, vou dar um tiro nesse filho da mãe – disse Billy.

Então Fitzherbert foi atingido por tiros de metralhadora. O sangue jorrou de sua bochecha e uma de suas pernas cedeu sob o peso do corpo. Ele foi ao chão.

Oficiais corriam tanto perigo quanto seus homens. Billy deixou de sentir raiva. Sentia, isso sim, vergonha do Exército britânico. Como ele poderia ser tão incompetente assim? Depois de todo o esforço despendido, de todo o dinheiro gasto, dos meses de planejamento... a grande investida terminara em fiasco. Era humilhante.

Billy olhou em volta. Fitz estava no chão, inconsciente. Nem o tenente Carlton-Smith, nem o sargento Jones estavam à vista. Os outros homens da seção olhavam para Billy. Ele não passava de um cabo, mas todos esperavam que lhes dissesse o que fazer.

Ele se virou para Mortimer, que já fora oficial:

– O que você acha...

– Não olhe para mim, galesinho – disse Mortimer em tom azedo. – A porra do cabo é você.

Billy precisava bolar um plano.

Não iria conduzi-los de volta. Mal cogitou essa possibilidade. Isso seria desperdiçar a vida dos homens que já haviam morrido. Precisamos tirar algum proveito disso tudo, pensou; precisamos dar um jeito de mostrar a que viemos.

Por outro lado, ele não iria correr em direção ao fogo das metralhadoras.

A primeira coisa que precisava fazer era avaliar a situação.

Tirou o capacete de aço e o segurou com o braço esticado, erguendo-o acima da borda da cratera para servir de isca – caso algum alemão estivesse mirando ali. Mas nada aconteceu.

Então ergueu a cabeça por cima da borda, esperando ter o crânio varado por um tiro a qualquer momento. Mas também não foi o caso.

Ele olhou para o espaço que separava as duas frentes e, então, colina acima, para além do arame farpado alemão, até a linha inimiga escavada na encosta. Pôde ver canos de fuzis despontando de brechas no parapeito da trincheira.

– Onde está a porra da metralhadora? – perguntou a Tommy.

– Não sei bem.

A Companhia C passou correndo. Alguns homens se abrigaram, enquanto outros mantiveram a formação. A metralhadora tornou a abrir fogo, varrendo à bala a linha de homens, que caíram como pinos de boliche. Desta vez, Billy não ficou chocado. Estava procurando a origem dos tiros.

– Descobri – disse Tommy.

– Onde?

– Trace uma linha reta daqui até aquele monte de arbustos no alto da colina.

– Certo.

– Veja onde essa reta cruza a trincheira alemã.

– Pronto.

– Agora vá um pouco para a direita.

– Até onde... esqueça, estou vendo os desgraçados. – Logo à frente e um pouco à direita de onde Billy estava, algo que poderia ser um escudo protetor de ferro se erguia sobre o parapeito da trincheira – e o cano inconfundível de uma metralhadora se projetava acima dele. Billy pensou distinguir três capacetes alemães em volta do escudo, mas era difícil ter certeza.

Eles deviam estar concentrando os tiros na brecha do arame britânico, pensou Billy. Estavam atirando repetidamente nos homens que corriam para a frente a partir dali. Talvez a saída fosse atacá-los de outro ângulo. Se a sua seção conseguisse atravessar a terra de ninguém na diagonal, talvez pudesse alcançar a metralhadora pela esquerda dos alemães, que estariam olhando para a direita.

Ele planejou uma rota usando três crateras grandes, a terceira logo após um trecho derrubado de arame farpado alemão.

Não fazia a menor ideia se essa era uma tática militar correta. Mas a tática correta havia custado a vida de milhares de homens naquela manhã, então ela que fosse para o inferno.

Ele tornou a se abaixar e olhou para os homens à sua volta. Apesar da pouca idade, George Barrow tinha uma boa pontaria com o fuzil.

– Da próxima vez que aquela metralhadora abrir fogo, prepare-se para atirar. Assim que ela parar, você começa. Com um pouco de sorte, eles vão se proteger. Eu vou correr até aquela cratera ali. Continue atirando até esvaziar o cartucho. Você tem dez tiros... faça com que eles durem meio minuto. Quando os alemães levantarem a cabeça, eu já estarei na outra cratera. – Ele olhou para os outros. – Aguardem outro intervalo e então corram todos ao mesmo tempo, enquanto Tommy lhes dá cobertura. Na terceira vez, eu dou cobertura enquanto Tommy corre.

A Companhia D correu em direção à terra de ninguém. A metralhadora abriu fogo. Fuzis e morteiros de trincheira foram disparados ao mesmo tempo. Mas a carnificina foi menor, porque mais homens se abrigavam nas crateras em vez de correr para o meio da chuva de tiros.

Falta pouco, pensou Billy. Ele tinha dito aos homens o que iria fazer, de modo que seria vergonhoso demais voltar atrás. Cerrou os dentes. Melhor morrer do que ser um covarde, tornou a dizer a si mesmo.

Os tiros de metralhadora cessaram.

No mesmo instante, Billy se levantou com um pulo. Agora era um alvo fácil. Abaixou-se e saiu correndo.

Às suas costas, ouviu Barrow atirar. Sua vida estava nas mãos de um delinquente juvenil de 17 anos. George atirava em ritmo constante: bangue, dois, três, bangue, dois, três, exatamente como ele havia mandado.

Billy disparou pela terra de ninguém o mais rápido que pôde, apesar de todo o peso do seu equipamento. Suas botas grudavam na lama, sua respiração era uma série de arquejos irregulares, seu peito doía, mas não havia nada em sua mente a não ser o desejo de correr mais depressa. Nunca havia chegado tão perto da morte quanto naquele instante.

Quando estava a alguns metros da cratera, arremessou o fuzil lá dentro e mergulhou como se estivesse tentando deter um adversário no rúgbi. Aterrissou na borda da cratera e, rolando para a frente, foi parar dentro da lama. Mal conseguiu acreditar que ainda estava vivo.

Ouviu uma vibração entrecortada. A seção de Billy estava aplaudindo sua corrida. Achou incrível que eles conseguissem ficar tão alegres em meio a uma carnificina daquelas. Que criaturas estranhas eram os homens.

Depois de recuperar o fôlego, olhou com cautela por cima da borda. Havia corrido uns 100 metros. Nesse ritmo, demoraria algum tempo para atravessar a terra de ninguém. Mas a alternativa era suicídio.

A metralhadora tornou a abrir fogo. Quando os tiros cessaram, Tommy começou a atirar. Seguindo o exemplo de George, fez uma pausa entre cada tiro. Como aprendemos depressa quando nossa vida está em perigo, pensou Billy. Quando

Tommy disparou a décima e última bala de seu cartucho, o resto da seção mergulhou dentro da cratera ao lado de Billy.

– Venham para a frente – gritou ele. A posição alemã ficava colina acima, e Billy temia que o inimigo pudesse ver a metade de trás da cratera.

Ele descansou o fuzil na borda e mirou na metralhadora. Depois de algum tempo, os alemães abriram fogo outra vez. Quando pararam, Billy começou a atirar. Torceu para que Tommy corresse depressa. Preocupava-se mais com ele do que com todos os outros homens da seção somados. Segurou o fuzil com a mão firme e disparou a intervalos de aproximadamente cinco segundos. Pouco importava que acertasse alguém ou não, contanto que obrigasse os alemães a ficarem abaixados enquanto Tommy corria.

Sua munição acabou e Tommy aterrissou ao seu lado.

– Cacete – disse Tommy. – Nós temos que fazer isso mais quantas vezes?

– Mais duas, eu acho – respondeu Billy enquanto recarregava. – Então vamos estar ou perto o suficiente para lançar uma granada de mão, ou todos mortos nesta porra de lugar.

– Sem palavrões, Billy, por favor – disse Tommy com uma expressão muito séria. – Você sabe que eu acho desagradável.

Billy deu uma risadinha. Então se perguntou como podia rir. Estou dentro de uma cratera de bomba, com o exército alemão atirando em mim, e estou rindo, pensou. Que Deus me ajude.

Eles passaram para a cratera seguinte da mesma forma, porém, como ela ficava a uma distância maior, desta vez eles perderam um homem. Joey Ponti foi atingido na cabeça enquanto corria. George Barrow o levantou do chão, carregando-o pelo caminho, mas ele estava morto, com um buraco sangrento aberto no crânio. Billy tentou imaginar onde estaria seu irmão caçula, Johnny: não o via desde que deixara a trincheira de agrupamento. Vou ter que ser eu a lhe dar a notícia, pensou Billy. Johnny idolatrava o irmão mais velho.

Havia outros homens mortos naquela cratera. Três corpos vestidos de cáqui flutuavam na água suja. Deviam ter estado entre os primeiros a avançar. Billy se perguntou como tinham chegado tão longe. Talvez fosse apenas sorte. As metralhadoras estavam fadadas a errar alguns alvos na primeira rajada, para então dizimá-los na segunda.

Àquela altura, outros grupos estavam se aproximando da linha alemã, seguindo uma tática parecida. Ou estavam imitando o grupo de Billy ou – o que era mais provável – haviam tido o mesmo raciocínio, abandonando o ridículo ataque em formação ordenado pelos oficiais e bolando sua própria tática, mais sensata. O resultado era que os alemães não tinham mais tudo a seu favor. Como eles próprios estavam sob fogo, não podiam manter o mesmo ritmo incessante de tiros. Talvez, por esse motivo, o grupo de Billy tivesse conseguido chegar à última cratera sem nenhuma outra baixa.

Na verdade, eles ganharam um companheiro. Ao lado de Billy, estava deitado um desconhecido.

– De onde você surgiu? – perguntou Billy.

– Perdi meu grupo – respondeu o homem. – Vocês pareciam saber o que estavam fazendo, então eu os segui. Espero que não se importem.

Ele falava com um sotaque que Billy imaginou ser do Canadá.

– Você é bom lançador? – perguntou Billy.

– Eu jogava no time de beisebol da minha escola.

– Certo. Quando eu der a ordem, veja se consegue atingir aquele ninho de metralhadora com uma granada de mão.

Billy mandou Llewellyn Espinhento e Alun Pritchard lançarem suas granadas enquanto o resto da seção lhes dava cobertura com tiros de fuzil. Mais uma vez, eles aguardaram até a metralhadora cessar fogo.

– Agora! – gritou Billy, levantando-se.

Uma rajada esparsa de tiros de fuzil veio da trincheira alemã. Espinhento e Alun, assustados pelos disparos, lançaram as granadas de qualquer jeito. Nenhuma delas atingiu a trincheira, a pouco menos de 50 metros de distância; caíram perto demais e explodiram sem causar nenhum dano. Billy praguejou: eles haviam simplesmente deixado a metralhadora intacta. Como era de se esperar, ela tornou a abrir fogo e, logo em seguida, Espinhento se debateu terrivelmente enquanto uma saraivada de balas rasgava seu corpo.

Billy sentia uma calma estranha. Dedicou alguns segundos a se concentrar no alvo e recuou o braço o máximo que conseguiu. Calculou a distância como se estivesse arremessando uma bola de rúgbi. Tinha a leve impressão de que o canadense, bem ao seu lado, estava tão calmo quanto ele. A metralhadora rugiu, cuspindo suas balas, e virou-se na sua direção.

Os dois lançaram ao mesmo tempo.

Ambas as granadas foram parar dentro da trincheira próxima ao ninho da metralhadora. Houve uma dupla explosão. Billy viu o cano da metralhadora sair voando pelos ares e soltou um grito triunfante. Tirou o pino de sua segunda granada e disparou colina acima aos gritos de "Atacar!".

O entusiasmo corria por suas veias como uma droga. Ele mal percebia estar correndo perigo. Não fazia ideia de quantos alemães poderia haver dentro daquela trincheira, apontando para ele os seus fuzis. Os outros o seguiram. Ele lançou a segunda granada e os homens o imitaram. Algumas erraram o alvo, enquanto outras caíram na trincheira e explodiram.

Billy chegou à trincheira. Foi então que notou ainda estar carregando o fuzil no ombro. No tempo que levaria para colocar a arma em posição de tiro, um alemão poderia abatê-lo.

Porém não havia mais nenhum alemão vivo.

As granadas haviam feito um estrago terrível. O chão da trincheira estava entulhado de cadáveres e – o que era ainda pior de se ver – partes de corpos. Mesmo que algum alemão houvesse sobrevivido ao ataque, tinha batido em retirada. Billy pulou para dentro da trincheira, finalmente empunhando o fuzil com as duas mãos, em posição de tiro. Mas não precisava da arma. Não havia mais em quem atirar.

Tommy pulou, aterrissando ao seu lado.

– Conseguimos! – gritou, esfuziante. – Tomamos uma trincheira alemã!

Billy sentia uma alegria cruel. Eles haviam tentado matá-lo, mas em vez disso quem os havia matado era ele. Era um sentimento de profunda satisfação, diferente de tudo o que já experimentara.

– Tem razão – disse ele a Tommy. – Conseguimos.

Billy ficou surpreso com a qualidade das fortificações alemãs. Tinha olhos de minerador para avaliar a segurança de uma estrutura. As paredes eram sustentadas por tábuas de madeira, os recessos eram quadrados e os abrigos, espantosamente profundos, descendo seis, às vezes nove metros terra adentro, com portais bem construídos e degraus de madeira. Isso explicava como tantos alemães haviam sobrevivido a sete dias de bombardeio contínuo.

As trincheiras alemãs provavelmente haviam sido escavadas em rede, com trincheiras de comunicação conectando o front a áreas de armazenagem e manutenção na retaguarda. Billy precisava ter certeza de que não havia nenhum grupo de soldados de tocaia. Ele conduziu os demais em uma patrulha, com os fuzis em ponto de bala, mas não encontraram ninguém.

A rede de trincheiras terminava no alto da colina. Lá de cima, Billy olhou em volta. À esquerda de onde estavam, depois de uma área castigada pelas bombas, outros soldados britânicos haviam conquistado o setor seguinte; à sua direita, a trincheira acabava e o solo descia rumo a um pequeno vale, no qual corria um riacho.

Ele olhou para o leste, em direção ao território inimigo. Sabia que, a uns dois ou três quilômetros de distância, havia outro sistema de trincheiras, a segunda linha defensiva alemã. Estava pronto para conduzir seu pequeno grupo adiante, mas então hesitou. Não via nenhum outro destacamento britânico avançando e imaginava que seus homens já estivessem quase sem munição. Supunha que, a qualquer momento, caminhões de abastecimento viessem chacoalhando pelas crateras abertas trazendo mais munição e ordens para a fase seguinte.

Ergueu os olhos para o céu. Era meio-dia. Os homens não comiam desde a noite anterior.

– Vamos ver se os alemães deixaram alguma comida para trás – falou. Mandou Seboso Hewitt ficar de sentinela no alto da colina, para o caso de os alemães contra-atacarem.

Quase não havia provisões ali. Parecia que os alemães não estavam se alimentando muito bem. Eles encontraram um pão preto bolorento e um salame já duro. Não havia sequer cerveja. Os alemães não eram famosos pela sua cerveja?

O brigadeiro havia prometido que cozinhas de campanha seguiriam o avanço das tropas, mas, sempre que Billy olhava com impaciência para a terra de ninguém, não via nem sinal de mantimentos.

Eles se acomodaram para comer suas rações de biscoitos duros e carne enlatada. Billy deveria mandar alguém de volta para relatar o ocorrido. Antes que pudesse fazer isso, no entanto, a artilharia alemã mudou de alvo. No começo, haviam bombardeado a retaguarda britânica, mas agora estavam se concentrando na terra de ninguém. Vulcões de terra explodiam entre as linhas inimigas. O bombardeio era tão intenso que ninguém teria conseguido retornar com vida.

Por sorte, os artilheiros estavam evitando a própria linha de frente. Provavelmente não sabiam quais setores haviam sido tomados pelos britânicos e quais continuavam em mãos alemãs.

O grupo de Billy estava preso. Não podiam nem avançar sem munição, nem recuar por causa do bombardeio. Mas Billy parecia ser o único preocupado com aquilo. Os outros começaram a procurar suvenires. Recolheram capacetes pontudos, insígnias de quepes e canivetes. George Barrow examinou todos os alemães mortos, tomando seus relógios e anéis. Tommy pegou a Luger 9mm de um oficial e uma caixa de munição.

Eles começaram a ficar letárgicos. Não era de espantar: haviam passado a noite em claro. Billy postou duas sentinelas e deixou o restante tirar um cochilo. Estava decepcionado. Havia conquistado uma pequena vitória em seu primeiro dia de batalha – e queria contar isso a alguém.

No fim da tarde, a barragem de artilharia arrefeceu. Billy ponderou se deveria recuar. Era a única coisa que parecia fazer sentido, mas ele tinha medo de ser acusado de deserção frente ao inimigo. Não havia como saber do que os oficiais seriam capazes.

Contudo, os alemães tomaram a decisão por ele. Seboso Hewitt, que estava de sentinela no topo da colina, viu que o inimigo avançava pelo leste. Billy divisou uma tropa numerosa – 50 a 100 homens – atravessar o vale correndo em sua direção. Seus homens não tinham como defender a posição conquistada sem munição nova.

Por outro lado, se recuassem poderiam ser repreendidos.

Ele reuniu seu punhado de homens.

– Certo, rapazes – falou. – Atirem à vontade e, quando a munição de vocês acabar, recuem. – Ele esvaziou o fuzil contra os soldados que avançavam, ainda a quase um quilômetro de distância, então deu meia-volta e saiu correndo. Os outros fizeram o mesmo.

O grupo atravessou aos trancos e barrancos as trincheiras alemãs e a terra de ninguém rumo ao sol poente, pulando por cima dos mortos e esquivando-se das equipes com padiolas que recolhiam os feridos. Mas ninguém atirou neles.

Quando chegou ao lado britânico, Billy saltou para dentro de uma trincheira cheia de cadáveres, feridos e sobreviventes exaustos como ele. Viu o major Fitzherbert deitado em uma maca, com o rosto ensanguentado, mas com os olhos abertos, vivo e respirando. Esse aí eu não teria me importado em perder, pensou. Muitos homens estavam apenas sentados ou deitados na lama, com o olhar perdido, em estado de choque e paralisados pelo cansaço. Os oficiais tentavam organizar a volta dos homens e dos cadáveres para as seções da retaguarda. O clima não era de triunfo, ninguém avançava e os oficiais nem sequer olhavam para o campo de batalha. A grande ofensiva havia sido um fracasso.

Os homens da seção de Billy que restavam seguiram-no para dentro da trincheira.

– Que cagada – disse ele. – Que baita cagada!

IV

Uma semana depois, Owen Bevin foi submetido à corte marcial, acusado de covardia e deserção.

No julgamento, teve a opção de ser defendido por um oficial nomeado para agir como "amigo do prisioneiro", mas recusou. Como seu crime era passível de pena de morte, a defesa entrou automaticamente com um pedido de inocência. Bevin, no entanto, não disse nada em defesa própria. O julgamento levou menos de uma hora. Bevin foi condenado.

Recebeu a pena capital.

Os documentos foram enviados para a sede do Estado-Maior para serem sancionados. O comandante em chefe aprovou a pena de morte. Duas semanas mais tarde, em um pasto francês enlameado, Bevin estava diante de um pelotão de fuzilamento, com os olhos vendados.

Alguns dos homens devem ter errado de propósito, pois, depois de atirarem, Bevin, embora sangrasse, continuava vivo. O oficial que liderava o pelotão de fuzilamento então se aproximou dele, sacou a pistola e disparou dois tiros à queima-roupa na testa do menino.

Só então, finalmente, Owen Bevin morreu.

CAPÍTULO DEZOITO

Final de julho de 1916

Depois de Billy partir para a França, Ethel começou a pensar muito na vida e na morte. Sabia que talvez nunca mais o visse. Estava contente por ele ter perdido a virgindade com Mildred.

– Eu deixei seu irmãozinho se aproveitar de mim – disse Mildred em tom descontraído assim que Billy foi embora. – Ele é um doce. Tem mais desse tipo lá no País de Gales? – Ethel, no entanto, desconfiava que os sentimentos de Mildred não fossem tão superficiais quanto ela queria demonstrar, pois, em suas orações antes de dormir, Enid e Lillian agora pediam a Deus para cuidar do tio Billy na França e trazê-lo são e salvo para casa.

Alguns dias depois, Lloyd teve uma infecção pulmonar feia e, desesperada de angústia, Ethel o ninou nos braços enquanto ele lutava para respirar. Com medo de que o filho morresse, arrependeu-se amargamente de que seus pais nunca tivessem visto o neto. Quando o menino melhorasse, decidiu, ela o levaria até Aberowen.

Voltou à cidade exatamente dois anos depois de ter ido embora. Estava chovendo.

Aberowen não havia mudado muito, mas lhe pareceu deprimente. Durante os primeiros 21 anos de sua vida, ela não a vira dessa forma, mas agora, depois de morar em Londres, reparou que a cidade tinha apenas uma cor. Tudo era cinza: as casas, as ruas, as pilhas de refugo da mina e as nuvens baixas de chuva que flutuavam desconsoladas pelo cume da montanha.

Ao sair da estação, no meio da tarde, estava cansada. Não era nada fácil fazer uma viagem de um dia inteiro com uma criança de um ano e meio. Lloyd havia se comportado bem, encantando os outros passageiros com seu sorriso cheio de dentes. Mesmo assim, Ethel tivera de lhe dar de comer em um vagão chacoalhante, trocá-lo em um banheiro fétido e niná-lo quando ele começou a ficar irrequieto – o que era uma tensão, com tantos desconhecidos olhando.

Com Lloyd apoiado em um dos quadris e uma pequena mala na mão, ela atravessou a praça da estação e começou a subir a ladeira da Clive Street. Não demorou a ficar ofegante. Aquela era outra coisa de que havia se esquecido. Londres era quase toda plana, enquanto em Aberowen não se ia a lugar nenhum sem subir ou descer uma encosta íngreme.

Ela não sabia o que havia acontecido ali desde que fora embora. Sua única fonte de informações era Billy e os homens não sabiam fofocar. Sem dúvida, ela própria havia sido o assunto preferido de todos durante algum tempo. No entanto, novos escândalos deveriam ter surgido desde então.

Sua volta seria uma novidade e tanto. Várias mulheres a olharam descaradamente enquanto ela subia a rua com o filho. Ela sabia o que estavam pensando. Se não é Ethel Williams, que se achava melhor do que nós, voltando com um vestido marrom velho, um bebê no colo e sem marido. O orgulho precede a queda, diriam elas, com uma malícia mal disfarçada de compaixão.

Ela chegou à Wellington Row, mas não foi à casa dos pais. Da tinha lhe dito para nunca mais voltar. Havia escrito para a mãe de Tommy Griffiths, conhecida como Sra. Griffiths Socialista por conta das crenças políticas fervorosas de seu marido. (Na mesma rua, morava uma Sra. Griffiths da Igreja.) Os Griffiths não iam à missa e discordavam do estilo linha-dura do pai de Ethel. Como ela havia deixado Tommy pernoitar em sua casa em Londres, a Sra. Griffiths teve prazer em retribuir o favor. Tommy era filho único, assim, enquanto ele estivesse no Exército, sobrava uma cama na casa.

Da e Mam não sabiam da vinda de Ethel.

A Sra. Griffiths a recebeu calorosamente e mostrou-se encantada com Lloyd. Ela tivera uma filha que hoje estaria com a mesma idade de Ethel, mas que morrera de coqueluche. Ethel tinha uma vaga lembrança da menina, uma lourinha chamada Gwenny.

Depois de amamentar e trocar Lloyd, Ethel foi se sentar na cozinha para uma xícara de chá. A Sra. Griffiths reparou em sua aliança.

– Você está casada? – perguntou.

– Sou viúva – respondeu Ethel. – Ele morreu em Ypres.

– Ah, meus pêsames.

– O nome dele era Williams também, então não precisei mudar o meu.

Essa história iria se espalhar pela cidade. Alguns questionariam se teria realmente havido um Sr. Williams – e, mesmo que sim, se ele de fato desposara Ethel. Pouco lhe importava que acreditassem nela ou não. Uma mulher que fingisse ser casada era aceitável; já uma mãe que se admitisse solteira era uma sem-vergonha. O povo de Aberowen tinha seus princípios.

– Quando você vai ver sua Mam? – quis saber a Sra. Griffiths.

Ethel não sabia como os pais reagiriam à sua visita. Talvez tornassem a expulsá-la de casa, ou então perdoassem tudo, ou quem sabe até encontrassem alguma forma de condenar seu pecado sem obrigá-la a sumir de vista.

– Não sei – respondeu ela. – Estou nervosa.

A Sra. Griffiths assumiu uma expressão compreensiva.

– É, o seu Da pode ser mesmo muito duro. Mas ele ama você.

– As pessoas sempre pensam assim. Ficam dizendo: o seu pai na verdade ama você. Mas, se ele pôde me expulsar de casa, não sei por que chamam isso de amor.

– As pessoas fazem coisas sem pensar quando o orgulho delas é ferido – disse a Sra. Griffiths em tom apaziguador. – Sobretudo os homens.

Ethel se levantou.

– Bom, acho que não adianta ficar adiando. – Ela pegou Lloyd do chão. – Vamos, meu amor. Já está na hora de você descobrir que tem avós.

– Boa sorte – disse a Sra. Griffiths.

A casa dos Williams ficava a poucas portas de distância. Ethel torceu para que o pai não estivesse. Assim, pelo menos poderia passar algum tempo com a mãe, que não era tão severa.

Pensou em bater na porta, mas achou que seria ridículo, de modo que entrou sem se anunciar.

Deparou-se com a cozinha na qual tinha passado tantos dias da sua vida. Nem seu pai nem sua mãe estavam, mas Gramper cochilava em sua cadeira. O velho abriu os olhos, fez uma cara de espanto e então falou, caloroso:

– Mas se não é a nossa Eth!

– Oi, Gramper.

Ele se levantou e aproximou-se da neta. Havia se tornado mais frágil: apoiou-se na mesa para atravessar o pequeno aposento. Beijou-a na bochecha e voltou sua atenção para o bebê.

– Ora, ora, quem é este aqui? – perguntou, encantado. – Seria por acaso o meu primeiro bisneto?

– Este é Lloyd – disse Ethel.

– Que nome mais bonito!

Lloyd escondeu o rosto no ombro de Ethel.

– Ele é tímido – explicou ela.

– Ah, ele está é com medo deste velho de bigode branco. Mas vai se acostumar comigo. Sente-se, minha linda, e conte-me tudo.

– Onde está nossa Mam?

– Foi à cooperativa comprar um vidro de geleia. – A mercearia da região era uma cooperativa que dividia o lucro entre os clientes. Esse tipo de loja era popular em Gales do Sul, embora ninguém soubesse pronunciar o termo direito. – Já deve estar voltando.

Ethel pôs Lloyd no chão. O menino começou a explorar a cozinha com passos hesitantes, passando de um apoio a outro, um pouco como Gramper. Ethel falou do emprego de gerente no *The Soldier's Wife*: sobre como trabalhava com o tipógrafo, distribuía as pilhas de jornal, recolhia os exemplares não vendidos e conseguia anunciantes. Gramper se perguntou como a neta sabia o que fazer, e Ethel admitiu que tanto ela quanto Maud foram descobrindo na prática. Achava difícil trabalhar com o tipógrafo, que não gostava de receber ordens de mulheres, mas era boa em vender espaços publicitários. Enquanto os dois conversavam, Gramper sacou seu relógio de bolso e o suspendeu pela corrente com a mão, sem olhar para Lloyd. O menino pregou os olhos na corrente brilhante e então tentou agarrá-la. Gramper deixou. Em pouco tempo, Lloyd estava se apoiando nos joelhos do bisavô enquanto examinava o relógio.

Ethel sentiu-se estranha na velha casa. Havia pensado que ela lhe pareceria confortável, conhecida, como um par de botas que, com o passar dos anos, adquire a forma dos pés de quem as calça. Mas, na verdade, estava um pouco constrangida. Parecia que estava na casa de algum antigo vizinho. Ela não parava de olhar para os bordados gastos, com aqueles mesmos versículos da Bíblia, perguntando-se por que a mãe não os trocava há décadas. Não sentia que ali fosse o seu lugar.

– Vocês tiveram alguma notícia do nosso Billy? – perguntou a Gramper.

– Não, e você?

– Não desde que ele foi para a França.

– Imagino que esteja nessa grande batalha do rio Somme.

– Espero que não. Dizem que a situação está ruim.

– Sim, péssima, a tirar pelos boatos.

As pessoas só podiam se fiar em boatos, pois os jornais eram festivamente vagos em suas notícias. No entanto, muitos dos feridos já estavam de volta, internados nos hospitais britânicos, e seus relatos sinistros de incompetência e massacre eram espalhados no boca a boca.

Mam entrou em casa.

– Eles ficam batendo papo lá naquela loja como se não tivessem mais nada para fazer... Ah! – Ela estacou. – Meu Deus do céu, é você, Eth? – Então, começou a chorar.

Ethel abraçou a mãe.

– Olhe só, Cara, este aqui é seu neto, Lloyd – disse Gramper.

Mam enxugou os olhos e apanhou o bebê do chão.

– Mas que lindo! – exclamou. – Que cabelos mais encaracolados! Igualzinho ao Billy quando tinha essa idade. – Lloyd ficou um bom tempo encarando Mam com um olhar amedrontado, para depois abrir o berreiro.

Ethel o pegou no colo.

– Ele está um grude comigo ultimamente – disse, em tom de desculpas.

– Eles ficam todos assim nessa idade – falou Mam. – Aproveite bastante, daqui a pouco ele vai mudar.

– Onde está Da? – perguntou Ethel, tentando não parecer ansiosa demais.

Mam fechou o rosto, tensa.

– Foi a uma reunião do sindicato em Caerphilly. – Ela olhou para o relógio. – Deve chegar para o chá a qualquer momento, a menos que tenha perdido o trem.

Ethel sentiu que Mam estava torcendo para ele se atrasar. Ela também. Queria passar mais tempo com a mãe antes de a crise estourar.

Mam preparou o chá e pôs na mesa um prato de bolinhos galeses polvilhados de açúcar. Ethel pegou um.

– Há dois anos não como um destes – falou. – São uma delícia.

– Que coisa boa – disse Gramper, feliz. – Eu, minha filha, minha neta e meu bisneto, todos debaixo do mesmo teto. O que mais um homem poderia pedir da vida? – Ele pegou um bolinho.

Ethel refletiu que alguns poderiam achar a vida de Gramper lamentável: passar o dia inteiro sentado em uma cozinha enfumaçada, vestindo seu único terno. Mas ele era grato pelo que tinha – e ela o deixara feliz, nem que fosse só por aquele dia.

Então seu pai entrou em casa.

Mam estava no meio de uma frase:

– Eu tive a oportunidade de ir a Londres uma vez, quando tinha a sua idade, mas o seu Gramper falou... – A porta se abriu e ela se interrompeu no ato. Todos olharam para Da enquanto ele chegava da rua, vestindo o terno que usava nas assembleias e uma boina achatada de mineiro, suando por causa da subida. Ele deu um passo para dentro da cozinha e parou, encarando a cena.

– Olhe só quem está aqui – disse Mam com uma alegria forçada. – Ethel e o seu neto. – Seu rosto estava pálido de tensão.

Da não falou nada. Nem tirou a boina.

– Oi, Da – disse Ethel. – Este aqui é Lloyd.

Ele não olhou para a filha.

– O pequeno se parece com você, Dai... ao redor da boca, está vendo? – disse Gramper.

Lloyd sentiu o clima de hostilidade e começou a chorar.

Da permaneceu calado. Foi então que Ethel soube ter cometido um erro ao aparecer na casa do pai sem avisar. Não queria lhe dar a chance de proibir sua vinda. Mas agora via que a surpresa o colocara na defensiva. Ele parecia acuado. E ela se lembrou de que colocar Da contra a parede era sempre um erro.

O semblante dele se fechou, inflexível. Olhou para a mulher e disse:

– Eu não tenho neto.

– Ora, não fale assim... – disse Mam, em tom de súplica.

A expressão dele continuou rígida. Da ficou imóvel, olhando para Mam, sem dizer nada. Estava esperando alguma coisa, e Ethel percebeu que seu pai não iria se mover antes de ela sair da casa. Começou a chorar.

– Ah, droga! – disse Gramper.

Ethel pegou Lloyd.

– Desculpe, Mam – falou, soluçando. – Eu pensei que talvez... – Ela engasgou e não conseguiu terminar a frase. Com Lloyd no colo, passou pelo pai, esbarrando em seu corpo. Ele não a encarou nos olhos.

Ethel saiu e bateu a porta.

II

Pela manhã, depois de os homens terem descido para trabalhar na mina e de as crianças terem ido para a escola, as mulheres geralmente saíam para cuidar de seus afazeres ao ar livre. Lavavam a calçada, enceravam a soleira de casa ou então limpavam as janelas. Algumas iam fazer compras ou resolver outros assuntos na rua. Precisavam ver o mundo que havia além de suas casinhas, pensou Ethel, algo que lembrasse a elas que a vida não se limitava a quatro paredes mambembes.

Ela estava recostada no muro da casa da Sra. Griffiths Socialista, ao lado da porta de entrada, aproveitando o sol. De ambos os lados da rua, as mulheres haviam encontrado motivos para fazer o mesmo. Lloyd brincava com uma bola. Tinha visto outras crianças atirando bolas e tentava imitá-las, mas sem conseguir. Como lançar qualquer coisa era complicado, refletiu Ethel – um ato que usava o ombro e o braço, o pulso e a mão ao mesmo tempo. Os dedos tinham que soltar o objeto logo antes de o braço atingir sua extensão máxima. Como Lloyd ainda não havia dominado a técnica, soltava a bola cedo demais, deixando-a cair atrás do ombro, ou tarde demais, perdendo o impulso. Mas ele continuava tentando. Com o tempo, acabaria conseguindo, pensou Ethel, e depois nunca mais esqueceria. Só depois de ter um filho é que você entendia quanto uma criança precisava aprender.

Ela não conseguia compreender como seu pai era capaz de rejeitar aquele menininho. Lloyd não tinha feito nada de errado. Ethel havia pecado, mas o mesmo valia para a maioria das pessoas. Deus perdoava seus pecados, então quem era Da para julgar os outros? Aquilo a deixava ao mesmo tempo zangada e triste.

O rapaz do correio veio subindo a rua montado em seu pônei, amarrando-o em seguida junto ao banheiro público. Ele se chamava Geraint Jones. Seu trabalho era entregar encomendas e telegramas, mas desta vez não parecia estar carregando pacote nenhum. De repente, Ethel sentiu um calafrio, como se uma nuvem tivesse escondido o sol. Quase ninguém recebia telegramas na Wellington Row e, quando chegava algum, geralmente trazia más notícias.

Geraint desceu a ladeira, afastando-se de Ethel. Ela ficou aliviada: a notícia não era para a sua família.

Lembrou-se então de uma carta que havia recebido de lady Maud. Ethel, Maud e outras mulheres haviam organizado uma campanha para garantir que o voto feminino fizesse parte de qualquer debate sobre uma reforma eleitoral referente aos soldados. Haviam conseguido publicidade suficiente para impedir que o primeiro-ministro Asquith pudesse se esquivar do problema.

Maud contava na carta que ainda assim ele havia tirado o corpo fora, deixando o problema nas mãos de uma comissão liderada pelo presidente da Câmara dos Comuns, batizada de Speaker's Conference. Mas isso era bom, segundo Maud. Em vez de discursos histriônicos na própria câmara baixa do Parlamento, haveria um debate tranquilo e reservado. Talvez o bom senso prevalecesse. De qualquer forma, ela estava tentando descobrir quem Asquith iria pôr na comissão.

Algumas portas mais adiante na rua, Gramper saiu de dentro de casa, sentou-se no peitoril baixo da janela e acendeu seu primeiro cachimbo do dia. Ao ver Ethel, sorriu e acenou.

Do outro lado, Minnie Ponti, mãe de Joey e Johnny, começou a bater em um tapete com uma vara, soltando a poeira presa nele e tossindo durante o processo.

A Sra. Griffiths saiu de casa com uma pá cheia de cinzas do fogão da cozinha, despejando-a em um buraco na rua de terra batida.

– Posso ajudar em alguma coisa? – perguntou-lhe Ethel. – Eu poderia ir à cooperativa para a senhora, se quiser. – Ela já havia feito as camas e lavado a louça do café da manhã.

– Está bem – respondeu a Sra. Griffiths. – Vou fazer a lista para você já, já. – Ela se apoiou na parede, ofegante. Era uma mulher pesada, e qualquer atividade a deixava sem ar.

Ethel se deu conta de que havia uma comoção na extremidade mais baixa da rua. Várias vozes se ergueram. Em seguida, ela escutou um grito.

Ela e a Sra. Griffiths se entreolharam, então Ethel apanhou Lloyd e as duas correram para descobrir o que estava acontecendo do outro lado dos banheiros.

A primeira coisa que Ethel viu foi um grupo de mulheres amontoadas em volta da Sra. Pritchard, que berrava a plenos pulmões. As outras mulheres tentavam acalmá-la. Mas ela não era a única. Cotoco Pugh, ex-minerador que havia perdido uma perna em um desabamento, estava sentado no meio da rua como se houvesse sido nocauteado, ladeado por dois vizinhos. Na outra calçada, a Sra. John Jones da Loja estava em pé na soleira de sua porta, aos soluços, segurando uma folha de papel.

Ethel viu Geraint, o rapaz do correio, muito pálido e à beira das lágrimas, atravessar a rua para bater à porta de outra casa.

– São os telegramas do Departamento de Guerra... – disse a Sra. Griffiths. – Ai, que Deus nos ajude.

– A batalha do Somme – disse Ethel. – Os Aberowen Pals devem ter participado dela.

– Alun Pritchard deve ter morrido, e Clive Pugh, e Profeta Jones... ele era sargento, seus pais estavam tão orgulhosos...

– Coitada da Sra. Jones da Loja, o outro filho dela morreu na explosão da mina.

– Por favor, Deus, permita que meu Tommy esteja bem – rezou a Sra. Griffiths, embora seu marido fosse um ateu notório. – Ai, poupe Tommy.

– E Billy – disse Ethel. Depois, sussurrando no ouvido pequenino de Lloyd, acrescentou: – E o seu pai.

Geraint carregava uma bolsa de lona a tiracolo. Assustada, Ethel se perguntou quantos outros telegramas haveria lá dentro. O menino percorria a rua em ziguezague, um anjo da morte usando uma boina do correio.

Quando ele passou pelos banheiros e chegou à metade superior da rua, todos já estavam na calçada. As mulheres haviam interrompido qualquer trabalho que estivessem fazendo e aguardavam. Os pais de Ethel tinham saído também – Da ainda não fora para o trabalho. Estavam em pé junto a Gramper, calados e temerosos.

Geraint se aproximou da Sra. Llewellyn. Seu filho Arthur devia ter morrido. O apelido dele era Espinhento, recordou Ethel. O pobre rapaz já não precisaria mais se preocupar com a pele.

A Sra. Llewellyn ergueu as mãos como se quisesse manter Geraint afastado.

– Não! – gritou ela. – Não, por favor!

Ele estendeu o telegrama.

– Não posso fazer nada, Sra. Llewellyn – disse ele. Tinha apenas 17 anos. – Seu endereço está escrito na frente, está vendo?

Ainda assim, ela não quis pegar o envelope.

– Não! – repetiu, virando as costas e enterrando o rosto nas mãos.

Os lábios do rapaz tremiam.

– Por favor, pegue – falou ele. – Ainda tenho este montão aqui para entregar. E tem mais lá na agência, centenas deles! São dez da manhã e eu não sei como vou fazer para entregar tudo até a noite. Por favor.

A Sra. Parry Price, sua vizinha de porta, disse:

– Eu pego para ela. Não tenho filhos.

– Muito obrigado, Sra. Price – disse Geraint antes de continuar seu caminho.

Tirou mais um telegrama da sacola, conferiu o endereço e passou direto pela casa dos Griffiths.

– Ai, graças a Deus – falou a Sra. Griffiths. – Meu Tommy está bem, graças a Deus. – Ela começou a chorar de alívio. Ethel trocou Lloyd de quadril e passou um braço à sua volta.

O menino se aproximou de Minnie Ponti. Ela não gritou, mas lágrimas escorriam de seu rosto.

– Qual dos dois? – perguntou com a voz embargada. – Joey ou Johnny?

– Não sei, Sra. Ponti – respondeu Geraint. – A senhora tem que ler o que está escrito.

Ela rasgou o envelope para abri-lo.

– Não estou vendo nada! – gritou. Então esfregou os olhos, tentando se livrar das lágrimas, e tornou a olhar. – Giuseppe! – falou. – Meu Joey morreu. Ah, coitadinho do meu menino!

A Sra. Ponti morava quase no final da rua. Ethel aguardou, com o coração aos pulos, para ver se Geraint iria à casa dos Williams. Estaria Billy vivo ou morto?

O rapaz deu as costas à chorosa Sra. Ponti. Olhou para o outro lado da rua e viu Da, Mam e Gramper a encará-lo com uma expectativa pavorosa. Verificou a bolsa, erguendo os olhos em seguida.

– Não tem mais nenhum para Wellington Row – disse ele.

Ethel quase desabou. Billy estava vivo.

Olhou para os pais. Mam chorava. Gramper tentava acender seu cachimbo, mas suas mãos tremiam.

Da a encarava. Ela não conseguia interpretar a expressão em seu rosto. Seu pai estava tomado por alguma emoção, mas ela não sabia dizer qual.

Ele deu um passo em sua direção.

Não foi grande coisa, mas foi o suficiente. Com Lloyd no colo, ela correu até Da.

Seu pai abraçou os dois.

– Billy está vivo – disse ele. – E você também.

– Ai, Da – disse ela. – Eu sinto tanto por ter decepcionado o senhor.

– Esqueça isso – falou ele. – Esqueça isso agora. – Então afagou suas costas como quando ela era pequena e caía e ralava os joelhos. – Não foi nada, não foi nada – disse ele. – Já passou.

III

Ethel sabia que um culto ecumênico era um acontecimento raro entre os cristãos de Aberowen. Para os galeses, as diferenças doutrinárias nunca eram pequenas. Um grupo se recusava a celebrar o Natal, alegando não haver nada na Bíblia que provasse a data do nascimento de Cristo. Outro era contra votar nas eleições, pois o apóstolo Paulo havia escrito: "Nossa cidadania está nos céus." Nenhum dos grupos gostava de celebrar seu culto ao lado de pessoas que discordassem dele.

Depois da Quarta-feira dos Telegramas, porém, essas diferenças se tornaram, durante um curto intervalo, insignificantes.

O pároco de Aberowen, reverendo Thomas Ellis-Thomas, propôs um culto coletivo em homenagem aos mortos. Os telegramas entregues totalizavam 211 – e, como a batalha ainda não havia terminado, a cada dia chegava mais uma ou outra triste notificação. Todas as ruas da cidade haviam perdido alguém e, nas fileiras cerradas dos casebres dos mineradores, a cada poucos metros havia uma família de luto.

Metodistas, batistas e católicos aceitaram a sugestão do pároco anglicano. Os grupos menores talvez tivessem preferido não participar: batistas do Evangelho Pleno, testemunhas de Jeová, adventistas e a Capela de Bethesda. Ethel viu o pai travar uma luta com a própria consciência. Contudo, ninguém queria ficar de fora daquele que prometia ser o maior culto religioso da história da cidade, de modo que, no fim das contas, todos acabaram aderindo. Aberowen não tinha sinagoga, mas, como o jovem Jonathan Goldman era um dos mortos, os poucos judeus praticantes da cidade resolveram participar da cerimônia, embora nenhuma concessão fosse ser feita à sua religião.

O serviço religioso ocorreu no domingo à tarde, às duas e meia, em um parque municipal conhecido como Reck, contração de "Recreation Ground", ou espaço recreativo. A prefeitura ergueu um tablado temporário para os sacerdotes no local. O dia estava bonito e ensolarado e três mil pessoas compareceram.

Ethel correu os olhos pela multidão. Perceval Jones estava presente, de cartola.

Além de prefeito de Aberowen, ele passara a ser o representante da cidade na Câmara dos Comuns do Parlamento. Era também o comandante militar honorário dos Aberowen Pals e havia liderado o recrutamento. Estava acompanhado de vários diretores da Celtic Minerals – como se eles tivessem alguma coisa a ver com o heroísmo dos mortos, pensou Ethel com amargura. Maldwyn Morgan-foi-a-Merthyr também apareceu com a mulher, mas eles tinham o direito de estar ali, pois haviam perdido o filho Roland.

Foi então que ela viu Fitz.

A princípio, não o reconheceu. Divisou também a princesa Bea, de vestido e chapéu pretos, seguida por uma ama-seca que carregava o pequeno visconde de Aberowen, um menino da mesma idade de Lloyd. Ao lado de Bea havia um homem de muletas, com a perna esquerda engessada e uma atadura sobre um dos lados do rosto, tapando-lhe o olho esquerdo. Ethel precisou de um bom tempo para entender que aquele era Fitz, e o choque a fez soltar um grito.

– O que foi? – perguntou-lhe Mam.

– Olhe só para o conde!

– Aquele é o conde? Nossa mãe, coitado!

Ethel não desgrudava os olhos de Fitz. Não estava mais apaixonada – ele tinha sido cruel demais. Ainda assim, não conseguia ficar indiferente. Havia beijado o rosto sob aquela atadura um dia e acariciara o corpo esguio e forte agora tão terrivelmente mutilado. Ele era um homem vaidoso – esse era o mais perdoável de seus defeitos –, e Ethel sabia que a sua humilhação ao se olhar no espelho devia lhe causar mais dor do que os próprios ferimentos.

– Por que será que ele não ficou em casa? – perguntou Mam. – Todos teriam entendido.

Ethel sacudiu a cabeça.

– Ele é orgulhoso demais – falou. – Foi ele quem conduziu os homens à morte. Tinha que vir.

– Você o conhece bem – comentou Mam, com um olhar que fez Ethel se perguntar se ela desconfiava da verdade. – Mas imagino que, além disso, ele queira que as pessoas vejam que a classe dominante também sofreu.

Ethel assentiu. Mam tinha razão. Fitz era arrogante e dominador, mas, paradoxalmente, também ansiava pelo respeito das pessoas comuns.

Dai Costeletas, filho do açougueiro, aproximou-se das duas.

– Fico feliz em vê-la de volta a Aberowen – disse ele.

Ele era baixinho e vestia um terno elegante.

– Como vai, Dai? – cumprimentou-o Ethel.

– Muito bem, obrigado. Amanhã vai estrear um filme novo de Charlie Chaplin. Você gosta dele?

– Não tenho tempo para ir ao cinema.

– Por que não deixa o menino com sua mãe amanhã à noite e vem comigo?

Dai havia enfiado a mão debaixo da saia dela no cinema Palace de Cardiff. Fazia cinco anos, mas, pela expressão nos olhos dele, Ethel percebia que Dai não se esquecera.

– Não, obrigada – respondeu com firmeza.

Ele ainda não estava disposto a desistir:

– Agora estou trabalhando na mina, mas vou assumir a loja quando meu pai se aposentar.

– Tenho certeza de que vai fazer um ótimo trabalho.

– Alguns homens nem sequer olhariam para uma garota com um filho – disse ele. – Mas não eu.

Havia um quê de arrogância naquele comentário, mas Ethel decidiu não se ofender.

– Até logo, Dai. Foi muita gentileza sua me convidar.

Ele abriu um sorriso desapontado.

– Você continua sendo a garota mais bonita que eu já conheci. – Tocou a boina e se afastou.

– Qual é o problema com ele? – quis saber Mam, indignada. – Você precisa de um marido e ele é um partido e tanto!

De fato, qual era o problema com ele? Era meio baixinho, mas seu charme compensava isso. Tinha um bom futuro pela frente e estava disposto a aceitar o filho de outro homem. Ethel se perguntou por que estava tão segura de que não queria ir ao cinema com ele. Será que, bem lá no fundo, ainda se achava boa demais para Aberowen?

Bem em frente ao tablado, havia uma fila de cadeiras reservadas à elite. Fitz e Bea se acomodaram ao lado de Perceval Jones e Maldwyn Morgan e o culto começou.

Ethel era uma cristã não muito convicta. Imaginava que devesse existir um Deus, mas desconfiava que Ele fosse mais razoável do que seu pai pensava. As desavenças fervorosas de Da com as igrejas oficiais não passavam, para Ethel, de uma leve antipatia pelos ídolos, pelo incenso e pela língua latina. Em Londres, às vezes ia ao Salão do Evangelho do Calvário aos domingos de manhã, sobretudo porque o pastor de lá era um socialista ferrenho e permitia que sua igreja fosse usada para a clínica de Maud e para reuniões do Partido Trabalhista.

Obviamente, não havia órgão no Reck, de modo que os puritanos não tiveram que engolir sua objeção aos instrumentos musicais. Da contara a Ethel que houvera discórdia em relação a quem conduziria os hinos – papel que, em Aberowen, era mais importante do que o de pregador. Por fim, o Coral Masculino de Aberowen foi posicionado na frente e seu regente, que não pertencia a nenhuma igreja em especial, ficou encarregado da música.

Eles começaram com um hino muito popular de Händel, "Como pastor Ele cuida de Seu rebanho", uma harmonia vocal complexa que a congregação executou à perfeição. Enquanto centenas de tenores se erguiam pelo parque entoando a estrofe "Com o braço ajunta os cordeiros", Ethel percebeu que sentira falta dessa música emocionante quando estava em Londres.

O padre católico recitou o Salmo 129, *De Profundis*, em latim. Ele gritou o mais alto que pôde, porém os que estavam mais afastados do tablado mal conseguiram escutar. O pároco anglicano leu a Oração do Dia para o Sepultamento dos Mortos do *Livro de Orações*. Dilys Jones, um jovem metodista, cantou o hino "Amor divino que a todos excede", de autoria de Charles Wesley. O pastor batista leu o capítulo 15 de I Coríntios do versículo 20 até o final.

Era preciso um pregador para representar os grupos independentes, e Da fora o escolhido.

Ele começou lendo um versículo do capítulo 8 da Epístola aos Romanos: "E, se o Espírito daquele que ressuscitou Jesus dentre os mortos habita em vocês, aquele que ressuscitou a Cristo dentre os mortos também dará vida a seus corpos mortais, por meio do seu Espírito, que habita em vocês." Da tinha uma voz potente, que ecoou vigorosa por todo o parque.

Ethel sentiu orgulho do pai. Aquela honra confirmava seu status de um dos homens mais importantes da cidade, um líder espiritual e político. E ele também estava muito elegante: Mam havia lhe comprado uma gravata preta nova, de seda, na loja de departamentos Gwyn Evans, em Merthyr.

Quando Da começou a falar sobre ressurreição e vida após a morte a atenção de Ethel se dispersou: ela já ouvira tudo aquilo antes. Imaginava que de fato houvesse vida após a morte, mas não tinha certeza, e, de toda forma, não tardaria a descobrir.

Uma agitação na plateia a alertou de que Da talvez houvesse se afastado dos temas habituais. Ela o ouviu dizer:

– Quando este país decidiu ir à guerra, espero que cada membro do Parlamento tenha posto a mão na consciência, com sinceridade e fé, e buscado os conselhos de Deus. Mas quem colocou esses homens no Parlamento?

Ele vai partir para a política, pensou Ethel. Muito bem, Da. Isso vai tirar a expressão de superioridade do rosto do pároco.

– Em princípio, todos os homens deste país estão aptos ao serviço militar. Mas nem todos os homens podem participar da decisão de ir à guerra.

A multidão soltou gritos de aprovação.

– As regras eleitorais excluem mais da metade dos homens deste país!

– E todas as mulheres! – gritou Ethel.

– Shh! – disse Mam. – Quem está fazendo o sermão é o seu pai, não você.

– Mais de 200 homens de Aberowen perderam a vida no primeiro dia de julho, lá nas margens do rio Somme. Fui informado de que as baixas britânicas ultrapassam 50 mil!

A multidão arfou, horrorizada. Poucos tinham noção desse número. Da ficara sabendo por Ethel. Maud conseguira a informação de seus amigos no Departamento de Guerra.

– Cinquenta mil baixas, que incluem 20 mil mortos – prosseguiu Da. – E a batalha continua. Dia após dia, mais rapazes estão sendo massacrados. – Alguns murmúrios de discórdia se ergueram na multidão, mas foram em grande parte abafados pelos gritos de aprovação. Da ergueu a mão, pedindo silêncio. – Não estou pondo a culpa em ninguém. Mas digo apenas o seguinte: um massacre dessas proporções não pode estar certo quando tantos homens foram impedidos de opinar na decisão de ir à guerra.

O pároco de Aberowen deu um passo à frente para tentar interromper Da, enquanto Perceval Jones tentava subir no palanque sem sucesso.

Da, no entanto, estava quase terminando:

– Se algum dia nos pedirem para ir à guerra novamente, não devemos permitir que isso aconteça sem a aprovação de *todo* o povo.

– E não só dos homens, das mulheres também! – gritou Ethel, mas sua voz se perdeu em meio às exclamações de apoio dos mineradores.

Àquela altura, vários homens estavam em pé na frente de Da, protestando com ele, mas sua voz se ergueu acima da algazarra.

– Nunca mais iremos à guerra por decisão de uma minoria! – rugiu ele. – Nunca mais! Nunca mais! Nunca mais!

Ele se sentou e os vivas ecoaram como um trovão.

CAPÍTULO DEZENOVE

De julho a outubro de 1916

Kovel era um entroncamento ferroviário na região da Rússia que já havia pertencido à Polônia, perto da antiga fronteira com a Áustria-Hungria. O exército russo se reuniu pouco mais de 30 quilômetros a leste da cidade, às margens do rio Stokhod. A região toda era pantanosa, centenas de quilômetros quadrados de brejos entrecortados por caminhos de terra. Grigori encontrou um trecho de solo mais seco e ordenou a seu pelotão que montasse acampamento. Eles não tinham barracas: o major Azov vendera todas fazia três meses para uma fábrica de roupas em Pinsk. Segundo ele, os homens não precisavam de barracas no verão e, quando chegasse o inverno, já estariam todos mortos.

Por algum milagre, Grigori continuava vivo. Era agora sargento, enquanto seu amigo Isaak era cabo. Os poucos sobreviventes dentre os homens recrutados em 1914 haviam quase todos se tornado suboficiais. O batalhão de Grigori tinha sido dizimado, transferido, recebido reforços e sido dizimado outra vez. Foram mandados para toda parte, menos de volta para casa.

Grigori matara muitos homens nos últimos dois anos, usando o fuzil, a baioneta ou uma granada de mão, na maior parte das vezes de perto o suficiente para vê-los morrer. Isso fazia alguns de seus companheiros terem pesadelos, sobretudo os mais instruídos, mas não Grigori. Ele havia nascido no ambiente brutal de uma aldeia de camponeses e sobrevivera como órfão nas ruas de São Petersburgo: a violência não perturbava seu sono.

O que o deixava chocado era a estupidez, a insensibilidade e a corrupção dos oficiais. Viver e combater lado a lado com a classe dominante o tornara um revolucionário.

Precisava continuar vivo. Não havia mais ninguém para cuidar de Katerina.

Escrevia regularmente para ela e, de vez em quando, recebia uma carta com uma caligrafia caprichada de colegial e cheia de erros e palavras riscadas. Havia guardado todas elas em um maço bem amarrado dentro de sua bolsa de soldado – e, quando ficava um bom tempo sem receber nada, lia as correspondências antigas.

Na primeira, ela lhe contara ter dado à luz um menino, Vladimir, que já estava com um ano e meio – o filho de Lev. Grigori ansiava por conhecê-lo. Lembrava-se perfeitamente do irmão quando era bebê. Teria Vladimir o mesmo sorriso desdentado irresistível? Se bem que o menino já deveria ter dentes – e inclusive estar andando e dizendo suas primeiras palavras. Grigori queria que ele aprendesse a dizer "tio Grishka".

Não parava de pensar na noite em que Katerina viera se deitar em sua cama. Quando sonhava acordado, às vezes modificava os acontecimentos de modo que, em vez de expulsá-la, ele a tomava nos braços, beijava sua boca carnuda e fazia amor com ela. Na vida real, contudo, sabia que o coração de Katerina pertencia a seu irmão.

Grigori não tivera notícia alguma de Lev, que partira da Rússia havia mais de dois anos. Temia que alguma tragédia houvesse acometido o irmão nos Estados Unidos. Os vícios de Lev muitas vezes o metiam em encrencas, embora ele sempre desse um jeito de se safar. A origem de seus problemas estava na maneira como ele fora criado, sempre passando dificuldades, sem nenhuma disciplina de verdade e tendo apenas Grigori como parco substituto de pai e mãe. Grigori queria ter feito um trabalho melhor, mas ele próprio não passava de um garoto.

A parte boa era que Katerina não tinha ninguém para cuidar dela e do bebê a não ser Grigori. Ele estava determinadíssimo a continuar vivo, apesar da incompetência caótica do Exército russo, para um dia poder voltar para junto deles.

O comandante daquela zona, general Brusilov, era soldado profissional – ao contrário de tantos generais que não passavam de cortesãos. Sob as ordens de Brusilov, os russos haviam conquistado vitórias em junho, obrigando os austríacos a recuarem, aturdidos. Quando as ordens faziam algum sentido, Grigori e seus homens lutavam com afinco. Caso contrário, usavam suas energias para se manterem fora da linha de tiro. Grigori havia ficado bom nisso e, consequentemente, ganhara a confiança de seu pelotão.

Em julho, o avanço russo havia desacelerado, prejudicado, como sempre, pela falta de mantimentos. Mas agora o Exército da Guarda tinha chegado para reforçar o contingente. A Guarda era um grupo de elite, composto pelos soldados mais altos e mais bem preparados fisicamente da Rússia. Ao contrário do restante da tropa, tinham belos uniformes – verde-escuros com galões dourados – e botas novas. Porém seu comandante, general Bezobrazov, outro cortesão do czar, era fraco. Grigori achava que Bezobrazov não conseguiria tomar Kovel, por mais altos que fossem seus soldados.

Quem trouxe as ordens ao raiar do dia foi o major Azov, um homem alto e pesado, vestido com um uniforme justo, e, como sempre, com os olhos vermelhos àquela hora da manhã. O tenente Kirillov o acompanhava. O tenente convocou os sargentos e Azov mandou que eles cruzassem o rio e atravessassem o brejo pelos caminhos de terra batida em direção ao oeste. Os austríacos estavam a postos no brejo, mas não tinham escavado trincheiras: o solo era úmido demais para isso.

Grigori previa um desastre. Os austríacos estariam à espera, protegidos, em posições que tinham podido escolher com cuidado. Os russos estariam concentrados em seguir as trilhas e não conseguiriam se mover depressa pelo terreno pantanoso. Seriam massacrados.

Para piorar, tinham poucas balas.

– Alteza, temos um problema de munição – disse Grigori.

Azov se movimentava depressa para um homem gordo. Sem aviso, desferiu um soco na boca de Grigori. Uma dor lancinante explodiu em seus lábios e ele caiu para trás.

– Isso vai manter você calado por algum tempo – disse Azov. – Vocês receberão munição quando seus oficiais resolverem que é preciso. – Ele se virou para os outros. – Formem fileiras e avancem quando ouvirem o sinal.

Grigori se levantou do chão, sentindo gosto de sangue na boca. Tocando o rosto com delicadeza, descobriu que havia perdido um dos dentes da frente. Amaldiçoou a própria displicência. Em um instante de distração, havia chegado perto demais de um oficial. Já deveria estar cansado de saber: eles partiam para cima à menor provocação. Por sorte Azov não estava segurando um fuzil, ou teria sido a coronha da arma a atingir o seu rosto.

Ele reuniu seu pelotão e o dispôs em uma linha irregular. Seu plano era ficar para trás e deixar que outros fossem na frente, mas, para sua decepção, Azov despachou sua companhia com antecedência e o pelotão de Grigori foi um dos primeiros.

Ele teria que pensar em alguma outra solução.

Entrou na água do rio, seguido pelos 35 homens de seu pelotão. A água estava fria, mas, como fazia sol e calor, os homens não se incomodaram muito em se molharem. Grigori avançava devagar e seus homens o imitavam, mantendo-se logo atrás dele, esperando para ver o que seu líder faria.

O rio Stokhod era largo e raso, e os homens chegaram ao outro lado sem que a água passasse da altura de suas coxas. Já haviam sido ultrapassados por outros soldados mais dispostos, constatou Grigori com satisfação.

Uma vez na trilha estreita que cortava o brejo, o pelotão de Grigori teve que entrar no mesmo ritmo dos outros e ele não pôde executar seu plano de ficar para trás. Começou a ficar preocupado. Não queria que seus homens estivessem naquele grupo quando os austríacos abrissem fogo.

Depois de avançarem cerca de dois quilômetros, a trilha tornou a se estreitar, obrigando os homens a formarem uma fila indiana e fazendo-os diminuir o ritmo. Grigori viu uma oportunidade. Fingindo estar impaciente com a demora, saiu da trilha e passou a andar pela água lamacenta. O restante de seus homens logo o imitou. O pelotão que vinha logo atrás acelerou e fechou a brecha.

A água batia no peito de Grigori e a lama era viscosa. Caminhar pelo brejo era muito lento, e – como ele havia planejado – seu pelotão ficou para trás.

O tenente Kirillov viu o que estava acontecendo e, irado, gritou:

– Ei, vocês aí! Voltem para a trilha!

Grigori gritou de volta.

– Sim, Excelência. – Porém conduziu seus homens para mais longe ainda, fingindo procurar solo mais firme.

O tenente soltou um palavrão e desistiu.

Grigori examinava o terreno à sua frente com a mesma atenção que os oficiais, embora por motivos diferentes. Enquanto os oficiais procuravam o exército austríaco, ele procurava um lugar para se esconder.

Continuou avançando enquanto deixava centenas de soldados o ultrapassarem. Já que a Guarda é tão cheia de si, pensou, ela que trave o combate.

Por volta do meio da manhã, ouviu os primeiros tiros vindos lá da frente. A vanguarda havia entrado em combate com o inimigo. Estava na hora de buscar abrigo.

Grigori chegou a um pequeno aclive onde o solo estava mais seco. O restante da companhia do major Azov já estava fora de seu campo de visão, bem mais à frente. Do alto da subida, Grigori gritou:

– Protejam-se! Posição inimiga à frente e à esquerda!

Não havia posição inimiga nenhuma, e seus homens sabiam disso, mas todos se jogaram no chão atrás de arbustos e árvores e miraram os fuzis encosta abaixo. Grigori disparou um tiro exploratório em um tufo de vegetação cerca de 500 metros mais adiante, só para confirmar que não havia dado o azar de escolher um local de fato ocupado por austríacos; mas ninguém atirou de volta.

Contanto que ficassem ali, estariam seguros, pensou Grigori com satisfação. Com o passar do dia, duas coisas poderiam acontecer. O mais provável era que, dali a poucas horas, soldados russos voltassem cambaleando pelo brejo carregando seus feridos e perseguidos pelo inimigo – nesse caso, o pelotão de Grigori se juntaria à debandada. Ou então, por volta do anoitecer, Grigori concluiria que os russos tinham saído vitoriosos e faria seu grupo avançar rumo à comemoração.

Enquanto isso, o único problema era obrigar os homens a continuarem fingindo que estavam combatendo uma posição austríaca. Era tedioso passar horas e horas deitado no chão olhando para a frente, como quem vasculha o terreno em busca de soldados inimigos. Os homens tendiam a começar a comer e beber, a fumar, a jogar cartas ou então a cochilar, o que estragava a encenação.

No entanto, antes que eles pudessem se acomodar, o tenente Kirillov apareceu uns 200 metros à direita de Grigori, do outro lado de uma lagoa. Grigori resmungou: aquilo poderia estragar tudo.

– Homens, o que estão fazendo? – gritou Kirillov.

– Abaixe-se, Excelência! – gritou Grigori de volta.

Isaak deu um tiro para o alto com seu rifle e Grigori se agachou. Kirillov fez o mesmo e então voltou pelo caminho por onde tinha vindo.

Isaak deu uma risadinha.

– Nunca falha.

Grigori já não tinha tanta certeza. Kirillov lhe pareceu irritado, contrariado, como se soubesse que estava sendo passado para trás mas não conseguisse decidir o que fazer a respeito.

Grigori ficou escutando a profusão de estrondos da batalha mais à frente. Calculou que ela estivesse acontecendo a menos de dois quilômetros dali e que não se movia em nenhuma direção.

O sol subiu mais alto no céu e secou suas roupas molhadas. Ele começou a ficar com fome e pôs-se a roer um pedaço de biscoito duro de sua marmita, evitando o local dolorido em que Azov tinha quebrado seu dente.

Assim que a névoa se dispersou, ele viu aviões alemães voando baixo, cerca de um quilômetro e meio mais adiante. A julgar pelo barulho, estavam atirando com metralhadoras contra as tropas terrestres. A Guarda, amontoada em trilhas estreitas ou chapinhando na lama, deveria ser um alvo terrivelmente fácil. Grigori sentiu-se duplamente grato por ter garantido que nem ele nem seus homens estivessem lá.

Pelo meio da tarde, o som da batalha pareceu se aproximar. Os russos estavam sendo empurrados de volta. Ele se preparou para ordenar que seus homens se juntassem às tropas em fuga – mas ainda não era o momento. Não queria chamar atenção. Bater em retirada devagar era quase tão importante quanto avançar devagar.

Viu alguns soldados dispersos à sua esquerda e à sua direita, voltando pelo brejo em direção ao rio, alguns obviamente feridos. O exército já havia começado a retroceder, mas ainda não estava em franca retirada.

De algum lugar ali perto, ouviu um relincho. Onde havia um cavalo, havia um oficial. Grigori disparou na mesma hora contra austríacos imaginários. Seus homens o imitaram, e uma série de estampidos espaçados ecoou pelo ar. Ele olhou em volta e viu o major Azov montado em um grande cavalo de caça cinzento que chapinhava pela lama. Azov gritava para um grupo de soldados que recuava, dizendo-lhes para voltar ao combate. Os soldados discutiram com ele até o verem sacar um revólver Nagant – idêntico ao de Lev, pensou Grigori – e apontá-lo na direção deles. Então deram meia-volta e retornaram com relutância por onde tinham vindo.

Azov guardou a arma no coldre e trotou até a posição de Grigori.

– O que estão fazendo aqui, seus idiotas? – perguntou.

Grigori continuou deitado no chão, mas rolou de barriga para cima e recarregou o fuzil, enfiando seu último cartucho de cinco tiros no lugar e fingindo pressa.

– Tem uma posição inimiga no meio daquelas árvores ali na frente, Alteza – disse ele. – É melhor o senhor desmontar, eles podem vê-lo.

Azov continuou montado.

– Então o que vocês estão fazendo... escondendo-se deles?

– Sua Excelência, o tenente Kirillov, nos disse para abatê-los. Mandei uma patrulha atacá-los pelo flanco enquanto nós damos cobertura.

Azov não era totalmente idiota.

– Eles não parecem estar revidando o fogo.

– Nós os acuamos.

Ele sacudiu a cabeça.

– Eles já bateram em retirada... se é que algum dia estiveram ali.

– Acho que não, Alteza. Agora mesmo estavam disparando contra nós.

– Não tem ninguém ali. – Azov ergueu a voz. – Cessar fogo! Homens, cessar fogo!

O pelotão de Grigori parou de atirar e olhou para o major.

– Ao meu sinal, ataquem! – disse o oficial, sacando o revólver.

Grigori não soube muito bem o que fazer. Estava claro que a batalha havia sido o desastre que ele previra. Depois de passar o dia inteiro evitando-a, não queria arriscar vidas quando era evidente que ela já havia terminado. Mas era temerário entrar em conflito direto com oficiais.

Foi quando um grupo de soldados saiu do meio da vegetação, bem de onde Grigori vinha fingindo haver uma posição inimiga. Ele os encarou com surpresa. Mas os soldados não eram austríacos, notou ele assim que conseguiu distinguir seus uniformes: eram russos em fuga.

Azov, no entanto, não mudou de atitude.

– Esses homens são desertores covardes! – berrou ele. – Ataquem-nos! – E disparou o revólver contra os russos que se aproximavam.

Os homens do pelotão ficaram estupefatos. Oficiais muitas vezes ameaçavam atirar em soldados que parecessem relutantes em combater, mas era a primeira vez que os homens de Grigori recebiam ordem de atacar os próprios companheiros. Todos olharam para ele, esperando instruções.

Azov apontou a arma para Grigori.

– Atacar! – gritou ele. – Fuzilem esses traidores!

Grigori tomou uma decisão.

– Certo, homens! – bradou. Levantou-se com alguma dificuldade. Virando as costas para os russos que se aproximavam, ele olhou para os dois lados e ergueu o fuzil. – Vocês ouviram o que o major disse! – Ele manejou a arma como se fosse virá-la, mas então apontou-a para Azov.

Se fosse para atirar em seus compatriotas, preferiria matar um oficial a um soldado.

Azov o encarou por um instante, petrificado, e nesse mesmo segundo Grigori puxou o gatilho.

O primeiro tiro atingiu o cavalo de Azov, fazendo-o titubear. Isso salvou a vida de Grigori, pois Azov atirou nele, mas o movimento súbito de sua montaria o fez errar o tiro. Com um gesto automático, Grigori acionou o ferrolho da arma e tornou a disparar.

Errou também o segundo tiro. Grigori soltou um palavrão. Agora estava correndo sério perigo. Mas o major também.

Azov lutava para dominar o cavalo e não conseguia mirar o revólver. Grigori seguiu seus movimentos espasmódicos com a mira do fuzil, disparou um terceiro tiro e acertou Azov no peito. Então ficou olhando o major cair lentamente do cavalo. Sentiu uma onda de satisfação cruel quando o corpo pesado mergulhou em uma poça de lama.

O cavalo se afastou, trôpego, sentando-se de repente sobre a traseira feito um cachorro.

Grigori andou até Azov. Caído de costas na lama, o major olhava para cima, sem se mexer, mas ainda com vida, sangrando pelo lado direito do peito. Grigori olhou em volta. Os soldados em fuga ainda estavam longe demais para ver com clareza o que estava acontecendo. Os homens do seu pelotão eram de total confiança: ele já salvara suas vidas diversas vezes. Encostou o cano do fuzil contra a testa de Azov.

– Isto é por todos os bons russos que você matou, seu cão assassino – disse ele. Fez uma careta, arreganhando os dentes. – E pelo meu dente da frente – acrescentou antes de puxar o gatilho.

O corpo do major ficou mole e ele parou de respirar.

Grigori olhou para seus homens.

– Infelizmente, o major foi morto por fogo inimigo – disse ele. – Recuar!

Os homens vibraram e começaram a correr.

Grigori foi até o cavalo. O animal tentou se levantar, mas Grigori pôde ver que estava com a perna quebrada. Levou o fuzil à orelha dele e disparou seu último tiro. O animal caiu de lado e parou de se mexer.

Grigori sentiu mais pena do cavalo do que do major Azov.

Então foi atrás de seus homens, batendo em retirada.

II

Quando a ofensiva Brusilov terminou, Grigori foi transferido para a capital, então rebatizada de Petrogrado, porque São Petersburgo soava alemão demais. Aparentemente, havia necessidade de soldados calejados para proteger a família do czar e seus ministros da população irada. O que sobrara de seu batalhão foi integrado à força de elite do Primeiro Regimento de Metralhadoras, de modo que Grigori se mudou para o quartel deles na Sampsonievsky Prospekt, no distrito de Vyborg, um bairro operário composto de fábricas e barracos. O Primeiro Regimento de Metralhadoras era bem alimentado e tinha boas instalações, o que era uma tentativa de mantê-lo satisfeito o bastante para defender o odiado regime.

Ele estava feliz por voltar, mas a ideia de reencontrar Katerina o enchia de apreensão. Ansiava por olhar para ela, ouvir sua voz e segurar o bebê que ela dera à luz, seu sobrinho. Mas o desejo que sentia o deixava nervoso. Ela era sua mulher, mas isso era mera formalidade. Katerina havia escolhido Lev – e Lev era o pai do seu filho. Grigori não tinha o direito de amá-la.

Ele chegou a cogitar a hipótese de não lhe contar que havia voltado. Em uma cidade com mais de dois milhões de habitantes, era bem provável que nunca topassem um com o outro. Mas teria achado isso difícil demais de suportar.

Em seu primeiro dia na capital, ele não teve permissão para sair do quartel. Ficou frustrado por não poder ir ver Katerina. Naquela tarde, ele e Isaak conheceram outros bolcheviques no quartel e Grigori concordou em criar um grupo de discussão.

Na manhã seguinte, seu pelotão tornou-se parte de um esquadrão encarregado de proteger a casa do príncipe Andrei – o antigo senhor absoluto das terras de sua região – durante um banquete. O príncipe morava em um palácio cor-de-rosa e amarelo na avenida às margens do rio Neva, conhecida como English Embankment. Ao meio-dia, os soldados se alinharam nos degraus do palácio. Nuvens baixas de chuva escureciam a cidade, mas todas as janelas da casa estavam iluminadas. Por trás dos vidros, emoldurados por cortinas de veludo como em uma peça de teatro, lacaios e criadas vestidos com uniformes limpos zanzavam de um lado para outro, carregando garrafas de vinho, travessas de canapés e bandejas de prata com pilhas de frutas. No saguão, uma pequena orquestra tocava, e do lado de fora era possível ouvir os acordes de uma sinfonia. Os grandes carros reluzentes paravam em frente aos degraus, lacaios corriam para abrir as portas e os convidados saíam – os homens de casaco preto e cartola, as mulheres envoltas em peles. Uma pequena multidão se reuniu do outro lado da rua para assistir.

Era uma cena conhecida, mas havia uma diferença. Sempre que alguém descia de um carro, a multidão vaiava e gritava zombarias. Antigamente, a polícia teria dispersado as pessoas a golpes de cassetete no mesmo instante. Mas agora já não havia mais polícia – e os convidados subiam o mais rápido possível os degraus entre as duas fileiras de soldados, atravessando às pressas o portal imponente do palácio, visivelmente com medo de passarem muito tempo do lado de fora.

Na opinião de Grigori, aquelas pessoas tinham razão de hostilizar a nobreza que havia tornado aquela guerra um caos. Se houvesse algum problema, ele ficaria tentado a tomar o partido da multidão. Com certeza não pretendia atirar naquela gente, e imaginou que muitos dos soldados também pensassem assim.

Como os nobres podiam dar festas luxuosas em um momento daqueles? Metade da Rússia estava passando fome e até mesmo os soldados no front estavam em regime de racionamento. Homens como Andrei mereciam ser assassinados na própria cama. Se eu o vir, pensou Grigori, vou ter que me controlar para não fuzilá-lo como fiz com o major Azov.

A procissão de carros chegou ao fim sem incidentes, e a multidão se cansou e se dispersou. Grigori passou a tarde olhando bem para os rostos das mulheres que cruzavam a avenida, esperando ansioso pela chance improvável de ver Katerina. Quando os convidados começaram a ir embora, já estava escuro e frio e ninguém mais queria ficar na rua, de modo que não houve mais vaias.

Depois da festa, os soldados foram chamados à porta dos fundos para comer as sobras dispensadas pelos empregados da casa: restos de carne e peixe, vegetais frios, brioches já meio comidos, maçãs e peras. A comida foi jogada em cima de uma mesa de cavalete, misturada de forma desagradável: fatias de presunto sujas de patê de peixe, frutas com molho de carne, pão coberto de cinzas de charuto. Mas os soldados já haviam comido coisa pior nas trincheiras, e fazia tempo desde seu desjejum de mingau com bacalhau salgado, de modo que atacaram a comida, esfomeados.

Em nenhum momento Grigori viu o rosto odiado do príncipe Andrei. Talvez fosse melhor assim.

Depois de marcharem de volta até o quartel e entregarem suas armas, eles receberam a noite de folga. Grigori ficou eufórico: era sua oportunidade de visitar Katerina. Foi até a porta dos fundos da cozinha do quartel e implorou por um pouco de pão e carne para levar para ela: um sargento tinha lá seus privilégios. Então engraxou as botas e partiu.

Vyborg, onde ficava o quartel, estava situado na parte nordeste da cidade, enquanto Katerina morava na outra extremidade, no bairro de Narva, a sudoeste – isso se continuasse ocupando o antigo quarto de Grigori perto da Metalúrgica Putilov.

Ele desceu a Sampsonievsky Prospekt na direção sul, atravessando a ponte Liteiny até o centro da cidade. Algumas das lojas sofisticadas continuavam abertas, com as vitrines iluminadas por luz elétrica, porém muitas estavam fechadas. Nas lojas mais comuns, havia poucas mercadorias à venda. A vitrine de uma padaria exibia um único bolo e um cartaz escrito à mão que dizia: "Pão só amanhã."

O amplo bulevar da Nevsky Prospekt o fez pensar em quando havia andado por ali com a mãe, naquele dia fatídico de 1905 em que a vira ser morta pelos soldados do czar. Agora ele próprio era um daqueles soldados. Mas não iria atirar em mulheres e crianças. Se o czar tentasse fazer isso agora, teria de enfrentar outro tipo de problema.

Ele viu 10 ou 12 rapazes abrutalhados usando casacos e boinas pretas e carregando um retrato do czar quando jovem, com os cabelos escuros ainda sem entradas e uma barba ruiva cerrada. Um deles gritou:

– Vida longa ao czar! – E todos eles pararam, ergueram as boinas e deram vivas. Vários passantes ergueram os chapéus.

Grigori já havia encontrado grupos como aquele. Eram as Centenas Negras, que faziam parte da União do Povo Russo, um grupo de direita que desejava retornar aos tempos áureos em que o czar era o pai incontestável de seu povo e a Rússia não tinha liberais, socialistas ou judeus. Segundo informações obtidas pelos bolcheviques junto a seus contatos na polícia, os jornais deles eram bancados pelo governo e seus panfletos impressos nos porões das delegacias.

Grigori passou lançando-lhes um olhar de desprezo, mas um dos rapazes o abordou:

– Ei, você aí! Por que está de chapéu?

Grigori continuou andando sem responder, porém outro membro da gangue o segurou pelo braço.

– Você é o quê? Judeu? – perguntou o segundo homem. – Tire a boina!

– Se tocar em mim de novo eu arranco a porra da sua cabeça, seu moleque falastrão – disse Grigori em voz baixa.

O homem recuou, estendendo um panfleto para Grigori.

– Dê uma lida, amigo – falou ele. – Aí está dizendo como os judeus estão traindo vocês, soldados.

– Se você não sair da minha frente, vou enfiar esse panfleto idiota no seu cu – respondeu Grigori.

O homem olhou para os companheiros em busca de apoio, mas os outros já haviam começado a espancar um homem de meia-idade que usava um chapéu de pele. Grigori se afastou.

Enquanto passava diante de uma loja interditada com tábuas, uma mulher lhe dirigiu a palavra.

– Ei, garotão – falou. – Quer dar uma trepada por um rublo? – Ela usava o jargão habitual das prostitutas, mas sua voz o surpreendeu: aquela mulher parecia instruída. Grigori lançou um olhar em sua direção. Ela vestia um casaco comprido e, quando ele a olhou, a mulher o abriu para mostrar que, apesar do frio, estava nua por baixo. Tinha 30 e poucos anos, seios fartos e uma barriga arredondada.

Grigori sentiu uma onda de desejo. Fazia anos que não se deitava com uma mulher. As prostitutas das trincheiras eram asquerosas, sujas e doentes. Mas aquela mulher parecia alguém que ele poderia abraçar.

Ela fechou o casaco.

– Sim ou não?

– Eu não tenho dinheiro – respondeu Grigori.

– O que tem dentro dessa bolsa? – Ela meneou a cabeça para a bolsa que ele carregava.

– Uns restos de comida.

– Eu me deito com você por um pão – disse a mulher. – Meus filhos estão morrendo de fome.

Grigori pensou naqueles seios fartos.

– Onde?

– Na sala dos fundos da loja.

Pelo menos, pensou Grigori, eu não vou estar louco de frustração sexual quando encontrar Katerina.

– Está bem.

Ela abriu a porta e o fez entrar. Em seguida, fechou a porta e passou um trinco nela. Os dois atravessaram a loja vazia até outro cômodo. À luz mortiça do poste de rua, Grigori viu que havia um colchão no chão, com um cobertor por cima.

A mulher se virou para encará-lo, deixando o casaco se abrir novamente. Ele olhou para o tufo de pelos pretos em seu baixo-ventre. Ela estendeu a mão.

– Primeiro o pão, sargento, por favor.

Ele retirou da bolsa um grande pão preto, que lhe entregou.

– Volto em um instante – disse a mulher.

Ela subiu correndo um lance de escada e abriu uma porta. Grigori ouviu uma voz de criança. Então um homem tossiu – uma tosse seca que vinha do fundo do peito. Houve sons abafados de pessoas se movendo e vozes baixas se fizeram ouvir por alguns instantes. Então ele tornou a escutar o barulho da porta e a mulher desceu a escada.

Ela tirou o casaco, deitou-se de costas no colchão e abriu as pernas. Grigori se deitou ao seu lado e a abraçou. A mulher tinha um rosto atraente, inteligente, porém marcado pela angústia.

– Hum, como você é forte! – comentou ela.

Ele acariciou sua pele macia, mas havia perdido todo o desejo. A cena toda era patética demais: a loja vazia, o marido doente, as crianças famintas e a falsa vontade de seduzi-lo da mulher.

Ela desabotoou sua calça e segurou seu pênis flácido.

– Quer que eu chupe?

– Não. – Ele se sentou no colchão e lhe estendeu o casaco. – Pode vestir.

Com uma voz amedrontada, ela disse:

– Eu não posso devolver o pão... já está metade comido.

Ele fez que não com a cabeça.

– O que houve com vocês?

Ela vestiu o casaco e fechou os botões.

– Você tem cigarro?

Ele lhe deu um e pegou outro para fumar.

Ela soprou a fumaça.

– Nós tínhamos uma sapataria... produtos de alta qualidade a preços justos para a classe média. Meu marido é bom negociante e nós vivíamos bem. – Seu tom era de amargura. – Mas, tirando a nobreza, há dois anos que ninguém nesta cidade compra sapatos novos.

– Não havia mais nada que vocês pudessem fazer?

– Sim, havia. – Seus olhos chisparam de raiva. – Não ficamos simplesmente parados e aceitamos nosso destino sem reagir. Meu marido descobriu que podia fornecer botas de primeira para os soldados a metade do preço que o Exército estava pagando. Todas as pequenas fábricas que costumavam ser fornecedoras da loja estavam loucas para receber alguma encomenda. Ele foi ao Comitê de Indústrias de Guerra.

– O que é isso?

– Faz tempo que você saiu da cidade, hein, sargento? Hoje em dia, tudo o que funciona por aqui é administrado por comitês independentes: o governo é incompetente demais para fazer qualquer coisa. O Comitê de Indústrias de Guerra cuida do abastecimento do Exército... ou pelo menos cuidava, quando Polivanov era ministro da Guerra.

– E qual foi o problema?

– Nós recebemos a encomenda, meu marido usou todas as economias para pagar os fabricantes e então o czar demitiu Polivanov.

– Por quê?

– Polivanov permitia que representantes eleitos dos trabalhadores fizessem parte do comitê, por isso a czarina achou que ele fosse um revolucionário. Seja como for, a encomenda foi cancelada... e nós fomos à falência.

Grigori sacudiu a cabeça, enojado.

– E eu que pensei que só os comandantes do front fossem loucos.

– Chegamos a tentar outras coisas. Meu marido estava disposto a fazer qualquer trabalho: ser garçom, motorneiro de bonde, consertar estradas, mas ninguém estava contratando e, de tanta preocupação e falta de comida, ele adoeceu.

– Então agora você faz isso.

– Não sou muito boa. Mas alguns homens são gentis, como você. Já outros... – Ela estremeceu e desviou o olhar.

Grigori terminou o cigarro e se levantou.

– Adeus. Não vou perguntar seu nome.

Ela se pôs de pé.

– Graças a você, minha família ainda está viva. – Sua voz estava embargada. – E eu só preciso voltar às ruas amanhã. – Ela ficou na ponta dos pés e beijou-lhe os lábios de leve. – Obrigada, sargento.

Grigori foi embora.

Estava ficando mais frio. Ele percorreu as ruas depressa até o bairro de Narva. À medida que se afastava da mulher do sapateiro, recuperou a libido e pensou arrependido em seu corpo macio.

Ocorreu-lhe que, assim como ele, Katerina tinha necessidades físicas. Dois anos era tempo demais para uma jovem ficar sem nenhum tipo de romance – ela ainda não passava dos 23 anos. Tinha poucos motivos para ser fiel a Lev ou a Grigori. Uma mulher com um bebê bastava para afugentar muitos homens, mas, por outro lado, ela era muito atraente – pelo menos até dois anos atrás. Talvez não estivesse sozinha naquela noite. Isso sim seria terrível.

Ele foi se aproximando de sua antiga casa pela linha do trem. Seria imaginação sua ou a rua tinha ficado mais miserável naqueles dois anos? Durante todo esse tempo, nada parecia ter sido pintado, consertado, ou mesmo limpo. Ele percebeu haver uma fila em frente à padaria da esquina, embora a loja estivesse fechada.

Ainda tinha sua chave. Entrou na casa.

Subiu a escada, temeroso. Não queria encontrá-la com um homem. Agora que estava ali, desejou ter mandado avisar sobre a sua vinda, para que ela pudesse ter se preparado e o esperasse sozinha.

Bateu na porta.

– Quem é?

O som da voz dela encheu seus olhos de lágrimas.

– Uma visita – respondeu ele com a voz rouca, abrindo a porta.

Ela estava em pé junto à lareira, segurando uma panela. Deixou-a cair no chão, derramando leite, e levou as duas mãos à boca. Soltou um gritinho.

– Sou só eu – disse Grigori.

No chão ao seu lado, um menininho estava sentado, segurando uma colher de metal. Parecia ter acabado de parar de bater em uma lata vazia. Passou alguns instantes olhando para Grigori, espantado, antes de começar a chorar.

Katerina o pegou no colo.

– Não chore, Volodya – disse ela, ninando-o. – Não precisa ter medo. – O menino se acalmou. – É o seu pai – disse Katerina.

Grigori não tinha certeza se queria que Vladimir pensasse que ele era seu pai, mas aquela não era hora para discutir. Ele entrou e fechou a porta às suas costas. Abraçou mãe e filho, beijou o menino e então deu um beijo na testa de Katerina.

Recuou um pouco e olhou para os dois. Ela já não era a menina de rosto jovial que ele havia resgatado do mal-intencionado capitão de polícia Pinsky. Estava mais magra e tinha um ar cansado, tenso.

Estranhamente, o menino não se parecia muito com Lev. Não exibia nenhum sinal de sua beleza, tampouco seu sorriso sedutor. Na verdade, Vladimir tinha o olhar azul intenso que Grigori via quando se olhava no espelho.

Grigori sorriu.

– Ele é lindo.

– O que houve com a sua orelha? – perguntou Katerina.

Grigori tocou o que lhe restava da orelha direita.

– Perdi quase inteira na batalha de Tannenberg.

– E com o dente?

– Eu desagradei a um oficial. Mas agora ele está morto, então no final quem levou a melhor fui eu.

– Você não está mais tão bonito.

Era a primeira vez que ela o chamava de bonito.

– São ferimentos sem importância. Tenho sorte de estar vivo.

Ele correu os olhos por seu antigo quarto. Havia diferenças sutis. Sobre o console da lareira – onde Grigori e Lev costumavam guardar seus cachimbos, sua lata de fumo, seus fósforos e as lascas de madeira para acender o fogo –, Katerina tinha posto um vaso de cerâmica, uma boneca e um cartão-postal colorido de Mary Pickford. A janela exibia uma cortina. Era feita de trapos, como uma colcha de retalhos, mas Grigori nunca havia tido cortina nenhuma. Ele também reparou no cheiro, ou na falta dele, e se deu conta de que antes o ar dali era carregado de fumaça de tabaco, repolho fervido e homens sem banho. Agora, o aroma era de limpeza.

Katerina enxugou o leite derramado.

– Eu desperdicei o jantar de Volodya – falou ela. – Não sei o que vou lhe dar para comer. Não tenho mais leite no peito.

– Não se preocupe. – Grigori sacou da bolsa um pedaço de linguiça, um repolho e uma lata de geleia. Katerina encarou a comida, incrédula. – Peguei da cozinha do quartel – explicou ele.

Ela abriu a geleia e deu um pouco para Vladimir com uma colher. O menino comeu e disse:

– Mais?

Katerina comeu uma colherada ela própria, depois deu mais geleia ao menino.

– Parece um conto de fadas – disse ela. – É tanta comida! Não vou precisar passar a noite em frente à padaria.

Grigori franziu o cenho.

– Como assim?

Ela engoliu mais geleia.

– Nunca tem pão que chegue. Tudo é vendido assim que a padaria abre pela manhã. O único jeito de conseguir pão é fazer fila. E, se você não entrar nela antes da meia-noite, eles acabam antes de chegar a sua vez.

– Meu Deus! – Ele detestava a ideia de ela ter que dormir na calçada. – E Volodya?

– Uma das meninas fica de olho para ver se ele chora enquanto eu estou fora. Mas ele agora já dorme a noite inteira.

Não era de espantar que a mulher do sapateiro estivesse disposta a ir para a cama com Grigori em troca de um pão. Ele provavelmente tinha lhe pagado mais do que o normal.

– E como você está conseguindo se virar?

– Ganho 12 rublos por semana na fábrica.

Ele ficou intrigado.

– Mas isso é o dobro do que você ganhava quando eu fui embora!

– Só que o aluguel deste quarto custava quatro rublos por semana. Agora custa oito. Isso me deixa quatro rublos para todo o resto. E um saco de batatas, que antes custava um rublo, agora custa sete.

– Sete rublos por um saco de batatas! – Grigori estava pasmo. – Como é que as pessoas conseguem viver?

– Todo mundo está passando fome. As crianças adoecem e morrem. Os velhos se apagam como velas. A situação piora a cada dia, e ninguém faz nada.

O coração de Grigori se apertou. Enquanto sofria no Exército, seu consolo era pensar que Katerina e o bebê estavam levando uma vida melhor, com um lugar quentinho para dormir e dinheiro suficiente para comprar comida. Mas tinha se enganado aquele tempo todo. Pensar que ela precisava deixar Vladimir sozinho ali para ir dormir em frente à padaria o enchia de raiva.

Os dois se sentaram à mesa e Grigori cortou a linguiça com sua faca.

– Um chá seria bom – disse ele.

Katerina sorriu.

– Faz um ano que não tomo chá.

– Vou trazer um pouco do quartel.

Katerina comeu a linguiça. Grigori notou que ela teve que se controlar para não devorá-la. Pegou Vladimir no colo e deu-lhe mais geleia. O menino ainda era um pouco novo demais para linguiça.

Um contentamento agradável tomou conta de Grigori. Enquanto estava no front, tinha sonhado com aquela cena: o quartinho, comida na mesa, o bebê, Katerina. Agora o sonho havia se realizado.

– Isso não deveria ser tão difícil de encontrar – falou, pensativo.

– Como assim?

– Você e eu temos boa saúde e trabalhamos duro. Tudo o que eu quero é isto aqui: um quarto, alguma coisa para comer, poder descansar à noite. Deveríamos ter isso todos os dias.

– Nós fomos traídos pelos partidários dos alemães na corte – disse ela.

– É mesmo? Como foi isso?

– Bom, você sabe que a czarina é alemã.

– Sei. – A mulher do czar nascera princesa Alix de Hesse e do Reno, no Império Germânico.

– E Stürmer é alemão, claro.

Grigori deu de ombros. Até onde sabia, o primeiro-ministro Stürmer era russo de nascença. Muitos russos tinham nomes alemães e vice-versa: há séculos que habitantes dos dois países cruzavam a fronteira para lá e para cá.

– E Rasputin é pró-alemão.

– Ah, é? – Grigori desconfiava que o maior interesse do monge louco era seduzir as mulheres da corte e ganhar influência e poder.

– Eles estão todos mancomunados. Stürmer foi pago pelos alemães para fazer os camponeses morrerem de fome. O czar telefona para o primo, o Kaiser Guilherme, para lhe avisar onde os nossos soldados vão estar em seguida. Rasputin quer que a Rússia se renda. E a czarina e sua dama de companhia, Anna Vyrubova, dormem ambas com Rasputin ao mesmo tempo.

Grigori já tinha escutado a maioria desses boatos. Não acreditava que a corte do czar fosse pró-alemã. Eles eram apenas burros e incompetentes. Muitos dos soldados, no entanto, acreditavam nessas histórias – e, a julgar por Katerina, alguns civis também. Cabia aos bolcheviques explicar os verdadeiros motivos que estavam levando os russos a perderem a guerra e morrerem de fome.

Mas não naquela noite. Quando Vladimir bocejou, Grigori se levantou e pôs-se a niná-lo, andando de um lado para outro enquanto Katerina falava. Ela lhe contou sobre a vida na fábrica, sobre os outros inquilinos da casa e sobre pessoas que ele conhecia. O capitão Pinsky se tornara tenente da polícia secreta e perseguia liberais e democratas perigosos. Havia milhares de órfãos nas ruas, vivendo de roubos e prostituição e morrendo de fome e de frio. Konstantin, melhor amigo de Grigori na Metalúrgica Putilov, tinha entrado para o Comitê Bolchevique de Petrogrado. A família Vyalov era a única a estar ficando mais rica: por mais duro que fosse o racionamento, sempre tinham vodca, caviar, cigarros e chocolate para vender. Grigori observava com atenção sua boca larga e seus lábios carnudos. Era um prazer vê-la falar. Katerina tinha um queixo firme e olhos corajosos, mas, para ele, sempre parecia vulnerável.

Ninado pelos movimentos de Grigori e pela voz de Katerina, Vladimir adormeceu. Com cuidado, Grigori deitou-o em uma cama que Katerina improvisara em um canto. Era apenas um saco cheio de trapos forrado com um cobertor, mas o bebê se aninhou ali confortavelmente e levou o polegar à boca.

Quando um relógio de igreja bateu as nove, Katerina falou:

– A que horas você tem que estar de volta?

– Às dez – respondeu Grigori. – É melhor eu ir.

– Espere um pouco. – Ela pôs os braços em volta do seu pescoço e o beijou.

Foi delicioso. Seus lábios sobre os dele eram macios e ágeis. Ele fechou os olhos por um segundo e sorveu o aroma de sua pele. Então se afastou.

– Isto está errado – disse.

– Deixe de ser bobo.

– Você ama Lev.

Ela o encarou nos olhos.

– Eu era uma camponesa de 20 anos, recém-chegada à cidade. Gostei dos ternos elegantes de Lev, dos seus cigarros e de sua vodca, do seu jeito esbanjador. Ele era atraente, bonito, divertido. Mas agora estou com 23 anos e tenho um filho... e onde está Lev?

Grigori deu de ombros.

– Não sabemos.

– Mas você está aqui. – Ela acariciou-lhe a bochecha. Grigori sabia que deveria afastá-la, mas não conseguiu. – Paga o aluguel, traz comida para o meu bebê – disse ela. – Acha que eu não me dou conta de como fui boba por amar Lev e não você? Não percebe que mudei de ideia? Não entende que aprendi a amá-lo?

Grigori a encarava em silêncio, sem conseguir acreditar no que havia escutado. Aqueles olhos azul-esverdeados o encaravam de volta, sinceros.

– Isso mesmo – disse ela. – Eu amo você.

Com um gemido, ele fechou os olhos, tomou-a nos braços e se rendeu.

CAPÍTULO VINTE

De novembro a dezembro de 1916

Ansiosa, Ethel Williams correu os olhos pela lista de baixas no jornal. Havia vários Williams, mas nenhum cabo William Williams dos Fuzileiros Galeses. Com uma prece muda de agradecimento, ela dobrou o jornal, entregou-o a Bernie Leckwith e pôs a chaleira no fogo para preparar um chocolate quente.

Não podia ter certeza de que Billy estava vivo. Ele poderia ter sido morto há poucos dias ou poucas horas. A lembrança da Quarta-feira dos Telegramas em Aberowen a assombrava – os rostos das mulheres contorcidos de medo e dor, semblantes que carregariam para sempre as marcas cruéis das notícias daquele dia. Tinha vergonha da própria alegria por Billy não estar entre os mortos.

Em Aberowen, os telegramas haviam continuado a chegar. A batalha do Somme não terminou naquele primeiro dia. Durante todos os meses de julho, agosto, setembro e outubro, o Exército britânico jogou seus jovens soldados na terra de ninguém para serem massacrados pelas metralhadoras. Os jornais insistiam em anunciar vitória, mas os telegramas contavam uma história diferente.

Como quase todas as noites, Bernie estava na cozinha da casa de Ethel. O pequeno Lloyd gostava do "tio" Bernie. Costumava se sentar no colo dele, que lia o jornal em voz alta para o menino. Lloyd compreendia muito pouco das palavras, mas mesmo assim parecia gostar de ouvi-las. Naquela noite, porém, Bernie estava agitado por algum motivo e não deu atenção a Lloyd.

Mildred desceu do andar de cima trazendo um bule de chá.

– Eth, pode me dar um pouco de chá? – pediu.

– Sirva-se, você sabe onde fica. Não prefere uma xícara de chocolate quente?

– Não, obrigada, chocolate quente me dá gases. Oi, Bernie, como anda a revolução?

Bernie ergueu os olhos do jornal com um sorriso. Gostava de Mildred. Todos gostavam dela.

– A revolução está ligeiramente atrasada – disse ele.

Mildred pôs as folhas de chá dentro do bule.

– Alguma notícia de Billy?

– Nada ultimamente – respondeu Ethel. – E você?

– Já faz algumas semanas.

Era Ethel quem recolhia a correspondência pela manhã no chão do hall, portanto sabia que Mildred recebia cartas frequentes de Billy. Ethel imaginava que fossem cartas de amor: por que outro motivo um rapaz escreveria para a inquilina da irmã? Mildred parecia retribuir os sentimentos de Billy: estava sempre perguntando por notícias suas, esforçando-se para soar casual, mas sem conseguir disfarçar a ansiedade.

Ethel gostava de Mildred, mas tinha suas dúvidas se Billy, aos 18 anos, estaria pronto para assumir uma mulher de 23 e duas enteadas. É bem verdade que seu irmão sempre fora extraordinariamente maduro e responsável para sua idade. E, até a guerra acabar, provavelmente envelheceria mais alguns anos. De toda forma, tudo o que Ethel queria era que ele voltasse vivo. Nada do que acontecesse depois tinha muita importância.

– O nome dele não está na lista de baixas do jornal de hoje, graças a Deus – disse Ethel.

– Quando será que ele vai ter uma licença?

– Faz só cinco meses que ele foi lutar.

Mildred pousou o bule na mesa.

– Ethel, posso lhe perguntar uma coisa?

– Claro.

– Estou pensando em me tornar independente... quer dizer, como costureira.

Ethel ficou surpresa. Mildred tinha sido promovida a supervisora na fábrica de Mannie Litov, de modo que ganhava um salário melhor.

– Tenho uma amiga que pode me arrumar trabalho no arremate de chapéus... – continuou Mildred. – Fixar véus, fitas, penas e contas. É um trabalho especializado, então paga bem mais do que costurar uniformes.

– Parece ótimo.

– O problema é que teria de trabalhar em casa, ao menos no início. Mais para a frente, gostaria de contratar outras garotas e arrumar um lugarzinho para mim.

– Você está mesmo pensando no futuro!

– Tem que ser, não é? Quando a guerra terminar, ninguém mais vai querer uniformes.

– É verdade.

– Então... você se importaria se eu usasse o andar de cima como ateliê por um tempo?

– É claro que não. Boa sorte!

– Obrigada. – Impulsivamente, ela deu um beijo na bochecha de Ethel, então recolheu o bule e saiu da cozinha.

Lloyd bocejou e esfregou os olhos. Ethel o pegou no colo e o pôs na cama do quarto da frente. Passou um ou dois minutos a fitá-lo com ar amoroso enquanto ele adormecia. Como sempre, a vulnerabilidade do filho a comovia. O mundo vai ser melhor quando você crescer, Lloyd, prometeu em silêncio. Nós vamos garantir isso.

Ao voltar para a cozinha, ela tentou melhorar o humor de Bernie.

– Deveria haver mais livros para crianças – falou.

Ele aquiesceu.

– Por mim, toda biblioteca teria uma seção infantil – falou ele, sem tirar os olhos do jornal.

– Talvez, se vocês bibliotecários fizerem isso, os editores se sintam incentivados a publicar mais livros para crianças.

– É o que eu espero.

Ethel pôs mais carvão no braseiro e serviu um chocolate quente para cada um. Era raro Bernie ficar tão introspectivo. Em geral, ela gostava daquelas noites aconchegantes. Eles eram dois forasteiros – uma galesa e um judeu –, por mais que não faltassem galeses e judeus em Londres. Qualquer que fosse o motivo, naqueles dois anos morando na cidade, Bernie se tornara um bom amigo, junto com Mildred e Maud.

Tinha um palpite sobre o que ele estava pensando. Na noite anterior, um palestrante jovem e muito inteligente da Sociedade Fabiana havia falado no núcleo do Partido Trabalhista da região sobre o "socialismo do pós-guerra". Ethel havia debatido com o convidado, que ficara claramente impressionado com ela. Depois da reunião, embora todos soubessem que ele era casado, o rapaz havia cortejado Ethel. Ela, por sua vez, havia gostado da atenção, mesmo sem levar o flerte a sério. Bernie talvez estivesse com ciúmes.

Resolveu deixá-lo ficar calado, se era isso que ele queria. Sentou-se à mesa da cozinha e abriu um envelope grande, cheio de cartas escritas por homens que estavam lutando no front. As leitoras do *The Soldier's Wife* enviavam as cartas dos maridos para o jornal, que pagava um xelim por cada uma que fosse publicada. Elas forneciam um retrato mais fiel da vida na frente de batalha do que qualquer outra coisa divulgada na grande imprensa. A maioria dos textos do jornal era escrita por Maud, porém as cartas tinham sido ideia de Ethel e ela era a editora daquela página, que se tornara a seção mais popular do periódico.

Ela recebera a proposta de trabalhar, por um salário melhor, como representante em tempo integral do Sindicato Nacional dos Trabalhadores da Indústria Têxtil, com a função de conseguir mais associados. Contudo, havia recusado, pois queria ficar com Maud e continuar fazendo campanha.

Leu meia dúzia de cartas, deu um suspiro e olhou para Bernie.

– Eu achava que as pessoas fossem ficar contra a guerra – disse.

– Mas não foi o que aconteceu – retrucou ele. – Como vimos pelos resultados da eleição.

No mês anterior, em Ayrshire, houvera uma eleição suplementar – um pleito realizado em um único distrito eleitoral devido à morte do atual membro do Parlamento. O tenente-general Hunter-Weston, um conservador que havia combatido na batalha do Somme, tivera como adversário um candidato antibelicista, o reverendo Chalmers. O oficial do Exército obtivera uma vitória esmagadora, 7.149 votos contra 1.300.

– São os jornais – disse Ethel, frustrada. – O que a nossa pequena publicação pode fazer para promover a paz com toda a propaganda feita pela maldita imprensa de Northcliffe? – Lorde Northcliffe, militarista fervoroso, era dono dos periódicos *The Times* e *Daily Mail*.

– Não são apenas os jornais – falou Bernie. – É o dinheiro.

Bernie acompanhava de perto as finanças do governo, o que era estranho para um homem que nunca tivera mais que alguns xelins na vida. Ethel, vendo uma oportunidade para fazê-lo sair de seu mau humor, perguntou:

– Como assim?

– Antes da guerra, nosso governo gastava cerca de meio milhão de libras por dia com tudo: Exército, tribunais e prisões, educação, benefícios, administração das colônias, tudo.

– Quanto dinheiro! – Ela lhe lançou um sorriso afetuoso. – Esse é o tipo de estatística que meu pai sempre tinha na ponta da língua.

Ele tomou um gole do chocolate quente e então disse:

– Adivinhe quanto nós gastamos agora.

– O dobro? Um milhão por dia? Parece impossível.

– Você não chegou nem perto. A guerra custa cinco milhões de libras por dia. Isso é dez vezes o custo normal de governar o país.

Ethel ficou chocada.

– De onde vem esse dinheiro?

– É esse o problema. Nós tomamos emprestado.

– Mas a guerra já dura mais de dois anos. Nós devemos ter pegado... quase quatro bilhões de libras emprestadas!

– Por aí. O equivalente a 25 anos de gastos normais.

– E como vamos conseguir pagar isso?

– Nós nunca conseguiremos pagar. Qualquer governo que tentasse cobrar a quantidade de impostos necessária para quitar essa dívida causaria uma revolução.

– Mas, então, o que vai acontecer?

– Se nós perdermos a guerra, nossos credores, que são quase todos americanos, irão à falência. E, se ganharmos, vamos obrigar os alemães a pagar. O termo que eles usam é "reparação".

– E como *eles* vão conseguir esse dinheiro?

– Passando fome. Mas ninguém liga para o que acontece com os perdedores. Além do mais, os alemães fizeram a mesma coisa com os franceses em 1871. – Ele se levantou para colocar a xícara na pia da cozinha. – Está vendo por que não podemos fazer um acordo de paz com os alemães? Quem iria pagar a conta?

Ethel estava horrorizada.

– E por isso temos que continuar mandando rapazes para morrer nas trincheiras. Porque não podemos pagar a conta. Pobre Billy. Como é cruel este nosso mundo.

– Mas nós vamos mudá-lo.

Espero que sim, pensou Ethel. Bernie achava que seria preciso uma revolução. Ela já lera sobre a Revolução Francesa e sabia que esse tipo de coisa nem sempre corria como o povo esperava. Mesmo assim, estava decidida a proporcionar uma vida melhor a Lloyd.

Os dois passaram algum tempo sentados em silêncio, então Bernie se levantou. Foi até a porta como se estivesse de saída, mas mudou de ideia.

– Interessante aquele palestrante de ontem à noite.

– É – respondeu ela.

– E inteligente.

– Sim, ele era inteligente.

Bernie tornou a se sentar.

– Ethel... dois anos atrás, você me disse que queria amizade, não romance.

– Fiquei muito chateada por ferir seus sentimentos.

– Não fique. Nossa amizade é a melhor coisa que já me aconteceu.

– Eu também gosto da nossa amizade.

– Você disse que eu logo iria esquecer aquelas ideias bobas e românticas, e que nós seríamos apenas amigos. Mas você estava enganada. – Ele se inclinou para a frente na cadeira. – À medida que a conheci melhor, só passei a amá-la mais do que nunca.

Ethel podia ver o desejo no olhar dele e ficou arrasada por não poder retribuir seus sentimentos.

– Eu também gosto muito de você – respondeu. – Mas não dessa forma.

– Que sentido faz ficar sozinha? Nós gostamos um do outro. Somos uma dupla tão boa! Temos os mesmos ideais, os mesmos objetivos na vida, opiniões parecidas... nós fomos feitos um para o outro.

– Um casamento é mais do que isso.

– Eu sei. E anseio por abraçar você. – Ele moveu os braços, como se fosse estendê-los para tocá-la, mas ela cruzou as pernas e se virou de lado na cadeira. Ele recolheu as mãos, e um sorriso amargo transfigurou sua expressão normalmente afável. – Entendo que eu não seja o homem mais bonito que você já conheceu. Mas acho que ninguém nunca a amou como eu amo.

Nisso ele tinha razão, pensou ela com tristeza. Muitos homens haviam gostado dela – e um a seduzira –, mas nenhum tinha demonstrado a mesma devoção paciente de Bernie. Se ela o desposasse, poderia ter certeza de que seria para sempre. E, em algum recanto de sua alma, ela ansiava por isso.

Percebendo sua hesitação, Bernie falou:

– Case-se comigo, Ethel. Eu amo você. Vou dedicar minha vida a fazê-la feliz. É tudo o que eu quero.

Mas será que ela precisava mesmo de um homem? Não era infeliz. Lloyd era uma alegria constante, com seus passinhos trôpegos, suas tentativas de falar e sua curiosidade sem limites. Seu filho lhe bastava.

– O pequeno Lloyd precisa de um pai – disse Bernie.

Isso fez Ethel sentir uma pontada de culpa. Bernie já vinha mais ou menos desempenhando esse papel. Será que deveria se casar com ele para o bem da criança? Não era tarde demais para Lloyd começar a chamá-lo de "papai".

Isso significaria abrir mão da pouca esperança que tinha de reencontrar a paixão arrebatadora que sentira por Fitz. Quando pensava nisso, ela ainda sentia um arroubo de nostalgia. Mas o que esse caso de amor me rendeu?, pensou com seus botões, tentando raciocinar de forma objetiva apesar das emoções que sentia. Fui traída por Fitz, rejeitada pela minha família e exilada para outro país. Por que iria querer passar por isso de novo?

Por mais que se esforçasse, ela não conseguia se obrigar a aceitar o pedido de Bernie.

– Preciso pensar – disse ela.

O rosto dele se iluminou. Estava claro que nem sequer ousara receber uma resposta tão positiva.

– Pense quanto quiser – respondeu ele. – Eu espero.

Ela abriu a porta de casa.

– Boa noite, Bernie.

– Boa noite, Ethel. – Bernie se inclinou para a frente, ao que ela ofereceu a face para ele beijar. Seus lábios se demoraram alguns instantes sobre a sua pele. Ela recuou na mesma hora. Ele segurou seu pulso. – Ethel...

– Durma bem, Bernie – disse ela.

Depois de hesitar, ele aquiesceu.

– Você também – falou, indo embora em seguida.

11

Na noite da eleição, em novembro de 1916, Gus Dewar pensou que sua carreira política houvesse chegado ao fim.

Estava na Casa Branca, filtrando chamadas telefônicas e transmitindo mensagens para o presidente Wilson, que se encontrava em Shadow Lawn, a nova Casa Branca de verão em Nova Jersey, junto com a segunda esposa, Edith. Diariamente, o serviço postal norte-americano levava documentos de Washington até Shadow Lawn, mas às vezes o presidente precisava receber as notícias mais depressa.

Às nove horas daquela noite, já estava claro que o candidato republicano, um juiz da Suprema Corte chamado Charles Evans Hughes, havia conquistado a vitória em quatro estados decisivos: Nova York, Indiana, Connecticut e Nova Jersey.

No entanto, a ficha só caiu para Gus quando um mensageiro lhe trouxe as primeiras edições dos jornais de Nova York e ele viu a manchete:

HUGHES É ELEITO PRESIDENTE

Ficou chocado. Pensava que Woodrow Wilson estivesse ganhando. Os eleitores não haviam esquecido a eficiência com que ele lidara com a crise do *Lusitania*: tinha conseguido ao mesmo tempo se mostrar duro com os alemães e permanecer neutro. O slogan da campanha de Wilson era: "Ele nos manteve fora da guerra."

Hugues havia acusado Wilson de não ter preparado os Estados Unidos para o conflito, mas esse tiro saíra pela culatra. Depois da brutal repressão britânica ao Levante da Páscoa em Dublin, os americanos estavam mais determinados do que nunca a permanecerem neutros. O tratamento dispensado pela Grã-Bretanha aos irlandeses era tão ruim quanto aquele que a Alemanha dispensava à Bélgica, então por que os Estados Unidos deveriam tomar partido?

Depois de ler os jornais, Gus afrouxou a gravata e tirou um cochilo no sofá da sala anexa ao Salão Oval. A perspectiva de ter que abandonar a Casa Branca o atormentava. Trabalhar para Wilson havia se tornado sua razão de ser. Sua vida amorosa era um desastre, mas pelo menos ele sabia que tinha algum valor para o presidente dos Estados Unidos.

Essa não era uma preocupação meramente egoísta. Wilson estava determinado a criar uma ordem internacional em que as guerras pudessem ser evitadas. Assim como os vizinhos de porta já não resolviam suas rixas territoriais a tiros de revólver, era preciso que um dia os países também deixassem suas desavenças serem solucionadas por um mediador independente. Sir Edward Grey, ministro das Relações Exteriores da Grã-Bretanha, havia utilizado a expressão "liga das nações" em uma carta para Wilson, e o presidente gostara dela. Se Gus pudesse ajudar a concretizar algo assim, sua vida significaria alguma coisa.

Porém, diante dos fatos, esse sonho não parecia mais possível, pensou ele, caindo, frustrado, no sono.

Foi despertado de manhã bem cedo por um telegrama dizendo que Wilson vencera em Ohio – estado operário que havia gostado do posicionamento do presidente em relação à jornada de trabalho de oito horas – e também no Kansas. Wilson estava novamente na disputa. Pouco depois, ele venceu em Minnesota por menos de 1.000 votos de diferença.

A briga ainda não havia terminado, e Gus se animou.

Na quarta-feira à noite, Wilson estava na frente com 264 votos dos delegados de cada estado contra 254 para o adversário – uma vantagem de 10 votos. Porém um dos estados da federação, a Califórnia, ainda não havia declarado seu resultado, e dele dependiam 13 votos de delegados. Quem conquistasse a Califórnia seria presidente.

O telefone de Gus emudeceu. Não havia mais quase nada que ele pudesse fazer. A contagem em Los Angeles era lenta. Cada urna fechada era protegida por democratas armados, que acreditavam que uma fraude havia impedido sua vitória nas eleições de 1876.

O resultado ainda estava indefinido quando a recepção ligou dizendo que Gus tinha uma visita. Para sua surpresa, quem o aguardava era Rosa Hellman, ex-editora do *Buffalo Anarchist*. Gus ficou contente: as conversas com Rosa eram sempre interessantes. Ele se lembrou de que um anarquista havia assassinado o presidente McKinley em Buffalo, em 1901. Mas o presidente Wilson estava bem longe, em Nova Jersey, de modo que ele a convidou a subir até sua sala e lhe ofereceu uma xícara de café.

Rosa usava um casaco vermelho. Quando Gus a ajudou a tirá-lo, viu como ficava alto ao seu lado. Pôde sentir um leve cheiro de perfume floral.

– A última vez que nos vimos, você me disse que eu era um idiota por ficar noivo de Olga Vyalov – lembrou ele enquanto pendurava o casaco dela na chapeleira.

Ela pareceu constrangida.

– Peço desculpas.

– Ah, mas você estava certa. – Ele mudou de assunto. – Então agora está trabalhando para uma agência de notícias?

– Isso mesmo.

– Como correspondente em Washington.

– Não, eu sou a assistente caolha do correspondente.

Pela primeira vez ela mencionava seu defeito físico. Gus hesitou, então disse:

– Eu costumava me perguntar por que você não usava um tapa-olho. Mas hoje fico contente que não use. Você é apenas uma linda mulher com um dos olhos fechado.

– Obrigada. Você é um homem gentil. Que tipo de coisa faz para o presidente?

– Tirando atender às ligações... eu leio os relatórios cheios de meias palavras do Departamento de Estado e depois digo a verdade a Wilson.

– Como por exemplo...?

– Segundo nossos embaixadores na Europa, a ofensiva do Somme está atingindo alguns de seus objetivos, embora não todos, com baixas severas dos dois lados. É quase impossível provar que essa afirmação é falsa... além de não informar nada ao presidente. Então eu lhe digo que a batalha do Somme é uma tragédia para os britânicos. – Ele deu de ombros. – Ou pelo menos dizia. Talvez eu perca o meu emprego. – Ele estava ocultando seus verdadeiros sentimentos. A ideia de que Wilson pudesse perder o apavorava.

Ela aquiesceu.

– Os votos na Califórnia estão sendo recontados. Quase um milhão de eleitores foram às urnas, e a diferença é de uns cinco mil votos.

– Quanta coisa depende das decisões de um punhado de pessoas mal instruídas...

– Democracia é isso.

Gus sorriu.

– Uma péssima maneira de se governar um país, mas qualquer outro sistema consegue ser pior ainda.

– Se Wilson vencer, qual será a prioridade dele?

– Em off?

– Claro.

– A paz na Europa – respondeu Gus sem hesitar.

– É mesmo?

– O slogan "Ele nos manteve fora da guerra" nunca o deixou lá muito à vontade. A questão não depende só dele. Talvez sejamos arrastados para a guerra mesmo sem querer.

– Mas o que ele pode fazer?

– Pressionar os dois lados para tentar chegar a um meio-termo.

– E será que ele consegue?

– Não sei.

– Uma coisa é certa: eles não podem continuar se massacrando como têm feito no Somme.

– Deus é testemunha que não. – Ele tornou a mudar de assunto: – Conte-me as novas de Buffalo.

Ela o encarou com sinceridade no olhar.

– Você quer saber sobre Olga, ou é embaraçoso demais?

Gus desviou os olhos. O que poderia ser mais embaraçoso? Primeiro, ele havia recebido um recado de Olga anulando o noivado. Ela se desculpara de forma abjeta, mas sem dar nenhuma explicação. Gus não estava disposto a aceitar aquilo e escreveu-lhe de volta exigindo que se encontrassem pessoalmente. Confuso, supôs que ela estivesse sendo pressionada a agir daquela forma. No entanto, mais tarde naquele mesmo dia, sua mãe descobriu, graças à sua rede de amigas fofoqueiras, que Olga estava de casamento marcado com o chofer do pai. "Mas por quê?", perguntou Gus, angustiado, ao que sua mãe respondeu: "Meu menino querido, por que outro motivo uma moça se casaria com o chofer?" Ele se limitou a olhar para ela, sem entender nada, e sua mãe por fim disse: "Ela só pode estar grávida." Foi o momento mais humilhante da vida de Gus e, mesmo um ano depois, seu rosto se contorcia de dor sempre que se lembrava daquilo.

Rosa leu sua expressão.

– Eu não deveria ter falado nela. Sinto muito.

Gus pensou que talvez fosse melhor saber o que todos os outros já sabiam. Tocou de leve a mão de Rosa.

– Obrigado por ser franca. Prefiro assim. E sim, estou curioso quanto a Olga.

– Bem, eles se casaram naquela igreja ortodoxa russa da Ideal Street e a recepção foi no Hotel Statler. Seiscentos convidados, sendo que Josef Vyalov alugou o salão de baile *e* o salão de jantar, além de ter servido caviar para todo mundo. Foi o casamento mais luxuoso da história de Buffalo.

– E como é o marido dela?

– Lev Peshkov é bonito, charmoso e totalmente suspeito. Basta olhar para ele para saber que é um patife. E agora é genro de um dos homens mais ricos de Buffalo.

– E a criança?

– Uma menina, Darya, mas eles a chamam de Daisy. Nasceu em março. E Lev não é mais chofer, é claro. Acho que ele administra uma das boates de Vyalov.

Os dois passaram uma hora conversando, então Gus a acompanhou até o térreo e chamou um táxi para levá-la até em casa.

Na manhã seguinte bem cedo, Gus recebeu por cabo o resultado da Califórnia. Wilson vencera por 3.777 votos. Havia sido reeleito presidente.

Gus ficou eufórico. Mais quatro anos para tentar obter tudo aquilo que eles desejavam. Em quatro anos, poderiam mudar o mundo.

Enquanto ainda olhava para o telegrama, seu telefone tocou.

Ele atendeu e ouviu a telefonista dizer:

– Ligação de Shadow Lawn. O presidente quer falar com o senhor, Sr. Dewar.

– Obrigado.

Logo em seguida, ele ouviu a voz conhecida de Wilson:

– Bom dia, Gus.

– Parabéns, Sr. Presidente.

– Obrigado. Faça as malas. Quero que vá para Berlim.

III

Quando Walter von Ulrich foi passar a licença em casa, sua mãe deu uma festa.

Não havia muitas festas em Berlim. Mesmo para uma mulher rica e casada com um homem influente, era difícil comprar comida. Suzanne von Ulrich não se encontrava bem de saúde: estava magra e vivia tossindo. No entanto, queria muito fazer alguma coisa para Walter.

Otto tinha uma adega cheia de bons vinhos comprados antes da guerra. Para não precisar oferecer um jantar completo, Suzanne decidiu organizar uma recepção vespertina. Serviu pequenos aperitivos de peixe defumado e torradinhas triangulares com queijo, compensando a pouca comida com champanhe à vontade.

Walter ficou grato pela consideração, mas na verdade não queria festa nenhuma. Tinha duas semanas de licença do campo de batalha, e tudo o que queria era uma cama macia, roupas secas e a oportunidade de passar o dia inteiro sem fazer nada no elegante salão da casa dos pais, olhando pela janela e pensando em

Maud – ou então sentado diante do piano de cauda Steinway tocando a canção *Frühlingsglaube*, de Schubert: "Agora tudo, tudo deve mudar."

Como ele e Maud haviam sido ingênuos ao dizer, em agosto de 1914, que estariam juntos novamente no Natal! Já fazia mais de dois anos que ele não via seu belo rosto. E a Alemanha provavelmente ainda levaria outros dois anos para ganhar a guerra. A maior esperança de Walter era que a Rússia entrasse em colapso, permitindo aos alemães concentrarem suas forças em um derradeiro avanço maciço na frente ocidental.

Nesse meio-tempo, Walter às vezes tinha dificuldade para visualizar Maud, precisando consultar a fotografia de revista gasta e apagada que levava consigo: *Lady Maud Fitzherbert sempre vestida na última moda*. Não lhe interessava uma festa sem ela. Enquanto se arrumava, desejou que sua mãe não tivesse se dado ao trabalho.

A casa parecia largada. Não havia criados suficientes para manter o lugar impecável. Uma vez que os homens estavam no Exército e as mulheres tinham virado condutoras de bonde ou carteiras, os empregados mais velhos restantes penavam para manter os padrões de limpeza e lustro exigidos por sua mãe. E, além de suja, a casa estava fria. A cota de carvão não bastava para alimentar a calefação central, de modo que sua mãe havia instalado braseiros portáteis no saguão, na sala de jantar e na sala de estar, mas eles não conseguiam dar conta do frio de novembro em Berlim.

Contudo, Walter se alegrou quando os cômodos gelados se encheram de jovens e uma pequena banda começou a tocar no saguão. Sua irmã caçula, Greta, havia convidado todos os amigos. Ele percebeu quanto sentia falta de uma vida social. Gostava de ver as moças usando seus lindos vestidos e os homens, ternos impecáveis. Apreciava as brincadeiras, os flertes, as fofocas. Havia adorado sua experiência como diplomata – era uma vida que combinava com ele. Tinha facilidade para se mostrar encantador e jogar conversa fora.

A casa dos Von Ulrich não tinha salão de baile, mas as pessoas começaram a dançar no chão de lajotas do hall. Walter dançou várias vezes com a melhor amiga de Greta, Monika von der Helbard, uma ruiva alta e longilínea de cabelos compridos, que o fazia pensar nos quadros daqueles artistas ingleses que se autodenominavam pré-Rafaelitas.

Ele foi lhe buscar uma taça de champanhe e sentou-se ao seu lado. Como todos faziam, ela lhe perguntou como era a vida nas trincheiras. Walter geralmente respondia que era dura, mas que os homens estavam com o moral elevado e que acabariam vencendo. Por algum motivo, porém, disse a verdade para Monika.

– O pior de tudo é que é inútil – falou. – Faz dois anos que estamos nas mesmas posições, com uns poucos metros de diferença, e não vejo como o alto-comando poderá mudar isso com as atitudes que vem tomando... ou com qualquer atitude que possa vir a tomar. Estamos passando frio, fome, sofrendo de doenças respiratórias, pé de trincheira e dores de barriga, além de profundamente entediados... e tudo isso por nada.

– Não é o que temos lido nos jornais – disse ela. – Que tristeza! – Ela apertou seu braço em um gesto de compaixão. O toque foi como um pequeno choque elétrico. Era a primeira vez em dois anos que uma mulher de fora da sua família o tocava. De repente, ele pensou como seria maravilhoso abraçar Monika, apertar aquele corpo quente contra o seu e beijar sua boca. Seus olhos cor de âmbar o fitavam com um olhar sincero e, depois de alguns instantes, Walter percebeu que ela havia lido seus pensamentos. Àquela altura, já sabia que as mulheres muitas vezes de fato sabiam o que passava pela cabeça dos homens. Ficou constrangido, porém estava claro que ela pouco se importava, e pensar isso o deixou ainda mais excitado.

Alguém se aproximou deles e Walter ergueu os olhos com irritação, imaginando que o homem quisesse tirar Monika para dançar. Então identificou um rosto conhecido.

– Meu Deus! – falou. O nome lhe voltou à cabeça: como todo bom diplomata, era um excelente fisionomista. – Gus Dewar, não é? – perguntou, em inglês.

Gus respondeu em alemão:

– Isso mesmo, mas podemos falar alemão. Como vai?

Walter se levantou e apertou a mão de Gus.

– Permita que eu lhe apresente Freiin Monika von der Helbard. Este é Gus Dewar, conselheiro do presidente Woodrow Wilson.

– Encantada em conhecê-lo, Sr. Dewar – disse ela. – Vou deixar os dois cavalheiros conversarem.

Walter a observou ir embora com um misto de arrependimento e culpa. Por alguns instantes, havia se esquecido de que era um homem casado.

Olhou para Gus. Quando os dois haviam se conhecido em Tŷ Gwyn, ele simpatizara com o americano na mesma hora. Gus era um homem esquisito, com uma cabeça grande em um corpo comprido e fino, mas era também muito inteligente. Na época, Gus acabara de sair de Harvard e tinha uma timidez charmosa, mas dois anos de trabalho na Casa Branca lhe haviam proporcionado certa autoconfiança. O estilo de terno casual disforme que os americanos gostavam de usar na verdade ficava elegante em seu corpo.

– É um prazer vê-lo – disse Walter. – Hoje em dia são poucas as pessoas que vêm aqui de férias.

– Na verdade eu não estou de férias – respondeu Gus.

Walter esperou que o outro dissesse algo mais e, quando isso não aconteceu, deu-lhe a deixa:

– Qual o motivo, então?

– Digamos que estou pondo o pé dentro d'água para ver se ela está morna o bastante para o presidente poder nadar.

Então aquela era uma visita oficial.

– Entendo.

– Melhor ir direto ao ponto. – Gus tornou a hesitar, ao que Walter aguardou com paciência. Por fim, o americano falou em voz baixa: – O presidente Wilson quer que os alemães e os Aliados comecem a negociar a paz.

O coração de Walter disparou, mas ele ergueu uma sobrancelha, demonstrando ceticismo.

– Ele mandou *você* vir dizer isso a *mim*?

– Você entende. O presidente não pode correr o risco de uma recusa pública, que o faria parecer fraco. Ele poderia, é claro, mandar nosso embaixador aqui em Berlim falar com seu ministro das Relações Exteriores. Mas, nesse caso, a coisa toda se tornaria oficial e, cedo ou tarde, a informação iria vazar. Então ele pediu ao seu conselheiro menos graduado, eu, para vir a Berlim e acionar alguns dos contatos que fiz em 1914.

Walter aquiesceu. Muita coisa era feita dessa forma no mundo diplomático.

– Se nós recusarmos, ninguém precisa saber.

– E, mesmo que a notícia se espalhe, será apenas como se alguns jovens de baixo escalão estivessem agindo por iniciativa própria.

Fazia sentido, e Walter começou a se animar.

– O que o presidente Wilson quer, exatamente?

Gus respirou fundo.

– Se o Kaiser escrevesse para os Aliados propondo uma conferência de paz, o presidente apoiaria publicamente a proposta.

Walter reprimiu uma sensação de júbilo. Aquela conversa particular inesperada poderia ter consequências que abalariam o mundo. Seria mesmo possível pôr fim ao pesadelo das trincheiras? Será que ele teria a chance de rever Maud em questão de meses, em vez de anos? Ele disse a si mesmo para não ficar empolgado demais. Sondagens diplomáticas extraoficiais como aquela geralmente não davam em nada. Mas não pôde deixar de se entusiasmar.

– Isso é da maior importância, Gus – disse ele. – Tem certeza de que Wilson está falando sério?

– Absoluta. Foi a primeira coisa que ele me disse depois de ganhar a eleição.

– Qual é o interesse dele nisso?

– O presidente não quer levar os Estados Unidos à guerra. Mas há um risco de sermos arrastados para ela mesmo assim. Ele quer a paz. E depois um novo sistema internacional para garantir que uma guerra como esta nunca mais aconteça.

– Vocês têm o meu apoio – disse Walter. – O que quer que eu faça?

– Fale com seu pai.

– Ele talvez não goste da proposta.

– Use seus poderes de persuasão.

– Farei o possível. Consigo encontrá-lo na embaixada americana?

– Não. A minha visita é particular. Estou hospedado no Hotel Adlon.

– Naturalmente, Gus – disse Walter com um sorriso. O Adlon era o melhor hotel da cidade e já havia sido chamado de o mais luxuoso do mundo. Ele sentiu saudades daqueles últimos anos de paz. – Será que algum dia voltaremos a ser aqueles dois rapazes cuja maior preocupação era atrair o olhar do garçom para pedir mais uma garrafa de champanhe?

Gus levou a pergunta a sério.

– Não, duvido que essa época vá voltar um dia, pelo menos não durante o nosso tempo de vida.

Greta, a irmã de Walter, apareceu. Tinha cabelos louros encaracolados que se balançavam de forma sedutora quando ela movia a cabeça.

– Por que essas caras tão tristes? – perguntou alegremente. – Sr. Dewar, venha dançar comigo!

Gus se animou.

– Com prazer! – respondeu.

Ela o levou embora.

Walter voltou à festa, mas, enquanto conversava com amigos e parentes, não parava de pensar na proposta de Gus e em qual seria a melhor maneira de promovê-la. Quando fosse falar com o pai, tentaria não demonstrar entusiasmo demais. Ele poderia se posicionar contra. Walter iria desempenhar o papel de mensageiro neutro.

Assim que os convidados foram embora, sua mãe o encurralou no salão. O aposento era decorado no estilo rococó, que continuava sendo o preferido pelos alemães antiquados: espelhos rebuscados, mesas com pernas finas e recurvadas, um grande lustre.

– Que moça agradável essa Monika von der Helbard! – comentou ela.

– Encantadora – concordou Walter.

Sua mãe não estava usando joias. Era presidente do comitê de coleta de ouro e tinha doado seus penduricalhos para que fossem vendidos. Tudo o que lhe restava era a aliança de casamento.

– Tenho que convidá-la de novo, da próxima vez com os pais. O pai dela é o Markgraf von der Helbard.

– Sim, eu sei.

– É uma ótima família. Eles pertencem à *Uradel*, a nobreza antiga.

Walter andou em direção à porta.

– A que horas a senhora acha que papai estará em casa?

– Daqui a pouco. Walter, sente-se e converse comigo um pouco.

Walter havia deixado óbvio que queria sair dali. O motivo era que precisava de uma hora de sossego para pensar na mensagem de Gus Dewar. Mas havia sido indelicado com a mãe, a quem amava, de modo que começou a tentar se redimir.

– Com prazer, mãe. – Puxou-lhe uma cadeira. – Pensei que a senhora fosse querer descansar, mas, se não quiser, eu adoraria conversar. – Sentou-se de frente para ela. – A festa foi ótima. Muito obrigado por organizá-la.

Ela assentiu com a cabeça, porém mudou de assunto.

– Seu primo Robert está desaparecido – disse ela. – Ele sumiu durante a ofensiva Brusilov.

– Eu sei. Talvez tenha sido preso pelos russos.

– Também pode estar morto. E seu pai está com 60 anos. Você logo poderia se tornar Graf Von Ulrich.

Essa possibilidade não seduzia Walter. Ultimamente, os títulos de nobreza tinham cada vez menos importância. Ele poderia até sentir orgulho de ser conde, mas isso talvez se revelasse uma desvantagem no mundo do pós-guerra.

De toda forma, o título ainda não era seu.

– A morte de Robert não foi confirmada.

– Claro. Mas você precisa se preparar.

– Em que sentido?

– Você deveria se casar.

– Ah! – Walter estava surpreso. Eu deveria ter imaginado, pensou.

– Vai precisar de um herdeiro para assumir o título quando você morrer. E isso pode acontecer em breve, embora eu reze... – Sua voz ficou presa na garganta e ela parou de falar. Fechou os olhos por alguns instantes para recuperar a compostura. – ... embora eu reze aos céus todos os dias pela sua proteção. Seria melhor se você fosse pai quanto antes.

Sua mãe tinha medo de perdê-lo, mas ele também tinha medo de perdê-la. Olhou para ela com afeto. Era loura e bonita, como Greta, e talvez um dia houvesse sido tão cheia de vida quanto a filha. De fato, naquele exato momento seus olhos brilhavam e suas bochechas estavam coradas por causa da animação da festa e do champanhe. Contudo, nos últimos tempos, o simples fato de subir a escada a deixava sem ar. Ela precisava de férias, comer bem e bastante e não ter que se preocupar com nada. Por causa da guerra, não poderia ter nenhuma dessas três coisas. Os soldados não eram as únicas vítimas, refletiu Walter, preocupado.

– Por favor, pense em Monika como uma possibilidade – disse sua mãe.

Ele ansiava por lhe falar sobre Maud.

– Monika é uma moça fascinante, mãe, mas eu não a amo. Mal a conheço.

– Não há tempo para isso! Em tempos de guerra, a etiqueta pode ser ignorada. Encontre-a de novo. Você tem mais dez dias de licença. Encontre-se com ela todos os dias. Pode pedi-la em casamento na véspera de partir.

– Mas e os sentimentos dela? Ela pode não querer se casar comigo.

– Ela gosta de você. – Sua mãe desviou o olhar. – E vai fazer o que os pais mandarem.

Walter não sabia se deveria ficar irritado ou achar graça.

– Você e a mãe dela combinaram isso, não foi?

– Estamos vivendo uma época desesperada. Vocês poderiam se casar daqui a três meses. Seu pai pode garantir que você receba uma licença especial para o casamento e a lua de mel.

– Ele disse isso? – Em geral, seu pai demonstrava uma hostilidade ferrenha em relação a privilégios especiais para soldados bem relacionados.

– Ele entende a necessidade de termos um herdeiro para o título.

Seu pai havia sido dobrado. Quanto tempo teria sido preciso? Ele não cedia com facilidade.

Walter tentou não se remexer na cadeira. Estava na pior situação possível. Casado com Maud, não podia sequer fingir interesse em se casar com Monika. Porém, não podia explicar por quê.

– Mãe, eu sinto muito por decepcioná-la, mas não vou pedir Monika von der Helbard em casamento.

– Mas por que não? – exclamou ela.

Ele se sentiu péssimo.

– Tudo o que posso dizer é que gostaria de poder fazer a senhora feliz.

Ela o fitou com um olhar duro.

– Seu primo Robert nunca se casou. No caso dele, nenhum de nós ficou surpreso. Espero que não haja nenhum problema dessa natureza...

Walter ficou constrangido pela referência à homossexualidade de Robert.

– Ah, mãe, faça-me o favor! Eu sei muito bem do que a senhora está falando em relação a Robert, e não sou como ele nesse departamento, de modo que pode ficar descansada.

Ela olhou para o outro lado.

– Desculpe-me por ter falado nisso. Mas o que é, então? Você está com 30 anos!

– É difícil encontrar a moça certa.

– Nem tanto assim.

– Estou procurando alguém como a senhora.

– Agora você está me provocando – disse ela, irritada.

Walter ouviu uma voz de homem do lado de fora da sala. Logo em seguida, seu pai entrou. Usava uniforme e esfregava as mãos frias uma na outra.

– Vai nevar – disse ele. Beijou a mulher e cumprimentou Walter com a cabeça. – Imagino que a festa tenha sido um sucesso, não? Fiquei impossibilitado de vir... uma tarde inteira de reuniões.

– A festa foi esplêndida – respondeu Walter. – Mamãe bolou canapés deliciosos quase do nada, e o Perrier-Jouët estava uma delícia.

– Que safra vocês tomaram?

– A de 1899.

– Deveriam ter escolhido o 1892.

– Não restou muito dessa safra.

– Ah...

– Tive uma conversa intrigante com Gus Dewar.

– Eu me lembro dele... o americano cujo pai é próximo do presidente Wilson.

– O filho agora é mais próximo ainda do presidente. Gus trabalha na Casa Branca.

– O que ele tinha a dizer?

A mãe de Walter se levantou.

– Vou deixar vocês conversarem a sós – falou.

Os dois se levantaram também.

– Por favor, Walter querido, pense sobre o que eu disse – falou ela antes de sair.

Instantes depois, o mordomo entrou com uma bandeja, sobre a qual trazia um cálice com uma dose generosa de conhaque castanho-dourado. Otto pegou o copo.

– Quer um também? – perguntou a Walter.

– Não, obrigado, já tomei bastante champanhe.

Otto bebeu o conhaque e esticou as pernas em direção ao fogo.

– Então o jovem Dewar veio trazendo... algum tipo de recado?

– Estritamente confidencial.

– É claro.

Walter não conseguia sentir muito carinho pelo pai. Suas desavenças eram intensas demais – e a intransigência de Otto muito implacável. Ele era tacanho, antiquado, incapaz de escutar a voz da razão e persistia nesses erros com uma alegre obstinação que Walter considerava repulsiva. A consequência de sua tolice – e da de sua geração em todos os países da Europa – era o massacre do Somme. Walter não conseguia perdoar isso.

Mesmo assim, falou com o pai usando uma voz suave e modos amigáveis. Queria que aquela conversa fosse o mais cordial e sensata possível.

– O presidente norte-americano não quer ser arrastado para a guerra – começou.

– Isso é bom.

– Na verdade, ele gostaria que nós fizéssemos um acordo de paz.

– Rá! – Foi uma exclamação de desdém. – Que forma mais barata de nos derrotar! É muita audácia desse homem.

Walter ficou consternado com aquele desprezo tão imediato, porém insistiu, escolhendo as palavras com cuidado:

– Nossos inimigos alegam que o militarismo e a agressividade dos alemães provocaram esta guerra, mas é claro que isso não é verdade.

– De fato, não é – respondeu Otto. – Nós fomos ameaçados pela mobilização russa em nossa fronteira oriental e pela mobilização francesa a oeste. O Plano Schlieffen era a única solução possível. – Como sempre, Otto falava como se Walter ainda tivesse 12 anos.

Este respondeu com paciência:

– Exatamente. Lembro-me de ouvir o senhor dizer que, para nós, esta era uma guerra defensiva, uma reação a uma ameaça intolerável. Tínhamos que nos proteger.

Se Otto ficou surpreso ao ouvir Walter repetir aqueles clichês para justificar o conflito, não deixou transparecer.

– Está certo – falou.

– E foi o que nós fizemos – continuou Walter, jogando seu trunfo. – Agora já alcançamos nossos objetivos.

Seu pai ficou espantado.

– Como assim?

– Nós eliminamos a ameaça. O Exército russo está destruído e o regime do czar à beira do colapso. Nós conquistamos a Bélgica, invadimos a França e combatemos os franceses e seus aliados britânicos até alcançarmos um impasse. Fizemos o que pretendíamos desde o início. Nós protegemos a Alemanha.

– Um verdadeiro triunfo!

– Então o que mais queremos?

– A vitória total!

Walter se inclinou para a frente na cadeira, fitando o pai com atenção.

– Por quê?

– Nossos inimigos devem pagar pela agressão contra nós! É preciso que haja reparações, talvez ajustes de fronteiras, concessões coloniais.

– Esses não eram nossos objetivos originais para a guerra... ou eram?

Otto, no entanto, não queria abrir mão de nada.

– Não, mas agora que investimos tanto esforço e dinheiro no conflito, isso sem falar nas vidas de tantos jovens alemães valorosos, precisamos ganhar algo em troca.

Era uma argumentação fraca, porém Walter sabia que não adiantava tentar fazer o pai mudar de ideia. Pelo menos tinha conseguido fazê-lo concordar com o fato de que os objetivos da Alemanha com aquela guerra haviam sido alcançados. Então mudou de estratégia.

– Tem certeza de que uma vitória total é possível?

– Tenho!

– Em fevereiro, nós atacamos com todas as nossas forças a fortaleza francesa de Verdun. Não conseguimos tomá-la. Os russos nos atacaram pelo leste e os britânicos deram tudo o que tinham em sua ofensiva no rio Somme. Esses esforços monumentais dos dois lados não conseguiram pôr fim ao impasse. – Ele aguardou uma resposta.

Contrariado, Otto falou:

– Até o momento, não.

– Exato, o nosso próprio alto-comando reconheceu isso. Desde agosto, quando Von Falkenhayn foi demitido e Ludendorff tornou-se chefe do Estado-Maior, nós mudamos de tática, passando do ataque para a defesa em profundidade. Mas como o senhor acha que uma estratégia de defesa em profundidade conduzirá à vitória total?

– Por meio de uma guerra submarina irrestrita! – respondeu Otto. – Os Aliados vêm sendo sustentados por suprimentos norte-americanos, enquanto os nossos portos estão bloqueados pela Marinha britânica. Nós precisamos cortar sua linha de abastecimento... daí eles irão se render.

Walter não queria entrar nesse mérito, mas, agora que tinha começado, precisava continuar. Cerrando os dentes, ele falou, com a voz mais branda possível:

– Isso certamente faria os Estados Unidos entrarem na guerra.

– Você sabe quantos homens tem o Exército dos Estados Unidos?

– No máximo uns 100 mil, mas...

– Isso mesmo. Eles não conseguem nem pacificar o México! Não representam a menor ameaça para nós.

Como a maioria dos homens da sua geração, Otto nunca tinha ido aos Estados Unidos. E, assim como eles, não fazia ideia do que estava falando.

– Os Estados Unidos são um país grande e muito rico – disse Walter, ardendo de frustração, porém mantendo um tom casual, tentando preservar a ilusão de uma conversa amigável. – Eles podem fortalecer seu exército.

– Mas não tão depressa. Precisarão de no mínimo um ano. A essa altura, os britânicos e franceses já terão se rendido.

Walter aquiesceu.

– Nós já tivemos essa conversa antes, pai – disse ele em tom conciliatório. – Assim como todas as pessoas de alguma forma relacionadas à estratégia de guerra. Existem argumentos plausíveis de ambos os lados.

Otto não podia negar isso, de modo que apenas emitiu um grunhido de reprovação.

– Enfim – disse Walter –, estou certo de que não cabe a mim decidir qual será a reação da Alemanha a essa abordagem informal de Washington.

Seu pai mordeu a isca.

– Nem a mim, é claro.

– Wilson está dizendo que, se a Alemanha enviar uma carta formal aos Aliados propondo uma conferência de paz, ele apoiará a proposta publicamente. Imagino que tenhamos o dever de transmitir esse recado ao nosso soberano.

– De fato – respondeu Otto. – Quem deverá decidir é o Kaiser.

IV

Walter escreveu uma carta para Maud em uma folha de papel branco simples, sem cabeçalho.

Meu grande amor,

É inverno na Alemanha e no meu coração também.

Escreveu em inglês. Não pôs seu endereço no alto da folha, tampouco usou o nome de Maud.

Você não pode imaginar quanto eu a amo e como sinto a sua falta.

Era difícil saber o que dizer. A carta talvez fosse lida por policiais curiosos, de modo que ele precisava garantir que nem ele nem Maud pudessem ser identificados.

Eu sou um entre um milhão de homens separados das mulheres que amamos, e o vento do norte fustiga nossas almas.

Sua ideia era que o texto pudesse passar como carta de um soldado qualquer afastado da família pela guerra.

O mundo me parece frio e soturno, como deve parecer a você, mas a parte mais difícil de suportar é a nossa separação.

Desejou poder lhe falar sobre seu trabalho no serviço de inteligência do campo de batalha, sobre a tentativa de sua mãe de fazê-lo se casar com Monika, sobre a escassez de comida em Berlim, ou mesmo sobre o livro que estava lendo, uma saga familiar intitulada *Os Buddenbrook*, mas tinha medo de que qualquer detalhe pusesse qualquer um dos dois em perigo.

Não posso dizer muita coisa, mas quero que saiba que sou fiel a você...

Ele se deteve, pensando com culpa na vontade que tivera de beijar Monika. Mas não havia cedido.

... e às promessas sagradas que fizemos um ao outro na última vez em que estivemos juntos.

Era o mais perto que ele podia chegar de se referir ao casamento. Não queria correr o risco de que alguém na Grã-Bretanha lesse a carta e descobrisse a verdade.

Penso todos os dias no momento de nosso reencontro, em que nos olharemos nos olhos e diremos: "Olá, meu amor."

Até lá, lembre-se de mim.

Não assinou seu nome.

Pôs a carta dentro de um envelope e guardou-a no bolso interno da frente do paletó.

O serviço postal entre a Alemanha e o Reino Unido estava interrompido.

Ele saiu do quarto, desceu a escada, pôs um chapéu e um sobretudo grosso com gola de pele e saiu para as ruas geladas de Berlim.

Encontrou Gus Dewar no bar do Adlon. O hotel ainda conservava uma sombra da dignidade que tinha antes da guerra, com garçons em traje de gala e um quarteto de cordas, mas não havia bebidas importadas – nada de uísque, conhaque ou gim inglês –, de modo que os dois pediram *schnapps*.

– E então? – perguntou Gus, ansioso. – Como a minha mensagem foi recebida?

Walter estava cheio de esperança; porém sabia haver poucos motivos para otimismo e queria dissimular o próprio entusiasmo. A notícia que tinha para dar a Gus era positiva, mas nem tanto.

– O Kaiser vai escrever para o presidente – falou.

– Ótimo! O que ele vai dizer?

– Eu vi um rascunho da mensagem. Infelizmente, o tom não me pareceu muito conciliatório.

– Como assim?

Walter fechou os olhos para se lembrar do texto, então recitou:

– "A guerra mais formidável de toda a história já dura dois anos e meio. Nesse conflito, a Alemanha e seus aliados deram provas de nossa força indestrutível. Nossas linhas inabaláveis seguem resistindo a ataques incessantes. Acontecimentos recentes mostram que a continuidade da guerra não será capaz de assolar nosso poder de resistência..." E assim por diante, sempre nesse tom.

– Entendo por que você diz que não parece muito conciliatório.

– Mas depois de um tempo o texto chega ao que interessa. – Walter recordou o trecho seguinte. – "Conscientes de nosso poderio militar e econômico e dispostos a levar até o fim, caso necessário, a luta que nos foi imposta, porém, ao mesmo tempo animados pelo desejo de estancar o derramamento de sangue e pôr fim aos horrores da guerra..." E agora vem a parte importante: "... propomos iniciar imediatamente negociações de paz."

Gus ficou extasiado.

– Que maravilha! Ele aceitou!

– Fale baixo, por favor! – Walter olhou em volta com nervosismo, mas ninguém parecia ter dado atenção. A música do quarteto de cordas abafava a conversa dos dois.

– Desculpe – falou Gus.

– Mas você tem razão. – Walter sorriu, deixando transparecer um pouco seu otimismo. – O tom é arrogante, combativo e desdenhoso... mas ele propõe negociações de paz.

– Você não imagina quanto estou grato.

Walter ergueu a mão em um gesto que pedia cautela.

– Deixe-me lhe dizer uma coisa com toda a franqueza. Homens poderosos e próximos ao Kaiser que são contra a paz apoiaram essa proposta com cinismo, apenas para que o presidente norte-americano continuasse a vê-los com bons olhos, certos de que os Aliados irão rejeitá-la de qualquer maneira.

– Vamos torcer para que estejam errados!

– Deus queira.

– Quando eles vão mandar a carta?

– Ainda estão discutindo sobre os termos exatos. Quando chegarem a um consenso, a carta será entregue ao embaixador norte-americano aqui em Berlim, com um pedido para que ele a transmita aos governos Aliados. – Esse jogo diplomático de leva e traz era necessário porque os governos inimigos não dispunham de meios de comunicação oficiais.

– É melhor eu ir para Londres – disse Gus. – Talvez possa fazer algo para preparar a recepção da carta.

– Achei mesmo que você fosse dizer isso. Tenho um pedido a fazer.

– Depois do que você fez para me ajudar? É só pedir!

– É estritamente pessoal.

– Sem problemas.

– Vou ter que lhe revelar um segredo meu.

Gus sorriu.

– Muito intrigante!

– Gostaria que você levasse uma carta minha para lady Maud Fitzherbert.

– Ah... – Gus assumiu uma expressão pensativa. Sabia que só podia haver um motivo para Walter estar escrevendo em segredo para Maud. – Entendo a discrição necessária. Mas pode ficar tranquilo.

– Se os seus pertences forem revistados quando estiver saindo da Alemanha ou entrando na Inglaterra, você terá que dizer que se trata de uma carta de amor de um americano na Alemanha para sua noiva em Londres. Não há nenhum nome ou endereço na correspondência.

– Está certo.

– Obrigado – disse Walter com fervor. – Você não sabe quanto isso significa para mim.

V

No sábado, 2 de dezembro, houve um encontro de caça em Tŷ Gwyn. O conde Fitzherbert e a princesa Bea se atrasaram em Londres, então Bing Westhampton, amigo de Fitz, fez as vezes de anfitrião e lady Maud de anfitriã.

Antes da guerra, Maud adorava esses eventos. As mulheres não caçavam, é claro, mas ela gostava de ter a casa cheia de hóspedes, do piquenique de almoço em que as senhoras se reuniam aos homens, das grandes fogueiras e da comida farta que todos encontravam à noite ao voltarem para casa. Porém descobriu-se incapaz de aproveitar esses prazeres quando os soldados estavam sofrendo nas trincheiras. Disse a si mesma que não se pode passar a vida inteira infeliz, nem mesmo em tempos de guerra, mas não funcionou. Estampou no rosto o seu melhor sorriso e incentivou todos a comerem e beberem à vontade, no entanto, quando ouvia os tiros de espingarda, tudo em que conseguia pensar era nos campos de batalha. Seu generoso prato de comida permaneceu intocado e as taças contendo os vinhos antigos e inestimáveis de Fitz foram levadas embora ainda cheias.

Ultimamente, ela detestava ficar sem trabalhar, pois tudo o que fazia nessas horas era pensar em Walter. Estaria ele vivo ou morto? A batalha do Somme finalmente havia terminado. Segundo Fitz, os alemães tinham perdido meio milhão de homens. Será que Walter estava entre eles? Ou será que estava deitado em algum hospital, aleijado?

Talvez ele estivesse comemorando a vitória. Os jornais não conseguiam esconder totalmente o fato de que a principal investida militar britânica do ano de 1916 havia conquistado parcos 11 quilômetros de território. Os alemães talvez se sentissem no direito de se congratularem. Até mesmo Fitz dizia, com a voz baixa e somente em particular, que a maior esperança da Grã-Bretanha agora era que os norte-americanos entrassem na guerra. Estaria Walter relaxando em algum bordel de Berlim, segurando uma garrafa de *schnapps* em uma das mãos e apalpando uma bela *fräulein* loura com a outra? Antes estivesse ferido, pensou ela, e então sentiu vergonha de si mesma.

Gus Dewar era um dos convidados de Tŷ Gwyn e, na hora do chá, foi ter com Maud. Todos os homens usavam *plus fours*, calças típicas feitas de tweed e abotoadas abaixo do joelho, e o americano alto ficava especialmente ridículo com elas. Equilibrando uma xícara de chá com dificuldade em uma das mãos, ele atravessou a sala de estar lotada até onde ela estava sentada.

Maud conteve um suspiro. Quando um homem solteiro a abordava, em geral tinha intenções românticas, de modo que ela precisava dispensá-lo sem admitir que já era casada – o que às vezes era complicado. Atualmente, o número de bons partidos da aristocracia mortos na guerra era tão alto que até mesmo os homens menos atraentes tentavam sua chance com ela: filhos caçulas de barões falidos, clérigos magrelos com mau hálito e até mesmo homossexuais em busca de uma mulher que os fizesse parecer respeitáveis.

Não que Gus Dewar fosse um partido tão ruim. Ele não era bonito, tampouco tinha a graça natural de homens como Walter e Fitz, mas possuía uma mente arguta e ideais nobres, além de compartilhar o entusiasmo de Maud pela política internacional. E a combinação de sua deselegância, tanto física quanto social, com uma franqueza um tanto rude lhe dava uma espécie de charme. Se ela fosse solteira, ele poderia até ter tido uma chance.

Gus cruzou as pernas compridas ao seu lado, sobre um sofá de seda amarela.

– Que prazer estar de volta a Tŷ Gwyn – falou.

– O senhor esteve aqui logo antes da guerra – recordou Maud. Jamais se esqueceria daquele fim de semana em janeiro de 1914, quando o rei havia se hospedado ali e acontecera um acidente terrível na mina de Aberowen. Sua lembrança mais vívida, no entanto, era de quando tinha beijado Walter, percebeu ela, envergonhada. Desejou poder beijá-lo naquele instante. Como eles tinham sido tolos em se limitar aos beijos! Quem dera tivessem feito amor e ela houvesse engravidado, para que tivessem sido obrigados a se casar de forma apressada e indigna e acabassem relegados à desgraça social eterna em algum lugar horrível como a Rodésia ou Bengala. Tudo aquilo que os inibira – seus pais, a sociedade, a carreira – parecia desimportante se comparado à possibilidade nefasta de Walter ser morto e de ela nunca mais tornar a vê-lo.

– Como os homens conseguem ser tão burros a ponto de ir à guerra? – perguntou ela a Gus. – E continuar lutando mesmo depois de o custo exorbitante em matéria de vidas humanas ter superado há muito tempo qualquer lucro possível?

– O presidente Wilson acredita que os dois lados deveriam começar a pensar em uma paz sem vitória – respondeu ele.

Ela ficou aliviada por ele não querer lhe dizer como seus olhos eram bonitos, ou alguma bobagem do gênero.

– Eu concordo com o presidente – falou. – O Exército britânico já perdeu um milhão de homens. Só a batalha do Somme nos custou 400 mil baixas.

– Mas o que o povo britânico acha disso?

Maud refletiu sobre a pergunta.

– A maioria dos jornais continua a fingir que a batalha do Somme foi uma grande vitória. Qualquer tentativa de avaliação realista é tachada de antipatriótica. Tenho certeza de que lorde Northcliffe na verdade preferiria viver sob uma ditadura militar. Mas grande parte da população já sabe que não estamos fazendo muitos progressos.

– Os alemães talvez estejam prestes a propor negociações de paz.

– Ai, espero que o senhor tenha razão.

– Creio que uma proposta formal vá ser feita em breve.

Maud o encarou.

– Perdoe-me – disse ela. – Achei que o senhor estivesse apenas puxando conversa para ser educado. Mas não é só isso, certo? – Ela se animou. Negociações de paz? Seria possível?

– Não, eu não estou jogando conversa fora – disse Gus. – Sei que a senhorita tem amigos no governo liberal.

– Na verdade, nosso governo não é mais liberal – falou ela. – É um governo de coalizão, com vários ministros conservadores no gabinete.

– Desculpe, usei o termo errado. Eu já sabia da coalizão. Ainda assim, o primeiro-ministro ainda é Asquith, um liberal. E sei que a senhorita é próxima de muitos liberais importantes.

– Sim, eu sou.

– Então vim pedir sua opinião sobre como a proposta alemã pode vir a ser recebida.

Ela pensou bem. Sabia quem Gus representava. Quem estava lhe fazendo aquela pergunta era o presidente dos Estados Unidos. Era melhor que sua resposta fosse precisa. Por acaso, Maud tinha uma informação valiosíssima.

– Dez dias atrás, o gabinete trouxe à baila um documento redigido por lorde Lansdowne, ex-ministro das Relações Exteriores conservador, afirmando que seria impossível ganharmos a guerra.

O interesse de Gus se aguçou.

– É mesmo? Eu não fazia ideia.

– É claro que não. Era segredo. No entanto, alguns boatos circularam e Northcliffe tem se mostrado violentamente contra o que chama de conversa derrotista sobre negociações de paz.

– E como o documento de Lansdowne foi recebido? – perguntou Gus, animado.

– Eu diria que existem quatro homens inclinados a pensar como ele: o ministro das Relações Exteriores, Sir Edward Grey; o chanceler McKenna; Runciman, presidente da Câmara de Comércio; e o próprio primeiro-ministro.

A expressão de Gus ficou radiante de esperança.

– Um grupo poderoso!

– Sobretudo agora que o agressivo Winston Churchill saiu do governo. Ele nunca se recuperou da catástrofe da expedição aos Dardanelos, projeto que era seu xodó.

– E que membros do gabinete ficaram contra Lansdowne?

– David Lloyd George, ministro da Guerra, o político mais popular do país.

Além de lorde Robert Cecil, ministro do Bloqueio Naval; Arthur Henderson, ministro da Pagadoria-Geral, que também é o líder do Partido Trabalhista; e Arthur Balfour, primeiro-lorde do Almirantado.

– Eu li a entrevista que Lloyd George deu aos jornais. Ele disse que queria ver a luta durar até o nocaute.

– Infelizmente, a maior parte do povo concorda com ele. É claro que as pessoas não têm muito acesso a outros pontos de vista. Os opositores da guerra, como o filósofo Bertrand Russell, por exemplo, são constantemente intimidados pelo governo.

– Mas qual foi a conclusão do gabinete?

– Nenhuma. É como terminam muitas das reuniões de Asquith. As pessoas reclamam que ele é indeciso.

– Que frustrante. Mas parece que uma proposta de paz não vai se deparar com ouvidos moucos.

Como era revigorante, pensou Maud, conversar com um homem que a levava totalmente a sério. Até mesmo os que tratavam de assuntos inteligentes com ela tendiam a se mostrar um pouco condescendentes. Na verdade, Walter foi o único outro homem a conversar com ela de igual para igual.

Nesse momento, Fitz entrou na sala. Vestia roupas londrinas, em preto e cinza, e obviamente acabara de saltar do trem. Usava um tapa-olho e andava com o auxílio de uma bengala.

– Queiram me desculpar por tê-los decepcionado – falou ele, dirigindo-se a todos os presentes. – Tive que ficar na cidade ontem à noite. Londres está em polvorosa por conta dos últimos desdobramentos políticos.

– Que desdobramentos? – quis saber Gus. – Ainda não lemos os jornais de hoje.

– Lloyd George escreveu para Asquith ontem à noite exigindo mudanças no modo como estamos conduzindo a guerra. Ele quer criar um Conselho de Guerra todo-poderoso, formado por três ministros e responsável por todas as decisões.

– E Asquith vai concordar? – perguntou Gus.

– É claro que não. Sua resposta foi que, se um conselho desses existisse, o primeiro-ministro teria de ser o presidente.

Bing Westhampton, o irônico amigo de Fitz, estava sentado junto à janela com os pés para cima.

– Isso é um contrassenso – disse ele. – Qualquer conselho presidido por Asquith será tão fraco e indeciso quanto o gabinete. – Ele olhou em volta como quem pede desculpas. – Sem querer ofender os ministros do governo aqui presentes.

– Mas você tem razão – disse Fitz. – A carta é mesmo um desafio à liderança de Asquith, sobretudo considerando que Max Aitken, amigo de Lloyd George, vazou a história para todos os jornais. Agora não há mais nenhuma chance de acordo. Vai ser um combate até o nocaute, como diria Lloyd George. Se ele não conseguir o que quer, terá que sair do gabinete. E, se conseguir, quem terá que renunciar é Asquith... e nós seremos obrigados a escolher um novo primeiro-ministro.

Maud cruzou olhares com Gus. Não tinha dúvidas de que compartilhavam a mesma opinião tácita. Com Asquith em Downing Street, a iniciativa de paz tinha uma chance. Se o beligerante Lloyd George ganhasse aquela disputa, tudo seria diferente.

O gongo do hall soou, avisando aos hóspedes que era hora de trocar de roupa para a noite. O grupo que tomava chá se dispersou. Maud foi para o seu quarto.

Suas roupas já haviam sido separadas. O vestido era o mesmo que ela comprara em Paris para a temporada londrina de 1914. Desde então havia comprado poucas roupas. Tirou o vestido que usara para o chá e pôs um roupão de seda. Ainda não iria tocar a sineta para chamar a criada: tinha alguns minutos para si. Sentou-se diante da penteadeira e olhou para seu rosto no espelho. Tinha 26 anos – e seus traços acusavam a idade. Maud nunca fora bonita, mas as pessoas costumavam dizer que ela era atraente. Com a austeridade dos tempos de guerra, perdera o pouco que tinha de suavidade juvenil, e os ângulos de seu rosto haviam se tornado mais pronunciados. O que Walter pensaria quando a visse – caso algum dia se reencontrassem? Ela tocou os próprios seios. Pelo menos ainda eram firmes. Ele gostaria disso. Pensar em Walter fez seus mamilos endurecerem. Ela se perguntou se teria tempo para...

Alguém bateu à porta, e ela abaixou as mãos, sentindo-se culpada.

– Quem é? – perguntou.

A porta se abriu e Gus Dewar entrou no quarto.

Maud se levantou, apertando o roupão em volta do corpo e falando com o máximo de rispidez possível:

– Sr. Dewar, por favor, saia daqui agora mesmo!

– Não fique alarmada – disse ele. – Preciso falar com a senhorita em particular.

– Não consigo imaginar por que motivo...

– Eu estive com Walter em Berlim.

Maud se calou, chocada. Ficou encarando Gus. Como ele poderia saber sobre os dois?

– Ele me deu uma carta para a senhorita – prosseguiu. Levou a mão ao bolso interno do paletó de tweed e sacou um envelope.

Maud o apanhou com a mão trêmula.

– Ele me disse que evitou usar o próprio nome ou o da senhorita – falou Gus – por medo de a carta ser lida na fronteira, mas, no fim das contas, ninguém revistou minha bagagem.

Maud segurava a carta nas mãos, aflita. Há tempos que ansiava por notícias de Walter, mas agora temia que elas fossem ruins. Talvez ele tivesse arrumado uma amante e a carta implorasse a compreensão de Maud. Ou então se casado com uma garota alemã e estivesse escrevendo para lhe pedir segredo eterno em relação ao casamento anterior. Pior ainda: poderia ter dado início a um processo de divórcio.

Ela rasgou o envelope para abri-lo.

Meu grande amor,

É inverno na Alemanha e no meu coração também. Você não pode imaginar quanto eu a amo e como sinto a sua falta.

Seus olhos se encheram de lágrimas.

– Oh! – disse ela. – Oh, Sr. Dewar, obrigada por me trazer isto!

Ele deu um passo hesitante em sua direção.

– Pronto, pronto – falou, afagando-lhe o braço.

Ela tentou ler o resto da carta, mas não conseguia enxergar as palavras no papel.

– Estou tão feliz! – disse, aos prantos.

Deixou a cabeça cair sobre o ombro de Gus, que a envolveu com os braços.

– Está tudo bem – disse.

Maud se rendeu aos próprios sentimentos e pôs-se a soluçar.

CAPÍTULO VINTE E UM

Dezembro de 1916

Fitz estava trabalhando no Almirantado, em Whitehall. Não era o serviço que queria. Ansiava por voltar para junto dos Fuzileiros Galeses, na França. Por mais que detestasse a sujeira e o desconforto das trincheiras, não conseguia se sentir bem estando seguro em Londres enquanto outros arriscavam a vida. Tinha horror de que o considerassem covarde. Os médicos, no entanto, insistiam que a sua perna ainda não estava forte o bastante, e o Exército não queria deixá-lo voltar.

Como Fitz falava alemão, Smith-Cumming, do Escritório do Serviço Secreto – o homem que se autodenominava "C" – o havia recomendado para a Inteligência Naval, de modo que ele fora lotado provisoriamente em um departamento conhecido como Sala 40. A última coisa que desejava era um cargo burocrático, mas, para sua própria surpresa, descobriu que aquele trabalho era de suma importância para o esforço de guerra.

No primeiro dia do conflito, um navio do serviço postal chamado *CS Alert* fora enviado para o mar do Norte, onde levara à tona os resistentes cabos submarinos de telecomunicações alemães e cortara todos eles. Com essa medida astuciosa, os britânicos haviam forçado o inimigo a usar o telégrafo para a maioria de suas mensagens. E sinais telegráficos podiam ser interceptados. Como não eram burros, os alemães codificavam suas mensagens. A Sala 40 era o lugar onde os britânicos tentavam quebrar esses códigos.

Fitz trabalhava com um grupo heterogêneo de pessoas – algumas bem esquisitas, a maioria não muito militar – que se esforçava para decifrar a algaravia captada pelas estações de escuta do litoral. Ele não tinha talento para o desafio de quebrar códigos – nunca conseguira sequer descobrir quem era o assassino em um livro de mistério de Sherlock Holmes –, mas podia traduzir as mensagens decodificadas para o inglês e, o que era mais importante, sua experiência no campo de batalha lhe permitia julgar quais delas eram relevantes.

Não que fizesse muita diferença. No final de 1916, a frente ocidental mal havia saído da posição que ocupava no início do ano, apesar do empenho monumental de ambos os lados – o ataque implacável dos alemães contra Verdun e a ainda mais sacrificante investida britânica no Somme. Os Aliados precisavam urgentemente de ajuda. Se os Estados Unidos entrassem no conflito, a balança poderia pender a favor deles – mas, até então, não havia sinal disso.

Os comandantes de todos os exércitos emitiam suas ordens tarde da noite ou ao raiar do dia, de modo que Fitz começava cedo e trabalhava sem descanso até o meio-dia. Na quarta-feira depois do encontro de caça, saiu do Almirantado ao meio-dia e meia e pegou um táxi para casa. O trecho íngreme da Avenida Whitehall até Mayfair, embora curto, era demais para ele.

As três mulheres com quem vivia – Bea, Maud e tia Herm – estavam se sentando à mesa para almoçar. Ele entregou sua bengala e o quepe do uniforme para Grout e foi se juntar às senhoras. Sempre que voltava do ambiente funcional do escritório, sua casa lhe proporcionava um prazer reconfortante: os móveis refinados, os criados de passo leve, a porcelana francesa sobre a toalha branca como a neve.

Ele perguntou a Maud quais eram as últimas novidades da política. Havia uma batalha em curso entre Asquith e Lloyd George. Na véspera, Asquith havia renunciado teatralmente ao cargo de primeiro-ministro. Fitz estava preocupado: não era um fã do liberal Asquith, mas e se o novo primeiro-ministro se deixasse seduzir pelos argumentos simplórios em defesa da paz?

– O rei encontrou-se com Bonar Law – disse Maud. Andrew Bonar Law era o líder dos conservadores. O último resquício de poder real na política britânica era o direito do monarca de nomear o primeiro-ministro, ainda que seu candidato precisasse obter o apoio do Parlamento.

– E qual foi o resultado? – quis saber Fitz.

– Bonar Law recusou o cargo de primeiro-ministro.

Fitz ficou contrariado.

– Como é que ele pôde dizer não ao rei? – A seu ver, um homem deveria obedecer a seu monarca, sobretudo um conservador.

– Ele acha que Lloyd George deve assumir. Mas o rei não quer Lloyd George.

– Espero que não queira, mesmo – interveio Bea. – Esse homem é praticamente um socialista.

– É verdade – disse Fitz. – Porém ele é mais agressivo do que todos os outros somados. Pelo menos injetaria alguma energia no esforço de guerra.

– Tenho medo de que ele não aproveite uma chance de paz – disse Maud.

– Paz? – repetiu Fitz. – Não acho que você tenha que se preocupar muito com isso. – Tentou não soar exaltado, mas conversas derrotistas sobre paz o faziam pensar em todas as vidas que tinham sido perdidas: o jovem tenente Carlton-Smith, tantos soldados do Aberowen Pals e até mesmo o infeliz Owen Bevin, executado por um pelotão de fuzilamento. Teria o sacrifício deles sido em vão?

A ideia lhe parecia uma blasfêmia. Forçando-se a usar um tom de voz normal, tornou a falar: – Não haverá paz antes de um dos lados vencer.

Os olhos de Maud faiscaram de raiva, mas ela também se controlou.

– Talvez nós consigamos o melhor dos dois mundos: Lloyd George como presidente do Conselho de Guerra, para que o conflito seja liderado de forma enérgica, e um primeiro-ministro que seja um verdadeiro estadista para negociar a paz, como Arthur Balfour, se resolvermos que é isso que queremos.

– Hum... – Fitz não gostava nem um pouco dessa ideia, porém Maud tinha um jeito de formular seus argumentos que tornava difícil discordar dela. Fitz mudou de assunto. – Quais são seus planos para hoje à tarde?

– Tia Herm e eu vamos ao East End. Estamos organizando um Clube de Mulheres de Soldados. Nós lhes damos chá e bolo, pagos por você, Fitz, a quem somos muito gratas, e tentamos ajudar com seus problemas.

– Tais como?

Quem respondeu foi tia Herm:

– Arrumar um lugar limpo para morar e encontrar alguém de confiança para cuidar das crianças são os mais frequentes.

Fitz achou graça.

– Tia, estou surpreso. A senhora costumava desaprovar as aventuras de Maud no East End.

– Nós estamos em guerra – disse tia Herm, desafiadora. – Temos que fazer tudo o que pudermos.

Por impulso, Fitz falou:

– Talvez eu vá com vocês. É bom eles verem que os condes levam tiros com a mesma facilidade que os estivadores.

Maud pareceu espantada, mas disse:

– Bom, claro, se quiser.

Ele notou que a irmã não tinha gostado da ideia. Sem dúvida naquele clube devia se falar uma certa dose de bobagens esquerdistas – voto feminino e outras tolices do mesmo naipe. No entanto, como era ele quem pagava tudo, Maud não podia impedi-lo de aparecer.

O almoço terminou e eles foram se aprontar. Fitz foi até o quarto de vestir da mulher. A criada grisalha de Bea, Nina, a ajudava a tirar o vestido do almoço. Bea murmurou alguma coisa em russo e Nina respondeu na mesma língua, o que deixou Fitz irritado, pois a ideia parecia ser excluí-lo. Ele falou em russo, no intuito de deixar as duas pensando que havia entendido tudo, então disse à criada:

– Por favor, deixe-nos a sós. – Ela fez uma mesura e saiu do quarto.

– Não vi Boy hoje – disse Fitz. Ele saíra de casa cedo naquela manhã. – Preciso ir ao quarto das crianças antes que o levem para passear.

– Ele não vai sair agora – disse Bea com nervosismo. – Está tossindo um pouco.

Fitz fechou o rosto.

– Ele precisa de ar puro.

Para sua surpresa, ela de repente adquiriu um ar choroso.

– Estou com medo por ele – falou. – Com você e Andrei arriscando a vida na guerra, Boy pode ser tudo o que me resta.

Seu irmão Andrei era casado, porém não tinha filhos. Se Andrei e Fitz morressem, Boy passaria a ser a única família de Bea. Isso explicava por que ela protegia tanto a criança.

– Mesmo assim, não é bom para o menino ficar sendo tratado a pão de ló.

– Eu não conheço essa expressão – disse ela, emburrada.

– Acho que você sabe do que eu estou falando.

Bea tirou as anáguas. Seu corpo havia ficado mais voluptuoso do que antes. Fitz a observou desatar as fitas que prendiam suas meias. Imaginou-se mordendo a carne macia da parte interna de sua coxa.

Ela percebeu seu olhar.

– Estou cansada – falou. – Preciso dormir uma hora.

– Eu poderia acompanhá-la.

– Pensei que você fosse visitar os pobres com sua irmã.

– Não sou obrigado a ir.

– Preciso mesmo descansar.

Ele se levantou para sair, mas então mudou de ideia. Sentia-se zangado, rejeitado.

– Já faz muito tempo que você não me recebe na sua cama.

– Não tenho contado os dias.

– Eu tenho, e são semanas, não dias.

– Desculpe. Tenho andado tão preocupada com tudo. – Ela voltou a ficar à beira das lágrimas.

Fitz sabia que ela temia pelo irmão – e compreendia sua ansiedade impotente –, porém milhões de mulheres estavam vivendo a mesma agonia, e a nobreza tinha a obrigação de ser estoica.

– Ouvi dizer que você criou o hábito de assistir à missa na embaixada russa enquanto eu estava na França. – Não havia igreja ortodoxa russa em Londres, mas a embaixada tinha uma capela.

– Quem lhe contou isso?

– Não importa. – Tia Herm lhe contara. – Antes de nós nos casarmos, eu lhe pedi que se convertesse ao anglicanismo, e você obedeceu.

Ela evitava seus olhos.

– Não achei que fosse ter problema algum eu assistir a uma ou duas missas – falou baixinho. – Sinto muitíssimo por ter desagradado você.

Fitz não confiava em clérigos estrangeiros.

– O padre de lá anda dizendo a você que é pecado ter prazer ao se deitar com seu marido?

– É claro que não! Mas, quando você está fora, eu me sinto muito sozinha, muito afastada de tudo com que fui criada... É reconfortante ouvir hinos e preces russas que conheço tão bem.

Fitz sentiu pena dela. Devia ser difícil. Ele não conseguia sequer cogitar viver de forma permanente em um país estrangeiro. E sabia, graças a conversas com outros homens casados, que não era incomum uma mulher resistir aos assédios do marido depois de ter tido um filho.

No entanto, obrigou o próprio coração a endurecer. Todo mundo precisava fazer sacrifícios. Bea deveria estar grata por não precisar correr para cima de rajadas de metralhadoras.

– Eu acho que cumpri meu dever para com você – falou. – Quando nos casamos, paguei as dívidas da sua família. Contratei especialistas, russos e ingleses, para planejarem a reorganização das propriedades. – Os especialistas haviam aconselhado Andrei a drenar pântanos para criar mais terra cultivável e explorar o terreno em busca de carvão e outros minerais, mas o irmão de Bea nunca fizera nada disso. – Não é culpa minha se Andrei desperdiçou todas as oportunidades que teve.

– Sim, Fitz – respondeu ela. – Você fez tudo o que prometeu.

– E agora peço a você que cumpra o seu dever. Nós precisamos gerar herdeiros. Se Andrei morrer sem gerar descendentes, o nosso filho herdará duas propriedades imensas. Ele vai ser um dos maiores proprietários de terras do mundo. Precisamos ter mais filhos para o caso de, Deus nos livre, acontecer alguma coisa com Boy.

Ela manteve os olhos abaixados.

– Eu sei do meu dever.

Fitz sentiu-se desonesto. Falava em herdeiros – e tudo o que dissera era verdade –, mas não lhe revelava que estava louco para ver seu corpo macio estirado para ele sobre os lençóis, branco sobre branco, e seus cabelos louros derramando-se sobre o travesseiro. Afastou essa visão da mente.

– Se você sabe do seu dever, por favor, cumpra-o. Da próxima vez que eu entrar no seu quarto, espero ser recebido como o marido amoroso que sou.

– Sim, Fitz.

Ele saiu. Estava contente por ter fincado o pé, mas também tinha uma sensação incômoda de ter feito alguma coisa errada, o que era ridículo. Ele havia deixado claro para Bea quanto seu comportamento estava errado, e ela havia aceitado sua reprimenda. Era assim que deveria ser entre marido e mulher. Fitz, no entanto, não conseguiu ficar tão satisfeito quanto deveria.

Afastou Bea do pensamento ao encontrar Maud e tia Herm no saguão. Pôs o quepe do uniforme e olhou de relance para o espelho, desviando os olhos depressa. Ultimamente, tentava não pensar muito na própria aparência. A bala havia danificado os músculos do lado esquerdo de seu rosto, o que deixava sua pálpebra permanentemente caída. Não era uma desfiguração grave, mas sua vaidade jamais iria se recuperar. Disse a si mesmo para agradecer o fato de a sua visão não ter sido afetada.

O Cadillac azul continuava na França, mas ele conseguira arrumar outro. Seu motorista conhecia o caminho: era óbvio que já havia levado Maud ao East End. Meia hora mais tarde, eles estacionaram diante do Salão do Evangelho do Calvário, uma capela pequenina e miserável com telhado de zinco. A construção poderia muito bem ter sido trazida diretamente de Aberowen. Fitz se perguntou se o pastor era galês.

O chá já havia começado e o lugar estava lotado de mães jovens com seus filhos. O cheiro era pior do que o de um alojamento militar e Fitz teve que resistir à tentação de cobrir o nariz com um lenço.

Maud e Herm começaram a trabalhar na mesma hora, Maud recebendo as mulheres no escritório dos fundos, uma de cada vez, e Herm conduzindo-as até lá. Fitz mancou de mesa em mesa, perguntando às mulheres onde seus maridos estavam servindo e quais tinham sido as suas experiências. Enquanto isso, as crianças rolavam pelo chão. No geral, as moças costumavam dar risadinhas e ficar sem palavras quando Fitz se dirigia a elas, mas aquele grupo não se deixava envergonhar com tanta facilidade. As mulheres lhe perguntaram em que regimento ele havia servido e como tinha sido ferido.

Somente depois de percorrer metade da sala ele viu Ethel.

Havia reparado que dois escritórios ocupavam os fundos do salão, um deles o de Maud, e ele se perguntara distraidamente quem estaria no segundo. Por acaso, ergueu os olhos bem na hora em que a porta se abriu e Ethel saiu da sala.

Fazia dois anos que não a via, mas ela não estava muito diferente. Seus cachos escuros balançavam quando ela andava e seu sorriso parecia um raio de sol. O vestido estava tão desbotado e gasto quanto as roupas de todas as mulheres ali presentes, exceto Maud e Herm, mas ela ainda conservava a mesma silhueta esbelta – e Fitz não pôde deixar de pensar no corpo mignon que tinha conhecido tão bem. Ethel não precisou sequer olhar para ele para enfeitiçá-lo. Era como se o tempo não houvesse passado desde que os dois tinham rolado juntos, aos risos e beijos, sobre a cama da Suíte Gardênia.

Ela se dirigiu ao único outro homem que havia ali, um sujeito encurvado de terno casual cinza-escuro feito de algum material pesado, que tomava notas em um livro-razão sentado diante de uma mesa. O homem usava óculos de lentes grossas, mas mesmo assim Fitz pôde ver a expressão de adoração em seus olhos quando ele os ergueu para Ethel. Ela o abordou com uma amabilidade natural que fez Fitz se perguntar se os dois seriam casados.

Ethel então se virou, deparando-se com o olhar de Fitz. Suas sobrancelhas se arquearam e sua boca formou um O de surpresa. Ela deu um passo para trás, como se estivesse agitada, e esbarrou em uma cadeira. A mulher que a ocupava ergueu o rosto com uma expressão irritada. Ethel articulou um "Desculpe" sem olhar para ela.

Fitz se levantou de onde estava sentado, o que não era fácil com a perna estropiada, sem desgrudar os olhos de Ethel. Ela estava visivelmente indecisa, sem saber se deveria se aproximar dele ou fugir para a segurança de sua sala.

– Olá, Ethel. – Suas palavras não conseguiram atravessar a sala barulhenta, mas ela provavelmente pôde ver seus lábios se moverem e adivinhar o que ele dissera.

Ela se decidiu e foi em sua direção.

– Boa tarde, lorde Fitzherbert – falou, com seu sotaque galês cadenciado fazendo a expressão corriqueira soar melodiosa. Estendeu a mão e os dois se cumprimentaram. A pele dela estava áspera.

Imitando-a, ele passou para um tratamento mais formal:

– Como vai, Sra. Williams?

Ela puxou uma cadeira e se sentou. Enquanto fazia o mesmo, Fitz percebeu que ela havia, com astúcia, colocado os dois em pé de igualdade, sem qualquer intimidade.

– Eu vi o senhor na cerimônia de Aberowen Reck – disse ela. – Fiquei muito triste... – Sua voz engasgou na garganta. Ela baixou os olhos e recomeçou: – Fiquei muito triste quando vi que estava ferido. Espero que esteja melhorando.

– Aos poucos. – Fitz podia ver que a preocupação dela era genuína. Aparentemente, apesar de tudo o que havia acontecido, ela não o odiava. Aquilo o comoveu.

– Como foi que se feriu?

Ele já havia repetido a história tantas vezes que estava cansado de contá-la.

— Foi no primeiro dia da batalha do Somme. Eu praticamente não lutei. Nós saímos da trincheira, passamos pelo arame farpado e começamos a atravessar a terra de ninguém. Então, quando dei por mim, estava sendo levado embora de padiola, sentindo uma dor terrível.

— Meu irmão o viu cair.

Fitz se lembrou do insubordinado cabo William Williams.

— Foi mesmo? O que houve com ele?

— A seção dele capturou uma trincheira alemã, mas depois ficou sem munição e teve que abandoná-la.

Como estava no hospital, Fitz não havia recebido relatório algum sobre o ataque.

— Ele recebeu uma medalha?

— Não. O coronel lhe disse que ele deveria ter defendido a posição até a morte. Billy respondeu "Como assim, igual ao senhor?" e levou uma punição.

Fitz não ficou surpreso. Williams era sinônimo de encrenca.

— Mas o que a senhora está fazendo aqui?

— Eu trabalho com a sua irmã.

— Ela não me disse nada.

Ethel o encarou com olhar firme.

— Ela jamais pensaria que o senhor se interessaria em ter notícias de seus antigos criados.

Era uma provocação, mas ele a ignorou.

— E qual a sua função?

— Sou gerente editorial do jornal *The Soldier's Wife*. Organizo a impressão e a distribuição e edito a seção de cartas. Além de administrar o dinheiro.

Ele ficou impressionado. Era um grande passo para uma ex-governanta. Mas ela sempre tivera um talento extraordinário para a organização.

— O meu dinheiro, imagino?

— Creio que não. Maud é cuidadosa. Ela sabe que o senhor não se importa em pagar por chá e bolos, e por cuidados médicos para os filhos dos soldados, mas não usaria seu dinheiro para propaganda contra a guerra.

Ele estava alongando a conversa pelo simples prazer de observar seu rosto enquanto ela falava.

— É isso que o jornal publica? — perguntou. — Propaganda contra a guerra?

— Nós debatemos publicamente o que vocês só mencionam em particular: a possibilidade de paz.

Ela estava certa. Fitz sabia que políticos de alto escalão dos dois partidos vinham conversando sobre a paz, o que o deixava com raiva. Mas não queria discutir com Ethel.

– Seu herói, Lloyd George, é a favor de intensificar os combates.

– O senhor acha que ele será primeiro-ministro?

– Não é o que o rei quer. Mas talvez ele seja o único candidato capaz de unir o Parlamento.

– Temo que ele venha a prolongar a guerra.

Maud saiu de sua sala. O chá estava terminando e as mulheres já recolhiam as xícaras e pires e juntavam seus filhos. Fitz ficou pasmo ao ver tia Herm carregando uma pilha de pratos sujos. Como a guerra mudava as pessoas!

Tornou a olhar para Ethel. Ela ainda era a mulher mais atraente que ele havia conhecido na vida. Cedeu a um impulso e, em voz baixa, perguntou:

– Pode se encontrar comigo amanhã?

Ela pareceu chocada.

– Para quê? – perguntou baixinho.

– Sim ou não?

– Onde?

– Na Victoria Station. À uma da tarde. No acesso à plataforma três.

Antes que ela pudesse responder, o homem de óculos grossos se aproximou e Ethel pôs-se a apresentá-lo:

– Conde Fitzherbert, permita-me lhe apresentar o senhor Bernie Leckwith, presidente do núcleo de Aldgate do Partido Trabalhista Independente.

Fitz o cumprimentou com um aperto de mão. Leckwith tinha 20 e poucos anos. Supôs que a vista ruim o houvesse dispensado das Forças Armadas.

– Sinto muito por vê-lo ferido, lorde Fitzherbert – disse Leckwith com sotaque do East End londrino.

– Fui apenas um entre milhares de outros e tenho sorte de estar vivo.

– Pensando em retrospecto, o senhor acha que nós poderíamos ter feito alguma coisa de diferente na batalha do Somme? Algo que pudesse ter alterado o resultado de forma significativa?

Fitz pensou por alguns instantes. Era uma excelente pergunta.

Enquanto ele pensava, Leckwith acrescentou:

– Será que precisávamos de mais homens e munição, como alegam os generais? Ou de táticas mais flexíveis e de uma comunicação melhor, como dizem os políticos?

– Todas essas coisas teriam ajudado – disse Fitz com ar pensativo –, mas, para falar a verdade, não acho que poderiam ter nos dado a vitória. O ataque já nasceu condenado. Porém não tínhamos como saber disso de antemão. Precisávamos tentar.

Leckwith aquiesceu, como se aquilo confirmasse a própria opinião.

– Obrigado pela sua franqueza – falou, quase como se Fitz houvesse feito uma confissão.

Eles saíram da capela. Fitz levou tia Herm e Maud até o carro que os aguardava, entrou em seguida e o motorista os levou embora dali.

Fitz percebeu que estava ofegante. Havia sofrido um pequeno choque. Três anos antes, Ethel estava contando fronhas em Tŷ Gwyn. Hoje, era gerente editorial de um jornal que, apesar de pequeno, ministros importantes consideravam uma pedra no sapato do governo.

Qual seria o relacionamento dela com Bernie Leckwith, aquele homem de inteligência surpreendente?

– Quem era aquele tal de Leckwith? – perguntou ele a Maud.

– Um político importante da região.

– Ele é marido de Williams?

Maud riu.

– Não, embora todos achem que devesse ser. Ele é um homem brilhante, que compartilha seus ideais e adora o filho dela. Não entendo por que Ethel ainda não se casou com ele.

– Talvez ele não faça o coração dela bater mais depressa.

Maud arqueou as sobrancelhas, e Fitz percebeu que tinha sido perigosamente franco.

– Moças desse tipo querem romance, não é mesmo? – acrescentou depressa. – Ela vai se casar com um herói de guerra, não com um bibliotecário.

– Ethel não é uma *moça desse tipo*, ou de qualquer outro tipo – disse Maud com a voz um tanto gelada. – Ela é excepcional, isso sim. Não se encontra duas como ela na vida.

Fitz desviou o olhar. Sabia que isso era verdade.

Perguntou-se como seria o menino. Ele deveria ser uma das crianças de cara suja que brincavam no chão da capela. Era provável que tivesse visto o próprio filho naquela tarde. A ideia o deixou estranhamente comovido. Por algum motivo, teve vontade de chorar.

O carro estava passando pela Trafalgar Square. Ele pediu ao motorista que parasse.

– É melhor eu dar um pulo no escritório – explicou a Maud.

Ele entrou mancando no antigo prédio do Almirantado e subiu a escada. Sua mesa ficava na seção diplomática, que ocupava a Sala 45. O subtenente Carver, estudante de latim e grego que viera de Cambridge para ajudar na decodificação dos sinais telegráficos alemães, disse-lhe que, como de hábito, poucas mensagens haviam sido interceptadas durante a tarde, de modo que estava sem nada para fazer. Havia, no entanto, algumas novidades políticas.

– O senhor já soube? – perguntou Carver. – O rei convocou Lloyd George.

II

Durante toda a manhã seguinte, Ethel disse a si mesma que não iria encontrar Fitz. Como ele se atrevia a sugerir uma coisa dessas? Ela ficara mais de dois anos sem qualquer notícia sua. Então, quando finalmente haviam se encontrado, ele nem lhe perguntara sobre Lloyd – seu próprio filho! Continuava o mesmo enganador egoísta e insensível de sempre.

Ainda assim, ela havia ficado em polvorosa. Fitz a fitara com seus olhos verdes penetrantes e fizera perguntas sobre a sua vida que a deixaram com a sensação de ser importante para ele – apesar de todas as provas em contrário. Não era mais o homem perfeito de antes, quase um deus: seu rosto lindo estava maculado por um olho semicerrado e ele andava curvado sobre a bengala. Porém, aquela debilidade só fazia com que Ethel quisesse cuidar dele. Ela disse a si mesma que era uma boba. O conde tinha todos os cuidados que o dinheiro podia comprar. Não iria encontrá-lo.

Ao meio-dia, ela saiu da redação do *The Soldier's Wife* – duas salinhas em cima de uma gráfica, divididas com o Partido Trabalhista Independente – e pegou um ônibus. Maud não estava no jornal naquela manhã, o que poupou Ethel de ter que inventar uma desculpa.

A viagem de ônibus e metrô de Aldgate até a Victoria Station era longa, de modo que Ethel chegou ao encontro alguns minutos depois da uma da tarde. Imaginou que Fitz poderia ter ficado impaciente e ido embora, e a ideia a deixou levemente nauseada; mas ele estava lá, usando um terno de tweed como se estivesse indo para o campo, e ela se sentiu melhor na mesma hora.

Ele sorriu.

– Tive medo de você não vir – falou.

– Não sei por que vim – respondeu ela. – Por que você me chamou aqui?

– Quero lhe mostrar uma coisa. – Ele a tomou pelo braço.

Os dois saíram da estação. Andar de braços dados com ele provocou em Ethel uma satisfação tola. Ficou pasma com a coragem de Fitz. Ele era um homem facilmente reconhecível. E se topassem com algum amigo seu? Ela imaginou que, se fosse o caso, os dois homens fingiriam não ter se visto. Na classe social de Fitz, não se esperava que um homem com alguns anos de casado fosse fiel à esposa.

Eles pegaram um ônibus e, alguns pontos depois, desceram no mal-afamado subúrbio de Chelsea, um bairro de aluguéis baratos ocupado por artistas e escritores. Ethel se perguntou o que ele queria lhe mostrar. Eles percorreram uma rua de casinhas independentes, não geminadas.

– Você já assistiu a um debate no Parlamento? – perguntou Fitz.

– Não – respondeu ela. – Mas adoraria.

– É preciso ser convidado por um membro de uma das câmaras. Quer que eu organize isso?

– Quero, por favor!

Fitz parecia feliz por ela ter aceitado.

– Vou verificar quando haverá algo interessante. Acho que você gostaria de ver Lloyd George em ação.

– Sim!

– Ele hoje está montando seu governo. Imagino que vá beijar a mão do rei como primeiro-ministro ainda esta noite.

Ethel olhou em volta, pensativa. Em alguns trechos, Chelsea ainda se parecia com a aldeia interiorana que havia sido no século anterior. As construções mais antigas eram chalés e casas de fazenda, estruturas baixas com amplos jardins e pomares. Como era dezembro, não havia muito verde, mas, de qualquer forma, o bairro tinha uma agradável atmosfera semirrural.

– A política é uma coisa engraçada – comentou ela. – Desde que aprendi a ler jornal, venho querendo que Lloyd George seja primeiro-ministro, mas, agora que isso aconteceu, estou com medo.

– Por quê?

– Ele é o mais beligerante dos membros do alto escalão do governo. Sua nomeação poderia arruinar qualquer chance de paz. Por outro lado...

Fitz fez uma cara intrigada.

– O quê?

– Ele é o único que pode aceitar discutir a paz sem ser crucificado pelos jornais sensacionalistas de Northcliffe.

– Isso lá é verdade – concordou Fitz, preocupado. – Se qualquer outro fizesse isso, as manchetes iriam bradar: "Fora Asquith... ou Fora Balfour, Fora Bonar Law... e Viva Lloyd George!" Mas, se a imprensa atacar Lloyd George, não vai sobrar mais ninguém.

– Então talvez ainda haja uma esperança de paz.

Ele se permitiu assumir um tom de voz irritado.

– Por que você torce pela paz e não pela vitória?

– Porque foi assim que nós nos metemos nesta encrenca – respondeu ela, sem se alterar. – O que você queria me mostrar?

– Isto aqui. – Ele abriu o trinco de um portão e o segurou para ela passar. Os dois entraram no terreno de uma casa independente de dois andares. O jardim estava abandonado e a casa precisava de pintura, mas era uma residência charmosa, de tamanho médio – o tipo de lugar que poderia pertencer a um músico de sucesso, pensou Ethel, ou talvez a um ator conhecido. Fitz tirou uma chave do bolso e abriu a porta da frente. Ambos entraram, então ele fechou a porta e a beijou.

Ela se deixou levar pelo momento. Fazia muito tempo que ninguém a beijava, e ela se sentiu como um viajante sedento no meio do deserto. Acariciou o pescoço comprido de Fitz e apertou os seios contra o peito dele. Percebeu que ele estava tão ávido quanto ela. Antes de perder o controle, empurrou-o para longe.

– Pare.

– Por quê?

– Da última vez que fizemos isso, eu acabei tendo uma conversa com seu maldito advogado. – Ethel se afastou dele. – Não sou mais tão inocente.

– Desta vez vai ser diferente – disse ele, ofegante. – Fui um tolo por deixar você ir embora. Hoje entendo isso. Eu também era jovem.

Para se acalmar, ela correu os olhos pelos cômodos. Estavam repletos de móveis antigos e fora de moda.

– De quem é esta casa? – perguntou.

– Sua – respondeu ele. – Se você quiser.

Ela o encarou. Aonde ele estava querendo chegar?

– Você poderia morar aqui com a criança – explicou ele. – Durante anos, a casa pertenceu a uma senhora de idade que foi governanta do meu pai. Ela morreu faz alguns meses. Você poderia redecorar tudo e comprar móveis novos.

– Morar aqui? – indagou ela. – Para ser o que sua?

Ele foi incapaz de dizer a palavra.

– Sua amante? – insistiu ela.

– Você pode ter uma babá, uma ou duas criadas e um jardineiro. Até um carro com motorista, se quiser.

A única parte que a seduzia naquilo tudo era ele.

Fitz, no entanto, interpretou mal a expressão pensativa de Ethel.

– A casa é pequena demais? Você preferiria morar em Kensington? Quer um mordomo e uma governanta? Será que não entende que eu lhe darei tudo o que você quiser? A minha vida sem você é vazia.

Ethel viu que ele estava dizendo a verdade. Pelo menos a verdade daquele momento, em que estava excitado e insatisfeito. Porém havia sentido na própria carne a rapidez com que ele podia mudar de ideia.

Mas o problema era que também estava louca por ele.

Fitz deve ter lido isso em seu rosto, pois tornou a abraçá-la. Ela ergueu o rosto para ser beijada. Quero mais disso, pensou.

Mais uma vez, livrou-se do abraço antes de perder o controle.

– E então? – perguntou ele.

Ela não poderia tomar uma decisão sensata com ele a beijando daquela forma.

– Eu preciso ficar sozinha – falou. Forçou-se a se afastar dele antes que fosse tarde demais. – Deixe-me ir para casa – continuou, abrindo a porta. – Preciso de tempo para pensar. – Na soleira, ela hesitou.

– Pense quanto quiser – disse ele. – Eu espero.

Ela fechou a porta e saiu correndo.

III

Gus Dewar estava na National Gallery, na Trafalgar Square, parado diante do *Autorretrato aos 63 anos*, de Rembrandt, quando uma mulher ao seu lado falou:

– Que homem mais feio!

Gus se virou e ficou surpreso ao reconhecer Maud Fitzherbert.

– Quem? Eu ou Rembrandt? – perguntou, fazendo-a rir.

Os dois saíram passeando juntos pela galeria.

– Que coincidência agradável encontrá-la aqui – disse ele.

– Na verdade, eu vi o senhor entrar e o segui – confessou ela. Baixou a voz: – Queria lhe perguntar por que os alemães ainda não fizeram a proposta de paz que o senhor me contou ser iminente.

Gus não sabia a resposta.

– Talvez eles tenham mudado de ideia – falou, desanimado. – Na Alemanha, assim como aqui, existe uma facção que defende a paz e outra que defende a guerra. Talvez a facção a favor da guerra tenha levado a melhor e conseguido fazer o Kaiser mudar de ideia.

– Mas não é possível que eles não entendam que batalhas não fazem mais a menor diferença! – disse ela, exasperada. – O senhor leu nos matutinos de hoje que os alemães tomaram Bucareste?

Gus fez que sim com a cabeça. A Romênia havia declarado guerra em agosto e, durante algum tempo, os britânicos tinham alimentado esperanças de que aquela nova aliada pudesse desferir um golpe certeiro – mas a Alemanha invadira o país em setembro, e agora a capital romena havia caído.

– Na verdade, esse desfecho é bom para a Alemanha, que passou a ter nas mãos o petróleo romeno.

– Exatamente – disse Maud. – É a mesma coisa de sempre: um passo para a frente, um passo para trás. Quando nós vamos aprender?

– A nomeação de Lloyd George como primeiro-ministro não é animadora – comentou Gus.

– Ah! Talvez nisso o senhor esteja enganado.

– Será? Ele construiu sua reputação política pelo fato de ser mais agressivo do que todos os outros. Seria difícil para ele conseguir a paz depois disso.

– Não tenha tanta certeza. Lloyd George é imprevisível. Ele poderia mudar de ideia. Isso surpreenderia apenas os que tiveram a ingenuidade de considerá-lo sincero.

– Bem, já é uma esperança.

– Ainda assim, eu gostaria que tivéssemos uma primeira-ministra mulher.

Gus duvidava que isso algum dia fosse acontecer, mas ficou calado.

– Eu queria lhe perguntar mais uma coisa – disse ela, e então se interrompeu.

Gus virou-se de frente para ela. Talvez os quadros houvessem lhe aguçado a sensibilidade, mas ele se pegou admirando seu rosto. Reparou nos contornos bem marcados do nariz e do queixo, nas maçãs do rosto protuberantes, no pescoço comprido. Os traços angulosos eram suavizados pelos lábios carnudos e pelos grandes olhos verdes.

– Fique à vontade – falou ele.

– O que Walter lhe disse?

Gus recordou aquela surpreendente conversa no bar do Hotel Adlon, em Berlim.

– Que precisava me revelar um segredo. Mas depois não me disse qual era ele.

– Ele pensou que o senhor fosse conseguir adivinhar.

– O que adivinhei foi que ele deve estar apaixonado pela senhorita. E, pela sua reação quando lhe entreguei a carta em Tŷ Gwyn, pude ver que o amor dele é correspondido. – Gus sorriu. – Se me permite dizer, ele é um homem de sorte.

Ela aquiesceu e Gus leu em sua expressão algo semelhante a alívio. O segredo não deve ser só esse, percebeu; era por isso que ela precisava descobrir quanto ele sabia. Ele se perguntou o que mais os dois estariam escondendo. Talvez estivessem noivos.

Eles seguiram andando pela galeria. Entendo por que ele a ama, pensou Gus. Eu mesmo poderia me apaixonar por você em um piscar de olhos.

Ela tornou a surpreendê-lo ao perguntar de repente:

– O senhor já se apaixonou, Sr. Dewar?

Era uma pergunta invasiva, mas ele respondeu assim mesmo:

– Já... duas vezes.

– Mas não está mais apaixonado.

Ele sentiu um impulso de se confidenciar com ela.

– No ano que a guerra foi declarada, cometi o deslize de me apaixonar por uma mulher já casada.

– Ela o amava?

– Sim.

– O que aconteceu?

– Eu lhe pedi que deixasse o marido para ficar comigo. Foi muito errado da minha parte, e sei que a senhorita vai ficar chocada. Mas ela era uma pessoa melhor do que eu e recusou minha proposta imoral.

– Eu não me choco com facilidade. E a segunda vez?

– No ano passado, fiquei noivo de uma moça na minha cidade natal, Buffalo; mas ela se casou com outro homem.

– Oh! Eu sinto muito. Talvez eu não devesse ter perguntado. Despertei uma lembrança dolorosa.

– Extremamente dolorosa.

– Espero que me perdoe, mas preciso dizer que isso me deixa mais tranquila. É que, então, o senhor sabe quanto sofrimento o amor pode provocar.

– É, sei mesmo.

– Mas talvez a paz venha, no fim das contas, e meu sofrimento termine em breve.

– Espero muito que sim, lady Maud – disse Gus.

IV

Ethel remoeu por dias a fio a proposta de Fitz. Congelando no quintal dos fundos de sua casa enquanto girava a manivela para torcer a roupa, imaginou-se naquela bela casa de Chelsea, com Lloyd correndo pelo jardim vigiado por uma babá atenta. "Eu lhe darei tudo o que você quiser", dissera Fitz, e ela sabia que era verdade. Ele poria a casa em seu nome. Viajaria com ela para a Suíça e para o sul da França. Com algum esforço, poderia obrigá-lo a lhe pagar uma pensão anual, de modo que teria uma renda até o dia de sua morte, mesmo que ele se cansasse dela – embora também soubesse que era capaz de garantir que isso nunca acontecesse.

Aquilo era vergonhoso, repugnante, disse ela a si mesma com severidade. Ela seria uma mulher paga para fazer sexo – e o que significava a palavra "prostituta" senão isso? Nunca poderia convidar os pais para visitar seu refúgio em Chelsea: eles saberiam na hora o que aquilo significava.

Mas será que estava ligando para isso? Talvez não, mas precisava levar outras coisas em conta. Ela queria mais da vida além de conforto. Como amante de um milionário, não poderia continuar militando em prol das mulheres da classe trabalhadora. Seria o fim de sua vida política. Perderia o contato com Bernie e Mildred – e até mesmo encontrar Maud seria constrangedor.

Mas quem era ela para pedir tanto da vida? Era Ethel Williams, nascida na casa humilde de um minerador de carvão! Como poderia desdenhar uma vida inteira de conforto? Isso sim é tirar a sorte grande, disse a si mesma, usando um dos jargões de Bernie.

Além disso, havia Lloyd. Ele teria uma governanta e, futuramente, Fitz lhe pagaria uma escola grã-fina. Ele cresceria rodeado pela elite e teria uma vida privilegiada. Será que Ethel tinha o direito de lhe negar isso?

Não estava nem perto de encontrar uma resposta quando abriu o jornal na sala que dividia com Maud e ficou sabendo sobre uma outra proposta dramática. No dia 12 de dezembro, o chanceler alemão Theobald von Bethmann-Hollweg havia proposto negociações de paz com os Aliados.

Ethel ficou radiante. Paz! Seria mesmo possível? Será que Billy voltaria para casa?

Na mesma hora, o premiê francês descreveu a mensagem como um golpe ardiloso, enquanto o ministro das Relações Exteriores russo denunciou as "propostas mentirosas" dos alemães, porém Ethel acreditava que somente a reação da Grã-Bretanha contaria de verdade.

Alegando uma inflamação na garganta, Lloyd George não estava fazendo nenhum tipo de pronunciamento público. Em dezembro, metade dos londrinos tinha tosses e resfriados, mas, mesmo assim, Ethel desconfiou que Lloyd George quisesse apenas tempo para pensar. Interpretou isso como um bom sinal. Uma resposta imediata teria sido negativa; qualquer outra coisa dava margem a esperança. Ele pelo menos estava cogitando a paz, pensou ela com otimismo.

Nesse meio-tempo, o presidente Wilson pôs o peso dos Estados Unidos na balança a favor da paz. Sua sugestão era que, em preparação às negociações, todas as potências em conflito afirmassem seus objetivos, ou seja, o que estavam tentando obter com os combates.

– Isso os deixou constrangidos – disse Bernie Leckwith naquela mesma noite. – Eles já esqueceram por que começaram a guerra. Agora só estão lutando porque querem vencer.

Ethel se lembrou do que a Sra. Dai dos Pôneis tinha dito sobre a greve: *Quando os homens entram em uma briga, só pensam em ganhar. Seja qual for o custo, não desistem.* Perguntou-se como uma primeira-ministra mulher teria reagido a uma proposta de paz.

Com o passar dos dias, no entanto, percebeu que Bernie tinha razão. A sugestão do presidente Wilson foi recebida com um estranho silêncio. Nenhum dos países respondeu de imediato. Isso deixou Ethel com mais raiva ainda. Como podiam continuar a guerra quando nem sequer sabiam por que estavam lutando?

No final da semana, Bernie organizou uma assembleia geral para debater o comunicado dos alemães. No dia da reunião, Ethel acordou e viu o irmão em pé ao lado de sua cama, vestindo seu uniforme cáqui.

– Billy! – exclamou. – Você está vivo!

– E tenho uma semana de licença – respondeu ele. – Saia já da cama, sua preguiçosa.

Ela se levantou com um salto, vestiu um roupão por cima da camisola e o abraçou.

– Ai, Billy, estou tão feliz em ver você! – Reparou nas listras em sua manga. – Você agora é sargento?

– Sou.

– Como foi que entrou em casa?

– Mildred abriu a porta para mim. Na verdade, eu cheguei ontem à noite.

– Onde você dormiu?

Ele pareceu acanhado.

– Lá em cima.

Ethel sorriu.

– Garoto de sorte.

– Eu gosto muito dela, Eth.

– Eu também – respondeu Ethel. – Mildred é ouro puro. Você vai se casar com ela?

– Se eu sobreviver à guerra, vou.

– Não liga para a diferença de idade?

– Ela tem 23 anos. Não é uma velha de 30 nem nada.

– E as meninas?

Billy deu de ombros.

– Elas são boazinhas, mas, mesmo que não fossem, eu as aturaria pela Mildred.

– Então você a ama mesmo.

– Não é difícil.

– Ela abriu um pequeno negócio, você deve ter visto quanto chapéu tem lá no quarto dela.

– Eu sei. E, pelo que ela diz, está indo bem.

– Muito bem. Ela é trabalhadora. Tommy veio com você?

– Ele pegou o mesmo navio que eu, mas já embarcou no trem para Aberowen.

Lloyd acordou, viu um desconhecido no quarto e começou a chorar. Ethel o pegou no colo para acalmá-lo.

– Venha até a cozinha – disse ela para Billy. – Vou preparar o café da manhã para nós.

Enquanto ela fazia um mingau, Billy se sentou e começou a ler o jornal. Depois de alguns instantes, exclamou:

– Maldição!

– O que foi?

– Estou vendo que o desgraçado do Fitzherbert andou abrindo aquela boca grande. – Ele olhou para Lloyd, quase como se o bebê pudesse ficar ofendido com aquela referência insultuosa ao pai.

Ethel olhou por cima do ombro do irmão e leu:

PAZ: A SÚPLICA DE UM SOLDADO
"Não nos abandonem agora!"
Conde ferido conta sua história

Um discurso comovente contra a atual proposta do chanceler alemão para iniciar negociações de paz foi pronunciado ontem na Câmara dos Lordes. O orador, conde Fitzherbert, major dos Fuzileiros Galeses, está em Londres convalescendo de ferimentos sofridos durante a batalha do Somme.

Segundo lorde Fitzherbert, negociar a paz com os alemães seria uma traição a todos os homens que perderam a vida na guerra. "Nós acreditamos estar vencendo e podemos obter uma vitória total contanto que vocês não nos abandonem agora", disse ele.

De uniforme, usando um tapa-olho e apoiado em uma bengala,

o conde causou forte impressão na Câmara. Foi ouvido em meio a um silêncio absoluto e ovacionado ao se sentar.

O texto prosseguia longamente no mesmo tom. Ethel ficou horrorizada. Aquilo era uma conversa oca sentimentaloide, mas iria funcionar. Fitz não costumava usar o tapa-olho – devia tê-lo posto só para impressionar. Seu discurso faria com que muitos se opusessem ao plano de paz.

Ela tomou o café com Billy, depois vestiu Lloyd, trocou de roupa e saiu de casa. Billy iria passar o dia com Mildred, mas prometeu ir à assembleia daquela noite.

Quando Ethel chegou à redação do *The Soldier's Wife*, viu que todos os jornais haviam reproduzido o discurso de Fitz. Vários deles o haviam publicado na manchete. As opiniões diferiam, mas todos concordavam que o conde havia desferido um golpe devastador.

– Como alguém pode ser contra um simples *debate* sobre a paz? – perguntou ela a Maud.

– Pergunte a ele você mesma – respondeu Maud. – Eu o convidei à assembleia de hoje à noite, e ele aceitou.

Ethel se espantou.

– Ele vai ter uma acolhida calorosa!

– Espero sinceramente que sim.

As duas passaram o dia preparando uma edição especial do jornal com a manchete PEQUENO RISCO DE PAZ. Maud gostou da ironia, mas Ethel a achou sutil demais. No final da tarde, Ethel foi pegar Lloyd na casa da babá, levou-o para casa, deu-lhe comida e o pôs na cama. Deixou-o aos cuidados de Mildred, que não frequentava reuniões políticas.

O Salão do Evangelho do Calvário já estava ficando cheio quando Ethel chegou e, em pouco tempo, só restavam lugares em pé. Na plateia havia muitos soldados e marinheiros de uniforme. Bernie presidia a assembleia. Começou com um discurso próprio que, embora curto, conseguiu ser enfadonho – ele não era bom orador. Então chamou o primeiro palestrante convidado, um filósofo da Universidade de Oxford.

Ethel conhecia os argumentos a favor da paz melhor do que o filósofo e, enquanto ele falava, ficou analisando os dois homens que a estavam cortejando. Fitz era o resultado de centenas de anos de riqueza e cultura. Como sempre, estava lindamente vestido, com os cabelos bem cortados, as mãos brancas e as unhas limpas. Bernie vinha de uma tribo de nômades perseguidos que haviam sobrevivido sendo mais inteligentes do que seus algozes. Usava o único terno que possuía, de sarja pesada cinza-escura. Ethel jamais o vira vestir qualquer outra coisa: quando fazia calor, ele simplesmente tirava o paletó.

A plateia escutava em silêncio. O movimento trabalhista estava cindido quanto à paz. Ramsay MacDonald, que discursara no Parlamento em 3 de agosto de 1914 contra a entrada da Grã-Bretanha no conflito, havia pedido demissão do cargo de líder do Partido Trabalhista quando a guerra foi declarada dois dias depois. Desde então, os membros do partido no Parlamento vinham defendendo a guerra, assim como a maioria de seus eleitores. Contudo, as pessoas que apoiavam os trabalhistas, em geral, eram as mais céticas da classe trabalhadora, de modo que havia uma forte minoria a favor da paz.

Fitz começou falando sobre as valorosas tradições britânicas. Durante centenas de anos, afirmou ele, a Grã-Bretanha havia mantido o equilíbrio de poder na Europa, geralmente tomando o partido das nações mais fracas para que não houvesse tirania por parte de nenhum país.

– O chanceler alemão não disse nada sobre os termos de um acordo de paz, mas qualquer discussão teria de começar pelo status quo – disse ele. – A paz agora significa que a França será humilhada e privada de parte de seu território e que a Bélgica virará um satélite. A Alemanha dominaria o continente por uma simples questão de poderio militar. Não podemos permitir que isso aconteça. Temos que lutar pela vitória.

Quando o debate foi aberto, Bernie disse:

– O conde Fitzherbert está aqui em caráter puramente individual, não como oficial do Exército, e ele me deu sua palavra de honra de que os soldados da ativa que estiverem na plateia não serão punidos por nada do que disserem. Caso contrário, nós não o teríamos convidado a participar da assembleia.

O próprio Bernie fez a primeira pergunta. Como sempre, muito boa.

– Lorde Fitzherbert, segundo a sua análise, se a França for humilhada e perder território, isso irá desestabilizar a Europa.

Fitz aquiesceu.

– Ao passo que, se a Alemanha for humilhada e perder os territórios da Alsácia e da Lorena, como sem dúvida seria o caso, isso traria estabilidade ao continente.

Ethel pôde ver que Fitz ficou momentaneamente sem ação. Não previra ter de lidar com uma oposição tão feroz ali no East End. Em termos intelectuais, o conde não era páreo para Bernie. Ela sentiu um pouco de pena dele.

– Por que a diferença? – concluiu Bernie, ao que se ouviu um murmúrio de aprovação dos defensores da paz na plateia.

Fitz se recuperou depressa.

– A diferença – respondeu ele – é que a Alemanha é o agressor, um agressor brutal, militarista e cruel, de modo que, se nós negociássemos a paz agora, estaríamos recompensando esse comportamento e incentivando que ele se repita no futuro!

Isso provocou vivas da outra parte da plateia, o que preservou a dignidade de Fitz, mas o argumento era fraco, pensou Ethel, e Maud se levantou para dizer isso.

– A guerra não foi culpa de uma só nação! – disse ela. – Culpar a Alemanha se tornou lugar-comum, e os nossos jornais belicistas incentivam esse conto de fadas. Quando recordamos a invasão da Bélgica pela Alemanha, falamos como se ela tivesse ocorrido sem qualquer provocação. Esquecemos a mobilização de seis milhões de soldados russos na fronteira alemã. Esquecemos a recusa francesa em declarar neutralidade. – Alguns homens a vaiaram. Nunca se é ovacionado por dizer às pessoas que a situação não é tão simples quanto elas acham, pensou Ethel. – Não estou dizendo que a Alemanha é inocente! – protestou Maud. – Mas sim que nenhum país é inocente. Que não estamos lutando pela estabilidade na Europa nem para que os belgas tenham justiça, nem muito menos para punir o militarismo alemão. Estamos lutando porque somos orgulhosos demais para admitir que cometemos um erro!

Um soldado uniformizado se levantou para falar e Ethel viu, orgulhosa, que era Billy.

– Eu lutei no Somme – começou ele, ao que a plateia se calou. – Quero contar a vocês por que nós perdemos tantos homens lá. – Ethel ouviu a mesma voz forte e a mesma convicção serena do pai e percebeu que Billy teria dado um ótimo pregador. – Nossos oficiais... – Nessa hora, ele esticou o braço e apontou um dedo acusador para Fitz: – ... nos disseram que o ataque seria moleza.

Ethel viu Fitz se remexer, pouco à vontade, em sua cadeira no tablado.

– Eles nos disseram que nossa artilharia tinha destruído as posições inimigas, arrasado suas trincheiras e demolido seus abrigos e que – prosseguiu Billy –, quando chegássemos ao outro lado, veríamos apenas alemães mortos.

Ethel observou que ele não estava se dirigindo às pessoas sobre o tablado, mas sim olhando em volta, percorrendo a plateia com um olhar intenso para garantir que todos olhassem para ele.

– Por que eles nos disseram isso? – indagou Billy, passando a olhar diretamente para Fitz e falando com uma ênfase calculada. – Esse monte de mentiras.

– Um murmúrio de aprovação veio da plateia.

Ethel viu o semblante de Fitz se turvar. Sabia que, para homens da sua classe, ser chamado de mentiroso era o maior de todos os insultos. Billy também sabia disso.

– As posições alemãs não tinham sido destruídas – disse Billy –, como nós descobrimos ao dar de cara com rajadas de metralhadora.

Desta vez, a reação da plateia foi menos discreta. Alguém gritou:

– Vergonhoso!

Fitz se levantou para dizer alguma coisa, mas Bernie falou:

– Um instante, lorde Fitzherbert, por favor, deixe a pessoa que está com a palavra terminar. – Fitz se sentou, balançando a cabeça com força de um lado para outro.

Billy ergueu a voz:

– Por acaso nossos oficiais verificaram, por reconhecimento aéreo e pelo envio de patrulhas, quanto estrago nossa artilharia havia realmente causado às linhas alemãs? Caso contrário, por que não checaram?

Fitz tornou a se levantar, furioso. Alguns dos presentes aplaudiram, outros vaiaram. Ele começou a falar:

– Vocês não entendem! – disse ele.

Mas a voz de Billy foi mais forte.

– Se eles conhecem a verdade – exclamou –, por que nos disseram o contrário?

Fitz começou a gritar, e metade da plateia também estava aos berros, porém Billy conseguiu se fazer ouvir acima de tudo isso.

– Estou fazendo uma pergunta simples! – rugiu ele. – Nossos oficiais são tolos... ou mentirosos?

V

Ethel recebeu uma carta na caligrafia grande e firme de Fitz, escrita em seu papel timbrado caro, encabeçado pelo brasão da família. Ele não mencionava a assembleia em Aldgate, mas a convidava para ir ao Palácio de Westminster no dia seguinte, terça-feira, 19 de dezembro, sentar-se na galeria da Câmara dos Comuns e ouvir o primeiro discurso de Lloyd George como primeiro-ministro. Ela ficou animada. Nunca tinha pensado que um dia fosse ver o interior do Palácio de Westminster, quanto mais ouvir seu herói falar.

– Por que você acha que ele a convidou? – perguntou Bernie naquela noite, indo, como sempre, ao xis da questão.

Ethel não tinha uma resposta plausível para isso. Gentileza pura e simples nunca fizera parte do temperamento de Fitz. Ele sabia ser altruísta quando isso lhe convinha. Bernie, com toda a sua sagacidade, perguntava-se se o conde queria algo em troca.

Bernie tinha um temperamento mais cerebral do que intuitivo, porém havia notado uma conexão entre Fitz e Ethel e reagira tornando-se levemente amoroso. Nada dramático, pois esse não era seu estilo, mas ele segurava sua mão por alguns instantes a mais do que deveria, aproximava-se dela um pouco mais do que seria confortável, afagava seu ombro ao lhe dirigir a palavra e segurava-lhe o cotovelo quando ela descia algum degrau. Sentindo-se de uma hora para outra inseguro, Bernie tentava dizer, por meio desses gestos instintivos, que Ethel lhe pertencia. Infelizmente, ela achava difícil não se retrair quando ele agia dessa forma. Fitz havia sido um lembrete cruel do que ela *não* sentia por Bernie.

Maud chegou à redação às dez e meia de terça-feira e as duas passaram a manhã toda trabalhando juntas. Maud não podia redigir a manchete da edição seguinte antes de Lloyd George ter pronunciado seu discurso, mas havia muitas outras coisas no jornal: classificados de empregos, anúncios de babás, conselhos sobre saúde feminina e infantil escritos pelo Dr. Greenward, receitas e cartas.

– Fitz ficou revoltado com aquela assembleia – comentou Maud.

– Eu lhe disse que ele iria passar maus bocados.

– Com isso ele não se importa – respondeu Maud. – Mas Billy o chamou de mentiroso.

– Tem certeza de que não é só porque Billy ganhou a discussão?

Maud deu um sorriso pesaroso.

– Talvez.

– Só espero que ele não faça Billy pagar por isso.

– Não vai fazer – disse Maud com firmeza. – Seria descumprir sua palavra.

– Ótimo.

As duas almoçaram em um café na Mile End Road. "Uma boa parada para motoristas", dizia a placa do lado de fora, e o lugar estava de fato cheio de caminhoneiros. Maud foi recebida com alegria pelos funcionários do balcão. Elas comeram empadão de carne com ostras, que eram acrescentadas, por serem baratas, para compensar a pouca quantidade de carne.

Depois do almoço, pegaram um ônibus e atravessaram Londres até o West End. Ethel ergueu os olhos para o mostrador gigantesco do Big Ben e viu que eram três e meia. O pronunciamento de Lloyd George estava marcado para as quatro. Ele tinha o poder de pôr fim à guerra e salvar milhões de vidas. Será que iria fazê-lo?

Lloyd George sempre havia lutado pelos trabalhadores. Antes da guerra, enfrentara a Câmara dos Lordes e o rei para instituir as pensões para os idosos. Ethel sabia quanto isso significava para as pessoas pobres de mais idade. No primeiro dia em que o benefício foi pago, tinha visto mineradores aposentados – homens outrora fortes, agora curvados e trêmulos – saírem da agência de correios de Aberowen chorando de alegria por não serem mais miseráveis. Foi então que Lloyd George se tornou um herói da classe operária. Os lordes queriam gastar o dinheiro com a Marinha Real.

Eu poderia escrever seu discurso de hoje, pensou ela. Diria o seguinte: "Há horas na vida de um homem, e na vida de uma nação, em que é correto dizer: eu fiz tudo o que pude e não sou capaz de fazer mais, portanto abandonarei a luta e buscarei outro caminho. Uma hora atrás, eu ordenei um cessar-fogo em toda a linha de combate britânica na França. Senhores, as armas se calaram."

Era possível. Os franceses ficariam furiosos, mas teriam que acatar o cessar-fogo, ou correr o risco de os britânicos assinarem uma paz em separado e os condenarem a uma derrota certa. O acordo de paz seria duro para França e Bélgica, mas não tanto quanto perder outros milhões de vidas.

Isso seria um ato digno de um grande chefe de Estado. Seria também o fim da carreira política de Lloyd George: nenhum eleitor votaria no homem que havia perdido a guerra. Mas que saída magistral!

Fitz a aguardava no saguão central. Junto com ele estava Gus Dewar. O americano sem dúvida estava tão ansioso quanto todos para descobrir como Lloyd George reagiria à iniciativa de paz.

Os quatro subiram a longa escadaria até a galeria e tomaram seus lugares com vista para a Câmara. Fitz sentou-se à direita de Ethel e Gus à esquerda. Abaixo deles, as fileiras de bancos de couro verde dos dois lados do salão já estavam cheias de membros do Parlamento, com exceção dos poucos lugares na primeira fila, tradicionalmente reservados para o gabinete.

– Não falta um só membro do Parlamento! – disse Maud em voz alta.

Um dos funcionários da Câmara, vestindo libré, composta por uma calça de veludo na altura dos joelhos e meias brancas, disse com diligência:

– Silêncio, por favor!

Um dos parlamentares estava de pé, falando, mas quase ninguém lhe dava atenção. Todos aguardavam o novo primeiro-ministro. Em voz baixa, Fitz disse a Ethel:

– Seu irmão me ofendeu.

– Ah, coitadinho – disse Ethel, irônica. – Você ficou magoado?

– Antigamente, as pessoas duelavam por menos.

– Que ideia mais sensata para o século XX.

O sarcasmo dela não o atingiu.

– Ele sabe quem é o pai de Lloyd?

Ethel hesitou: não queria lhe contar a verdade, tampouco mentir.

A hesitação dela confirmou suas suspeitas.

– Entendo – comentou Fitz. – Isso explica a virulência dele.

– Não me parece haver necessidade de procurar um motivo oculto – disse ela. – Você não acha que o que aconteceu no Somme é suficiente para deixar os soldados com raiva?

– Ele deveria ser levado à corte marcial por insolência.

– Mas você prometeu não...

– É – falou ele, contrariado. – Infelizmente, eu prometi.

Lloyd George adentrou a Câmara.

Era um homem baixo e franzino, vestido de fraque, com os cabelos meio compridos um pouco desgrenhados e o bigode farto já inteiramente branco. Tinha 53 anos, mas havia energia no seu andar – e, quando ele se sentou e disse algo para um dos parlamentares, Ethel viu o conhecido sorriso das fotografias dos jornais.

Ele começou seu discurso às quatro e dez. Com a voz um tanto rouca, disse que estava com a garganta inflamada. Fez uma pausa, então prosseguiu:

– Compareço hoje diante da Câmara dos Comuns carregando a mais terrível responsabilidade que pode recair sobre os ombros de qualquer homem.

Bom começo, pensou Ethel. Pelo menos ele não iria desdenhar o comunicado dos alemães como um truque ou uma distração sem importância, como os franceses e russos haviam feito.

– Qualquer homem ou grupo de homens que, de forma deliberada ou sem motivos suficientes, prolongasse um conflito terrível como este carregaria na alma um crime que nem mesmo todos os oceanos seriam capazes de lavar.

Um toque bíblico, pensou Ethel: uma referência ao ritual da lavagem dos pecados da Igreja Batista.

Mas então, qual um pregador, o primeiro-ministro afirmou o contrário:

– Mas qualquer homem ou grupo de homens que, por cansaço ou desespero, abandonasse a luta sem que o objetivo maior que nos fez entrar nela houvesse sido totalmente alcançado seria responsável pelo mais oneroso ato de covardia jamais perpetrado por qualquer chefe de Estado.

Ansiosa, Ethel se remexeu na cadeira. Para que lado ele iria tender? Pensou na Quarta-feira dos Telegramas em Aberowen, tornando a vislumbrar a expressão de dor das famílias. Com certeza Lloyd George, mais do qualquer outro político, não permitiria que um sofrimento como aquele continuasse se pudesse evitá-lo. Caso contrário, de que adiantaria estar na política?

George citou Abraham Lincoln:

– Nós aceitamos essa guerra em nome de um objetivo, e de um objetivo digno, e a guerra terminará quando ele for alcançado.

Isso não era nada promissor. Ethel teve vontade de lhe perguntar que objetivo era esse. Woodrow Wilson tinha feito a mesma pergunta e ainda estava aguardando que fosse respondida. Ela, no entanto, continuou sem resposta. Lloyd George falou:

– Existe alguma possibilidade de alcançarmos esse objetivo aceitando a proposta do chanceler alemão? Essa é a única pergunta que devemos nos fazer.

Ethel sentiu-se frustrada. Como essa questão poderia ser discutida se ninguém sabia qual era o objetivo da guerra?

Lloyd George ergueu a voz como um pregador prestes a se referir ao inferno:

– Participar de uma conferência a convite da Alemanha, que se proclama vitoriosa, sem termos a menor ideia de que propostas ela pretende fazer... – Ele então fez uma pausa e correu os olhos pela Câmara, olhando primeiro para os liberais às suas costas e à sua direita e, em seguida, para os conservadores na bancada da oposição, do outro lado do recinto. – ... significa enlaçar nosso próprio pescoço com a corda que a Alemanha tem nas mãos!

Os membros do Parlamento soltaram um rugido de aprovação.

Ele estava rejeitando a proposta de paz.

Ao lado de Ethel, Gus Dewar enterrou o rosto nas mãos.

– E quanto a Alun Pritchard, morto na batalha do Somme? – perguntou Ethel em voz alta.

– Silêncio! – disse o funcionário da Câmara.

Ethel se levantou.

– Sargento Profeta Jones, morto! – gritou ela.

– Fique quieta e sente-se, pelo amor de Deus! – falou Fitz.

Lá embaixo, na Câmara, Lloyd George continuava a falar, embora um ou dois parlamentares tivessem erguido os olhos para a galeria.

– Clive Pugh! – gritou ela a plenos pulmões.

Dois funcionários vieram na sua direção, um de cada lado.

– Espinhento Llewellyn!

Eles a agarraram pelos braços e a levaram embora.

– Joey Ponti! – berrou Ethel, e então eles a arrastaram porta afora.

CAPÍTULO VINTE E DOIS

Janeiro e fevereiro de 1917

Walter von Ulrich sonhou que estava em uma carruagem indo encontrar Maud. Ao descer uma encosta, a carruagem começou a acelerar perigosamente, sacolejando pela estrada irregular. "Mais devagar! Mais devagar!", gritou ele, porém o condutor não conseguia escutá-lo por causa do barulho dos cascos dos cavalos, que lembrava estranhamente o motor de um carro. Walter estava apavorado com a possibilidade de a carruagem desembestada acabar batendo e ele jamais chegar até Maud. Quando tentou novamente dizer ao condutor para ir mais devagar, o esforço de gritar o despertou.

Na realidade, ele estava dentro de um carro, um Mercedes 37/95 Double Phaeton, conduzido por um chofer, que percorria a baixa velocidade uma estrada acidentada na Silésia. Sentado ao seu lado, seu pai fumava um charuto. Eles haviam deixado Berlim de manhã bem cedo, ambos usando casacos de pele – o carro não tinha capota –, e seguiam para o leste, rumo ao quartel-general do alto-comando.

O sonho era fácil de interpretar. Os Aliados haviam rejeitado com desdém a proposta de paz que Walter se esforçara tanto para obter. Essa rejeição havia fortalecido as Forças Armadas alemãs, que desejavam reiniciar a guerra submarina irrestrita e afundar todas as embarcações que estivessem na zona de guerra, fossem elas militares ou civis, de passageiros ou de carga, inimigas ou neutras. Com isso, pretendiam fazer a Grã-Bretanha e a França passarem fome e se renderem. Os políticos, sobretudo o chanceler, temiam que esse fosse o caminho da derrota, pois provavelmente faria os Estados Unidos entrarem no conflito, contudo os partidários da guerra submarina estavam vencendo. O Kaiser havia demonstrado sua inclinação ao promover o beligerante Arthur Zimmermann a ministro das Relações Exteriores. E Walter havia sonhado com uma descida irrefreável ladeira abaixo rumo ao desastre.

A seu ver, o maior perigo para a Alemanha eram os Estados Unidos. O objetivo da política externa alemã deveria ser manter os americanos fora da guerra. Era verdade que o bloqueio naval aliado estava fazendo a Alemanha passar fome. Porém os russos não iriam aguentar muito mais e, quando capitulassem, a Alemanha invadiria as regiões abastadas do oeste e do sul do Império Russo, com suas vastas lavouras de milho e seus poços de petróleo inesgotáveis. E, então, todo o Exército alemão iria poder se concentrar na frente ocidental. Essa era a única esperança.

Mas será que o Kaiser veria isso?

A decisão final seria tomada naquele dia.

Uma luz fraca de inverno começava a iluminar a zona rural, coberta de neve em alguns trechos. Walter se sentia um irresponsável por estar tão longe da linha de frente.

– Eu já deveria ter voltado para o front há semanas – falou.

– Está claro que o Exército quer você na Alemanha – disse Otto. – Eles prezam seu trabalho como analista de informações de inteligência.

– A Alemanha está cheia de homens mais velhos que poderiam fazer esse serviço no mínimo tão bem quanto eu. Foi o senhor quem arranjou isso?

Otto deu de ombros.

– Imagino que, se você se casasse e tivesse um filho, poderia ser transferido para onde quisesse.

– O senhor está me mantendo em Berlim para me fazer casar com Monika von der Helbard? – perguntou Walter, incrédulo.

– Eu não tenho poder para tanto. Mas talvez haja homens no alto-comando que compreendam a necessidade de preservarmos as linhagens da nobreza.

Isso era uma hipocrisia, e Walter estava prestes a protestar quando o carro saiu da estrada, atravessou um portão ornamentado e começou a subir um longo acesso margeado por árvores sem folhas e gramados cobertos de neve. No final do acesso, havia uma casa imensa, a maior que Walter já vira na Alemanha.

– Este é o Castelo Pless? – perguntou ele.

– Exato.

– É enorme.

– Trezentos quartos.

Eles desceram do carro e adentraram um saguão do tamanho de uma estação ferroviária. As paredes estavam decoradas com cabeças de javali emolduradas de seda vermelha e uma escadaria de mármore gigantesca conduzia aos salões do segundo piso. Walter havia passado metade da vida frequentando lugares esplêndidos, mas aquele ali era excepcional.

Um general os abordou, e Walter reconheceu Von Henscher, um dos amigos de seu pai.

– Os senhores ainda têm tempo para tomar um banho e passar uma escova nas roupas se forem rápidos – falou o general, dirigindo-se a Otto em um tom urgente porém amistoso. – Estão sendo aguardados no salão de jantar daqui a 40 minutos. – Ele olhou para Walter. – Este deve ser o seu filho.

– Ele trabalha no departamento de inteligência – respondeu Otto.

Walter prestou uma rápida continência.

– Eu sei. Pus o nome dele na lista. – O general se dirigiu a Walter. – O senhor conhece os Estados Unidos, não conhece?

– Passei três anos em nossa embaixada em Washington, senhor.

– Ótimo. Eu nunca estive nos Estados Unidos. Nem o seu pai. Nem, para falar a verdade, a maioria dos homens aqui presentes... com a notável exceção do nosso novo ministro das Relações Exteriores.

Vinte anos antes, ao voltar para a Alemanha depois de uma viagem à China, Arthur Zimmermann havia passado pelos Estados Unidos, indo de trem de São Francisco a Nova York. Por conta dessa experiência, era considerado um especialista no país. Walter não disse nada.

– Herr Zimmermann me pediu para consultar vocês em relação a um assunto – disse Von Henscher. Isso deixou Walter lisonjeado, mas também intrigado. Por que o novo ministro das Relações Exteriores iria querer sua opinião? – Mas teremos mais tempo para isso depois. – Von Henscher acenou para um lacaio com um uniforme antiquado que os conduziu até um quarto de dormir.

Meia hora mais tarde, os dois estavam na sala de jantar, transformada para a ocasião em salão de conferências. Ao olhar em volta, Walter ficou admirado ao ver que quase todos os homens que tinham alguma importância na Alemanha estavam presentes ali, incluindo o chanceler Theobald von Bethmann-Hollweg – que, aos 60 anos, já estava com os cabelos à escovinha quase totalmente brancos.

A maioria dos comandantes militares de alto escalão da Alemanha estava sentada em volta de uma mesa comprida. Para os homens de menor vulto, como Walter, filas de cadeiras duras estavam dispostas contra a parede. Um ajudante distribuiu alguns exemplares de um memorando de 200 páginas. Walter espiou o documento por cima do ombro do pai. Viu diagramas indicando a tonelagem dos navios que entravam e saíam dos portos britânicos, tabelas com o preço e a capacidade do transporte de carga, o valor calórico das refeições na Grã-Bretanha e até mesmo um cálculo de quanta lã era gasta na fabricação de uma saia.

Depois de aguardarem duas horas, o Kaiser Guilherme entrou vestido com um uniforme de general. Todos se levantaram na mesma hora. Sua Majestade estava pálido e parecia de mau humor. Faltavam apenas alguns dias para seu 58º aniversário. Como sempre, ele mantinha o braço esquerdo atrofiado imóvel ao lado do corpo, para tentar disfarçá-lo. Walter achou difícil evocar o mesmo sentimento de lealdade jubilosa que experimentara de forma tão natural quando menino. Já não conseguia fingir que o Kaiser era o sábio pai de seu povo. Era óbvio demais que Guilherme II não passava de um homem comum, totalmente atropelado pelos acontecimentos. Incompetente, desnorteado e profundamente infeliz, era um argumento vivo contra a monarquia hereditária.

O Kaiser correu os olhos pelos homens reunidos, meneando a cabeça para um ou outro de seus preferidos, o que incluía Otto. Então sentou-se e gesticulou para um homem de barba branca: Henning von Holtzendorff, chefe do Estado-Maior do Almirantado.

O almirante tomou a palavra e pôs-se a citar trechos de seu memorando: o número de submarinos que a Marinha poderia manter nos mares ao mesmo tempo, a tonelagem de carga necessária para a sobrevivência dos Aliados e a velocidade com que seus adversários poderiam substituir embarcações afundadas.

– Calculo que possamos afundar 600 toneladas de carga por mês – disse ele.

Estava fazendo uma apresentação impressionante, em que cada afirmação era sustentada por um número. Para Walter, o único motivo de desconfiança era justamente o fato de o almirante se mostrar tão preciso e seguro: não era possível que a guerra fosse tão previsível assim.

Von Holtzendorff apontou para a mesa, indicando um documento amarrado com uma fita, provavelmente a ordem imperial para dar início à guerra submarina irrestrita.

– Se Vossa Majestade aprovar meu plano hoje, eu garanto que os Aliados irão capitular daqui a exatos cinco meses. – Ele tornou a se sentar.

O Kaiser olhou para o chanceler. Agora sim, pensou Walter, vamos ouvir uma avaliação mais realista. Já fazia sete anos que Bethmann-Hollweg era chanceler e, ao contrário do monarca, ele tinha noção da complexidade das relações internacionais.

Em tom pessimista, o chanceler falou sobre a entrada dos Estados Unidos na guerra e sobre os abundantes recursos norte-americanos em matéria de contingente, suprimentos e dinheiro. Para balizar seu argumento, citou opiniões de todos os alemães importantes que conheciam os Estados Unidos. No entanto, para decepção de Walter, parecia lhe faltar convicção. Ele deveria achar que o Kaiser já havia se decidido. Estaria aquela reunião servindo apenas para ratificar uma decisão já tomada? A Alemanha estava mesmo condenada?

A capacidade de atenção do Kaiser era pequena para qualquer um que discordasse dele e, enquanto Bethmann discursava, ele se remexia na cadeira, soltando grunhidos de impaciência e fazendo caretas desaprovadoras. O chanceler começou a se mostrar indeciso:

– Se as autoridades militares considerarem a guerra submarina essencial, não cabe a mim contradizê-las. Mas, por outro lado...

Ele não chegou a completar a frase. Von Holtzendorff levantou-se com um pulo e o interrompeu:

– Dou minha palavra de oficial naval que nenhum norte-americano pisará neste continente! – disse ele.

Mas que absurdo, pensou Walter. O que a palavra de oficial naval dele tinha a ver com o assunto? Aquilo, no entanto, funcionou melhor do que todas as suas estatísticas. O Kaiser ficou radiante e vários outros homens menearam a cabeça, aprovando.

Bethmann pareceu desistir. Seu corpo se afundou na cadeira, seu rosto relaxou e ele falou com voz derrotada:

– Se o sucesso nos aguarda, devemos ir ao seu encontro.

O Kaiser gesticulou e Von Holtzendorff fez o documento preso pela fita deslizar pela mesa.

Não, pensou Walter, não é possível que ele vá tomar essa decisão fatídica com base em uma argumentação tão precária!

O Kaiser empunhou uma caneta e assinou: Guilherme Imperator Rex.

Então pousou a caneta e se levantou.

Todos se puseram de pé imediatamente.

Isso não pode ser o fim, pensou Walter.

O Kaiser saiu da sala. A tensão se dissipou e um burburinho irrompeu no recinto. Bethmann permaneceu sentado em seu lugar, com os olhos fixos na mesa. Parecia um homem condenado. Estava murmurando alguma coisa e Walter se aproximou para escutar. Era uma expressão em latim: *Finis Germaniae* – o fim dos alemães.

O general Von Henscher apareceu e disse a Otto:

– Se quiser me acompanhar, podemos ter um almoço reservado. – Depois virou-se para Walter e falou: – Também está convidado, rapaz.

Ele os conduziu até uma sala contígua, onde estava servido um bufê frio.

Como o Castelo Pless era uma das residências do Kaiser, a comida ali era boa. Walter estava irritado e deprimido, porém, como todos na Alemanha, também estava faminto, de modo que fez uma montanha de frango frio, salada de batatas e pão branco em seu prato.

– A decisão de hoje já havia sido prevista pelo ministro das Relações Exteriores Zimmermann – disse Von Henscher. – Ele quer saber o que podemos fazer para desencorajar os Estados Unidos a entrarem na guerra.

A chance disso é pequena, pensou Walter. Se nós afundarmos os navios norte-americanos e afogarmos seus cidadãos, não vejo como abrandar a situação.

– Será que podemos, por exemplo – prosseguiu o general –, fomentar um movimento de protesto entre os um milhão e trezentos mil americanos nascidos aqui na Alemanha?

Walter conteve um suspiro de irritação.

– É claro que não – respondeu ele. – Isso é um conto de fadas idiota.

Seu pai o censurou com rispidez:

– Veja bem como fala com seus superiores.

Von Henscher fez um gesto apaziguador.

– Deixe o rapaz dizer o que pensa, Otto. Gostaria de ouvir a opinião sincera dele. Por que diz isso, major?

– Essas pessoas não amam a nossa pátria – respondeu Walter. – Por que acha que foram embora daqui? Podem até comer *wurst* e tomar cerveja, mas são cidadãos americanos e irão lutar pelos Estados Unidos.

– E as de origem irlandesa?

– É a mesma coisa. Elas detestam os britânicos, é claro, mas quando nossos submarinos matarem americanos vão nos detestar ainda mais.

– Como o presidente Wilson pode declarar guerra contra nós? – indagou Otto com irritação. – Ele acabou de ser reeleito por ser o homem que manteve os Estados Unidos fora do conflito!

Walter deu de ombros.

– De certa forma, isso até facilita as coisas. O povo acreditará que ele não teve escolha.

– O que poderia detê-lo? – perguntou Von Henscher.

– Oferecermos proteção aos navios de países neutros...

– Isso está fora de cogitação – interrompeu seu pai. – Guerra irrestrita significa guerra irrestrita. Era isso que a Marinha queria e foi isso que Sua Majestade lhes deu.

– Se Wilson não se deixar influenciar por questões domésticas – disse Von Henscher –, será que incidentes externos em seu próprio hemisfério chamariam sua atenção? – Ele se virou para Otto. – No México, por exemplo?

Otto sorriu, parecendo satisfeito.

– O senhor está se lembrando do *Ypiranga*. Devo admitir que esse foi um pequeno triunfo de diplomacia agressiva.

Walter nunca havia compartilhado a alegria do pai em relação ao incidente com o carregamento de armas enviado pela Alemanha ao México. Otto e seus amigos tinham humilhado o presidente Wilson – e talvez ainda viessem a se arrepender disso.

– E qual é a situação hoje? – perguntou Von Henscher.

– A maior parte do Exército norte-americano está no México ou então estacionada na fronteira – disse Walter. – Oficialmente, estão caçando um criminoso chamado Pancho Villa, que vem agindo na região. O presidente Carranza está indignado com essa violação de sua soberania territorial, mas não há muito que ele possa fazer.

– Se nós o ajudássemos, isso mudaria alguma coisa?

Walter pensou um pouco. Esse tipo de estrepolia diplomática lhe parecia arriscado, mas era seu dever responder às perguntas com a maior exatidão possível.

– Os mexicanos acreditam que o Texas, o Novo México e o Arizona foram roubados deles. Nutrem um sonho de recuperar esses territórios, mais ou menos como os franceses em relação à Alsácia e à Lorena. O presidente Carranza talvez seja burro o suficiente para acreditar que isso é possível.

– De toda forma, a tentativa com certeza desviaria a atenção norte-americana da Europa! – interveio Otto com entusiasmo.

– Por algum tempo – concordou Walter com relutância. – No longo prazo, nossa interferência poderia dar mais poder aos americanos que desejam entrar na guerra junto com os Aliados.

– O que nos interessa é o curto prazo. Você ouviu Von Holtzendorff: em cinco meses, nossos submarinos deixarão os Aliados de joelhos. Queremos apenas manter os americanos ocupados até lá.

– E o Japão? – perguntou Von Henscher. – Alguma chance de conseguirmos convencer os japoneses a atacarem o canal do Panamá ou mesmo a Califórnia?

– Falando de forma realista, não – respondeu Walter com firmeza. A conversa estava entrando cada vez mais no reino da fantasia.

Von Henscher, no entanto, insistiu:

– Mesmo assim, essa simples ameaça poderia deixar mais soldados norte-americanos presos à Costa Oeste.

– Sim, talvez.

Otto limpou os lábios de leve com o guardanapo.

– Isso tudo é muito interessante, mas preciso ver se Sua Majestade precisa de mim – disse ele.

Os três se levantaram. Walter falou:

– General, se me permite um comentário...

Seu pai deu um suspiro, mas Von Henscher respondeu:

– Por favor.

– General, acho tudo isso muito perigoso. Se vazar a informação de que os líderes alemães cogitaram fomentar problemas no México e incentivar um ataque japonês à Califórnia, a opinião pública norte-americana ficará tão indignada que a declaração de guerra pode ocorrer bem antes do esperado, talvez imediatamente. Perdoe-me se eu estiver afirmando o óbvio, mas precisamos manter essa conversa totalmente confidencial.

– Naturalmente – respondeu Von Henscher. Então sorriu para Otto. – Seu pai e eu somos da velha guarda, mas ainda não desaprendemos tudo. Conte com a nossa discrição.

11

Fitz ficou contente que a proposta de paz alemã tivesse sido rejeitada – e orgulhoso de sua participação no processo. Porém, quando tudo terminou, começou a ter dúvidas.

Ficou pensando no assunto enquanto andava – ou melhor, enquanto mancava – pela Piccadilly na manhã da quarta-feira, 17 de janeiro, a caminho de seu escritório no Almirantado. As negociações de paz teriam sido uma forma traiçoeira de a Alemanha consolidar seus ganhos, legitimando seu controle sobre a Bélgica, o nordeste da França e partes da Rússia. Para a Grã-Bretanha, participar dessas negociações teria sido o mesmo que reconhecer sua derrota. Mas eles ainda não haviam vencido.

As palavras de Lloyd George sobre uma vitória por nocaute soavam bem nos jornais, mas qualquer pessoa sensata sabia que isso era um sonho impossível. A guerra iria continuar, talvez por um ano, talvez por mais tempo. E, caso os americanos continuassem neutros, era possível que no fim das contas tudo terminasse em negociações de paz. E se *ninguém* conseguisse vencer aquela guerra? Mais um milhão de homens morreria a troco de nada. O pensamento que assombrava Fitz era que, no frigir dos ovos, Ethel poderia ter razão.

E se a Grã-Bretanha perdesse? Haveria crise financeira, desemprego, pobreza. Os trabalhadores assumiriam a bandeira do pai de Ethel e diriam que nunca lhes foi permitido participar da discussão sobre a guerra. A raiva do povo contra seus governantes não teria limites. Protestos e passeatas se transformariam em revoltas. Fazia apenas pouco mais de um século que os parisienses tinham executado seu rei e grande parte da nobreza. Será que os londrinos fariam a mesma coisa? Fitz se imaginou, algemado e descalço, transportado em uma carroça até o local da execução, alvo de cusparadas e vaias da multidão. Pior ainda: viu o mesmo acontecendo com Maud, com sua tia Herm, com Bea e Boy. Afastou esse pesadelo de seus pensamentos.

Que temperamento o de Ethel, pensou ele com um misto de admiração e pesar. Tinha quase morrido de vergonha ao ver sua convidada ser expulsa da galeria durante o pronunciamento de Lloyd George, mas, ao mesmo tempo, aquilo o fizera se sentir ainda mais atraído por ela.

Infelizmente, Ethel se voltara contra ele. Fitz a seguira até alcançá-la no saguão principal da Câmara, onde ela o agredira, dizendo que a guerra seria prolongada por culpa dele e de gente da sua laia. Pela maneira como falou, era como se todos os soldados mortos na França tivessem sido abatidos por Fitz em pessoa.

Aquele foi o fim de seus planos quanto à casa de Chelsea. Ele havia lhe mandado um ou dois recados, mas ela não respondera. Sua decepção foi grande. Quando pensava nas tardes deliciosas que os dois poderiam ter passado naquele ninho de amor, a frustração o acometia como uma dor no peito.

No entanto, ainda lhe restava algum consolo. Bea levara a sério sua reprimenda. Ela agora o recebia em seu quarto vestida com belas roupas de dormir, e lhe oferecia o corpo perfumado como na época em que os dois eram recém-casados. Afinal de contas, ela era uma aristocrata bem-educada, que sabia para que servia uma esposa.

Enquanto refletia sobre a princesa submissa e a ativista política irresistível, o conde adentrou o antigo prédio do Almirantado e encontrou sobre sua mesa um telegrama alemão parcialmente decodificado.

O cabeçalho dizia:

Berlin zu Washington, W. 158. 16 de janeiro de 1917.

Fitz olhou automaticamente para o pé do texto para ver quem o assinava. O nome no final da mensagem era:

Zimmermann.

Isso despertou seu interesse. Era uma mensagem do ministro das Relações Exteriores alemão para seu embaixador nos Estados Unidos. Fitz apanhou um lápis e traduziu o texto, inserindo rabiscos e pontos de interrogação nas partes em que os blocos de código não haviam sido decifrados.

Mensagem altamente secreta para informação pessoal de Sua Excelência a ser entregue ao ministro imperial no (?México?) com xxxx por rota segura.

Os pontos de interrogação indicavam um bloco de códigos cujo significado era incerto. Os decodificadores estavam arriscando um palpite. Se estivessem certos, aquela era uma mensagem para o embaixador alemão no México. Ela estava apenas sendo enviada por intermédio da embaixada em Washington.

México, pensou Fitz. Que estranho.

A frase seguinte estava totalmente decodificada.

Propomos iniciar guerra submarina irrestrita em 1º de fevereiro.

– Meu Deus! – disse Fitz em voz alta. Aquilo já era temido, mas estava diante de uma prova concreta e com uma data ainda por cima! A notícia cairia como uma bomba na Sala 40.

Ainda assim tentaremos manter os Estados Unidos neutros xxxx. Caso contrário propomos ao (?México?) uma aliança sob as seguintes condições: conduzir a guerra, selar a paz.

– Uma aliança com o México? – disse Fitz para si mesmo. – Isso é muito sério. Os americanos vão ficar possessos!

Sua Excelência deve por enquanto informar o presidente em segredo sobre a guerra com os EUA xxxx e ao mesmo tempo servir de intermediário entre nós e o Japão xxxx nossos submarinos forçarão a Inglaterra a selar a paz dentro de alguns meses. Acusar recebimento.

Fitz ergueu o rosto e se deparou com o olhar do jovem Carver, percebendo agora que ele mal conseguia conter o entusiasmo.

– O senhor deve estar lendo a mensagem de Zimmermann que nós interceptamos – disse o subtenente.

– Na medida do possível – respondeu Fitz com tranquilidade. Estava tão eufórico quanto Carver, mas sabia esconder melhor. – Por que a decodificação está tão incompleta?

– É um código novo que ainda não quebramos completamente. Mesmo assim, a mensagem é quente, o senhor não acha?

Fitz tornou a examinar sua tradução. Carver não estava exagerando. Aquilo parecia uma tentativa de fazer o México se aliar à Alemanha contra os Estados Unidos. Era sensacional.

Poderia até deixar o presidente norte-americano furioso o suficiente para declarar guerra à Alemanha.

O coração de Fitz disparou.

– Acho – disse ele. – E vou levá-la agora mesmo para Hall Piscadela. – O capitão William Reginald Hall, diretor do serviço de inteligência da Marinha, tinha um cacoete facial crônico, daí o apelido; mas não havia nada de errado com o cérebro dele. – Ele vai fazer perguntas e preciso ter algumas respostas prontas. Quais são as chances de termos uma decodificação completa?

– Vamos precisar de várias semanas para dominar o novo código.

Fitz soltou um grunhido de irritação. A reconstrução de novos códigos a partir de seus princípios básicos era um trabalho árduo que não podia ser apressado.

Carver continuou:

– Mas estou vendo que a mensagem vai ser encaminhada de Washington para o México. Nessa rota, eles ainda estão usando um código diplomático antigo que nós quebramos mais de um ano atrás. Talvez possamos conseguir uma cópia do telegrama encaminhado, não?

– Sim, é possível! – disse Fitz com animação. – Temos um agente no escritório telegráfico da Cidade do México. – Ele pensou nas consequências. – Quando revelarmos isso para o mundo...

– Não podemos fazer isso – falou Carver, aflito.

– Por que não?

– Os alemães saberiam que estamos lendo as mensagens deles.

Fitz viu que ele estava certo. Este era o eterno dilema do serviço secreto: como usar as informações obtidas sem comprometer a fonte.

– Mas isso é tão importante que talvez valha a pena correr o risco.

– Duvido. Este departamento já forneceu informações confiáveis demais. Eles não vão se arriscar a perder isso.

– Droga! Não é possível que vamos encontrar algo assim e ficar de mãos atadas.

Carver deu de ombros.

– Na nossa área, acontece.

Fitz não estava disposto a aceitar uma coisa dessas. A entrada dos Estados Unidos no conflito poderia significar a vitória. Isso com certeza valeria qualquer sacrifício. Mas ele conhecia as Forças Armadas bem o suficiente para saber que alguns homens demonstrariam mais coragem e disposição para defender um departamento do que uma fortaleza. Era preciso levar a sério a objeção de Carver.

– Precisamos de uma cortina de fumaça – disse ele.

– Podemos dizer que os americanos interceptaram o telegrama – sugeriu Carver.

Fitz aquiesceu.

– A mensagem vai ser encaminhada de Washington para o México, então poderíamos dizer que o governo norte-americano a recebeu da Western Union.

– Talvez a Western Union não goste muito disso...

– Eles que se danem. A questão é a seguinte: como poderemos aproveitar ao máximo essa informação? Será que nosso governo deve divulgá-la? Ou será que devemos entregá-la aos americanos? Ou quem sabe não seria melhor arranjarmos um terceiro elemento para confrontar os alemães?

Carver ergueu as duas mãos, como se estivesse se rendendo.

– Isso foge da minha alçada.

– Mas não da minha – disse Fitz, subitamente inspirado. – E eu conheço a pessoa certa para nos ajudar.

III

Fitz encontrou Gus Dewar em um pub do sul de Londres chamado The Ring.

Para sua surpresa, Dewar era fã de boxe. Quando adolescente, ele frequentava um ringue à beira do lago em Buffalo e, em suas viagens pela Europa no ano de 1914, havia assistido a lutas em todas as capitais do continente. Mas era discreto quanto à sua paixão, pensou Fitz com ironia. O boxe não era um assunto muito popular nas rodas de chá de Mayfair.

No entanto, todas as classes sociais estavam representadas no The Ring. Cavalheiros vestidos a rigor se misturavam com estivadores de casaco rasgado. Bookmakers anotavam apostas em todos os cantos, enquanto garçons traziam bandejas abarrotadas de *pints* de cerveja. O ar estava carregado com a fumaça dos charutos, cachimbos e cigarros. Não havia lugares para sentar, nem mulheres.

Fitz encontrou Gus em uma conversa acalorada com um londrino de nariz quebrado, discutindo sobre o lutador americano Jack Johnson, o primeiro negro a conquistar o título mundial de pesos pesados, cujo casamento com uma branca fizera pastores cristãos pedirem seu linchamento. O londrino havia irritado Gus ao concordar com os religiosos.

Fitz nutria uma esperança secreta de que Gus se apaixonasse por Maud. Eles formariam um belo casal. Os dois eram intelectuais, liberais, levavam tudo assustadoramente a sério e viviam lendo livros. A família Dewar era fruto do que os americanos chamavam de Old Money, "dinheiro antigo" – a coisa mais próxima de uma aristocracia que os Estados Unidos possuíam.

Além disso, tanto Gus quanto Maud eram a favor da paz. Por mais que Fitz não fizesse a menor ideia do motivo, Maud sempre havia defendido de forma ardorosa o fim da guerra. E Gus idolatrava seu patrão Woodrow Wilson, que fizera um pronunciamento no mês anterior conclamando a uma "paz sem vencedores", expressão que havia enfurecido Fitz e boa parte das lideranças britânica e francesa.

Mas a afinidade que Fitz detectara entre Gus e Maud não havia levado a nada. Fitz amava a irmã, mas se perguntava o que haveria de errado com ela. Será que Maud queria terminar como uma solteirona?

Depois de conseguir afastar Gus do homem de nariz quebrado, Fitz puxou o assunto do México.

– Isso está uma confusão só – disse Gus. – Para tentar agradar ao presidente Carranza, Wilson chamou de volta o general Pershing e seus soldados, mas não adiantou nada... Carranza não quer nem ouvir falar em policiar a fronteira. Por que a pergunta?

– Depois eu conto – respondeu Fitz. – A próxima luta vai começar.

Enquanto eles assistiam a um lutador chamado Benny, o Judeu dar uma surra em Albert Careca Collins, Fitz decidiu evitar o assunto da proposta de paz alemã. Sabia que o americano estava inconsolável com o fracasso da iniciativa de Wilson. Gus vivia se perguntando se poderia ter conduzido melhor a situação, ou feito algo mais para apoiar o plano do presidente. Fitz achava que aquela estratégia estivera fadada ao fracasso desde o início, porque, na verdade, nenhum dos dois lados queria a paz.

No terceiro assalto, Albert Careca foi à lona e não se levantou mais.

– Você quase não me pega aqui – disse Gus. – Vou partir em breve.

– Está ansioso para voltar para casa?

– Sim, se é que vou conseguir chegar lá. Posso ser afundado por um submarino alemão no meio do caminho.

Os alemães haviam reiniciado a guerra submarina irrestrita no dia 1º de fevereiro, exatamente como previa a mensagem interceptada de Zimmermann. Isso deixara os americanos irritados, mas não tanto quanto Fitz esperava.

– A reação do presidente Wilson ao anúncio da guerra submarina foi surpreendentemente branda – comentou ele.

– Ele rompeu relações diplomáticas com a Alemanha. Não tem nada de brando nisso.

– Mas não declarou guerra – comentou Fitz.

Ele ficara arrasado. Havia lutado com afinco contra as negociações de paz, porém Maud, Ethel e seus amigos pacifistas tinham razão quando diziam não haver esperança de vitória em um futuro próximo – pelo menos, não sem ajuda externa. Fitz tinha certeza de que a guerra submarina irrestrita faria os americanos entrarem no conflito. Mas, até então, isso não havia acontecido.

– Para ser franco – disse Gus –, eu acho que o presidente Wilson ficou furioso com a decisão alemã e agora está pronto para declarar guerra. Pelo amor de Deus, ele já tentou de tudo. Mas foi reeleito por ser o homem que nos manteve fora do conflito. Só há um jeito de mudar isso: ser levado à guerra por uma onda irresistível de apelo popular.

– Nesse caso – disse Fitz –, acho que tenho algo capaz de ajudá-lo.

Gus arqueou uma sobrancelha.

– Desde que fui ferido, venho trabalhando em uma unidade que decodifica mensagens telegráficas alemãs interceptadas.

Fitz tirou do bolso uma folha de papel coberta com a própria caligrafia.

– Seu governo vai receber isto aqui oficialmente nos próximos dias. Estou lhe mostrando agora porque precisamos de conselhos sobre como proceder. – Ele entregou o papel a Gus.

O espião britânico na Cidade do México havia conseguido interceptar a mensagem retransmitida no código antigo, de modo que o papel entregue a Gus era uma decodificação completa da mensagem de Zimmermann. O texto, na íntegra, dizia:

De Washington para México, 19 de janeiro de 1917

Pretendemos iniciar guerra submarina irrestrita em 1º de fevereiro. Apesar disso, nos esforçaremos para manter os EUA neutros. Caso não tenhamos sucesso, faremos ao México uma proposta de aliança sob as seguintes condições:

Travar a guerra juntos.

Selar a paz juntos.

Apoio financeiro generoso e um compromisso de nossa parte de que o México irá reconquistar os territórios perdidos do Texas, Novo México e Arizona. Deixamos os detalhes da ocupação por sua conta.

O senhor informará o presidente sobre esta questão da maneira mais confidencial possível assim que a guerra contra os EUA estiver iminente, acrescentando a sugestão de que ele, por iniciativa própria, deve convidar o Japão a aderir de imediato e, ao mesmo tempo, servir de mediador entre o Japão e nosso país.

Queira, por favor, chamar a atenção do presidente para o fato de que a utilização implacável de nossos submarinos traz a perspectiva de obrigarmos a Inglaterra a selar a paz daqui a poucos meses.

Gus leu algumas linhas, segurando o papel junto aos olhos por causa da luz fraca do ringue, e disse:

– Uma aliança? Meu Deus!

Fitz olhou em volta. Uma nova luta havia começado e o barulho da multidão estava alto demais para que alguém conseguisse escutar Gus.

O americano continuou lendo.

– Reconquistar o Texas? – disse ele, incrédulo. E então, assumindo um tom raivoso: – Convidar o Japão? – Ele ergueu os olhos do papel. – Isto aqui é um acinte!

Era a reação que Fitz esperava, e ele teve de reprimir o próprio entusiasmo.

– Acinte é a palavra certa – falou com uma solenidade forçada.

– Os alemães estão se propondo a pagar ao México para invadir os Estados Unidos!

– Exato.

– E estão pedindo que o México tente conseguir a ajuda do Japão!

– Exato.

– Quero só ver quando isso vazar!

– É sobre isso que gostaria de conversar com você. Nós queremos ter certeza de que a mensagem será divulgada de forma favorável ao seu presidente.

– Por que o governo britânico simplesmente não a revela ao mundo?

Gus não tinha parado para pensar no assunto.

– Por dois motivos – respondeu Fitz. – Em primeiro lugar, não queremos que os alemães saibam que estamos lendo as mensagens deles. Em segundo, podemos ser acusados de ter forjado este telegrama.

Gus aquiesceu.

– Me perdoe. Fiquei tão irritado que nem estava conseguindo raciocinar. Vamos analisar isso friamente.

– Se possível, nós gostaríamos que vocês dissessem que o governo norte-americano conseguiu uma cópia do telegrama por meio da Western Union.

– Wilson não vai mentir.

– Então consigam uma cópia com a Western Union, assim não vai ser mentira.

Gus aquiesceu.

– Isso deve ser possível. Quanto ao segundo problema, quem poderia divulgar a mensagem sem levantar suspeitas de falsificação?

– O próprio presidente, imagino.

– É uma possibilidade.

– Mas você tem outra ideia melhor? – perguntou Fitz.

– Tenho – respondeu Gus, pensativo. – Acho que tenho.

IV

Ethel e Bernie se casaram no Salão do Evangelho do Calvário. Nenhum dos dois dava muita importância para religião e ambos gostavam do pastor de lá.

Ethel não falava com Fitz desde o dia do pronunciamento de Lloyd George. A oposição pública do conde à paz havia sido para ela um duro lembrete de seu verdadeiro caráter. Ele representava tudo o que ela odiava: tradição, conservadorismo, exploração da classe trabalhadora, riqueza imerecida. Jamais poderia ser amante de um homem assim e sentiu vergonha de si mesma por sequer ficar tentada pela casa de Chelsea. Sua verdadeira alma gêmea era Bernie.

Ethel usou o mesmo vestido de seda cor-de-rosa que Walter von Ulrich lhe dera de presente para o casamento de Maud. Não havia mocinhas para serem damas de honra, de modo que Mildred e Maud cumpriram a função, apesar da idade. Os pais de Ethel vieram de Aberowen de trem. Infelizmente, Billy estava na França e não conseguiu licença. O pequeno Lloyd usou uma roupa de pajem que Mildred havia costurado especialmente para ele – azul-celeste, com botões de latão e uma pequena boina.

Bernie surpreendeu Ethel ao convidar uma família da qual ninguém ouvira falar. Sua mãe idosa, que só falava iídiche, passou a cerimônia inteira murmurando coisas ininteligíveis. Ela morava com o irmão mais velho de Bernie, o bem-sucedido Theo, que – como Mildred descobriu ao flertar com ele – era dono de uma fábrica de bicicletas em Birmingham.

Após a cerimônia, um chá com bolos foi servido no salão. Não houve bebidas alcoólicas, o que agradou Da e Mam, e os fumantes tiveram que sair para acender seus cigarros. Mam beijou Ethel e disse:

– Que alegria ver você com a vida resolvida, *apesar de tudo*. – A expressão apesar de tudo tinha um grande peso, pensou Ethel. Significava: "Parabéns, embora você seja uma mulher perdida com um filho ilegítimo de pai desconhecido e esteja se casando com um judeu, além de morar em Londres, o que dá no mesmo que morar em Sodoma e Gomorra." Ainda assim, Ethel aceitou a bênção de Mam – e jurou nunca dizer coisa parecida a um filho seu.

Mam e Da haviam comprado passagens baratas de ida e volta para o mesmo dia, então foram pegar o trem. Quando a maioria dos convidados já havia ido embora, os que tinham ficado saíram para tomar um drinque no Dog and Duck.

Ethel e Bernie voltaram para casa na hora de Lloyd dormir. Pela manhã, Bernie havia empilhado suas poucas roupas e muitos livros em um carrinho de mão e o empurrara da pensão onde morava até a casa de Ethel.

Para que tivessem uma noite a sós, eles puseram Lloyd para dormir no andar de cima, com as filhas de Mildred, o que Lloyd considerou um agrado e tanto. Em seguida, Ethel e Bernie tomaram um chocolate quente na cozinha e foram para a cama.

Ethel estava usando uma camisola nova. Bernie vestia um pijama limpo. Ao entrar na cama ao lado da mulher, começou a suar de nervosismo. Ethel acariciou-lhe o rosto.

– Embora eu seja uma mulher desonrada, não tenho muita experiência – disse ela. – Só meu primeiro marido e, mesmo assim, apenas nas poucas semanas antes de ele ir embora. – Ethel não havia contado a Bernie sobre Fitz, e jamais contaria. Apenas Billy e o advogado Albert Solman conheciam a verdade.

– Já é mais do que eu – disse Bernie, mas ela podia sentir que ele estava começando a relaxar. – Só tive umas poucas experiências.

– Como se chamavam as moças?

– Ah, nem queira saber.

Ela sorriu.

– Quero, sim. Quantas foram? Seis? Dez? Vinte?

– Meu Deus, não! Foram três. A primeira foi Rachel Wright, na escola. Depois ela me disse que precisaríamos nos casar, e eu acreditei. Quase morri de preocupação.

Ethel deu uma risadinha.

– O que houve?

– Na semana seguinte, ela foi para a cama com Micky Armstrong e eu me safei.

– Foi bom com ela?

– Acho que foi. Eu tinha só 16 anos. Tudo o que eu queria, no fundo, era poder dizer que não era mais virgem.

Ela o beijou com delicadeza, então perguntou:

– E depois, quem foi?

– Carol McAllister. Ela era minha vizinha. Eu lhe paguei um xelim. Foi meio rápido... acho que ela sabia o que fazer e dizer para que terminasse depressa. Na verdade, pegar o dinheiro era a parte favorita dela.

Ethel fez uma careta de reprovação, então se lembrou da casa em Chelsea e percebeu que havia cogitado fazer o mesmo que Carol McAllister. Constrangida, perguntou:

– E quem foi a outra?

– Uma mulher mais velha. Ela era minha senhoria. Vinha para a minha cama à noite quando o marido estava fora.

– E era bom com ela?

– Era ótimo. Foi um período feliz para mim.

– E o que deu errado?

– O marido começou a desconfiar e eu tive que ir embora.

– E depois?

– Depois conheci você e perdi todo o interesse pelas outras mulheres.

Os dois começaram a se beijar. Dali a pouco, ele ergueu sua camisola e cobriu o corpo dela com o seu. Mostrou-se delicado, preocupado em não machucá-la, mas penetrou-a com facilidade. Ethel sentiu uma onda de afeto por ele, por sua gentileza, por sua inteligência e pela devoção que nutria por ela e por seu filho. Enlaçou-o com os braços, apertando o corpo dele contra o seu. O orgasmo de Bernie não demorou a vir. Então, satisfeitos, os dois adormeceram.

V

Gus Dewar percebeu que as saias das mulheres haviam mudado. Agora, deixavam aparecer os tornozelos. Dez anos antes, a visão de um tornozelo era algo excitante; hoje em dia, era corriqueiro. Talvez as mulheres cobrissem a sua nudez para ficarem mais sedutoras, não menos.

Rosa Hellman usava um casaco vermelho-escuro elegante, com pregas que desciam pelas costas. O casaco era enfeitado com a pele preta de algum animal, o que ele imaginava vir a calhar em Washington no mês de fevereiro. Seu chapéu cinza era pequeno e redondo, adornado por uma fita vermelha e uma pena – não muito prático, mas desde quando os chapéus das americanas eram feitos para serem práticos?

– Fico honrada com este convite – disse ela. Gus ficou na dúvida se ela estava zombando dele ou não. – Você acabou de voltar da Europa, não foi?

Os dois foram almoçar no salão do Hotel Willard, dois quarteirões a leste da Casa Branca. Gus a havia convidado por um motivo específico.

– Eu tenho uma matéria para você – disse ele assim que pediram a comida.

– Ah, que ótimo! Deixe-me adivinhar. O presidente vai pedir divórcio de Edith para se casar com Mary Peck?

Gus fechou o rosto. Wilson tivera um caso com Mary Peck enquanto era casado com a primeira mulher. Ele duvidava que os dois houvessem de fato cometido adultério, mas Wilson tivera a ingenuidade de escrever cartas para Mary demonstrando mais afeição do que o adequado. Todos os fofoqueiros de Washington conheciam essa história, mas os jornais nunca haviam publicado nada a respeito.

– Estou falando de coisa séria – disse Gus com gravidade.

– Ah, desculpe – disse Rosa. Ela imprimiu ao rosto uma expressão solene que fez Gus ter vontade de rir.

– A única condição será que você não pode dizer que obteve a informação da Casa Branca.

– Combinado.

– Vou lhe mostrar um telegrama do ministro das Relações Exteriores da Alemanha, Arthur Zimmermann, para o embaixador alemão no México.

Ela fez cara de espanto.

– Onde você conseguiu isso?

– Por meio da Western Union – mentiu ele.

– Não está codificado?

– Códigos podem ser quebrados. – Ele lhe entregou uma cópia datilografada da tradução completa para o inglês.

– Esta conversa é em off?

– Não. A única coisa que não quero que você divulgue é onde conseguiu o telegrama.

– Tudo bem. – Ela começou a ler. Em poucos instantes, seu queixo caiu. Ela ergueu os olhos. – Gus, isto aqui é pra valer? – perguntou.

– Eu por acaso sou homem de fazer brincadeiras?

– Não, nunca foi. – Ela prosseguiu a leitura. – Os alemães vão pagar ao México para invadir o Texas?

– É o que diz Herr Zimmermann.

– Gus, isto aqui não é uma simples matéria... é o furo do século!

Ele se permitiu um leve sorriso, tentando não parecer tão triunfante quanto se sentia.

– Foi justamente o que achei que você fosse dizer.

– Você está agindo por conta própria ou a mando do presidente?

– Rosa, você acha que eu faria uma coisa dessas sem aprovação da mais alta instância?

– Imagino que não. Nossa! Então isso está vindo para mim direto do presidente Wilson.

– Não oficialmente.

– Mas como posso saber se é verdade? Não me parece que eu possa escrever a matéria com base apenas em um pedaço de papel e na sua palavra.

Gus já esperava por esse percalço.

– O secretário de Estado Lansing vai confirmar pessoalmente a autenticidade do telegrama para o seu chefe, contanto que a conversa permaneça confidencial.

– É o suficiente. – Ela tornou a baixar os olhos para o pedaço de papel. – Isso muda tudo. Você pode imaginar o que o povo americano vai dizer quando ler esta mensagem?

– Imagino que eles vão ficar mais inclinados a entrar na guerra e lutar contra a Alemanha.

– Inclinados? – repetiu ela. – Eles vão espumar de raiva! Wilson vai ser obrigado a declarar guerra.

Gus ficou calado.

Depois de alguns instantes, Rosa interpretou seu silêncio.

– Ah, entendo. É por isso que vocês estão divulgando o telegrama. O presidente *quer* declarar guerra.

Ela havia acertado na mosca. Gus sorriu, apreciando aquele embate de intelectos com uma mulher tão brilhante.

– Eu não estou dizendo isso.

– Mas este telegrama vai enfurecer o povo americano de tal forma que ele vai exigir a guerra. E Wilson poderá dizer que não descumpriu as promessas de campanha, mas sim que foi forçado pela opinião pública a mudar de política.

Rosa, na verdade, era um pouco inteligente demais para o que ele pretendia.

– Não é essa a matéria que você vai escrever, é? – perguntou ele, aflito.

Ela sorriu.

– Ah, não. É só que eu me recuso a engolir qualquer coisa sem questionar. Já fui anarquista, lembra?

– E agora?

– Agora sou repórter. E só existe um jeito de escrever essa matéria.

Ele ficou aliviado.

O garçom trouxe a comida: salmão poché para ela, filé com purê de batatas para ele. Rosa se levantou.

– Tenho que voltar para a redação.

Gus ficou surpreso.

– E o seu almoço?

– Está falando sério? – disse ela. – Não vou conseguir comer. Você não entende o que fez?

Ele achava que sim, mas falou:

– Diga para mim.

– Acabou de mandar os Estados Unidos para a guerra.

Gus aquiesceu.

– Eu sei. Agora, vá escrever a matéria.

– Ei – disse ela. – Obrigada por ter me escolhido.

Em instantes, já havia ido embora.

CAPÍTULO VINTE E TRÊS

Março de 1917

Foi um inverno de frio e fome em Petrogrado. O termômetro do lado de fora do quartel do Primeiro Regimento de Metralhadoras passou um mês inteiro marcando -15°C. Os padeiros pararam de assar tortas, bolos, pastéis e qualquer outra coisa que não fosse pão, mas mesmo assim não havia farinha suficiente. Guardas armados vigiavam a porta da cozinha do quartel, pois muitos soldados tentavam implorar por mais comida ou então roubá-la.

Em um dia muito frio no início de março, Grigori teve uma tarde de folga e resolveu ir visitar Vladimir, que devia estar com a senhoria enquanto Katerina trabalhava. Vestiu seu sobretudo militar e saiu andando pelas ruas geladas da cidade. Na Nevsky Prospekt, cruzou olhares com uma criança pedinte, uma menina de seus 9 anos, parada em uma esquina sob um vento ártico. Algo nela o incomodou, e ele fechou o rosto ao passar. Logo em seguida, percebeu o que o intrigara. O olhar que a menina havia lhe lançado era um convite ao sexo. Ele ficou tão chocado que parou de andar no ato. Como ela podia ser uma puta naquela idade? Ele se virou com o intuito de questioná-la, mas a criança tinha desaparecido.

Seguiu em frente, atormentado. Sabia, é claro, que alguns homens buscavam sexo com crianças: aprendera isso quando ele e Lev tinham ido pedir ajuda a um padre, muitos anos antes. No entanto, por algum motivo, a imagem daquela menina de 9 anos fazendo um patético arremedo de sorriso provocante deixou seu coração apertado. Aquilo lhe deu vontade de chorar por seu país. Nós estamos transformando nossas crianças em prostitutas, pensou, o que pode ser pior do que isso?

Quando chegou a sua antiga casa, estava taciturno. Assim que entrou, ouviu Vladimir aos prantos. Subiu até o quarto de Katerina e encontrou o menino sozinho, com o rosto vermelho e contorcido pelo choro. Pegou-o no colo e pôs-se a niná-lo.

O quarto estava limpo, arrumado e tinha o cheiro de Katerina. Grigori ia até lá quase todos os domingos. Eles tinham uma rotina: saíam para um passeio matinal, depois voltavam para casa e preparavam o almoço com a comida que Grigori trazia do quartel, quando ele conseguia arranjá-la. Então, enquanto Vladimir tirava sua soneca, os dois faziam amor. Aos domingos, quando havia comida suficiente, Grigori era imensamente feliz naquele quarto.

Os berros de Vladimir se transformaram em um choramingo contínuo de irritação. Com o menino nos braços, Grigori saiu à procura da senhoria, que teoricamente deveria estar cuidando da criança. Encontrou-a na lavanderia, um anexo rebaixado que havia nos fundos da casa, passando lençóis molhados por um espremedor de roupas. Era uma mulher de uns 50 anos, com os cabelos grisalhos presos por um lenço. Em 1914, quando Grigori havia entrado para o Exército, ela era rechonchuda, mas agora tinha o pescoço descarnado e uma papada flácida. Até mesmo as senhorias estavam passando fome.

Quando o viu, a mulher assumiu uma expressão de espanto e culpa.

– A senhora não ouviu o menino chorando? – perguntou Grigori.

– Não posso ficar ninando essa criança o dia inteiro – respondeu ela, na defensiva, continuando a girar a manivela do espremedor.

– Talvez ele esteja com fome.

– Ele já tomou seu leite – falou ela depressa. Aquela resposta rápida pareceu suspeita, e Grigori imaginou que ela própria deveria ter tomado o leite. Teve vontade de esganá-la.

No ar frio da lavanderia sem aquecimento, ele sentiu que a pele macia de bebê de Vladimir estava irradiando calor.

– Acho que ele está com febre – falou. – A senhora não percebeu que ele estava quente?

– Eu agora também sou médica?

Vladimir parou de chorar e caiu em um estado de prostração que Grigori achou ainda mais preocupante. Normalmente era um menino esperto, agitado, curioso e até um pouco destrutivo, mas agora estava imóvel no colo de Grigori, com o rosto corado e os olhos vidrados.

Grigori tornou a colocá-lo na cama, no canto do quarto de Katerina. Pegou uma jarra na estante dela, saiu de casa e foi correndo até a rua ao lado, onde havia um armazém. Comprou leite, um pouco de açúcar em um embrulho de papel e uma maçã.

Quando voltou, Vladimir estava igual.

Aqueceu o leite, dissolveu o açúcar nele e adicionou um pouco de casca de pão dormido. Então, molhou pedaços do pão na mistura e os deu para Vladimir. Lembrava-se de que a mãe costumava dar isso a Lev quando seu irmão era bebê e adoecia. Vladimir comeu como se estivesse faminto e com sede.

Quando o pão e o leite acabaram, Grigori pegou a maçã. Usando seu canivete, cortou-a em gomos e descascou um deles. Comeu a casca e estendeu o resto para Vladimir, dizendo:

– Um pouco para mim, um pouco para você. – Antigamente, o menino achava a brincadeira divertida, mas desta vez se mostrou indiferente, deixando a maçã cair de sua boca.

Não havia nenhum médico na região e, de qualquer forma, Grigori não tinha dinheiro para uma consulta, porém uma parteira morava a algumas ruas dali. Era Magda, a bonita mulher de seu velho amigo Konstantin, representante da Metalúrgica Putilov no Comitê Bolchevique. Grigori e Konstantin jogavam xadrez sempre que podiam – em geral, quem ganhava era Grigori.

Ele pôs uma fralda limpa em Vladimir e então enrolou o menino no cobertor da cama de Katerina, deixando apenas os olhos e o nariz de fora. Os dois saíram para o frio.

Konstantin e Magda moravam em um apartamento de dois cômodos junto com a tia de Magda, que cuidava de seus três filhos pequenos. Grigori temia que Magda estivesse fora, fazendo o parto de algum bebê, mas por sorte a encontrou em casa.

Magda era experiente e bondosa, ainda que um pouco rude. Levou a mão à testa de Vladimir e disse:

– Ele está com uma infecção.

– É grave?

– Ele está tossindo?

– Não.

– Como estão as fezes?

– Moles.

Ela tirou as roupas de Vladimir e disse:

– Imagino que os seios de Katerina estejam sem leite.

– Como você adivinhou? – perguntou Grigori, surpreso.

– É comum. Uma mulher só pode dar de comer ao filho se ela própria estiver comendo. Nada surge do nada. É por isso que o menino está tão magrinho.

Grigori não sabia que Vladimir estava magro.

Magda cutucou a barriga de Vladimir e ele chorou.

– Infecção intestinal – disse ela.

– Ele vai ficar bem?

– É bem provável que sim. Crianças pegam infecções o tempo todo. Geralmente, elas sobrevivem.

– O que nós podemos fazer?

– Molhe a testa dele com água morna para fazer a febre baixar. Dê muita água para ele, quanto ele quiser. Não se preocupe se ele não comer. Faça Katerina comer, para ela poder lhe dar o peito. Leite materno, é disso que ele precisa.

Grigori levou Vladimir para casa. No caminho, comprou mais leite, que aqueceu no braseiro. Deu o leite a Vladimir com uma colher e o menino bebeu tudo. Ele então esquentou uma panela com água e lavou o rosto do menino com um pano. Pareceu dar certo: o bebê perdeu o aspecto corado, de olhos vidrados, e começou a respirar normalmente.

Às sete e meia, quando Katerina chegou, Grigori já estava menos aflito. Ela parecia cansada e com frio. Havia comprado um repolho e alguns gramas de banha de porco e Grigori os colocou em uma frigideira para fazer um ensopado enquanto ela descansava. Contou-lhe sobre a febre de Vladimir, sobre a senhoria negligente e sobre as recomendações de Magda.

– O que eu posso fazer? – perguntou Katerina, desesperada e exausta. – Tenho que ir para a fábrica. Não tem mais ninguém para cuidar de Volodya.

Grigori deu um pouco de caldo do ensopado ao menino e então o colocou para dormir. Depois de comerem, Grigori e Katerina foram se deitar juntos na cama.

– Não me deixe dormir demais – falou Katerina. – Tenho que entrar na fila do pão.

– Deixe que eu vou – disse Grigori. – Fique aqui e descanse. – Ele chegaria atrasado ao quartel, mas provavelmente conseguiria se safar: ultimamente, os oficiais estavam temerosos demais de um motim para criar caso por conta de transgressões sem importância.

Katerina não se fez de rogada e caiu em um sono profundo.

Quando Grigori ouviu o relógio da igreja bater as duas, calçou as botas e vestiu o sobretudo. Vladimir parecia dormir normalmente. Ele saiu de casa e foi andando até a padaria. Para sua surpresa, já havia uma fila comprida ali, e ele percebeu que saíra de casa um pouco tarde. Havia umas 100 pessoas na fila, todas encapotadas, batendo com os pés na neve. Algumas tinham trazido cadeiras ou bancos. Um rapaz empreendedor trouxera um braseiro e estava vendendo mingau, lavando as tigelas na neve depois que as pessoas terminavam de comer. Mais uma dúzia de fregueses entrou na fila atrás de Grigori.

Enquanto esperavam, todos fofocavam e resmungavam. Duas mulheres na frente de Grigori discutiam sobre quem era culpado pela falta de pão: uma dizia que eram os alemães na corte; a outra, os judeus que estocavam farinha.

– Quem é que governa? – perguntou-lhes Grigori. – Quando um bonde vira, vocês põem a culpa no motorneiro, porque é ele quem está ao volante. Os judeus não nos governam. Os alemães não nos governam. Quem nos governa é o czar e a nobreza. – Era essa a mensagem dos bolcheviques.

– Quem iria governar o país se não houvesse czar? – indagou a mulher mais nova com ceticismo. Ela usava um chapéu de feltro amarelo.

– Eu acho que deveríamos governar a nós mesmos – falou Grigori. – Como é na França e nos Estados Unidos.

– Não sei – comentou a mulher mais velha. – As coisas não podem continuar assim.

A padaria abriu às cinco. Um minuto depois, correu pela fila a notícia de que cada pessoa só poderia comprar um pão.

– A noite inteira por um só pão! – disse a mulher de chapéu amarelo.

Eles ainda demoraram mais uma hora para chegar ao começo da fila. A mulher do padeiro recebia um cliente de cada vez. Quando a mais velha das duas mulheres na frente de Grigori entrou, a mulher do padeiro disse para os que estavam na fila:

– Acabou. Não tem mais pão.

A mulher de chapéu amarelo disse:

– Não, por favor! Só mais um!

A expressão da mulher do padeiro era impassível. Talvez aquilo já tivesse acontecido antes.

– Se nós tivéssemos mais farinha, faríamos mais pão – disse ela. – Acabou, entendeu? Eu não posso lhe vender pão se não tenho mais.

A última cliente saiu da padaria com o pão debaixo do casaco e afastou-se às pressas.

A mulher de chapéu amarelo começou a chorar.

A mulher do padeiro bateu a porta.

Grigori deu meia-volta e foi embora.

II

A primavera chegou a Petrogrado na quinta-feira, 8 de março, mas o Império Russo teimava em se ater ao calendário juliano, segundo o qual era 23 de fevereiro. Já fazia 300 anos que o restante da Europa usava o calendário moderno.

A alta da temperatura coincidiu com o Dia Internacional da Mulher, e as trabalhadoras das fábricas têxteis entraram em greve, saindo em passeata dos subúrbios industriais até o centro da cidade para protestar contra as filas para comprar pão, a guerra e o czar. O governo havia anunciado que passaria a racionar o pão, mas isso parecia ter agravado ainda mais a escassez dele.

Assim como todas as unidades do Exército estacionadas na cidade, o Primeiro Regimento de Metralhadoras foi destacado para ajudar a polícia e os cossacos montados a manter a ordem. O que aconteceria, pensou Grigori, se os soldados recebessem ordens para atirar nos manifestantes? Será que iriam obedecer? Ou será que virariam seus fuzis para os oficiais? Em 1905, eles haviam acatado as ordens e disparado contra os trabalhadores. Desde então, contudo, o povo russo havia suportado uma década de tirania, repressão, guerra e fome.

Mas não houve incidentes, de modo que Grigori e sua seção voltaram para o quartel naquela noite sem terem disparado um só tiro.

Na sexta-feira, mais trabalhadores entraram em greve.

O czar estava no quartel-general do Exército em Mogilev, a mais de 600 quilômetros dali. Quem estava encarregado da cidade era o comandante do distrito militar de Petrogrado, general Khabalov. Este decidiu designar soldados para as pontes a fim de manter os manifestantes longe do centro. A seção de Grigori foi posicionada perto do quartel para proteger a ponte Liteiny, que atravessava o rio Neva até a Liteiny Prospekt. No entanto, como a água do rio ainda estava congelada, os manifestantes simplesmente passaram por cima do gelo para evitar as tropas, para alegria dos soldados que assistiam – assim como Grigori, a maioria deles simpatizava com os grevistas.

Nenhum partido político havia organizado a greve. Como os outros partidos revolucionários de esquerda, os bolcheviques mais seguiam do que conduziam a classe trabalhadora.

Outra vez, a seção de Grigori não partiu para o conflito, porém a situação não foi igual em todos os lugares. Quando ele voltou para o quartel no sábado à noite, ficou sabendo que a polícia havia atacado os manifestantes em frente à estação de trem no final da Nevsky Prospekt. Para surpresa geral, os cossacos haviam defendido os grevistas contra a polícia. Os homens se referiam aos cossacos como camaradas. Grigori tinha suas dúvidas. Na verdade, os cossacos nunca tinham sido fiéis a ninguém a não ser a si mesmos, pensou. Eles simplesmente adoravam uma briga.

No domingo, Grigori foi acordado às cinco da manhã, bem antes de o dia raiar. Durante o café da manhã, correu um boato de que o czar teria instruído o general Khabalov a dar um fim às greves e passeatas usando toda a força necessária. A expressão era sinistra, pensou Grigori: *toda a força necessária*.

Após o desjejum, os sargentos receberam suas ordens. Cada pelotão deveria proteger um ponto diferente da cidade: não apenas as pontes, mas também os cruzamentos, as estações de trem e as agências dos correios. Os bloqueios estariam conectados por telefones de campanha. A capital do país seria defendida como uma cidade inimiga capturada. E pior ainda: o regimento de Grigori deveria instalar metralhadoras nos locais em que houvesse possibilidade de transtornos.

Quando Grigori transmitiu as instruções a seus homens, eles ficaram horrorizados. Isaak perguntou:

– O czar vai realmente mandar o Exército metralhar seu próprio povo?

– A questão é: se ele fizer isso, os soldados vão obedecer? – indagou Grigori.

Seu entusiasmo crescente vinha acompanhado de medo. Ele estava animado com as greves, pois sabia que o povo russo precisava desafiar seus governantes. Caso contrário, a guerra iria se arrastar, as pessoas morreriam de fome e não haveria chance de Vladimir ter uma vida melhor do que a de Grigori e Katerina. Fora essa convicção que o levara a se alistar no partido. Por outro lado, ele acalentava uma esperança secreta de que, se os soldados simplesmente se recusassem a obedecer às ordens, a revolução talvez começasse sem muito derramamento de sangue. No entanto, quando seu próprio regimento recebeu ordens para montar ninhos de metralhadora nas esquinas de Petrogrado, ele começou a achar que aquela esperança era uma ingenuidade.

Haveria mesmo possibilidade de algum dia o povo russo se ver livre da tirania dos czares? Às vezes isso parecia um mero devaneio. Contudo, outros países tinham feito revoluções e derrubado seus algozes. Até mesmo os ingleses já haviam matado seu rei um dia.

Petrogrado parecia uma panela de água no fogo, pensou Grigori: havia espirais de fumaça, algumas borbulhas de violência e a superfície tremulava com um calor intenso. A água, no entanto, parecia hesitar e, como reza o ditado, panela vigiada não ferve.

Seu pelotão foi enviado para o Palácio Tauride, a imensa casa de veraneio de Catarina II na cidade, agora sede do impotente Parlamento russo, a Duma. A manhã estava tranquila: até mesmo os famintos gostavam de dormir até mais tarde aos domingos. Mas o tempo continuou ensolarado e, ao meio-dia, as pessoas começaram a chegar dos subúrbios, a pé e de bonde. Um grupo se reuniu no grande jardim do Palácio Tauride. Grigori percebeu que não havia só operários, mas também homens e mulheres de classe média, estudantes e uns poucos empresários aparentemente bem-sucedidos. Alguns tinham trazido os filhos. Será que estavam participando de um protesto político, ou apenas dando um passeio no parque? Grigori imaginou que nem eles próprios tinham certeza.

Na entrada do palácio, viu um rapaz bem-vestido, cujo rosto bonito reconheceu de fotografias nos jornais, e percebeu estar diante do parlamentar trudovique Aleksandr Fedorovich Kerenski. Os trudoviques eram uma facção moderada dissidente dos socialistas revolucionários. Grigori lhe perguntou o que estava acontecendo dentro do palácio.

– O czar dissolveu a Duma formalmente hoje – informou-lhe Kerenski.

Grigori sacudiu a cabeça, revoltado.

– Que reação mais típica – comentou. – Reprimir quem protesta em vez de dar atenção às suas queixas.

Kerenski o encarou firme. Talvez não esperasse uma análise como aquela de um soldado.

– De fato – disse ele. – Seja como for, nós deputados estamos ignorando o decreto do czar.

– O que vai acontecer?

– Quase todos acreditam que as passeatas vão arrefecer assim que as autoridades conseguirem restabelecer o fornecimento de pão – disse Kerenski e entrou.

Grigori se perguntou o que fazia os moderados pensarem que isso iria acontecer. Se as autoridades fossem capazes de restabelecer o fornecimento de pão, já não teriam feito isso, em vez de passarem a racioná-lo? Os moderados, no entanto, sempre pareciam se basear em esperanças, não em fatos.

No início da tarde, Grigori ficou surpreso ao ver os rostos sorridentes de Katerina e Vladimir. Em geral passava os domingos com eles, mas havia imaginado que não os veria naquele dia. Para grande alívio de Grigori, Vladimir parecia disposto e alegre. O menino tinha claramente se recuperado da infecção. O clima estava quente o bastante para Katerina usar o casaco aberto, exibindo a silhueta voluptuosa. Ele desejou poder acariciá-la. Ela lhe deu um sorriso, fazendo-o pensar em como beijaria seu rosto quando os dois estivessem deitados na cama, e Grigori sentiu uma pontada de desejo quase insuportável. Detestava perder aquele momento de intimidade das tardes de domingo.

– Como você soube que eu estaria aqui? – perguntou a ela.

– Um palpite feliz.

– Estou contente por terem vindo, mas é perigoso para vocês ficar no centro da cidade.

Katerina olhou para a multidão que passeava pelo parque.

– Está me parecendo bem seguro.

Grigori foi incapaz de contradizê-la. Não havia sinal de perigo.

Mãe e filho saíram para dar uma volta pelo lago congelado. A respiração de Grigori ficou presa na garganta quando ele viu Vladimir sair andando e cair no chão quase na mesma hora. Katerina levantou o menino, acalmou-o e seguiu em frente. Os dois pareciam tão vulneráveis. O que seria deles?

Quando voltaram, Katerina disse que levaria Vladimir para casa para tirar seu cochilo.

– Passe pelas ruas de trás – disse Grigori. – Fique longe das multidões. Não sei o que pode acontecer.

– Está bem – disse ela.

– Prometa.

– Eu prometo.

Grigori não viu nenhum derramamento de sangue naquele dia, porém à noite, no quartel, ouviu relatos bem diferentes de outros grupos. Na praça Znamenskaya, os soldados haviam recebido ordens para atirar nos manifestantes e 40 pessoas tinham morrido. Grigori sentiu o coração gelar. Katerina poderia ter sido morta só de andar pela rua!

Outros soldados ficaram igualmente indignados e, no refeitório, os ânimos estavam exaltados. Sentindo o estado de espírito dos homens, Grigori subiu em uma das mesas e tomou as rédeas da situação, pedindo ordem e convidando os soldados a falarem um de cada vez. O jantar logo se transformou em um grande comício. O primeiro a quem ele deu a palavra foi Isaak, conhecido por ser a estrela do time de futebol do regimento.

– Eu me alistei no Exército para matar alemães, não russos – disse Isaak, ao que se ouviu um rugido de aprovação. – Os manifestantes são nossos irmãos e irmãs, nossas mães e nossos pais... e o único crime deles é pedir pão!

Grigori conhecia todos os bolcheviques do regimento, portanto convocou vários deles a falar – mas também teve o cuidado de chamar outros, de modo a não parecer parcial demais. Em circunstâncias normais, os homens eram cautelosos ao expressar suas opiniões, por medo de que seus comentários fossem denunciados e eles acabassem sendo punidos – naquele dia, contudo, não pareciam ligar para isso.

O orador mais impressionante foi Yakov, um homem alto e com ombros tão largos quanto os de um urso. Com lágrimas nos olhos, ele subiu na mesa ao lado de Grigori e começou a falar:

– Quando eles nos disseram para atirar, eu não soube o que fazer. – Yakov parecia incapaz de levantar a voz, e o silêncio tomou conta do recinto enquanto os outros homens tentavam escutá-lo. – Eu pedi: "Por favor, Deus, guie meus passos agora", e escutei meu coração, mas Deus não me deu resposta alguma. – Os homens permaneciam calados. – Ergui meu fuzil – disse Yakov. – O capitão gritava: "Atirem! Atirem!", mas em quem eu deveria atirar? Na Galícia, sabíamos quem eram nossos inimigos porque eles estavam disparando contra nós. Mas hoje, na praça, ninguém estava nos atacando. Quase todas as pessoas eram mulheres, algumas com crianças. Nem os homens tinham armas.

Ele se calou. Os soldados estavam imóveis como pedras, como se temessem que qualquer movimento pudesse romper aquele transe. Depois de alguns instantes, Isaak o incentivou a continuar:

– E depois, Yakov Davidovich, o que aconteceu?

– Eu puxei o gatilho – respondeu Yakov, e lágrimas escorreram de seus olhos para a barba preta cerrada. – Nem sequer mirei a arma. O capitão estava gritando comigo e eu atirei para ele calar a boca. Mas acertei uma mulher. Uma menina, na verdade. Acho que devia ter uns 19 anos. Ela estava usando um casaco verde. Dei um tiro no peito dela e o sangue se espalhou pelo casaco inteiro, vermelho sobre verde. Então ela caiu. – Àquela altura, ele chorava desbragadamente, falando aos arquejos. – Larguei minha arma e tentei chegar até ela para ajudá-la, mas a multidão veio para cima de mim, me cobrindo de socos e pontapés, embora eu não tenha sentido quase nada. – Ele enxugou o rosto com a manga. – Agora estou encrencado, porque perdi meu fuzil. – Houve outra pausa demorada. – Dezenove anos – disse ele. – Acho que ela devia ter uns 19 anos.

Grigori não havia percebido a porta se abrir, mas, de repente, o tenente Kirillov estava ali.

– Desça desse raio de mesa, Yakov – gritou ele. Olhou para Grigori. – Você também, Peshkov, seu desordeiro. – Então se virou para falar com os homens, sentados em bancos diante de suas mesas de cavalete: – Voltem para seus alojamentos, todos vocês – ordenou. – Qualquer um que permanecer neste recinto mais um minuto vai ser açoitado.

Ninguém se mexeu. Os homens encaravam o tenente com ar de poucos amigos. Grigori se perguntou se era daquela forma que começava um motim.

Yakov, no entanto, estava tomado demais pela própria tristeza para se dar conta do instante dramático que havia criado. Desceu da mesa atabalhoadamente e a tensão se dissipou. Alguns dos homens mais próximos de Kirillov se levantaram, carrancudos, porém amedrontados. Insolente, Grigori ainda continuou em cima da mesa por mais alguns segundos, mas sentiu que os homens ainda não estavam furiosos o suficiente para se voltarem contra um oficial, de modo que acabou descendo. O grupo começou a sair do refeitório. Kirillov não se moveu, fuzilando todos os soldados com o olhar.

Grigori voltou para o alojamento e dali a pouco a sineta tocou, ordenando o apagar das luzes. Como era sargento, ele tinha o privilégio de um recesso protegido por uma cortina nos fundos do dormitório de seu pelotão. Pôde ouvir os homens conversando em voz baixa.

– Não vou atirar em mulheres – disse um deles.

– Nem eu.

Uma terceira voz falou:

– Se fizerem isso, um desses oficiais filhos da mãe vai atirar em vocês por desobediência!

– Vou mirar para errar – disse outra voz.

– Eles podem ver.

– É só mirar um pouco acima das cabeças da multidão. Ninguém vai poder ter certeza do que você está fazendo.

– É isso que eu vou fazer – falou mais uma voz.

– Eu também.

– Eu também.

Veremos, pensou Grigori enquanto se rendia ao sono. No escuro, era fácil dizer palavras corajosas. À luz do dia, a história poderia ser outra.

III

Na segunda-feira, o pelotão de Grigori marchou por uma curta distância ao longo da Sampsonievsky Prospekt até a ponte Liteiny, com ordens para impedir os manifestantes de atravessarem o rio em direção ao centro da cidade. A ponte tinha pouco mais de 350 metros de comprimento e era sustentada por imensos pilares de pedra, incrustados no rio congelado como dois navios quebra-gelo à deriva.

Era o mesmo trabalho que tinham feito na sexta-feira, mas as ordens eram diferentes. O tenente Kirillov deu as instruções para Grigori. Nos últimos tempos, ele vinha falando como se estivesse constantemente de mau humor, e talvez fosse mesmo o caso: os oficiais provavelmente achavam tão ruim quanto os soldados terem que enfrentar os próprios compatriotas.

– Nenhum manifestante deve atravessar o rio, seja pela ponte ou pelo gelo, entendido? Vocês devem atirar em quem desobedecer aos seus comandos.

Grigori escondeu o desprezo que sentia.

– Sim, Excelência! – respondeu vigorosamente.

Kirillov repetiu as ordens e então desapareceu. Grigori teve a impressão de que o tenente estava com medo. Sem dúvida temia ser responsabilizado pelo que acontecesse, quer suas ordens fossem obedecidas ou desafiadas.

Grigori não tinha a menor intenção de obedecer. Deixaria que os líderes da passeata o atraíssem para uma conversa enquanto seus seguidores atravessavam o gelo, exatamente como havia acontecido na sexta-feira.

No entanto, de manhã bem cedo, um destacamento da polícia veio se juntar ao seu pelotão. Para seu horror, ele viu que os policiais eram liderados por seu velho inimigo, Mikhail Pinsky. Este não parecia estar sofrendo com a escassez de pão: seu rosto redondo estava mais gordo do que nunca, e seu uniforme de policial, apertado na cintura. Ele carregava um alto-falante. Kozlov, seu comparsa com cara de fuinha, não estava por perto.

– Eu conheço você – disse Pinsky a Grigori. – Você trabalhava na Metalúrgica Putilov.

– Até você me forçar a me apresentar ao Exército – respondeu Grigori.

– Seu irmão é um assassino, mas fugiu para os Estados Unidos.

– Isso é você quem diz.

– Ninguém vai atravessar este rio hoje.

– Veremos.

– Espero cooperação total dos seus homens, entendido?

– Não está com medo? – perguntou Grigori.

– Da turba? Não seja idiota.

– Não, do futuro. Imagine se os revolucionários conseguirem o que querem. O que acha que eles vão fazer? Você passou a vida inteira intimidando os fracos, espancando as pessoas, assediando as mulheres e aceitando subornos. Não tem medo de um dia levar o troco?

Pinsky apontou um dedo enluvado para Grigori.

– Vou delatar você como subversivo, seu maldito! – disse ele, afastando-se em seguida.

Grigori deu de ombros. Já não era tão fácil quanto antes para a polícia prender quem bem entendesse. Se Grigori fosse preso, Isaak e outros soldados poderiam se amotinar, e os oficiais sabiam disso.

O dia começou calmo, mas Grigori percebeu que havia poucos trabalhadores nas ruas. Muitas fábricas estavam fechadas por falta de combustível para seus motores a vapor e fornalhas. Outros lugares haviam entrado em greve, com os funcionários exigindo aumento para compensar os preços inflacionados, ou calefação para as oficinas geladas, ou ainda grades de proteção em volta de máquinas perigosas. Na verdade, parecia que ninguém estava indo trabalhar naquele dia. Mas o sol raiou, brilhante, e as pessoas não iriam ficar em casa. De fato, no meio da manhã, Grigori viu uma grande multidão de homens e mulheres usando as roupas esfarrapadas de operários descendo a Sampsonievsky Prospekt.

Grigori tinha 30 soldados e dois cabos sob seu comando. Havia posicionado os homens em quatro fileiras de oito, de uma ponta a outra da rua, impedindo o acesso à ponte. Pinsky tinha mais ou menos o mesmo número de homens, metade a pé e metade a cavalo, e os colocou ao longo dos acostamentos.

Apreensivo, Grigori observou a passeata se aproximar. Era impossível prever o que estava por vir. Sozinho, poderia ter conseguido evitar o derramamento de sangue, oferecendo uma resistência meramente simbólica e então deixando os manifestantes passarem. Contudo, não sabia o que Pinsky pretendia fazer.

Os manifestantes chegaram mais perto. Eram centenas de pessoas – centenas não, milhares. Homens e mulheres com os dólmãs azuis e sobretudos esfarrapados dos operários. A maioria ostentava braçadeiras ou fitas vermelhas. Seus cartazes diziam *Abaixo o czar* e *Pão, paz e terra*. Aquilo já não era mais um simples protesto, concluiu Grigori: havia se tornado um movimento político.

Quando os líderes se aproximaram, ele sentiu a tensão aumentar entre seus homens.

Ele se adiantou, indo ao encontro dos manifestantes. Para sua surpresa, quem vinha na frente era Varya, mãe de Konstantin. Seus cabelos grisalhos estavam presos por um lenço vermelho e ela carregava uma bandeira da mesma cor em uma vara grossa.

– Olá, Grigori Sergeivich – disse ela com simpatia. – Vai atirar em mim?

– Não, eu não – retrucou ele. – Mas não posso responder pela polícia.

Embora Varya tivesse parado, os demais continuaram a andar, pressionados pelos milhares de outros que vinham às suas costas. Grigori ouviu Pinsky mandar seus homens a cavalo avançarem. Esses policiais montados, conhecidos como faraós, formavam a tropa mais odiada da força policial. Estavam armados com açoites e cassetetes.

– Tudo o que queremos é ganhar a vida e alimentar nossas famílias – disse Varya. – Não é isso que você quer também, Grigori?

Os manifestantes não enfrentaram os soldados de Grigori, nem tentaram passar por eles para chegar à ponte. Em vez disso, estavam se espalhando ao longo das margens do rio. Os faraós de Pinsky conduziram seus cavalos com nervosismo pelo caminho que ladeava o rio, porém não eram numerosos o suficiente para formar uma barreira contínua. Mas nenhum dos manifestantes queria ser o primeiro a se arriscar, de modo que, por alguns instantes, houve um impasse.

O tenente Pinsky levou seu alto-falante à boca:

– Para trás! – gritou. O instrumento não passava de um pedaço de lata em forma de cone, e só tornava sua voz um pouco mais alta. – Vocês não podem entrar no centro da cidade. Voltem para seus locais de trabalho de maneira ordeira. Isto é uma ordem da polícia. Para trás!

Ninguém recuou – a maioria das pessoas nem escutou o que ele disse –, porém os manifestantes começaram a xingar e vaiar. Do meio da multidão, alguém jogou uma pedra. Ela atingiu a anca de um cavalo, que se espantou. O cavaleiro, pego de surpresa, quase caiu no chão. Furioso, endireitou-se, puxou as rédeas e açoitou o animal. A multidão riu, o que o deixou ainda mais irritado, mas ele conseguiu controlar a montaria.

Um manifestante corajoso aproveitou a distração, driblou um faraó na margem do rio e correu para o meio do gelo. Várias outras pessoas de ambos os lados da ponte o imitaram. Os faraós sacaram seus açoites e cassetetes, girando e empinando os cavalos enquanto golpeavam. Alguns dos manifestantes caíram no chão, mas houve quem conseguisse passar – o que incentivou outros a também tentarem. Em poucos segundos, 30 pessoas ou mais estavam correndo pelo rio congelado.

Para Grigori, aquele era um desfecho favorável. Ele poderia dizer que havia tentado aplicar a proibição – de fato mantivera as pessoas fora da ponte –, mas que o número de manifestantes era grande demais, impossibilitando-o de impedir a multidão de atravessar o gelo.

Pinksy já não pensava assim.

Ele virou seu alto-falante para os policiais armados e disse:

– Apontar!

– Não! – gritou Grigori, mas era tarde demais. Os policiais assumiram posição de tiro, apoiando-se em um dos joelhos, e ergueram os fuzis. Os manifestantes que encabeçavam a multidão tentaram recuar, porém foram empurrados para a frente pelos milhares atrás deles. Alguns correram em direção ao rio, desafiando os faraós.

– Fogo! – gritou Pinsky.

Ao estampido dos tiros, que soavam como fogos de artifício, seguiram-se gritos de medo e dor enquanto os manifestantes caíam mortos ou feridos.

Grigori voltou 12 anos no tempo. Viu a praça em frente ao Palácio de Inverno, as centenas de homens e mulheres ajoelhados, rezando, os soldados com seus fuzis e sua mãe caída no chão com o sangue a se espalhar pela neve. Em sua mente, ouviu Lev, então com 11 anos, gritar: "Ela morreu! Ma morreu, minha mãe morreu!"

– Não – disse ele em voz alta. – Não vou deixar que eles repitam isso. – Girou a trava de segurança de seu fuzil Mosin-Nagant, destravando o ferrolho, e então ergueu a arma até o ombro.

A multidão gritava e corria em todas as direções, pisoteando quem houvesse caído. Os faraós, descontrolados, golpeavam a esmo. A polícia disparava indiscriminadamente contra a multidão.

Grigori mirou Pinsky com cuidado, pretendendo acertar o meio do seu corpo. Não atirava muito bem e o tenente estava a cerca de 60 metros de distância, mas tinha uma chance de acertá-lo. Apertou o gatilho.

Pinsky continuou a gritar pelo alto-falante.

Grigori tinha errado. Abaixou a mira – o fuzil dava uma pequena guinada para cima ao ser disparado – e tornou a apertar o gatilho.

Errou de novo.

A carnificina prosseguia, com a polícia disparando alucinadamente contra a multidão em fuga.

O cartucho do fuzil de Grigori tinha cinco tiros. Ele em geral conseguia acertar alguma coisa com um dos cinco. Disparou uma terceira vez.

Pinsky soltou um grito de dor que foi amplificado pelo alto-falante. Seu joelho direito pareceu se dobrar sob o corpo. Ele soltou o alto-falante e caiu no chão.

Os homens de Grigori seguiram seu exemplo. Atacaram a polícia, alguns com tiros e outros usando os fuzis como porretes. Outros arrancaram os faraós de suas montarias. Os manifestantes tomaram coragem e entraram na briga. Alguns dos que estavam no gelo deram meia-volta e retornaram.

A fúria da turba foi um espetáculo terrível. Desde que qualquer um conseguia se lembrar, a polícia de Petrogrado era de uma brutalidade desdenhosa, indisciplinada e fora de controle, e agora o povo estava se vingando. Policiais caídos no chão eram chutados e pisoteados, os que estivessem em pé eram derrubados e os faraós viram seus cavalos serem abatidos enquanto ainda estavam montados. A polícia resistiu apenas por alguns instantes, então os que conseguiram saíram correndo.

Grigori viu Pinsky se levantar com esforço. Tornou a mirar, louco para acabar com a raça daquele desgraçado, mas um faraó entrou no caminho, puxando Pinsky até o pescoço de seu cavalo e partindo a galope.

Grigori ficou parado, observando a polícia fugir.

Aquela era a maior encrenca em que havia se metido na vida.

Seu pelotão tinha se amotinado. Infringindo diretamente as ordens recebidas, eles haviam atacado a polícia em lugar dos manifestantes. E o exemplo partira dele, ao atirar no tenente Pinsky, que estava vivo para contar a história. Não teria como abafar aquilo, ou dar qualquer desculpa que fizesse alguma diferença – tampouco havia como escapar da punição. Ele era culpado de traição. Poderia ser levado à corte marcial e executado.

Apesar disso, estava feliz.

Varya abriu caminho pela turba. Havia sangue em seu rosto, mas ela estava sorrindo.

– E agora, sargento?

Grigori não iria se resignar a ser punido. O czar estava assassinando seu povo. Já que era assim, seu povo iria contra-atacar.

– Para o quartel – disse. – Vamos armar a classe operária! – Ele arrancou a bandeira vermelha de sua mão. – Sigam-me!

Ele voltou pela Sampsonievsky Prospekt. Logo atrás vinham seus homens, que haviam sido reunidos por Isaak, e em seguida a multidão. Grigori não sabia ao certo o que iria fazer, mas não sentia necessidade de ter um plano: ali, marchando à frente da multidão, tinha a sensação de que era capaz de qualquer coisa.

A sentinela abriu os portões do quartel para os soldados e depois não conseguiu fechá-los para deter os manifestantes. Sentindo-se invencível, Grigori conduziu a marcha pelo pátio de desfiles até o arsenal. O tenente Kirillov saiu do prédio do quartel-general, viu a multidão e saiu correndo na direção dela.

– Ei, homens! – gritou. – Alto lá! Parem onde estão!

Grigori o ignorou.

Kirillov se deteve e sacou o revólver.

– Alto lá! – falou. – Alto, ou eu atiro!

Dois ou três soldados do pelotão de Grigori ergueram os fuzis e atiraram em Kirillov. Várias balas o atingiram e ele caiu no chão, sangrando.

Grigori seguiu em frente.

O arsenal era protegido por dois soldados. Nenhum deles tentou impedir Grigori, que usou os dois últimos tiros de seu cartucho para arrancar a fechadura das portas de madeira maciça. A multidão então invadiu o arsenal, empurrando e acotovelando-se para pegar as armas. Alguns dos homens de Grigori assumiram o comando, abrindo caixotes de madeira cheios de fuzis e revólveres e distribuindo-os junto com caixas de munição.

É isso, pensou Grigori. Uma revolução. Estava ao mesmo tempo eufórico e aterrorizado.

Armou-se com dois dos revólveres Nagant que eram distribuídos aos oficiais, recarregou seu fuzil e encheu os bolsos de munição. Não tinha certeza do que pretendia fazer, mas, agora que era um criminoso, precisava de armas.

Os demais soldados do quartel aderiram ao saque ao arsenal e logo todos estavam armados até os dentes.

Carregando a bandeira vermelha de Varya, Grigori conduziu a multidão para fora do quartel. As passeatas sempre seguiam em direção ao centro da cidade. Acompanhado de Isaak, Yakov e Varya, ele atravessou a ponte até a Liteiny Prospekt, tomando o rumo do abastado centro de Petrogrado. Tinha a sensação de estar voando ou então sonhando, como se houvesse bebido um gole generoso de vodca. Passara anos falando sobre desafiar a autoridade do regime, mas agora estava fazendo isso de verdade e sentia-se um novo homem, uma criatura diferente, um pássaro. Recordou as palavras do velho que havia falado com ele depois de sua mãe morrer baleada. "Que você viva muito", dissera ele enquanto Grigori se afastava do Palácio de Inverno, carregando o corpo da mãe. "Que viva o suficiente para se vingar do czar coberto de sangue pelo mal que fez hoje." Talvez seu desejo se realize, velho, pensou ele, exultante.

O Primeiro Regimento de Metralhadoras não foi o único a ter se amotinado naquela manhã. Quando ele chegou ao outro lado da ponte, ficou ainda mais animado ao ver as ruas cheias de soldados usando os quepes virados para trás ou os casacos desabotoados, em desobediência ao regulamento. A maioria exibia braçadeiras vermelhas ou fitas vermelhas na lapela para mostrar que eram revolucionários. Carros confiscados passavam roncando, dirigidos sem a menor cautela, com canos de fuzil e baionetas despontando pelas janelas e moças sentadas no colo dos soldados, às gargalhadas, lá dentro. As barreiras e postos de controle da véspera tinham sumido. As ruas haviam sido tomadas pelo povo.

Grigori viu uma loja de vinhos com a vitrine quebrada e a porta derrubada. Um soldado e uma garota saíram lá de dentro, com uma garrafa em cada mão, pisoteando o vidro quebrado. Ao lado, o dono de um café havia disposto pratos de peixe defumado e rodelas de linguiça em uma mesa na calçada e estava postado ao lado dela, com uma fita vermelha na lapela, sorrindo com nervosismo e convidando os soldados a se servirem. Grigori imaginou que ele estivesse tentando garantir que o seu estabelecimento não fosse invadido e saqueado como a loja de vinhos.

Conforme eles se aproximavam do centro, o clima de folia aumentava. Embora fosse apenas meio-dia, algumas pessoas já estavam bastante embriagadas. As garotas pareciam dispostas a beijar qualquer um que estivesse usando uma braçadeira vermelha, e Grigori viu um soldado apalpando explicitamente os seios fartos de uma sorridente mulher de meia-idade. Algumas garotas tinham vestido uniformes de soldado e andavam com afetação pelas ruas, usando quepes e botas grandes demais para elas e sentindo-se obviamente liberadas.

Um Rolls-Royce lustroso veio chegando pela rua e a multidão tentou detê-lo. O motorista pisou no acelerador, mas alguém abriu a porta e puxou-o para fora do carro. As pessoas se acotovelaram para tentar entrar. Grigori viu o conde

Maklakov, um dos diretores da Metalúrgica Putilov, sair atabalhoado do banco de trás. Lembrou-se de como Maklakov ficara encantado com a princesa Bea no dia em que ela havia visitado a fábrica. A multidão zombou do conde, mas não o agrediu enquanto ele se afastava às pressas, erguendo a gola de pele do casaco até as orelhas. Umas nove ou dez pessoas se apertaram dentro do Rolls-Royce e alguém saiu dirigindo o carro, buzinando alegremente.

Na esquina seguinte, um pequeno grupo atormentava um homem alto, vestido como um trabalhador de classe média, com seu chapéu de feltro e seu sobretudo já bastante puído. Um soldado o cutucava com o cano do fuzil e uma velha lhe dava cusparadas, enquanto um rapaz de macacão de operário jogava um punhado de lixo nele.

– Deixem-me passar! – pediu o homem, tentando imprimir autoridade à sua voz, mas fazendo apenas as pessoas rirem. Grigori reconheceu a silhueta magra de Kanin, o supervisor da seção de fundição da Metalúrgica Putilov. Seu chapéu caiu e Grigori notou que ele havia ficado careca.

Grigori abriu caminho pela pequena multidão.

– Não há nada de errado com este homem! – gritou. – Ele é engenheiro, eu trabalhava com ele.

Kanin o reconheceu.

– Obrigado, Grigori Sergeivich – agradeceu ele. – Só estou tentando chegar à casa da minha mãe para ver se ela está bem.

Grigori virou-se para a multidão.

– Deixem-no passar – falou. – Eu me responsabilizo por ele. – Viu uma mulher carregando um rolo de fita vermelha, provavelmente saqueado de algum armarinho, e pediu-lhe um pedaço. Ela cortou um pouco de fita com uma tesoura e Grigori a amarrou em volta da manga esquerda do casaco de Kanin. A multidão vibrou.

– Agora o senhor vai estar seguro – disse Grigori.

Kanin apertou-lhe a mão, afastando-se dali, e as pessoas o deixaram passar.

O grupo de Grigori chegou à Nevsky Prospekt, a ampla rua comercial que ia do Palácio de Inverno até a estação ferroviária Nikolaevsky. A rua estava repleta de gente bebendo direto do gargalo, beijando-se e dando tiros para o alto. Os restaurantes ainda abertos ostentavam cartazes que diziam "Comida grátis para os revolucionários!" e "Comam quanto quiserem, paguem quanto puderem!". Muitas lojas haviam sido invadidas e havia cacos de vidro por todo o calçamento. Um dos odiados bondes – caros demais para serem usados pelos operários – tinha sido virado no meio da rua e um carro Renault batera nele.

Grigori ouviu um tiro de fuzil, porém, como foi um entre muitos, durante um segundo ele não deu importância; mas então Varya, que estava ao seu lado, cambaleou e caiu no chão. Grigori e Yakov se ajoelharam junto dela, um de cada lado. A mulher parecia inconsciente. Com alguma dificuldade, os dois viraram seu corpo pesado e viram na mesma hora que não havia mais nada a fazer: um tiro a atingira na testa e seus olhos estavam voltados para cima, sem enxergar mais nada.

Grigori não se permitiu sentir tristeza, nem por si mesmo, nem pelo filho de Varya, seu melhor amigo, Konstantin. Havia aprendido no campo de batalha a revidar primeiro e prantear depois. Mas seria aquilo um campo de batalha? Quem poderia querer matar Varya? O ferimento, contudo, indicava um tiro tão certeiro que ele mal podia crer que ela tivesse sido vítima de uma bala perdida, disparada a esmo.

No instante seguinte, sua pergunta foi respondida. Yakov caiu ajoelhado, com o peito sangrando. Seu corpo pesado desabou sobre as pedras do calçamento com um baque.

Grigori se afastou dos dois corpos dizendo:

– Que droga é essa?

Agachou-se, tornando-se um alvo menos visível, e olhou em volta depressa à procura de abrigo.

Ouviu outro tiro e um soldado que passava com um cachecol vermelho amarrado em volta do quepe foi ao chão, agarrando a própria barriga.

Havia um atirador por perto, e ele estava mirando nos revolucionários.

Grigori correu três passos e mergulhou atrás do bonde virado.

Uma mulher gritou, depois outra. As pessoas viram os corpos ensanguentados e começaram a sair correndo.

Grigori levantou a cabeça e vasculhou os prédios em volta. O atirador devia ser um fuzileiro da polícia, mas onde estaria ele? Grigori achava que o estampido do tiro de fuzil tinha vindo do outro lado da rua, a menos de um quarteirão de distância. Os prédios reluziam sob a luz da tarde. Havia um hotel, uma joalheria com as persianas de aço fechadas, um banco e, na esquina, uma igreja. Ele não viu nenhuma janela aberta, de modo que o atirador só podia estar em cima de algum telhado. O único que oferecia abrigo era o da igreja, uma construção de pedra em estilo barroco com torres, parapeitos e uma cúpula em forma de cebola.

Mais um tiro ecoou e uma mulher vestida de operária gritou e caiu segurando o próprio ombro. Grigori teve certeza de que o som viera da igreja, mas não viu fumaça alguma. Isso provavelmente queria dizer que a polícia havia abastecido seus atiradores com munição que não produzia fumaça. Aquilo era mesmo uma guerra.

Agora, um quarteirão inteiro da Nevsky Prospekt estava deserto.

Grigori mirou o fuzil no parapeito que corria por cima da parede lateral da igreja. Era a posição de tiro que ele teria escolhido, pois dava vista para a rua inteira. Ficou observando com atenção. Com o canto do olho, viu mais dois fuzis apontando na mesma direção que o seu, empunhados por soldados que haviam buscado abrigo ali perto.

Um soldado e uma garota chegaram cambaleando pela rua, ambos embriagados. A garota dançava alegremente, erguendo a saia do vestido para exibir os joelhos, enquanto seu namorado valsava ao redor dela, apoiando o fuzil no pescoço e fingindo tocá-lo como se fosse um violino. Os dois usavam braçadeiras vermelhas. Várias pessoas gritaram palavras de alerta, mas o casal não escutou. Quando passaram pela igreja, felizes e alheios ao perigo, dois tiros ecoaram e o soldado e sua namorada caíram no chão.

Novamente, Grigori não viu nenhuma espiral de fumaça – mas mesmo assim disparou, furioso, contra o parapeito acima da porta da igreja, esvaziando o cartucho do fuzil. Seus tiros lascaram a pedra da fachada e levantaram pequenas nuvens de pó. Os outros dois fuzis também dispararam e Grigori viu que estavam atirando na mesma direção, contudo não parecia que nenhum deles houvesse acertado algo.

Aquilo era impossível, pensou Grigori enquanto recarregava a arma. Eles estavam disparando contra um alvo invisível. O atirador devia estar deitado, bem afastado da borda, de modo que nenhuma parte de sua arma despontasse por entre as colunas do parapeito.

Mas alguém precisava detê-lo. Ele já havia matado Varya, Yakov, dois soldados e uma garota inocente.

Só havia uma forma de alcançá-lo: subir no telhado.

Grigori tornou a atirar contra o parapeito. Como já esperava, isso fez os outros dois soldados atirarem também. Imaginando que o atirador devesse ter abaixado a cabeça por alguns segundos, Grigori se levantou, abandonando a proteção do bonde virado e correndo até o outro lado da rua, onde colou o corpo à vitrine de uma livraria – uma das poucas lojas que não haviam sido saqueadas.

Mantendo-se dentro da sombra vespertina lançada pelos prédios, foi avançando pela rua até a igreja. Ela era separada do banco ao seu lado por um beco. Ele aguardou pacientemente por vários minutos, até o tiroteio recomeçar – então disparou pelo beco e parou com as costas viradas para a lateral leste da igreja.

Será que o atirador o vira correr e adivinhara seu plano? Não tinha como saber.

Sem descolar o corpo da parede, contornou a igreja até chegar a uma pequena porta. Estava destrancada. Entrou sem fazer barulho.

Era uma igreja suntuosa, lindamente decorada de mármore vermelho, verde e amarelo. Não havia missa naquela hora, porém 20 ou 30 fiéis estavam em pé ou sentados, de cabeça baixa, fazendo suas preces individuais. Grigori vasculhou o recinto, em busca de uma porta que pudesse levar a uma escada. Percorreu a nave a passos largos, temendo que mais pessoas estivessem sendo mortas a cada minuto que demorasse.

Um jovem padre, incrivelmente bonito com seus cabelos pretos e sua pele branca, viu o fuzil em sua mão e abriu a boca para protestar, mas Grigori o ignorou e passou depressa por ele.

No vestíbulo, viu uma portinha de madeira em uma parede. Quando a abriu, se deparou com uma escada em caracol que subia. Atrás dele, uma voz disse:

– Pare, meu filho. O que está fazendo?

Ele se virou e viu o jovem padre.

– Esta escada leva ao telhado?

– Eu sou o padre Mikhail. Você não pode entrar com essa arma na casa de Deus.

– Tem um atirador no seu telhado.

– Ele é da polícia!

– O senhor sabia? – Grigori encarou o padre, incrédulo. – Ele está matando gente!

O padre ficou calado.

Grigori subiu a escada correndo.

Um vento frio soprava de algum lugar lá em cima. Era evidente que o padre Mikhail estava do lado da polícia. Será que havia algum jeito de o padre avisar o atirador? Não, a menos que ele corresse até a rua e acenasse – o que provavelmente o faria tomar um tiro.

Depois de uma longa subida quase no escuro, Grigori viu outra porta.

Quando seus olhos chegaram ao mesmo nível da parte de baixo da porta, o que fazia dele um alvo ainda bem pequeno, ele a abriu alguns centímetros com a mão esquerda, mantendo o fuzil na direita. A luz forte do sol entrou pela brecha. Ele escancarou a porta.

Não viu ninguém.

Apertou os olhos para protegê-los do sol e examinou a área visível através do pequeno retângulo do portal. Estava no campanário. A porta se abria para o sul. A Nevsky Prospekt ficava do lado norte da igreja. O atirador estava do outro lado – a não ser que tivesse mudado de lugar para emboscar Grigori.

Com cautela, Grigori subiu um degrau, depois outro e espichou a cabeça para fora.

Nada aconteceu.

Ele atravessou porta.

Sob seus pés, o telhado pouco inclinado descia até uma calha, que margeava um parapeito decorativo. Tábuas de madeira enfileiradas permitiam que trabalhadores se movimentassem por ali sem pisar nas telhas. Às suas costas, a torre se erguia até a abertura do sino.

Com a arma na mão, ele contornou a torre.

Na primeira quina, deparou-se com a Nevsky Prospekt, que se estendia na direção oeste. Sob a luz forte, podia ver o Jardim Alexander e o Almirantado na outra ponta. A meia distância, a rua estava abarrotada de gente, mas não havia ninguém nas proximidades da igreja. O atirador ainda devia estar em ação.

Grigori apurou os ouvidos, mas não escutou nenhum tiro.

Seguiu dando a volta na torre até poder espiar pela quina seguinte. Lá chegando, conseguiu ver toda a parede norte da igreja. Tinha certeza de que encontraria o policial ali, deitado de bruços, atirando por entre os pilares do parapeito – mas não viu ninguém. Para além do parapeito, podia ver a larga rua mais abaixo, com pessoas acocoradas nos vãos das portas e encolhidas nas esquinas, esperando para ver o que iria acontecer.

Logo em seguida, o fuzil do atirador disparou. Um grito vindo da rua informou a Grigori que o homem havia atingido seu alvo.

O tiro viera de cima da cabeça de Grigori.

Ele ergueu os olhos. O campanário tinha várias janelas sem vidraças e era cercado por pequenas torres abertas, situadas em diagonal nas quinas. O atirador estava lá em cima em algum lugar, disparando por uma das muitas aberturas disponíveis. Por sorte, Grigori havia permanecido bem colado à parede, o que o deixara invisível para o atirador.

Ele voltou para dentro do campanário. No espaço exíguo da escada, seu fuzil lhe pareceu grande e difícil de manejar. Ele o largou no chão e sacou um dos revólveres. Pelo peso dele, soube que estava vazio. Soltou um palavrão: carregar um Nagant M1895 era tarefa demorada. Tirou uma caixa de balas do bolso do uniforme e inseriu sete delas, uma a uma, pela complexa abertura de carregamento do revólver. Então puxou o cão para trás.

Deixando para trás o fuzil, subiu a escada em caracol pé ante pé. Manteve um ritmo constante, sem querer se esforçar a ponto de sua respiração ficar audível. Segurava o revólver na mão direita, apontando-o escada acima.

Dali a poucos segundos, sentiu cheiro de fumaça.

O atirador estava fumando um cigarro. Mas o cheiro pungente de fumo queimado era capaz de percorrer uma longa distância, de modo que Grigori não podia ter certeza de quão perto estava o outro homem.

À frente e acima de onde estava, viu um reflexo de luz do sol. Subiu agachado, pronto para atirar. A luz entrava por uma janela sem vidraça. O atirador não estava ali.

Grigori subiu mais um pouco e tornou a ver luz. O cheiro de fumaça ficou mais forte. Seria imaginação sua ou ele estava mesmo sentindo a presença do atirador um pouco mais à frente, depois da curva da escada? Se fosse o caso, será que o atirador também sentia a presença dele?

Ouviu o som de alguém inspirando com força. Levou um susto tão grande que quase puxou o gatilho. Então se deu conta de que era o barulho que você fazia ao tragar um cigarro. Logo em seguida, escutou o ruído mais suave e satisfeito do fumante soltando a fumaça.

Hesitou. Não sabia para que lado o homem estava olhando, nem para onde sua arma poderia estar apontada. Queria ouvir novamente o disparo do fuzil, pois isso lhe diria que a atenção do atirador estava voltada para o lado de fora.

Aguardar poderia significar outra morte, outro Yakov ou outra Varya sangrando sobre as pedras frias do calçamento. Por outro lado, se Grigori fracassasse, quantas outras pessoas seriam abatidas pelo policial naquela tarde?

Ele se forçou a ter paciência. Era como estar no campo de batalha. Não se podia sair correndo para socorrer um companheiro ferido, sacrificando assim a própria vida. Você só devia correr riscos quando os motivos eram incontornáveis.

Ele ouviu outra tragada, seguida por uma longa expiração, e instantes depois a guimba amassada de um cigarro veio descendo a escada, ricocheteando na parede e aterrissando aos seus pés. Ouviu-se o barulho de um homem mudando de posição dentro de um espaço apertado. Então Grigori escutou murmúrios abafados, a maioria deles parecendo insultos:

– Porcos... revolucionários... judeus fedidos... putas doentes... débeis mentais...
– O atirador estava se preparando para matar novamente.

Se Grigori conseguisse detê-lo naquele instante, salvaria pelo menos uma vida.

Ele subiu mais um degrau.

Os murmúrios prosseguiram:

– Animais... escravos... ladrões e criminosos... – A voz lhe pareceu um tanto familiar, e Grigori se perguntou se já conhecia aquele sujeito.

Deu mais um passo e então viu os pés do homem, calçados com botas de couro preto novas em folha, do tipo usado pela polícia. Eram pés pequenos: o atirador era um homem baixo. Estava apoiado sobre um dos joelhos, a posição mais estável para atirar. Grigori pôde ver que ele havia se posicionado dentro de uma das pequenas torres de quina, para que conseguisse atirar em três direções diferentes.

Mais um degrau, pensou Grigori, e poderei lhe dar um tiro na cabeça.

Ele subiu o degrau seguinte, mas a tensão o fez pisar em falso. Ele tropeçou, caiu e a arma escapou de sua mão, aterrissando no degrau de pedra com um ruído metálico.

O atirador xingou alto, assustado, e olhou em volta.

Com espanto, Grigori reconheceu o comparsa de Pinsky, Ilya Kozlov.

Tentou agarrar a arma no chão, mas não conseguiu. O revólver foi caindo pela escadaria de pedra com uma lentidão torturante, degrau por degrau, até ir parar bem fora do seu alcance.

Kozlov começou a se virar, porém, ajoelhado como estava, não conseguiu se mover depressa.

Grigori recuperou o equilíbrio e subiu mais um degrau.

Kozlov tentou girar o fuzil. Era o Mosin-Nagant padrão do Exército russo, mas com uma mira telescópica acoplada. Mesmo sem a baioneta, o fuzil tinha mais de um metro de comprimento, de modo que Kozlov não conseguiu prepará-lo com rapidez suficiente. Movendo-se depressa, Grigori chegou mais perto, batendo com o ombro esquerdo no cano do fuzil. Kozlov apertou o gatilho inutilmente e uma bala ricocheteou pela parede curva do vão da escada.

Kozlov saltou de pé com uma agilidade surpreendente. Tinha uma cabeça pequena e um rosto cruel e, em algum lugar de sua mente, Grigori imaginou que ele tivesse se tornado atirador para se vingar de todos os meninos – e meninas – maiores que algum dia o houvessem maltratado.

Grigori conseguiu agarrar o fuzil e os dois homens lutaram pela arma, um de frente para o outro na pequena torre apertada, ao lado da janela sem vidraça. Grigori ouviu gritos de empolgação e imaginou que as pessoas na rua provavelmente conseguiam vê-los.

Grigori era maior e mais forte e sabia que conseguiria se apoderar da arma. Kozlov também percebeu isso, então a largou de repente. Grigori cambaleou para trás. Em uma fração de segundo, o policial sacou seu cassetete de madeira curto e golpeou, acertando Grigori na cabeça. Por alguns instantes, Grigori viu estrelas. Com a vista embaçada, notou que Kozlov tornava a erguer o cassetete.

Levantou o fuzil e o cassetete acertou o cano. Antes de o policial poder desferir um novo golpe, Grigori soltou a arma, agarrou a frente do casaco de Kozlov com as duas mãos e o ergueu do chão.

O outro homem era franzino e não pesava quase nada. Grigori manteve-o suspenso por alguns instantes. Então, usando toda a sua força, atirou-o pela janela.

Kozlov pareceu cair pelo ar muito lentamente. A luz do sol cintilou nos ornamentos verdes do seu uniforme enquanto ele voava por cima do parapeito do telhado da igreja. Um grito demorado de puro terror ecoou pelo silêncio. Ele então atingiu o solo com um baque que pôde ser ouvido mesmo do campanário. O berro se interrompeu abruptamente.

Após alguns instantes de silêncio, uma ovação se fez ouvir.

Grigori se deu conta de que era a ele que as pessoas estavam ovacionando. Podiam ver o uniforme da polícia no chão e a farda do Exército na pequena torre, então deduziram o que havia acontecido. Enquanto ele observava, elas emergiam de vãos de portas e esquinas e iam se postar no meio da rua, com os olhos erguidos em sua direção, gritando e aplaudindo. Ele era um herói.

Não ficou à vontade com a situação. Havia matado várias pessoas na guerra, e há tempos que não se deixava abalar por isso, mas ainda assim achava difícil comemorar outra morte, por mais que Kozlov tivesse merecido. Continuou onde estava por algum tempo, deixando-se aplaudir, mas sentindo-se constrangido. Então se abaixou para entrar de volta e desceu a escada em caracol.

No caminho, recolheu seu revólver e seu fuzil. Quando chegou à igreja, o padre Mikhail estava à sua espera com um ar amedrontado. Grigori apontou o revólver para ele.

– Eu deveria lhe dar um tiro – falou. – Aquele policial que o senhor deixou subir no telhado matou dois amigos meus e pelo menos três outras pessoas. O senhor é um demônio assassino por ter permitido que ele fizesse isso. – O padre ficou tão chocado ao ser chamado de demônio que não soube o que responder. Grigori, no entanto, não conseguiu se forçar a atirar em um civil desarmado, então soltou um grunhido e saiu da igreja.

Os homens de seu pelotão estavam à sua espera e soltaram rugidos de aprovação quando ele emergiu à luz do sol. Não pôde evitar que o erguessem nos ombros e saíssem carregando-o em procissão.

De cima dos seus braços, ele notou que o clima na rua estava diferente. As pessoas estavam mais embriagadas e em cada quarteirão havia uma ou outra desmaiada pelas soleiras. Ele ficou surpreso ao ver homens e mulheres fazendo muito mais do que apenas trocar beijos nos becos. Todos estavam armados: sem dúvida a turba havia assaltado outros arsenais e talvez até fábricas de armamentos. Em cada cruzamento havia carros batidos, alguns com ambulâncias e médicos cuidando dos feridos. Além dos adultos, havia crianças na rua, sendo que os meninos pequenos eram os que mais se divertiam, roubando comida, fumando cigarros e brincando dentro de carros abandonados.

Grigori viu uma loja de peles sendo saqueada com uma eficiência que lhe pareceu profissional e identificou Trofim, ex-comparsa de Lev, carregando braçadas de casacos de pele para fora da loja e empilhando-os em um carrinho de mão sob o olhar de outro amigo de Lev, o policial corrupto Fyodor, que vestira um sobretudo do tipo que os camponeses usavam para esconder o uniforme. Os criminosos da cidade viam a revolução como uma oportunidade.

Depois de algum tempo, os homens de Grigori o puseram no chão. A tarde estava escurecendo e várias fogueiras haviam sido acesas na rua. Em volta delas, pessoas reunidas bebiam e cantavam canções.

Grigori ficou pasmo ao ver um menino de cerca de 10 anos pegar a pistola de um soldado desmaiado. Era uma Luger P08 automática de cano comprido, normalmente fornecida às guarnições de artilharia alemãs: o soldado devia tê-la pego de um prisioneiro no front. O menino segurou a arma com as duas mãos, sorrindo, e apontou-a para o homem no chão. Quando Grigori avançou para tirar-lhe a pistola das mãos, o menino puxou o gatilho e uma bala se enterrou no peito do soldado embriagado. O menino gritou, mas, de tanto susto, manteve o gatilho puxado, de modo que a pistola automática continuou a disparar. O coice da arma empurrou o braço do menino para cima e ele disparou uma chuva de balas, acertando uma senhora de idade e outro soldado, até esvaziar o cartucho de oito tiros. Então largou a pistola.

Antes que Grigori pudesse reagir ao horror que sentia, ouviu um grito e se virou. No vão da porta de uma chapelaria fechada, um casal fazia sexo. A mulher, de costas para a parede, tinha a saia erguida até a cintura e as pernas abertas; seus pés calçados com botas estavam fincados no chão. O homem, que usava uma farda de cabo, estava enfiado no meio de suas pernas, com os joelhos dobrados e a calça aberta, estocando. Ao redor dos dois, o pelotão de Grigori aplaudia.

O homem pareceu atingir o orgasmo. Recuou depressa, deu as costas para a mulher e abotoou a braguilha enquanto ela puxava a saia para baixo. Um soldado chamado Igor disse:

– Espere um instante. Agora é a minha vez! – Então levantou a saia da mulher, exibindo suas pernas brancas.

Os outros vibraram.

– Não! – disse a mulher, tentando afastá-lo. Ela estava bêbada, mas não indefesa.

Igor era um homem baixinho e musculoso, dotado de uma força imprevisível. Ele a empurrou em direção à parede e agarrou-lhe os pulsos.

– Vamos lá – falou. – Um soldado a mais, outro a menos não faz diferença.

A mulher se debateu, mas dois outros soldados a seguraram para imobilizá-la.

O primeiro parceiro dela falou:

– Ei, deixem-na em paz!

– Você já teve a sua vez, agora sou eu – disse Igor, desabotoando a calça.

A cena deixou Grigori revoltado.

– Parem com isso! – gritou ele.

Igor lançou-lhe um olhar desafiador.

– Está me dando essa ordem como oficial, Grigori Sergeivich?

– Como oficial não... como ser humano! – respondeu Grigori. – Ora, Igor, você está vendo que ela não o quer. Há muitas outras mulheres por aí.

– Eu quero esta. – Igor olhou em volta. – Todos nós queremos esta... não é, rapazes?

Grigori deu um passo à frente e parou com as mãos nos quadris.

– Vocês são homens ou cachorros? – gritou. – A mulher disse não! – Ele passou o braço ao redor do revoltado Igor. – Me diga uma coisa, camarada – pediu. – Tem algum lugar por aqui onde um homem possa tomar um trago?

Igor abriu um sorriso, os soldados vibraram e a mulher escapuliu.

– Estou vendo um pequeno hotel do outro lado da rua – disse Grigori. – O que acham de perguntarmos ao dono se ele por acaso tem um pouco de vodca?

Os homens tornaram a vibrar e todos entraram no hotel.

No saguão, um dono assustado servia cerveja de graça. Grigori achou a atitude sensata. Os homens demoravam mais tempo para beber cerveja do que vodca, o que os deixava menos propensos a ficarem violentos.

Ele aceitou um copo e deu um gole generoso. Sua euforia havia desaparecido. Era como se tivesse ficado sóbrio depois de um momento de embriaguez. O incidente com a mulher na soleira o deixara estarrecido, e ver o menininho disparando a pistola automática tinha sido horrível. Para se fazer uma revolução, não bastava apenas livrar-se dos grilhões. Armar o povo era arriscado. Permitir aos soldados confiscar os carros da burguesia era quase igualmente letal. Até mesmo a liberdade aparentemente inofensiva de beijar quem você bem entendesse havia conduzido, em poucas horas, a uma tentativa de estupro coletivo por parte do pelotão de Grigori.

Aquilo não podia continuar.

Era preciso haver ordem. Não que Grigori quisesse voltar aos velhos tempos, é claro. O czar lhes dera filas para comprar pão, uma polícia violenta e soldados sem botas. Contudo, era preciso haver liberdade sem caos.

Grigori murmurou uma desculpa dizendo que precisava urinar e abandonou seus homens. Voltou pelo mesmo caminho da vinda, a Nevsky Prospekt. O povo tinha vencido a batalha do dia. A polícia e os oficiais do Exército do czar haviam sido derrotados. No entanto, se isso conduzisse apenas a uma orgia de violência, o povo não tardaria a clamar pelo retorno do antigo regime.

Quem estava no comando? Pelo que Kerenski tinha contado a Grigori na véspera, a Duma havia desafiado o czar e se recusado a fechar. O Parlamento era um tanto impotente, mas pelo menos simbolizava a democracia. Grigori resolveu ir até o Palácio Tauride para ver se havia algo acontecendo por lá.

Andou na direção norte até o rio, depois para o leste até os jardins do palácio. Quando chegou, a noite já havia caído. A fachada clássica do palácio tinha dúzias de janelas e todas estavam acesas. Vários milhares de pessoas haviam tido a mesma ideia de Grigori, de modo que o amplo pátio frontal estava abarrotado de soldados e operários zanzando de um lado para outro.

Um homem com um alto-falante fazia um pronunciamento, repetindo sem parar as mesmas palavras. Grigori abriu caminho até a frente para poder ouvir.

– O Grupo de Trabalhadores do Comitê de Indústrias de Guerra foi libertado da prisão Kresty – gritava o homem.

Grigori não sabia ao certo que grupo era esse, mas o nome soava bem.

– Junto com outros camaradas, eles formaram o comitê executivo provisório do Soviete de Delegados dos Trabalhadores.

Grigori gostou da ideia. Um soviete era um conselho de representantes. Em 1905, havia sido criado um soviete de São Petersburgo. Grigori tinha apenas 16 anos na época, mas sabia que o conselho fora eleito por operários e organizara greves. Ele possuía um líder carismático, chamado Leon Trótski, que desde então estava exilado.

– Tudo isso será anunciado oficialmente em uma edição extra do jornal *Izvestia*. O comitê executivo formou uma comissão de abastecimento alimentar para garantir que os operários e soldados tenham o que comer. Também criou uma comissão militar para amparar a revolução.

Não houve menção à Duma. A multidão aplaudia, porém Grigori tinha dúvidas se os soldados aceitariam receber ordens de uma comissão militar autonomeada. Onde estava a democracia nisso tudo?

Sua pergunta foi respondida pela última frase do pronunciamento:

– O comitê convoca os operários e soldados a elegerem representantes para o soviete o quanto antes e a enviarem esses representantes aqui para o palácio de modo que possam participar do novo governo revolucionário!

Era isso que Grigori queria escutar. O novo governo revolucionário – um soviete de operários e soldados. Agora sim haveria mudança sem desordem. Cheio de entusiasmo, ele saiu do pátio e começou a voltar para o quartel. Mais cedo ou mais tarde, os homens retornariam para suas camas. Mal podia esperar para lhes dar a notícia.

Então, pela primeira vez, eles teriam uma eleição.

IV

Na manhã do dia seguinte, o Primeiro Regimento de Metralhadoras se reuniu no pátio de desfiles para eleger um delegado para o soviete de Petrogrado. Isaak sugeriu o sargento Grigori Peshkov.

Ele foi eleito por unanimidade.

Grigori ficou satisfeito. Conhecia a vida dos soldados e operários e levaria o cheiro de óleo de máquina da vida real para os corredores do poder. Jamais colocaria uma cartola na cabeça e esqueceria suas raízes. Iria garantir que a revolta conduzisse a melhorias, e não a uma violência descontrolada. Agora tinha uma chance concreta de construir uma vida melhor para Katerina e Vladimir.

Ele atravessou depressa a ponte Liteiny, sozinho desta vez, e tomou o caminho do Palácio Tauride. A prioridade no momento tinha que ser o pão. Katerina, Vladimir e os outros 2,5 milhões de habitantes de Petrogrado precisavam comer. E, agora que havia assumido a responsabilidade – pelo menos na sua imaginação –, ficou apreensivo. Os agricultores e donos de moinhos da zona rural precisavam mandar mais farinha para os padeiros de Petrogrado imediatamente, mas só fariam isso depois que fossem pagos. Como o soviete iria garantir que houvesse dinheiro suficiente? Ele começou a achar que derrubar o governo havia sido a parte mais fácil.

O palácio tinha uma fachada central comprida e duas alas. Grigori descobriu que tanto a Duma quanto o soviete estavam reunidos. Como não poderia deixar de ser, a Duma – o antigo Parlamento de classe média – ocupava a ala direita, enquanto o soviete, a esquerda. Mas quem estava no comando? Ninguém sabia. Primeiro era preciso resolver isso, pensou Grigori com impaciência, antes de poderem cuidar dos problemas de verdade.

Nos degraus do palácio, Grigori viu a figura alta e magra de Konstantin, com sua cabeleira negra. Foi quando percebeu, chocado, que não fizera menção alguma de avisar Konstantin sobre a morte de sua mãe, Varya. Contudo, viu na mesma hora que o amigo já sabia. Além da braçadeira vermelha, Konstantin usava um cachecol preto amarrado em volta do chapéu.

Grigori lhe deu um abraço.

– Eu estava lá quando aconteceu – falou.

– Foi você quem matou o atirador da polícia?

– Sim.

– Obrigado. Mas a verdadeira vingança será a revolução.

Konstantin havia sido eleito um dos dois delegados da Metalúrgica Putilov. Durante a tarde, cada vez mais representantes foram chegando – até que, no início da noite, já eram mais de três mil amontoados no imenso Salão Catarina. Quase todos eram soldados. Como se organizavam em regimentos e pelotões, Grigori imaginou que tivesse sido mais fácil para eles realizarem eleições do que para os operários, muitos dos quais estavam proibidos de entrar em seus locais de trabalho. Alguns delegados tinham sido eleitos por umas poucas dúzias de pessoas, outros por milhares. A democracia não era tão simples quanto parecia.

Alguém propôs que o nome do conselho deveria ser trocado para Soviete dos Delegados de Operários e Soldados de Petrogrado, ideia que foi aprovada ao som de aplausos ensurdecedores. Não parecia existir nenhum procedimento estabelecido. Não havia pauta, nem resoluções sendo propostas ou apoiadas, nem mecanismo de votação. As pessoas apenas se levantavam e falavam, geralmente mais de uma de cada vez. No palanque, vários homens com uma aparência suspeita de classe média tomavam notas, e Grigori supôs que fossem os membros do comitê executivo formado na véspera. Pelo menos alguém estava registrando as atas.

Apesar do caos preocupante, a atmosfera era de tremenda animação. Todos sentiam ter travado uma batalha e vencido. Fosse qual fosse o resultado, estavam construindo um mundo novo.

Mas ninguém falava em pão. Frustrados com a falta de atitude do soviete, Grigori e Konstantin deixaram o Salão Catarina em um momento particularmente caótico e atravessaram o palácio para descobrir o que a Duma estava fazendo. No caminho, viram soldados com braçadeiras vermelhas empilhando comida e munição no corredor, como se estivessem se preparando para um cerco. É claro, pensou Grigori: o czar não vai aceitar o que aconteceu e pronto. Em algum momento, tentará recuperar o controle pela força. E isso implica atacar o palácio.

Na ala direita, toparam com o conde Maklakov, um dos diretores da Metalúrgica Putilov. Ele era delegado de um partido de centro-direita, mas se dirigiu aos dois com educação. Disse-lhes que mais um comitê havia sido formado, o Comitê

Temporário de Membros da Duma para a Restauração da Ordem na Capital e o Estabelecimento de Relações com Indivíduos e Instituições. Apesar do nome ridículo, Grigori teve a sensação de que aquela era uma tentativa inquietante de a Duma assumir o controle. Ficou ainda mais preocupado quando Maklakov lhe disse que o comitê havia nomeado um tal coronel Engelhardt como comandante de Petrogrado.

– Sim – disse Maklakov com satisfação. – E eles instruíram todos os soldados a retornarem aos quartéis e obedecerem às ordens.

– O quê? – Grigori estava chocado. – Mas isso seria o fim da revolução. Os oficiais do czar retomariam o controle!

– Os membros da Duma não acreditam que haja uma revolução.

– Os membros da Duma são uns idiotas – retrucou Grigori, furioso.

Maklakov empinou o nariz e se afastou.

Konstantin estava tão irritado quanto Grigori.

– Isso é uma contrarrevolução! – falou.

– E precisa ser impedida – disse Grigori.

Os dois voltaram às pressas para a ala esquerda. No grande saguão, um presidente de sessão tentava controlar os debates. Grigori saltou para o palanque.

– Tenho um anúncio urgente! – gritou.

– Você e todo mundo – disse o presidente com desânimo. – Mas que se dane, pode falar.

– A Duma está ordenando que os soldados retornem aos quartéis e aceitem a autoridade dos oficiais!

Um grito de protesto se ergueu do grupo de delegados.

– Camaradas! – exclamou Grigori, tentando acalmá-los. – Nós não aceitaremos a velha ordem de volta!

Os representantes concordaram com um rugido.

– O povo da cidade precisa de pão. Nossas mulheres precisam se sentir seguras na rua. As fábricas precisam reabrir e as moendas precisam girar... mas não como era antes.

Grigori havia conquistado a atenção de todos, que não sabiam ao certo aonde ele queria chegar.

– Nós, soldados, temos que parar de espancar os burgueses, de assediar as mulheres na rua e de saquear lojas de vinho. Devemos voltar para nossos quartéis, curar a bebedeira e retomar nossas funções, mas... – Ele fez uma pausa de efeito e acrescentou: – ... sob nossas próprias condições!

Houve um burburinho de aprovação.

– E que condições seriam essas?

Alguém gritou:

– Comitês eleitos para emitir ordens no lugar dos oficiais!

Outra pessoa disse:

– Acabar com tratamentos do tipo "Sua Excelência" e "Mais Alto Fulgor" e passar a usar tenente, coronel e general.

– Chega de prestar continência! – gritou mais alguém.

Grigori não sabia o que fazer. Cada um tinha sua própria sugestão. Não conseguia sequer escutá-las, quanto mais se lembrar de todas elas.

O presidente da sessão veio em seu socorro:

– Eu proponho que todos aqueles que tenham alguma sugestão formem um grupo com o camarada Sokolov. – Grigori sabia que Nikolai Sokolov era um advogado de esquerda. Isso é bom, pensou: precisamos de alguém para redigir nossa proposta nos termos jurídicos corretos. O presidente continuou: – Depois de chegarem a um consenso sobre o que desejam, tragam sua proposta para ser aprovada pelo soviete.

– Certo. – Grigori saltou para fora do palanque. Sokolov estava sentado diante de uma pequena mesa em uma das laterais do salão. Grigori e Konstantin se aproximaram dele, acompanhados de pelo menos uma dúzia de outros delegados.

– Muito bem – disse Sokolov. – A quem devo endereçar a proposta?

Outra vez, Grigori não soube o que fazer. Estava prestes a responder "Ao mundo", quando um soldado sugeriu:

– À guarnição de Petrogrado.

– E a todos os soldados da Guarda, do Exército e da Artilharia – disse outro.

– E da Marinha – falou um terceiro.

– Muito bem – disse Sokolov enquanto anotava. – Para execução imediata e precisa, imagino?

– Sim.

– E também para informação dos operários de Petrogrado?

Grigori começou a ficar impaciente.

– Sim, sim – respondeu. – Então, quem propôs comitês eleitos?

– Fui eu – disse um soldado de bigode grisalho. Ele estava sentado na beirada da mesa, bem em frente a Sokolov. Como se estivesse ditando, prosseguiu: – Todas as tropas devem criar comitês com seus representantes eleitos.

Sem parar de escrever, Sokolov disse:

– Em todas as companhias, batalhões, regimentos...

– Postos de treinamento, baterias, esquadrões, navios de guerra – acrescentou alguém.

– Quem ainda não tiver elegido seus delegados deve fazê-lo – atalhou o homem de bigode grisalho.

– Certo – disse Grigori, irrequieto. – Continuando: as armas de qualquer tipo, incluindo veículos blindados, ficam sob o controle dos comitês de cada batalhão e companhia, não dos oficiais.

Vários dos soldados manifestaram sua aprovação.

– Muito bem – disse Sokolov.

– Todas as unidades militares ficam subordinadas ao Soviete dos Delegados de Operários e Soldados e a seus comitês – continuou Grigori.

Pela primeira vez, Sokolov ergueu os olhos.

– Isso significaria que o soviete controla o Exército.

– Sim – disse Grigori. – As ordens da comissão militar da Duma só devem ser obedecidas quando não entrarem em conflito com as decisões do soviete.

Sokolov continuou olhando para Grigori.

– Isso torna a Duma tão impotente quanto sempre foi. Ela antes era subordinada aos caprichos do czar. Agora, qualquer decisão sua terá que ser aprovada pelo soviete.

– Exatamente – disse Grigori.

– Então o soviete é o poder supremo.

– Coloque isso no papel – falou Grigori.

Sokolov colocou.

– Os oficiais ficam proibidos de ser grosseiros com outras patentes – disse alguém.

– Está certo – falou Sokolov.

– E não devem chamá-las de *tyi*, como se fossem animais ou crianças.

Grigori achava que essas cláusulas eram triviais.

– O documento precisa de um título – falou.

– O que você sugere? – perguntou Sokolov.

– Como você intitulou as ordens anteriores do soviete?

– Não há nenhuma ordem anterior – respondeu Sokolov. – Esta é a primeira.

– Então está decidido – disse Grigori. – Ponha o título "Ordem Número Um".

V

Redigir seu primeiro texto legislativo como representante eleito causou profunda satisfação em Grigori. Ao longo dos dois dias seguintes, vários outros foram redigidos, e ele ficou totalmente absorvido pelo trabalho incessante de um governo revolucionário. No entanto, pensava o tempo todo em Katerina e Vladimir e, na noite de quinta-feira, finalmente teve a oportunidade de escapulir para ver como eles estavam.

Enquanto seguia rumo aos bairros residenciais do sudoeste, tinha o coração cheio de apreensão. Katerina havia prometido ficar longe dos problemas, contudo, as mulheres de Petrogrado consideravam aquela revolução tão delas quanto dos homens. Afinal de contas, tudo havia começado no Dia Internacional da Mulher. Isso não era nenhuma novidade. A mãe de Grigori morrera na revolução fracassada de 1905. Se Katerina houvesse decidido ir até o centro da cidade com Vladimir no colo para ver o que estava acontecendo, não teria sido a única mãe a fazer isso. E muitos inocentes haviam morrido – alvejados pela polícia, pisoteados pela multidão, atropelados por soldados bêbados ao volante de carros confiscados, ou atingidos por balas perdidas. Ao entrar na velha casa, ele temeu ser recebido por uma das inquilinas, com uma expressão solene no rosto e os olhos cheios de lágrimas, dizendo "Aconteceu uma coisa terrível".

Subiu a escada, bateu na porta de Katerina e entrou. Ela pulou da cadeira e se atirou em seus braços.

– Você está vivo! – exclamou ela, beijando-o com avidez. – Eu estava tão preocupada! Não sei o que seria de nós sem você.

– Desculpe não ter podido vir antes – disse Grigori. – Mas eu agora sou delegado do soviete.

– Um delegado! – Katerina estava radiante de orgulho. – Meu marido! – Ela lhe deu um abraço.

Grigori tinha conseguido impressioná-la de verdade. Era a primeira vez que isso acontecia.

– Um delegado só faz representar as pessoas que o elegeram – falou com modéstia.

– Mas elas sempre escolhem os mais inteligentes e confiáveis.

– Bom, elas tentam.

O cômodo estava iluminado pela luz fraca de uma lamparina a óleo. Grigori pôs um embrulho sobre a mesa. Graças a seu novo status, não tivera problemas para conseguir comida na cozinha do quartel.

– Tem também alguns fósforos e um cobertor no pacote – disse ele.

– Obrigada!

– Espero que você esteja ficando o máximo possível em casa. Ainda está perigoso nas ruas. Alguns de nós estamos fazendo uma revolução, mas outros estão simplesmente perdendo as estribeiras.

– Eu mal saí de casa. Estava esperando notícias suas.

– Como vai nosso menininho? – Vladimir dormia no canto do quarto.

– Com saudades do pai.

Ela estava se referindo a Grigori. Ele não fazia questão que Vladimir o chamasse de pai, mas havia aceitado o capricho de Katerina. Dificilmente algum deles tornaria a ver Lev um dia – há quase três anos que ele não mandava notícias –, de modo que o menino jamais saberia a verdade. Talvez fosse melhor assim.

– É uma pena ele estar dormindo – disse Katerina. – Ele adora ver você.

– Eu falo com ele pela manhã.

– Você vai poder passar a noite aqui? Que maravilha!

Grigori se sentou, ao que Katerina se ajoelhou diante dele e tirou suas botas.

– Você parece cansado – comentou.

– E estou, mesmo.

– Vamos para a cama. Já é tarde.

Katerina começou a desabotoar a farda de Grigori e ele se recostou na cadeira, deixando que ela o ajudasse.

– O general Khabalov está escondido no Almirantado – disse ele. – Ficamos com medo de que retomasse o controle das estações de trem, mas ele nem sequer tentou.

– Por que não?

Grigori deu de ombros.

– Covardia. O czar ordenou a Ivanov que entrasse em Petrogrado e estabelecesse uma ditadura militar, mas os homens de Ivanov se amotinaram e a operação foi cancelada.

Katerina franziu as sobrancelhas.

– A antiga classe governante simplesmente desistiu?

– É o que parece. Estranho, não? Mas está claro que não vai haver contrarrevolução.

Eles foram para a cama, Grigori de roupa de baixo, Katerina ainda de vestido. Ela nunca havia se despido na sua frente. Talvez sentisse que não podia se entregar totalmente. Era uma peculiaridade sua que ele aceitava, mas não sem alguma tristeza. Ele a abraçou e beijou. Quando a penetrou, ela disse:

– Eu te amo. – E ele se sentiu o homem mais sortudo do mundo.

Depois, sonolenta, ela perguntou:

– O que vai acontecer agora?

– Haverá uma assembleia constituinte, eleita pelo que eles chamam de voto quaternário: universal, direto, secreto e igualitário. Enquanto isso, a Duma está formando um governo provisório.

– Quem vai ser o líder?

– Lvov.

Katerina sentou-se na cama.

– Um príncipe! Por quê?

– Eles querem a confiança de todas as classes.

– Ao diabo com todas as classes! – A indignação a tornava ainda mais bela, corando suas faces e fazendo seus olhos brilharem. – Quem fez a revolução foram os operários e os soldados. Por que precisamos da confiança de quem quer que seja?

Essa questão também havia incomodado Grigori, mas a resposta o convencera.

– Nós precisamos que os empresários façam suas fábricas operar, que os atacadistas voltem a abastecer a cidade e que os lojistas reabram suas portas.

– E quanto ao czar?

– A Duma está exigindo que ele abdique. Mandaram dois delegados até Pskov para lhe dar o ultimato.

Katerina arregalou os olhos.

– Abdicar? O czar? Mas isso seria o fim.

– Sim.

– E é possível?

– Não sei – respondeu Grigori. – Vamos descobrir amanhã.

VI

Na sexta-feira, no Salão Catarina do Palácio Tauride, o debate foi tumultuado. Dois ou três mil homens e algumas mulheres abarrotavam o salão e o ar recendia a fumaça de tabaco e a soldados sem banho. Todos esperavam notícias sobre o que o czar iria fazer.

A todo momento, anúncios interrompiam o debate. Muitas vezes, não eram nada urgentes – um soldado se levantava para dizer que seu batalhão havia formado um comitê e prendido o coronel. Às vezes, não eram sequer anúncios, mas discursos exigindo que a revolução fosse defendida.

No entanto, Grigori percebeu que havia algo de diferente quando um sargento de cabelos grisalhos saltou para cima do palanque, com o rosto afogueado e a respiração acelerada, trazendo na mão uma folha de papel e pedindo silêncio.

Com a voz lenta e bem alta, ele disse:

– O czar assinou um documento...

A vibração começou logo depois dessas poucas palavras.

– ... abdicando a coroa...

Os vivas se transformaram em um rugido. Grigori ficou siderado. Aquilo era mesmo verdade? Teria o sonho se realizado de fato?

O sargento ergueu a mão, pedindo silêncio. Ainda não havia terminado.

– ... e, por causa da saúde precária de seu filho de 12 anos, Alexei, o czar nomeou como sucessor o grão-duque Mikhail, seu irmão caçula.

A comemoração se transformou em uivos de protesto.

– Não! – gritou Grigori, sua voz se perdendo entre os milhares de outras.

Quando, depois de vários minutos, todos começaram a se acalmar, um rugido ainda mais alto ressoou vindo do lado de fora. A multidão no pátio devia ter escutado a mesma notícia e a estava recebendo com a mesma indignação.

– O governo provisório não pode aceitar isso – disse Grigori a Konstantin.

– Concordo – respondeu seu amigo. – Vamos dizer isso a eles.

Os dois saíram do soviete e atravessaram o palácio. Os ministros do governo recém-formado estavam reunidos na sala que antes abrigava o comitê temporário – na verdade, tratava-se praticamente dos mesmos homens, o que era preocupante. Já estavam debatendo sobre o pronunciamento do czar.

Pavel Miliukov estava em pé. O moderado, que usava um monóculo, argumentava que a monarquia deveria ser preservada como símbolo de legitimidade.

– Quanta imbecilidade – murmurou Grigori. A monarquia simbolizava incompetência, crueldade e derrota, tudo menos legitimidade. Felizmente, outros pensavam como ele. Kerenski, agora ministro da Justiça, propôs que o grão-duque Mikhail fosse instruído a recusar a coroa e, para alívio de Grigori, a maioria dos presentes concordou.

Kerenski e o príncipe Lvov foram escolhidos para partir imediatamente ao encontro de Mikhail. Miliukov, lançando um olhar raivoso através de seu monóculo, disse:

– E eu deveria ir com eles, para representar a opinião da minoria!

Grigori imaginou que essa sugestão tola fosse ser rejeitada, porém os outros ministros assentiram sem convicção. Grigori então se levantou. Sem pensar muito, disse:

– E eu acompanharei os ministros como observador do soviete de Petrogrado.

– Está certo, está certo – disse Kerenski com a voz cansada.

Os quatro saíram do palácio por uma porta lateral e entraram em duas limusines Renault que os aguardavam. O ex-presidente da Duma, um homem muito gordo chamado Mikhail Rodzianko, os acompanhava. Grigori mal conseguia acreditar no que estava lhe acontecendo. Fazia parte de uma delegação prestes a ordenar que um príncipe da coroa recusasse o título de czar. Menos de uma semana antes, havia descido obedientemente de uma mesa porque o tenente Kirillov mandara. O mundo estava mudando tão depressa que era difícil não ficar para trás.

Grigori nunca havia entrado na residência de um aristocrata e teve a impressão de adentrar um mundo de sonho. A imensa casa era abarrotada de riquezas. Para onde quer que olhasse, havia vasos deslumbrantes, relógios ornamentados, candelabros de prata e bibelôs incrustados de joias. Se tivesse agarrado uma tigela de ouro e saído correndo pela porta da frente, poderia tê-la vendido por dinheiro suficiente para comprar uma casa – embora, naquele momento, ninguém fosse comprar tigelas de ouro, pois tudo o que queriam era pão.

O príncipe Georgy Lvov, homem de cabelos prateados com uma barba grande e espessa, obviamente não estava impressionado com o ambiente, tampouco intimidado com a solenidade de sua missão, porém todos os demais pareciam nervosos. Ficaram esperando na sala de estar, arrastando os pés pelos grossos tapetes, sob os olhares carrancudos de retratos de antepassados.

Por fim, o grão-duque Mikhail apareceu. Era um homem de 38 anos, que ostentava uma calvície prematura e um bigodinho. Para surpresa de Grigori, parecia mais nervoso do que a delegação. Apesar de manter a cabeça erguida com arrogância, dava uma impressão de timidez e perplexidade. Depois de algum tempo, reuniu a coragem necessária para perguntar:

– O que os senhores têm a me dizer?

– Nós viemos lhe pedir para não aceitar a coroa – respondeu Lvov.

– Oh, céus! – exclamou Mikhail, parecendo não saber o que fazer em seguida.

Kerenski manteve a presença de espírito. Falou de maneira clara e firme.

– O povo de Petrogrado reagiu com indignação à decisão de Sua Majestade, o czar – disse ele. – Um contingente maciço de soldados já está marchando rumo ao Palácio Tauride. A menos que nós anunciemos imediatamente que o senhor se recusou a assumir o título de czar, haverá uma violenta revolta seguida de guerra civil.

– Ah, meu Deus! – comentou Mikhail com voz débil.

Grigori percebeu que o grão-duque não era muito inteligente. O que não é nenhuma surpresa, pensou. Se aquelas pessoas fossem inteligentes, não estariam a ponto de perder o trono da Rússia.

– Vossa Alteza – disse Miliukov por trás de seu monóculo –, eu represento a opinião da minoria no governo provisório. A nosso ver, a monarquia é o único símbolo de autoridade aceito pelo povo.

Mikhail pareceu ainda mais confuso. A última coisa de que precisava era de uma alternativa, percebeu Grigori – aquilo só piorava a situação para ele.

– Os senhores se importam que eu troque algumas palavras a sós com Rodzianko? – pediu o grão-duque. – Não saiam daqui... nós vamos apenas nos retirar para a sala ao lado.

Assim que o titubeante czar nomeado e o gordo ex-presidente do Parlamento foram embora, os demais puseram-se a conversar em voz baixa. Ninguém dirigiu a palavra a Grigori. Ele era o único representante da classe trabalhadora presente e notou que os outros sentiam um certo medo dele, desconfiados – com razão – de que os bolsos de seu uniforme de sargento estivessem recheados de armas e munição.

Rodzianko tornou a aparecer.

– Ele me perguntou se poderíamos garantir sua integridade pessoal caso ele se torne czar – disse ele. Grigori achou repulsivo que o grão-duque estivesse mais preocupado consigo mesmo do que com o próprio país, mas não ficou surpreso.

– Eu respondi que não – concluiu Rodzianko.

– E...? – indagou Kerenski.

– Ele vai voltar daqui a pouco.

Depois de um intervalo que pareceu interminável, Mikhail retornou. Todos se calaram. Durante vários instantes, ninguém disse nada.

Por fim, Mikhail disse:

– Eu decidi recusar a coroa.

Grigori teve a sensação de que seu coração havia parado de bater. Oito dias, pensou ele. Oito dias atrás, as mulheres de Vyborg atravessaram a ponte Liteiny. E agora o reinado dos Romanov havia chegado ao fim.

Ele se lembrou das palavras da mãe no dia de sua morte: "Não vou descansar até a Rússia ser uma república." Então pensou: pode descansar agora, mãe.

Kerenski estava apertando a mão do grão-duque e dizendo algo pomposo, mas Grigori não estava prestando atenção.

Nós conseguimos, pensou ele. Nós fizemos uma revolução.

Nós depusemos o czar.

VII

Em Berlim, Otto von Ulrich abriu uma garrafa magnum de champanhe Perrier-Jouët 1892.

Os Von Ulrich haviam convidado os Von der Helbard para almoçar. Konrad, pai de Monika, era um *Graf*, ou conde, portanto sua mãe era uma *Gräfin*, uma condessa. A Gräfin Eva von der Helbard era uma mulher vistosa, que usava os cabelos grisalhos presos em um penteado alto e complexo. Antes do almoço, encurralou Walter e lhe disse que Monika era uma excelente violinista e que havia sido a primeira de sua classe na escola em todas as matérias. Com o canto do olho, ele viu seu pai conversando com Monika e imaginou que ela também estivesse ouvindo uma avaliação do desempenho escolar dele.

A insistência dos pais em tentar empurrar Monika para cima dele o irritava. O fato de que ele sentia uma forte atração por ela piorava ainda mais a situação. Além de linda, ela era inteligente. Seus cabelos estavam sempre arrumados com esmero, mas Walter não conseguia deixar de imaginá-la soltando-os à noite e sacudindo a cabeça para liberar os cachos. Nos últimos tempos, vinha tendo dificuldade em imaginar Maud.

Otto então ergueu sua taça.

– Adeus ao czar! – brindou.

– Pai, estou surpreso com o senhor – disse Walter com irritação. – Está mesmo comemorando a derrubada de um monarca legítimo por uma turba de operários e soldados amotinados?

Otto enrubesceu. Greta, irmã de Walter, afagou o braço do pai para tranquilizá-lo.

– Não ligue, papai – disse ela. – Walter só diz essas coisas para chatear o senhor.

– Eu conheci o czar Nicolau quando trabalhei em nossa embaixada em Petrogrado – falou Konrad.

– E o que o senhor achou dele? – quis saber Walter.

Monika respondeu no lugar do pai. Lançando um sorriso conspiratório para Walter, ela disse:

– Papai costumava dizer que, se o czar não tivesse nascido em berço de ouro, talvez, com algum esforço, pudesse ter virado um carteiro competente.

– Essa é a tragédia da monarquia hereditária. – Walter se virou para o pai: – Mas o senhor certamente reprova a democracia na Rússia, não?

– Democracia? – repetiu Otto, irônico. – Veremos. Tudo o que se sabe é que o novo primeiro-ministro é um aristocrata liberal.

– Você acha que o príncipe Lvov tentará selar a paz conosco? – perguntou Monika para Walter.

Essa era a questão do momento.

– Espero que sim – respondeu Walter, tentando não olhar para os seios de Monika. – Se todas as nossas tropas na frente oriental puderem ser transferidas para a França, talvez consigamos derrotar os Aliados.

Ela ergueu sua taça e fitou Walter nos olhos por cima da borda.

– Então vamos brindar a isso – falou.

~

Em uma trincheira fria e úmida no nordeste da França, o pelotão de Billy tomava gim.

Quem havia providenciado a garrafa fora Robin Mortimer, o oficial destituído.

– Eu vinha guardando isto aqui – disse ele.

– Bem, macacos me mordam! – comentou Billy, usando uma das expressões de Mildred. Mortimer era um sujeito rabugento que nunca tinha sido visto oferecendo bebida a ninguém.

Mortimer serviu o gim nas tigelas de metal que os soldados usavam para comer.

– Um brinde à revolução – disse ele, e todos beberam, estendendo logo em seguida as tigelas para uma segunda dose.

Billy já estava animado antes mesmo de beber o gim. Os russos haviam provado que ainda era possível derrubar tiranos.

Todos cantavam "Bandeira Vermelha" quando o conde Fitzherbert veio mancando do recesso da trincheira, suas botas chapinhando na lama. Fora promovido a coronel e estava mais arrogante do que nunca.

– Silêncio! – gritou.

O canto foi morrendo aos poucos.

– Estamos comemorando a derrubada do czar russo! – disse Billy.

– O czar era um monarca legítimo – disse Fitz com raiva –, e aqueles que o depuseram são criminosos. Chega de cantoria.

O desprezo de Billy por Fitz aumentou um ponto.

– Ele era um tirano que assassinou milhares dos seus súditos, e todos os homens civilizados do mundo estão celebrando hoje.

Fitz observou-o com atenção. O conde já não usava mais o tapa-olho, mas sua pálpebra esquerda havia ficado caída para sempre. No entanto, isso não parecia afetar sua visão.

– Sargento Williams... eu deveria ter adivinhado. Conheço você... e sua família.

E como!, pensou Billy.

– A sua irmã é uma agitadora pacifista.

– E a sua também, senhor – retrucou Billy, o que fez Robin Mortimer soltar uma risada rouca e então se calar de repente.

– Mais uma palavra insolente e você vai ganhar uma punição – disse Fitz a Billy.

– Perdão, senhor.

– Agora sosseguem o facho, todos vocês. E chega de cantoria. – Fitz se afastou.

– Vida longa à revolução – falou Billy baixinho.

Fitz fingiu não escutar.

~

Em Londres, a princesa Bea gritou:

– Não!

– Tente ficar calma – disse Maud, que acabara de lhe dar a notícia.

– Eles não podem fazer isso! – gritou Bea. – Não podem obrigar nosso amado czar a abdicar! Ele é o pai do povo!

– Talvez seja melhor assim...

– Não acredito em você! Isso é uma mentira cruel!

A porta se abriu e Grout espichou a cabeça para dentro com uma expressão preocupada.

Bea pegou um vaso japonês contendo um arranjo de plantas secas e atirou-o pela sala. O vaso bateu na parede e se espatifou.

Maud afagou o ombro de Bea.

– Pronto, passou – disse. Não sabia ao certo o que mais poderia fazer. Ela própria estava contentíssima em ver o czar derrubado, mas, ainda assim, se compadecia de Bea, para quem todo um estilo de vida havia sido destruído.

Grout chamou alguém com um dedo e uma criada entrou na sala, parecendo assustada. Ele apontou para o vaso quebrado e a criada começou a juntar os cacos.

A mesa estava posta para o chá: xícaras, pires, bules, jarrinhas de leite e creme, tigelas de açúcar. Bea derrubou tudo no chão com violência.

– Esses revolucionários vão matar todo mundo!

O mordomo se abaixou e começou a limpar a bagunça.

– Não se exalte – disse Maud.

Bea começou a chorar.

– Pobre czarina! E pobres dos filhos dela! O que vai ser deles?

– Talvez seja melhor você deitar um pouco – falou Maud. – Venha, vou acompanhá-la até o quarto. – Ela segurou o cotovelo de Bea, que se permitiu ser conduzida para fora da sala.

– É o fim de tudo – soluçou Bea.

– Não se preocupe – disse Maud. – Talvez seja um novo começo.

~

Ethel e Bernie estavam em Aberowen. Era uma espécie de lua de mel. Ethel estava gostando de apresentar a Bernie os lugares de sua infância: a entrada da mina, a capela, a escola. Chegou até a lhe mostrar Tŷ Gwyn – Fitz e Bea não estavam –, embora não o tivesse levado à Suíte Gardênia.

O casal estava hospedado com a família Griffiths, que tornara a oferecer a Ethel o quarto de Tommy, de modo que não foi preciso incomodar Gramper. Eles estavam na cozinha da Sra. Griffiths quando seu marido, Len – ateu e socialista revolucionário –, chegou de supetão brandindo um jornal.

– O czar abdicou! – disse ele.

Todos vibraram e aplaudiram. Há uma semana que recebiam notícias das rebeliões em Petrogrado, e Ethel vinha se perguntando como aquilo iria terminar.

– Quem assumiu o poder? – perguntou Bernie.

– Um governo provisório chefiado pelo príncipe Lvov – respondeu Len.

– Então não chega a ser um triunfo do socialismo – disse Bernie.

– Não.

– Alegrem-se, rapazes... – falou Ethel. – Uma coisa de cada vez! Vamos ao Two Crowns comemorar. Posso deixar Lloyd um pouco com a Sra. Ponti.

As mulheres puseram os chapéus e todos saíram para o pub. Em uma hora, o lugar já estava lotado. Ethel ficou espantada ao ver o pai e a mãe entrarem. A Sra. Griffiths também os viu e disse:

– Caramba, o que eles vieram fazer aqui?

Alguns minutos depois, Da subiu em uma cadeira e pediu silêncio.

– Sei que alguns de vocês estão surpresos por me verem aqui, mas ocasiões especiais pedem atitudes especiais. – Ele lhes mostrou um caneco de cerveja. – Não mudei meus hábitos da vida inteira, mas o dono do pub teve a gentileza de me oferecer um copo de água da torneira. – Todos riram. – Estou aqui para compartilhar com meus vizinhos a vitória conquistada na Rússia. – Ele ergueu o caneco. – Um brinde... à revolução!

Todos vibraram e beberam.

– Vejam só! – disse Ethel. – Dá no Two Crowns! Nunca pensei que fosse ver esse dia.

~

Na Prairie House ultramoderna de Josef Vyalov em Buffalo, Lev Peshkov pegou uma garrafa do armário de bebidas e serviu-se um drinque. Ele não bebia mais vodca. Desde que fora morar com o sogro rico, tinha aprendido a apreciar uísque escocês. Gostava de bebê-lo como faziam os americanos, com pedras de gelo.

Lev não gostava de morar com os sogros. Teria preferido que ele e Olga tivessem um lugar só para eles. Porém Olga preferia assim e, além do mais, o pai dela pagava por tudo. Lev estava preso ali até conseguir juntar seu próprio dinheiro.

Josef lia o jornal enquanto Lena costurava. Lev ergueu o copo para eles.

– Vida longa à revolução! – disse de forma exuberante.

– Cuidado com o que fala – respondeu Josef. – Isso vai ser ruim para os negócios.

Olga entrou.

– Querido, sirva-me uma tacinha de xerez, por favor – pediu ela.

Lev reprimiu um suspiro. Ela adorava lhe pedir pequenos favores, e, na frente dos sogros, ele não podia se recusar a fazê-los. Serviu o xerez adocicado em uma pequena taça e entregou-a para Olga, curvando-se como um garçom. Ela deu um sorriso bonito, sem entender a ironia.

Lev tomou um gole do uísque e saboreou o gosto e a pungência da bebida.

– Sinto pena da pobre czarina e dos seus filhos – comentou a Sra. Vyalov. – O que será deles?

– Com certeza serão todos mortos pela turba – disse Josef.

– Coitados. O que o czar fez a esses revolucionários para merecer isso?

– Essa pergunta eu posso responder – disse Lev. Sabia que deveria ficar calado, mas não conseguiu, sobretudo com o uísque a lhe aquecer as entranhas. – Quando eu tinha 11 anos, a fábrica onde minha mãe trabalhava entrou em greve.

A Sra. Vyalov deu um muxoxo. Ela não acreditava em greves.

– A polícia reuniu todos os filhos dos grevistas. Nunca vou me esquecer. Fiquei aterrorizado.

– Por que eles fariam uma coisa dessas? – perguntou a Sra. Vyalov.

– Então os policiais bateram em todos nós – disse Lev. – No traseiro, com varas. Para dar uma lição a nossos pais.

A Sra. Vyalov tinha empalidecido. Não suportava crueldade com crianças ou animais.

– Foi isso o que o czar e seu regime fizeram comigo, mãe – disse Lev. Ele chacoalhou o gelo no copo. – É por isso que eu bebo à revolução.

~

– O que você acha, Gus? – quis saber o presidente Wilson. – Você é o único aqui que conhece Petrogrado. O que vai acontecer?

– Detesto falar como um funcionário do Departamento de Estado, mas a situação pode tender para qualquer um dos dois lados – respondeu Gus.

O presidente riu. Os dois estavam no Salão Oval – Wilson atrás da escrivaninha e Gus em pé diante dela.

– Vamos lá – pediu Wilson. – Dê um palpite. Os russos vão sair da guerra ou não? É a pergunta mais importante do ano.

– Está bem. Todos os ministros do novo governo são de partidos políticos com nomes assustadores que incluem os termos *socialista* e *revolucionário*, mas na verdade são empresários e profissionais de classe média. O que eles de fato querem é uma revolução burguesa que lhes dê liberdade para fomentar a indústria e o comércio. O povo, no entanto, quer pão, paz e terra: pão para os operários, paz para os soldados e terra para os camponeses. Nada disso agrada a homens como Lvov e Kerenski. Então, para responder à pergunta do senhor, eu acho que o governo de Lvov vai buscar uma mudança gradual. Sobretudo, vão continuar na guerra. Mas os trabalhadores não vão se contentar com isso.

– E quem vai ganhar no final?

Gus se lembrou de sua ida a Petrogrado, antiga São Petersburgo, e do homem que havia lhe demonstrado como se fundia uma roda de locomotiva em uma oficina suja e caindo aos pedaços da Metalúrgica Putilov. Mais tarde, Gus vira o mesmo homem brigando com um policial por causa de uma garota. Não conseguia recordar seu nome, mas ainda podia visualizá-lo, com seus ombros largos e braços fortes e um dos dedos faltando. Porém, acima de tudo, visualizava seu olhar azul intenso, de determinação irrefreável.

– O povo russo – respondeu Gus. – O povo russo vai ganhar no final.

CAPÍTULO VINTE E QUATRO

Abril de 1917

Em um dia ameno no início da primavera, Walter estava passeando com Monika von der Helbard pelo jardim da casa dos pais dela em Berlim. A casa era imponente e o jardim grande, com um pavilhão de tênis, um gramado de críquete, uma pista de equitação para exercitar os cavalos e um parquinho infantil com balanços e um escorrega. Walter se lembrou de ter visitado o lugar quando criança e ficado com a impressão de que era o paraíso. O jardim, no entanto, não era mais idílico. Todos os cavalos, com exceção dos mais idosos, tinham sido despachados para o Exército. Galinhas arranhavam as lajotas da varanda ampla. A mãe de Monika engordava um porco no pavilhão de tênis. Cabras pastavam no gramado de críquete e, segundo boatos, a própria Gräfin as ordenhava.

Contudo, as velhas árvores estavam recuperando suas folhas, o sol brilhava e Walter caminhava, relaxado, só de colete e camisa, com o paletó jogado por sobre o ombro – estado de nudez parcial que teria desagradado à sua mãe, que, no entanto, se encontrava dentro da casa, fofocando com a Gräfin. Sua irmã, Greta, começara o passeio junto com Walter e Monika, mas arranjara uma desculpa qualquer para deixá-los sozinhos – outra coisa que sua mãe teria reprovado, pelo menos em teoria.

Monika tinha um cachorro chamado Pierre. Era um gracioso poodle de pernas compridas, com uma farta pelagem encaracolada cor de ferrugem e olhos castanho-claros, e Walter não pôde deixar de pensar que o animal se parecia um pouco com a dona, por mais linda que ela fosse.

Walter gostava da forma como Monika tratava o cachorro. Ela não o acariciava, nem lhe dava restos de comida ou falava com ele em um tom de voz infantil como faziam algumas garotas. Simplesmente deixava que o animal caminhasse ao seu lado, jogando de vez em quando uma bola de tênis velha para ele pegar.

– E os russos, que decepção! – comentou ela.

Walter aquiesceu. O governo do príncipe Lvov havia anunciado que o país continuaria na guerra. A frente oriental alemã não seria liberada, de modo que não haveria reforços para a França. O conflito continuaria a se arrastar.

– Nossa única esperança agora é que o governo de Lvov caia e a facção pacifista assuma o poder – disse ele.

– E isso é provável?

– Difícil dizer. Os revolucionários continuam exigindo pão, paz e terra. O governo prometeu uma eleição democrática para uma assembleia constituinte... mas quem irá vencer? – Ele apanhou um graveto do chão e lançou-o para Pierre. O cachorro disparou para pegá-lo e o trouxe de volta todo orgulhoso. Walter se abaixou para fazer carinho na sua cabeça e, quando se ergueu, Monika estava muito perto dele.

– Eu gosto de você, Walter – disse, encarando-o firme com seus olhos cor de âmbar. – Tenho a impressão de que nunca ficaríamos sem assunto.

Ele, além de sentir o mesmo, sabia que, se tentasse beijá-la naquele instante, ela deixaria.

Afastou-se um passo.

– Eu também gosto de você – disse. – E do seu cachorro. – Para mostrar que suas palavras eram casuais, soltou uma risada.

Mesmo assim, pôde ver que Monika ficou magoada. Ela mordeu o lábio e deu-lhe as costas. Havia sido o mais ousada que uma moça bem-educada poderia ser – e ele a rejeitara.

Os dois seguiram andando. Depois de um longo silêncio, Monika disse:

– Fico me perguntando qual é o seu segredo.

Meu Deus, pensou Walter, como ela é perspicaz!

– Eu não tenho segredos – mentiu ele. – Você tem?

– Nenhum que valha a pena contar. – Ela ergueu a mão para tirar alguma coisa presa ao ombro dele. – Uma abelha – falou.

– Está cedo demais no ano para abelhas.

– Quem sabe o verão não vai chegar mais cedo.

– Não está fazendo tanto calor assim.

Ela fingiu sentir um calafrio.

– Tem razão, está esfriando. Será que você poderia buscar um xale para mim? Se for até a cozinha e pedir a uma das criadas, ela encontrará um para lhe dar.

– É claro. – Não estava frio, mas um cavalheiro jamais se recusava a cumprir um pedido como aquele, por mais caprichoso que fosse. Era óbvio que ela queria passar um tempo sozinha. Ele voltou andando até a casa. Tinha que resistir ao seu assédio, mas sentia muito por magoá-la. Afinal, os dois *de fato* combinavam – suas mães tinham razão – e estava claro que Monika não conseguia entender por que ele insistia em rejeitá-la.

Walter entrou na casa e desceu pela escada dos fundos até o subsolo, onde encontrou uma criada idosa usando um vestido preto e uma touca rendada. Ela saiu em busca de um xale.

Walter ficou esperando no hall. A casa era decorada no moderno estilo Jugendstil, que havia substituído o floreado rococó que os pais de Walter adoravam por cômodos bem iluminados, de cores suaves. O hall margeado de colunas era todo feito de mármore cinza, e o chão, revestido com um tapete cor de cogumelo.

Parecia-lhe que Maud estava a um milhão de quilômetros dali, em outro planeta. E, de certa forma, estava mesmo, pois o mundo anterior à guerra jamais voltaria. Havia quase três anos que não via sua mulher ou tinha notícias suas – e talvez nunca mais tornasse a vê-la. Embora ela não tivesse lhe saído da cabeça – ele jamais se esqueceria da paixão que haviam vivido juntos –, Walter constatava, para sua agonia, que já não era capaz de recordar detalhes dos momentos que viveram juntos: que roupa ela usava, onde eles estavam quando haviam se beijado ou ficado de mãos dadas, ou o que haviam comido e bebido, e quais eram os assuntos de suas conversas em todas aquelas festas londrinas, tão parecidas entre si. Às vezes lhe passava pela cabeça que, de certa forma, a guerra os divorciara. Porém afastou esse pensamento: era de uma deslealdade vergonhosa.

A criada lhe trouxe um xale de caxemira amarelo. Ele voltou até Monika e encontrou-a sentada em um toco de árvore, com Pierre aos seus pés. Walter lhe entregou o xale, que ela colocou em volta dos ombros. A cor lhe caía bem, fazendo seus olhos cintilarem e deixando sua pele radiante.

Monika ostentava uma expressão estranha e entregou-lhe sua carteira.

– Ela deve ter caído do seu paletó – falou.

– Ah, obrigado. – Ele a guardou de volta no bolso interno do paletó, que ainda trazia pendurado no ombro.

– Vamos voltar para dentro de casa – disse ela.

– Como quiser.

O humor dela havia mudado. Talvez tivesse simplesmente resolvido desistir dele. Ou será que acontecera alguma outra coisa?

Ele foi invadido por um pensamento assustador. Teria sua carteira realmente caído do bolso? Ou será que ela a havia pegado, qual um batedor de carteiras, ao enxotar aquela improvável abelha do ombro?

– Monika – disse ele, parando e virando-se para encará-la. – Você mexeu na minha carteira?

– Você disse que não tinha segredos – respondeu ela, ficando toda vermelha.

Ela devia ter visto o recorte de jornal que ele guardava ali: *Lady Maud Fitzherbert sempre vestida na última moda.*

– Que falta de educação a sua – disse ele com irritação. Estava zangado, sobretudo consigo mesmo. Não deveria andar com aquela foto incriminatória. Se

Monika podia concluir seu significado, outras pessoas também poderiam. Ele então cairia em desgraça e seria afastado do Exército. Talvez fosse acusado de traição e preso, ou até fuzilado.

Havia sido um tolo. Mas sabia que jamais conseguiria jogar fora aquela imagem. Era tudo o que lhe restava de Maud.

Monika tocou seu braço.

– Eu nunca fiz uma coisa dessas na vida e estou envergonhada. Mas você precisa entender meu desespero. Ah, Walter, seria tão fácil eu me apaixonar por você, e percebo que você também poderia me amar. Vejo isso nos seus olhos, na forma como sorri quando me vê. Mas você nunca disse nada! – Seus olhos estavam cheios de lágrimas. – Eu estava ficando louca.

– Sinto muito por isso. – Ele já não conseguia permanecer indignado. Ela havia rompido com todas as regras de etiqueta e aberto o coração para ele. Walter se sentiu muito triste por ela, triste por eles dois.

– Eu simplesmente precisava entender por que você vive me rejeitando. Agora entendo, é claro. Ela é linda. Até se parece um pouco comigo. – Monika enxugou as lágrimas. – Mas conheceu você antes de mim, só isso. – Ela o fitou com aqueles penetrantes olhos cor de âmbar. – Imagino que estejam noivos.

Walter não podia mentir para uma pessoa que estava sendo tão sincera com ele. Não soube o que responder.

Ela adivinhou o motivo de sua hesitação.

– Ai, meu Deus! – exclamou. – Vocês são casados, não são?

Aquilo era um desastre.

– Se as pessoas descobrirem, estarei em sérios apuros.

– Eu sei.

– Posso confiar em você para guardar meu segredo?

– E você ainda pergunta? – disse ela. – Você é o melhor homem que já conheci. Eu não faria nada para prejudicá-lo. Jamais direi uma só palavra.

– Obrigado. Sei que vai manter sua promessa.

Ela desviou o olhar, lutando para conter as lágrimas.

– Vamos entrar.

No hall, ela disse:

– Vá andando. Preciso lavar o rosto.

– Está bem.

– Eu espero... – A voz dela se transformou em um soluço. – Espero que ela saiba a sorte que tem – sussurrou. Então virou as costas e desapareceu no cômodo ao lado.

Walter vestiu o paletó e se recompôs, subindo em seguida a escadaria de mármore. A sala de estar era decorada no mesmo estilo discreto, com madeira clara e cortinas verde-água. Os pais de Monika tinham um gosto melhor do que os seus, concluiu.

Sua mãe olhou para ele e percebeu na mesma hora que havia algo de errado.

– Onde está Monika? – perguntou com rispidez.

Ele ergueu uma sobrancelha para a mãe. Não era do seu feitio fazer uma pergunta cuja resposta poderia ser "Foi ao banheiro". Era óbvio que estava tensa. Em voz baixa, ele respondeu:

– Ela já está voltando.

– Veja só isso – falou seu pai, brandindo uma folha de papel. – O gabinete de Zimmermann acabou de mandar este documento para minha avaliação. Esses tais revolucionários russos querem atravessar a Alemanha. Que audácia! – Ele havia bebido uma ou outra taça de *schnapps* e estava um pouco exaltado.

– De que revolucionários o senhor está falando, pai? – indagou Walter com educação. Não ligava para a resposta, mas ficou grato por ter um assunto para conversar.

– Os de Zurique! Martov, Lênin e o restante deles. Agora que o czar foi deposto, teoricamente a liberdade de expressão foi instaurada na Rússia, então eles querem voltar para casa. Mas não podem chegar até lá!

Konrad von der Helbard, pai de Monika, disse em tom pensativo:

– Imagino que não. Não há como ir da Suíça à Rússia sem passar pela Alemanha... Qualquer outro caminho por terra os obrigaria a passar pelas linhas de combate. Mas ainda há navios a vapor fazendo a rota entre a Inglaterra e a Suécia pelo mar do Norte, não?

– Sim, mas eles não iriam se arriscar a passar pela Grã-Bretanha – disse Walter. – Os britânicos prenderam Trótski e Bukharin. E passar pela França ou pela Itália seria ainda pior.

– Então eles estão presos! – exclamou Otto, triunfante.

– O que o senhor vai aconselhar o ministro Zimmermann a fazer, pai?

– A recusar, claro. Não queremos essa ralé contaminando nosso povo. Sabe-se lá que tipo de problema esses demônios seriam capazes de provocar na Alemanha.

– Lênin e Martov – disse Walter, intrigado. – Martov é menchevique, porém Lênin é bolchevique. – O serviço de inteligência alemão tinha bastante interesse nos revolucionários russos.

– Bolcheviques, mencheviques, socialistas, revolucionários: é tudo a mesma coisa – disse Otto.

– Não é, não – discordou Walter. – Os bolcheviques são os mais radicais.

– Outro motivo para mantê-los fora do nosso país! – falou a mãe de Monika com energia.

Walter ignorou o comentário.

– E mais importante ainda: os bolcheviques que vivem fora da Rússia tendem a ser mais extremistas do que os que permaneceram no país. Os bolcheviques de Petrogrado apoiam o governo provisório do príncipe Lvov, mas seus camaradas de Zurique, não.

Sua irmã Greta interveio:

– Como você sabe uma coisa dessas?

Walter sabia por ter lido relatórios de inteligência de espiões alemães na Suíça, que interceptavam a correspondência dos revolucionários. Mas respondeu:

– Lênin fez um discurso em Zurique alguns dias atrás repudiando o governo provisório.

Otto grunhiu com desdém, porém Konrad von der Helbard se inclinou para a frente na cadeira:

– O que você está pensando, meu rapaz?

– Que, se nós nos recusarmos a deixar os revolucionários passarem pela Alemanha, estaremos protegendo a Rússia das ideias subversivas deles.

Sua mãe pareceu confusa.

– Explique, por favor.

– Estou sugerindo que deveríamos ajudar esses homens perigosos a voltarem para casa. Uma vez lá, eles tentarão minar o governo russo, prejudicando sua capacidade de continuar na guerra, ou então vão tomar o poder e selar a paz. Seja como for, a Alemanha sai ganhando.

Houve um breve silêncio enquanto todos refletiam a respeito. Então Otto deu uma risada sonora e bateu palmas.

– Este é o meu filho! – exclamou. – Ele puxou um pouco ao seu velho pai, afinal!

II

Meu grande amor,

Zurique é uma cidade fria à beira de um lago, escreveu Walter, *mas o sol ilumina o espelho d'água, as colinas verdejantes em volta e os Alpes ao longe. As ruas formam uma trama quadriculada, sem curvas: os suíços são ainda mais ordeiros do que os alemães! Queria que você estivesse aqui, meu amor, como queria que estivesse comigo aonde quer que eu fosse!!!*

Os pontos de exclamação eram para dar ao censor do correio a impressão de que a carta fora escrita por uma garota com a emoção à flor da pele. Embora Walter estivesse na Suíça, um país neutro, continuava tomando cuidado para que o texto não identificasse o remetente ou o destinatário.

Fico me perguntando se você tem passado pelo constrangimento de sofrer assédio por parte de pretendentes. Com sua beleza e charme, duvido que não. Eu, é claro, não possuo nenhum dos dois, mas mesmo assim tenho despertado interesse. Minha mãe escolheu um partido para mim, uma pessoa amiga de minha irmã – alguém de que gosto e que conheço desde sempre. Foi bem difícil durante algum tempo e, infelizmente, acho que essa pessoa acabou descobrindo que eu tenho uma amizade que impossibilita o matrimônio. Apesar disso, acredito que nosso segredo esteja protegido.

Caso um censor se desse ao trabalho de ler a carta até ali, concluiria que se tratava de uma lésbica escrevendo à amante. Qualquer um na Inglaterra que lesse a carta chegaria à mesma conclusão. Isso, no entanto, não tinha muita importância: sem dúvida Maud, por ser feminista e aparentemente solteira aos 26 anos, já era suspeita de tendências homossexuais.

Dentro de poucos dias estarei em Estocolmo, outra cidade fria à beira da água, e você poderá me mandar uma carta para o Grand Hotel de lá.

Assim como a Suíça, a Suécia era um país neutro, com serviço postal para a Inglaterra.

Eu adoraria receber notícias suas!!!

Até lá, meu maravilhoso amor, lembre-se de quem a ama...

Waltraud

III

Os Estados Unidos declararam guerra à Alemanha na sexta-feira, 6 de abril de 1917.

Walter já esperava por isso, porém não deixou de ficar abalado. Os Estados Unidos eram um país rico, vigoroso e democrático: ele não conseguia imaginar um inimigo pior. A única esperança agora era que a Rússia entrasse em colapso, o que daria à Alemanha uma chance de vencer no front ocidental antes de os americanos terem tempo de reunir suas forças.

Três dias depois, 32 revolucionários russos exilados se reuniram no Hotel Zähringerhof, em Zurique: homens, mulheres e uma criança – um menino de quatro anos chamado Robert. De lá, seguiram a pé até o arco barroco da estação ferroviária para tomarem um trem a caminho de casa.

Walter temera que eles fossem desistir da viagem. Martov, o líder menchevique, havia se recusado a partir sem a permissão do governo provisório em Petrogrado – uma atitude estranhamente respeitosa para um revolucionário. A permissão foi negada, mas Lênin e os bolcheviques decidiram voltar mesmo assim. Walter quis se certificar de que não haveria nenhum percalço na viagem, de modo que acompanhou o grupo até a estação à margem do rio e embarcou junto no trem.

Esta é a arma secreta da Alemanha, pensou Walter: 32 arruaceiros descontentes que querem derrubar o governo russo. Que Deus nos ajude.

Vladimir Ilitch Uliánov, conhecido como Lênin, tinha 46 anos. Era um homem baixo e atarracado, vestido com esmero, porém sem elegância, ocupado demais para perder tempo com estilo. Era ruivo, mas, como ficara calvo cedo, ostentava uma careca lustrosa com apenas uma sobra de franja na frente e tinha o bigode e o cavanhaque cuidadosamente aparados, entre o ruivo e o grisalho. À primeira vista, Walter o achara sem graça, desprovido de charme ou beleza.

Walter estava se fazendo passar por um funcionário do Ministério das Relações Exteriores encarregado de tomar todas as providências práticas para a viagem dos bolcheviques pela Alemanha. Lênin o examinara com um olhar duro e desconfiado, claramente adivinhando que ele era, na verdade, algum tipo de agente do serviço de inteligência.

Eles viajaram até a comuna de Schaffhausen, na fronteira, onde foram transferidos para um trem alemão. Como tinham morado na região germanófona da Suíça, todos falavam um pouco de alemão. Lênin dominava bem o idioma. Walter descobriu que ele era um linguista notável: fluente em francês, com um inglês razoável e capaz de ler Aristóteles em grego antigo. Para Lênin, relaxar significava passar uma ou duas horas debruçado sobre um dicionário de língua estrangeira.

Em Gottmadingen, voltaram a trocar de trem, desta vez embarcando em um vagão isolado, preparado especialmente para eles, como se portassem alguma doença contagiosa. Três das quatro portas do vagão estavam lacradas. A quarta ficava junto ao compartimento onde Walter dormia. Isso servia para tranquilizar as autoridades alemãs, que estavam excessivamente aflitas, mas na verdade não era necessário: os russos não tinham a menor vontade de fugir – queriam voltar para casa.

Lênin e sua mulher Nadya tinham um compartimento exclusivo, mas os demais viajavam amontoados, quatro por compartimento. Isso é que é igualdade, pensou Walter com cinismo.

Enquanto o trem cruzava a Alemanha de sul a norte, Walter começou a sentir a força de caráter escondida sob o exterior insosso de Lênin. Este não demonstrava interesse por comida, bebida, conforto ou bens materiais. Todo o seu dia era ocupado pela política. Vivia discutindo temas políticos, escrevendo sobre política ou então pensando no assunto e tomando notas. Walter observou que, em qualquer discussão, Lênin parecia saber mais do que seus camaradas e dava a impressão de ter pensado no assunto mais e melhor do que eles – a menos que a questão em pauta não tivesse nada a ver com a Rússia ou com política: nesse caso, ele se mostrava bastante desinformado.

Lênin era um verdadeiro desmancha-prazeres. Na primeira noite, Karl Radek, um rapaz de óculos, estava contando piadas no compartimento ao lado:

– Um homem foi preso por dizer: "Nicolau é um imbecil." Ele disse ao policial: "Eu estava falando de outro Nicolau, não de nosso amado czar." Então o policial disse: "Seu mentiroso! Se você disse *imbecil*, é obvio que estava se referindo ao czar!"

Todos os companheiros de Radek caíram na gargalhada. Lênin saiu de seu compartimento com uma expressão irada e mandou que calassem a boca.

Lênin também não gostava que fumassem perto dele. Ele próprio havia parado, por insistência da mãe, já fazia 30 anos. Por respeito ao líder, as pessoas fumavam no banheiro ou nos fundos do vagão. Como havia apenas um banheiro para 32 pessoas, isso gerava filas e desentendimentos. Lênin dedicou seu considerável intelecto à solução desse problema. Cortou pedaços de papel e distribuiu para todos dois tipos de bilhetes: alguns para o uso normal do banheiro e outros, em número menor, para fumar. Isso reduziu a fila e acabou com as brigas. Walter achou graça. Deu certo e todos ficaram felizes, mas não houve debate ou qualquer tentativa de uma decisão coletiva. Naquele grupo, Lênin era um ditador bondoso. Se ele algum dia ganhasse poder de verdade, será que administraria o Império Russo da mesma forma?

Mas Lênin conquistaria mesmo o poder? Se isso não acontecesse, Walter estava perdendo seu tempo.

Ele só conseguia pensar em uma forma de melhorar as chances de Lênin – e decidiu tomar providências nesse sentido.

Desceu do trem em Berlim, dizendo que voltaria para acompanhar os russos no último trecho da viagem.

– Não demore – falou um deles. – Vamos partir de novo daqui a uma hora.

– Vou ser rápido – respondeu Walter. O trem partiria quando Walter mandasse, mas os russos não sabiam disso.

O vagão estava parado em um desvio da estação Potsdamer e ele levou somente alguns minutos para ir a pé de lá até o Ministério das Relações Exteriores, no número 76 da Wilhelmstrasse, no coração da Berlim antiga. A espaçosa sala de seu pai continha uma escrivaninha pesada de mogno, um retrato do Kaiser e um armário com portas de vidro que abrigava sua coleção de objetos em cerâmica, incluindo a fruteira do século XVIII que havia comprado em sua última viagem a Londres. Como Walter esperava, Otto estava sentado diante da escrivaninha.

– Não há dúvida quanto às crenças de Lênin – disse ao pai enquanto os dois tomavam café. – Ele diz que o povo se livrou do símbolo da opressão, o czar, mas sem mudar a sociedade russa. Os trabalhadores não conseguiram assumir o controle: a classe média continua mandando em tudo. Além disso, por algum motivo, Lênin nutre um ódio pessoal por Kerenski.

– Mas será que ele é capaz de derrubar o governo provisório?

Walter abriu os braços em um gesto de impotência.

– Ele é muito inteligente, determinado, é um líder nato e não faz outra coisa a não ser trabalhar. Porém os bolcheviques são apenas mais um pequeno partido político entre uma dúzia ou mais que disputam o poder. Não há como saber quem sairá vitorioso.

– Então todo esse esforço pode ter sido em vão.

– A não ser que nós façamos alguma coisa para ajudar os bolcheviques a vencerem.

– Como por exemplo?

Walter respirou fundo.

– Dar dinheiro a eles.

– O quê? – Otto ficou indignado. – Dar dinheiro a revolucionários socialistas? O governo alemão?

– Sugiro um valor inicial de 100 mil rublos – falou Walter com tranquilidade. – De preferência em moedas de ouro de 10 rublos, se possível.

– O Kaiser jamais concordaria com isso.

– Ele precisa saber? Zimmermann tem autoridade para aprovar isso sozinho.

– Ele nunca faria uma coisa dessas.

– Tem certeza?

Otto passou um bom tempo encarando Walter em silêncio, refletindo.

Por fim, falou:

– Vou perguntar a ele.

IV

Após três dias a bordo do trem, os russos saíram da Alemanha. Em Sassnitz, no litoral, compraram bilhetes para o navio de passageiros *Queen Victoria*, no qual atravessariam o mar Báltico até o extremo sul da Suécia. Walter os acompanhou. A travessia foi árdua e todos ficaram enjoados, com exceção de Lênin, Radek e Zinoviev, que permaneceram no convés entretidos em uma discussão política acalorada e nem pareceram reparar no mar revolto.

Eles pegaram um trem noturno até Estocolmo, onde o burgomestre socialista lhes serviu um desjejum de boas-vindas. Walter se registrou no Grand Hotel, esperando encontrar uma carta de Maud à sua espera. Não havia correspondência alguma.

Ficou tão decepcionado que teve vontade de se jogar nas águas frias da baía. Aquela tinha sido sua única chance de se comunicar com a mulher em quase três anos e algo tinha dado errado. Será que ela ao menos havia recebido sua carta?

Fantasias sombrias o atormentavam. Será que ela ainda o amava? Ou será que o esquecera? Quem sabe não havia um novo homem em sua vida? Ele não sabia o que pensar.

Radek e os bem-vestidos socialistas suecos levaram Lênin, um tanto contra a sua vontade, até a seção de roupas masculinas da loja de departamentos PUB. As botas de montanha com travas na sola que o russo calçava desapareceram. Ele ganhou um sobretudo com gola de veludo e um chapéu novo. Agora, disse Radek, ele finalmente estava vestido como alguém capaz de liderar seu povo.

Ao cair da noite, os russos foram à estação embarcar em outro trem, desta vez rumo à Finlândia. Walter se separaria do grupo ali, mas o acompanhou até a estação. Antes de o trem partir, teve um momento a sós com Lênin.

Os dois foram se sentar em um compartimento iluminado por uma fraca lâmpada elétrica, cuja luz se refletia na careca de Lênin. Walter estava tenso. Precisava fazer tudo certo. Sabia que não adiantaria implorar ou suplicar a Lênin. E aquele homem sem dúvida não poderia ser intimidado. Somente uma lógica fria seria capaz de convencê-lo.

Walter estava com um discurso pronto.

– O governo alemão está ajudando o senhor a voltar para casa – disse ele. – Mas sabe que não estamos fazendo isso por caridade.

Lênin o interrompeu em um alemão fluente.

– Vocês acham que isso vai prejudicar a Rússia! – vociferou ele.

Walter não o contradisse.

– Mesmo assim, o senhor aceitou a nossa ajuda.

– Pelo bem da revolução! Ela é o único parâmetro que nos permite separar o certo do errado.

– Achei mesmo que o senhor fosse dizer isso. – Walter estava carregando uma mala pesada, que pousou no chão do vagão do trem com um baque. – No fundo falso desta mala, estão 100 mil rublos em notas e moedas.

– O quê? – Geralmente, Lênin se mostrava imperturbável, mas desta vez pareceu surpreso. – Para quê?

– Para o senhor.

Lênin ficou ofendido.

– Um suborno? – perguntou ele, indignado.

– De forma alguma – respondeu Walter. – Não temos por que suborná-lo. Seus objetivos são os mesmos que os nossos. O senhor clama pela derrubada do governo provisório e pelo fim da guerra.

– Para que o dinheiro, então?

– Propaganda. Para ajudá-lo a divulgar sua mensagem. Ela é a mesma que nós gostaríamos de transmitir. Uma mensagem de paz entre a Alemanha e a Rússia.

– Para que vocês possam ganhar sua guerra capitalista e imperialista contra a França!

– Como eu já disse, nós não estamos ajudando o senhor por caridade. Nem o senhor esperaria isso de nós. É apenas uma questão de pragmatismo político. Por ora, seus interesses coincidem com os nossos.

Lênin fez a mesma expressão de quando Radek insistira em comprar roupas novas para ele: a ideia lhe causava ojeriza, mas ele não podia negar que fizesse sentido.

– A cada mês vamos lhe dar uma quantia equivalente – disse Walter –, contanto, é claro, que o senhor continue a fazer uma campanha eficaz pela paz.

Houve um longo silêncio.

– O senhor disse que o sucesso da revolução é o único parâmetro que permite separar o certo do errado. Se for mesmo verdade, deveria aceitar o dinheiro.

Lá fora, na plataforma, um apito soou.

Walter se pôs de pé.

– Preciso ir embora agora. Adeus, e boa sorte.

Lênin ficou olhando para a mala no chão, sem dizer nada.

Walter saiu do compartimento e desceu do trem.

Então se virou e lançou um olhar para a janela do compartimento de Lênin. Quase esperava ver a janela se abrir e a mala ser atirada para fora.

Ouviu-se outro apito acompanhado por uma buzina. Os vagões estremeceram e começaram a se mover e o trem saiu lentamente da estação, levando a bordo Lênin, os outros exilados russos e a mala de dinheiro.

Walter tirou um lenço do bolso do peito do sobretudo e enxugou a testa. Apesar do frio, estava suando.

V

Walter foi andando da estação até o Grand Hotel pelo litoral. Estava escuro e um vento frio soprava do Báltico, vindo do leste. Ele deveria estar comemorando: havia acabado de subornar Lênin! Contudo, a sensação que tinha era de anticlímax. E estava mais deprimido do que deveria com o silêncio de Maud. Havia uma dúzia de razões possíveis para ela não lhe ter escrito. Ele não deveria supor o pior. Mas havia chegado muito perto de se apaixonar por Monika, então por que não poderia ter acontecido algo parecido com Maud? Não conseguia deixar de pensar que ela deveria tê-lo esquecido.

Resolveu que iria se embebedar naquela noite.

Na recepção do hotel, recebeu um recado datilografado: "Por favor, vá até a suíte 201, onde uma pessoa o aguarda com uma mensagem." Imaginou que fosse um funcionário do Ministério das Relações Exteriores. Talvez eles tivessem mudado de ideia quanto a apoiar Lênin. Se fosse o caso, haviam chegado tarde demais.

Ele subiu a escada e bateu à porta do quarto 201. Lá de dentro, uma voz abafada perguntou em alemão:

– Quem é?

– Walter von Ulrich.

– Pode entrar, a porta está aberta.

Ele entrou e fechou a porta. A suíte estava iluminada por velas.

– Alguém tem uma mensagem para mim? – indagou ele, tentando enxergar na penumbra. Um vulto se levantou de uma cadeira. Era uma mulher e estava de costas para ele, mas algo nela fez seu coração saltar no peito. Ela se virou de frente.

Era Maud.

O queixo de Walter caiu e ele ficou petrificado.

– Olá, Walter – disse ela.

Então, perdendo o autocontrole, ela atirou-se em seus braços.

O cheiro conhecido de Maud encheu suas narinas. Ele beijou-lhe os cabelos e acariciou-lhe as costas. Não conseguia falar, com medo de chorar. Apertou o corpo dela contra o seu, mal acreditando que aquela mulher era de fato ela, que a estava abraçando e tocando, algo que havia desejado com tanta sofreguidão durante quase três anos. Ela ergueu o rosto para o seu, com os olhos marejados, e ele a encarou, embriagando-se com o que via. Maud estava ao mesmo tempo igual e diferente: mais magra, com marcas de expressão finíssimas sob os olhos que antes não existiam, porém com o mesmo olhar inteligente e penetrante que ele conhecia tão bem.

– "Ele fitava meu rosto com tanto ardor que parecia querer sorvê-lo" – disse ela em inglês.

Ele sorriu.

– Nós não somos Hamlet e Ofélia, então, por favor, não vá entrar para um convento.

– Meu Deus, como senti sua falta!

– E eu a sua. Estava esperando uma carta... mas você aqui! Como conseguiu?

– Eu disse ao serviço de imigração que planejava entrevistar políticos escandinavos sobre o voto feminino. Depois, encontrei o ministro do Interior em uma festa e dei uma palavrinha com ele.

– E como fez para vir?

– Os vapores de passageiros ainda estão circulando.

– Mas é muito perigoso... nossos submarinos estão afundando todas as embarcações.

– Eu sei. Mas corri o risco. Estava desesperada. – Ela recomeçou a chorar.

– Venha se sentar. – Mantendo o braço ao redor de sua cintura, ele a conduziu pelo quarto até o sofá.

– Não – disse ela quando estavam prestes a se acomodar. – Nós esperamos demais antes da guerra. – Ela o tomou pela mão, fazendo-o atravessar a porta interna que dava para o quarto de dormir. A lenha estalava na lareira. – Não vamos perder mais tempo. Venha para a cama.

VI

Grigori e Konstantin faziam parte de uma delegação do soviete de Petrogrado destacada para receber Lênin na Estação Finlândia tarde da noite, na segunda-feira 16 de abril.

A maioria deles nunca tinha visto Lênin, que, com exceção de uns poucos meses, passara os últimos 17 anos no exílio. Grigori tinha 11 anos quando Lênin deixou a Rússia. Não obstante, conhecia sua reputação – e, ao que tudo indica, o mesmo valia para outros milhares de pessoas que se reuniram na estação para recebê-lo. Grigori se perguntava por que havia tanta gente. Talvez, assim como ele, aquelas pessoas estivessem insatisfeitas com o governo provisório, desconfiadas de seus ministros de classe média e irritadas com o fato de a guerra não ter chegado ao fim.

A Estação Finlândia ficava no distrito de Vyborg, perto das fábricas têxteis e do quartel do Primeiro Regimento de Metralhadoras. Uma multidão ocupava a praça. Grigori não esperava que fosse haver traição, mas, por via das dúvidas, havia mandado Isaak trazer dois pelotões e vários blindados. O telhado da estação era equipado com um canhão de luz e alguém o fazia correr pela massa de pessoas que aguardava no escuro.

O interior da estação estava lotado de operários e soldados, todos portando bandeiras vermelhas e cartazes. Uma banda militar tocava. Às vinte para a meia--noite, duas unidades de marinheiros entraram em formação na plataforma para servir de guarda de honra. A delegação do soviete aguardava na sala de espera grandiosa, outrora reservada para o czar e a família real, porém Grigori saiu para a plataforma e se juntou à multidão.

Por volta da meia-noite, Konstantin apontou em direção aos trilhos e Grigori, acompanhando seu dedo, viu ao longe os faróis de um trem. Um burburinho de expectativa se ergueu da multidão que aguardava. O trem entrou na estação soltando fumaça e parou com um chiado. Trazia o número 293 pintado na frente.

Em poucos instantes, um homem baixo e atarracado desceu do trem usando um jaquetão de lã e um chapéu de feltro. Grigori pensou que aquele não podia ser Lênin – ele certamente não estaria usando as roupas da classe dominante. Uma jovem se adiantou para lhe entregar um buquê de flores, que ele aceitou franzindo as sobrancelhas de forma antipática. Era Lênin mesmo.

Atrás dele vinha Lev Kamenev, que fora enviado pelo Comitê Central Bolchevique para encontrar Lênin na fronteira, caso houvesse algum problema – embora, no fim das contas, ele tivesse entrado no país sem dificuldades. Kamenev indicou com um gesto que deveriam seguir para a sala de espera real.

Com certa grosseria, Lênin deu as costas a Kamenev e dirigiu-se aos marinheiros.

– Camaradas! – gritou. – Vocês foram enganados! Fizeram uma revolução, mas os frutos dela foram roubados pelos traidores do governo provisório!

Kamenev empalideceu. A política de quase toda a esquerda era apoiar o governo provisório, pelo menos temporariamente.

Grigori, no entanto, ficou maravilhado. Não acreditava na democracia burguesa. O parlamento autorizado pelo czar em 1905 não passara de um truque, destituído de seu poder quando as perturbações terminaram e todos voltaram ao trabalho. O atual governo estava rumando pelo mesmo caminho.

E agora, finalmente, alguém tinha coragem de dizer isso.

Grigori e Konstantin seguiram Lênin e Kamenev até a sala de espera. A multidão foi atrás deles se espremendo até o recinto ficar abarrotado. O presidente do soviete de Petrogrado, Nikolai Chkeidze, careca e com cara de rato, deu um passo à frente. Depois de apertar a mão de Lênin, disse:

– Em nome do soviete de Petrogrado e da revolução, saudamos sua chegada à Rússia. Mas...

Grigori arqueou as sobrancelhas para Konstantin. Aquele "mas" parecia inadequadamente precoce para a ocasião. Konstantin encolheu os ombros ossudos.

– Mas nós acreditamos que a principal tarefa da democracia revolucionária agora é defender nossa revolução contra qualquer ataque... – Chkeidze fez uma pausa, concluindo em seguida de forma enfática: – ... seja ele interno ou externo.

– Ele não está fazendo um discurso de boas-vindas, está dando um aviso – murmurou Konstantin.

– Acreditamos que, para tanto, é preciso que haja união entre todos os partidários da revolução, e não desunião. Esperamos que o senhor concorde conosco e também busque esses objetivos.

Parte da delegação aplaudiu educadamente.

Lênin se deteve antes de responder. Olhou para os rostos à sua volta e para o teto decorado de forma luxuosa. Então, em um gesto que pareceu ter a intenção de insultar, deu as costas a Chkeidze e dirigiu-se à multidão:

– Camaradas, soldados, marinheiros e operários! – disse ele, fazendo questão de excluir os parlamentares de classe média. – Eu os saúdo como a vanguarda do exército proletário mundial. Hoje, ou talvez amanhã, todo o imperialismo europeu poderá ruir. A revolução que vocês fizeram inaugurou um novo tempo. Vida longa à revolução socialista mundial!

Todos vibraram. Grigori ficou espantado. Eles haviam acabado de conseguir fazer uma revolução em Petrogrado cujos resultados ainda eram incertos. Como poderiam pensar em uma revolução *mundial*? Apesar disso, a ideia o entusiasmava. Lênin tinha razão: todos deveriam se voltar contra os líderes que tinham enviado tantos homens para a morte naquela guerra mundial sem sentido.

Lênin se afastou da delegação com passos firmes e saiu para a praça.

Um rugido se ergueu da multidão que o aguardava. Os soldados de Isaak suspenderam Lênin até o teto reforçado de um blindado. O canhão de luz o iluminava. Ele tirou o chapéu.

Sua voz era ríspida e monocórdia, mas suas palavras, eletrizantes.

– O governo provisório traiu a revolução! – bradou ele.

Todos vibraram. Grigori ficou surpreso: até então, não sabia quantas pessoas pensavam como ele.

– Esta guerra é uma guerra imperialista predatória. Não queremos participar dessa vergonhosa carnificina imperialista. Com a derrubada do capital, podemos selar uma paz democrática!

Isso provocou um rugido ainda mais alto.

– Não queremos as mentiras ou as farsas de um parlamento burguês! A única forma de governo possível é um soviete de delegados dos trabalhadores. Todos os bancos devem ser tomados e submetidos ao controle do soviete. Todas as terras particulares devem ser confiscadas. E todos os oficiais do Exército devem ser eleitos pelo povo!

Era exatamente assim que Grigori pensava, e ele vibrou e brandiu as mãos junto com quase todo o restante da multidão.

– Vida longa à revolução!

O povo foi à loucura.

Lênin desceu de cima do blindado e entrou nele. O veículo começou a se afastar muito lentamente. A multidão o cercou e passou a segui-lo, agitando bandeiras vermelhas. A banda militar uniu-se à procissão, tocando uma marcha.

– Esse é o homem! – exclamou Grigori.

– É isso aí – concordou Konstantin.

E eles seguiram o cortejo.

CAPÍTULO VINTE E CINCO

Maio e junho de 1917

A boate Monte Carlo, em Buffalo, tinha um aspecto horrível à luz do dia, porém Lev Peshkov gostava dela mesmo assim. A marcenaria era toda arranhada, a pintura lascada, os estofados manchados e o carpete vivia repleto de guimbas de cigarro; mas Lev considerava a boate um paraíso. Ao entrar, beijou a moça da chapelaria, deu um charuto ao leão de chácara e disse ao barman, que erguia um engradado, para tomar cuidado.

O emprego de gerente de boate lhe caía como uma luva. Sua principal responsabilidade era garantir que ninguém roubasse nada. Como ele próprio era um ladrão, sabia o que fazer. Fora isso, precisava apenas garantir que houvesse bebida suficiente atrás do balcão e uma banda decente no palco. Além do salário, recebia cigarros de graça e todo o álcool que conseguisse beber sem cair. Estava sempre vestido com trajes de gala, o que o fazia se sentir um príncipe. Josef Vyalov deixava que ele cuidasse sozinho da boate. Contanto que o dinheiro continuasse a entrar, seu sogro não tinha interesse algum no estabelecimento – exceto o de aparecer de vez em quando com seus cupinchas para assistir ao espetáculo.

Lev só tinha um problema: sua mulher.

Olga não era mais a mesma. Durante algumas semanas, no verão de 1915, ela havia se mostrado louca por sexo, sempre ávida pelo seu corpo. Mas agora ele sabia que isso tinha sido uma exceção. Desde que haviam se casado, tudo o que ele fazia a desagradava. Ela queria que Lev tomasse banho todos os dias, escovasse os dentes e parasse de peidar. Não gostava de dançar nem de beber e pedia-lhe para não fumar. Nunca ia à boate. Os dois dormiam em camas separadas. Olga dizia que ele não passava de um pé de chinelo.

– Eu sou mesmo um pé de chinelo – devolveu ele um dia. – É por isso que era chofer. – Mas ela continuou insatisfeita.

Então ele havia contratado Marga.

Seu caso antigo estava no palco naquele instante, ensaiando um número novo com a banda, enquanto duas negras de lenço na cabeça limpavam as mesas e varriam o chão. Marga usava um vestido justo e batom vermelho. Lev havia lhe dado um emprego de dançarina sem nem ao menos saber se ela era boa. Marga, no entanto, se revelara não apenas talentosa, mas uma estrela. Agora, cantava uma música sugestiva, sobre uma mulher que espera a noite inteira por seu homem.

Apesar da minha frustração
A expectativa
Apimenta nossa relação
Sempre que ele volta

Lev sabia exatamente do que ela estava falando.

Ficou observando Marga até ela terminar de cantar. Ela desceu do palco e lhe deu um beijo na face. Ele pegou duas garrafas de cerveja e a acompanhou até o camarim.

– Ótimo número – disse ao entrar.

– Obrigada. – Marga levou a garrafa à boca e a virou. Lev ficou olhando seus lábios vermelhos tocarem a boca da garrafa. Ela deu um gole generoso. Então o pegou olhando para ela, engoliu e abriu um sorriso. – Isso faz você lembrar alguma coisa?

– Pode apostar que sim. – Ele a abraçou e correu as mãos por seu corpo. Em poucos minutos, Marga se ajoelhou, desabotoou sua calça e o abocanhou. Era boa nisso, a melhor que ele já conhecera. Ou realmente gostava do que estava fazendo, ou então era a melhor atriz dos Estados Unidos. Ele fechou os olhos e suspirou de prazer.

A porta se abriu e Josef Vyalov entrou no camarim.

– Então é verdade! – disse ele, furioso.

Dois de seus capangas, Ilya e Theo, entraram atrás dele.

Lev ficou apavorado. Às pressas, tentou abotoar a calça e se desculpar ao mesmo tempo.

Marga se levantou e limpou a boca com a mão.

– Vocês estão no meu camarim! – protestou.

– E você na minha boate – retrucou Vyalov. – Mas não por muito tempo. Está demitida. – Ele se virou para Lev: – Enquanto você for casado com a minha filha, está proibido de trepar com suas subalternas!

– Ele não estava trepando comigo, Vyalov, ou você não percebeu? – falou Marga com insolência.

Vyalov lhe deu um soco na boca. Ela gritou e caiu para trás com o lábio sangrando.

– Você foi demitida – disse ele. – Dê o fora daqui.

643

Ela pegou a bolsa e foi embora.

Vyalov olhou para Lev.

– Seu babaca! – xingou. – Já não fiz o suficiente por você?

– Desculpe, Pa – disse Lev. Tinha verdadeiro pavor do sogro. Vyalov era capaz de tudo: quem o desagradasse poderia ser chicoteado, torturado, aleijado ou assassinado. Ele não tinha dó nem temia a lei. Nesse sentido, era tão poderoso quanto o czar.

– E também não venha me dizer que é a primeira vez – disse Vyalov. – Eu tenho escutado esses boatos desde que pus você como gerente aqui.

Lev ficou calado. Os boatos eram verdadeiros. Houvera outras garotas, embora não desde que Marga tinha sido contratada.

– Vou transferir você – disse Vyalov.

– Como assim?

– Vou tirar você da boate. Tem garotas demais nesta porra de lugar.

Lev ficou arrasado. Ele adorava a Monte Carlo.

– Mas o que eu vou fazer?

– Tenho uma fundição na altura do porto. Lá não trabalha mulher nenhuma. O gerente adoeceu e está no hospital. Você pode ficar de olho na fábrica para mim.

– Uma fundição? – Lev não podia acreditar naquilo. – Eu?

– Você trabalhou na Metalúrgica Putilov.

– Mas na estrebaria!

– E também numa mina de carvão.

– Na estrebaria.

– Então você conhece o ambiente.

– Conheço e detesto!

– E eu por acaso perguntei se você gostava? Deus do céu, acabei de flagrar você com as calças arriadas. Pense na sorte que teve de não acabar pior.

Lev calou a boca.

– Vá lá para fora e entre na porcaria do carro – mandou Vyalov.

Lev saiu do camarim e atravessou a boate, com Vyalov em seu encalço. Mal conseguia acreditar que estava indo embora para sempre. O barman e a moça da chapelaria ficaram olhando para ele, pressentindo que havia algo errado.

– Ivan, hoje à noite você é quem manda – disse Vyalov ao barman.

– Sim, chefe.

O Packard Twin Six de Vyalov aguardava junto ao meio-fio. O novo motorista, um rapaz de Kiev, estava parado ao lado do carro, todo orgulhoso. O leão de chácara se adiantou para abrir a porta de trás para Lev. Pelo menos ainda viajo no banco de trás, pensou.

Para se consolar, recordou a si mesmo que estava vivendo como um nobre russo, se não melhor. Ele e Olga ocupavam a ala do quarto das crianças no casarão de Vyalov. Os americanos ricos não tinham tantos criados quanto os russos, mas as suas casas eram mais limpas e cuidadas do que os palácios de Petrogrado. Tinham banheiros modernos, geladeiras e aspiradores de pó, além de calefação central. A comida era boa. Vyalov não compartilhava o amor pelo champanhe da aristocracia russa, mas sempre havia uísque sobre o aparador. E Lev tinha seis ternos.

Sempre que se sentia oprimido pelos maus-tratos do sogro, ele se lembrava dos velhos tempos em Petrogrado: do quartinho que dividia com Grigori, da vodca barata, do pão preto duro e do ensopado de rabanete. Lembrava-se de que, na época, pensava que seria um luxo andar de bonde em vez de ir a pé para todos os lugares. Enquanto esticava as pernas no banco de trás da limusine de Vyalov, olhou para as meias de seda e para os sapatos pretos lustrosos que calçava, dizendo a si mesmo para se sentir grato.

Vyalov entrou depois dele e os dois foram de carro até a beira do lago. A fundição de Vyalov era uma versão menor da Metalúrgica Putilov: os mesmos prédios decrépitos com janelas quebradas, as mesmas chaminés altas cuspindo fumaça negra, os mesmos operários maltrapilhos de rosto sujo. Lev sentiu um aperto no coração.

– A fábrica se chama Metalúrgica de Buffalo, mas só fabrica um produto – disse Vyalov. – Ventiladores. – O carro passou pelo portão estreito. – Antes da guerra, ela estava perdendo dinheiro. Eu a comprei e diminuí o salário dos funcionários para mantê-la funcionando. De uns tempos para cá, os negócios melhoraram. Temos uma longa lista de encomendas para hélices de avião e navios e ventoinhas para motores de blindados. Os operários agora querem um aumento, mas eu preciso recuperar um pouco do que gastei antes de começar a distribuir dinheiro.

A ideia de trabalhar ali apavorava Lev, porém o medo que sentia de Vyalov era mais forte – e não queria fracassar. Decidiu que não seria ele a conceder um aumento aos operários.

Vyalov lhe mostrou a fábrica. Lev desejou não estar usando seu smoking. Por dentro, no entanto, o lugar não se parecia com a Metalúrgica Putilov. Era bem mais limpo. Não havia crianças correndo de um lado para outro. Tirando as fornalhas, tudo o mais era movido a eletricidade. Enquanto os russos precisavam de 12 homens puxando uma corda para erguer a caldeira de uma locomotiva a vapor, ali a imensa hélice propulsora de um navio era içada por um guindaste elétrico.

Vyalov apontou para um homem calvo usando camisa de colarinho e gravata por baixo do macacão.

– Aquele ali é o nosso inimigo – falou. – Brian Hall, secretário do núcleo local do sindicato.

Lev avaliou Hall. O homem estava ajustando uma prensa pesada, girando uma porca com o auxílio de uma chave de boca de cabo longo. Ele tinha um ar briguento e, quando levantou os olhos e viu Lev e Vyalov, lançou-lhes um olhar desafiador, como se estivesse tentado a perguntar se eles estavam ali para criar algum problema.

Vyalov ergueu a voz acima do barulho de um esmeril:

– Hall, venha cá!

O homem não se apressou, guardando a chave de boca dentro de uma caixa de ferramentas e limpando as mãos em um trapo antes de se aproximar.

– Este é seu novo chefe, Lev Peshkov – disse Vyalov.

– Como vai? – disse Hall para Lev antes de se virar para Vyalov. – Peter Fisher levou um corte feio no rosto de uma lasca de aço que escapou da máquina hoje de manhã. Teve que ser levado para o hospital.

– Sinto muito por isso – disse Vyalov. – A metalurgia é uma indústria perigosa, mas ninguém é obrigado a trabalhar aqui.

– A lasca quase acertou o olho dele – falou Hall, indignado. – Nós deveríamos usar óculos de proteção.

– Desde que comprei a fábrica, ninguém ficou cego.

Hall logo se irritou:

– E temos que esperar alguém ficar cego para começar a usar os óculos?

– De que outro jeito eu vou saber que vocês precisam deles?

– Um homem não deixa de pôr uma tranca na porta de casa porque nunca foi roubado.

– Mas quem paga pela tranca é ele.

Hall meneou a cabeça como se não esperasse nada melhor e, com um ar cansado de quem sabe das coisas, voltou para junto de sua máquina.

– Eles vivem pedindo alguma coisa – disse Vyalov a Lev.

Lev concluiu que Vyalov queria que ele fosse duro com os operários. Bem, isso ele sabia fazer. Era assim que eram administradas todas as fábricas de Petrogrado.

Os dois saíram da metalúrgica e subiram de carro a Avenida Delaware. Lev supôs que estivessem indo para casa jantar. Jamais passaria pela cabeça de Vyalov perguntar se Lev estava de acordo. Seu sogro tomava decisões por todo mundo.

Em casa, Lev tirou os sapatos, que estavam sujos de andar na fundição, calçou um par de chinelos bordados que Olga lhe dera de presente no Natal e em seguida foi até o quarto do bebê. Lena, mãe de Olga, estava lá com Daisy.

– Olhe, Daisy, é o seu papai! – disse ela.

A filha de Lev já estava com um ano e dois meses e aprendendo a andar. Cambaleou pelo quarto em direção ao pai, sorrindo, então caiu e pôs-se a chorar. Ele a pegou do chão e deu-lhe um beijo. Nunca tivera o menor interesse em bebês ou crianças antes, mas Daisy conquistara seu coração. Quando ela estava irritada, sem querer dormir, e ninguém mais conseguia acalmá-la, Lev a ninava, murmurando palavras carinhosas e cantando trechos de canções folclóricas russas, até seus olhos se fecharem, seu corpinho relaxar e ela adormecer no seu colo.

– Ela é igualzinha ao pai bonitão! – disse Lena.

Para Lev, Daisy era igual a qualquer bebê, mas ele não contradizia a sogra. Lena o adorava. Flertava com ele, tocava-o com frequência e beijava-o sempre que tinha oportunidade. Estava apaixonada por Lev, embora sem dúvida pensasse que não estava fazendo nada além de demonstrar um afeto familiar normal.

Do outro lado do quarto, estava uma jovem russa chamada Polina. Ela era a babá, mas não tinha muito o que fazer: Olga e Lena passavam a maior parte do tempo cuidando de Daisy. Lev entregou a criança a Polina. Quando o fez, a babá o encarou nos olhos. Tinha uma beleza russa clássica, com cabelos louros e maçãs do rosto protuberantes. Lev se perguntou por um instante se poderia ter um caso com ela e se safar. Polina tinha seu próprio quartinho. Será que ele conseguiria entrar lá sem ninguém perceber? Talvez valesse a pena o risco: havia notado o desejo no olhar dela.

Então Olga entrou no quarto, fazendo-o se sentir culpado.

– Que surpresa! – disse ao vê-lo ali. – Não esperava que fosse voltar para casa antes das três da manhã.

– Seu pai me transferiu – disse Lev com amargura. – Agora sou gerente da fundição.

– Mas por quê? Achei que estivesse indo bem na boate.

– Não faço ideia – mentiu Lev.

– Talvez seja por causa do alistamento obrigatório – disse Olga. O presidente Wilson havia declarado guerra à Alemanha e estava prestes a dar início ao recenseamento militar. – A fundição vai ser classificada como indústria essencial à guerra. Papai quer manter você fora do Exército.

Lev ficara sabendo por meio dos jornais que o alistamento seria administrado por juntas de recrutamento locais. Vyalov certamente tinha pelo menos um amigo na junta capaz de dar um "jeitinho" para ele. Era assim que aquela cidade funcionava. Mas Lev não corrigiu Olga. Ele precisava de um álibi que não envolvesse Marga – e ela acabara de inventar um.

– Claro – disse ele. – Imagino que deva ser isso.

– Papá – falou Daisy.

– Que menina esperta! – disse Polina.

– Tenho certeza de que você fará um ótimo trabalho administrando a fábrica – comentou Lena.

Lev lhe exibiu seu melhor e mais modesto sorriso americano.

– Vou fazer o melhor que puder – disse.

II

Gus Dewar sentia que sua missão europeia para o presidente havia sido um fracasso.

– Fracasso? – disse Woodrow Wilson. – De jeito nenhum! Você conseguiu que a Alemanha fizesse uma proposta de paz. Não é culpa sua que os britânicos e franceses tenham mandado os alemães às favas. Você pode levar um cavalo até o bebedouro, mas não pode obrigá-lo a beber. – Mesmo assim, a verdade era que Gus não havia conseguido fazer os dois lados se reunirem nem sequer para conversas preliminares.

Isso o deixava ainda mais ávido por ter sucesso na próxima tarefa importante que Wilson lhe confiasse.

– A Metalúrgica de Buffalo foi fechada por causa de uma greve – disse o presidente. – Estamos com navios, aviões e veículos militares empacados nas linhas de montagem à espera das hélices e ventoinhas que ela fabrica. Você é de Buffalo: vá até lá e faça-os voltar ao trabalho.

Em sua primeira noite de volta à cidade natal, Gus foi jantar na casa de Chuck Dixon, seu antigo rival pelo afeto de Olga Vyalov. Chuck e sua nova esposa, Doris, moravam em uma mansão vitoriana na Avenida Elmwood, paralela à Delaware, e Chuck pegava o trem da Belt Line todos os dias de manhã para ir trabalhar no banco do pai.

Doris era uma moça bonita, um pouco parecida com Olga, e, ao observar os recém-casados, Gus ficou imaginando se de fato apreciaria essa rotina doméstica. Já havia sonhado em acordar diariamente ao lado de Olga, mas isso fazia dois anos e, agora que o encanto que ela exercia havia se exaurido, achava que talvez preferisse seu apartamento de solteiro na Rua 16, em Washington.

Quando todos já estavam sentados diante de seus bifes com purê de batatas, Doris perguntou:

– O que aconteceu com a promessa do presidente Wilson de nos manter fora da guerra?

– Ninguém pode dizer que ele não tentou – respondeu Gus com a voz tranquila. – Ele vem fazendo campanha pela paz há três anos. Os adversários simplesmente não quiseram escutar.

– Isso não significa que temos que entrar na briga.

– Querida, os alemães estão afundando navios americanos! – disse Chuck, impaciente.

– Então mandem os navios americanos ficarem fora da zona de guerra! – Doris parecia zangada e Gus imaginou não ser a primeira vez que os dois tinham aquela discussão. Com certeza a raiva dela vinha do medo de Chuck ser obrigado a se alistar.

Para Gus, essas questões tinham nuances demais, por isso ele evitava fazer declarações arrebatadas do que era certo ou errado. Com delicadeza, disse:

– Tudo bem, isso é uma alternativa, que inclusive foi cogitada pelo presidente. Mas ela significa aceitar que a Alemanha tem o poder de nos dizer aonde os navios americanos podem ou não podem ir.

– Nós não podemos ser intimidados dessa forma, nem pela Alemanha, nem por qualquer outro país! – disse Chuck com indignação.

Doris não arredou pé.

– Se for para salvar vidas, por que não?

– A maioria dos americanos parece pensar como Chuck – disse Gus.

– Isso não significa que eles estejam certos.

– Wilson acredita que um presidente deve lidar com a opinião pública da mesma forma que um navio lida com o vento: usando-a a seu favor, mas nunca indo contra ela por completo.

– Então por que o alistamento obrigatório? Isso transforma os homens americanos em escravos.

– Você não acha que é justo sermos todos igualmente responsáveis por lutar pelo nosso país? – Gus atalhou novamente.

– Nós temos um exército profissional. Composto por homens que pelo menos se alistaram voluntariamente.

– O nosso exército tem 130 mil homens – argumentou Gus. – Nesta guerra, isso não é nada. Vamos precisar de no mínimo um milhão de soldados.

– Muito mais homens para morrer – disse Doris.

– Uma coisa eu garanto: nós lá no banco estamos contentes – falou Chuck. – Emprestamos muito dinheiro para empresas norte-americanas fornecedoras dos Aliados. Se os alemães ganharem a guerra, e os britânicos e franceses não puderem pagar o que devem, vamos entrar pelo cano.

Doris assumiu uma expressão pensativa.

– Eu não sabia disso.

Chuck afagou a mão da mulher.

– Não se preocupe, querida. Isso não vai acontecer. Os Aliados vão ganhar, ainda mais com a nossa ajuda.

– Existe outro motivo para lutarmos – disse Gus. – Quando a guerra terminar, os Estados Unidos poderão participar do acordo de paz em pé de igualdade com os demais países. Talvez não pareça grande coisa, mas o sonho de Wilson é criar uma liga das nações para solucionar futuros conflitos sem termos que matar uns aos outros. – Ele olhou para Doris. – Imagino que você seja a favor disso.

– Com certeza.

Chuck mudou de assunto.

– O que trouxe você para casa, Gus? Fora o desejo de explicar a nós, reles mortais, as decisões do presidente.

Ele lhes contou sobre a greve. Falou em tom casual, como se estivesse batendo papo em um coquetel, mas na verdade estava preocupado. A Metalúrgica de Buffalo era crucial para o esforço de guerra, e ele não sabia ao certo como faria os operários voltarem ao trabalho. Wilson havia solucionado uma greve nacional dos ferroviários logo antes da reeleição e parecia achar que intervir em disputas industriais era parte natural da vida política. Gus, por sua vez, considerava isso uma responsabilidade pesada.

– Você sabe quem é o dono dessa fábrica, não sabe? – perguntou Chuck.

Gus havia verificado.

– Vyalov.

– E sabe quem a administra para ele?

– Não.

– Seu novo genro, Lev Peshkov.

– Ah – disse Gus. – Isso eu não sabia.

III

Lev estava furioso por causa da greve. O sindicato vinha tentando se aproveitar de sua inexperiência. Ele tinha certeza de que Brian Hall e os operários o consideravam um fraco. Estava decidido a provar que eles estavam enganados.

A princípio, tentara se mostrar razoável.

– O Sr. V precisa recuperar um pouco do dinheiro que perdeu durante os anos difíceis – havia dito a Hall.

– E os operários precisam recuperar um pouco do que *eles* perderam com a redução salarial! – retrucara o outro.

– Não é a mesma coisa.

– Não, não é – concordara Hall. – Vocês são ricos e eles são pobres. É pior para eles. – A esperteza do sindicalista era irritante.

Lev estava louco para voltar a cair nas graças do sogro. Deixar um homem como Josef Vyalov muito tempo insatisfeito era perigoso. O problema era que Lev tinha um único trunfo – seu charme –, que não funcionava com Vyalov.

Mas o sogro estava do lado dele quanto à fundição.

– Às vezes é preciso deixar que eles façam greve – dissera ele. – O que não se pode é ceder. Você tem que aguentar firme. Eles vão ficando mais sensatos à medida que começam a passar fome. – Mas o genro sabia como Vyalov era capaz de mudar de ideia rápido.

Para apressar o fracasso da greve, Lev tinha seu próprio plano. Ele usaria o poder da imprensa.

Graças ao sogro, que havia garantido sua admissão, Lev era sócio do Iate Clube de Buffalo. A maioria dos principais empresários da cidade também frequentava o local, incluindo Peter Hoyle, editor do *Buffalo Advertiser*. Certa tarde, Lev abordou Hoyle na sede do clube, no início da Avenida Porter.

O *Advertiser* era um jornal conservador que vivia defendendo a estabilidade e punha a culpa de todos os problemas nos estrangeiros, nos negros e nos agitadores socialistas. Hoyle, homem imponente de bigode preto, era amigo de Vyalov.

– Olá, jovem Peshkov – disse ele. Tinha uma voz alta e ríspida, como se estivesse acostumado a gritar para ser ouvido acima do barulho das rotativas. – Fiquei sabendo que o presidente mandou o filho de Cam Dewar vir para cá resolver a sua greve.

– É o que parece, mas ele ainda não me procurou.

– Eu conheço o rapaz. É um ingênuo. Você não tem muito com que se preocupar.

Lev achava o mesmo. Em 1914, quando Petrogrado ainda se chamava São

Petersburgo, havia tirado um dólar de Gus Dewar, e fazia um ano que tinha roubado a noiva dele com a mesma facilidade.

– Eu queria conversar com o senhor sobre a greve – disse ele, sentando-se na poltrona de couro, de frente para Hoyle.

– O *Advertiser* já tachou os grevistas de socialistas e revolucionários antiamericanos – disse Hoyle. – O que mais podemos fazer?

– Chamá-los de agentes inimigos – disse Lev. – Eles estão atravancando a produção dos veículos de que os nossos rapazes vão precisar quando chegarem à Europa... mas os operários estão dispensados do serviço militar!

– É um ângulo de ataque possível – disse Hoyle, franzindo as sobrancelhas. – Mas ainda não sabemos como vai funcionar o alistamento.

– Com certeza as indústrias de guerra vão ficar de fora.

– É verdade.

– E, mesmo assim, eles estão exigindo mais dinheiro. Muitas pessoas aceitariam um salário menor em troca de um emprego que as mantivesse fora da guerra.

Hoyle sacou um bloco de anotações do bolso do paletó e começou a escrever.

– Aceitariam um salário menor por um emprego que dispensasse do alistamento – murmurou ele.

– Talvez o senhor até se pergunte: de que lado eles estão?

– Parece uma boa manchete.

Lev ficou surpreso e satisfeito. Tinha sido moleza.

Hoyle ergueu os olhos do bloco.

– Imagino que o Sr. V saiba que nós estamos tendo esta conversa, não?

Lev não previra essa pergunta. Para disfarçar a perplexidade, sorriu. Se dissesse que não, Hoyle desistiria de tudo na hora.

– Sim, é claro – mentiu. – Na verdade, a ideia foi dele.

IV

Vyalov pediu a Gus que o encontrasse no Iate Clube. Brian Hall propôs uma reunião no escritório do sindicato em Buffalo. Os dois lados queriam se encontrar no próprio terreno, para se sentirem confiantes e no comando da situação. Assim, Gus reservou uma sala de conferências no Hotel Statler.

Lev Peshkov havia atacado os grevistas afirmando que eles queriam fugir do alistamento, e o *Advertiser* publicara suas palavras na primeira página, sob o título DE QUE LADO ELES ESTÃO? Gus ficara consternado ao ler o jornal: esse tipo de comentário agressivo servia apenas para agravar o problema. Porém o tiro de Lev saíra pela culatra. Os jornais daquela manhã divulgaram uma onda de protestos de trabalhadores em outras indústrias de guerra, indignados com a sugestão de que deveriam receber salários baixos devido à sua condição privilegiada e furiosos por serem acusados de fugir do alistamento. A trapalhada de Lev animou Gus, mas ele sabia que seu verdadeiro inimigo era Vyalov – e isso o deixava nervoso.

Gus levou todos os jornais consigo para o Statler e os dispôs sobre uma mesa de canto na sala de reunião. Deixou em posição de destaque um diário popular com a manchete E VOCÊ, LEV, VAI SE ALISTAR?

Gus havia pedido a Brian Hall para chegar ao hotel 15 minutos antes de Vyalov. O líder sindical não se atrasou. O assessor do presidente reparou que ele vestia um terno elegante e um chapéu de feltro cinza. Era uma boa tática. Mesmo que você representasse os trabalhadores, aparentar inferioridade era um erro. Hall, ao seu modo, parecia tão importante quanto Vyalov.

O sindicalista viu os jornais e sorriu.

– O jovem Lev cometeu um erro – falou, satisfeito. – Arranjou um monte de sarna para se coçar.

– Manipular a imprensa é um jogo perigoso – disse Gus. Ele foi direto ao assunto: – Você está pedindo um aumento de um dólar por dia.

– São só 10 centavos a mais do que meus operários estavam ganhando quando Vyalov comprou a fábrica e...

– Esqueça isso – interrompeu Gus, demonstrando mais coragem do que de fato sentia. – Se eu conseguir 50 centavos, você aceita?

Hall pareceu indeciso.

– Eu teria que consultar os operários...

– Não – falou Gus. – Preciso que decida agora. – Rezou para seu nervosismo não estar transparecendo.

Hall foi evasivo.

– Vyalov concordou com isso?

– Deixe que eu me preocupo com Vyalov. Cinquenta centavos, é pegar ou largar. – Gus resistiu ao impulso de enxugar a testa.

Hall fitou Gus com um olhar demorado, perscrutador. Gus desconfiava que, por trás daquela aparência de brigão, havia um cérebro astuto. Por fim, Hall falou:

– Vamos aceitar... por enquanto.

– Obrigado. – Gus conseguiu não soltar o ar dos pulmões em um grande suspiro de alívio. – Aceita um café?

– Com prazer.

Gus virou-lhe as costas, grato pela chance de esconder o rosto, e tocou a sineta para chamar um garçom.

Josef Vyalov e Lev Peshkov entraram na sala. Gus não apertou a mão de nenhum dos dois.

– Sentem-se – falou, lacônico.

O olhar de Vyalov recaiu sobre os jornais em cima da mesa lateral, e uma expressão de raiva cruzou seu rosto. Gus imaginou que Lev já estivesse encrencado por conta daquelas manchetes.

Tentou não encarar Lev. Aquele era o motorista que havia seduzido sua noiva – mas ele não podia permitir que isso turvasse seu raciocínio. A vontade de Gus era lhe dar um soco na cara. Contudo, se aquela reunião saísse conforme o planejado, o resultado seria mais humilhante para Lev do que um soco – e muito mais satisfatório para ele próprio.

Um garçom apareceu e Gus disse:

– Café para meus convidados, por favor, e um prato de sanduíches de presunto. – Fez questão de não perguntar o que os outros queriam. Tinha visto Woodrow Wilson agir assim com aqueles que desejava intimidar.

Sentou-se e abriu uma pasta. Dentro dela, havia uma folha de papel em branco. Ele fingiu lê-la.

Lev se sentou e disse:

– Então o presidente mandou você vir até aqui para negociar com a gente, Gus?

Só então Gus se permitiu olhar para Lev. Passou um bom tempo encarando-o sem dizer nada. Um rapaz bonito, pensou ele, mas indigno de confiança e fraco. Quando Lev começou a parecer constrangido, Gus finalmente falou:

– Porra, você está maluco?

Lev ficou tão chocado que chegou a arrastar a cadeira para trás, como se estivesse com medo de apanhar.

– Mas o que...

Gus endureceu a voz.

– Os Estados Unidos estão em guerra – disse ele. – O presidente não vai *negociar* com você. – Olhou para Brian Hall. – Nem com você – falou, embora tivesse feito um acordo com Hall apenas 10 minutos atrás. Por fim, olhou para Vyalov. – E nem mesmo com você – concluiu.

Vyalov o encarou de volta com o olhar firme. Ao contrário do genro, não se deixou intimidar. No entanto, já não exibia a expressão de deboche com a qual havia iniciado a reunião. Após uma longa pausa, perguntou:

– Então o que você veio fazer aqui?

– Estou aqui para lhes dizer o que vai acontecer – falou Gus, sem alterar o tom de voz. – E, depois que eu tiver acabado, vocês vão aceitar.

– Essa é boa! – disse Lev.

– Cala a boca, Lev – disse Vyalov. – Prossiga, Dewar.

– Vocês vão propor aos operários um aumento de 50 centavos por dia – disse Gus. Virou-se para Hall: – E você vai aceitar a proposta.

Hall manteve a expressão impassível e falou:

– Ah, é?

– E quero seus homens de volta ao trabalho ao meio-dia de hoje.

– E posso saber por que nós deveríamos fazer o que você está dizendo? – perguntou Vyalov.

– Por causa da alternativa.

– Que seria...?

– O presidente despachar um batalhão do Exército até a fundição para assumir o controle, ocupá-la, liberar todas as mercadorias prontas para os clientes e continuar a operá-la com engenheiros militares. Depois da guerra, talvez ele até devolva a fábrica. – Ele se virou para Hall. – E, nesse caso, pode ser que seus homens também recuperem os empregos. – Gus desejou ter pedido a autorização de Woodrow Wilson antes de dizer isso, mas agora era tarde demais.

– Ele tem o direito de fazer isso? – quis saber Lev, estupefato.

– Em tempos de guerra, sim – respondeu Gus.

– Isso é o que você diz – falou Vyalov com ceticismo.

– Então recorram à Justiça contra nós – disse Gus. – Acham mesmo que existe algum juiz nos Estados Unidos que vá ficar do lado de vocês... e dos inimigos do nosso país? – Ele se recostou na cadeira e os fitou com uma arrogância que não sentia. Aquilo iria mesmo funcionar? Será que acreditariam nele? Ou será que iriam desmascarar seu blefe, rir na sua cara e ir embora dali?

Fez-se um longo silêncio. A expressão de Hall era inescrutável. Vyalov estava pensativo. Lev parecia enjoado.

Por fim, Vyalov se voltou para Hall:

– Você está disposto a aceitar 50 centavos?

– Estou – limitou-se a dizer Hall.

Vyalov tornou a olhar para Gus.

– Nesse caso, nós também aceitamos.

– Obrigado, cavalheiros. – Gus fechou a pasta, tentando conter o tremor das próprias mãos. – Vou avisar o presidente.

V

O sábado foi de sol e calor. Lev disse a Olga que precisavam dele na fábrica e então foi à casa de Marga. Ela morava em um quartinho no bairro de Lovejoy. Os dois se abraçaram, mas, quando Lev começou a desabotoar sua blusa, ela falou:

– Vamos ao Humboldt Park.

– Prefiro trepar.

– Depois. Leve-me ao parque e, quando voltarmos, eu lhe mostro uma coisa especial. Uma coisa que nunca fizemos antes.

A garganta de Lev ficou seca.

– Por que eu preciso esperar?

– O dia está tão lindo.

– E se alguém nos vir?

– Vai ter um milhão de pessoas no parque.

– Mesmo assim...

– Está com medo do seu sogro, não é?

– Até parece – respondeu Lev. – Escute, sou o pai da neta dele. O que ele vai fazer? Me dar um tiro?

– Vou trocar de vestido.

– Eu espero no carro. Se você tirar a roupa na minha frente, posso acabar perdendo o controle.

Lev dirigia um Cadillac cupê novo, com capacidade para três passageiros. Podia não ser o carro mais bacana da cidade, mas era um bom começo. Sentou-se ao volante e acendeu um cigarro. É claro que tinha, *sim*, medo de Vyalov. Porém, ele havia passado a vida inteira correndo riscos. Afinal de contas, não era Grigori. E tudo tinha dado bastante certo até ali, pensou ele, sentado no carro, com um terno de verão azul, prestes a levar uma garota bonita ao parque. A vida era boa.

Antes de ele terminar o cigarro, Marga saiu do prédio e entrou no carro ao seu lado. Usava um vestido sem mangas ousado e tinha os cabelos enrolados por cima das orelhas, na última moda.

Ele dirigiu até o Humboldt Park, na região leste da cidade. Os dois se sentaram em um banco de ripas de madeira para aproveitar o sol e ver as crianças brincarem junto ao lago. Lev não conseguia parar de tocar os braços nus de Marga. Adorava os olhares invejosos que recebia dos outros homens. Ela é a garota mais bonita do parque, pensou, e está comigo. Quer melhor do que isso?

– Sinto muito pela sua boca – disse ele. O lábio inferior de Marga ainda estava inchado por causa do soco de Vyalov. O resultado era bem sensual.

– Não foi culpa sua – disse ela. – Seu sogro é um calhorda.
– É verdade.
– A Hot Spot me ofereceu um emprego na hora. Vou começar assim que puder voltar a cantar.
– Ainda dói?
Ela arriscou alguns compassos.

Eu brinco com meus cabelos
Jogo um pouco de baralho
Enquanto sozinha espero
A chegada de um milionário

Tocou a própria boca de leve.
– Sim – respondeu.
Lev se inclinou para mais perto dela.
– Deixe-me dar um beijinho para sarar. – Ela ergueu o rosto em direção ao seu e ele a beijou delicadamente, quase sem tocar-lhe os lábios.
– Não precisa ser com tanto cuidado – disse ela.
Ele abriu um sorriso.
– Certo, e que tal assim? – Tornou a beijá-la e, desta vez, deixou a ponta da língua acariciar a parte interna de seus lábios.
Um minuto depois, ela disse:
– Desse jeito também não tem problema. E deu uma risadinha.
– Já que é assim... – Então ele pôs a língua inteira dentro da boca de Marga. Ela retribuiu com entusiasmo, como sempre fazia. Suas línguas se encontraram e ela levou a mão à nuca de Lev para lhe acariciar o pescoço. Ele ouviu alguém dizer "Que pouca-vergonha!" e se perguntou se os transeuntes podiam ver sua ereção.
– Estamos chocando o povo desta cidade – disse ele, sorrindo para Marga. Ergueu a cabeça para ver se havia alguém olhando e se deparou com sua mulher, Olga.
Ela encarava os dois, perplexa, e sua boca formava um O mudo.
Ao lado dela estava seu sogro, vestindo terno, colete e chapéu de palha. Carregava Daisy no colo. A filha de Lev usava uma touca branca para proteger seu rosto do sol. A babá, Polina, vinha logo atrás.
– Lev! – exclamou Olga. – Mas o que... Quem é essa mulher?
Lev achou que talvez pudesse ter se safado daquela situação na base da conversa, mas apenas se Vyalov não estivesse ali.
Levantou-se do banco.

– Olga... eu não sei o que dizer.

– Não diga porcaria nenhuma – falou Vyalov com rispidez.

Olga começou a chorar.

Vyalov entregou Daisy para a babá.

– Leve minha neta para o carro agora mesmo.

– Sim, Sr. Vyalov.

Vyalov agarrou o braço de Olga e a afastou dali.

– Vá com Polina, meu bem.

Olga cobriu os olhos com as mãos para esconder as lágrimas e saiu atrás da babá.

– Seu merda! – gritou Vyalov a Lev.

Lev cerrou os punhos. Se o sogro lhe batesse, iria revidar. Vyalov podia ser forte como um touro, mas era 20 anos mais velho. Lev era mais alto e havia aprendido a brigar nos bairros pobres de Petrogrado. Não iria levar uma surra.

Vyalov leu seus pensamentos.

– Não vou sair no braço com você – disse ele. – Já passamos desse ponto.

Então o que vai fazer?, quis perguntar Lev. Porém manteve a boca fechada.

Vyalov olhou para Marga.

– Eu deveria ter batido em você com mais força.

Marga pegou a bolsa, abriu-a, pôs a mão lá dentro e assim ficou.

– Se chegar perto de mim mais um centímetro, eu juro que lhe dou um tiro na barriga, seu camponês russo com cara de porco.

Lev não pôde deixar de admirar a empáfia dela. Poucos tinham coragem de ameaçar Josef Vyalov.

A expressão de Vyalov ficou sombria de raiva, mas ele deu as costas para Marga e falou com Lev.

– Sabe o que vai ser de você?

Que diabo o aguardava desta vez?

Lev ficou calado.

– Você vai entrar para a droga do Exército – disse Vyalov.

Lev gelou.

– O senhor está brincando.

– Qual foi a última vez que você me ouviu falar alguma coisa de brincadeira?

– Eu não vou entrar para o Exército. Como o senhor pretende me obrigar?

– Ou você se alista como voluntário, ou então vai ser convocado.

– Não pode fazer isso! – exclamou Marga.

– Pode, sim – disse Lev, arrasado. – Ele consegue armar qualquer coisa nesta cidade.

– E quer saber de uma coisa? – disse Vyalov. – Você pode até ser meu genro, mas, por Deus, espero que morra na guerra.

VI

Em uma tarde no final de junho, Chuck e Doris Dixon deram uma festa em seu jardim. Gus foi com os pais. Todos os homens estavam de terno, mas as mulheres usavam trajes de verão e chapéus extravagantes, de modo que os convidados formavam um grupo colorido. Havia sanduíches e cerveja, limonada e bolo. Um palhaço distribuía guloseimas e um professor primário de bermuda organizava brincadeiras com as crianças: corrida do saco, do ovo na colher, de três pernas.

Doris quis conversar de novo com Gus sobre a guerra.

– Há boatos sobre um motim no Exército francês – disse ela.

Gus sabia que a verdade era mais grave do que os boatos: 54 divisões francesas haviam se amotinado e 20 mil homens, desertado.

– Imagino que seja por isso que eles mudaram sua tática de ofensiva para defensiva – respondeu, mantendo-se neutro.

– Parece que os oficiais franceses tratam mal seus soldados. – Doris adorava as más notícias sobre a guerra, pois elas corroboravam sua oposição. – E a ofensiva Nivelle tem sido um desastre.

– A chegada das tropas americanas vai levantar o moral deles. – Os primeiros norte-americanos haviam embarcado em navios a caminho da França.

– Mas até agora nós mandamos apenas um contingente simbólico. Espero que isso queira dizer que só vamos desempenhar um papel pequeno no conflito.

– Não, não é isso. Precisamos recrutar, treinar e armar pelo menos um milhão de homens. Não podemos fazer isso de uma hora para outra. Mas no ano que vem mandaremos centenas de milhares de soldados.

Doris olhou por cima do ombro de Gus e falou:

– Deus me livre, lá vem um dos nossos novos recrutas.

Virando-se para trás, Gus viu a família Vyalov: Josef e Lena acompanhados de Olga, Lev e uma menininha. Lev usava uma farda. Estava muito elegante, porém trazia uma expressão emburrada no belo rosto.

Gus ficou constrangido, mas seu pai, encarnando a persona de senador, apertou a mão de Josef cordialmente e disse algo que o fez rir. Sua mãe se dirigiu a Lena com simpatia e cobriu o bebê de mimos. Gus percebeu que seus pais haviam previsto aquele encontro e decidido agir como se tivessem esquecido que o filho e Olga já haviam sido noivos.

Ele cruzou olhares com Olga e meneou a cabeça com educação. Ela corou. Lev demonstrou a impertinência de sempre.

– Então, Gus, o presidente está contente com você por ter solucionado a greve? Os outros ouviram a pergunta e se calaram, aguardando a resposta.

– Ele está contente com você por ter sido sensato – respondeu diplomaticamente. – Estou vendo que entrou para o Exército.

– Fui voluntário – disse Lev. – Estou treinando para ser oficial.

– E o que está achando?

De repente, Gus se deu conta de que ele e Lev estavam cercados por uma plateia: os Vyalov, os Dewar e os Dixon. Os dois homens não tinham sido vistos juntos em público desde a anulação do noivado. Todos estavam curiosos.

– Vou me acostumar com o Exército – respondeu Lev. – E você?

– Eu?

– Vai ser voluntário? Afinal de contas, você e seu presidente nos puseram na guerra.

Gus não respondeu nada, mas sentiu vergonha. Lev tinha razão.

– Quer dizer, você também pode esperar para ver se vai ser ou não convocado – disse Lev, pondo sal na ferida. – Nunca se sabe, talvez tenha sorte. De qualquer forma, se voltar para Washington, imagino que o presidente possa lhe conseguir uma dispensa. – Ele riu.

Gus sacudiu a cabeça.

– Não – falou ele. – Andei pensando no assunto. Você tem razão, eu faço parte do governo que instituiu o alistamento. Não posso me eximir.

Viu o pai assentir com a cabeça, como se já estivesse esperando por isso, porém sua mãe disse:

– Mas, Gus, você trabalha para o presidente! Existe maneira melhor de ajudar no esforço de guerra?

– Acho que daria impressão de covardia – disse Lev.

– Exatamente – falou Gus. – Portanto, não vou voltar para Washington. Por ora, essa parte da minha vida terminou.

Ele ouviu a mãe exclamar:

– Não, Gus!

– Já falei com o general Clarence, da Divisão de Buffalo – disse ele. – Vou entrar para o Exército Nacional.

Sua mãe começou a chorar.

CAPÍTULO VINTE E SEIS

Meados de junho de 1917

Ethel nunca havia pensado nos direitos da mulher antes de se ver na biblioteca de Tŷ Gwyn, solteira e grávida, ouvindo Solman, aquele advogado repugnante, lhe explicar como a vida funcionava. Iria passar seus melhores anos se esfalfando para alimentar e cuidar do filho de Fitz, enquanto o pai não tinha a menor obrigação de ajudar no que quer que fosse. A injustiça disso lhe dera vontade de matar Solman.

Sua raiva tinha aumentado ainda mais enquanto procurava trabalho em Londres. Os únicos empregos que conseguia eram aqueles que os homens não queriam e, mesmo assim, por metade do salário que eles ganhavam, ou menos.

No entanto, fora durante os anos de convivência com as mulheres valentes, trabalhadoras e miseráveis do East End londrino que seu feminismo inflamado havia se tornado duro feito concreto. Os homens gostavam de inventar um conto de fadas no qual havia uma divisão de trabalho na família: enquanto o homem saía para ganhar dinheiro, a mulher cuidava da casa e das crianças. A realidade não era bem assim. A maioria das mulheres que Ethel conhecia trabalhava 12 horas por dia, além de cuidar da casa e das crianças. Malnutridas, sobrecarregadas, morando em barracos e vestindo trapos, elas ainda assim entoavam canções, riam e amavam seus filhos. Para Ethel, uma única mulher dessas tinha mais direito de votar do que 10 homens juntos.

Ela vinha defendendo isso há tanto tempo que teve uma sensação muito estranha quando o voto feminino se tornou uma possibilidade concreta, em meados de 1917. Quando pequena, costumava perguntar "Como vai ser lá no céu?", mas ninguém nunca lhe dera uma resposta plausível.

O Parlamento concordou em debater o assunto em junho.

– Isso é resultado do meio-termo em relação a duas questões – disse ela a Bernie com entusiasmo ao ler a reportagem no *Times*. – A comissão parlamentar, que Asquith convocou para se esquivar do problema, estava desesperada para evitar uma briga.

Bernie estava dando o café da manhã a Lloyd: torrada mergulhada em chá doce.

– Imagino que o governo esteja com medo de que as mulheres voltem a se acorrentar aos trilhos – disse ele.

Ethel assentiu.

– E, se os políticos se meterem nesse tipo de polêmica, as pessoas começarão a dizer que não estão concentrados em vencer a guerra. Então a comissão recomendou que o direito de voto fosse concedido apenas a mulheres com mais de 30 anos que tenham casa própria ou paguem um aluguel acima de cinco libras por ano, ou então que sejam casadas com um homem nessas condições. O que significa que sou nova demais.

– Essa foi a primeira questão – disse Bernie. – E a outra?

– Segundo Maud, o gabinete ficou dividido. – O Gabinete de Guerra era formado por quatro homens e pelo primeiro-ministro, Lloyd George. – Curzon, é claro, está contra nós. – O conde Curzon, líder da Câmara dos Lordes, tinha orgulho de sua misoginia. Ele presidia a Liga de Oposição ao Voto Feminino. – Milner também. Mas temos o apoio de Henderson. – Arthur Henderson era o líder do Partido Trabalhista, cujos parlamentares apoiavam as mulheres, embora não se pudesse dizer o mesmo de muitos membros do partido. – Bonar Law está do nosso lado, mas sem muito entusiasmo.

– Dois a favor, dois contra, e Lloyd George, como sempre, querendo agradar todo mundo.

– A segunda é que o voto será livre. – Isso significava que o governo não obrigaria seus partidários a votarem contra ou a favor.

– Então, aconteça o que acontecer, não será culpa do governo.

– Ninguém nunca disse que Lloyd George era ingênuo – falou Ethel.

– Mas ele deu uma chance a vocês.

– E não passa de uma chance mesmo. Temos muita campanha a fazer.

– Acho que você vai notar uma mudança de postura – disse Bernie, otimista. – O governo está desesperado para que as mulheres entrem na indústria e substituam todos os homens mandados para a França, então tem feito muita propaganda sobre como elas são ótimas motoristas de ônibus e operárias de fábricas de munição. Isso torna mais difícil dizer que as mulheres são inferiores.

– Espero que você tenha razão – disse Ethel com fervor.

Fazia quatro meses que eles estavam casados, e Ethel não havia se arrependido. Bernie era inteligente, interessante e gentil. Os dois acreditavam nas mesmas coisas e trabalhavam juntos para conquistá-las. Bernie provavelmente seria o candidato trabalhista de Aldgate nas próximas eleições gerais, seja lá quando elas fossem realizadas – como tantas outras coisas, o pleito teria que aguardar o fim da guerra. Bernie daria um bom parlamentar, trabalhador e sagaz como era. Porém Ethel não sabia se os trabalhistas conseguiriam ganhar em Aldgate. O parlamentar que os representava no momento era um liberal, mas muitas coisas haviam mudado desde a última eleição, em 1910. Mesmo que a cláusula sobre o sufrágio feminino não fosse aprovada, as outras propostas da comissão parlamentar dariam o direito de voto a muitos outros membros da classe trabalhadora.

Bernie era um bom homem, mas Ethel, para sua vergonha, às vezes ainda se lembrava, com nostalgia, de Fitz – que não era inteligente, nem interessante, nem gentil e cujas crenças eram opostas às suas. Quando pensava nessas coisas, sentia-se rebaixada ao mesmo nível de homens que eram obcecados por dançarinas de cancã. Enquanto esses indivíduos se excitavam com meias, anáguas e calcinhas de babado, Ethel ficava fascinada com as mãos macias, o sotaque carregado e o cheiro limpo e levemente perfumado de Fitz.

Mas ela agora era Eth Leckwith. Todo mundo falava em Eth e Bernie como se os dois fossem feitos um para o outro.

Ela calçou os sapatos em Lloyd e o levou até a casa da babá, indo a pé em seguida até a redação do *The Soldier's Wife*. O tempo estava bom e ela se sentia esperançosa. *Nós podemos* mudar o mundo, pensou. Não é fácil, mas é possível. O jornal de Maud iria angariar apoio para o projeto de lei entre as mulheres da classe trabalhadora e garantir que todo mundo ficasse de olho nos parlamentares durante a votação.

Maud já se encontrava na redação pouco espaçosa, tendo chegado cedo, sem dúvida por causa das notícias. Estava sentada diante de uma velha mesa manchada, usando um vestido de verão lilás e um chapéu que parecia um casquete, com uma pena exageradamente comprida espetada no topo. A maioria de suas roupas datava de antes da guerra, mas, mesmo assim, ela se vestia com elegância. Parecia refinada demais para aquele lugar, como um cavalo de corrida em um curral.

– Precisamos publicar uma edição extra – falou, rabiscando em um bloquinho. – Estou escrevendo a primeira página.

Ethel sentiu uma onda de entusiasmo. Era disso que gostava: de ação. Sentou-se à mesa, de frente para ela, e disse:

– Vou garantir que as outras páginas fiquem prontas. Que tal uma coluna sobre como os leitores podem ajudar?

– Boa ideia. Venham à nossa assembleia, convençam o parlamentar em que votaram, escrevam uma carta para um jornal, esse tipo de coisa.

– Vou fazer um rascunho. – Ela pegou um lápis e tirou um bloco de uma gaveta.

– Temos que mobilizar as mulheres contra esse projeto de lei – disse Maud.

Ethel ficou petrificada com o lápis na mão.

– O quê? – perguntou ela. – Você disse contra?

– É claro. O governo vai *fingir* dar o voto às mulheres, mas continuará privando a maioria de nós desse direito.

Ethel olhou para o outro lado da mesa e viu a manchete que Maud havia escrito: VOTEM CONTRA ESTA TRAPAÇA!

– Espere um pouco. – Ela não considerava aquilo uma trapaça. – Isso pode não ser tudo o que queremos, mas é melhor do que nada.

Maud a encarou com raiva.

– É pior do que nada. Esse projeto de lei só finge tornar as mulheres iguais.

Maud estava sendo teórica demais. É claro que, em princípio, era errado discriminar as mulheres mais jovens. Porém isso não tinha importância no momento. Era uma questão de pragmatismo político.

– Veja bem, às vezes as reformas precisam acontecer aos poucos – disse Ethel. – O voto foi estendido aos homens de forma bastante gradual. Até hoje, só cerca de metade deles pode votar...

Maud a interrompeu com autoritarismo:

– Você já pensou em quem são as mulheres excluídas?

Esse era um dos defeitos de Maud: ela às vezes parecia arrogante. Ethel tentou não se ofender. Mantendo a calma, respondeu:

– Bom, eu sou uma delas.

Maud não abrandou o tom:

– A maioria das operárias das fábricas de munição, que são parte fundamental do esforço de guerra, seria jovem demais para votar. O mesmo vale para grande parte das enfermeiras que arriscaram a vida para cuidar de soldados feridos na França. Se morarem em quartos de pensão, as viúvas de guerra não poderão votar, apesar de todo o seu sacrifício. Será que você não enxerga que o objetivo desse projeto de lei é transformar as mulheres em minoria?

– Então você quer fazer campanha *contra* o projeto?

– Mas é claro!

– Isso é loucura. – Ethel estava surpresa e angustiada por estar discordando tão violentamente de alguém que era sua amiga e companheira de luta há tanto tempo. – Desculpe, mas não entendo como podemos pedir aos parlamentares que votem contra uma coisa que estamos exigindo há décadas.

– Não é *isso* que estamos fazendo! – A raiva de Maud aumentou. – Nossa campanha é pela igualdade, e isso não é igualdade. Se cairmos nessa armadilha, vamos passar mais uma geração à margem da vida política!

– Não se trata de cair em uma armadilha – disse Ethel, irritada. – Eu não estou sendo *enganada*. Entendo o que quer dizer... e você nem está sendo muito sutil. Mas seu juízo está errado.

– Ah, é mesmo? – indagou Maud com dureza. De repente, Ethel viu quanto ela se parecia com Fitz: ambos defendiam pontos de vista opostos com o mesmo tipo de obstinação.

– Pense só na propaganda que a oposição vai fazer! – disse Ethel. – "Nós sempre avisamos que as mulheres não sabem o que querem", dirão eles. "É por isso que elas não podem votar." Vamos ser motivo de chacota mais uma vez.

– Nossa propaganda precisa ser melhor que a deles – falou Maud com desenvoltura. – Só temos que explicar a situação para todos com muita clareza.

Ethel sacudiu a cabeça.

– Você está enganada. Esse tipo de coisa mexe demais com a emoção das pessoas. Há anos combatemos a legislação que impede as mulheres de votar. Essa é a barreira. Quando ela cair, outras concessões passarão a ser vistas como meros detalhes técnicos. Vai ser relativamente fácil diminuir a idade de voto e atenuar outras restrições. Você precisa entender isso.

– Não, não entendo – respondeu Maud friamente. Não gostava que lhe dissessem que ela *precisava* entender alguma coisa. – Esse projeto de lei é um passo para trás. Qualquer um que o defenda é um traidor.

Ethel ficou encarando Maud. Estava magoada.

– Você não pode acreditar numa coisa dessas! – falou.

– Por favor, não venha me dizer no que posso ou não acreditar.

– Há dois anos que estamos trabalhando e militando nisso juntas – falou Ethel, com os olhos cheios de lágrimas. – Você acha mesmo que, se eu discordo de você, é porque sou desleal à causa do sufrágio feminino?

Maud foi implacável:

– Com toda a certeza.

– Então está bem – disse Ethel e, sem saber o que mais poderia fazer, saiu da redação.

||

Fitz encomendou seis ternos novos a seu alfaiate. Todos os antigos estavam folgados em seu corpo magro, o que lhe dava um aspecto envelhecido. Ele vestiu suas roupas de gala novas: fraque preto, colete branco e colarinho de bico com gravata borboleta branca. Olhou-se no espelho de pé do quarto de vestir e pensou: agora sim.

Desceu para a sala de estar. Dentro de casa, conseguia andar sem bengala. Maud lhe serviu uma taça de vinho Madeira.

– Como está se sentindo? – perguntou tia Herm.

– Os médicos dizem que a perna está melhorando, mas é um processo lento. – Fitz tinha voltado às trincheiras no começo do ano, mas o frio e a umidade haviam se mostrado insuportáveis, de modo que estava de volta à lista de convalescentes e trabalhando no serviço de inteligência.

– Sei que você preferiria estar lá – disse Maud –, mas não estamos tristes por ter escapado dos combates da primavera.

Fitz aquiesceu. A ofensiva Nivelle tinha sido um fracasso, que causara a demissão do general francês Nivelle. Os soldados franceses estavam se amotinando: defendiam suas trincheiras, mas se negavam a cumprir as ordens de avançar. Até ali, aquele havia sido mais um ano ruim para os Aliados.

Maud, no entanto, estava errada ao pensar que Fitz preferiria estar no front. O trabalho que ele estava fazendo na Sala 40 talvez fosse mais importante ainda do que os combates na França. Muitos haviam temido que os submarinos alemães fossem estrangular as linhas de abastecimento britânicas. Contudo, a Sala 40 conseguia localizar os submarinos e alertar os navios. Essa informação, aliada à tática de despachar os navios em comboios escoltados por destróieres, tornava os submarinos bem menos eficazes. Embora poucos soubessem a respeito dessa estratégia, ela era um sucesso.

O perigo agora era a Rússia. Com o czar deposto, qualquer coisa poderia acontecer. Até o momento, os moderados haviam se mantido no controle, mas será que isso iria durar? Não eram apenas a família de Bea e a herança de Boy que corriam perigo. Se os extremistas assumissem o governo russo, poderiam selar a paz, o que liberaria centenas de milhares de soldados alemães para combater na França.

– Pelo menos não perdemos a Rússia – disse Fitz.

– Ainda – retrucou Maud. – Todo mundo sabe que os alemães estão torcendo por um triunfo bolchevique.

Enquanto ela falava, a princesa Bea entrou na sala, usando um vestido decotado de seda prateada e um conjunto de joias de diamantes. Fitz e Bea iriam a um jantar seguido de um baile: estavam em plena temporada londrina. Bea ouviu o comentário de Maud e disse:

– Não subestimem a família real russa. Ainda pode haver uma contrarrevolução. Afinal de contas, o que o povo russo ganhou? Os operários seguem passando fome e os soldados continuam a morrer, enquanto os alemães não param de avançar.

Grout entrou trazendo uma garrafa de champanhe. Abriu-a sem fazer barulho e serviu uma taça para Bea. Como sempre, ela tomou um só gole e pousou a taça.

– O príncipe Lvov anunciou que as mulheres poderão votar na eleição da Assembleia Constituinte – falou Maud.

– Isso se a eleição acontecer – disse Fitz. – O governo provisório está fazendo vários pronunciamentos, mas será que alguém lhe dá ouvidos? Até onde consigo entender, cada vilarejo nomeou seu próprio soviete e está se autogerindo.

– Imaginem só! – exclamou Bea. – Aqueles camponeses supersticiosos, analfabetos, fingindo governar alguma coisa!

– É um perigo – disse Fitz com irritação. – As pessoas não fazem ideia da facilidade com que eles podem descambar para a anarquia e a barbárie. – Esse assunto o tirava do sério.

– Que ironia vai ser se a Rússia se tornar mais democrática do que a Grã-Bretanha – falou Maud.

– O Parlamento está prestes a debater o voto feminino – disse Fitz.

– Somente para mulheres com mais de 30 anos que tenham casa própria ou alugada, ou que sejam casadas com um homem nessas condições.

– Mesmo assim, você deve estar contente com o progresso que conseguiu. Li um artigo a respeito em uma revista, assinado pela sua camarada Ethel. – Ao abrir a *New Statesman* na sala de estar de seu clube, Fitz levara um susto ao se deparar com as palavras de sua ex-governanta. Ficou incomodado ao pensar que talvez não conseguisse escrever um artigo tão claro e articulado. – Ela diz que as mulheres deveriam aceitar isso sob o argumento de que é melhor um pássaro na mão do que dois voando.

– Infelizmente eu discordo – disse Maud, gélida. – Não vou esperar até os 30 anos para ser considerada um membro da raça humana.

– Vocês duas brigaram?

– Nós concordamos em nos separar.

Fitz notou que Maud estava furiosa. Para acalmar os ânimos, virou-se para lady Hermia:

– Se o Parlamento britânico conceder o direito de voto às mulheres, tia, em quem a senhora vai votar?

– Não tenho certeza se vou às urnas – respondeu tia Herm. – Não é uma coisa um pouco vulgar?

Maud pareceu contrariada, mas Fitz sorriu.

– Se as senhoras de boa família pensarem assim, as únicas a votar serão as mulheres da classe trabalhadora, que vão eleger os socialistas – disse ele.

– Oh, céus! – falou Herm. – Então talvez seja melhor eu votar.
– A senhora apoiaria Lloyd George?
– Um advogado galês? Nem pensar.
– Ou, quem sabe, Bonar Law, o líder conservador.
– Imagino que sim.
– Mas ele é canadense.
– Deus me livre!
– É esse o problema de se ter um império. A ralé do mundo inteiro acha que faz parte dele.

A babá entrou com Boy. Ele já estava com dois anos e meio e era um menino rechonchudo, com os mesmos cabelos louros e grossos da mãe. Correu até Bea, que o pôs sentado no colo.

– Eu comi mingau e a babá deixou cair o açúcar! – disse ele, soltando uma risada. Esse tinha sido o grande acontecimento do dia no quarto das crianças.

Estar com o filho trazia o melhor de Bea à tona, pensou Fitz. Sua expressão se suavizava e ela ficava afetuosa, afagando e beijando o menino. Dali a um minuto, este se contorceu para descer do colo dela e andou até Fitz com passos trôpegos.

– Como vai o meu soldadinho? – perguntou Fitz. – Vai crescer para atirar nos alemães?

– Pou! Pou! – disse Boy. E Fitz viu que o nariz do menino estava escorrendo.

– Jones, ele está resfriado? – perguntou com rispidez.

A babá fez cara de assustada. Era uma moça de Aberowen, mas tinha feito treinamento profissional.

– Não, meu amo, tenho certeza que não... estamos em junho!
– Existem resfriados de verão.
– Ele passou o dia todo muito bem. É só um pouco de ranho.
– Só pode ser. – Fitz tirou um lenço de linho do bolso interno do fraque e limpou o nariz de Boy. – Ele tem brincado com crianças do povo?
– Não, senhor, de forma alguma.
– E no parque?
– Nas partes que frequentamos, só há crianças de boa família. Fico muito atenta a isso.
– Espero que fique mesmo. Este menino é herdeiro do título dos Fitzherbert e pode vir a ser um príncipe russo também. – Fitz pôs Boy no chão e o menino voltou correndo em direção à babá.

Grout tornou a aparecer trazendo um envelope sobre uma bandeja de prata.
– Telegrama, meu amo – informou o mordomo. – Para a princesa.

Fitz indicou com um gesto que Grout deveria entregar a correspondência à sua mulher. Bea fechou o rosto, aflita – em tempos de guerra, telegramas eram motivo de nervosismo para todos. Com um rasgão, ela abriu a mensagem e, ao examinar a folha de papel, soltou um grito desesperado.

– O que houve? – perguntou Fitz, sobressaltado.

– Meu irmão!

– Ele está vivo?

– Sim... mas foi ferido. – Ela desatou a chorar. – Tiveram que amputar o braço dele, mas Andrei está se recuperando. Ah, meu pobre irmão!

Fitz pegou o telegrama e o leu. A única informação a mais era que o príncipe Andrei tinha sido levado para sua casa de campo em Bulovnir, na província de Tambov, a sudeste de Moscou. Esperava que Andrei estivesse de fato se restabelecendo. Muitos homens morriam de ferimentos infeccionados – e a amputação nem sempre impedia a gangrena de se alastrar.

– Querida, eu sinto muitíssimo – disse Fitz. Maud e Herm, cada uma de um lado de Bea, tentavam reconfortá-la. – Aqui diz que receberemos uma carta em seguida, mas só Deus sabe quanto tempo levará para chegar até aqui.

– Eu preciso saber como ele está! – disse Bea aos soluços.

– Vou pedir ao embaixador britânico para averiguar o fato com cautela. – Mesmo naquela época democrática, um conde ainda tinha seus privilégios.

– Venha, Bea, vamos subir até seu quarto – disse Maud.

Bea aquiesceu e se levantou.

– É melhor eu ir ao jantar de lorde Silverman... – disse Fitz. – Bonar Law vai estar presente. – Fitz tinha pretensões de ser ministro de um governo conservador um dia, então aproveitava qualquer oportunidade de conversar com o líder do partido. – Mas não vou ao baile e voltarei direto para casa.

Bea assentiu novamente e se deixou ser conduzida até o andar de cima.

Grout entrou e disse:

– O carro está pronto, meu amo.

Durante o curto trajeto até a Belgrave Square, Fitz ficou remoendo aquela notícia. O príncipe Andrei nunca tinha sido um bom administrador das terras da família. Provavelmente usaria sua deficiência como desculpa para cuidar ainda menos dos negócios. Seu patrimônio iria decair mais ainda. Mas o que Fitz poderia fazer ali, em Londres, a quase 2.500 quilômetros de distância? Sentia-se frustrado e aflito. A Rússia estava a um passo da anarquia – e era a displicência de nobres como Andrei que proporcionava aos revolucionários sua oportunidade.

Quando ele chegou à casa dos Silverman, Bonar Law já estava lá – assim como Perceval Jones, presidente da Celtic Minerals e representante de Aberowen no Parlamento. Jones era naturalmente presunçoso, mas, naquela noite, estava quase explodindo de orgulho por se encontrar em companhia tão distinta. Com as mãos nos bolsos, conversava com lorde Silverman deixando à mostra a imensa corrente de ouro de seu relógio atravessada no colete largo.

Fitz não deveria ter ficado tão surpreso. Aquele era um jantar político – e o prestígio de Jones no Partido Conservador estava aumentando. Sem dúvida, ele também esperava um cargo no governo quando e se Bonar Law se tornasse primeiro-ministro. Ainda assim, aquilo era um pouco como dar de cara com seu mordomo-chefe em um baile de gala – e Fitz teve a sensação inquietante de que o bolchevismo talvez estivesse chegando a Londres, não por meio da revolução, mas furtivamente.

À mesa, Jones chocou Fitz ao se dizer a favor do voto feminino.

– Meu Deus do céu, por quê? – quis saber o conde.

– Nós fizemos uma pesquisa com os presidentes e representantes dos distritos eleitorais – respondeu Jones, ao que Fitz viu Bonar Law aquiescer. – Para cada um contra o projeto de lei, há dois a favor.

– Conservadores? – perguntou Fitz, incrédulo.

– Sim, milorde.

– Mas por quê?

– A lei só dará o direito de voto às mulheres com mais de 30 anos que tenham algum imóvel ou vivam de aluguel, ou que sejam casadas com um homem que se enquadre nesse perfil. Isso exclui a maioria das operárias, pois elas costumam ser mais jovens. E todas aquelas intelectuais insuportáveis são solteironas que moram de favor na casa dos outros.

Fitz ficou pasmo. Sempre havia considerado o sufrágio feminino uma questão de princípios. Porém empresários cheios de si como Jones não davam a menor importância para princípios. Fitz nunca havia pensado nas consequências eleitorais.

– Continuo sem entender...

– As novas eleitoras serão, em sua maioria, mulheres maduras, de classe média, mães de família. – Com um gesto vulgar, Jones cutucou um dos lados do nariz. – Lorde Fitzherbert, elas formam o grupo mais conservador do país. Essa lei vai dar ao nosso partido seis milhões de novos votos.

– Então o senhor vai defender o voto feminino?

– Nós temos que fazer isso! Precisamos dessas mulheres conservadoras. Na próxima eleição, teremos três milhões de novos eleitores homens da classe trabalhadora, muitos recém-saídos do Exército e quase todos contra nós. Mas as nossas mulheres serão mais numerosas.

– Mas e quanto aos nossos princípios, homem? – protestou Fitz, embora sentisse que aquela fosse uma batalha perdida.

– Princípios? – repetiu Jones. – Estamos falando de pragmatismo político. – Ele deu um sorriso condescendente que enfureceu Fitz. – Mas o senhor sempre foi um idealista, milorde, se me permite o comentário.

– Somos todos idealistas – falou lorde Silverman, botando panos quentes no conflito como um bom anfitrião. – É por isso que estamos na política. Pessoas sem ideais não se preocupam com essas coisas. Mas não podemos nos esquivar da realidade das eleições e da opinião pública.

Fitz não queria ser taxado de sonhador, como se não tivesse senso prático, então se apressou a dizer:

– É claro que não. Mesmo assim, a questão do lugar da mulher na sociedade afeta o próprio conceito de vida familiar, algo que eu imaginava ser importante para os conservadores.

– A questão continua em aberto – disse Bonar Law. – Os parlamentares terão voto livre e agirão de acordo com suas respectivas consciências.

Fitz assentiu com submissão e Silverman passou a falar sobre o motim no Exército francês.

Durante o resto do jantar, o conde permaneceu calado. Achava preocupante que aquele projeto de lei tivesse o apoio tanto de Ethel Leckwith quanto de Perceval Jones. Havia um grande risco de ele ser aprovado. Fitz achava que os conservadores deveriam defender valores tradicionais, sem se deixarem influenciar por questões eleitoreiras de curto prazo. No entanto, embora tivesse percebido claramente que Bonar Law não pensava assim, não teve coragem de dizer que discordava dele. Estava com vergonha de si mesmo por não ter sido totalmente honesto, uma sensação que detestava.

Foi embora da casa de lorde Silverman logo depois de Bonar Law. Voltou para casa e foi direto para o andar de cima. Despiu o fraque, vestiu um roupão de seda e seguiu para o quarto de Bea.

Encontrou a mulher sentada na cama, tomando uma xícara de chá. Pôde ver que Bea havia chorado, mas ela passara um pouco de pó de arroz no rosto e vestira uma camisola florida e um casaquinho de tricô cor-de-rosa com mangas bufantes. Perguntou a ela como estava se sentindo.

– Estou arrasada – respondeu Bea. – Andrei é o único parente que me resta.

– Eu sei. – Os pais dela eram falecidos e a princesa não tinha nenhum outro parente próximo. – É preocupante... mas ele provavelmente vai ficar bem.

Ela pousou a xícara e o pires.

– Andei pensando bastante, Fitz.

Vindo de Bea, esse não era um comentário usual.

– Por favor, me dê sua mão – disse ela.

Ele tomou a mão esquerda de Bea nas suas. Ela estava bonita e, apesar do assunto triste, Fitz teve um frêmito de desejo. Pôde sentir os anéis que ela usava: uma aliança de noivado de brilhante e uma aliança de casamento de ouro. Teve um impulso de levar a mão da mulher à boca e morder a parte carnuda na base de seu polegar.

– Quero que você me leve à Rússia – falou Bea.

Ele ficou tão espantado que largou sua mão.

– O quê?

– Não recuse ainda... pense um pouco – pediu ela. – Você vai dizer que é perigoso, e eu sei que é. Mesmo assim, há centenas de britânicos na Rússia neste exato momento: diplomatas, empresários, oficiais do Exército e soldados em nossas missões militares no país, jornalistas e outros.

– E Boy?

– Detesto me separar do nosso filho, mas Jones é ótima babá, Hermia o adora e não tenho dúvidas de que Maud agirá com sensatez caso aconteça algo de ruim.

– Nós precisaríamos de vistos...

– Você poderia acionar seus contatos. Ora, você acabou de jantar com pelo menos um membro do gabinete.

Ela estava certa.

– O Ministério das Relações Exteriores provavelmente me pediria para escrever um relatório sobre a viagem... ainda mais se visitarmos a zona rural, onde nossos diplomatas quase nunca se aventuram.

Ela tornou a segurar a mão do marido.

– Meu único parente vivo está gravemente ferido, talvez à beira da morte. Preciso vê-lo. Por favor, Fitz. Eu lhe imploro.

A verdade era que Fitz não estava tão relutante quanto ela supunha. A experiência nas trincheiras havia modificado sua percepção do perigo. Afinal de contas, a maioria das pessoas sobrevivia a uma barragem de artilharia. Uma viagem à Rússia, embora arriscada, não era nada comparada a isso. Ainda assim, ele hesitava.

– Entendo seu desejo – disse ele. – Deixe eu me informar melhor.

Ela tomou isso como um sim.

– Ah, obrigada! – falou.

– Não me agradeça ainda. Deixe-me descobrir se é possível.

– Está bem – respondeu Bea, mas ele pôde ver que a mulher já estava prevendo o resultado.

Ele se levantou e falou enquanto se dirigia à porta:

– Preciso me preparar para dormir.

– Depois que vestir seu pijama... volte, por favor. Quero que você me abrace.

Fitz sorriu.

– Claro – respondeu.

III

No dia em que o Parlamento iria deliberar sobre o voto feminino, Ethel organizou uma assembleia em um salão nas proximidades do Palácio de Westminster.

Ela agora era funcionária do Sindicato Nacional dos Trabalhadores da Indústria Têxtil, que ficara mais do que satisfeito em fisgar uma ativista tão famosa. Sua principal tarefa era recrutar membros do sexo feminino nas fábricas exploradoras do East End, porém o sindicato acreditava em lutar por seus membros não apenas no local de trabalho, mas também na arena da política nacional.

O fim de sua relação com Maud a deixava triste. Talvez sempre tivesse havido algo um tanto artificial na amizade entre a irmã de um conde e sua ex-governanta, mas Ethel tinha nutrido esperanças de que elas pudessem superar a diferença de classes. No entanto, no fundo de seu coração, Maud acreditava – sem nem mesmo ter consciência disso – que havia nascido para mandar e Ethel para obedecer.

Ethel esperava que a votação no Parlamento ocorresse antes do final da assembleia, para ela poder anunciar o resultado, porém o debate se alongou e a reunião precisava terminar às dez. Ethel e Bernie foram aguardar a notícia em um pub na Avenida Whitehall frequentado por parlamentares trabalhistas.

Já passava das onze e o pub estava fechando quando dois parlamentares entraram apressados. Um deles viu Ethel.

– Nós ganhamos! – gritou ele. – Quer dizer, vocês ganharam. As mulheres.

Ela mal conseguiu acreditar.

– Eles aprovaram a cláusula?

– Por ampla maioria... 387 votos contra 57!

– Nós ganhamos! – Ethel beijou Bernie. – Ganhamos!

– Meus parabéns – disse ele. – Saboreie a vitória. Você merece.

Eles não puderam comemorar com um drinque. Os novos regulamentos em vigor durante a guerra obrigavam os pubs a parar de servir bebidas em um horário determinado. Teoricamente, isso contribuía para aumentar a produtividade da classe trabalhadora. Ethel e Bernie saíram para pegar um ônibus até em casa.

Enquanto aguardavam no ponto, Ethel estava eufórica.

– Nem acredito. Depois de tantos anos, as mulheres podem votar!

Um passante a ouviu: um homem alto, vestido com trajes de gala, que andava com o auxílio de uma bengala.

Ela reconheceu Fitz.

– Não tenha tanta certeza disso – disse ele. – Nós vamos derrotar vocês na Câmara dos Lordes.

CAPÍTULO VINTE E SETE

De junho a setembro de 1917

Walter von Ulrich saiu da trincheira e, arriscando a própria vida, começou a atravessar a terra de ninguém.

Grama nova e flores silvestres brotavam das crateras das bombas. Era um fim de tarde ameno de verão em uma região que já pertencera à Polônia, depois à Rússia e agora estava parcialmente ocupada pelas tropas alemãs. Walter vestia um casaco sem insígnias por cima de um uniforme de cabo. Para melhorar o disfarce, havia sujado o rosto e as mãos. Usava uma boina branca, como uma bandeira de paz, e carregava nos ombros uma caixa de papelão.

Disse a si mesmo que não havia motivo para medo.

Era possível ver, com alguma dificuldade, as posições russas à luz do crepúsculo. Fazia muitas semanas que não havia troca de tiros, e Walter achava que sua aproximação fosse despertar mais curiosidade do que desconfiança.

Se estivesse errado, era um homem morto.

Os russos estavam preparando uma ofensiva. Aviões de reconhecimento e batedores alemães haviam identificado novas tropas sendo conduzidas para as linhas de frente e carregamentos de munição sendo recebidos. Isso tinha sido confirmado por soldados russos famintos que haviam cruzado a fronteira e se rendido na esperança de conseguir uma refeição de seus captores alemães.

Os indícios da ofensiva iminente tinham sido uma grande decepção para Walter. Ele vinha torcendo para que o novo governo russo fosse incapaz de se manter na guerra. Em Petrogrado, Lênin e os bolcheviques bradavam pela paz, publicando uma enxurrada de jornais e panfletos – pagos com dinheiro alemão.

O povo russo não queria a guerra. O pronunciamento feito por Pavel Miliukov – o moderado de monóculo que era ministro das Relações Exteriores –, no qual dizia que a Rússia ainda buscava uma "vitória decisiva", havia levado trabalhadores e soldados enfurecidos às ruas outra vez. O jovem e teatral ministro da Guerra, Kerenski, responsável pela nova ofensiva que estava por vir, havia reinstituído a punição por açoitamento no Exército e devolvido a autoridade aos oficiais. Mas será que os soldados russos iriam lutar? Era isso que os alemães precisavam saber – e Walter estava arriscando a vida para descobrir.

Os sinais eram conflitantes. Em algumas partes do front, soldados russos haviam hasteado bandeiras brancas e declarado uma trégua unilateral. Outros setores pareciam tranquilos e disciplinados. Foi um desses que Walter decidiu visitar.

Ele finalmente havia saído de Berlim. Era bem provável que Monika von der Helbard tivesse dito aos pais, sem rodeios, que não haveria casamento nenhum. De toda forma, Walter estava outra vez na frente de batalha, reunindo informações de inteligência.

Passou a caixa que carregava para o outro ombro. Já podia ver meia dúzia de cabeças despontando do parapeito de uma das trincheiras. Todas usavam boinas – os soldados russos não tinham capacetes. Os homens ficaram olhando para ele, mas ainda sem apontarem as armas.

Walter era fatalista em relação à morte. Achava que poderia morrer feliz depois da noite maravilhosa passada com Maud em Estocolmo. Mas é óbvio que preferia continuar vivo. Queria dividir um lar com Maud e ter filhos. E esperava fazê-lo em uma Alemanha próspera e democrática. Isso, no entanto, significava vencer a guerra, o que por sua vez implicava arriscar a própria vida, de modo que ele não tinha escolha.

Ainda assim, sentiu um frio na barriga ao entrar na linha de tiro dos fuzis. Não custava nada para um soldado apontar a arma e puxar o gatilho... Afinal de contas, era para isso que estavam ali.

Walter estava sem fuzil, e esperava que os soldados houvessem percebido. Tinha uma Luger 9mm presa ao cinto nas costas, mas eles não podiam vê-la. Enxergavam apenas a caixa que ele carregava. Torceu para que parecesse inofensiva.

A cada passo que dava sem morrer, sentia-se grato porém consciente de que, um a um, eles o levavam mais para perto do perigo. Agora posso morrer a qualquer segundo, filosofou. Perguntou-se se um homem chegava a escutar o tiro que o matava. O que Walter mais temia era ser ferido e sangrar lentamente até a morte, ou então sucumbir a uma infecção qualquer em um hospital de campanha imundo.

Já podia ver o rosto dos russos e notou que eles pareciam achar graça daquilo, além de estarem surpresos e admirados. Procurou, aflito, por sinais de medo: era esse o maior perigo. Um soldado assustado era capaz de atirar só para romper a tensão.

Por fim, restavam apenas dez metros a percorrer, depois nove, depois oito... Então ele chegou à beira da trincheira.

– Olá, camaradas – falou em russo, pousando a caixa no chão.

Estendeu a mão para o soldado mais próximo. Automaticamente, o homem fez o mesmo e o ajudou a pular para dentro da trincheira. Um pequeno grupo se reuniu à sua volta.

– Vim fazer uma pergunta a vocês – disse ele.

A maioria dos russos instruídos falava um pouco de alemão, porém os soldados eram camponeses, e poucos compreendiam qualquer idioma além do seu. Quando criança, Walter aprendera russo como parte da preparação, imposta com rigidez pelo pai, para uma carreira no Exército e no Ministério das Relações Exteriores. Nunca havia praticado muito a língua, mas achava que seria capaz de recordar o suficiente para aquela missão.

– Primeiro, uma bebida – falou. – Trouxe a caixa para dentro da trincheira, rasgou a tampa e retirou uma garrafa de *schnapps*. Sacou a rolha, deu um gole, enxugou a boca e passou a garrafa para o soldado mais próximo, um cabo alto de 18 ou 19 anos. O homem sorriu, bebeu e passou a garrafa adiante.

Walter examinou discretamente seus arredores. A trincheira era mal construída. As paredes, inclinadas, não estavam sustentadas por vigas de madeira. O chão irregular não era coberto por tábuas, de modo que, mesmo sendo verão, estava enlameado. A trincheira nem mesmo seguia uma linha reta – embora isso provavelmente fosse bom, uma vez que não havia recessos para reduzir o impacto de um ataque de artilharia. Um cheiro asqueroso pairava no ar: obviamente, os homens nem sempre se davam ao trabalho de ir até a latrina. Qual era o problema com aqueles russos? Tudo o que faziam era descuidado, caótico e mal-acabado.

Enquanto a garrafa circulava, um sargento apareceu.

– O que está acontecendo aqui, Feodor Igorovich? – perguntou, dirigindo-se ao cabo alto. – Por que vocês estão conversando com a porra de um alemão?

Feodor era jovem, mas um bigode farto e recurvado lhe cobria as faces. Por algum motivo, usava uma boina de marinheiro de viés sobre a cabeça. Parecia tão seguro de si que beirava a arrogância:

– Tome um trago, sargento Gavrik.

O sargento bebeu no gargalo como os outros, mas não se mostrou tão descontraído quanto seus homens. Lançou um olhar desconfiado para Walter.

– Que merda é essa? O que você está fazendo aqui?

Walter havia ensaiado o que dizer.

– Em nome dos trabalhadores, soldados e camponeses alemães, vim perguntar por que vocês estão nos combatendo.

Após alguns instantes de silêncio perplexo, Feodor respondeu:

– Por que *vocês* estão *nos* combatendo?

Walter já tinha sua resposta pronta:

– Não temos escolha. Nosso país ainda é governado pelo Kaiser. Ainda não fizemos nossa revolução. Mas vocês já. O czar foi deposto e a Rússia agora é governada pelo povo. Então eu vim perguntar ao povo: por que vocês estão nos combatendo?

Feodor olhou para Gavrik e disse:

– É exatamente o que nós vivemos nos perguntando!

Gavrik deu de ombros. Walter supôs que ele fosse um tradicionalista que estivesse escondendo as próprias opiniões.

Vários outros soldados avançaram pela trincheira para se juntar ao grupo. Walter abriu mais uma garrafa. Correu os olhos pela roda de homens magros, maltrapilhos e sujos que se embriagavam rapidamente.

– O que os russos querem?

Vários homens responderam.

– Terra.

– Paz.

– Liberdade.

– Mais bebida!

Walter tirou uma terceira garrafa da caixa. Aqueles homens precisavam mesmo era de sabonete, boa comida e botas novas, pensou.

– Quero voltar para meu vilarejo – disse Feodor. – Eles estão dividindo as terras do príncipe e preciso garantir que minha família receba a sua parte.

– Vocês apoiam algum partido político? – perguntou Walter.

– Os bolcheviques! – respondeu um soldado. Os outros vibraram, concordando.

Walter ficou satisfeito.

– E são membros do partido?

Todos fizeram que não com a cabeça.

– Eu apoiava os socialistas revolucionários – disse Feodor –, mas eles nos decepcionaram. – Os demais assentiram. – Kerenski trouxe de volta os açoitamentos – acrescentou ele.

– E ordenou uma ofensiva de verão – disse Walter. Podia ver, bem na sua frente, uma pilha de caixas de munição, mas não as mencionou, com medo de lembrar aos russos da possibilidade evidente de ser um espião. – Os nossos aviões viram – acrescentou.

– Por que nós precisamos atacar? – perguntou Feodor a Gavrik. – Poderíamos muito bem selar a paz aqui e agora! – Ouviu-se um murmúrio de aprovação.

– Então o que vocês farão se receberem a ordem de avançar? – quis saber Walter.

– Seria preciso reunir o comitê de soldados para discutir a questão – respondeu Feodor.

– Não fale merda – disse Gavrik. – Os comitês de soldados estão proibidos de debater sobre as ordens.

Houve um burburinho descontente e alguém na beira da roda falou baixinho:
– Isso é o que veremos, camarada sargento.

O grupo não parava de aumentar. Talvez os russos conseguissem sentir o cheiro da bebida de longe. Walter distribuiu mais duas garrafas. Para explicar a situação aos recém-chegados, falou:

– O povo alemão quer a paz tanto quanto vocês. Se não nos atacarem, não vamos atacá-los.

– Um brinde a isso! – exclamou um dos recém-chegados, provocando vivas esparsos.

Walter temia que o barulho pudesse chamar a atenção de algum oficial e se perguntou como iria fazer para os russos falarem em voz baixa apesar do *schnapps* – mas já era tarde demais. Uma voz alta e autoritária perguntou:

– O que está acontecendo aqui? O que vocês estão aprontando? – O monte de gente se abriu para dar passagem a um homem grande, com uma farda de major. O oficial olhou para Walter e perguntou:

– Posso saber quem é você?

Walter ficou preocupado. O oficial sem dúvida tinha o dever de capturá-lo. O serviço de inteligência alemão sabia como os russos tratavam seus prisioneiros de guerra. Ser capturado por eles era uma sentença de morte lenta por fome e frio.

Ele forçou um sorriso e estendeu a última garrafa fechada.
– Aceite uma bebida, major.

O oficial o ignorou e virou-se para Gavrik.
– O que você acha que está fazendo?

Gavrik não se deixou intimidar:
– Os homens não jantaram hoje, major, então como eu poderia obrigá-los a recusar uma bebida?

– Você deveria ter capturado o alemão!

– Agora que tomamos a bebida dele, não podemos capturá-lo – disse Feodor, já arrastando a voz. – Não seria justo! – concluiu, para vibração dos demais.

O major se dirigiu a Walter:
– Você é um espião, e eu deveria explodir a sua cabeça. – Levou a mão à arma que trazia no cinto.

Os soldados deram gritos de protesto. O major continuou com uma expressão raivosa, porém não disse mais nada. Claramente não queria entrar em conflito com os soldados.

– É melhor eu ir andando – disse-lhes Walter. – Seu major está me parecendo um pouco hostil. Além do mais, temos um bordel logo atrás da nossa linha de combate, e sei que tem uma loura peituda lá que talvez esteja se sentindo um pouco sozinha...

Todos riram e deram vivas. Era uma meia verdade: o bordel de fato existia, mas Walter nunca o visitara.

– Lembrem-se – disse ele –: nós não vamos lutar se vocês não lutarem!

Ele escalou a trincheira para sair. Esse era o momento mais perigoso. Pôs-se de pé, deu alguns passos, virou-se, acenou e continuou andando. Os homens já haviam matado a curiosidade e não havia sobrado nenhum *schnapps*. Talvez lhes desse na telha cumprir seu dever e atirar no inimigo. Walter tinha a sensação de estar com um alvo desenhado nas costas de seu casaco.

A noite caía. Ele logo estaria fora de vista. Poucos metros o separavam da segurança. Precisou reunir toda a sua força de vontade para não começar a correr – pois achava que isso poderia levar alguém a lhe dar um tiro. Cerrando os dentes, continuou andando no mesmo ritmo em meio à profusão de bombas não detonadas.

Olhou para trás. Já não divisava mais a trincheira. Isso significava que eles não conseguiam vê-lo. Estava seguro.

Começou a respirar com mais tranquilidade e seguiu em frente. O risco valera a pena. Ele havia descoberto muitas coisas. Embora aquela seção não tivesse hasteado nenhuma bandeira branca, os russos estavam em péssimas condições para lutar. Os soldados se sentiam obviamente descontentes e não escondiam o desejo de se rebelar, enquanto os oficiais mantinham a disciplina por um fio. O sargento tomara cuidado para não irritar seus homens e o major não se atrevera a capturar Walter. Com esse estado de espírito, era impossível que as tropas demonstrassem garra no campo de batalha.

Walter distinguiu a linha alemã. Gritou o próprio nome e uma senha combinada anteriormente. Pulou para dentro da trincheira. Um tenente bateu continência para ele.

– Incursão proveitosa, senhor?

– Sim, obrigado – respondeu Walter. – Muito proveitosa.

II

Katerina estava deitada na cama do antigo quarto de Grigori, usando apenas uma combinação fina. A janela estava aberta, deixando entrar o ar morno do mês de julho e o rugido dos trens que passavam a poucos passos dali. Ela estava grávida de seis meses.

Grigori correu um dedo pelo contorno de seu corpo, começando no ombro, passando por um seio intumescido, descendo de volta até as costelas, subindo pela suave protuberância de sua barriga e descendo pela coxa. Antes de Katerina, nunca havia experimentado aquele tipo de alegria serena. Quando jovem, suas relações com as mulheres tinham sido breves. Para ele, ficar deitado junto a uma mulher depois do sexo, tocando seu corpo com delicadeza e carinho, mas sem pressa ou desejo, era algo novo e emocionante. Talvez esse fosse o significado do casamento, pensou.

– Você fica ainda mais linda grávida – falou baixinho para não acordar Vlad.

Há dois anos e meio que vinha servindo de pai para o garoto de Lev, mas agora iria ter seu próprio filho. Gostaria de dar ao bebê o mesmo nome de Lênin, mas eles já tinham um Vladimir. A gravidez de Katerina havia tornado Grigori um linha-dura em termos de política. Ele tinha que pensar em que tipo de país o neném iria crescer e queria que seu filho fosse livre. (Por algum motivo, imaginava que seria um menino.) Era preciso garantir que a Rússia fosse governada pelo povo, não por um czar, nem por um parlamento de classe média, nem por uma coalizão de empresários e generais que traria de volta os antigos costumes sob novos disfarces.

Na verdade, não gostava de Lênin. Este vivia em um estado permanente de ira. Estava sempre gritando com os outros. Quem quer que discordasse dele era um porco, um desgraçado, um imbecil. No entanto, trabalhava com mais afinco do que qualquer outra pessoa, refletia demoradamente sobre tudo e sempre tomava as decisões certas. No passado, todas as "revoluções" russas tinham levado apenas a hesitação. Grigori sabia que Lênin não deixaria isso acontecer.

O governo provisório também sabia – e havia indícios de que pretendia atacar Lênin. A imprensa de direita o acusara de ser um espião alemão, o que era ridículo. Contudo, era verdade que Lênin tinha uma fonte secreta de financiamento. Por ser bolchevique desde antes da guerra, Grigori fazia parte do núcleo do partido, portanto sabia que o dinheiro vinha da Alemanha. Caso esse segredo vazasse, poderia alimentar as suspeitas.

Ele estava pegando no sono quando ouviu passos no corredor, seguidos por uma batida forte e insistente na porta. Enquanto vestia a calça, gritou:

– O que foi? – Vlad acordou e começou a chorar.

– Grigori Sergeivich? – perguntou uma voz de homem.

– Sou eu. – Grigori abriu a porta e se deparou com Isaak. – O que houve?

681

– Eles emitiram mandados de prisão para Lênin, Zinoviev e Kamenev.

Grigori gelou.

– Precisamos avisá-los!

– Estou com um carro do Exército esperando lá fora.

– Vou calçar as botas.

Isaak foi embora. Katerina pegou Vlad no colo para acalmá-lo. Grigori se vestiu às pressas, deu um beijo nos dois e desceu correndo a escada.

Pulou para dentro do carro ao lado de Isaak e disse:

– Lênin é o mais importante. – O governo tinha razão em escolhê-lo como alvo. Zinoviev e Kamenev eram grandes revolucionários, porém Lênin era o motor que impulsionava o movimento. – Temos que avisá-lo primeiro. Vá até a casa da irmã dele. O mais rápido possível.

Isaak partiu a toda.

Enquanto o carro fazia uma curva cantando pneus, Grigori se segurou firme. Quando o veículo se endireitou, ele perguntou:

– Como você descobriu?

– Um bolchevique do Ministério da Justiça me disse.

– Quando os mandados foram assinados?

– Hoje de manhã.

– Espero que cheguemos a tempo. – Grigori estava morrendo de medo que Lênin já tivesse sido detido. Ninguém mais possuía uma determinação tão inabalável quanto a sua. Ele podia ser truculento, mas havia transformado os bolcheviques no partido mais importante de todos. Sem ele, a revolução poderia se atolar novamente em incertezas e concessões.

Isaak seguiu até a Rua Shirokaya e parou em frente a um prédio residencial de classe média. Grigori saltou do carro, entrou correndo no edifício e bateu à porta do apartamento dos Yelizarov. Anna, irmã mais velha de Lênin, veio abrir. Era uma mulher de seus 50 anos, com os cabelos grisalhos repartidos no meio. Grigori já a havia encontrado antes: ela trabalhava no *Pravda*.

– Ele está aqui? – indagou Grigori.

– Está. Por quê? O que aconteceu?

Grigori sentiu uma onda de alívio. Não havia chegado tarde demais. Entrou no apartamento.

– Eles vão prendê-lo.

Anna fechou a porta com violência.

– Volodya! – chamou, usando o apelido do nome de batismo de Lênin. – Venha cá, rápido!

Lênin apareceu, vestindo, como sempre, um terno escuro puído, camisa de colarinho e gravata. Grigori explicou em poucas palavras a situação.

– Vou embora agora mesmo – disse Lênin.

– Não quer pelo menos jogar algumas coisas na mala...? – perguntou Anna.

– É arriscado demais. Mande tudo depois. Eu lhe aviso onde estou. – Ele olhou para Grigori. – Obrigado pelo aviso, Grigori Sergeivich. Você tem um carro?

– Tenho.

Sem dizer mais nada, Lênin saiu para o corredor.

Grigori o seguiu até a rua e apressou-se para abrir a porta do carro.

– Eles também emitiram mandados para Zinoviev e Kamenev – disse Grigori enquanto Lênin entrava.

– Volte para o apartamento e telefone para eles – ordenou Lênin. – Mark tem telefone e sabe onde eles estão. – Ele bateu a porta. Inclinando-se para a frente, disse alguma coisa para Isaak que Grigori não escutou. Isaak saiu com o carro.

Lênin era assim o tempo todo. Ladrava ordens para todos, e as pessoas lhe obedeciam porque ele sempre demonstrava sensatez.

Grigori sentiu um grande peso sendo erguido de seus ombros. Olhou de um lado para outro da rua. Um grupo de homens saiu de um prédio na calçada oposta. Alguns usavam ternos, outros uniformes de oficiais do Exército. Grigori ficou chocado ao reconhecer Mikhail Pinsky. Em teoria, a polícia secreta havia sido abolida, mas, pelo jeito, homens como Pinsky continuavam a trabalhar no Exército.

Aqueles homens provavelmente estavam à procura de Lênin – e haviam acabado de perdê-lo por terem entrado no prédio errado.

Grigori voltou correndo para dentro do edifício. A porta do apartamento dos Yelizarov continuava aberta. Lá dentro estavam Anna; seu marido, Mark; Gora, enteado de Anna; e a empregada da família, uma jovem camponesa chamada Anyushka – todos parecendo chocados. Grigori fechou a porta às suas costas.

– Ele foi levado embora em segurança – disse Grigori. – Mas a polícia está lá fora. Preciso ligar para Zinoviev e Kamenev agora mesmo.

– O telefone está logo ali, na mesa de canto – disse Mark.

Grigori hesitou.

– Como funciona? – Nunca tinha usado um telefone.

– Ah, perdão – disse Mark. Ele empunhou o aparelho, levando uma das peças ao ouvido e segurando a outra junto à boca. – Também é novidade para nós, mas usamos tanto que nem estranhamos mais. – Com impaciência, pressionou várias vezes o gancho que encimava a base do telefone. – Sim, telefonista, por favor – falou, dando um número em seguida.

683

Alguém bateu forte na porta.

Grigori levou o dedo aos lábios, mandando os outros ficarem calados.

Anna levou Anyushka e o menino para os fundos do apartamento.

Mark falava depressa ao telefone. Grigori ficou parado em frente à porta de entrada. Uma voz disse:

– Abram ou vamos arrombar esta porta! Temos um mandado!

Grigori gritou de volta:

– Só um instante, estou vestindo minha calça! – A polícia sempre aparecia no prédio em que Grigori morava, então ele conhecia todas as desculpas possíveis para fazê-la esperar.

Mark voltou a pressionar o gancho do telefone e pediu outra ligação.

– Quem é? Quem está batendo? – gritou Grigori.

– Polícia! Abram imediatamente!

– Estou indo, preciso trancar o cachorro na cozinha.

– Andem logo com isso!

Grigori ouviu Mark dizer:

– Avise a ele para se esconder. A polícia está na porta da minha casa. – Ele pôs o receptor do telefone no gancho e meneou a cabeça para Grigori, que abriu a porta e recuou para dar passagem.

Pinsky entrou no apartamento.

– Onde está Lênin? – perguntou.

Vários oficiais do Exército entraram atrás dele.

– Não tem ninguém aqui com esse nome – respondeu Grigori.

Pinsky o encarou.

– O que você está fazendo aqui? – perguntou. – Sempre soube que era um encrenqueiro.

Mark deu um passo à frente e pediu, sem alterar a voz:

– Posso ver o mandado, por favor?

Relutante, Pinsky lhe entregou um pedaço de papel.

Mark analisou o papel por alguns instantes, então disse:

– Alta traição? Isso é ridículo!

– Lênin é um agente alemão – disse Pinsky, apertando os olhos para encarar Mark. – Você é o cunhado dele, não é?

Mark lhe devolveu o mandado.

– O homem que os senhores procuram não está aqui – disse.

Pinsky, ao notar que Mark estava dizendo a verdade, assumiu uma expressão irritada.

– E quer me dizer por que não? – perguntou. – Ele mora aqui!

– Lênin não se encontra – repetiu Mark.

O rosto de Pinsky ficou vermelho.

– Alguém veio avisá-lo? – Ele agarrou Grigori pela lapela da sua farda. – O que você está fazendo aqui?

– Eu sou delegado do soviete de Petrogrado pelo Primeiro Regimento de Metralhadoras e, a menos que você queira que o regimento faça uma visita ao seu quartel-general, é melhor tirar essas mãos gordas do meu uniforme.

Pinsky o soltou.

– Vamos dar uma olhada mesmo assim – falou.

Ao lado da mesa do telefone havia uma estante. Pinsky apanhou uma dúzia de livros, atirando-os no chão. Acenou para os oficiais entrarem no apartamento.

– Ponham tudo abaixo – ordenou.

III

Walter foi até um vilarejo dentro do território conquistado dos russos e deu a um camponês, que ficou espantado e radiante, uma moeda de ouro em troca de suas roupas: um casaco imundo de pele de carneiro, um agasalho de algodão, uma calça folgada de tecido áspero e sapatos feitos de tiras de casca de faia entrelaçadas. Felizmente, Walter não teve que comprar sua roupa de baixo, pois o homem estava sem.

Ele cortou os cabelos com uma tesoura de cozinha e parou de se barbear.

Em uma pequena cidade-mercado, comprou um saco de cebolas. No fundo do saco, debaixo das cebolas, pôs uma bolsa de couro contendo 10 mil rublos em moedas e notas.

Certa noite, sujou as mãos e o rosto de terra e, usando as roupas do camponês e carregando o saco de cebolas, atravessou a terra de ninguém, passou pela linha de frente russa e caminhou até a estação de trem mais próxima, onde comprou uma passagem de terceira classe.

Adotou uma atitude agressiva, rosnando para todos os que tentavam falar com ele, como se temesse que fossem querer lhe roubar as cebolas, o que provavelmente era verdade. Carregava uma faca grande, enferrujada, porém afiada, presa ao cinto a olhos vistos – além de um revólver Nagant, confiscado de um oficial russo capturado, escondido debaixo do casaco malcheiroso. Nas duas ocasiões em que um policial lhe dirigiu a palavra, deu um sorriso imbecil e ofereceu-lhe uma cebola, suborno tão desprezível que ambos os policiais soltaram um grunhido de repulsa e se afastaram. Caso algum deles houvesse insistido em revistar o saco, Walter estava disposto a matá-lo, mas não foi necessário. Comprava passagens para trajetos curtos, descendo a cada três ou quatro paradas, pois nenhum camponês viajaria centenas de quilômetros só para vender suas cebolas.

Estava tenso, sempre alerta. Seu disfarce era frágil. Qualquer pessoa que conversasse com ele durante mais de alguns segundos saberia que não era de fato russo. A penalidade para o que estava fazendo era a morte.

No início teve medo, mas ele acabou passando e, no segundo dia, já estava entediado. Não tinha nada com que ocupar a mente. Não podia ler, é óbvio: na verdade, precisava tomar cuidado para não consultar os horários afixados nas estações ou ficar olhando demais para os anúncios, pois a maioria dos camponeses era analfabeta. Enquanto uma série de trens lentos chacoalhava pelas intermináveis florestas russas, Walter embarcou em uma fantasia complexa sobre o apartamento em que ele e Maud iriam morar depois da guerra. Ele teria uma decoração moderna, feita de madeira clara e cores neutras, como a da casa dos Von der Helbard, em vez da atmosfera pesada e escura da residência de seus pais. Tudo seria fácil de limpar e conservar, sobretudo na cozinha e na lavanderia, de modo a poderem ter menos criados. Teriam um piano bom de verdade, um Steinway de cauda, pois ambos gostavam de tocar. Comprariam um ou dois quadros modernos chamativos, talvez de expressionistas austríacos, para chocarem a velha geração e passarem a imagem de um casal progressista. O quarto de dormir seria claro e arejado, e nele poderiam ficar deitados nus sobre uma cama macia, beijando-se, conversando e fazendo amor.

E assim ele viajou até Petrogrado.

O plano, intermediado por um socialista revolucionário da embaixada sueca, era que um enviado dos bolcheviques estaria esperando todos os dias em Petrogrado, durante uma hora, para pegar o dinheiro com Walter na estação Varsóvia, às seis da tarde. Walter chegou ao meio-dia e aproveitou a oportunidade para andar pela cidade, no intuito de avaliar a capacidade do povo russo de seguir combatendo.

Ficou chocado com o que viu.

Assim que saiu da estação, foi cercado por prostitutos e prostitutas de todas as idades, inclusive crianças. Atravessou a ponte sobre um canal e seguiu alguns quilômetros para o norte até o centro da cidade. A maioria das lojas estava fechada, muitas com tábuas pregadas nas fachadas, outras simplesmente abandonadas, com o vidro estilhaçado das vitrines a cintilar na calçada. Viu muitos bêbados e duas brigas. De vez em quando, um automóvel ou uma carruagem puxada a cavalo passava depressa, com os passageiros escondidos atrás de cortinas fechadas, fazendo os pedestres se espalharem. Quase todos estavam magros, maltrapilhos e descalços. A situação era bem pior do que em Berlim.

Ele viu muitos soldados, sozinhos e em grupos, a maioria demonstrando indisciplina: marchando fora de ritmo ou vadiando em seus postos, com as fardas desabotoadas, batendo papo com civis e, aparentemente, fazendo o que bem entendiam. Walter confirmou a impressão que tivera ao visitar a linha de frente russa: aqueles homens não estavam com disposição para lutar.

Isso tudo eram ótimas notícias, pensou ele.

Ninguém o abordou e ele foi ignorado pela polícia. Era apenas mais uma silhueta esfarrapada cuidando da própria vida em uma cidade à beira da ruína.

Animadíssimo, voltou para a estação às seis da tarde e logo identificou seu contato, um sargento que carregava um fuzil com um cachecol vermelho amarrado no cano. Antes de se apresentar, Walter analisou o homem. Era uma figura imponente, não muito alto, mas espadaúdo e corpulento. Faltava-lhe a orelha direita, um dos dentes da frente e o anular da mão esquerda. Ele aguardava com a paciência de um soldado veterano, porém seus olhos azuis atentos não deixavam escapar muita coisa. Embora Walter pretendesse observá-lo às escondidas, o soldado notou seu olhar, meneou a cabeça, deu meia-volta e se afastou. Compreendendo a deixa evidente, Walter o seguiu. Os dois entraram em um lugar espaçoso, cheio de mesas e cadeiras.

– Sargento Grigori Peshkov? – indagou Walter.

Grigori assentiu:

– Eu sei quem é o senhor. Sente-se.

Walter olhou ao redor. Um samovar chiava em um canto e uma velha de xale vendia peixes defumados e em conserva. Quinze ou 20 pessoas ocupavam as mesas. Ninguém olhou duas vezes para o soldado nem para o camponês que obviamente estava ali para tentar vender seu saco de cebolas. Um rapaz de jaqueta azul que parecia operário entrou logo depois deles. Walter o encarou nos olhos por um instante e observou enquanto ele se sentava, acendia um cigarro e abria o *Pravda*.

– Posso comer alguma coisa? – perguntou Walter. – Estou faminto, mas acho que os preços aqui são um pouco salgados para um camponês.

Grigori foi buscar uma porção de pão preto com arenque e duas xícaras de chá com açúcar. Walter começou a comer. Depois de um minuto a observá-lo, Grigori riu.

– Estou admirado que tenha conseguido se fazer passar por camponês – disse ele. – Eu saberia que o senhor é burguês.

– Como?

– Suas mãos estão sujas, mas o senhor come em pequenos bocados e limpa a boca com um trapo como se fosse um guardanapo de linho. Um camponês de verdade enfia a comida goela abaixo e faz barulho para tomar o chá.

A arrogância do sargento irritou Walter. Afinal de contas, pensou ele, eu sobrevivi três dias dentro de um maldito trem. Queria ver você tentar isso na Alemanha. Estava na hora de lembrar a Peshkov que ele precisava fazer jus ao dinheiro.

– Conte-me sobre a situação dos bolcheviques – pediu.

– Ela é perigosamente boa – respondeu Grigori. – Nos últimos meses, milhares de russos entraram para o partido. Leon Trótski finalmente anunciou que nos apoia. O senhor deveria ouvir o que ele diz. Ele costuma lotar o Cirque Moderne quase todas as noites. – Walter pôde ver que Grigori idolatrava Trótski. Até mesmo os alemães sabiam que sua retórica era fascinante. Ele era uma conquista e tanto para os bolcheviques. – Em fevereiro passado, tínhamos 10 mil membros. Hoje, temos 200 mil – concluiu Grigori com orgulho.

– Isso é ótimo, mas vocês podem mudar as coisas? – quis saber Walter.

– Temos grandes chances de vencer a eleição para a Assembleia Constituinte.

– Quando será o pleito?

– Ele vem sendo adiado há tempos...

– Por quê?

Grigori deu um suspiro.

– Primeiro, o governo provisório convocou um conselho de representantes que, depois de dois meses, finalmente concordou em formar um segundo conselho, com 60 membros, para redigir a lei eleitoral...

– Por quê? Qual o motivo de um processo tão complicado?

Grigori pareceu furioso.

– Eles dizem que querem uma eleição totalmente inquestionável, mas o verdadeiro motivo é que os partidos conservadores estão fazendo corpo mole, pois sabem que vão perder.

Aquele homem era apenas um sargento, pensou Walter, mas sua análise parecia bastante sofisticada.

– E quando vai ser a eleição, afinal?

– Em setembro.

– E por que o senhor acha que os bolcheviques vão ganhar?

– Ainda somos o único grupo comprometido de verdade com a paz. E todos sabem disso, graças aos jornais e panfletos que publicamos.

– Então por que disse que a situação é "perigosamente" boa?

– Porque isso nos torna o alvo principal do governo. Foi emitida uma ordem de prisão para Lênin. Ele teve que entrar para a clandestinidade. Mas continua na liderança do partido.

Walter também acreditava nisso. Se Lênin fora capaz de manter o controle dos bolcheviques durante o exílio, em Zurique, sem dúvidas conseguiria fazê-lo de um esconderijo na Rússia.

Walter havia efetuado a entrega e reunido a informação de que precisava. Tinha cumprido sua missão. Foi tomado por uma sensação de alívio. Agora, tudo o que precisava fazer era voltar para casa.

Com o pé, empurrou o saco que continha os 10 mil rublos até Grigori.

Acabou de tomar seu chá e se levantou.

– Aproveite suas cebolas – disse, encaminhando-se para a porta.

Com o canto do olho, viu o homem de jaqueta azul dobrar seu exemplar do *Pravda* e se levantar.

Walter comprou uma passagem para Luga e embarcou no trem. Entrou em um compartimento de terceira classe. Espremeu-se para passar por um grupo de soldados que fumava e bebia vodca, por uma família de judeus com todos os seus pertences embolados em trouxas presas com barbante e por alguns camponeses com caixotes vazios que provavelmente tinham vendido seus frangos. No fundo do vagão, parou e olhou para trás.

O sujeito de jaqueta azul entrou no vagão.

Walter passou alguns segundos observando o homem abrir caminho entre os passageiros, acotovelando as pessoas sem cerimônia para passar. Somente um policial faria uma coisa dessas.

Walter saltou do trem e saiu da estação apressado. Recordando o passeio de reconhecimento que fizera à tarde, seguiu a passos rápidos em direção ao canal. No verão, as noites eram curtas, de modo que ainda havia bastante luz. Ele esperava ter conseguido despistar seu perseguidor, porém, ao olhar por cima do ombro, viu que o homem ainda estava atrás dele. O mais provável era que estivesse seguindo Peshkov antes e houvesse decidido investigar seu amigo camponês vendedor de cebolas.

O homem apertou o passo.

Caso fosse capturado, Walter seria fuzilado como espião. Não tinha escolha quanto ao que fazer em seguida.

Encontrava-se em um bairro de classe baixa. Petrogrado inteira aparentava pobreza, mas aquele distrito em especial era cheio dos hotéis baratos e bares sujos que proliferavam em volta das estações de trem de todo o mundo. Walter começou a correr, mas o homem de jaqueta azul também se apressou para não perdê-lo de vista.

Walter chegou a uma olaria à beira do canal. A construção era cercada por um muro alto e tinha um portão gradeado de ferro, porém ao lado dela havia um armazém abandonado em um terreno sem cerca. Walter saiu da rua, atravessou correndo o terreno do armazém e escalou o muro para entrar na olaria.

Tinha de haver um vigia em algum lugar, mas Walter não viu ninguém. Procurou um esconderijo. Era uma pena ainda estar tão claro. A olaria tinha seu próprio cais, com um pequeno píer de madeira. Estava cercado por pilhas de tijolos da altura de um homem, mas ele precisava ver sem ser visto. Aproximou-se de uma pilha parcialmente desfeita – alguns dos tijolos deviam ter sido vendidos – e se apressou a reorganizar alguns outros, de modo a poder se esconder atrás deles e espiar por uma fresta. Tirou o Nagant do cinto e puxou o cão do revólver.

Instantes depois, pôde ver o sujeito de jaqueta azul escalar o muro.

Era um homem de estatura mediana, magro, com um bigodinho. Parecia assustado: havia percebido que já não estava apenas seguindo um suspeito. Estava envolvido em uma caçada humana – e não sabia se era o caçador ou a caça.

Seu perseguidor sacou uma arma.

Walter apontou o revólver por entre a fresta nos tijolos, mirando no homem, mas não estava próximo o suficiente para ter certeza de que acertaria o alvo.

O sujeito se deteve por alguns instantes, olhando em volta, obviamente indeciso quanto ao que fazer. Então se virou e começou a andar, hesitante, em direção à água.

Walter foi atrás dele. Havia invertido o jogo.

O homem foi passando por entre as pilhas de tijolos, examinando a área. Walter o imitou, abaixando-se atrás dos tijolos sempre que o homem parava, chegando cada vez mais perto. Não queria um tiroteio demorado, que pudesse atrair a atenção de outros policiais. Precisava abater seu inimigo com um ou dois tiros e fugir depressa.

Quando o homem chegou à extremidade do terreno que dava para a água, os dois estavam a menos de 10 metros de distância. O homem olhou de um lado para o outro do canal, como se Walter pudesse ter saído remando em um barco.

Walter saiu do seu esconderijo e mirou bem no meio das costas do homem.

Quando o sujeito virou as costas para a água, deu de cara com Walter.

Então soltou um grito.

Foi um som agudo e feminino de espanto e terror. Walter soube, naquele mesmo instante, que se lembraria do grito pelo resto da vida.

Ele apertou o gatilho, o revólver disparou e o grito foi interrompido de chofre. Um tiro bastou. O agente da polícia secreta desabou no chão, sem vida.

Walter se agachou junto ao corpo. Os olhos do homem fitavam o céu, vidrados. Não havia pulso nem respiração.

Arrastou o corpo até a beira do canal. Colocou tijolos nos bolsos da calça e da jaqueta para lastrear o cadáver. Então o empurrou por cima do parapeito baixo e deixou-o cair na água.

O corpo submergiu. Walter virou as costas e foi embora.

IV

Quando a contrarrevolução começou, Grigori estava em uma reunião do soviete de Petrogrado.

Ficou preocupado, mas não surpreso. À medida que a popularidade dos bolcheviques aumentava, a oposição ficava cada vez mais violenta. O partido estava se saindo bem nas eleições locais, ganhando o controle de um soviete de província atrás do outro, além de angariar 30% dos votos para o conselho municipal de Petrogrado. Em resposta a isso, o governo – agora liderado por Kerenski – prendera Trótski e adiara mais uma vez a tão esperada eleição nacional para a Assembleia Constituinte. Os bolcheviques vinham dizendo desde o começo que o governo provisório jamais organizaria um pleito nacional – e esse novo adiamento só fez aumentar a credibilidade do partido.

Foi então que o Exército entrou em cena.

O general Kornilov era um cossaco de cabeça raspada que tinha um coração de leão e um cérebro de ovelha, segundo o famoso comentário do general Alexeev. No dia 9 de setembro, Kornilov ordenou às suas tropas que marchassem sobre Petrogrado.

O soviete reagiu depressa. Os delegados resolveram instituir imediatamente o Comitê de Reação à Contrarrevolução.

Um comitê era inútil, pensou Grigori com impaciência. Pôs-se de pé, reprimindo sua raiva e seu medo. Como delegado do Primeiro Regimento de Metralhadoras, era ouvido com respeito, sobretudo em questões militares.

– Um comitê desses não faz sentido se os seus membros forem apenas pronunciar discursos – disse ele, exaltado. – Se as informações que acabamos de receber forem verdadeiras, parte das tropas de Kornilov não deve estar muito longe dos limites de Petrogrado. Só a força poderá detê-los. – Ele estava sempre vestido com o uniforme de sargento e portava seu fuzil e um revólver. – O comitê não vai servir para nada a menos que mobilize os operários e soldados de Petrogrado contra o motim do Exército.

Grigori sabia que apenas o Partido Bolchevique era capaz de mobilizar o povo. E todos os outros delegados também sabiam disso, fosse qual fosse sua lealdade partidária. No fim das contas, ficou resolvido que o comitê seria composto por três mencheviques, três socialistas revolucionários e três bolcheviques, incluindo Grigori – no entanto, todos sabiam que os bolcheviques eram os únicos a fazer diferença.

Assim que houve consenso quanto a isso, o recém-formado comitê deixou a sala de reunião. Fazia seis meses que Grigori estava na política, e ele já havia aprendido a manipular o sistema. Assim, ignorou a composição formal do comitê e convidou uma dúzia de pessoas úteis a se juntar a eles, dentre as quais Konstantin, da Metalúrgica Putilov, e Isaak, do Primeiro Regimento de Metralhadoras.

O soviete havia sido transferido do Palácio Tauride para o Instituto Smolny, uma antiga escola para meninas, e o comitê tornou a se reunir em uma sala de aula, cercado de bordados emoldurados e aquarelas infantis.

– Os senhores têm uma proposta para abrir o debate? – indagou o presidente da sessão.

Aquilo era perda de tempo, mas Grigori já era delegado há tempo suficiente para saber como contornar a situação. Adiantou-se na mesma hora para assumir o controle da assembleia e fazer o comitê se concentrar em ações em vez de palavras.

– Sim, camarada presidente, se me permite – disse ele. – Proponho cinco coisas que precisamos fazer. – Uma lista numerada era sempre uma boa ideia: fazia as pessoas sentirem que precisavam escutar até o final. – Primeiro: mobilizar os soldados de Petrogrado contra o motim do general Kornilov. Como podemos fazer isso? Sugiro que o cabo Isaak Ivanovich faça uma lista dos principais quartéis com os nomes de líderes revolucionários de confiança em cada um deles. Assim que identificarmos nossos aliados, devemos enviar uma mensagem instruindo-os a acatarem as ordens deste comitê e se prepararem para repelir os amotinados. Se Isaak começar agora, em poucos minutos pode trazer a lista e a mensagem para a aprovação deste comitê.

Grigori fez uma breve pausa para permitir que os outros meneassem a cabeça e, tomando isso como uma aprovação, prosseguiu:

– Obrigado. Vá em frente, camarada Isaak. Em segundo lugar, precisamos mandar uma mensagem para Kronstadt. – A base naval de Kronstadt, uma ilha a pouco mais de 30 quilômetros da costa, era conhecida pelo tratamento brutal dispensado aos marinheiros, sobretudo aos jovens recrutas. Há seis meses que os marinheiros haviam se rebelado contra seus algozes, torturando e matando muitos de seus oficiais. A base era agora um reduto de radicais. – Os marinheiros devem se armar, vir até Petrogrado e ficar às nossas ordens. – Grigori apontou para um delegado bolchevique que sabia ser próximo dos marinheiros. – Camarada Gleb, você assumiria essa tarefa, com a aprovação do comitê?

Gleb aquiesceu.

– Se me permitem, posso fazer uma minuta da carta para o nosso presidente assinar e então levá-la eu mesmo até Kronstadt – disse ele.

– Por favor, faça isso.

Os membros do comitê começaram a parecer um pouco atordoados. As coisas estavam indo mais depressa do que o normal. Os únicos que não estavam surpresos eram os bolcheviques.

– Em terceiro lugar, precisamos organizar os operários em unidades defensivas e armá-los. Podemos conseguir as armas nos arsenais do Exército e nas fábricas de armamentos. A maioria dos trabalhadores vai precisar de um treinamento básico de tiro e disciplina militar. Sugiro que essa tarefa seja efetuada em conjunto pelos sindicatos e pela Guarda Vermelha. – A Guarda Vermelha era o braço armado dos soldados e operários revolucionários. Nem todos eram bolcheviques, porém costumavam obedecer às ordens dos comitês do partido. – Proponho que o camarada Konstantin, delegado da Metalúrgica Putilov, fique encarregado disso. Ele saberá qual é o principal sindicato de cada uma das grandes fábricas.

Grigori sabia que estava transformando a população de Petrogrado em um exército revolucionário – e os demais bolcheviques do comitê também –, mas será que o restante dos delegados estava entendendo seu plano? No final de todo aquele processo, supondo que a contrarrevolução fosse derrotada, seria muito difícil para os moderados desarmar a força que haviam criado e restaurar a autoridade do governo provisório. Caso conseguissem enxergar tão mais adiante assim, talvez tentassem abrandar ou reverter as propostas de Grigori. Por ora, no entanto, estavam concentrados em impedir um golpe militar. Como sempre, somente os bolcheviques tinham uma estratégia.

– Sim, ótima ideia, vou fazer uma lista – disse Konstantin. Ele daria prioridade aos líderes sindicais bolcheviques, é claro, mas, de toda forma, ultimamente eles eram os mais eficazes.

– Em quarto lugar – continuou Grigori –, o Sindicato dos Ferroviários precisa fazer o possível para impedir o avanço do exército de Kornilov. – Os bolcheviques haviam trabalhado duro para assumir o controle desse sindicato, e agora tinham pelo menos um partidário em cada galpão ferroviário. Os sindicalistas bolcheviques sempre se ofereciam para servir de tesoureiros, secretários ou presidentes. – Embora algumas tropas estejam vindo para cá pelas estradas, a maioria dos homens e dos mantimentos terá que chegar de trem. O sindicato pode garantir que eles se atrasem e obrigá-los a fazer longos desvios. Camarada Viktor, o comitê pode contar com você para essa missão?

Viktor, um delegado dos ferroviários, fez que sim com a cabeça.

– Vou criar um comitê especial dentro do sindicato para organizar a perturbação do avanço dos amotinados.

– Por último, precisamos incentivar outras cidades a estabelecer comitês como o nosso – disse Grigori. – A revolução precisa ser defendida em toda parte. Será que outros membros deste comitê poderiam sugerir com que cidades devemos nos comunicar?

Era uma distração proposital, porém todos morderam a isca. Satisfeitos por terem algo para fazer, os integrantes começaram a gritar nomes de cidades que deveriam criar Comitês de Reação. Isso garantiu que, em vez de esmiuçarem as propostas mais importantes de Grigori, eles as deixassem passar sem contestação – ninguém sequer pensou nas consequências a longo prazo de se armar a população.

Isaak e Gleb rascunharam suas cartas e obtiveram a assinatura do presidente da sessão sem maiores discussões. Konstantin elaborou a lista dos líderes operários e começou a despachar recados para eles. Viktor partiu para organizar os ferroviários.

O comitê passou a discutir os termos de uma mensagem às cidades vizinhas. Grigori se retirou discretamente. Havia conseguido o que queria. A defesa de Petrogrado, e da revolução, estava bem encaminhada. E os bolcheviques estavam no comando dela.

O que precisava agora era obter informações confiáveis sobre o paradeiro do exército contrarrevolucionário. Haveria mesmo tropas se aproximando dos subúrbios ao sul de Petrogrado? Caso houvesse, talvez fosse preciso detê-las com mais rapidez do que o Comitê de Reação seria capaz de fazer.

Atravessando a ponte, ele percorreu o curto trajeto que separava o Instituto Smolny de seu quartel. Uma vez lá, encontrou o regimento já se preparando para combater os amotinados de Kornilov. Reuniu um blindado, um motorista e três soldados revolucionários de confiança e pôs-se a cruzar a cidade na direção sul.

A tarde de outono já escurecia à medida que o grupo zanzava pelos subúrbios do sul, à procura do exército invasor. Após um par de horas infrutíferas, Grigori decidiu que, muito provavelmente, as informações sobre o avanço de Kornilov tinham sido exageradas. De qualquer maneira, era bem capaz de ele não encontrar nada além de um destacamento avançado. Ainda assim, era importante verificar, de modo que insistiu na busca.

Acabaram encontrando uma brigada de infantaria montando acampamento em uma escola.

Grigori cogitou voltar ao quartel e trazer o Primeiro Regimento de Metralhadoras até ali para atacá-los. Contudo, pensou que talvez houvesse uma saída melhor. Era arriscado, mas, caso funcionasse, evitaria bastante derramamento de sangue.

Ele iria tentar vencer na base da conversa.

O grupo passou por uma sentinela apática e entrou no pátio da escola. Grigori desceu do blindado. Como precaução, desdobrou a baioneta na ponta do fuzil, colocando-a em posição de ataque. Em seguida, pendurou a arma no ombro. Sentindo-se vulnerável, forçou-se a aparentar tranquilidade.

Vários soldados se aproximaram. Um coronel perguntou:

– O que está fazendo aqui, sargento?

Grigori o ignorou e dirigiu-se a um cabo.

– Camarada, preciso falar com o líder do seu comitê de soldados – disse.

– Esta brigada não tem comitês de soldados, *camarada* – respondeu o coronel. – Volte para o seu blindado e suma daqui.

O cabo, no entanto, se manifestou de pronto em tom desafiador, embora parecesse nervoso:

– Eu era o líder do comitê do meu pelotão, sargento... antes de os comitês serem proibidos, é claro.

O semblante do coronel se fechou de raiva.

Aquilo era a revolução em miniatura, percebeu Grigori. Quem sairia ganhando – o coronel ou o cabo?

Outros soldados chegaram mais perto para escutar.

– Então me diga uma coisa – pediu Grigori ao cabo –, por que vocês estão atacando a revolução?

– Não, não – respondeu o cabo. – Nós estamos aqui para defendê-la.

– Alguém andou mentindo para vocês. – Grigori se virou e levantou a voz para se dirigir aos homens em volta. – O primeiro-ministro, camarada Kerenski, destituiu o general Kornilov, mas Kornilov se recusa a abandonar o cargo, por isso mandou vocês atacarem Petrogrado.

Um murmúrio de reprovação percorreu o grupo.

O coronel parecia constrangido: ele sabia que Grigori tinha razão.

– Chega dessas mentiras! – disparou. – Saia daqui agora, sargento, ou eu vou lhe dar um tiro.

– Nem toque nessa arma, coronel – disse Grigori. – Seus homens têm o direito de saber a verdade. – Ele olhou para o grupo que aumentava. – Estou certo?

– Sim! – disseram vários homens.

– Eu não aprovo tudo o que Kerenski fez – disse Grigori. – Ele reinstaurou a pena de morte e os açoitamentos. Mas é o nosso líder revolucionário, enquanto o general Kornilov quer destruir a revolução.

– Mentira! – exclamou o coronel com irritação. – Será que vocês não entendem? Este sargento é um bolchevique. Todo mundo sabe que eles foram comprados pelos alemães!

– Como vamos saber em quem acreditar? – perguntou o cabo. – O senhor diz uma coisa, sargento, mas o coronel diz outra.

– Então não acreditem em nenhum de nós dois – disse Grigori. – Descubram por si mesmos. – Ele ergueu a voz para garantir que todos pudessem ouvi-lo: – Não precisam ficar escondidos nesta escola. É só irem até a fábrica mais próxima e perguntarem a qualquer operário. Conversem com os soldados que virem nas ruas. Logo descobrirão a verdade.

O cabo assentiu.

– Boa ideia.

– Vocês não vão fazer nada disso – disse o coronel, furioso. – Ordeno que todos permaneçam na escola.

Que baita erro, pensou Grigori.

– Seu coronel não quer que vocês descubram por si mesmos – falou ele. – Isso não mostra que ele deve estar mentindo?

O coronel levou a mão à pistola e disse:

– Sargento, essas são as palavras de um amotinado.

Os homens encaravam o coronel e Grigori. O momento era crítico, e Grigori estava mais perto da morte do que nunca.

De repente, o sargento percebeu que estava em desvantagem. Havia ficado tão envolvido na discussão que se esquecera de planejar o que fazer quando ela chegasse ao fim. Trazia o fuzil pendurado no ombro, mas a trava de segurança estava acionada. Precisaria de vários segundos para tirar a arma do ombro, girar a alavanca difícil de manejar que destravava o mecanismo de segurança e erguer o fuzil até uma posição de tiro. O coronel conseguiria sacar a pistola e atirar bem mais depressa. Sentindo uma onda de medo, Grigori teve que reprimir um impulso de virar as costas e sair correndo.

– Amotinado? – indagou ele, ganhando tempo e tentando não deixar o medo enfraquecer o tom decidido da própria voz. – Quando um general destituído marcha sobre a capital, mas seus soldados se recusam a atacar o governo legítimo, quem é o amotinado? Eu digo que é o general. E os oficiais que tentam executar suas ordens traiçoeiras.

O coronel sacou a pistola.

– Fora daqui, sargento. – Ele se virou para os outros. – Homens, entrem na escola e reúnam-se no hall de entrada. Lembrem-se: insubordinação é crime no Exército, e a pena de morte foi reinstaurada. Vou atirar em quem desobedecer a esta ordem.

Ele apontou a arma para o cabo.

Grigori notou que os soldados estavam prestes a obedecer àquele oficial autoritário, confiante e armado. Desesperado, viu que só lhe restava uma saída. Ele teria que matar o coronel.

Encontrou uma maneira de fazer isso. Teria de agir muito depressa, mas achou que podia conseguir.

Se estivesse errado, iria morrer.

Ele tirou o fuzil do ombro esquerdo e, passando-o sem demora para a mão direita, deu uma estocada para a frente com toda a sua força, lançando-o contra o flanco do coronel. A ponta afiada da baioneta comprida rasgou a fazenda do uniforme e Grigori sentiu quando ela se afundou na barriga macia. O coronel deu um grito de dor, mas não caiu. Apesar do ferimento, virou-se, descrevendo um arco com a mão que segurava a arma, e puxou o gatilho.

O tiro não acertou em nada.

Grigori empurrou o fuzil, forçando a baioneta para dentro e para cima, buscando atingir o coração. O rosto do coronel se contorceu de agonia e sua boca se abriu, mas sem produzir som algum, e ele desabou no chão ainda agarrando a pistola.

Grigori puxou a baioneta de volta com violência.

A pistola do coronel caiu de sua mão.

Todos ficaram olhando para o coronel, que agonizava silenciosamente sobre a grama seca do pátio. Grigori desarmou a trava de segurança de seu fuzil, mirou no coração do oficial e disparou duas vezes à queima-roupa. O homem ficou inerte.

– Como o senhor disse, coronel – falou ele. – É a pena de morte.

V

Fitz e Bea pegaram um trem em Moscou, acompanhados apenas pela criada russa de Bea, Nina, e pelo criado de Fitz, Jenkins, um ex-campeão de boxe que havia sido rejeitado pelo Exército por não conseguir enxergar mais de 10 metros à frente do nariz.

Eles desembarcaram em Bulovnir, a pequena estação que dava acesso às terras do príncipe Andrei. Os especialistas contratados por Fitz tinham sugerido que Andrei construísse ali uma pequena comunidade, com uma madeireira, depósitos de cereais e um moinho. Contudo, nada disso tinha sido feito, de modo que os camponeses ainda transportavam seus produtos usando cavalos e carroças por mais de 30 quilômetros até a antiga cidade-mercado.

Andrei mandara uma carruagem aberta para recebê-los, com um condutor carrancudo que ficou apenas observando Jenkins erguer os baús até a traseira do veículo. Enquanto seguiam por uma estrada de terra que cortava as plantações, Fitz recordou sua visita anterior, quando ainda era recém-casado com a princesa e os aldeões haviam se postado à beira da estrada para aplaudi-los. A atmosfera agora era diferente. Os agricultores que trabalhavam nos campos mal erguiam os olhos quando a carruagem passava, enquanto nos vilarejos e aldeias os moradores faziam questão de lhes dar as costas.

Esse tipo de coisa deixava Fitz irritado e de mau humor, mas seu ânimo melhorou ao ver as pedras da velha casa, gastas pelo tempo, serem tingidas de amarelo-claro pelo sol baixo da tarde. Um pequeno grupo de criados, vestido de forma impecável, surgiu pela porta da frente como patos na hora da ração e se alvoroçou em volta da carruagem, abrindo portas e carregando a bagagem. Georgi, caseiro de Andrei, beijou a mão de Fitz e disse, em inglês, palavras obviamente decoradas:

– Bem-vindo de volta ao seu lar na Rússia, conde Fitzherbert.

As casas russas costumavam ser grandiosas porém malcuidadas, e Bulovnir não era exceção. O saguão de pé-direito duplo precisava de pintura, o lustre inestimável estava coberto de poeira e um cachorro havia urinado no piso de mármore. O príncipe Andrei e a princesa Valeriya aguardavam sob um enorme retrato do avô de Bea, que os encarava lá de cima com as sobrancelhas franzidas e olhar severo.

Bea correu para abraçar Andrei.

Valeriya tinha uma beleza clássica, com traços simétricos e cabelos escuros presos em um penteado bem arrumado. Apertou a mão de Fitz e disse em francês:

– Obrigada por terem vindo. Estamos muito felizes em vê-los.

Quando Bea largou Andrei, enxugando as lágrimas, Fitz estendeu a mão para o cunhado apertar. Andrei estendeu sua mão esquerda: a manga direita de seu paletó pendia vazia. Ele estava pálido e magro – como se sofresse de uma doença debilitante – e, embora tivesse apenas 33 anos, sua barba preta ostentava alguns fios grisalhos.

– Vocês não imaginam como fico aliviado em vê-los – disse ele.

– Está havendo algum problema? – quis saber Fitz. Eles falavam francês, idioma que os quatro dominavam.

– Venha até a biblioteca. Valeriya vai levar Bea até o andar de cima.

Eles se separaram das mulheres e adentraram um cômodo empoeirado cheio de livros encadernados em couro que não pareciam ser lidos com frequência.

– Pedi um chá. Infelizmente, não temos xerez.

– Chá está ótimo. – Fitz se acomodou em uma cadeira. Sua perna ferida doía por conta da longa viagem. – O que está acontecendo?

– Você está armado?

– Sim, na verdade estou. Trouxe meu revólver de serviço na bagagem. – Fitz tinha um Webley Mark V que havia recebido do Exército em 1914.

– Por favor, mantenha-o ao alcance da mão. Eu ando com o meu o tempo todo. – Andrei abriu o paletó, revelando um cinto e um coldre.

– É melhor me dizer por quê.

– Os camponeses criaram um comitê da terra. Alguns socialistas revolucionários vieram falar com eles e colocaram ideias idiotas em suas cabeças. Eles alegam ter o direito de confiscar todas as terras que eu não esteja cultivando para dividi-las entre si.

– Você já não passou por isso antes?

– Sim, na época do meu avô. Nós enforcamos três camponeses e achamos que o problema estivesse resolvido. Mas essas ideias perniciosas ficaram adormecidas e tornaram a brotar há pouco tempo.

– O que você fez desta vez?

– Passei um sermão neles, lhes mostrei que perdi o braço para defendê-los dos alemães e eles se acalmaram... até alguns dias atrás, quando meia dúzia de homens da região voltou do Exército. Eles disseram que foram dispensados, mas eu tenho certeza de que são desertores. Infelizmente, é impossível verificar.

Fitz aquiesceu. A ofensiva Kerenski tinha sido um fracasso e os alemães e austríacos haviam contra-atacado. Isso deixara os russos em frangalhos – e os alemães agora estavam a caminho de Petrogrado. Milhares de soldados russos tinham abandonado o campo de batalha para voltar às suas aldeias.

– Eles trouxeram seus fuzis, além de pistolas que devem ter roubado de oficiais ou tomado de prisioneiros alemães. Seja como for, estão fortemente armados e cheios de ideias subversivas. Um cabo, Feodor Igorovich, parece ser o líder do grupo. Ele disse a Georgi não entender por que eu ainda estava reivindicando a posse de qualquer uma de minhas terras, quanto mais as improdutivas.

– Não entendo o que acontece com os homens no Exército – disse Fitz, exasperado. – Seria de esperar que a experiência lhes ensinasse o valor da autoridade e da disciplina, mas parece acontecer justamente o contrário.

– Temo que as coisas tenham chegado a um estado crítico esta manhã – prosseguiu Andrei. – O irmão mais novo do cabo Feodor, Ivan Igorovich, pôs seu gado para pastar no meu pasto. Georgi descobriu e nós dois fomos reclamar com Ivan. Começamos a tocar seu gado para fora da propriedade. Ele tentou fechar o portão para nos impedir. Eu estava com uma espingarda e lhe dei uma coronhada na cabeça. A maioria desses malditos camponeses tem a cabeça mais dura do que balas de canhão, mas esse era diferente e o pobre coitado caiu e morreu. Os socialistas estão usando isso como pretexto para exaltar os ânimos de todo mundo.

Por educação, Fitz escondeu a própria repulsa. Ele reprovava o costume russo de bater nos inferiores, e não ficava surpreso quando isso conduzia àquele tipo de agitação.

– Você avisou alguém?

– Mandei um recado para a cidade, relatando a morte e solicitando um destacamento de policiais ou soldados para manter a ordem, mas meu mensageiro ainda não voltou.

– Então, por enquanto, estamos sozinhos.

– Sim. Infelizmente, se as coisas piorarem, creio que precisaremos mandar as senhoras embora.

Fitz ficou arrasado. Aquilo era muito pior do que ele previra. Poderiam acabar todos mortos. Aquela viagem tinha sido um erro terrível. Ele precisava levar Bea embora dali quanto antes.

Levantou-se da cadeira. Ciente de que os ingleses costumavam se gabar com estrangeiros de sua frieza em situações de crise, falou:

– É melhor eu ir me trocar para o jantar.

Andrei o conduziu até seu quarto, no andar de cima. Jenkins havia tirado das malas suas roupas para a noite e as passara a ferro. Fitz começou a se despir. Sentia-se um perfeito idiota. Havia posto a si mesmo e à mulher em risco. A impressão que conseguira ter da situação na Rússia era útil, mas o relatório que escreveria não compensava o risco que havia corrido. Ele se deixara convencer pela mulher, o que era sempre um erro. Decidiu que iriam tomar o primeiro trem de volta na manhã seguinte.

Seu revólver estava sobre a penteadeira, junto com as abotoaduras. Ele o testou para ver se estava funcionado, abrindo-o em seguida para carregá-lo com balas Webley calibre .455. Não havia onde colocá-lo em uma casaca. Acabou enfiando a arma no bolso da calça, onde formou uma saliência horrorosa.

Chamou Jenkins para que o criado guardasse suas roupas de viagem e foi até o quarto de Bea. Encontrou-a em pé diante do espelho, apenas de roupa de baixo, experimentando um colar. Ela lhe pareceu mais voluptuosa do que de costume, com os seios e os quadris um pouco mais cheios, e Fitz se perguntou se ela não estaria grávida. Havia sentido um enjoo repentino naquela manhã em Moscou, recordou ele, no carro a caminho da estação de trem. Ele se lembrou da primeira gravidez dela – e isso o levou de volta a uma época que agora considerava perfeita, quando tinha Ethel e Bea e não havia guerra.

Estava prestes a dizer à mulher que eles precisavam partir no dia seguinte quando olhou pela janela e se deteve.

O quarto ficava na parte da frente da casa e dava vista para o terreno da propriedade e para as plantações que se estendiam até a aldeia mais próxima. O que chamara a atenção de Fitz tinha sido uma aglomeração de pessoas. Com um pressentimento terrível, foi até a janela e examinou a área.

Viu cerca de 100 camponeses aproximando-se da casa pelo terreno. Embora ainda fosse dia, muitos carregavam tochas acesas. Alguns, notou Fitz, empunhavam fuzis.

– Puta que pariu – falou.

Bea ficou chocada.

– Fitz! Por acaso esqueceu que eu estou aqui?

– Olhe só para isso – disse ele.

Bea arquejou de espanto.

– Ah, não!

– Jenkins! Jenkins! Você está aí? – gritou Fitz. Abriu a porta de comunicação e viu o criado, com uma expressão amedrontada, pendurando seu terno de viagem em um cabide. – Nós estamos correndo um grande perigo – disse ele. – Precisamos sair daqui em cinco minutos. Vá correndo até a estrebaria, atrele os cavalos a uma carruagem e traga-a até a porta da cozinha o mais rápido que puder.

Jenkins deixou o terno cair no chão e saiu correndo.

Fitz virou-se para Bea:

– Vista um casaco, qualquer um, escolha um par de sapatos confortáveis, depois desça pela escada dos fundos até a cozinha e me espere lá.

Para lhe fazer justiça, ela não ficou histérica: simplesmente fez o que ele mandou.

Fitz saiu do quarto e, mancando o mais rápido que pôde, foi até o quarto de Andrei. Não encontrou o cunhado nem Valeriya.

Desceu até o térreo. Georgi e alguns dos criados homens estavam reunidos no saguão, parecendo assustados. Fitz também estava com medo, mas torceu para que isso não fosse evidente.

Encontrou o príncipe e a princesa na sala de estar. Havia uma garrafa de champanhe aberta no gelo e duas taças haviam sido servidas, mas nenhum dos dois bebia. Andrei estava parado diante da lareira e Valeriya olhava pela janela para a multidão que se aproximava. Os camponeses já estavam quase na porta da casa. Alguns traziam armas de fogo; a maioria portava facas, marretas e foices.

– Georgi vai tentar acalmá-los – disse Andrei. – Se isso não der certo, eu mesmo vou ter que falar com eles.

– Pelo amor de Deus, Andrei – exclamou Fitz. – Já não é mais hora de conversar. Nós precisamos ir embora.

Antes que Andrei pudesse responder, eles ouviram vozes exaltadas no saguão.

Fitz foi até a porta e abriu uma fresta. Viu Georgi discutindo com um jovem camponês alto, cujo bigode farto se estendia pelas faces. Feodor Igorovich, imaginou ele. Os dois estavam cercados por homens e um punhado de mulheres. Algumas pessoas seguravam tochas acesas. Outras se empurravam para entrar pela porta da frente. Era difícil entender o sotaque regional, porém uma frase era gritada repetidas vezes:

– Nós *vamos* falar com o príncipe!

Andrei também ouviu e passou por Fitz para adentrar o saguão.

– Não... – disse Fitz, mas já era tarde demais.

A turba vaiou e xingou quando Andrei apareceu em trajes de gala. Erguendo a voz, ele disse:

– Se vocês forem todos embora ordeiramente agora mesmo, talvez não fiquem tão encrencados assim.

Feodor gritou de volta:

– Quem está encrencado é você! Você matou meu irmão!

Fitz ouviu Valeriya dizer em voz baixa:

– Meu lugar é ao lado do meu marido. – Antes que Fitz pudesse detê-la, ela também já havia saído para o saguão.

– Eu não queria que Ivan morresse – disse Andrei –, mas ele estaria vivo agora se não tivesse desobedecido à lei e desafiado seu príncipe!

Com um movimento súbito e veloz, Feodor girou o fuzil ao contrário e golpeou Andrei no rosto com a coronha.

Andrei cambaleou para trás, levando uma das mãos à face.

Os camponeses vibraram.

– Foi isso que você fez com Ivan! – gritou Feodor.

Fitz levou a mão ao revólver.

Feodor ergueu o fuzil acima da cabeça. Durante um segundo que pareceu congelado no tempo, o comprido Mosin-Nagant pairou no ar como o machado de um carrasco. Ele então baixou o fuzil, desferindo um golpe violento contra o topo da cabeça de Andrei. Ouviu-se um estalo medonho, e ele caiu.

Valeriya soltou um grito.

Fitz, parado na soleira com a porta entreaberta, desarmou com o polegar a trava do lado esquerdo do cano de seu revólver e mirou em Feodor – mas os camponeses se amontoaram ao redor de seu alvo. Começaram a chutar e espancar Andrei, que jazia desmaiado no chão. Valeriya tentou chegar ao marido para ajudá-lo, porém não conseguiu vencer a multidão.

Um camponês golpeou o retrato do avô carrancudo de Bea com uma foice, rasgando a tela. Um dos homens deu um tiro de espingarda no lustre, espatifando-o em mil pedaços tilintantes. Cortinas se incendiaram de repente: alguém provavelmente ateara fogo nelas com uma tocha.

Fitz já estivera no campo de batalha e aprendera que o heroísmo deveria ser equilibrado com um calculismo frio. Sabia que, sozinho, jamais conseguiria salvar Andrei daquela turba. Mas talvez conseguisse resgatar Valeriya.

Guardou a arma no bolso.

Adentrou o saguão. Todas as atenções estavam voltadas para o príncipe caído de costas no chão. Valeriya estava à beira do grupo, esmurrando inutilmente os ombros dos camponeses à sua frente. Agarrando-a pela cintura, Fitz a ergueu nos braços e carregou-a dali, recuando de volta até a sala de estar. O peso fez sua perna ruim doer como se estivesse em chamas, mas ele cerrou os dentes.

– Me solte! – gritou ela. – Preciso ajudar Andrei!

– Nós não podemos ajudar Andrei! – disse ele. Então mudou a cunhada de posição e jogou seu corpo sobre o ombro, aliviando a pressão na perna. Ao fazer isso, uma bala passou tão perto de Fitz que ele chegou a senti-la cortar o ar. Olhou para trás e viu um soldado uniformizado, todo sorridente, apontando uma pistola para os dois.

Ouviu um segundo tiro e sentiu um impacto. Por um instante, pensou que tivesse sido atingido, porém não sentiu dor, e correu até a porta de comunicação que conduzia à sala de jantar.

Ouviu o soldado gritar:

– Ela está fugindo!

Fitz irrompeu pela porta no instante em que outra bala acertava o batente. Soldados comuns não recebiam treinamento para atirar com pistolas, e às vezes não se davam conta de quanto elas eram menos precisas do que fuzis. Correndo de forma claudicante, ele passou pela mesa posta com esmero, toda prata e cristais, pronta para o jantar de quatro ricos aristocratas. Ouviu que várias pessoas vinham no seu encalço. No final da sala, uma porta conduzia à área da cozinha. Ele entrou por um corredor estreito e foi dar no cômodo seguinte. Uma cozinheira e várias ajudantes haviam parado de trabalhar e estavam imóveis, seus rostos aterrorizados.

Os homens que perseguiam Fitz estavam perto demais. Assim que conseguissem mirar com precisão, ele iria morrer. Precisava fazer alguma coisa para detê-los.

Pôs Valeriya no chão. Ela cambaleou e Fitz viu sangue em seu vestido. Ela havia sido baleada, mas estava viva e consciente. Ele a sentou em uma cadeira e então se virou para o corredor. O soldado sorridente corria em sua direção, disparando a esmo, seguido por vários outros homens que avançavam em fila indiana pelo espaço apertado. Atrás deles, nas salas de jantar e de estar, Fitz viu labaredas.

Ele sacou sua Webley. Era uma arma de ação dupla, portanto não precisava ser rearmada. Depois de passar todo o peso do corpo para sua perna boa, mirou cuidadosamente no ventre do soldado que corria para cima dele. Apertou o gatilho, a arma disparou e o homem caiu no chão de pedra à sua frente. Fitz ouviu as mulheres darem gritos de terror na cozinha.

Disparou imediatamente no homem seguinte, que também caiu. Atirou uma terceira vez em outro homem, com o mesmo resultado. O quarto homem recuou, agachado, em direção à sala de estar.

Fitz bateu a porta da cozinha. Seus perseguidores agora iriam hesitar, tentando encontrar uma maneira de verificar se ele estava à sua espera – e isso talvez lhe desse justamente o tempo de que precisava.

Pegou Valeriya, que parecia estar perdendo os sentidos, no colo. Apesar de nunca ter entrado na cozinha daquela casa, avançou em direção aos fundos. Outro corredor o conduziu através de despensas e lavanderias. Por fim, abriu uma porta que conduzia ao lado de fora.

Ao sair, ofegante, sentindo uma dor infernal na perna ruim, viu a carruagem à espera, com Jenkins sentado no lugar do condutor e Bea lá dentro junto de Nina, que soluçava descontroladamente. Um estribeiro com ar assustado segurava os cavalos.

Ele jogou de qualquer jeito uma Valeriya inconsciente dentro da carruagem, então subiu atrás dela e gritou para Jenkins:

– Vamos! Vamos!

Jenkins açoitou os cavalos, o estribeiro pulou para sair do caminho e a carruagem partiu.

– Você está bem? – perguntou Fitz a Bea.

– Não, mas estou viva e ilesa. E você...?

– Não fui ferido. Mas temo pela vida do seu irmão. – Na realidade, tinha quase certeza de que Andrei estava morto àquela altura, mas não queria dizer isso a ela.

Bea olhou para Valeriya.

– O que aconteceu?

– Acho que ela levou um tiro. – Fitz a observou com mais atenção. O rosto de Valeriya estava branco e imóvel. – Meu Deus do céu! – falou.

– Ela está morta, não está? – indagou Bea.

– Você precisa ser forte.

– Eu serei. – Bea segurou a mão sem vida de sua cunhada. – Pobre Valeriya.

A carruagem seguiu em disparada pela estradinha que cortava a propriedade e passou pela pequena casa em que a mãe de Bea havia morado depois da morte do marido. Fitz olhou para a casa grande. Um pequeno grupo de camponeses frustrados estava parado à porta da cozinha. Um deles mirava um fuzil, e Fitz empurrou a cabeça de Bea para baixo e se abaixou.

Quando tornou a olhar, eles já estavam fora do alcance da arma. Camponeses e empregados saíam da casa por todas as portas. Uma luz estranha iluminava as janelas, e Fitz percebeu que a propriedade estava pegando fogo. Enquanto observava, fumaça começou a brotar da porta da frente e uma labareda de cor laranja escapou por uma janela aberta, incendiando a trepadeira que subia pela parede externa.

A carruagem então alcançou um promontório e começou a sacolejar colina abaixo, fazendo a velha casa sumir de vista.

CAPÍTULO VINTE E OITO

Outubro e novembro de 1917

— O almirante Von Holtzendorff nos prometeu que os britânicos morreriam de fome em cinco meses – disse Walter com raiva. – Isso foi nove meses atrás.

– Ele cometeu um erro – disse-lhe seu pai.

Walter se conteve para não responder com sarcasmo.

Os dois estavam na sala de Otto no Ministério das Relações Exteriores em Berlim. Otto estava sentado em uma cadeira de madeira esculpida atrás de uma grande escrivaninha. Da parede atrás dele, pendia um retrato do Kaiser Guilherme I, avô do atual monarca, no dia em que havia sido proclamado imperador germânico na Galeria dos Espelhos de Versalhes.

Walter estava furioso com as desculpas esfarrapadas do pai.

– O almirante deu sua palavra de oficial de que nenhum americano poria os pés na Europa – disse. – Segundo o nosso serviço de inteligência, 14 mil deles desembarcaram na França no mês de junho. É isso que dá confiar na palavra de um oficial!

Otto se sentiu atingido pelo que o filho disse.

– Ele fez o que achava melhor para o seu país! – falou, irado. – O que mais um homem pode fazer?

Walter ergueu a voz:

– O senhor ainda me pergunta? Ele pode evitar fazer promessas falsas. Quando não tiver certeza, pode se abster de dizer que tem. Pode falar a verdade, ou então manter a porcaria da boca fechada.

– Von Holtzendorff deu o melhor conselho que pôde.

A debilidade desses argumentos tirava Walter do sério.

– Esse tipo de humildade teria vindo a calhar *antes* do acontecido. Mas não houve humildade alguma. O senhor estava lá, no Castelo Pless, e sabe o que aconteceu. Von Holtzendorff deu a sua palavra. *Ele iludiu o Kaiser*. Fez os americanos entrarem na guerra contra nós. Nenhum homem poderia ter prestado um serviço pior ao seu monarca!

– Imagino que você queira que ele renuncie. Mas, nesse caso, quem iria assumir seu lugar?

– Renunciar? – Walter estava explodindo de raiva. – Eu quero que ele ponha o cano do revólver na boca e puxe o gatilho.

Otto fechou a cara.

– Isso é uma coisa terrível de se dizer.

– A morte dele seria uma pequena retribuição por todos aqueles que morreram devido à sua tolice arrogante.

– Vocês jovens não têm nenhum bom senso.

– Como se atreve a me falar sobre bom senso? O senhor e sua geração fizeram a Alemanha entrar em uma guerra que nos deixou em frangalhos e que matou milhões de pessoas. Uma guerra que, depois de três anos, ainda não vencemos.

Otto desviou os olhos. Não podia negar que a Alemanha ainda não havia ganhado a guerra. Os dois adversários viviam um impasse na França. A guerra submarina irrestrita não tinha conseguido cortar o abastecimento dos Aliados. Enquanto isso, o bloqueio naval britânico matava o povo alemão de fome aos poucos.

– Temos que aguardar para ver o que acontece em Petrogrado – disse Otto. – Se a Rússia sair da guerra, o equilíbrio vai mudar.

– Exato – disse Walter. – Tudo agora depende dos bolcheviques.

II

No início de outubro, Grigori e Katerina foram à casa da parteira.

Grigori agora passava quase todas as noites no apartamento de um quarto perto da Metalúrgica Putilov. Os dois já não faziam amor – era desconfortável demais para ela. Sua barriga estava imensa – a pele esticada feito o couro de uma bola de futebol e o umbigo protuberante, em vez de voltado para dentro. Grigori nunca tinha convivido intimamente com uma mulher grávida, e achava a experiência ao mesmo tempo assustadora e emocionante. Sabia que aquilo tudo era normal, mas, mesmo assim, a ideia de que a cabeça de um bebê distenderia cruelmente o canal estreito que ele tanto amava lhe dava calafrios.

Eles se encaminharam para a casa da parteira Magda, mulher de Konstantin. Vladimir ia sentado nos ombros de Grigori. O menino estava com quase três anos, porém Grigori ainda o carregava sem esforço. Sua personalidade já começava a se desenhar: ao seu modo infantil, ele era inteligente e sério, mais parecido com Grigori do que com seu charmoso e rebelde pai biológico, Lev. Um bebê era como uma revolução, pensou Grigori: você poderia até começar uma, mas era impossível controlar o que seria dela.

A contrarrevolução do general Kornilov tinha sido esmagada antes mesmo de começar. O Sindicato dos Ferroviários garantira que a maioria de suas tropas ficasse presa em desvios nas estradas de ferro, a quilômetros de Petrogrado. Aqueles que conseguiam chegar perto da cidade eram recebidos por bolcheviques, que frustravam seus planos simplesmente dizendo-lhes a verdade, como Grigori havia feito no pátio da escola. Os soldados então se voltavam contra os oficiais que faziam parte da conspiração e os executavam. O próprio Kornilov foi detido e encarcerado.

Grigori ficou conhecido como o homem que fez o exército de Kornilov recuar. Protestou que isso era um exagero, mas a modéstia só fez aumentar seu prestígio. Ele foi eleito para o Comitê Central do Partido Bolchevique.

Trótski saiu da prisão. Os bolcheviques conquistaram 51% dos votos nas eleições municipais de Moscou. O número de membros do partido alcançou 350 mil.

Grigori estava tomado pela sensação inebriante de que qualquer coisa poderia acontecer, incluindo um desastre total. A revolução poderia ser derrotada a qualquer momento. Era isso que ele temia, pois, nesse caso, seu filho cresceria em uma Rússia tão ruim quanto antes. Grigori pensou nos marcos de sua própria infância: o enforcamento do pai, a morte da mãe em frente ao Palácio de Inverno, o padre que baixou a calça do pequeno Lev, o trabalho massacrante na Metalúrgica Putilov. Queria uma vida diferente para o filho.

– Lênin está convocando um levante armado – disse ele a Katerina enquanto caminhavam até a casa de Magda. O líder bolchevique estava escondido fora da cidade, porém enviava um fluxo constante de cartas furiosas incitando o partido a agir.

– Eu acho que ele tem razão – disse Katerina. – Todos estão fartos de governos que falam em democracia mas não fazem nada quanto ao preço do pão.

Como de hábito, Katerina dava voz ao pensamento da maioria dos operários de Petrogrado.

Magda já os aguardava e havia preparado um chá.

– Sinto muito por não ter açúcar – falou. – Há semanas que não consigo arranjar nenhum.

– Mal posso esperar para essa criança nascer – disse Katerina. – Estou tão cansada de carregar todo este peso...

Magda apalpou a barriga de Katerina e disse que ela estava a cerca de duas semanas de dar à luz.

– O parto de Vladimir foi horrível – disse Katerina. – Eu não tinha nenhum amigo, e a parteira era uma vaca siberiana carrancuda chamada Kseniya.

– Eu conheço Kseniya – disse Magda. – Ela é competente, mas um pouco dura.

– Eu que o diga!

Konstantin estava de saída para o Instituto Smolny. Embora o soviete não se reunisse todos os dias, havia assembleias constantes de comitês e grupos especiais. Àquela altura, o governo provisório de Kerenski estava tão fraco que a autoridade do soviete aumentava espontaneamente.

– Ouvi dizer que Lênin voltou à cidade – disse Konstantin a Grigori.

– Sim, ontem à noite.

– Onde ele está hospedado?

– É segredo. A polícia ainda está querendo prendê-lo.

– O que o fez voltar?

– Vamos descobrir amanhã. Ele convocou uma reunião do Comitê Central.

Konstantin saiu para pegar um bonde até o centro da cidade. Grigori acompanhou Katerina até em casa. Quando estava prestes a voltar ao quartel, ela disse:

– Eu me sinto melhor sabendo que Magda vai estar ao meu lado.

– Que bom! – Grigori ainda tinha a sensação de que um parto era mais perigoso do que um levante armado.

– E você também estará comigo – acrescentou ela.

– Não no mesmo quarto – respondeu Grigori com nervosismo.

– Não, é claro que não. Mas vai estar logo atrás da porta, andando de um lado para outro, e isso vai me deixar segura.

– Que bom!

– Você vai estar lá, não vai?

– Vou – respondeu ele. – Aconteça o que acontecer, eu vou estar lá.

Dali a uma hora, quando chegou ao quartel, Grigori o encontrou em polvorosa. No pátio de desfiles, oficiais tentavam carregar vagões com armas e munição, mas sem muito sucesso: todos os comitês de batalhão estavam reunidos ou se preparando para se reunir.

– Kerenski fez o que temíamos! – disse Isaak, agitado. – Está tentando nos mandar para o front.

Grigori sentiu um frio na barriga.

– Mandar quem para o front?

– Toda a guarnição de Petrogrado! As ordens acabam de chegar. Querem que troquemos de lugar com os soldados da linha de frente.

– E que motivo eles deram?

– Dizem que é por causa do avanço alemão. – Os alemães haviam conquistado as ilhas do golfo de Riga e estavam marchando em direção a Petrogrado.

– Que mentira! – disse Grigori, irado. – Isso é uma tentativa de minar o soviete. – E das mais inteligentes, percebeu ele ao refletir sobre a questão. Se os soldados de Petrogrado fossem substituídos por outros que estivessem voltando da frente de batalha, seria preciso dias, talvez semanas de organização para formar novos comitês de soldados e eleger novos delegados para o soviete. Pior ainda: os recém-chegados não teriam a experiência dos últimos seis meses de batalhas políticas, o que significava que elas precisariam ser travadas outra vez. – O que os soldados estão dizendo?

– Eles estão furiosos. Querem que Kerenski negocie a paz, não que os mande para a morte.

– Eles vão se recusar a sair de Petrogrado?

– Não sei. Vai ser útil se tiverem o apoio do soviete.

– Vou cuidar disso.

Grigori selecionou um blindado e dois guarda-costas e atravessou a ponte Liteiny até o Instituto Smolny. Aquilo parecia um revés, pensou, mas talvez pudesse virar uma oportunidade. Até o momento, nem todos os soldados apoiavam os bolcheviques, entretanto, a tentativa de Kerenski de mandá-los para o front talvez pudesse servir de incentivo para os reticentes. Quanto mais pensava no assunto, mais lhe parecia que Kerenski poderia estar cometendo seu maior erro.

O Smolny era um prédio imponente, onde antes funcionava uma escola para filhas de aristocratas. Duas metralhadoras do regimento de Grigori protegiam a entrada. Guardas Vermelhos tentavam verificar a identidade de todos os visitantes – mas Grigori percebeu, com apreensão, que o número de pessoas que entravam e saíam era tão grande que o controle estava longe de ser rigoroso.

No pátio, deparou-se com uma cena de atividade frenética. Blindados, motocicletas, caminhões e carros zanzavam sem parar, competindo por espaço. Uma ampla escadaria conduzia à fileira de arcadas e à colunata clássica. Em uma sala do primeiro andar, Grigori encontrou o comitê executivo do soviete em plena sessão.

Os mencheviques conclamavam os soldados dos quartéis a se prepararem para ser transferidos para o front. Como sempre, pensou Grigori com repulsa, os mencheviques estavam se rendendo sem luta. Ele foi tomado pelo pânico de que a revolução estivesse lhe escapando das mãos.

Foi se juntar aos demais bolcheviques do comitê para conceber uma decisão mais combativa.

– A única forma de defender Petrogrado contra os alemães é mobilizar os operários – disse Trótski.

– Como fizemos durante o *putsch* de Kornilov – falou Grigori com entusiasmo. – Precisamos de outro Comitê de Reação para se encarregar da defesa da cidade.

Trótski redigiu uma minuta, levantando-se em seguida para fazer a moção.

Os mencheviques ficaram indignados.

– Isso seria criar um segundo centro de comando militar além do quartel-general do Exército! – disse Mark Broido. – Nenhum homem pode servir a dois senhores.

Para desgosto de Grigori, a maior parte dos membros do comitê concordou com esse argumento. A proposta menchevique foi aprovada e Trótski se viu derrotado. Grigori deixou a reunião em desespero. Será que a lealdade dos soldados ao soviete resistiria àquela derrota?

Na mesma tarde, os bolcheviques se encontraram na Sala 36 e decidiram que não podiam aceitar a decisão do comitê. Eles concordaram em tornar a apresentar sua moção à noite, na assembleia que reuniria todo o soviete.

Da segunda vez, os bolcheviques venceram.

Grigori ficou aliviado. O soviete decidira apoiar os soldados e instituir um comando militar alternativo.

Haviam dado um grande passo rumo à tomada do poder.

III

No dia seguinte, cheios de otimismo, Grigori e outros líderes bolcheviques saíram discretamente do Instituto Smolny, sozinhos ou em duplas, tomando cuidado para não chamar a atenção da polícia secreta. De lá, seguiram até o apartamento espaçoso de uma camarada, Galina Flakserman, para a assembleia do Comitê Central.

Grigori estava nervoso com a reunião e chegou cedo. Deu a volta no quarteirão, à procura de transeuntes que pudessem ser espiões da polícia, mas não viu ninguém suspeito. Dentro do prédio, inspecionou as diferentes saídas – eram três – e determinou qual seria a rota de fuga mais rápida.

Os bolcheviques se acomodaram ao redor de uma grande mesa de jantar, muitos usando os sobretudos de couro que vinham se tornando uma espécie de uniforme do grupo. Lênin não havia chegado, de modo que começaram sem ele. A ausência do líder preocupou Grigori – talvez ele houvesse sido preso –, mas Lênin chegou às 10 horas, disfarçado com uma peruca que ficava escorregando de sua cabeça e quase o deixava com cara de idiota.

Contudo, a resolução que ele propôs não tinha nada de risível: Lênin convocou um levante armado, liderado pelos bolcheviques, para derrubar o governo provisório e assumir o poder.

Grigori ficou extasiado. É claro que todos queriam um levante armado, porém a maioria dos revolucionários dizia que ainda era cedo. Finalmente, o mais poderoso deles estava dizendo *é agora*.

Lênin falou durante uma hora. Como sempre, mostrou-se exaltado, batendo na mesa, gritando e insultando os que discordassem dele. Seu estilo o prejudicava – a vontade que se tinha era de votar contra alguém tão grosseiro. Mas, apesar disso, ele era persuasivo. Tinha um amplo conhecimento, seu instinto político era infalível e poucos conseguiam não se abalar pelos golpes implacáveis de sua argumentação lógica.

Desde o início, Grigori ficou do lado de Lênin. O mais importante era conquistar o poder e pôr fim àquela hesitação, pensou. Todos os outros problemas poderiam ser solucionados mais tarde. Mas será que os outros iriam concordar?

Zinoviev discursou contra. Normalmente um homem bonito, ele também havia mudado de aparência para enganar a polícia. Tinha deixado a barba crescer e cortado a cabeleira preta e encaracolada. Segundo ele, a estratégia de Lênin era arriscada demais. Ele temia que o levante servisse de pretexto para um golpe militar da direita. Queria que o Partido Bolchevique se concentrasse em vencer as eleições para a Assembleia Constituinte.

Essa argumentação tímida enfureceu Lênin.

– O governo provisório *nunca* vai organizar uma eleição nacional! – disse ele. – Qualquer um que pense o contrário é um tolo, um ingênuo.

Trótski e Stálin apoiaram o levante, mas o primeiro irritou Lênin ao dizer que deveriam esperar o Congresso dos Sovietes de toda a Rússia, marcado para começar dali a 10 dias.

Grigori achou que era uma boa ideia – Trótski sempre demonstrava sensatez –, mas Lênin o surpreendeu ao vociferar:

– Não!

– Nós provavelmente conseguiremos a maioria entre os delegados... – falou Trótski.

– Se o congresso formar um governo, ele está fadado a ser de coalizão! – disse Lênin, enfurecido. – Somente os bolcheviques de centro serão aceitos nele. Quem poderia desejar isso, a não ser um traidor contrarrevolucionário?

O insulto fez Trótski corar, mas ele ficou calado.

Grigori percebeu que Lênin tinha razão. Como sempre, ele estava pensando mais à frente do que todos os demais. Em uma coalizão, a primeira exigência dos mencheviques seria que o primeiro-ministro fosse um moderado – e provavelmente se contentariam com qualquer um, menos Lênin.

De repente Grigori se deu conta – ao mesmo tempo que o restante do comitê, imaginou ele – de que a única forma de Lênin se tornar primeiro-ministro era por meio de um golpe.

A discussão exaltada se estendeu madrugada adentro. No fim das contas, o levante armado foi aprovado por 10 votos a 2.

Lênin, no entanto, não conseguiu tudo o que queria. Ainda não havia data marcada para o golpe.

Depois da reunião, Galina trouxe um samovar e serviu queijo, linguiça e pão aos revolucionários esfomeados.

IV

Quando era criança, nas terras do príncipe Andrei, Grigori certa vez assistira ao auge da caçada de um cervo. Os cachorros haviam encurralado um macho logo nos arredores do vilarejo e todos tinham ido ver. Quando Grigori chegou, o animal estava morrendo e os cães já devoravam avidamente os intestinos que se esparramavam de seu ventre aberto, enquanto os caçadores a cavalo comemoravam tomando conhaque. No entanto, o pobre cervo ainda esboçou uma última tentativa de reação. Ele brandiu sua enorme galhada, empalando um dos cães e ferindo outro. Por um instante, chegou a parecer capaz de se levantar, mas então desabou de volta sobre o solo manchado de sangue e fechou os olhos.

Para Grigori, o primeiro-ministro Kerenski, líder do governo provisório, era igual ao cervo. Todos sabiam que ele estava derrotado – menos o próprio.

À medida que o frio intenso do inverno russo se fechava ao redor de Petrogrado como um punho, a crise chegou ao ápice.

O Comitê de Reação, logo rebatizado de Comitê Revolucionário Militar, era dominado pela personalidade carismática de Trótski. Ele não era um homem bonito – com seu narigão, sua testa grande e seus olhos esbugalhados que encaravam o mundo por trás de lentes sem armação –, mas era charmoso e persuasivo. Enquanto Lênin gritava e intimidava, Trótski argumentava e seduzia. Grigori desconfiava que ele fosse tão irredutível quanto Lênin, mas que sabia disfarçar melhor.

Em 5 de novembro, uma segunda-feira, dois dias antes do início do Congresso dos Sovietes de toda a Rússia, Grigori foi a uma assembleia geral de soldados na Fortaleza de Pedro e Paulo, convocada pelo Comitê Revolucionário Militar. A assembleia começou ao meio-dia e se estendeu por toda a tarde, com centenas de soldados travando debates políticos na praça em frente à fortaleza, enquanto seus oficiais bufavam, impotentes. Então Trótski chegou, ao som de aplausos ensurdecedores. Os soldados o escutaram e, em seguida, votaram a favor de obedecer ao comitê em vez de ao governo – ou seja, a Trótski, e não a Kerenski.

Enquanto se afastava da praça, Grigori ponderou que o governo jamais iria tolerar que uma das mais importantes unidades militares do país declarasse lealdade a terceiros. Os canhões da fortaleza ficavam do outro lado do rio, bem em frente ao Palácio de Inverno, quartel-general do governo provisório. Agora, pensou ele, Kerenski sem dúvida iria reconhecer a derrota e renunciar.

No dia seguinte, Trótski anunciou precauções contra um golpe contrarrevolucionário por parte do Exército. Ordenou à Guarda Vermelha e aos soldados leais ao soviete que ocupassem as pontes, as estações de trem e as delegacias de polícia, além das agências de correio, de telégrafo, a central telefônica e o banco estatal.

Grigori estava ao lado de Trótski, transformando a enxurrada de comandos daquele grande homem em instruções detalhadas para unidades militares específicas e despachando as ordens cidade afora por mensageiros a cavalo, de bicicleta ou de carro. Achava que as "precauções" de Trótski se assemelhavam muito a um golpe.

Para seu espanto e alegria, houve pouca resistência.

Um espião no Palácio Marinsky informou que o primeiro-ministro Kerenski havia solicitado um voto de confiança ao pré-parlamento – o órgão que havia fracassado de maneira tão canhestra na tarefa de criar a Assembleia Constituinte. O pré-parlamento recusou. Ninguém deu muita importância ao fato. Kerenski já fazia parte do passado: era apenas mais um incapaz que havia tentado governar a Rússia e falhado. Ele voltou ao Palácio de Inverno, onde seu governo impotente seguiu fingindo governar.

Lênin estava escondido no apartamento de outra camarada, Margarita Fofanova. O Comitê Central lhe dera ordens para não sair pela cidade, com medo de que fosse preso. Grigori era um dos poucos a saber onde ele estava. Às oito da noite, Margarita chegou ao Instituto Smolny com um recado de Lênin ordenando aos bolcheviques que iniciassem uma insurreição armada imediatamente. Trótski esbravejou:

– E o que ele acha que nós estamos fazendo?

Grigori, no entanto, achou que Lênin tinha razão. Apesar de tudo, os bolcheviques ainda não haviam conquistado plenamente o poder. Assim que o Congresso dos Sovietes se reunisse, ele teria autoridade total – e, nesse caso, mesmo que os bolcheviques fossem a maioria, o resultado seria mais um governo de coalizão baseado em compromissos.

O congresso estava marcado para começar no dia seguinte, às duas da tarde. Apenas Lênin parecia compreender a urgência da situação, pensou Grigori com uma sensação de desespero. Ele precisava estar ali, no centro dos acontecimentos.

Grigori decidiu ir buscá-lo.

A noite estava gelada, com um vento que soprava do norte e parecia varar sem dificuldade o sobretudo de couro que Grigori usava por cima do uniforme de sargento. O centro da cidade parecia surpreendentemente calmo: pessoas de classe média bem-vestidas saíam dos teatros e se encaminhavam a pé para restaurantes iluminados, enquanto pedintes os importunavam querendo esmola e prostitutas sorriam nas esquinas. Grigori meneou a cabeça para um camarada que vendia um panfleto assinado por Lênin intitulado "Será que os bolcheviques vão conseguir se manter no poder?". Grigori não comprou um exemplar. Já conhecia a resposta para essa pergunta.

O apartamento de Margarita ficava na extremidade norte do distrito de Vyborg. Grigori não podia ir até lá de carro, pois tinha medo de chamar atenção para o esconderijo de Lênin. Caminhou até a Estação Finlândia e lá pegou um bonde. A viagem foi longa, e ele passou a maior parte do tempo imaginando se Lênin iria se recusar a acompanhá-lo.

Contudo, para seu grande alívio, Lênin quase não precisou ser convencido.

– Sem o senhor, acredito que os outros camaradas não darão o último passo decisivo – disse Grigori, e isso bastou para persuadi-lo.

Para que Margarita não pensasse que ele havia sido preso, o líder deixou um recado sobre a mesa da cozinha. O texto dizia: "Fui para onde você não queria que eu fosse. Adeus, Ilitch." Os membros do partido o chamavam de Ilitch, seu segundo nome de batismo.

Grigori verificou a pistola enquanto Lênin vestia uma peruca, uma boina de operário e um sobretudo surrado. Os dois então partiram.

O sargento se manteve alerta, com medo de que topassem com um destacamento da polícia ou uma patrulha do Exército e Lênin fosse reconhecido. Decidiu que não permitiria que Lênin fosse capturado – se necessário, atiraria sem hesitação.

Eles eram os únicos passageiros do bonde. Lênin perguntou à condutora o que ela achava dos últimos desdobramentos políticos.

Enquanto saíam da Estação Finlândia, ouviram o barulho de cascos de cavalos e se esconderam, mas era apenas um grupo de cadetes legalistas procurando encrenca.

À meia-noite, Grigori, sentindo-se triunfante, chegou com Lênin ao Instituto Smolny.

O líder foi imediatamente até a Sala 36 e convocou uma reunião do Comitê Central Bolchevique. Trótski relatou que a Guarda Vermelha agora controlava muitos dos pontos estratégicos da cidade. Para Lênin, no entanto, isso não bastava. Por motivos simbólicos, afirmou ele, as tropas revolucionárias precisavam capturar o Palácio de Inverno e prender os ministros do governo provisório. Esse seria o ato que convenceria o povo de que o poder havia passado, de forma definitiva e irrevogável, para as mãos dos revolucionários.

Grigori soube que ele tinha razão.

E todos os outros também.

Trótski começou a planejar a tomada do Palácio de Inverno.

Naquela noite, Grigori não voltou para junto de Katerina.

V

Não podia haver erros.

Grigori sabia que o último ato da revolução tinha de ser decisivo. Certificou-se de que as ordens estivessem claras e chegassem a seu destino na hora certa.

O plano não era complicado, mas ele estava aflito, achando que o cronograma de Trótski era otimista demais. O grosso da força de ataque seria formado por marinheiros revolucionários. A maioria deles viria de trem e navio de Helsingfors, capital da região finlandesa. Eles tinham partido às três da manhã. Outros marinheiros viriam de Kronstadt, base naval que ficava em uma ilha a pouco mais de 30 quilômetros da costa.

O ataque estava marcado para começar ao meio-dia.

Como uma operação de guerra, ele iria iniciar com uma barragem de artilharia: os canhões da Fortaleza de Pedro e Paulo disparariam em direção ao outro lado do rio para demolir os muros do palácio. Então os soldados e marinheiros ocupariam o prédio. Segundo Trótski, tudo estaria terminado às duas da tarde, hora marcada para o início do Congresso dos Soviets.

Lênin queria se levantar durante a abertura para anunciar que os bolcheviques *já* haviam conquistado o poder. Essa era a única forma de evitar mais um governo indeciso, incompetente e baseado em compromissos – a única forma de garantir que Lênin ficasse no comando.

Grigori temia que as coisas não corressem tão depressa quanto Trótski esperava.

A segurança do Palácio de Inverno era falha, de modo que, ao raiar do dia, Grigori conseguiu infiltrar Isaak para uma missão de reconhecimento. Ele voltou relatando haver no prédio cerca de 300 soldados legalistas. Caso estivessem bem organizados e lutassem com coragem, seria uma batalha cruenta.

Isaak também descobriu que Kerenski tinha abandonado a cidade. Como a Guarda Vermelha estava no controle das estações, ele não havia conseguido fugir de trem e acabara partindo em um carro confiscado.

– Como um homem que não consegue pegar um trem na própria capital pode ser primeiro-ministro? – indagou Isaak.

– De toda forma, ele se foi – respondeu Grigori com satisfação. – E duvido que volte algum dia.

No entanto, Grigori ficou pessimista quando deu meio-dia e nenhum dos marinheiros tinha aparecido.

Ele atravessou a ponte até a Fortaleza de Pedro e Paulo para verificar se os canhões estavam prontos. Para seu horror, descobriu que se tratavam de peças de museu: eram meramente ornamentais, não podiam ser disparados. Mandou então Isaak sair em busca de peças de artilharia que funcionassem.

Correu de volta até o Smolny para avisar Trótski de que seu plano estava atrasado. O guarda na porta lhe disse:

– Alguém veio aqui atrás de você, camarada. Era algo sobre uma parteira.

– Não posso cuidar disso agora – respondeu ele.

As coisas estavam acontecendo muito depressa. Grigori foi informado de que a Guarda Vermelha havia tomado o Palácio Marinsky e dispersado o pré-parlamento sem derramamento de sangue. Os bolcheviques que estavam encarcerados haviam sido soltos. Trótski ordenara a todos os soldados fora de Petrogrado que ficassem onde estavam – e eles estavam lhe obedecendo em vez de a seus oficiais. Lênin redigia um manifesto que começava assim: "Aos cidadãos da Rússia: o governo provisório foi derrubado!"

– Mas o ataque ainda não começou – disse Grigori a Trótski, angustiado. – Não vejo como poderia começar antes das três.

– Não se preocupe – disse Trótski. – Podemos atrasar a abertura do congresso.

Grigori voltou para a praça em frente ao Palácio de Inverno. Às duas da tarde, finalmente, viu o navio lança-minas *Amur* adentrar o Neva com mil marinheiros da base de Kronstadt no convés. Os operários de Petrogrado coalharam as margens do rio para saudar sua chegada.

Se Kerenski tivesse posto algumas minas no canal estreito, teria mantido os marinheiros fora da cidade e derrotado a revolução. Porém não havia mina alguma, de modo que os marinheiros começaram a desembarcar com suas japonas de lã e fuzis nas mãos. Grigori se preparou para posicioná-los ao redor do Palácio de Inverno.

No entanto, para sua grande irritação, o plano continuava prejudicado por contratempos. Isaak encontrou um canhão e, com muito esforço, conseguiu arrastá-lo até a posição correta, mas então descobriu que não havia balas para ele. Enquanto isso, os soldados legalistas erguiam barricadas dentro do palácio.

Louco de tanta frustração, Grigori voltou para o Smolny.

Uma sessão extraordinária do soviete de Petrogrado estava prestes a começar. O espaçoso saguão da escola para meninas, pintado de um branco virginal, estava lotado de centenas de delegados. Grigori subiu no palanque e sentou-se ao lado de Trótski, que estava prestes a abrir a sessão.

– O ataque foi adiado devido a uma série de problemas – falou.

Trótski recebeu a má notícia tranquilamente. Lênin teria ficado possesso.

– Quando vocês podem tomar o palácio? – perguntou ele.

– Para ser realista, às seis da tarde.

Trótski meneou a cabeça com calma, levantando-se para se dirigir ao soviete reunido.

– Em nome do Comitê Revolucionário Militar, eu declaro que o governo provisório não existe mais! – clamou.

Ouviu-se um estrondo de vivas e gritos. *Espero que eu consiga transformar essa mentira em realidade*, pensou Grigori.

Quando o barulho diminuiu, Trótski listou as conquistas da Guarda Vermelha: a captura, durante a noite, de estações de trem e outros pontos estratégicos, e a dispersão do pré-parlamento. Ele também anunciou que vários ministros do governo tinham sido presos.

– O Palácio de Inverno não foi tomado, mas seu destino será decidido a qualquer momento! – Os homens tornaram a vibrar.

– Vocês estão se antecipando à vontade do Congresso dos Sovietes! – gritou um dissidente.

Esse era um argumento democrático moderado, do tipo que o próprio Grigori teria defendido antigamente, antes de se tornar um realista.

A resposta de Trótski foi tão rápida que ele já deveria estar esperando a crítica.

– Os operários e soldados já se anteciparam à vontade do Congresso ao se rebelarem – retrucou.

De repente, um rumor atravessou o salão. As pessoas começaram a se levantar. Grigori olhou em direção à porta, perguntando-se qual o motivo daquilo. Então viu Lênin entrar. Os delegados começaram a ovacioná-lo. Quando Lênin subiu ao palanque, o barulho se tornou ensurdecedor. Ele e Trótski ficaram lado a lado, sorridentes, e se curvavam para agradecer à multidão, que aplaudia de pé o golpe que ainda não havia ocorrido.

Grigori, incapaz de suportar a tensão entre a vitória que estava sendo proclamada no salão e a realidade da desordem e dos atrasos do lado de fora, foi embora dali.

Os marinheiros ainda não haviam chegado de Helsingfors e os canhões da fortaleza ainda não estavam prontos para disparar. Ao anoitecer, uma chuva fina passou a cair. Em pé à beira da praça, com o Palácio de Inverno à sua frente e o quartel-general do Estado-Maior às suas costas, Grigori viu um grupo de cadetes sair do prédio. Os distintivos de seus uniformes informavam que pertenciam à Escola de Artilharia Mikhailovsky, e eles estavam indo embora, levando consigo quatro peças de artilharia pesada. Grigori os deixou passar.

Às sete da noite, ordenou que uma força de soldados e marinheiros entrasse no quartel-general do Estado-Maior e assumisse o controle. Estes não encontraram oposição.

Às oito, os 200 cossacos que vigiavam o palácio decidiram voltar para seu quartel e Grigori os deixou passar pelo cordão de segurança. Percebeu que aqueles atrasos irritantes talvez não fossem uma tragédia completa: conforme o tempo passava, as forças que teria de enfrentar estavam diminuindo.

Logo antes das dez, Isaak informou que os canhões da Fortaleza de Pedro e Paulo finalmente estavam prontos. Grigori ordenou que fosse disparado um tiro de festim, seguido de uma pausa. Conforme já esperava, isso fez mais soldados fugirem do palácio.

Seria tão fácil assim?

Um alarme soou a bordo do *Amur*. Ao tentar descobrir o motivo, Grigori olhou rio abaixo e viu as luzes de uma embarcação que se aproximava. Sentiu o coração gelar. Teria Kerenski conseguido enviar tropas leais para salvar seu governo no último segundo? Mas, logo em seguida, uma vibração irrompeu no convés do *Amur* e Grigori descobriu que os recém-chegados eram os marinheiros de Helsingfors.

Assim que o navio foi ancorado com segurança, ele enfim deu a ordem para o início do bombardeio.

Ouviu-se um estrondo de artilharia. Algumas bombas explodiram no ar, iluminando as embarcações no rio e o palácio sitiado. Grigori viu uma janela de canto no terceiro andar ser atingida e imaginou se haveria alguém lá dentro. Para seu assombro, os bondes iluminados continuavam a cruzar normalmente a ponte Troitsky e a ponte do Palácio ali perto.

Aquilo, é claro, não se parecia em nada com o campo de batalha. No front, centenas de peças de artilharia disparavam ao mesmo tempo, milhares até; ali, eram apenas quatro. Os intervalos entre os disparos eram longos, e era espantoso ver quantos deles se perdiam, caindo antes do alvo e afundando no rio sem causar dano algum.

Grigori mandou cessar o bombardeio e enviou pequenos grupos de soldados para dentro do palácio em missão de reconhecimento. Ao voltarem, estes informaram que os poucos guardas restantes não estavam oferecendo nenhuma resistência.

Pouco depois da meia-noite, Grigori comandou a entrada de um contingente maior de soldados no palácio. Seguindo uma estratégia preestabelecida, eles se espalharam pelo prédio, correndo ao longo dos corredores escuros imponentes, neutralizando os opositores e procurando ministros do governo. O palácio parecia um quartel caótico: havia colchões de soldados espalhados sobre o piso de tacos dos salões nobres ricamente decorados e lixo por toda parte – guimbas de cigarro, cascas de pão e garrafas vazias com rótulos franceses, que os guardas tinham provavelmente roubado da adega suntuosa do czar.

Grigori ouviu alguns tiros esparsos, mas não havia muito combate ali. Ele não encontrou nenhum ministro no térreo. Ocorreu-lhe que eles poderiam ter conseguido fugir e teve um momento de pânico. Não queria ser obrigado a relatar a Trótski e Lênin que os membros do governo de Kerenski tinham lhe escapado por entre os dedos.

Acompanhado por Isaak e por dois outros homens, ele subiu correndo uma ampla escadaria para verificar o andar seguinte. Juntos, arrombaram as portas duplas que davam para uma sala de reunião e ali encontraram o que restava do governo provisório: um punhado de homens de terno e gravata amedrontados, sentados diante de uma mesa e em poltronas espalhadas pela sala, com os olhos esbugalhados de apreensão.

Um deles conseguiu reunir um vestígio de autoridade.

– O governo provisório está aqui... O que vocês querem? – perguntou ele.

Grigori reconheceu Alexander Konovalov, o magnata da indústria têxtil que era vice do primeiro-ministro Kerenski.

– Vocês estão todos presos – respondeu Grigori. Foi um bom momento, e ele o saboreou.

Então voltou-se para Isaak:

– Anote os nomes deles. – Reconheceu todos os presentes. – Konovalov, Maliantovich, Nikitin, Tereschenko... – Assim que a lista ficou pronta, acrescentou: – Leve-os até a Fortaleza de Pedro e Paulo e ponha-os em celas. Eu vou até o Smolny dar a boa notícia a Trótski e Lênin.

Ele saiu do palácio. Ao atravessar a praça, deteve-se por alguns instantes, recordando a mãe. Ela havia morrido 12 anos antes naquele mesmo local, fuzilada pelos guardas do czar. Grigori se virou e olhou para o imenso palácio, com suas fileiras de colunas brancas e o luar se refletindo nas centenas de janelas. Em um acesso de raiva, brandiu o punho em direção ao prédio.

– Esse é o castigo, seus demônios! – vociferou. – Esse é o castigo por terem matado minha mãe.

Ele aguardou até recuperar a calma. Não sei nem com quem estou falando, pensou. Pulou para dentro de seu blindado ocre, que o esperava ao lado de uma barricada demolida.

– Para o Smolny – disse para o soldado ao volante.

Durante o curto trajeto, começou a se sentir eufórico. Agora nós realmente conseguimos, disse a si mesmo. Somos os vencedores. O povo derrotou seus algozes.

Subiu correndo os degraus do Smolny e entrou no salão. O lugar estava abarrotado e o Congresso dos Sovietes já estava acontecendo. Trótski não conseguira atrasá-lo por muito tempo. Essa era uma péssima notícia. Seria típico dos mencheviques e dos outros revolucionários covardes exigir um lugar no novo governo, por mais que não tivessem feito nada para derrubar o antigo.

Uma bruma de fumaça de tabaco pairava ao redor dos lustres. Os membros do comitê executivo estavam sentados no palanque. Grigori, que conhecia quase todos, analisou a composição do grupo. Observou que os bolcheviques ocupavam 14 das 25 cadeiras. Isso significava que o partido tinha o maior número de delegados. Contudo, ficou horrorizado ao ver que o grupo era presidido por Kamenev – bolchevique moderado que havia votado contra o levante armado! Como Lênin alertara, o congresso estava se preparando para outro acordo fraco, repleto de concessões.

Grigori correu os olhos pelos delegados presentes no salão e viu Lênin na primeira fila. Aproximou-se e disse ao homem na cadeira ao lado:

– Preciso falar com Ilitch... deixe-me sentar no seu lugar. – O homem pareceu contrariado, mas depois de um instante se levantou.

Grigori cochichou no ouvido de Lênin.

– Nós tomamos o Palácio de Inverno – disse. Citou então os nomes dos ministros que haviam sido detidos.

– Tarde demais – respondeu Lênin, desolado.

Era o que Grigori temia.

– O que está havendo aqui?

Lênin ficou vermelho de raiva.

– Martov fez a moção. – Julius Martov era um velho inimigo de Lênin. Ele sempre quisera que o Partido Operário Social-Democrata Russo fosse como o Partido Trabalhista da Grã-Bretanha e lutasse pelos direitos dos trabalhadores pela via democrática. E tinha sido sua disputa com Lênin quanto a essa questão que cindira o partido, nos idos de 1903, em suas duas facções atuais: os bolcheviques de Lênin e os mencheviques de Martov. – Ele defendeu o fim do combate nas ruas seguido por negociações para um governo democrático.

– Negociações? – perguntou Grigori, incrédulo. – Mas nós tomamos o poder!

– Nós apoiamos a proposta – disse Lênin em tom monocórdio.

Grigori ficou pasmo.

– Por quê?

– Se tivéssemos votado contra, teríamos perdido. Dos 670 delegados, 300 são nossos. Somos o maior partido por uma boa margem, mas não temos a maioria absoluta.

Grigori quase chorou. O golpe chegara tarde demais. Haveria uma nova coalizão, cuja composição seria ditada por acordos e concessões, e o governo continuaria a hesitar enquanto os russos passavam fome dentro do país e morriam no front.

– Mesmo assim, eles estão nos atacando – acrescentou Lênin.

Grigori prestou atenção no orador da vez, um homem que ele não conhecia.

– Este congresso foi convocado para debater sobre o novo governo, mas o que estamos vendo? – dizia o orador com raiva. – Uma tomada irresponsável do poder já ocorreu, sem que fosse ouvida a vontade do congresso! Precisamos salvar a revolução dessa empreitada insensata.

Houve uma enxurrada de protestos dos delegados bolcheviques. Grigori ouviu Lênin exclamar:

– Porco! Miserável! Traidor!

Kamenev pediu ordem.

O discurso seguinte, no entanto, também se mostrou fortemente hostil para com os bolcheviques e seu golpe e foi seguido por outros no mesmo tom. O menchevique Lev Khinchuk defendeu negociações com o governo provisório, e a indignação que isso causou entre os delegados foi tão violenta que por alguns minutos ele não pôde continuar. Por fim, gritando para se fazer ouvir acima do barulho, ele falou:

– Nós estamos abandonando este congresso! – E então se retirou.

Grigori percebeu que a tática deles seria dizer que, com a sua retirada, o congresso perdera a autoridade.

– Desertores! – bradou alguém, e o grito foi repetido por todo o salão.

Grigori ficou consternado. Haviam esperado tanto por aquele congresso... Seus delegados representavam a vontade do povo russo. Mas ele estava se desintegrando.

Ele olhou para Lênin. Para seu espanto, os olhos do líder brilhavam de contentamento.

– Que maravilha – comentou ele. – Estamos salvos! Jamais imaginei que eles fossem cometer um erro desses.

Aquelas palavras não faziam sentido para Grigori. Teria Lênin perdido a razão?

O orador seguinte foi Mikhail Gendelman, um proeminente socialista revolucionário.

– Levando em conta a tomada de poder pelos bolcheviques – disse ele –, responsabilizando-os por essa atitude inconsequente e criminosa e considerando impossível colaborar com eles, a facção dos socialistas revolucionários está abandonando o congresso! – E, com essas palavras, também se retirou, seguido por todos os seus correligionários. O grupo foi alvo de xingamentos, vaias e assobios por parte dos delegados remanescentes.

Grigori ficou arrasado. Como seu triunfo podia ter degringolado, tão depressa, em tamanha desordem?

Lênin, contudo, parecia ainda mais satisfeito.

Uma série de delegados dos soldados se pronunciou a favor do golpe bolchevique, e Grigori começou a se animar, mas continuava sem entender o júbilo de Lênin. Ilitch passara a rabiscar algo em um bloco de anotações. À medida que os discursos se sucediam, corrigia e reescrevia suas palavras. Por fim, entregou duas folhas de papel a Grigori.

– Isto deve ser proposto ao congresso para aprovação imediata – disse ele.

Era uma declaração longa, cheia da retórica habitual de Lênin, porém os olhos de Grigori foram logo atraídos para a frase crucial: "O congresso decide, por meio desta, assumir o controle do governo."

Era o que Grigori queria.

– Quem deve ler? Trótski? – perguntou.

– Não, Trótski não. – Lênin correu os olhos pelos homens e pela única mulher sobre o palanque. – Lunacharsky – falou.

Lênin achava que Trótski já havia conquistado glória suficiente, supôs Grigori.

Levou a declaração até Lunacharsky, que acenou para o presidente do congresso. Poucos minutos depois, Kamenev convocou Lunacharsky, que se levantou para ler as palavras de Lênin.

Cada frase foi recebida por um rugido de aprovação.

O presidente convocou uma votação.

E então, por fim, Grigori começou a entender por que Lênin estava feliz. Sem a presença dos mencheviques e dos socialistas revolucionários, os bolcheviques possuíam a maioria esmagadora. Eles poderiam fazer o que quisessem. Não havia razão para concessões.

Os delegados votaram. Apenas dois foram contra a proposta.

Os bolcheviques haviam conquistado o poder – e agora tinham legitimidade.

O presidente encerrou a sessão. Eram cinco da manhã de quinta-feira, dia 8 de novembro. A Revolução Russa obtivera a vitória. E o poder estava nas mãos dos bolcheviques.

Grigori saiu do salão atrás de Josef Stálin, o revolucionário da Geórgia, e de outro homem. O companheiro de Stálin usava um sobretudo de couro e um cinturão de balas, como muitos dos bolcheviques, mas alguma coisa nele disparou um alarme na memória de Grigori. Quando o homem se virou para dizer alguma coisa a Stálin, ele o reconheceu, e um frêmito de choque e horror atravessou seu corpo.

Era Mikhail Pinsky.

Ele havia se juntado à revolução.

VI

Grigori estava exausto. Há dois dias que não dormia. Andara tão ocupado que mal tinha visto os dias passarem. Nunca havia viajado em um veículo tão desconfortável quanto o blindado, mas mesmo assim adormeceu dentro dele a caminho de casa. Quando Isaak o acordou, viu que estavam em frente ao seu prédio. Perguntou-se quanto Katerina saberia sobre o ocorrido. Torceu para ela não ter escutado muita coisa, pois assim teria o prazer de lhe contar sobre o triunfo da revolução.

Ele entrou no edifício e subiu a escada, cambaleante. Havia luz debaixo da porta.

– Sou eu – disse, adentrando o quarto.

Katerina estava sentada na cama com um bebê minúsculo no colo.

Grigori foi tomado pela felicidade.

– O bebê nasceu! – exclamou. – Como ele é lindo...

– É uma menina.

– Uma menina!

– Você prometeu que estaria aqui – disse Katerina em tom acusador.

– Mas eu não sabia! – Ele olhou para a criança. – Ela tem cabelos pretos, como eu. Como vamos chamá-la?

– Eu mandei um recado.

Grigori se lembrou do guarda lhe dizendo que alguém estava à sua procura. *Era algo sobre uma parteira*, dissera o homem.

– Oh, meu Deus – falou Grigori. – Eu estava tão ocupado...

– Magda estava fazendo outro parto – disse Katerina. – O meu teve que ser com Kseniya.

Grigori ficou preocupado.

– Você sofreu?

– É claro que sofri – disparou Katerina.

– Eu sinto muito. Mas escute! Houve uma revolução! Uma revolução de verdade, desta vez... nós assumimos o poder! Os bolcheviques vão formar um governo. – Ele se curvou para beijá-la.

– Foi o que eu imaginei – disse ela, e virou o rosto para o outro lado.

CAPÍTULO VINTE E NOVE

Março de 1918

Walter estava em pé no telhado de uma pequena igreja medieval no vilarejo de Villefranche-sur-Oise, não muito longe de Saint-Quentin. Durante algum tempo, aquela havia sido uma zona de descanso e recreação da retaguarda alemã, e, tirando o melhor proveito possível da situação, os habitantes franceses tinham vendido ali omeletes e vinho – quando conseguiam obtê-los – aos conquistadores. "*Malheur la guerre*", diziam. "*Pour nous, pour vous, pour tout le monde.*" "A guerra é uma tragédia – para nós, para vocês, para todo mundo." Desde então, pequenos avanços das forças aliadas tinham enxotado os moradores dali, posto abaixo metade das construções e deixado o vilarejo mais próximo do front: agora, era uma zona de agrupamento.

Lá embaixo, na rua estreita que cortava o centro do vilarejo, soldados alemães marchavam em linhas de quatro. Já fazia horas que estavam passando, milhares deles. Tinham um aspecto cansado, porém feliz, muito embora devessem saber que estavam se encaminhando para o front. Eles haviam sido transferidos da frente oriental para lá. Para quem esteve na Polônia em fevereiro, a França em março era um progresso, pensou Walter, seja lá o que os esperasse ali.

Ver aquilo encheu seu coração de alegria. Aqueles homens tinham sido liberados pelo armistício entre a Alemanha e a Rússia. Há poucos dias, os negociadores haviam assinado um tratado de paz em Brest-Litovsk. A Rússia estava definitivamente fora da guerra. Ao apoiar Lênin e os bolcheviques, Walter ajudara a tornar isso realidade – e agora assistia ao resultado triunfal.

Neste momento, o Exército alemão tinha 192 divisões na França, em comparação com as 129 de um ano atrás, e a maior parte das novas unidades tinha sido transferida do front oriental. Pela primeira vez, eles tinham mais homens naquela região do que os Aliados, que, segundo os serviços de inteligência alemães, contavam com 173 divisões. Ao longo dos últimos três anos e meio, o povo alemão tinha sido informado diversas vezes que seu país estava à beira da vitória. Desta vez, Walter achava que isso era verdade.

Ele não compartilhava a opinião do pai de que os alemães eram um tipo superior de ser humano, mas, por outro lado, compreendia que, se a Alemanha dominasse a Europa, não seria uma coisa ruim. Os franceses tinham muitos talentos brilhantes – na culinária, na pintura, na moda, na vinicultura –, mas eram péssimos governantes. Os funcionários públicos franceses se consideravam uma espécie de aristocracia e não viam problema algum em deixar os cidadãos esperando horas e horas. Uma dose de eficiência alemã lhes faria muitíssimo bem. O mesmo valia para os desorganizados italianos. A Europa Oriental seria a maior beneficiada. O velho Império Russo ainda estava na Idade Média, com camponeses maltrapilhos morrendo de fome em barracos e mulheres sendo açoitadas por adultério. A Alemanha lhes daria ordem, justiça e métodos agrícolas modernos. Haviam acabado de inaugurar sua primeira linha aérea regular. Os aviões iam e voltavam entre Viena e Kiev como trens. Depois que a Alemanha ganhasse a guerra, haveria toda uma rede de voos pela Europa. E Walter e Maud poderiam criar seus filhos em um mundo pacífico e ordenado.

No entanto, esse momento vantajoso no campo de batalha não iria durar muito. Os americanos haviam começado a chegar em maior número. Eles tinham precisado de quase um ano para formar seu exército, mas agora a França contava com 300 mil soldados norte-americanos – e mais deles desembarcavam a cada dia. A Alemanha precisava vencer imediatamente, conquistar a França e repelir os Aliados em direção ao mar, antes que os reforços americanos fizessem a balança pender para o lado deles.

O ataque iminente tinha sido batizado de *Kaiserschlacht*, ou batalha do Imperador. De uma forma ou de outra, seria a última ofensiva da Alemanha.

Walter tinha sido enviado novamente para o front. Agora, a Alemanha precisava que todos os seus homens lutassem, principalmente porque muitos oficiais tinham morrido. Ele havia recebido o comando de um *Sturmbataillon* – uma tropa de assalto –, e feito um treinamento para aprender as táticas mais recentes junto com seus homens. Alguns destes eram veteranos empedernidos, outros, meninos e velhos recrutados por desespero. Durante o treinamento, Walter passara a gostar deles, mas precisava tomar cuidado para não se apegar demais a homens que talvez fosse obrigado a mandar para a morte.

Gottfried von Kessel, o antigo rival de Walter da embaixada alemã em Londres, havia feito o mesmo curso. Apesar dos problemas de vista, Gottfried era tenente no batalhão de Walter. A guerra pouco havia adiantado para abrandar sua atitude arrogante de sabe-tudo.

Walter examinou a zona rural à sua volta com seu binóculo militar. O dia estava claro e frio, de modo que ele conseguia ver muito bem. Ao sul, o largo rio Oise atravessava lentamente uma área pantanosa. Ao norte, viam-se campos férteis salpicados de aldeias, casas de fazenda, pontes, pomares e pequenos bosques. Quase dois quilômetros a oeste, ficava a rede de trincheiras alemãs e, logo depois, o campo de batalha. Ali, a mesma paisagem agrícola tinha sido devastada pela guerra. Campos de trigo estéreis cheios de crateras lembravam a Lua; todos os vilarejos estavam reduzidos a montes de pedras; os pomares explodidos e as pontes derrubadas. Se ele focasse o binóculo com cuidado, poderia ver os cadáveres de homens e cavalos em decomposição e as carcaças de blindados carbonizados.

Do outro lado dessa terra devastada, estavam os britânicos.

Um ronco forte fez Walter olhar para o leste. Nunca havia visto o veículo que se aproximava, embora já tivesse ouvido falar dele. Tratava-se de uma peça de artilharia móvel, com um cano e um mecanismo de disparo gigantescos, montados sobre um chassi com motor próprio de 100 cavalos de potência. O veículo vinha seguido de perto por um caminhão de carga pesada, provavelmente trazendo projéteis igualmente gigantescos. Uma segunda e uma terceira peça de artilharia vieram logo em seguida. As equipes que viajavam em cima desses blindados acenavam com as boinas ao passar, como se estivessem em uma parada da vitória.

Walter se sentiu confiante. Uma vez iniciada a ofensiva, aquelas peças de artilharia poderiam ser reposicionadas com rapidez. Elas dariam uma cobertura muito melhor ao avanço da infantaria.

Walter tinha ouvido dizer que armas ainda maiores do que aquelas estavam bombardeando Paris de uma distância de aproximadamente 100 quilômetros. Parecia quase impossível.

Na esteira dos blindados, veio um Mercedes 37/95 Double Phaeton que lhe pareceu muito familiar. O carro saiu da estrada e estacionou na praça em frente à igreja. O pai de Walter desceu lá de dentro.

O que Otto estaria fazendo ali?

Walter atravessou o portal baixo que conduzia à torre e desceu às pressas a estreita escada em caracol até o térreo. A nave da igreja abandonada havia sido transformada em dormitório. Ele passou por entre os sacos de dormir e caixotes virados que serviam de mesa e cadeira aos homens.

Do lado de fora, o cemitério da igreja estava repleto de pontes de trincheira: plataformas de madeira pré-fabricadas que permitiriam às peças de artilharia e aos caminhões de abastecimento que viriam no rasto das tropas de assalto atravessarem as trincheiras britânicas capturadas. As tábuas estavam empilhadas em meio às lápides para não ficarem tão visíveis do céu.

O fluxo de homens e veículos que cruzava o vilarejo de leste a oeste já havia praticamente cessado. Algo estava acontecendo.

Otto estava fardado e o cumprimentou de maneira formal, prestando continência. Walter pôde ver que o pai mal se continha de entusiasmo.

– Uma visita especial está chegando! – disse ele na mesma hora.

Estava explicado.

– Quem é?

– Você vai ver.

Walter imaginou que fosse o general Ludendorff, atual comandante supremo em exercício.

– O que ele quer fazer?

– Falar com os soldados, é claro. Por favor, reúna os homens em frente à igreja.

– Daqui a quanto tempo?

– Ele está vindo logo atrás de mim.

– Certo. – Walter correu os olhos pela praça. – Sargento Schwab, venha cá! Cabo Grunwald também! E vocês, homens, venham! – Ele despachou mensageiros até a igreja, o refeitório que havia sido montado em um grande celeiro e o acampamento na colina ao norte. – Quero todos em frente à igreja, adequadamente vestidos, daqui a 15 minutos. Rápido! – Os soldados saíram correndo.

Walter percorreu o vilarejo a passos rápidos para informar aos oficiais, ordenando aos homens que fossem para a praça e ficassem de olho na estrada que vinha do leste. Encontrou seu superior, o general de divisão Schwarzkopf, em uma antiga leiteria na periferia do vilarejo, terminando um café da manhã tardio composto de pão e sardinhas em lata.

Em 15 minutos, dois mil homens foram reunidos e, 10 minutos depois, estavam todos apresentáveis, com os uniformes abotoados e as boinas bem arrumadas na cabeça. Walter foi buscar um caminhão de reboque e o parou com a traseira virada para os homens. Improvisou degraus até a caçamba do veículo usando caixotes de munição.

Otto tirou do Mercedes um pedaço de tapete vermelho e o estendeu no chão, conduzindo aos degraus.

Walter fez o cabo Grunwald – um homem alto, de mãos e pés grandes – sair da formação e o mandou ficar de guarda no telhado da igreja, com seu binóculo e um apito.

Eles então se puseram a aguardar.

Meia hora se passou, depois uma hora. Os homens foram ficando impacientes, as linhas se tornaram disformes e começou a haver bate-papo.

Dali a mais uma hora, Grunwald tocou seu apito.

– Preparem-se! – vociferou Otto. – Ele está chegando!

Uma cacofonia de ordens gritadas se fez ouvir. Os homens assumiram rapidamente posição de sentido. Uma caravana entrou na praça.

A porta de um veículo blindado se abriu e um homem vestido de general saltou. No entanto, não era Ludendorff, com sua cabeça calva e pontuda. O visitante especial se movia de forma estranha, mantendo a mão esquerda no bolso do dólmã como se estivesse com o braço ferido.

Depois de alguns instantes, Walter percebeu que se tratava do próprio Kaiser.

O general de divisão Schwarzkopf se aproximou e prestou continência.

Quando os homens perceberam quem era o visitante, o burburinho resultante logo se transformou em uma vibração generalizada. No início, o general de divisão pareceu irritado com aquela indisciplina, porém o Kaiser abriu um sorriso magnânimo que fez Schwarzkopf se recompor sem demora, assumindo um ar de aprovação.

O monarca subiu os degraus, ficou em pé na caçamba do caminhão e agradeceu pela recepção calorosa. Quando o barulho finalmente cessou, ele começou a falar:

– Alemães! – disse. – Chegou a hora da vitória!

Todos tornaram a vibrar e, desta vez, Walter fez o mesmo.

II

À uma da manhã de quinta-feira, 21 de março, a brigada já estava organizada em posição de avançar, pronta para o ataque. Walter e os outros oficiais de seu batalhão estavam sentados em um abrigo na trincheira da linha de frente. Para aliviar a tensão da espera, eles conversavam.

Gottfried von Kessel explicava a estratégia de Ludendorff.

– Essa ofensiva rumo ao oeste vai criar uma brecha entre britânicos e franceses – disse ele, com a mesma autoconfiança ignorante que costumava exibir quando os dois trabalhavam juntos na embaixada alemã de Londres. – E depois nós vamos dar uma guinada para o norte, obrigando o flanco direito dos britânicos a mudar de curso para imprensá-los contra o canal da Mancha.

– Não, não – disse o tenente Von Braun, um homem mais velho. – A coisa mais inteligente a fazer, depois de rompermos a linha de frente do inimigo, é avançarmos todo o caminho até a costa atlântica. Imaginem só: uma linha alemã cortando a França ao meio e separando o exército francês de seus aliados.

– Mas, nesse caso, nós teríamos inimigos ao norte e ao sul! – protestou Von Kessel.

Um terceiro homem, o capitão Kellerman, entrou na conversa.

– Ludendorff vai dar uma guinada para o sul – previu ele. – Nós precisamos conquistar Paris. Isso é tudo o que importa.

– Paris é apenas simbólica! – disse Von Kessel com desdém.

Aquilo tudo não passava de especulação – ninguém sabia ao certo. Walter estava tenso demais para ficar escutando conversas inúteis, de modo que saiu do abrigo. Na trincheira, os homens estavam sentados no chão, imóveis e calmos. As horas que precediam uma batalha eram um momento de reflexão e preces. No jantar da véspera, a sopa de cevada havia sido incrementada com carne, um raro agrado. O moral estava alto – todos sentiam que o fim da guerra era iminente.

A madrugada estava clara e estrelada. A cozinha de campanha distribuía o desjejum: pão preto e um café ralo com gosto de nabo. A chuva que caíra mais cedo tinha estiado e quase não havia mais vento. Isso significava que eles poderiam disparar bombas de gás venenoso. Ambos os lados usavam gás, porém Walter tinha ouvido dizer que, desta vez, os alemães experimentariam uma nova mistura: o mortífero fosgênio aliado ao gás lacrimogêneo. Este último não era letal, mas conseguia penetrar as máscaras de gás padrão do Exército britânico. A teoria era que a irritação causada pelo gás lacrimogêneo faria os soldados inimigos tirarem as máscaras para esfregar os olhos, e eles então inalariam o fosgênio e morreriam.

As grandes peças de artilharia estavam posicionadas ao longo de toda a borda do lado alemão da terra de ninguém. Walter nunca vira tanto armamento reunido. As equipes empilhavam munição. Atrás delas, uma segunda linha de peças de artilharia estava pronta para avançar, com os cavalos já atrelados – elas formariam a segunda onda da barragem.

Às 4h30, o silêncio tomou conta do front. As cozinhas de campanha desapareceram; as equipes de artilharia sentaram-se no chão, aguardando; os oficiais se levantaram dentro das trincheiras, olhando ao longo da terra de ninguém, até a escuridão onde dormia o inimigo. Até mesmo os cavalos silenciaram. Esta é a nossa última chance de vitória, pensou Walter. Perguntou-se se deveria rezar.

Às 4h40, a fumaça branca de um sinalizador subiu em direção ao céu, seu brilho apagando as estrelas cintilantes. Logo em seguida, a grande peça de artilharia ao lado de Walter disparou, produzindo um clarão de labaredas e um estrondo tão forte que ele cambaleou para trás como se tivesse sido empurrado. Mas aquilo não foi nada. Em segundos, toda a artilharia começou a disparar. O barulho era muito mais alto do que o de uma tempestade. Os clarões iluminavam os rostos dos artilheiros enquanto eles manejavam os projéteis pesados e a cordite usada como carga propulsora. O ar ficou carregado de gás e fumaça, e Walter tentou respirar apenas pelo nariz. O impacto fazia o chão sob seus pés tremer.

Walter logo começou a ver explosões e chamas do lado britânico, à medida que as bombas alemãs atingiam depósitos de munição e tanques de gasolina. Ele conhecia a sensação de estar sob o fogo de artilharia pesada e sentiu pena do inimigo. Torceu para Fitz não estar lá.

As peças de artilharia ficaram tão quentes que queimariam a pele de qualquer um tolo o suficiente para tocá-las. O calor deformava os canos de tal forma que chegava a prejudicar a mira, de modo que as equipes precisavam usar sacos molhados para esfriá-los. Os soldados de Walter se ofereceram para trazer baldes de água de crateras próximas para manter os sacos úmidos. A infantaria sempre se mostrava disposta a ajudar os artilheiros antes de um ataque: cada soldado inimigo morto pela barragem era um homem a menos para atirar nas forças terrestres quando elas avançassem.

A luz do dia trouxe consigo névoa. Junto às armas, a ignição das cargas propulsoras consumia o vapor, mas ao longe não era possível enxergar nada. Walter ficou preocupado. Os artilheiros teriam de mirar "pelo mapa". Felizmente, eles possuíam diagramas detalhados e precisos das posições britânicas, que apenas um ano antes tinham sido posições alemãs. Mas a possibilidade de corrigir a mira por meio da observação era insubstituível. Aquilo era um mau começo.

A névoa se misturou à fumaça das armas. Walter amarrou um lenço por sobre o nariz e a boca. Os britânicos não estavam disparando de volta, pelo menos não naquele trecho. Isso encorajou Walter. Talvez a artilharia inimiga já tivesse sido destruída. O único alemão morto perto de Walter era um operador de morteiro cuja boca de fogo havia explodido, provavelmente porque o projétil fora detonado dentro do cano. Uma equipe de padioleiros levou embora o cadáver, enquanto uma equipe médica fazia curativos nos ferimentos dos soldados próximos atingidos por estilhaços.

Às nove da manhã, Walter posicionou os homens em suas respectivas posições de largada: as tropas de assalto deitadas no chão atrás da artilharia e a infantaria regular em pé nas trincheiras. Atrás deles, concentravam-se a segunda onda de artilharia, as equipes médicas, os operadores dos telefones de campanha, os reabastecedores de munição e os mensageiros.

A tropa de assalto usava o moderno capacete arredondado de aço, apelidado de "balde de carvão". Eles haviam sido os primeiros a abandonar o antigo *Pickelhaube* pontudo. Estavam armados com carabinas Mauser K98. Seu cano curto a tornava pouco precisa para tiros de longa distância, mas ela era mais fácil de manejar em combates corpo a corpo nas trincheiras do que os fuzis mais compridos. Cada homem carregava uma sacola atravessada no peito com uma dúzia de granadas de mão. Como elas tinham um cabo de madeira, os soldados britânicos as chamavam de "espremedores de batatas", em referência ao utensílio de cozinha usado por suas mulheres. Aparentemente, toda cozinha britânica tinha o seu. Walter descobrira isso ao interrogar prisioneiros de guerra: nunca havia entrado em uma cozinha britânica.

Ele pôs a máscara de gás e fez sinal para os homens o imitarem, de modo a não serem afetados pelos próprios gases venenosos quando chegassem ao outro lado. Então, às nove e meia, se levantou. Pendurou o fuzil nas costas e segurou uma granada em cada mão, conforme deveria fazer qualquer soldado de assalto prestes a avançar. Como ninguém conseguia escutar nada, ele não podia gritar ordens, então simplesmente gesticulou com o braço e começou a correr.

Seus homens o seguiram rumo à terra de ninguém.

O solo estava firme e seco: há semanas que não chovia forte. Isso era bom para os agressores, pois tornava mais fácil mobilizar homens e veículos.

Eles avançavam abaixados. A artilharia alemã disparava por cima de suas cabeças. Os homens de Walter sabiam estar correndo perigo de ser atingidos pelo fogo amigo que aterrissasse antes do alvo, sobretudo no meio da névoa, uma vez que os observadores das equipes de artilharia não podiam corrigir a mira do atirador. Mas o risco valia a pena. Daquela forma, eles poderiam chegar tão perto da trincheira inimiga que, quando o bombardeio terminasse, os britânicos não teriam tempo de assumir suas posições e montar seus ninhos de metralhadora antes de serem atacados pelas tropas de assalto.

Enquanto corriam pela terra de ninguém, Walter torceu para que o arame farpado do lado inimigo houvesse sido destruído pela artilharia. Caso contrário, seus homens perderiam tempo cortando-o.

Houve uma explosão à sua direita e ele ouviu um grito. Logo em seguida, um brilho no solo chamou sua atenção e ele divisou o fio de uma mina. Ele e seus homens estavam no meio de um campo minado que não havia sido detectado. Walter foi invadido por uma onda de pânico ao perceber que seu próximo passo poderia fazê-lo voar pelos ares. Então, recuperou o controle.

– Cuidado! Vejam onde pisam! – gritou, mas suas palavras se perderam em meio ao estrondo da artilharia. Seus homens continuaram a correr: os feridos, como sempre, teriam de ser deixados para trás para aguardar as equipes médicas.

Instantes depois, às 9h40, a artilharia cessou fogo.

Ludendorff tinha abandonado a velha tática de vários dias de bombardeio antes de um ataque: isso dava ao inimigo tempo demais para convocar reservas. Estimava-se que cinco horas bastassem para confundir e desmoralizar o inimigo, sem que ele pudesse ter tempo para se reorganizar.

Em teoria, pensou Walter.

Ele se empertigou e passou a correr mais depressa. Estava com a respiração ofegante porém regular, e quase não suava – apesar de alerta, estava calmo. Agora faltavam segundos para o contato com o inimigo.

Chegou ao arame farpado britânico. Este não havia sido destruído, mas havia brechas pelas quais pôde conduzir seus homens.

Os comandantes de companhias e pelotões ordenaram aos soldados que tornassem a se espalhar. As ordens eram dadas com gestos, em vez de palavras: talvez já estivessem perto o suficiente para ser ouvidos.

A névoa agora estava a favor deles, pois os escondia dos inimigos, pensou Walter com um leve arrepio de euforia. Naquele ponto, já era de se esperar que estivessem vivendo o inferno de ser alvejados pelas metralhadoras. Mas os britânicos não podiam vê-los.

Ele chegou a um trecho em que o solo fora completamente revirado por bombas alemãs. A princípio, tudo o que conseguiu distinguir foram crateras e montes de terra. Então viu um pedaço de trincheira e percebeu ter chegado à linha de frente britânica. A trincheira, no entanto, havia sido destruída: a artilharia fizera um bom trabalho.

Será que havia alguém lá dentro? Nenhum tiro tinha sido disparado. Ainda assim, era melhor ter certeza. Walter retirou o pino de uma granada e a jogou dentro da trincheira por precaução. Depois que ela explodiu, olhou por cima do parapeito. Vários homens estavam caídos no chão, nenhum deles se movendo. Quem não tivesse sido morto antes pela artilharia havia sido liquidado pela granada.

Até agora você teve sorte, pensou Walter. Não espere que ela dure.

Ele correu ao longo da linha inimiga para verificar como o restante de seu batalhão estava se saindo. Viu meia dúzia de soldados britânicos se rendendo, com as mãos erguidas tocando os capacetes abaulados de aço, as armas largadas no chão. Se comparados aos seus captores alemães, eles pareciam bem alimentados.

O tenente Von Braun apontava seu fuzil para os prisioneiros, porém Walter não queria que seus oficiais perdessem tempo lidando com presos. Tirou a máscara de gás: os britânicos estavam sem as suas.

– Sigam em frente! – gritou ele em inglês. – Por ali, por ali. – Ele apontou para as linhas alemãs. Os britânicos fizeram o que Walter mandou, ansiosos por sair dali e salvar suas vidas. – Deixe-os ir – gritou para Von Braun. – O escalão da retaguarda vai cuidar deles. Vocês precisam continuar avançando. – Era para isso que servia uma tropa de assalto.

Ele voltou a correr. Por várias centenas de metros, se deparou com as mesmas cenas: trincheiras destruídas, baixas inimigas, nenhuma resistência de fato. Então escutou tiros de metralhadora. Logo em seguida, topou com um pelotão que havia se abrigado dentro de crateras de bomba. Deitou-se ao lado do sargento, um bávaro chamado Schwab.

– Não estamos conseguindo identificar o ninho – informou-lhe o sargento. – Estamos atirando na direção do barulho.

Schwab não havia compreendido a tática. As tropas de assalto deveriam evitar os focos de resistência inimigos e seguir adiante, deixando que eles fossem neutralizados pela infantaria que viria em seguida.

– Continuem a avançar! – ordenou-lhe Walter. – Contornem a metralhadora. – Quando houve um intervalo entre os tiros, ele se levantou e gesticulou para os homens. – Vamos! Levantem-se, levantem-se! – Os soldados obedeceram. Ele os conduziu para longe da metralhadora e os fez atravessar uma trincheira vazia.

Topou novamente com Gottfried. O tenente carregava uma lata de biscoitos que ia enfiando na boca enquanto corria.

– Incrível! – gritou ele. – Você tem que provar a comida dos britânicos!

Walter derrubou a lata da sua mão.

– Seu idiota, você está aqui para lutar, não para comer – berrou. – Ande logo.

Ele foi surpreendido por alguma coisa que passou correndo por cima do seu pé. Então viu um coelho desaparecer em meio à névoa. A artilharia certamente havia destruído suas tocas.

Verificou a bússola para se certificar de que continuava na direção norte. Não sabia se as trincheiras que estava encontrando eram de comunicação ou de abastecimento, de modo que a disposição delas não lhe dizia muita coisa.

Sabia que os britânicos, seguindo o exemplo alemão, tinham aberto várias linhas de trincheiras. Depois de passar pela primeira, esperava encontrar a qualquer momento uma trincheira bem defendida que eles chamavam de Linha Vermelha, e então – caso conseguisse passar por ela – uma terceira, cerca de dois quilômetros mais a oeste, chamada de Linha Marrom.

Dali para a frente, não havia nada senão terreno aberto até a costa ocidental.

Bombas explodiram na névoa à sua frente. Não era possível que fossem os britânicos. Eles estariam disparando contra as próprias defesas. Aquilo só podia ser a segunda barragem de artilharia alemã. Walter e seus homens estavam correndo o risco de ultrapassar sua própria artilharia. Ele se virou. Felizmente, a maioria da tropa estava atrás dele. Ergueu os braços.

– Abriguem-se! – gritou. – Espalhem a notícia!

Os soldados, que já haviam chegado à mesma conclusão que ele, mal precisaram do aviso. Recuaram alguns metros correndo e pularam para dentro das trincheiras vazias.

Walter estava exultante. Tudo estava correndo maravilhosamente bem.

No chão da trincheira havia três soldados britânicos caídos. Dois estavam imóveis e o terceiro grunhia. Onde estariam os outros? Talvez tivessem fugido. Ou então aquele era um esquadrão suicida, deixado para trás no intuito de proteger uma posição indefensável, para que seus companheiros em retirada tivessem mais chances de escapar.

Um dos britânicos mortos era um homem excepcionalmente alto, de mãos e pés grandes. Na mesma hora, Grunwald tirou as botas do cadáver.

– São do meu tamanho! – falou para Walter, como se quisesse se justificar. Este não teve coragem de impedi-lo: as botas de Grunwald estavam cheias de furos.

Ele se sentou para recuperar o fôlego. Ao repassar aquela primeira fase da ofensiva em sua cabeça, não conseguia pensar em como ela poderia ter dado mais certo.

Uma hora depois, a artilharia alemã tornou a suspender o fogo. Walter reuniu seus homens e seguiu em frente.

Quando estava no meio da subida de uma longa encosta, ouviu vozes. Ergueu uma das mãos para deter os homens mais próximos dele. Logo à frente, alguém falou em inglês:

– Não consigo ver porra nenhuma.

Algo naquele sotaque lhe pareceu familiar. Seria australiano? Parecia mais indiano. Com o mesmo sotaque, uma segunda voz disse:

– Se eles não conseguem vê-lo, também não podem atirar em você!

Subitamente, Walter foi transportado de volta a 1914 e à grande casa de campo de Fitz no País de Gales. Era assim que os criados de lá falavam. Os homens à sua frente, naquele campo francês devastado, eram galeses.

Lá nas alturas, o céu pareceu clarear um pouco.

III

O sargento Billy Williams tentou enxergar por entre a névoa. Felizmente, o bombardeio havia terminado, mas isso só significava que os alemães estavam chegando. O que ele deveria fazer?

Não tinha recebido ordens. Seu pelotão ocupava um reduto, um posto defensivo localizado em uma encosta, um pouco recuado em relação à linha de frente. Em condições climáticas normais, aquela posição oferecia uma vista ampla para um declive longo e gradual, estendendo-se até uma pilha de destroços, provavelmente as antigas instalações de uma fazenda. Uma trincheira os conectava a outros redutos, àquela altura invisíveis. Normalmente, as ordens vinham da retaguarda, mas, naquele dia, nenhuma havia chegado. O telefone estava mudo; a linha provavelmente cortada pela barragem.

Na trincheira, os homens estavam em pé ou sentados. Tinham saído do abrigo após o fim do bombardeio. De vez em quando, no meio da manhã, a cozinha de campanha mandava para a trincheira um carrinho com um grande vaso de chá quente, mas desta vez não havia nem sinal da bebida. E eles já haviam comido suas rações de emergência no café da manhã.

O pelotão estava armado com uma metralhadora leve Lewis, de modelo norte-americano. A arma estava montada sobre a parede dos fundos da trincheira, logo acima do abrigo. Era operada por George Barrow, de 19 anos – o rapaz do reformatório –, um bom soldado, tão ignorante que achava que o último invasor da Inglaterra se chamava Normando, o Conquistador. George fumava um cachimbo sentado atrás da metralhadora, protegido das balas perdidas por sua culatra de aço.

Os soldados também dispunham de um morteiro Stokes, armamento útil que disparava um projétil de 7,5 centímetros de diâmetro em um raio de até 730 metros. O cabo Johnny Ponti, que perdera o irmão Joey na batalha do Somme, tinha desenvolvido uma eficiência mortífera com esse tipo de arma.

Billy subiu até a metralhadora e postou-se ao lado de George, mas não conseguiu ver um palmo à frente do nariz.

– Billy, os outros países têm impérios como o nosso? – perguntou-lhe George.

– Têm – respondeu Billy. – Os franceses são donos da maior parte do norte da África, e há também as Índias Orientais Holandesas, o sudoeste da África que pertence aos alemães...

– Ah – falou George, um pouco decepcionado. – Eu já tinha ouvido falar nesses lugares, mas não achei que pudesse ser verdade.

– Por que não?

– Bem, que direito eles têm de governar outros povos?

– E que direito *nós* temos de governar a Nigéria, a Jamaica e a Índia?

– Nós temos direito porque somos britânicos – Billy aquiesceu.

George Barrow, que obviamente nunca tinha visto um atlas na vida, sentia-se superior a Descartes, Rembrandt e Beethoven. E muita gente pensava como ele. Todos haviam sido submetidos a anos de propaganda na escola, onde ouviam falar de todas as vitórias militares da Grã-Bretanha, mas de nenhuma derrota. Ensinavam-lhes sobre a democracia em Londres, e não sobre a tirania no Cairo. Nas aulas sobre o funcionamento do sistema judiciário britânico, ninguém mencionava as punições por açoitamento na Austrália, a fome na Irlanda ou os massacres na Índia. Eles aprendiam que católicos queimavam protestantes na fogueira, e ficavam chocados quando porventura descobriam que os protestantes faziam o mesmo com os católicos à menor oportunidade. Poucos haviam tido um pai como o Da de Billy para lhes dizer que o mundo pintado por seus professores na escola era uma fantasia.

Mas, naquele dia, Billy não estava com tempo para colocar juízo na cabeça de George. Tinha mais com que se preocupar.

O céu clareou um pouco e Billy achou que talvez a névoa estivesse se dissipando; então, de repente, ela desapareceu por completo.

– Puta merda! – exclamou George. Uma fração de segundo depois, Billy viu o que o chocara. A menos de 500 metros de distância, subindo a encosta na sua direção, havia várias centenas de soldados alemães.

Billy pulou para dentro da trincheira. Vários homens tinham avistado o inimigo ao mesmo tempo, e suas exclamações de surpresa alertaram os outros. Billy espiou por uma fresta na placa de aço montada no parapeito. Os alemães demoraram mais a reagir, provavelmente porque os britânicos estavam menos visíveis em suas trincheiras. Um ou outro parou onde estava, porém a maioria continuou a correr.

Um minuto depois, ouviram-se disparos de fuzil vindos de ambos os lados da trincheira. Alguns alemães caíram. Os demais se jogaram no chão, buscando abrigo em crateras de bomba e atrás de alguns arbustos mirrados. Acima da cabeça de Billy, a metralhadora Lewis abriu fogo com um barulho que parecia o alarido de uma torcida de futebol. No minuto seguinte, os alemães começaram a revidar os tiros. Billy observou, com alívio, que eles não pareciam dispor de metralhadoras nem de morteiros de trincheira. Ele ouviu um de seus homens soltar um grito: talvez um alemão de olhar aguçado tivesse visto alguém espiando com imprudência por cima do parapeito da trincheira; ou então, o que era mais provável, um atirador de sorte tinha acertado uma desafortunada cabeça britânica.

Tommy Griffiths surgiu ao lado de Billy.

– Dai Powell foi atingido – falou ele.

– É grave?

– Ele está morto. Tiro na cabeça.

– Ah, droga – disse Billy. A Sra. Powell fazia tricô como ninguém e costumava mandar suéteres para o filho na França. Para quem ela iria tricotar agora?

– Peguei a coleção que ele guardava no bolso da farda – disse Tommy. Dai possuía um maço de cartões-postais pornográficos comprados de um francês. As imagens mostravam garotas roliças com tufos generosos de pelos pubianos. A maioria dos homens do batalhão já havia pegado aqueles postais emprestados em algum momento.

– Pra quê? – indagou Billy, distraído, enquanto vigiava o inimigo.
– Não quero que eles acabem parando em Aberowen.
– Ah, sim.
– O que faço com eles?
– Porra, Tommy, será que você pode me perguntar depois? Tenho algumas centenas de alemães desgraçados com que me preocupar agora.
– Desculpe, Bill.

Quantos alemães haveria lá fora? Era difícil estimar o número de homens em um campo de batalha, mas Billy pensou ter identificado pelo menos 200 inimigos, sendo que, provavelmente, havia mais deles fora do seu campo de visão. Imaginou que estivesse enfrentando um batalhão. Seu pelotão de 40 soldados estava em uma desvantagem numérica desesperadora.

O que ele deveria fazer?

Há mais de 24 horas que não via nenhum oficial. Ele tinha a maior patente do grupo. Estava no comando. Precisava de um plano.

Já havia superado a raiva que sentia da incompetência de seus superiores. Era tudo parte do sistema de classes que ele fora criado para desprezar. Porém, nas raras ocasiões em que ficava incumbido do comando, não conseguia tirar prazer nenhum disso. Pelo contrário: sentia o peso da responsabilidade e temia tomar decisões erradas que provocassem a morte de seus companheiros.

Se os alemães lançassem um ataque frontal, seu pelotão seria dizimado. Contudo, o inimigo não sabia quanto ele estava vulnerável. Será que Billy conseguiria dar a impressão de ter mais homens do que de fato possuía?

Passou-lhe pela cabeça bater em retirada. Mas soldados não deviam fugir no instante em que fossem atacados. Aquela era uma posição defensiva, e ele tinha a obrigação de tentar mantê-la.

Iria ficar ali e lutar, ao menos por ora.

Assim que tomou essa decisão, viu-se tomando outras em seguida.

– Dispare outra rajada neles, George! – gritou Billy. Quando a metralhadora Lewis abriu fogo, ele saiu correndo pela trincheira. – Mantenham fogo cerrado, rapazes – falou. – Vamos fazer com que eles pensem que estamos às centenas aqui.

Ele viu o corpo de Dai Powell caído no chão, com o sangue já escurecendo ao redor do rombo em sua cabeça. Dai estava usando um dos suéteres tricotados pela mãe debaixo do uniforme. Era horrível, marrom, mas provavelmente o mantivera aquecido.

– Descanse em paz, garoto – murmurou Billy.

Mais adiante na trincheira, encontrou Johnny Ponti.

– Johnny, meu chapa, comece a lançar seus Stokes – falou. – Coloque esses desgraçados para pular.

– Certo – disse Johnny. Ele abriu o suporte de duas pernas do morteiro no chão da trincheira. – A que distância? Uns 450 metros?

O parceiro de Johnny era um rapaz de rosto redondo chamado Hewitt Seboso. Este subiu no degrau de tiro para olhar e gritou de volta:

– Isso, entre 450 e 550 metros. – Billy também deu uma espiada, porém Seboso e Johnny já haviam trabalhado juntos antes, de modo que deixou a decisão a cargo deles.

– Dois anéis, então, a 45 graus – falou Johnny. Os morteiros autopropulsionados podiam receber cargas propulsoras extras, em forma de anel, para aumentar seu alcance.

Johnny pulou no degrau de tiro para dar outra olhada nos alemães, então ajustou a mira. Os outros soldados ao redor dele recuaram. Johnny largou um morteiro dentro do cano. Quando o projétil atingiu o fundo, um percussor acendeu o explosivo de propulsão e ele foi disparado.

O morteiro aterrissou perto demais e explodiu a alguma distância dos soldados inimigos mais próximos.

– Uns 50 metros à frente e um pouco mais à direita – gritou Seboso.

Johnny reajustou a mira e disparou outra vez. O segundo morteiro foi parar dentro de uma cratera de bomba onde alguns alemães estavam se escondendo.

– É isso aí! – gritou Seboso.

Billy não conseguiu ver se algum inimigo tinha sido atingido, mas os tiros os estavam obrigando a manter a cabeça baixa.

– Disparem mais uma dúzia desses! – ordenou.

Chegou por trás de Robin Mortimer, o oficial destituído, que estava sobre o degrau de tiro atirando em ritmo constante. Quando parou para recarregar o fuzil, Mortimer cruzou olhares com Billy.

– Vá buscar mais munição, galesinho – disse ele. Como sempre, falou em tom rabugento, por mais que quisesse ajudar. – Você não vai querer que todo mundo fique sem ao mesmo tempo.

Billy assentiu com a cabeça.

– Boa ideia, obrigado. – O estoque de munição ficava pouco menos de 100 metros atrás, em uma trincheira de comunicação. Ele escolheu dois recrutas que mal sabiam atirar. – Jenkins, Narigudo, tragam mais munição, rápido. – Os dois rapazes saíram correndo.

Billy deu mais uma espiada pela fresta do parapeito. Ao fazer isso, viu um dos alemães se levantar. Billy imaginou que aquele deveria ser o comandante, prestes a ordenar um ataque. Seu coração se encolheu no peito. Eles provavelmente tinham se dado conta de que estavam enfrentando no máximo algumas dúzias de homens e percebido que seria fácil sobrepujá-los.

Mas Billy estava enganado. O oficial gesticulou em direção à retaguarda e então saiu correndo encosta abaixo. Seus homens o seguiram. O pelotão de Billy vibrou, disparando loucamente contra os homens em fuga, abatendo mais alguns antes de eles saírem do alcance de suas armas.

Os alemães chegaram às ruínas da fazenda e se esconderam em meio aos destroços.

Billy não pôde deixar de sorrir. Havia acabado de repelir uma força dez vezes mais numerosa que a sua! Eu deveria ser general, isso sim, pensou.

– Cessar fogo! – gritou. – Eles estão fora de alcance.

Jenkins e Narigudo reapareceram com caixas de munição.

– Continuem trazendo, rapazes – disse Billy. – Talvez eles voltem.

Porém, quando voltou a olhar, ele viu que os alemães tinham outro plano. Haviam se dividido em dois grupos e estavam se afastando das ruínas para ambos os lados. Enquanto Billy os observava, eles começaram a circundar sua posição, mantendo-se fora da linha de tiro.

– Ah, cacete! – disse ele. Os alemães estavam se preparando para se infiltrar entre a sua posição e os redutos vizinhos, para então atacá-los pelos dois flancos. Ou talvez apenas passassem ao largo deles, deixando que as forças da retaguarda os eliminassem.

De toda forma, aquela posição iria cair nas mãos do inimigo.

– George, desça a metralhadora – disse Billy. – E você, Johnny, desmonte o morteiro. Todos vocês, catem suas coisas. Nós vamos recuar.

Todos levaram aos ombros fuzis e mochilas, seguiram às pressas para a trincheira de comunicação mais próxima e começaram a correr.

Billy vasculhou o abrigo para ter certeza de que não havia ninguém ali. Puxou o pino de uma granada e a jogou lá dentro, para que o inimigo não ficasse com nenhum suprimento deixado para trás.

Então bateu em retirada atrás de seus homens.

IV

Ao cair da tarde, Walter e seu batalhão já haviam tomado uma das linhas de retaguarda das trincheiras britânicas.

Apesar de cansado, sentia-se triunfante. O batalhão tinha enfrentado algumas escaramuças violentas, mas nenhuma batalha demorada. Graças à névoa, a tática das tropas de assalto havia funcionado melhor ainda do que o esperado. Eles haviam aniquilado uma oposição fraca, contornado focos de resistência e ganhado bastante terreno.

Walter encontrou um abrigo e entrou nele. Vários de seus homens o acompanharam. O lugar tinha uma atmosfera caseira, como se os britânicos estivessem morando ali há alguns meses: havia fotografias de revistas pregadas nas paredes, uma máquina de escrever em cima de uma caixa virada, talheres e louça dentro de velhas formas de bolo e até mesmo um cobertor estendido como uma toalha de mesa sobre uma pilha de caixotes. Walter imaginou que aquele havia sido o quartel-general de algum batalhão.

Seus homens não tardaram a encontrar a comida. Havia bolachas, geleia, queijo e presunto. Não pôde evitar que eles comessem, mas os proibiu de abrir qualquer uma das garrafas de uísque. Os soldados arrombaram um armário trancado e encontraram um pote de café. Um deles acendeu uma pequena fogueira do lado de fora e preparou um bule. Ofereceu a Walter uma xícara adoçada com leite condensado em lata. Estava delicioso.

– Eu li no jornal que os britânicos estavam com pouca comida, como nós – disse o sargento Schwab. Ele ergueu a lata de geleia que estava comendo com uma colher. – Pouca uma ova!

Walter vinha se perguntando quanto tempo os homens levariam para entender isso. Há muito ele suspeitava que as autoridades alemãs exageravam os efeitos da guerra submarina no abastecimento dos Aliados. Agora sabia a verdade – e os soldados também. A Grã-Bretanha estava em regime de racionamento, mas os britânicos não pareciam estar morrendo de fome. Os alemães, sim.

Ele encontrou um mapa abandonado de forma displicente pelas forças que haviam batido em retirada. Ao compará-lo com o que tinha, percebeu não estar muito longe do canal Crozat. Isso significava que, em um dia, os alemães haviam recuperado todo o território conquistado a tão duras penas pelos Aliados durante os cinco meses da batalha do Somme, dois anos antes.

A vitória estava realmente ao alcance dos alemães.

Walter sentou-se diante da máquina de escrever britânica e começou a redigir seu relatório.

CAPÍTULO TRINTA

Final de março e abril de 1918

Fitz organizou uma festa em Tŷ Gwyn no fim de semana da Páscoa. Possuía motivos ocultos para tanto. Os homens que convidou eram tão violentamente contrários ao novo regime da Rússia quanto ele.

Seu convidado de honra era Winston Churchill.

Winston era membro do Partido Liberal, portanto era de se esperar que pudesse simpatizar com os revolucionários. Porém também era neto de um duque e tinha tendência ao autoritarismo. Durante muito tempo, Fitz o considerara um traidor da sua classe, mas agora estava inclinado a perdoá-lo, tamanha a intensidade de seu ódio pelos bolcheviques.

Winston chegou na Sexta-Feira Santa. Fitz mandou o Rolls-Royce buscá-lo na estação de Aberowen. Ele entrou na sala de estar com seu passo saltitante – um homem baixo, de aparência frágil, cabelos ruivos e tez rosada. Tinha as botas molhadas de chuva. Usava um terno bem cortado de tweed amarelo-claro e uma gravata borboleta do mesmo azul de seus olhos. Tinha 43 anos, mas ainda havia algo de juvenil em sua forma de menear a cabeça para os conhecidos e apertar a mão dos convidados a quem ainda não tinha sido apresentado.

Depois de correr os olhos pelos lambris entalhados, pelo papel de parede estampado, pela lareira de pedra esculpida e pelos móveis de carvalho escuro, ele comentou:

– Fitz, a sua casa é decorada como o Palácio de Westminster!

Ele tinha motivos para estar entusiasmado. Havia voltado ao governo. Lloyd George o nomeara ministro das Munições. Muitos se perguntavam por que o primeiro-ministro teria trazido de volta um colega tão encrenqueiro e imprevisível, e o consenso era que ele preferia ter Churchill no seu time, atirando para fora.

– Seus mineradores apoiam os bolcheviques – falou Winston, com um misto de jocosidade e repulsa, enquanto se sentava e esticava as botas molhadas na direção da lareira acesa. – Metade das casas por que passei tinha bandeiras vermelhas hasteadas.

– Eles não têm a menor ideia do que estão comemorando – disse Fitz com desdém. Por trás da fachada de desprezo, estava muito aflito.

Winston aceitou uma xícara de chá de Maud e pegou um *muffin* amanteigado de um prato que um lacaio oferecia.

– Fiquei sabendo que você sofreu uma perda pessoal.

– Os camponeses mataram meu cunhado, o príncipe Andrei, e a mulher dele.

– Sinto muito.

– Bea e eu por acaso estávamos lá na ocasião e escapamos por um triz.

– Foi o que ouvi dizer!

– Os camponeses ocuparam as terras dele, uma propriedade muito grande, que por direito é a herança do meu filho, e o novo regime endossou esse roubo.

– Temo que sim. A primeira medida de Lênin foi aprovar o Decreto sobre a Terra.

– Justiça seja feita – disse Maud –, Lênin também anunciou uma jornada de trabalho de oito horas para os operários e educação universal e gratuita para seus filhos.

Fitz ficou irritado com o comentário. Maud não tinha o menor tato. Aquela não era a hora de defender Lênin.

Winston, no entanto, lhe respondeu à altura.

– E também um Decreto sobre a Imprensa que proíbe os jornais de se oporem ao governo – disparou ele de volta. – É isso que eles chamam de liberdade socialista.

– O direito hereditário do meu filho não é o único motivo da minha preocupação, nem sequer o principal – disse Fitz. – Se os bolcheviques conseguirem sair impunes depois do que fizeram na Rússia, onde vai ser a próxima revolução? Os mineradores do País de Gales já acham que o carvão subterrâneo na realidade não pertence ao dono das terras na superfície. Em qualquer sábado à noite, é possível ouvir "Bandeira Vermelha" sendo cantada em metade dos pubs galeses.

– O regime bolchevique deveria ser estrangulado no berço – disse Winston. Ele assumiu um ar pensativo. – Estrangulado no berço – repetiu, satisfeito com a expressão.

Fitz controlou sua impaciência. Às vezes, Winston imaginava ter elaborado um plano de ação política, quando tudo o que havia feito era cunhar uma frase de efeito.

– Mas nós não estamos fazendo nada! – disse Fitz, exasperado.

O gongo soou para avisar aos presentes que era hora de trocar de roupa para o jantar. Fitz não insistiu no assunto: tinha o fim de semana inteiro para dizer o que pensava.

A caminho de seu quarto de vestir, ocorreu-lhe que, estranhamente, Boy não tinha sido levado para a sala de estar na hora do chá. Antes de ir se trocar, ele desceu um corredor comprido até a ala das crianças.

Boy já estava com três anos e três meses, e não era mais um bebê, nem uma criança pequena, mas um menino que já andava e falava e que tinha os mesmos olhos azuis e os mesmos cachos louros de Bea. Seu filho estava sentado junto à lareira, enrolado em um cobertor, enquanto a bela e jovem babá Jones lia uma história para ele. O herdeiro legítimo de milhares de hectares de terras agrícolas na Rússia estava chupando o dedo. Ele não se levantou e correu em direção a Fitz como teria feito normalmente.

– O que houve com ele? – indagou este.

– Ele está com dor de barriga, meu amo.

Fitz achava que a babá Jones lembrava um pouco Ethel Williams, embora fosse menos inteligente.

– Tente ser mais precisa – disse Fitz com impaciência. – Qual o problema com a barriga dele?

– Ele está com diarreia.

– Como ele foi pegar uma porcaria dessas?

– Não sei. O toalete do trem não era muito limpo...

Isso tornava Fitz culpado, pois fora ele quem arrastara a família até o País de Gales para aquele fim de semana. Ele se conteve para não xingar.

– Você chamou um médico?

– O Dr. Mortimer está a caminho.

Fitz disse a si mesmo para não ficar tão preocupado. As crianças viviam pegando infecções bobas. Quantas vezes ele próprio tivera dor de barriga quando pequeno? No entanto, as crianças às vezes morriam de gastroenterite.

Ele se ajoelhou em frente ao sofá, ficando cara a cara com o filho.

– Como vai meu soldadinho?

Boy respondeu com uma voz letárgica:

– Estou com piriri.

Ele devia ter aprendido aquela expressão vulgar com a criadagem – de fato, havia um quê de sotaque galês na forma como ele a pronunciou. Porém, Fitz decidiu não dar importância ao fato no momento.

– O médico já vai chegar – disse ao filho. – Ele vai acabar com o dodói.

– Eu não quero tomar banho.

– Quem sabe você não pode ficar sem banho hoje? – Fitz se levantou. – Mande me chamar quando o médico estiver aqui – falou ele para a babá. – Quero conversar eu mesmo com ele.

– Sim, meu amo.

Ele deixou a ala das crianças e foi até o quarto de vestir. Seu criado havia separado as roupas do jantar, com os fechos de diamante já presos ao peito da camisa e abotoaduras do mesmo estilo nos punhos, um lenço de linho limpo no bolso do paletó e uma meia de seda dentro de cada sapato de couro envernizado.

Antes de mudar de roupa, foi até o quarto de Bea.

Sua mulher estava grávida de oito meses.

Ele não a vira naquela fase quando ela estava esperando Boy. Tinha partido para a França em agosto de 1914, quando a princesa estava apenas no quarto ou quinto mês, e só voltara depois de Boy nascer. Nunca havia testemunhado aquela dilatação espetacular, tampouco podido admirar a espantosa capacidade do corpo humano de mudar e se distender.

Bea estava sentada à penteadeira, mas não se olhava no espelho. Em vez disso, estava recostada, com as pernas afastadas e as mãos apoiadas na barriga. Tinha os olhos fechados e o rosto pálido.

– Não consigo encontrar uma posição confortável – reclamou. – Em pé, sentada, deitada: sinto dor de qualquer jeito.

– É melhor você ir até a ala das crianças dar uma olhada em Boy.

– Eu vou, assim que conseguir reunir forças! – falou ela com rispidez. – Nunca deveria ter vindo para o campo. É ridículo eu receber convidados neste estado.

Fitz sabia que ela estava certa.

– Mas nós precisamos do apoio desses homens se quisermos fazer alguma coisa a respeito dos bolcheviques.

– Boy ainda está mal da barriga?

– Sim. O médico está a caminho.

– Quando ele chegar, mande-o vir me examinar. Embora eu duvide que um médico da roça vá saber grande coisa.

– Vou avisar aos criados. Imagino que você não vá descer para jantar?

– Como eu poderia descer, me sentindo deste jeito?

– Foi só uma pergunta. Maud pode se sentar à cabeceira.

Fitz voltou para o seu quarto de vestir. Alguns homens haviam deixado de lado os fraques com gravata branca e passado a usar paletós de smoking e gravatas pretas no jantar, dando a guerra como desculpa. Fitz não entendia o que uma coisa tinha a ver com a outra. Por que a guerra deveria obrigar as pessoas a se vestirem informalmente?

Ele colocou seu traje de gala e desceu a escada.

11

Depois do jantar, enquanto o café era servido na sala de estar, Winston comentou, em tom de provocação:

– Então, lady Maud, vocês mulheres conseguiram finalmente o direito de voto.

– Algumas de nós, sim – respondeu ela.

Fitz sabia que ela estava decepcionada com o fato de a nova lei beneficiar apenas mulheres com mais de 30 anos que fossem proprietárias ou inquilinas de um imóvel, ou então casadas com um homem nessas condições. Ele, por sua vez, estava irritado que a lei tivesse sido sequer aprovada.

Churchill continuou a provocá-la:

– A senhorita deveria agradecer ao nosso lorde Curzon aqui, que surpreendeu a todos ao se abster de votar quando o projeto tramitou pela Câmara dos Lordes.

O conde Curzon era um homem de rara inteligência, cujo ar rígido de superioridade era exacerbado por um colete de metal que usava por conta de um problema nas costas. Havia uma rima a seu respeito:

Sou George Nathaniel Curzon, homem de renome
E não há ninguém que por mim não se impressione

Curzon tinha sido vice-rei da Índia e agora era líder da Câmara dos Lordes, além de um dos cinco membros do Gabinete de Guerra. Era também presidente da Liga de Oposição ao Voto Feminino, de modo que a sua abstenção tinha causado espanto no mundo político e representado uma grande decepção para os adversários da causa, entre os quais Fitz.

– A lei já havia sido aprovada pela Câmara dos Comuns – disse Curzon. – Eu senti que não poderíamos ir contra os parlamentares eleitos.

Isso era algo que ainda aborrecia Fitz.

– Mas os Lordes existem justamente para analisar detidamente as decisões dos Comuns e conter seus excessos. Esse, sem dúvida, era um caso exemplar disso!

– Se nós tivéssemos barrado a lei, acredito que os Comuns teriam se sentido afrontados e nos obrigariam a votá-la de novo.

Fitz deu de ombros.

– Não seria a primeira vez que teríamos esse tipo de disputa.

– Mas, infelizmente, o Comitê Bryce está reunido.

– Ah! – Fitz não havia pensado nisso. O Comitê Bryce cogitava reformar a Câmara dos Lordes. – Então foi por isso?

– Eles apresentarão seu relatório em breve. Até lá, não podemos nos dar ao luxo de uma disputa aberta com os Comuns.

– Não. – Com grande relutância, Fitz foi obrigado a concordar. Se os Lordes tentassem desafiar de forma contundente os Comuns, Bryce poderia recomendar que os poderes da câmara alta do Parlamento fossem restringidos. – Nós poderíamos ter perdido toda a nossa influência. E de modo permanente.

– Foi justamente o raciocínio que me levou a me abster.

A política às vezes deprimia Fitz.

O mordomo Peel serviu uma xícara de café a Curzon e murmurou para Fitz:

– O Dr. Mortimer está no escritório pequeno aguardando o senhor, meu amo.

Fitz estava preocupado com a dor de barriga de Boy e ficou satisfeito com a interrupção.

– É melhor eu ir falar com ele – disse. Pediu licença e saiu da sala.

Aquele escritório era mobiliado com peças que não se encaixariam em nenhum outro cômodo da casa: uma desconfortável cadeira esculpida em estilo gótico, uma paisagem da Escócia de que ninguém gostava e a cabeça de um tigre que o pai de Fitz havia caçado na Índia.

Mortimer era um médico competente da região que ostentava um ar de confiança um tanto excessivo, como se pensasse que sua profissão o colocava de certa forma no mesmo nível de um conde. Ainda assim, era educado o suficiente.

– Boa noite, milorde – falou. – Seu filho está com uma infecção gástrica branda, que *provavelmente* não terá nenhuma consequência.

– Provavelmente?

– Estou usando a palavra de propósito. – Mortimer falava com um sotaque galês que havia sido atenuado pela educação formal. – Nós cientistas sempre trabalhamos com probabilidades, nunca com certezas. Costumo dizer aos seus mineradores que eles descem para a mina todas as manhãs sabendo que provavelmente não haverá nenhuma explosão.

– Hum... – O diagnóstico não chegava a tranquilizar Fitz. – O senhor esteve com a princesa?

– Sim, estive. O mal de que ela sofre tampouco é grave. Na verdade, ela não sofre de mal nenhum: está apenas dando à luz.

Fitz pulou da cadeira.

– O quê?

– Ela achou que estivesse no oitavo mês de gravidez, mas errou nos cálculos. Na verdade, está grávida de nove meses e, com sorte, daqui a poucas horas não estará mais.

– Quem está com ela?

– Ela está rodeada por suas criadas. Mandei chamar uma parteira competente e eu próprio posso auxiliar no parto, se o senhor desejar.

– É tudo culpa minha – disse Fitz, amargurado. – Eu não deveria ter insistido para que ela saísse de Londres.

– Bebês perfeitamente saudáveis nascem fora de Londres todos os dias.

Fitz teve a sensação de que o médico estava zombando dele, mas decidiu ignorar aquilo.

– E se algo sair errado?

– Conheço a reputação do seu médico londrino, o professor Rathbone. Ele é um profissional de grande renome, sem dúvida, mas creio poder afirmar com segurança que eu já trouxe mais bebês ao mundo do que ele.

– Bebês de mineradores.

– De fato, a grande maioria, mas na hora do nascimento não parece haver diferença alguma entre eles e os pequenos aristocratas.

Mortimer estava *mesmo* zombando de Fitz.

– Não estou gostando do seu atrevimento – reagiu ele.

O médico não se deixou intimidar.

– Nem eu do seu – retrucou. – O senhor já deixou bem claro, sem um pingo de cortesia, que me considera inadequado para cuidar da sua família. Ficarei feliz em ir embora. – Ele recolheu sua maleta.

Fitz deu um suspiro. Aquela era uma briga tola. Ele estava com raiva dos bolcheviques, não daquele galês de classe média cheio de não me toques.

– Ora, homem, não seja bobo.

– É o que estou tentando fazer. – Mortimer começou a sair do escritório.

– O senhor não deveria pôr os interesses dos pacientes em primeiro lugar?

O médico se deteve junto à porta.

– Meu Deus, Fitzherbert, a sua empáfia é inacreditável.

Poucas pessoas já haviam falado assim com Fitz. No entanto, ele engoliu a réplica mordaz que lhe veio à mente. Poderia levar horas para encontrar outro médico. Bea jamais o perdoaria se ele deixasse Mortimer ir embora com os brios feridos.

– Vou esquecer que o senhor disse isso – falou Fitz. – Na verdade, se o senhor preferir, vou esquecer todo esse nosso diálogo.

– Imagino que isso seja o mais próximo de um pedido de desculpas que conseguirei do senhor.

Era verdade, mas Fitz ficou calado.

– Vou tornar a subir – disse o médico.

III

A princesa Bea não deu à luz discretamente. Seus gritos puderam ser ouvidos em toda a ala principal da casa, onde ficava o seu quarto. Maud assumiu o piano e pôs-se a tocar ragtime bem alto para entreter os convidados e abafar o barulho – mas todas as músicas daquele ritmo eram parecidas entre si e, em 20 minutos, ela desistiu. Alguns dos convidados se recolheram, porém, à meia-noite, a maioria dos homens foi se reunir na sala de bilhar. Peel serviu conhaque.

Fitz presenteou Winston com um charuto cubano El Rey del Mundo. Enquanto seu convidado o acendia, ele falou:

– O governo precisa fazer alguma coisa em relação aos bolcheviques.

Winston deu uma olhada rápida pela sala, como se quisesse confirmar que todos os presentes eram de total confiança. Então se recostou na cadeira e disse:

– A situação é a seguinte: a Esquadra Setentrional Britânica já está em águas russas, na costa de Murmansk. Em teoria, a tarefa dela é garantir que os navios russos na região não caiam nas mãos dos alemães. Nós também temos uma pequena missão em Arkhangelsk. Estou fazendo pressão para que soldados desembarquem em Murmansk. A longo prazo, eles poderiam formar o núcleo de uma força contrarrevolucionária no norte da Rússia.

– Não é suficiente – disse Fitz na mesma hora.

– Concordo. Por mim, nós mandaríamos tropas para Baku, no mar Cáspio, para garantir que os imensos poços de petróleo de lá não sejam tomados pelos alemães, ou até mesmo pelos turcos, e para o mar Negro, onde já existe um embrião de resistência antibolchevique na Ucrânia. Por fim, na Sibéria, temos milhares de toneladas de mantimentos em Vladivostok, cujo valor talvez chegue a um bilhão de libras. Esses suprimentos destinavam-se a abastecer a Rússia quando o país era nosso aliado. Temos o direito de enviar tropas até lá para proteger nossos bens.

Oscilando entre o ceticismo e a esperança, Fitz perguntou:

– Lloyd George vai fazer alguma dessas coisas?

– Publicamente, não – respondeu Winston. – O problema são essas bandeiras vermelhas hasteadas nas casas dos mineradores. Existe em nosso país uma grande onda de solidariedade ao povo russo e à sua revolução. E, por mais que eu deteste Lênin e seus asseclas, entendo por quê. Com todo o respeito à família da princesa Bea... – ele ergueu os olhos para o teto enquanto outro grito começava a vir do andar de cima – ... não se pode negar que a classe dominante da Rússia demorou a reagir ao descontentamento de seu povo.

Winston era uma mistura curiosa, pensou Fitz: aristocrata e homem do povo;

administrador brilhante porém incapaz de resistir ao impulso de se intrometer no trabalho alheio; um sedutor que, no entanto, desagradava à maioria de seus colegas políticos.

– Os revolucionários russos são ladrões e assassinos – disse Fitz.

– Sem dúvida. Mas precisamos aceitar o fato de que nem todo mundo os vê dessa forma. Portanto, nosso primeiro-ministro não pode se opor abertamente à revolução.

– Opor-se à revolução apenas em pensamento não adianta muito – disse Fitz, sem paciência.

– Até certo ponto, é possível agir sem que ele fique oficialmente sabendo.

– Entendo. – Fitz não tinha certeza se isso significava grande coisa.

Maud entrou na sala. Os homens se levantaram, um pouco surpresos. Em uma casa de campo, as mulheres não costumavam por os pés na sala de bilhar. Maud ignorava as regras que não lhe convinham. Ela se aproximou de Fitz e lhe deu um beijo na face.

– Parabéns, meu caro Fitz – falou. – Você ganhou outro filho homem.

Os homens comemoraram e aplaudiram, cercando Fitz para lhe dar tapinhas nas costas e apertar sua mão.

– Como está minha mulher? – perguntou ele a Maud.

– Exausta, mas orgulhosa.

– Graças a Deus.

– O Dr. Mortimer já foi, mas a parteira disse que você pode ir ver o bebê.

Fitz encaminhou-se até a porta.

– Eu o acompanho até lá em cima – disse Winston.

Enquanto eles saíam da sala, Fitz ouviu Maud dizer:

– Por favor, Peel, sirva-me um conhaque.

Em voz baixa, Winston se dirigiu ao conde:

– Você já foi à Rússia, naturalmente, e sabe falar a língua.

Fitz se perguntou aonde o outro queria chegar.

– Um pouco – respondeu. – Nada do que me gabar, mas consigo me fazer entender.

– Você já topou com um sujeito chamado Mansfield Smith-Cumming?

– Para falar a verdade, já. Ele dirige... – Fitz hesitou em mencionar o Escritório do Serviço Secreto em voz alta. – Ele dirige um departamento especial. Já escrevi um ou outro relatório para ele.

– Ah, ótimo. Quando estiver de volta à cidade, talvez você queira ir dar uma palavrinha com ele.

Isso, *sim*, era interessante.

– Quando ele quiser, é claro – disse Fitz, tentando não se mostrar ansioso.

– Vou pedir a ele para entrar em contato. Talvez ele tenha outra missão para você.

Os dois haviam chegado à porta dos aposentos de Bea. Lá de dentro, vinha o choro inconfundível de um recém-nascido. Fitz sentiu-se envergonhado ao perceber seus olhos se encherem de lágrimas.

– É melhor eu entrar – falou. – Boa noite.

– Parabéns, e boa noite para você também.

IV

O menino foi batizado de Andrew Alexander Murray Fitzherbert. Era um tiquinho de gente, com um chumaço de cabelos negros como os de Fitz. Eles o levaram até Londres de Rolls-Royce, enrolado em várias mantas. Mais dois carros os seguiam, para o caso de o primeiro enguiçar. Pararam para tomar café da manhã em Chepstow, almoçaram em Oxford e chegaram à casa de Mayfair a tempo para o jantar.

Alguns dias depois, em uma tarde amena de abril, Fitz estava andando pela margem do Tâmisa, olhando para as águas turvas do rio, a caminho de um encontro com Mansfield Smith-Cumming.

O Serviço Secreto havia ficado grande demais para o antigo endereço na região de Victoria. O homem conhecido como "C" havia transferido sua organização em franca expansão para um luxuoso prédio vitoriano chamado Whitehall Court, à beira do rio, com vista para o Big Ben. Um elevador privativo levou Fitz até o último andar, onde o chefe da agência de espionagem ocupava dois apartamentos interligados por um passadiço no telhado.

– Faz muitos anos que estamos de olho em Lênin – disse C. – Se não conseguirmos depô-lo, ele vai ser um dos piores tiranos que o mundo já conheceu.

– Concordo com o senhor. – Fitz estava aliviado por C pensar o mesmo que ele sobre os bolcheviques. – Mas o que podemos fazer?

– Vamos falar sobre o que o senhor poderia fazer. – C tirou da escrivaninha um compasso de aço, do tipo usado para medir distâncias em mapas. Como quem não quisesse nada, enfiou a ponta do instrumento na perna esquerda.

Fitz conseguiu reprimir o grito de susto que lhe subiu à garganta. Aquilo era um teste, é claro. Ele recordou que C usava uma perna artificial de madeira por conta de um acidente de carro. Deu um sorriso.

– Belo truque – falou. – Quase caí nele.

C largou o compasso e o encarou firme através do monóculo.

– Um líder cossaco na Sibéria derrubou o regime bolchevique local – disse ele. – Preciso saber se vale a pena apoiá-lo.

Fitz ficou espantado.

– Às claras?

– É claro que não. Mas eu tenho recursos secretos. Se conseguirmos manter um núcleo contrarrevolucionário no leste da Rússia, isso pode compensar um gasto de, digamos, 10 mil libras por mês.

– Qual é o nome dele?

– Capitão Semenov, 28 anos. Ele está em Manchuli, que fica bem ao lado da Ferrovia Oriental Chinesa, perto da interseção com o Expresso Transiberiano.

– Então esse capitão Semenov controla uma via férrea e poderia controlar outra.

– Exato. E ele odeia os bolcheviques.

– De modo que precisamos saber mais sobre ele.

– É aí que o senhor entra.

Fitz ficou encantado com a chance de ajudar a derrubar Lênin. Ocorreram-lhe várias perguntas: como encontraria Semenov? Estavam falando de um cossaco, e estes eram conhecidos por atirar primeiro e fazer perguntas depois. Será que Semenov iria falar com Fitz ou matá-lo? É claro que o capitão afirmaria ser capaz de derrotar os bolcheviques, mas Fitz conseguiria avaliar se isso era verdade? Haveria algum jeito de garantir que ele não desperdiçasse o dinheiro britânico?

No entanto, a pergunta que fez foi:

– Eu sou o homem certo para essa missão? Não me entenda mal, mas sou uma personalidade conhecida, e mesmo na Rússia estou longe de ser um anônimo...

– Para ser franco, não temos muitas alternativas. Precisamos de alguém dos escalões mais elevados, para o caso de haver negociação com Semenov. E não existem muitos homens de total confiança que falem russo. Acredite em mim, o senhor é a melhor opção disponível.

– Entendo.

– Vai ser perigoso, é claro.

Fitz se lembrou da multidão de camponeses espancando Andrei até a morte. Poderia ter sido ele em seu lugar. Conteve um arrepio de medo.

– Compreendo o perigo – disse com voz firme.

– Então me diga: o senhor aceita ir até Vladivostok?

– É claro que sim – respondeu Fitz.

CAPÍTULO TRINTA E UM

De maio a setembro de 1918

Gus Dewar não se adaptou com facilidade à vida militar. Era um homem alto, desengonçado, e achava difícil marchar, prestar continência e bater com os pés no chão à moda do Exército. Quanto aos exercícios físicos, não praticava nenhum desde os tempos da escola. Seus amigos, que conheciam sua predileção por flores sobre a mesa do jantar e lençóis de linho na cama, haviam pensado que o Exército seria um choque terrível para ele. Chuck Dixon, que foi seu companheiro de treinamento de oficiais, comentou:

– Gus, em casa você não prepara nem o seu próprio banho.

Mas Gus sobreviveu. Aos 11 anos, tinha sido mandado para um internato, de modo que não era novidade para ele ser importunado por valentões e receber ordens de superiores estúpidos. Foi alvo de alguma zombaria por causa de suas origens abastadas e de seus modos impecáveis, porém suportou tudo com paciência.

Nos exercícios mais vigorosos, comentou Chuck com surpresa, a silhueta comprida de Gus revelou uma espécie de graça antes exibida apenas nas quadras de tênis.

– Você parece uma girafa – disse Chuck –, mas também corre como se fosse uma. – Graças a sua grande envergadura, Gus também se saiu bem no boxe, embora o sargento que o treinava tivesse lhe dito, com pesar, que lhe faltava o instinto assassino necessário.

Infelizmente, no entanto, ele se mostrou um péssimo atirador.

Gus queria se sair bem no Exército, em parte por saber que todos achavam que ele não iria conseguir. Precisava provar a eles, e talvez a si mesmo, que não era um molenga. Contudo, esse não era o único motivo. Ele acreditava naquilo por que estava lutando.

O presidente Wilson pronunciara um discurso diante da Câmara dos Representantes e do Senado que havia ecoado mundo afora como um clarim. Ele havia clamado por nada menos que uma nova ordem mundial.

"É preciso formar uma associação geral de nações com regras específicas, no intuito de proporcionar garantias mútuas de independência política e integridade territorial a todos os países, sejam eles grandes ou pequenos."

Uma liga das nações era o sonho de Wilson, Gus e muitos outros – inclusive, de forma um tanto surpreendente, de Sir Edward Grey, que tivera a ideia quando ministro das Relações Exteriores da Grã-Bretanha.

Wilson havia estabelecido um programa com 14 proposições. Abordara a redução dos arsenais militares; o direito dos povos das colônias a participarem das decisões sobre o próprio futuro; e a liberdade dos países dos Bálcãs, da Polônia e dos povos subordinados ao Império Otomano. O discurso ficara conhecido como os 14 Pontos de Wilson. Gus invejava os homens que haviam ajudado o presidente a escrevê-lo. Antigamente, ele próprio teria participado do processo.

"Um princípio evidente permeia todo o programa", dissera Wilson. "Trata-se do princípio de justiça para todos os povos e nacionalidades, e de seu direito de conviver uns com os outros segundo os mesmos termos de liberdade e segurança, sejam eles fortes ou fracos." Os olhos de Gus tinham se enchido de lágrimas ao ler essas palavras. "Esse é o único princípio que deve reger a conduta do povo dos Estados Unidos da América", afirmara o presidente.

Poderiam mesmo as nações solucionar suas desavenças sem guerra? Paradoxalmente, isso era algo por que valia a pena lutar.

Gus, Chuck e seu batalhão de metralhadoras zarparam de Hoboken, Nova Jersey, a bordo do *Corinna*, antigo cruzeiro de luxo convertido em navio de transporte militar. A viagem levou duas semanas. Como segundos-tenentes, eles dividiam uma cabine no convés superior. Embora no passado tivessem competido pelo amor de Olga Vyalov, haviam se tornado amigos.

O navio fazia parte de um comboio escoltado pela Marinha, e a travessia transcorreu sem percalços, a não ser pelo fato de vários homens terem morrido de gripe espanhola, uma nova doença que vinha assolando o mundo. A comida era ruim: os homens brincavam, dizendo que os alemães haviam desistido da guerra submarina e agora estavam tentando alcançar a vitória envenenando-os.

O *Corinna* aguardou um dia e meio na costa de Brest, no extremo noroeste da França. Os soldados então desembarcaram em um cais abarrotado de homens, veículos e provisões, dominado por gritos de ordens e pelo ronco de motores. Oficiais impacientes e estivadores suados zanzavam de um lado para outro. Gus cometeu o erro de perguntar a um sargento no cais qual era o motivo do atraso.

– Atraso, senhor? – indagou o sargento, conseguindo fazer a palavra "senhor" soar como um insulto. – Ontem mesmo nós desembarcamos cinco mil homens, junto com seus carros, armas, barracas e cozinhas de campanha, e os transferimos para seus respectivos trens e transportes rodoviários. Hoje vamos desembarcar outros cinco mil, e amanhã a mesma quantidade. Não há atraso nenhum, senhor. Estamos indo rápido pra caralho.

Chuck sorriu para Gus e murmurou:

– Agora você já sabe.

Os estivadores eram soldados negros. Sempre que soldados negros e brancos precisavam dividir o mesmo teto, havia problemas, em geral causados por recrutas brancos do interior do sul dos Estados Unidos; então o Exército tinha desistido de tentar. Em vez de misturar as raças no front, destacara os regimentos formados por negros para executar trabalhos braçais na retaguarda. Gus sabia que os soldados de cor reclamavam muito disso: eles queriam lutar pelo seu país como todos os outros.

A maior parte do regimento saiu de Brest de trem. Não foram acomodados em vagões de passageiros, e sim amontoados em carros que geralmente transportavam animais. Gus fez os homens rirem ao traduzir a placa na lateral de um dos vagões: "40 homens ou 8 cavalos". O batalhão de metralhadoras, no entanto, tinha seus próprios veículos, de modo que Gus e Chuck seguiram de carro até seu acampamento ao sul de Paris.

Nos Estados Unidos, o treinamento para a guerra de trincheiras havia sido realizado com fuzis de madeira, mas agora eles portavam armas e munição de verdade. Como eram oficiais, Gus e Chuck tinham recebido uma pistola semiautomática Colt M1911 cada, carregadas com pentes de sete tiros. Antes de sair de seu país tinham se livrado de seus chapéus de pele e vestido os práticos casquetes, com suas típicas dobras na frente e atrás. Tinham também capacetes de aço no mesmo formato arredondado daqueles usados pelos britânicos.

Ali, instrutores franceses com fardas azuis lhes ensinavam a lutar em conjunto com a artilharia pesada, habilidade que o Exército norte-americano até então não havia precisado desenvolver. Como falava francês, Gus foi inevitavelmente destacado para servir de intermediário entre os dois Exércitos. As relações entre franceses e norte-americanos eram boas, embora os franceses reclamassem que o preço do conhaque havia subido assim que os soldados americanos tinham pisado em seu país.

O sucesso da ofensiva alemã havia continuado ao longo do mês de abril. Ludendorff avançara tão depressa em Flandres que, segundo o general Haig, os britânicos estavam acuados contra a parede – expressão que repercutiu pelas tropas norte-americanas como uma onda de choque.

Gus não estava com pressa nenhuma de combater, porém Chuck começou a ficar impaciente no campo de treinamento. Por que eles estavam ali, perguntava ele, encenando batalhas de mentira, quando deveriam estar lutando de verdade? A seção mais próxima do front alemão era na cidade de Reims, a terra do champanhe, que ficava a nordeste de Paris; mas o superior de Gus, coronel Wagner, disse-lhe que os serviços de inteligência dos Aliados tinham certeza de que não haveria nenhuma ofensiva alemã naquele setor.

A inteligência aliada, no entanto, se enganou redondamente quanto a essa previsão.

11

Walter estava exultante. As baixas eram numerosas, porém a estratégia de Ludendorff estava dando certo. Os alemães vinham atacando os pontos fracos do inimigo, movendo-se depressa e deixando focos de resistência para trás para serem eliminados depois. Apesar de algumas manobras defensivas inteligentes por parte do general Foch, novo comandante supremo das forças aliadas, os alemães ganhavam terreno mais depressa do que nunca desde 1914.

O maior problema era o fato de o avanço ser retardado sempre que os soldados alemães se deparavam com estoques de comida. Eles simplesmente paravam para comer, e Walter constatou que era impossível fazê-los prosseguir antes de estarem satisfeitos. Era estranhíssimo ver os soldados sentados no chão, chupando ovos crus, entupindo-se de bolo e presunto ao mesmo tempo, ou bebendo garrafas de vinho pelo gargalo enquanto bombas caiam à sua volta e balas zuniam por cima de suas cabeças. Ele sabia que outros oficiais vinham tendo o mesmo problema. Alguns tentavam ameaçar os homens com pistolas, mas nem mesmo isso os convencia a abandonar a comida e seguir em frente.

Tirando isso, a ofensiva de primavera era um triunfo. Depois de quatro anos de guerra, Walter e seus homens estavam exaustos, porém o mesmo valia para os soldados franceses e britânicos com os quais se deparavam.

Depois das batalhas do Somme e de Flandres, o terceiro ataque de Ludendorff em 1918 estava programado para ocorrer no setor entre Reims e Soissons. Ali, os Aliados ocupavam uma serra conhecida como Chemin des Dames, o Caminho das Damas – assim batizada porque a estrada que a cruzava havia sido construída para as filhas de Luís XV poderem visitar uma amiga.

A última etapa da mobilização alemã ocorreu em 26 de maio, um domingo ensolarado e fresco por conta de uma brisa que vinha do nordeste. Mais uma vez, Walter sentiu orgulho ao ver as colunas de soldados alemães marchando rumo à linha de frente, os milhares de armas sendo levados até suas posições sob o fogo cerrado da artilharia francesa e as linhas telefônicas sendo instaladas entre os abrigos dos comandantes e as posições das baterias.

A tática de Ludendorff continuava a mesma. Às duas da madrugada daquela noite, milhares de peças de artilharia abririam fogo, disparando gás, bombas de metralha e explosivos em direção às linhas francesas, no ponto mais alto da serra. Walter notou com satisfação que a intensidade dos disparos franceses diminuiu na mesma hora, prova de que as armas alemãs estavam acertando o alvo. A barragem foi de curta duração, conforme rezava a nova filosofia de combate, e às 5h40 a artilharia cessou fogo.

Então as tropas de assalto avançaram.

Os alemães estavam atacando encosta acima, mas, apesar disso, encontraram pouca resistência, e – para surpresa e deleite de Walter – conseguiram chegar à estrada no alto da serra em menos de uma hora. Já era dia claro, de modo que ele pôde ver os franceses em retirada descendo por toda a encosta oposta.

As tropas de assalto avançavam a uma velocidade regular, mantendo o mesmo ritmo da barragem de artilharia, mas ainda assim chegaram antes do meio-dia ao rio Aisne, no fundo do vale. Alguns agricultores tinham destruído suas segadeiras mecânicas e queimado as colheitas precoces em seus celeiros, porém, como a maioria tinha ido embora às pressas, havia recompensas valiosas para as equipes responsáveis pelo confisco, que vinham logo atrás dos soldados alemães. Para espanto de Walter, os franceses nem sequer haviam explodido as pontes sobre o Aisne enquanto recuavam. Isso sugeria que estavam em pânico.

Os 500 homens de Walter seguiram até a próxima serra durante a tarde, acampando na margem oposta do rio Vesle. Tinham avançado praticamente 20 quilômetros em apenas um dia.

No dia seguinte, fizeram uma pausa para aguardar reforços, mas, no terceiro, tornaram a avançar. No quarto, quinta-feira, 30 de maio, depois de ganharem incríveis 48 quilômetros desde a segunda-feira, chegaram à margem norte do rio Marne.

Aquele era o local, recordou Walter com apreensão, em que o avanço alemão tinha sido interrompido em 1914.

Ele jurou que isso não aconteceria novamente.

III

No dia 30 de maio, quando a Terceira Divisão recebeu ordens para ajudar na defesa do rio Marne, Gus estava com a Força Expedicionária Norte-Americana no campo de treinamento de Châteauvillain, ao sul de Paris. A maior parte da divisão começou a ser embarcada nos trens, embora a castigada malha ferroviária francesa provavelmente fosse levar dias para transportá-la. Gus, Chuck e as metralhadoras, no entanto, partiram na mesma hora pela estrada.

Gus estava animado e temeroso. Aquilo não era como uma luta de boxe, em que havia um juiz para fazer valer as regras e interromper o combate caso ele ficasse perigoso. Como ele reagiria quando alguém de fato disparasse uma arma na sua direção? Será que viraria as costas e sairia correndo? O que o impediria de fazer isso? Ele geralmente tomava a decisão mais lógica.

Os carros eram tão pouco confiáveis quanto os trens, e vários deles enguiçaram ou ficaram sem gasolina. Além disso, eles foram atrasados pelos civis que vinham na direção oposta, fugindo da batalha, alguns conduzindo rebanhos de vacas, outros empurrando seus pertences em carroças e carrinhos de mão.

Dezessete metralhadoras chegaram à pequena e arborizada cidade de Château-Thierry, 80 quilômetros a leste de Paris, às 18 horas da sexta-feira. Era uma bela cidadezinha iluminada pelo sol de fim de tarde. Ela era cortada pelo Marne, com duas pontes ligando a periferia sul ao centro da cidade, mais ao norte. Os franceses ocupavam ambas as margens, porém a vanguarda das forças alemãs já havia alcançado o limite norte da cidade.

O batalhão de Gus recebeu ordens para montar seus armamentos ao longo da margem sul, em uma posição elevada, para que pudessem controlar as pontes. Cada equipe estava munida com uma metralhadora pesada Hotchkiss M1914 montada em um tripé sólido e alimentada por cinturões de cartuchos metálicos articulados, com capacidade para 250 tiros. Elas também tinham fuzis lança-granadas, que disparavam projéteis a um ângulo de 45 graus, apoiados em suportes de dois pés, e alguns morteiros de trincheira na mesma linha dos Stokes britânicos.

Enquanto o sol se punha, Gus e Chuck supervisionavam o posicionamento de seus pelotões entre as duas pontes. Nenhum treinamento os havia preparado para tomar aquele tipo de decisão: contavam apenas com o bom senso. Gus escolheu um prédio de três andares cujo térreo era ocupado por um café fechado. Arrombou a porta dos fundos para entrar e subiu a escada. Uma das janelas do sótão dava vista para o outro lado do rio e para uma rua na outra margem que seguia na direção norte. Ele ordenou que uma das equipes de metralhadora pesada se posicionasse ali. Esperava que o sargento fosse lhe dizer que era uma ideia imbecil, porém o homem aquiesceu e pôs mãos à obra.

Gus posicionou mais três metralhadoras em pontos semelhantes.

Enquanto procurava abrigos adequados para morteiros, deparou-se com uma garagem de barcos feita de tijolos na margem do rio, mas não sabia ao certo se ela ficava no seu setor ou no de Chuck, de modo que saiu à procura do amigo para confirmar. Encontrou-o à beira do rio, uns 100 metros mais à frente, perto da ponte ao leste, observando o outro lado com um binóculo. Andou dois passos nessa direção e então escutou um baque terrível.

Ele se virou na direção do barulho e, no segundo seguinte, vários outros estrondos ensurdecedores ressoaram. Ele se deu conta de que a artilharia alemã havia aberto fogo quando um projétil explodiu dentro do rio, jogando água pelos ares.

Tornou a olhar para o lugar em que Chuck estava, bem a tempo de ver o amigo desaparecer em meio a uma explosão de terra.

– Meu Deus do céu! – exclamou, disparando naquela direção.

Bombas e morteiros explodiam ao longo de toda a margem sul. Os homens se jogavam no chão. Gus chegou ao local em que tinha visto Chuck pela última vez e olhou em volta, desnorteado. Tudo o que restara eram pilhas de terra e pedra. Então notou um braço despontando dos escombros. Moveu uma pedra e descobriu, para seu horror, que o membro não estava mais preso a um corpo.

Seria o braço de Chuck? Tinha de haver uma forma de saber, mas Gus estava chocado demais para atinar qual seria ela. Usou a ponta da bota para afastar um pouco de terra solta, mas não adiantou. Então se ajoelhou e começou a cavar com as mãos. Viu uma gola marrom-clara com um disco de metal no qual se podia ler "US" e gemeu:

– Ai, meu Deus. – Rapidamente, desenterrou o rosto de Chuck. Não havia nenhum movimento, respiração ou pulso.

Tentou se lembrar do que deveria fazer em seguida. A quem deveria comunicar a morte? Algo tinha que ser feito com o corpo, mas o quê? Em uma situação normal, o certo seria chamar um agente funerário.

Ao erguer os olhos, viu que um sargento e dois cabos o encaravam. Um morteiro explodiu na rua às suas costas e os três abaixaram a cabeça por reflexo, voltando a olhar para ele em seguida. Estavam aguardando ordens suas.

Levantou-se abruptamente, relembrando parte do que havia aprendido no treinamento. Não cabia a ele cuidar dos companheiros mortos ou feridos. Ele estava vivo e inteiro, e seu dever era lutar. Foi tomado por um ódio irracional dos alemães que tinham matado Chuck. Desgraçados, pensou, eu vou dar o troco. Recordou o que estava fazendo antes: posicionando as armas. Era o que deveria continuar a fazer. Também precisaria assumir o comando do pelotão de Chuck.

Ele apontou para o sargento encarregado dos morteiros.

– Esqueçam a garagem de barcos, ela está exposta demais – falou. Apontou para o outro lado da rua, na direção de um beco estreito entre uma vinícola e um estábulo de aluguel. – Armem três morteiros ali naquele beco.

– Sim, senhor. – O sargento se afastou apressado.

Gus olhou para a rua à sua frente.

– Está vendo aquele telhado plano, cabo? Monte uma metralhadora lá em cima.

– Tenente, me perdoe, mas aquilo ali é uma oficina de automóveis, pode haver um tanque de gasolina lá dentro.

– Caramba, você tem razão. Bem observado, cabo. Na torre daquela igreja, então. Só vai haver hinários debaixo dela.

– Sim, senhor, muito melhor. Obrigado, senhor.

– Os outros, venham comigo. Vamos procurar abrigo enquanto eu penso onde colocar o restante das armas.

Ele os conduziu até o outro lado da rua e ao longo de um caminho estreito, como uma viela, que margeava os fundos das construções. Uma bomba aterrissou no quintal de uma loja de produtos agrícolas e fez chover sobre Gus nuvens de fertilizante em pó, como um lembrete de que não estavam fora de alcance.

Seguiu depressa pela viela, tentando sempre que possível se proteger do bombardeio atrás de alguma parede, bradando ordens para seus suboficiais e posicionando as metralhadoras nas estruturas mais altas e de aspecto mais sólido e os morteiros nos jardins entre as casas. De vez em quando, seus subordinados faziam sugestões ou discordavam dele. Ele os ouvia e então tomava decisões rápidas.

Em pouco tempo a noite caiu, o que dificultou o trabalho. Os alemães dispararam uma chuva de artilharia sobre a cidade, a maioria dos disparos atingindo em cheio a posição norte-americana na margem sul. Vários prédios foram destruídos, deixando a rua à beira do rio parecida com uma boca cheia de dentes podres. Logo nas primeiras horas, as bombas destruíram três das metralhadoras de Gus.

Já era meia-noite quando ele conseguiu voltar para o quartel-general do batalhão, localizado em uma fábrica de máquinas de costura algumas ruas mais ao sul. O coronel Wagner, acompanhado do oficial que era seu equivalente no Exército francês, examinava um mapa em grande escala da cidade. Gus informou que todas as suas armas e as de Chuck estavam posicionadas.

– Bom trabalho, Dewar – elogiou o coronel. – O senhor está bem?

– É claro que estou, senhor – respondeu Gus, intrigado e ligeiramente ofendido, achando que seu coronel talvez achasse que ele não tinha fibra suficiente para aquele trabalho.

– É que o senhor está coberto de sangue.

– Ah, é? – Gus baixou os olhos e viu que de fato havia bastante sangue coagulado na frente de seu uniforme. – De onde será que ele veio?

– Do seu rosto, parece. O senhor está com um corte feio nele.

Gus levou a mão à bochecha, fazendo uma careta quando seus dedos tocaram a ferida.

– Nem sei quando isso aconteceu – falou.

– Vá até o posto médico e peça para limparem o ferimento.

– Não é nada de mais, coronel. Eu prefiro...

– Faça o que estou mandando, tenente. Isso pode ficar sério se infeccionar. – O coronel abriu um leve sorriso. – Não quero perdê-lo. O senhor parece ter as qualidades de um oficial útil.

IV

Às quatro horas da manhã seguinte, os alemães iniciaram um bombardeio de gás. Walter e suas tropas de assalto se aproximaram do limite norte da cidade ao raiar do dia, imaginando que a resistência dos franceses fosse ser tão fraca quanto nos dois meses anteriores.

Eles teriam preferido contornar Château-Thierry, mas era impossível. A ferrovia até Paris cruzava a cidade, que possuía duas pontes importantes do ponto de vista estratégico. Era preciso conquistá-la.

Fazendas e lavouras deram lugar a chalés e chácaras, que por sua vez deram lugar a ruas asfaltadas e jardins. Quando Walter se aproximou da primeira das casas de dois andares, uma rajada de metralhadora emergiu de uma das janelas do andar de cima, crivando de buracos a rua diante de seus pés como gotas de chuva em um lago. Ele se jogou por cima de uma cerca baixa, caiu sobre uma horta e saiu rolando até conseguir se abrigar atrás de uma macieira. Seus homens se espalharam da mesma forma, menos dois, que caíram no meio da rua. Um deles ficou imóvel, enquanto o outro gemia de dor.

Walter olhou para trás e viu o sargento Schwab.

– Pegue seis homens, encontre a porta dos fundos daquela casa e destrua aquele ninho de metralhadora – ordenou ele. Localizou seus tenentes. – Von Kessel, siga um quarteirão mais para oeste e entre na cidade por lá. Von Braun, venha na direção leste comigo.

Ele evitou as ruas principais e seguiu por becos e quintais dos fundos, porém havia fuzileiros e metralhadores a cada dez casas. Alguma coisa havia acontecido para reavivar o espírito de luta dos franceses, percebeu Walter com apreensão.

Durante toda a manhã, os soldados da tropa de assalto lutaram de casa em casa, sofrendo pesadas baixas. Não deveria ser essa a estratégia deles, dar o sangue para conquistar cada metro. Aqueles homens eram treinados para seguir o caminho de menor resistência, se infiltrando por trás das linhas inimigas e interrompendo as comunicações, de modo que as forças da vanguarda perdessem o moral e a liderança e se rendessem sem demora à infantaria que viria em seguida. Agora, no entanto, essa tática havia fracassado e os soldados estavam enfrentando a duras penas, no mano a mano, um inimigo que parecia ter recuperado o fôlego.

Ainda assim, eles avançaram, e ao meio-dia Walter viu-se de pé sobre as ruínas do castelo medieval que dava seu nome à cidade. O castelo ficava no alto de um morro, e a prefeitura ficava ao pé da elevação. A partir dela, a rua principal seguia em linha reta por uns 250 metros até uma ponte de dois arcos que atravessava o rio Marne. A leste, cerca de 450 metros rio acima, ficava a única outra forma de transpor as águas do Marne, uma ponte ferroviária.

Isso tudo ele pôde ver a olho nu. Sacou o binóculo e focalizou as posições inimigas na margem sul. Descuidados, os homens não faziam questão de se esconder, sinal de que eram novatos na guerra: veteranos não se exibiam desse jeito. Ele observou que eram jovens, cheios de energia, bem nutridos e bem-vestidos. Consternado, viu que seus uniformes não eram azuis, mas sim marrom-claros.

Aqueles soldados eram americanos.

V

Durante a tarde, os franceses recuaram para a margem norte do rio, de modo que Gus pôde disparar suas peças de artilharia, lançando morteiros e tiros de metralhadora por sobre as cabeças dos franceses contra os alemães que se aproximavam. Os armamentos americanos dispararam uma enxurrada de munição ao longo das avenidas retas que atravessavam Château-Thierry de norte a sul, transformando-as em corredores da morte. Mesmo assim, ele podia ver os alemães avançarem, sem medo, de um banco até um café, de um beco até a soleira de uma loja, subjugando os franceses por pura superioridade numérica.

À medida que a tarde se transformava em uma noite sangrenta, Gus olhou por uma janela alta e viu os restos esfrangalhados da força francesa recuarem, com seus uniformes azuis, na direção da ponte oeste. Eles ainda tentaram resistir na extremidade norte da ponte, mantendo a posição enquanto o sol vermelho se punha atrás das colinas a oeste. Então, quando a noite caiu, recuaram para o outro lado.

Um pequeno grupo de alemães percebeu o que estava acontecendo e quis persegui-los. Gus os viu correr para a ponte, quase invisíveis sob o crepúsculo, formas cinzentas se movendo contra uma paisagem cinzenta. Foi então que a ponte explodiu. Ele se deu conta de que os franceses haviam preparado a detonação com antecedência. Corpos saíram voando pelos ares e o arco norte desabou, transformando-se em uma pilha de entulho no rio.

Então o silêncio caiu.

No quartel-general, Gus se deitou sobre uma esteira e dormiu um pouco; era a primeira vez que o fazia em quase 48 horas. Foi acordado pela barragem matutina alemã. Com cara de sono, saiu correndo da fábrica de máquinas de costura em direção à margem do rio. Sob a luz perolada da manhã de junho, viu que os alemães haviam ocupado toda a margem norte e bombardeavam as posições norte-americanas na margem sul a uma distância terrivelmente curta.

Ele tomou medidas para substituir as equipes que haviam passado a noite em claro por soldados um pouco mais descansados. Então começou a ir de posição em posição, mantendo-se sempre atrás das construções que margeavam o rio. Sugeriu aos homens maneiras de ganharem mais proteção, transferindo a arma para uma janela menor, usando chapas de metal corrugado para proteger as equipes dos destroços, ou empilhando escombros dos dois lados da arma. Contudo, a melhor forma de seus homens se defenderem era tornar impossível a vida dos artilheiros inimigos.

– Façam esses desgraçados se arrependerem de ter nascido – disse Gus.

Os homens obedeceram de bom grado. A Hotchkiss disparava 450 tiros por minutos e tinha um alcance de pouco mais de 3,5 quilômetros, de modo que alcançava com muita eficiência a outra margem do rio. Os morteiros Stokes já não eram tão úteis: sua trajetória em arco era feita para a guerra de trincheiras, onde disparos em linha reta eram inócuos. Os fuzis lança-granadas, no entanto, tinham um grande poder de destruição a curta distância.

Os dois lados se atacavam como boxeadores sem luvas lutando dentro de um ringue fechado. O barulho de tanta munição sendo disparada ao mesmo tempo era constantemente ensurdecedor. Prédios ruíam, os feridos gritavam de agonia, padioleiros sujos de sangue iam e vinham correndo entre a margem do rio e o posto médico e batedores traziam mais munição e jarras de café quente para os soldados cansados que manejavam as armas.

Com o passar das horas, Gus notou, sem grande interesse, que não estava assustado. Não pensava muito no assunto – havia coisas demais a fazer. Por um breve instante, no meio do dia, quando estava na cantina da fábrica de máquinas de costura, tomando goles generosos de café com leite cheio de açúcar em vez de almoçar, espantou-se ao pensar na pessoa estranha em que havia se transformado. Seria mesmo Gus Dewar que estava correndo de um prédio a outro sob uma barragem de artilharia, gritando para seus homens fazerem o inimigo se arrepender de ter nascido? Aquele mesmo homem tivera medo de perder a coragem, dar meia-volta e abandonar o campo de batalha. Quando chegou a hora, no entanto, mal havia pensado na própria segurança, preocupado como estava com o risco que seus homens corriam. Como essa mudança tinha acontecido? Então um cabo chegou para lhe dizer que seu esquadrão havia perdido a chave de boca usada para trocar os canos superaquecidos das metralhadoras Hotchkiss, de modo que ele engoliu o resto do café e foi correndo cuidar do problema.

Ao fim da tarde, teve um momento de tristeza. No lusco-fusco, espiou por acaso pela janela estilhaçada de uma cozinha e viu o lugar à beira do rio em que Chuck Dixon tinha morrido. Já não se sentia abalado com a forma como Chuck havia desaparecido em meio a uma explosão de terra: presenciara muito mais morte e destruição nos últimos três dias. O que lhe ocorreu naquele instante, causando-lhe um tipo diferente de choque, era que um dia precisaria contar esse acontecimento terrível aos pais de Chuck, Albert e Emmeline, donos de um banco em Buffalo, e à sua jovem esposa, Doris, tão avessa à entrada dos Estados Unidos na guerra – sem dúvida por temer justamente o que havia ocorrido. O que Gus diria a eles? "Chuck lutou com bravura"? Chuck nem mesmo tinha lutado: ele morrera no primeiro minuto de sua primeira batalha, sem disparar um único tiro. Teria feito pouca diferença se houvesse sido um covarde – o resultado teria sido o mesmo. Sua vida fora simplesmente desperdiçada.

Enquanto Gus olhava para aquele local, imerso em pensamentos, seu olhar foi atraído por um movimento na ponte ferroviária.

O coração subiu-lhe à boca. Homens adentravam a ponte, vindos do outro lado. À meia-luz, era quase impossível distinguir seus uniformes cinzentos. Eles corriam de forma desengonçada pelos trilhos, tropeçando nos dormentes e no cascalho. Seus capacetes eram arredondados e eles carregavam os fuzis a tiracolo. Eram alemães.

Gus correu até o ninho de metralhadora mais próximo, atrás do muro de um jardim. A equipe não havia reparado na força de assalto. Gus cutucou o ombro do atirador.

– Atire na ponte! – gritou. – Olhe ali, alemães! – O atirador girou o cano da metralhadora na direção do novo alvo.

Gus apontou para um soldado qualquer.

— Vá correndo até o quartel-general e avise que há uma incursão inimiga na ponte leste — gritou. — Rápido, rápido!

Ele identificou um sargento.

— Certifique-se de que todos estejam atirando na ponte — falou. — Ande!

Rumou para oeste. Não era possível mover depressa as metralhadoras pesadas — com o tripé, uma Hotchkiss pesava 40 quilos —, porém ele ordenou que todos os soldados com fuzis lança-granadas e todas as equipes de morteiros assumissem novas posições de onde pudessem defender a ponte.

Os alemães começaram a ser massacrados, mas, empedernidos, não paravam de avançar. Pelo binóculo, Gus viu um homem alto com uma farda de major que lhe pareceu familiar. Ficou imaginando se não seria alguém que tivesse conhecido antes da guerra. Enquanto ele olhava, o major foi atingido e caiu no chão.

Os alemães vinham apoiados por uma barragem atemorizante, disparada pela própria artilharia. Era como se cada arma na margem norte estivesse apontada para a extremidade sul da ponte ferroviária, onde estavam reunidos os americanos. Gus via seus homens caírem um após outro, mas substituía cada atirador morto ou ferido por um novo soldado, de modo que o tiroteio prosseguia quase sem interrupção.

Os alemães pararam de correr e começaram a assumir posições fixas, aproveitando a tênue proteção proporcionada pelos companheiros mortos. Os mais corajosos continuaram a avançar, mas, como não havia onde se esconder, eles foram rapidamente abatidos.

A noite caiu, mas isso não fez diferença: o tiroteio prosseguiu em intensidade máxima de ambos os lados. Os inimigos se transformaram em vultos indistintos, iluminados pelos clarões dos disparos e pelas explosões das bombas. Gus trocou algumas das metralhadoras pesadas de posição, quase certo de que aquela incursão não era um ardil para que o inimigo pudesse atravessar o rio despercebido em algum outro ponto.

O combate atingiu um impasse e, por fim, os alemães começaram a recuar.

Ao ver que havia equipes de padioleiros na ponte, Gus ordenou que seus homens cessassem fogo.

Em reação a isso, a artilharia alemã se calou.

— Deus todo poderoso — falou Gus para ninguém em especial. — Acho que nós os afugentamos.

VI

Uma bala americana havia quebrado a tíbia de Walter. Deitado sobre os trilhos, ele sentia uma dor terrível, mas sofria ainda mais ao ver os soldados alemães recuando e ouvir as armas pararem de atirar. Nesse instante, teve certeza de que havia fracassado.

Gritou quando o suspenderam para colocá-lo em uma padiola. Ouvir os gritos dos feridos era ruim para o moral dos homens, mas ele não pôde evitar. Os padioleiros o transportaram aos trancos e barrancos pela ferrovia, atravessando a cidade até o posto médico, onde alguém lhe administrou morfina e ele perdeu os sentidos.

Acordou com a perna em uma tala. Começou a perguntar a todos os que passavam por seu catre sobre o andamento da batalha, mas não conseguiu detalhes até Gottfried von Kessel aparecer. Olhando para o seu ferimento com uma satisfação maliciosa, Gottfried lhe disse que o Exército alemão desistira de atravessar o rio Marne em Château-Thierry. Talvez tentassem em outro lugar.

No dia seguinte, logo antes de ser colocado em um trem de volta para casa, Walter ficou sabendo que o grosso da Terceira Divisão do Exército norte-americano tinha chegado e assumido posições ao longo de toda a margem sul do Marne.

Um companheiro ferido lhe contou sobre uma batalha sangrenta em um bosque perto de uma cidade chamada Bois de Belleau. Ambos os lados haviam sofrido um grande número de baixas, mas os americanos tinham vencido.

De volta a Berlim, os jornais continuavam a divulgar vitórias alemãs, porém as linhas nos mapas não estavam se aproximando de Paris, e Walter chegou à amarga conclusão de que a ofensiva de primavera havia fracassado. Os americanos tinham chegado cedo demais.

Ele teve alta do hospital e foi convalescer em seu antigo quarto na casa dos pais.

No dia 8 de agosto, um ataque aliado em Amiens usou quase 500 dos novos "tanques". Esses veículos blindados viviam às voltas com inúmeros problemas, mas podiam ser impossíveis de deter, de modo que os britânicos conquistaram 13 quilômetros em um único dia.

Treze quilômetros não eram muita coisa, mas Walter desconfiava que a maré houvesse virado, e podia ver no rosto do pai que o velho pensava o mesmo. Ninguém mais em Berlim falava em ganhar a guerra.

Certa noite, no final de setembro, Otto chegou em casa com uma expressão funesta no rosto. Não lhe restava mais nada de sua exuberância habitual. Walter chegou a se perguntar se o pai iria chorar.

– O Kaiser voltou para Berlim – disse Otto.

Walter sabia que o Kaiser Guilherme estava no quartel-general do Exército localizado na cidade termal de Spa, nas colinas da Bélgica.

– E por que motivo?

A voz de Otto se transformou quase em um sussurro, como se ele não suportasse dar a notícia em um tom de voz normal:

– Ludendorff quer um armistício.

CAPÍTULO TRINTA E DOIS

Outubro de 1918

Maud foi almoçar no Ritz com seu amigo lorde Remarc, subsecretário do Departamento de Guerra. Johnny estava usando um colete novo, lilás. Enquanto os dois saboreavam um *pot-au-feu*, ela lhe perguntou:

– A guerra vai mesmo terminar?

– Todo mundo acha que sim – respondeu Johnny. – Os alemães tiveram 700 mil baixas este ano. Eles não podem continuar.

Maud se perguntou com tristeza se Walter seria um desses 700 mil homens. Sabia que ele talvez estivesse morto – e esse pensamento parecia uma pedra de gelo no lugar de seu coração. Ela não tinha notícias dele desde a segunda e idílica lua de mel dos dois em Estocolmo. Imaginava que o trabalho de Walter não o fizesse mais viajar para países neutros de onde pudesse lhe escrever. A verdade terrível era que ele provavelmente havia retornado à frente de batalha para a última e decisiva ofensiva alemã.

Esses pensamentos eram mórbidos, porém realistas. Muitas mulheres tinham perdido os homens que amavam: maridos, irmãos, filhos, namorados. Todas haviam passado quatro anos convivendo diariamente com esse tipo de tragédia. Já não era mais possível ser pessimista demais. O luto era a norma.

Ela afastou seu prato fundo.

– Existe algum outro motivo para termos esperança de que haja paz?

– Sim. A Alemanha agora tem um novo chanceler, que escreveu para o presidente Wilson sugerindo um armistício baseado nos famosos 14 Pontos do presidente americano.

– Isso é promissor! Wilson concordou?

– Não. Ele disse que primeiro a Alemanha tem que se retirar de todos os territórios conquistados.

– E o que nosso governo acha disso?

– Lloyd George está uma fera. Os alemães estão tratando os Estados Unidos como o membro principal da aliança, e o presidente Wilson age como se os dois países pudessem selar a paz sem nos consultar.

– E isso tem alguma importância?

– Infelizmente, sim. Nosso governo não está necessariamente de acordo com os 14 Pontos de Wilson.

Maud aquiesceu.

– Imagino que sejamos contra o quinto ponto, segundo o qual os povos das colônias deveriam ter voz em seus próprios governos.

– Exato. O que dizer da Rodésia, de Barbados, da Índia? Não se pode esperar que nós peçamos permissão aos nativos antes de civilizá-los. Os americanos são liberais além da conta. E também somos terminantemente contra o segundo ponto: liberdade nos mares em tempos de guerra e de paz. O poder da Grã-Bretanha depende da Marinha. Não teríamos conseguido fazer a Alemanha passar fome até capitular se não tivéssemos sido capazes de bloquear seu comércio marítimo.

– E o que os franceses acham disso tudo?

Johnny sorriu.

– Segundo Clemenceau, Wilson está tentando superar Deus. "O próprio Senhor se contentou com dez mandamentos", disse ele.

– Tenho a impressão de que a maior parte dos britânicos médios na verdade gostam de Wilson e de seus pontos.

Johnny fez que sim com a cabeça.

– E os líderes europeus não têm como mandar o presidente americano parar de negociar a paz.

Maud queria tanto acreditar naquilo que estava ficando assustada. Disse a si mesma para não ficar feliz ainda. A decepção poderia ser grande demais.

Um garçom lhes serviu um linguado *Waleska* e lançou um olhar encantado para o colete de Johnny.

Maud abordou sua outra preocupação:

– Tem tido notícias de Fitz? – A missão de seu irmão na Sibéria era secreta, mas Fitz havia se confidenciado com ela, e Johnny a mantinha informada.

– O tal líder cossaco se revelou uma decepção. Fitz fez um pacto com ele, e nós o financiamos por algum tempo, mas o sujeito na verdade não passava de um tirano. Fitz vai continuar lá, tentando convencer os russos a derrubar os bolcheviques. Enquanto isso, Lênin transferiu seu governo de Petrogrado para Moscou, onde se sente mais protegido de uma eventual invasão.

– Mesmo que os bolcheviques sejam depostos, um novo regime voltaria a lutar contra a Alemanha?

– Você quer uma resposta realista? Não. – Johnny tomou um gole de Chablis. – Porém várias figuras muito poderosas do governo britânico têm um ódio mortal dos bolcheviques.

– Por quê?

– O regime de Lênin é brutal.

– O do czar também era, mas Winston Churchill nunca planejou derrubá-lo.
– No fundo, eles temem que, se o bolchevismo der certo por lá, acabe chegando aqui em seguida.
– Bem, se der certo, por que não?
Johnny encolheu os ombros.
– Você não pode esperar que pessoas como o seu irmão pensem assim.
– É verdade – concordou Maud. – Me pergunto como ele está passando...

II

– Nós estamos na Rússia! – disse Billy Williams quando o navio atracou e ele ouviu as vozes dos estivadores. – Porra, o que estamos fazendo na Rússia?
– Como podemos estar na Rússia? – perguntou Tommy Griffiths. – Ela fica para o leste. Faz semanas que estamos navegando rumo ao oeste.
– Nós demos meia-volta ao mundo e chegamos pelo outro lado.
Tommy não ficou convencido. Ele se debruçou na amurada e olhou para fora.
– As pessoas parecem meio chinesas – disse.
– Mas estão falando russo. Parecem aquele cavalariço, Peshkov, o que roubou os irmãos Ponti nas cartas e depois fugiu.
Tommy apurou os ouvidos.
– É, tem razão. Que coisa mais estranha.
– Isto aqui deve ser a Sibéria – disse Billy. – Está explicado este frio do cacete.
Alguns minutos depois, eles descobriram que estavam em Vladivostok.
Quase ninguém prestou atenção nos Aberowen Pals enquanto eles marchavam pela cidade. Já havia milhares de soldados uniformizados ali. A maioria era japonesa, mas havia também tropas americanas, tchecas e de outras nacionalidades. A cidade portuária era movimentada, com bondes passando por amplos bulevares, hotéis modernos, teatros e centenas de lojas. Parecia Cardiff, pensou Billy, só que mais fria.
Quando chegaram ao quartel, encontraram um batalhão de londrinos idosos que havia sido transferido de Hong Kong. Fazia sentido, pensou Billy, mandar velhos caquéticos para aquele fim de mundo. Os Pals, no entanto, embora desgastados pelas baixas, tinham um núcleo de veteranos experientes. Quem teria mexido os pauzinhos para tirá-los da França e mandá-los para o outro lado do mundo?
Ele não tardou a descobrir. Depois do jantar, o brigadeiro, homem de aparência tranquila, obviamente próximo da aposentadoria, avisou-lhes que o coronel conde Fitzherbert viria falar com eles.

O capitão Gwyn Evans, o famoso dono das lojas de departamentos, trouxe um caixote de madeira que antes continha latas de banha e Fitz subiu nele – não sem alguma dificuldade devido à perna machucada. Billy o observou sem a menor compaixão. Reservava o sentimento para Cotoco Pugh e para muitos outros mineiros aleijados que haviam se ferido extraindo o carvão do conde. Fitz era presunçoso, arrogante e um explorador desumano de homens e mulheres do povo. Era uma pena que os alemães não tivessem acertado seu coração em vez da perna.

– Nossa missão é dividida em quatro partes – começou Fitz, erguendo a voz para se dirigir aos 600 homens reunidos. – Em primeiro lugar, estamos aqui para proteger nossos bens. Ao sair do porto e passar pelos trilhos auxiliares da ferrovia, talvez vocês tenham reparado em um imenso depósito de suprimentos vigiado por soldados. Esse terreno de quatro hectares contém 600 mil toneladas de munição e outros equipamentos militares enviados para cá pela Grã-Bretanha e pelos Estados Unidos quando os russos eram nossos aliados. Agora que os bolcheviques assinaram a paz com a Alemanha, não queremos que balas pagas pelo nosso povo caiam nas mãos deles.

– Isso não faz sentido – disse Billy, alto o suficiente para Tommy e os demais à sua volta conseguirem escutar. – Em vez de nos trazer até aqui, por que eles não transportaram os suprimentos de volta?

Irritado, Fitz lançou um olhar na direção da voz, mas prosseguiu:

– Em segundo lugar, há muitos nacionalistas tchecos neste país, alguns prisioneiros de guerra e outros que trabalhavam aqui antes do conflito. Eles formaram a chamada Legião Tcheca e estão tentando pegar um navio de Vladivostok para se juntar às nossas forças na França. Esses homens estão sendo intimidados pelos bolcheviques, e nosso trabalho é ajudá-los a sair daqui. Os líderes comunitários cossacos da região vão nos ajudar a fazer isso.

– Líderes comunitários cossacos? – indagou Billy. – Quem ele está tentando enganar? Esses desgraçados são uns bandidos.

Fitz tornou a ouvir o burburinho de protesto. Desta vez, o capitão Evans pareceu irritado e atravessou o refeitório para ficar mais perto de Billy e seu grupo.

– Aqui na Sibéria, existem 800 mil prisioneiros de guerra austríacos e alemães que foram libertados desde a assinatura do tratado de paz. Precisamos impedir que esses homens voltem aos campos de batalha na Europa. Por fim, suspeitamos que os alemães estejam de olho nos poços de petróleo de Baku, no sul da Rússia. Não podemos permitir que eles cheguem a essas reservas.

– Tenho a sensação de que Baku fica bem longe daqui – falou Billy.

Em tom amigável, o brigadeiro disse:

– Algum de vocês tem perguntas?

Fitz o fuzilou com o olhar, mas já era tarde demais.

– Eu não li nada sobre isso nos jornais – disse Billy.

– Como muitas missões militares, esta é secreta – respondeu Fitz –, e vocês não poderão dizer onde estão nas cartas que escreverem para casa.

– Nós estamos em guerra contra a Rússia, senhor?

– Não, não estamos. – Fitz fez questão de desviar os olhos de Billy. Talvez se lembrasse de como ele havia levado a melhor na assembleia sobre as negociações de paz no Salão do Evangelho do Calvário. – Alguém mais tem perguntas, fora o sargento Williams?

– Nós estamos tentando derrubar o governo bolchevique? – insistiu Billy.

Um murmúrio de irritação repercutiu entre os soldados, muitos dos quais eram simpatizantes da revolução.

– Não existe governo bolchevique – respondeu Fitz, cada vez mais enraivecido. – O regime de Moscou não foi reconhecido por Sua Majestade, o rei.

– A nossa missão foi autorizada pelo Parlamento?

O brigadeiro parecia aflito – não estava esperando *esse* tipo de pergunta –, e o capitão Evans disse:

– Já chega, sargento. Dê aos outros uma chance de falar.

Fitz, no entanto, não teve a presença de espírito de calar a boca. Não pareceu lhe ocorrer que a capacidade de argumentação de Billy, herdada de um pai inconformista e radical, poderia ser superior à sua.

– As missões militares são autorizadas pelo Departamento de Guerra, não pelo Parlamento – argumentou ele.

– Então esta missão foi ocultada de nossos representantes eleitos! – exclamou Billy, indignado.

– Devagar com o andor, meu chapa – murmurou Tommy com nervosismo.

– Por necessidade – respondeu Fitz.

Billy ignorou o conselho de Tommy; já estava furioso demais. Levantou-se e perguntou, com voz alta e distinta:

– Senhor, o que estamos fazendo é legal?

Quando Fitz enrubesceu, Billy notou que havia acertado na mosca.

– É claro que sim... – começou Fitz.

– Se a nossa missão não foi aprovada pelo povo britânico nem pelo povo russo – interrompeu Billy –, como pode ser legal?

– Sente-se, sargento – disse o capitão Evans. – Isto aqui não é uma reunião do seu maldito Partido Trabalhista. Mais uma palavra e vai receber uma punição.

Satisfeito, Billy se sentou. Já tinha dito tudo o que queria.

– Nós fomos convidados a vir até aqui pelo Governo Provisório de toda a Rússia, cujo braço executivo é formado por um diretório de cinco membros sediado em Omsk, no extremo oeste da Sibéria – disse Fitz. – E é para lá que vocês estão indo agora – concluiu.

III

A noite caía. Lev Peshkov, trêmulo, aguardava em um depósito de carga em Vladivostok, nos confins da linha transiberiana. Usava um sobretudo militar por cima do uniforme de tenente, mas jamais estivera em um lugar tão frio quanto a Sibéria.

Estar na Rússia o deixava furioso. Quatro anos antes, tivera a sorte de escapar dali e mais sorte ainda de se casar com a filha de uma família norte-americana rica. E agora estava de volta – tudo por causa de uma garota. Qual o problema comigo?, perguntou a si mesmo. Por que nunca estou satisfeito?

Um portão se abriu e uma carroça puxada a mula saiu do depósito. Lev pulou para o assento ao lado do soldado britânico que guiava o veículo.

– E aí, Sid? – falou Lev.

– Tudo certo – respondeu ele.

Sid era um homem magro de cerca de 40 anos, que tinha o rosto prematuramente enrugado e que estava sempre com um cigarro na boca. Era do East End londrino, portanto, falava com um sotaque bem diferente do de Gales do Sul ou do norte do estado de Nova York. No início, Lev tivera dificuldade para entender o que ele dizia.

– Trouxe o uísque?

– Não, só latas de chocolate em pó.

Lev se virou para trás, inclinou-se em direção à caçamba e ergueu uma das pontas da lona que a cobria. Tinha quase certeza de que Sid estava brincando. Viu uma caixa de papelão na qual se lia "Chocolate e Cacau Fry's".

– Chocolate não faz muito sucesso entre os cossacos – falou.

– Olhe mais embaixo.

Lev afastou a caixa e viu outro rótulo "Teacher's Highland Cream – A Perfeição em Uísque Escocês".

– Quantas caixas? – perguntou.

– Doze.

Tornou a cobrir a caixa.

– Melhor do que chocolate em pó.

Ele guiou Sid para fora do centro da cidade. Olhava para trás com frequência para ver se alguém os seguia e ficou apreensivo ao ver um oficial superior do Exército americano, mas ninguém lhes perguntou nada. Vladivostok estava lotada de refugiados que haviam escapado do regime bolchevique, e a maioria tinha trazido muito dinheiro. Gastavam como se não houvesse amanhã – e, para muitos deles, provavelmente não havia mesmo. Dessa forma, as lojas iam de vento em popa e as ruas estavam cheias de carroças daquele tipo transportando mercadorias. Como na Rússia faltava de tudo, muito do que se vendia era contrabandeado da China ou, como o uísque de Sid, roubado dos militares.

Lev viu uma mulher com uma garotinha e pensou em Daisy. Sentia saudades da filha. Àquela altura, ela já sabia andar e falar e investigava o mundo. Tinha um biquinho que derretia o coração de todos, até mesmo o de Josef Vyalov. Fazia seis meses que Lev não a via. Agora com dois anos e meio, ela devia ter mudado bastante desde que Lev fora embora.

Ele também sentia saudades de Marga. Era com ela que sonhava, com seu corpo nu se enroscando no seu na cama. Ela tinha sido a causa dos seus problemas com o sogro e o motivo que o fizera parar na Sibéria, mas, mesmo assim, ele ansiava por revê-la.

– Sid, você tem algum vício? – quis saber Lev. Sentia que precisava de uma amizade mais próxima com o taciturno Sid: parceiros no crime precisavam confiar um no outro.

– Não – respondeu Sid. – Só em dinheiro.

– Seu amor pelo dinheiro costuma levar você a correr riscos?

– Tirando roubar, não.

– E roubar lhe causa algum problema?

– Nada grave. Fui preso uma vez, mas só por seis meses.

– Meu fraco são as mulheres.

– É mesmo?

Lev já estava habituado ao costume britânico de fazer a pergunta depois que a resposta já tivesse sido dada.

– É – disse ele. – Não consigo resistir a elas. Quando entro em uma boate, preciso estar de braços dados com uma garota bonita.

– Sério?

– Sério. É mais forte que eu.

A carroça entrou em uma zona portuária cheia de ruas de terra batida e estalagens para marinheiros – lugares sem nome ou endereço. Sid parecia nervoso.

– Você está armado, certo? – perguntou Lev.

– Só tenho isto aqui. – Ele afastou o sobretudo para revelar uma pistola enorme, com um cano de 30 centímetros, enfiada na cintura da calça.

Lev nunca tinha visto uma arma daquelas.

– Que porra é essa?

– Uma Webley-Mars. A pistola mais potente do mundo. Coisa rara.

– Você nem precisa puxar o gatilho... é só brandir a arma no ar que as pessoas morrem de medo.

Naquela região, ninguém era pago para retirar a neve das ruas, de modo que a carroça ou seguia o rastro dos veículos anteriores, ou então derrapava no gelo dos caminhos menos utilizados. Estar na Rússia lhe trazia o irmão à memória. Ele não havia se esquecido da promessa de mandar para Grigori o valor de uma passagem para os Estados Unidos. Estava fazendo um bom dinheiro com a venda de suprimentos militares roubados para os cossacos. Com a venda daquele dia, teria o bastante para a passagem de Grigori.

Lev já havia feito muitas coisas erradas durante sua curta vida, mas, se pudesse se reconciliar com o irmão, se sentiria melhor em relação a si mesmo.

A carroça entrou em um beco e dobrou para trás de um prédio baixo. Lev abriu uma caixa de papelão e sacou uma garrafa de uísque lá de dentro.

– Fique aqui vigiando a carga – disse a Sid. – Senão quando voltarmos não vai ter sobrado nada.

– Não se preocupe – respondeu Sid, mas ele parecia apreensivo.

Lev enfiou a mão debaixo do sobretudo para tocar a pistola semiautomática Colt .45 que trazia na cintura, então entrou pela porta dos fundos.

O lugar era a versão siberiana de uma taberna. Um espaço pequeno com algumas cadeiras e uma única mesa. Não havia balcão, mas uma porta aberta deixava entrever uma cozinha suja com uma prateleira cheia de garrafas e um barril. Três homens estavam sentados junto a uma lareira acesa, vestidos com casacos de pele esfarrapados. Lev reconheceu o do meio, um homem que sabia se chamar Sotnik. Este usava uma calça folgada enfiada dentro de botas de montaria. Tinha as maçãs do rosto protuberantes e olhos puxados, além de ostentar um bigode extravagante e costeletas. O clima deixara sua pele vermelha e cheia de vincos. Ele poderia ter qualquer idade entre 25 e 55 anos.

Lev apertou as mãos de todos os presentes. Sacou a rolha da garrafa, e um dos homens – provavelmente o dono do bar – trouxe quatro copos, um de cada tipo. Lev serviu doses generosas, e todos beberam.

– Este é o melhor uísque do mundo – falou ele em russo. – Vem de um país frio, como a Sibéria, onde a água das nascentes de montanha é pura neve derretida. Pena que seja tão caro.

A expressão de Sotnik era inescrutável.

– Quanto?

Lev não iria deixá-lo regatear novamente.

– O preço que você aceitou ontem – respondeu. – Em rublos de ouro, ou nada feito.

– Quantas garrafas?

– Cento e quarenta e quatro.

– Onde elas estão?

– Aqui perto.

– Você deveria tomar cuidado. Este bairro está cheio de ladrões.

Isso poderia ser tanto um aviso quanto uma ameaça: Lev imaginou que a ambiguidade fosse proposital.

– Eu sei disso – falou Lev. – Sou um deles.

Sotnik olhou para seus dois companheiros e então, depois de uma pausa, riu. Os outros o imitaram.

Lev serviu uma segunda rodada.

– Não se preocupem – disse. – Seu uísque está seguro... atrás do cano de uma arma. – Ele também estava sendo ambíguo. Aquilo poderia ser tanto uma garantia quanto um alerta.

– Ótimo – disse Sotnik.

Lev bebeu seu uísque e então olhou para o relógio.

– Uma patrulha da polícia militar vai passar por este bairro daqui a pouco – mentiu. – Tenho que ir.

– Mais uma dose – falou Sotnik.

Lev se levantou.

– Você quer o uísque? – Deixou transparecer sua irritação. – Eu posso muito bem vendê-lo para outra pessoa. – Era verdade. Vender álcool não era difícil.

– Vou ficar com ele.

– Ponha o dinheiro na mesa.

Sotnik pegou um alforje do chão e começou a separar moedas de cinco rublos. O preço combinado era de 60 rublos por cada dúzia de garrafas. Lentamente, Sotnik foi fazendo pilhas de 12 moedas cada, até obter 12 pilhas. Lev achou que, na verdade, ele não sabia contar até 144.

Depois de terminar, Sotnik olhou para Lev, que aquiesceu. Sotnik, então, guardou as moedas de volta no alforje.

Os dois saíram do bar, Sotnik com o alforje na mão. A noite havia caído, mas a lua estava no céu, de modo que eles podiam enxergar bem. Em inglês, Lev disse para Sid:

– Não desça da carroça. Fique alerta. – Em uma transação ilegal, aquele era sempre o momento mais perigoso: a oportunidade que o comprador tinha de pegar a mercadoria e ficar com o dinheiro. Lev não queria arriscar de forma alguma o dinheiro da passagem de Grigori.

Ele tirou a lona que cobria a caçamba, afastando em seguida as três caixas de chocolate em pó para revelar o uísque. Suspendeu uma das caixas e a largou no chão, aos pés de Sotnik.

O outro cossaco foi até a caçamba e fez menção de pegar outra caixa.

– Não – disse Lev. Ele olhou para Sotnik. – O alforje.

Fez-se uma longa pausa.

Sentado no lugar do condutor, Sid afastou o sobretudo para revelar sua arma. Sotnik entregou o alforje a Lev.

Lev olhou para dentro dele, mas decidiu não recontar o dinheiro. Teria percebido se Sotnik houvesse retirado algumas moedas às escondidas. Ele entregou o alforje a Sid e pôs-se a ajudar os outros a descarregar a carroça.

Então tornou a apertar a mão de todos e estava prestes a subir na carroça quando Sotnik o deteve.

– Olhe aqui – disse ele, apontando para uma caixa já aberta. – Está faltando uma garrafa.

A garrafa em questão estava na mesa da taberna, e Sotnik sabia disso. Por que estava tentando comprar uma briga àquela altura? A situação era perigosa.

Em inglês, ele pediu a Sid:

– Me passe uma moeda de ouro.

Sid abriu o alforje e entregou-lhe uma moeda.

Lev a equilibrou sobre o punho fechado e então a lançou para cima, fazendo-a girar no ar. O luar se refletiu na moeda. Quando, por reflexo, Sotnik estendeu a mão para pegá-la, Lev saltou para o assento da carroça.

Sid estalou o chicote.

– Fiquem com Deus – gritou Lev enquanto a carroça começava a se mover. – E me avisem quando precisarem de mais uísque.

Quando a mula saiu trotando de trás do prédio e dobrou a esquina, ganhando a rua, a respiração de Lev se acalmou.

– Quanto conseguimos? – perguntou Sid.

– O que pedimos. Trezentos e sessenta rublos cada um. Menos cinco. Eu cubro aquela moeda que nós perdemos. Você tem uma bolsa?

Sid sacou uma bolsa de couro grande. Lev pôs 72 moedas lá dentro.

Depois de se despedir de Sid, saltou da carroça perto do alojamento dos oficiais americanos. Quando estava a caminho de seu quarto, foi abordado pelo capitão Hammond.

– Peshkov! Onde o senhor estava?

Lev desejou não estar carregando 355 rublos dentro de um alforje de cossaco.

– Fazendo um pouco de turismo, senhor.

– Está escuro!

– Foi por isso que voltei.

– Eu estava à sua procura. O coronel quer lhe falar.

– Agora mesmo, senhor. – Lev tomou a direção de seu quarto para guardar o alforje, mas Hammond disse:

– A sala do coronel fica para o outro lado.

– Sim, senhor. – Lev deu meia-volta.

O coronel Markham não gostava de Lev. Markham era um militar de carreira, não um recruta de tempos de guerra. Sentia que Lev não tinha o mesmo compromisso que ele com a excelência do Exército norte-americano. E estava certo – 110% certo, como o próprio coronel teria dito.

Lev cogitou largar o alforje no chão do lado de fora da sala do coronel, mas era dinheiro demais para deixar em qualquer lugar.

– Quer me dizer onde o senhor estava? – perguntou Markham assim que ele entrou.

– Dando uma volta pela cidade, coronel.

– Vou mudá-lo de função. Nossos aliados britânicos precisam de intérpretes e me pediram para emprestar o senhor a eles.

Aquilo parecia um trabalho mais fácil.

– Sim, coronel.

– O senhor vai acompanhá-los até Omsk.

Isso já não parecia tão fácil. Omsk ficava a quase 6.500 quilômetros de distância, no coração bárbaro da Rússia.

– Para que, senhor?

– Eles é que vão lhe dizer.

Lev não queria ir. Omsk ficava longe demais de casa.

– O senhor está me pedindo para ir como voluntário?

O coronel hesitou e Lev percebeu que a missão *era* voluntária – isto é, na medida do possível, em se tratando do Exército.

– O senhor está recusando a missão? – perguntou Markham em tom de ameaça.

– Apenas se ela for voluntária, senhor, é claro.

– Deixe-me lhe explicar a situação, tenente – disse o coronel. – Se o senhor se oferecer para a missão, não vou mandar que abra essa bolsa para me mostrar o que tem aí dentro.

Lev soltou um palavrão entre os dentes. Não havia nada que pudesse fazer. O coronel era esperto demais. E a passagem de Grigori para os Estados Unidos estava dentro daquele alforje.

Omsk, pensou ele. Que inferno.

– Será um prazer, senhor – falou.

IV

Ethel subiu até o apartamento de Mildred no andar de cima da casa. Encontrou o lugar limpo, mas desarrumado, com brinquedos no chão, um cigarro aceso dentro de um cinzeiro e uma calcinha secando em frente à lareira.

– Você poderia cuidar de Lloyd hoje à noite? – pediu. Ela e Bernie iriam a uma reunião do Partido Trabalhista. Lloyd já estava com quase quatro anos e, portanto, era bem capaz de sair da cama e ir dar uma volta sozinho se ninguém o vigiasse.

– Claro – respondeu Mildred. Geralmente, quando uma não podia cuidar dos filhos à noite, a outra servia de babá. – Recebi uma carta de Billy – disse ela.

– Ele está bem?

– Está. Mas não acho que esteja na França. Ele não diz nada sobre as trincheiras.

– Então ele deve estar no Oriente Médio. Fico imaginando se já viu Jerusalém. – A cidade sagrada havia sido tomada pelas forças britânicas no final do ano anterior. – Nosso Da ficaria feliz com isso.

– Tem um recado para você. Ele diz que vai lhe escrever depois, mas me pediu para falar... – Ela enfiou a mão no bolso do avental. – É melhor eu ler de uma vez: "Escute, eu estou sem saber aqui quem governa na verdade a Rússia." Achei bem estranho, para falar a verdade.

– O recado está em código – disse Ethel. – Você tem que ler de três em três palavras. O recado é *Estou aqui na Rússia*. O que ele está fazendo lá?

– Eu não sabia que nosso Exército estava na Rússia.

– Nem eu. Ele menciona alguma canção, ou o título de algum livro?

– Sim... como você sabe?

– É outro código.

– Ele me pede para lembrar você de uma canção que costumavam cantar, chamada "I'm with Freddie in the Zoo". Nunca ouvi falar dela.

– Nem eu. São as iniciais. "Freddie in the Zoo" quer dizer... Fitz.

Bernie entrou usando uma gravata vermelha.

– Ele está ferrado no sono – falou, referindo-se a Lloyd.

– Mildred recebeu uma carta de Billy – disse Ethel. – Parece que ele está na Rússia com o conde Fitzherbert.

– Rá! – exclamou Bernie. – Estava me perguntando quanto tempo eles iriam levar para fazer isso.

– Fazer o quê?

– Mandar soldados para lutarem contra os bolcheviques. Eu sabia que isso estava por vir.

– Nós estamos em guerra com o novo governo russo?

– Não oficialmente, é claro. – Bernie olhou para o relógio. – Temos que ir. – Ele detestava chegar atrasado.

No ônibus, Ethel falou:

– Nós não podemos estar *extraoficialmente* em guerra. Ou estamos ou não estamos.

– Churchill e a corja dele sabem que o povo britânico não vai apoiar uma guerra contra os bolcheviques, então estão tentando mantê-la em segredo.

– Estou desapontada com Lênin... – disse Ethel, pensativa.

– Ele está fazendo o que é preciso! – interrompeu Bernie. Ele era um defensor fervoroso dos bolcheviques.

Ethel insistiu:

– Lênin corre o perigo de se tornar um tirano tão grande quanto o czar...

– Isso é ridículo!

– ... mas, mesmo assim, ele deve ter a chance de mostrar o que pode fazer pela Rússia.

– Bom, pelo menos nesse ponto nós concordamos.

– Mas não sei muito bem o que podemos fazer a respeito.

– Precisamos de mais informação.

– Billy vai me escrever em breve. Ele dará os detalhes.

Ethel estava indignada com essa guerra secreta do governo – se é que era esse mesmo o caso –, mas também se preocupava com Billy. Seu irmão não ficaria de bico fechado. Se achasse que o Exército estava agindo mal, diria isso às claras e talvez enfrentasse problemas.

O Salão do Evangelho do Calvário estava lotado: a popularidade do Partido Trabalhista tinha aumentado durante a guerra. Isso se devia, em parte, ao fato de que o líder trabalhista, Arthur Henderson, fizera parte do Gabinete de Guerra de Lloyd George. Henderson havia começado a trabalhar em uma fábrica de locomotivas aos 12 anos, e seu desempenho como ministro tinha destruído o argumento conservador de que os operários não eram confiáveis o bastante para ter cargos no governo.

Ethel e Bernie foram se sentar ao lado de Jock Reid, um escocês de rosto vermelho, natural de Glasgow, que era o melhor amigo de Bernie quando este era solteiro. O Dr. Greenward presidia a assembleia. O principal item em pauta eram as próximas eleições gerais. Segundo os boatos, Lloyd George iria convocar um pleito nacional assim que a guerra terminasse. Aldgate precisava de um candidato trabalhista – e Bernie era o mais cotado.

Sua candidatura foi proposta e apoiada. Alguém sugeriu o Dr. Greenward como alternativa, porém o médico respondeu que achava melhor se ater à medicina.

Então Jayne McCulley se levantou. Ela era afiliada ao partido desde que Ethel e Maud haviam protestado contra o cancelamento de seu auxílio-separação e Maud havia sido carregada para a cadeia por um policial. Jayne disse:

– Eu li no jornal que as mulheres podem concorrer nas próximas eleições, e proponho que Ethel Williams seja nossa candidata.

Houve um instante de silêncio atônito e, em seguida, todos tentaram falar ao mesmo tempo.

Ethel ficou pasma. Nunca havia pensado naquilo. Desde que conhecera Bernie, ele sonhava ser o representante de Aldgate no Parlamento. Ela havia aceitado isso. Além do mais, as mulheres nunca tinham podido se candidatar. Duvidava que fosse possível mesmo agora. Seu primeiro impulso foi recusar imediatamente.

Jayne, no entanto, não havia terminado. Era uma jovem bonita, mas a meiguice de sua aparência era enganosa: ela podia ser muito veemente.

– Eu respeito Bernie, ele é bom em organizar as coisas, fazer reuniões – disse ela. – Mas Aldgate tem um representante liberal no Parlamento muito benquisto e provavelmente difícil de derrotar. Nós precisamos de um candidato capaz de conquistar esse assento para o Partido Trabalhista, alguém que possa dizer aos cidadãos do East End: "Sigam-me rumo à vitória!", e ser obedecido. Nós precisamos de Ethel.

Todas as mulheres vibraram, bem como alguns dos homens, embora outros tenham resmungado, contrariados. Ethel percebeu que, caso se candidatasse, teria bastante apoio.

E Jayne estava certa: era bem capaz de Bernie ser o homem mais inteligente dali, mas não era um líder inspirador. Ele poderia explicar como ocorriam as revoluções e por que as empresas iam à falência, mas Ethel conseguiria influenciar as pessoas a embarcarem em uma cruzada.

Jock Reid se levantou.

– Camarada presidente, acredito que a legislação não permita que mulheres se candidatem.

– Eu posso esclarecer essa questão – disse o Dr. Greenward. – A lei que foi aprovada no início deste ano, concedendo o direito de voto às mulheres com mais de 30 anos, não previa a candidatura de mulheres às eleições. Mas o governo já reconheceu que isso é uma anomalia e a minuta de outro projeto de lei já foi redigida.

– Mas a lei *tal como ela é hoje* proíbe a eleição de mulheres – insistiu Jock –, então nós não podemos indicar uma. – Ethel abriu um sorriso irônico: não era curioso que os mesmos homens que clamavam por uma revolução mundial insistissem em seguir a lei ao pé da letra?

– Claramente, o objetivo é que o projeto de lei do Parlamento que qualifica as mulheres a se candidatarem seja aprovada antes das próximas eleições gerais – disse o Dr. Greenward –, de modo que não me parece haver problema algum que este núcleo indique uma mulher.

– Mas Ethel tem menos de 30 anos.

– Aparentemente, esse novo projeto de lei se aplica a mulheres acima dos 21 anos.

– Aparentemente? – repetiu Jock. – Como podemos indicar um candidato sem conhecer as regras?

– Talvez devêssemos adiar a indicação até a nova legislação ser aprovada – sugeriu o Dr. Greenward.

Bernie sussurrou algo no ouvido de Jock, que então falou:

– Vamos perguntar a Ethel se ela está disposta a se candidatar. Caso contrário, não há motivo para adiar a decisão.

Bernie se virou para Ethel com um sorriso confiante.

– Muito bem – disse o Dr. Greenward. – Ethel, se fosse indicada, você aceitaria?

Todos olharam para ela.

Ethel hesitou.

Aquele era o sonho de Bernie, e ele era seu marido. Mas qual deles seria a melhor escolha para o Partido Trabalhista?

Conforme os segundos foram passando, uma expressão de incredulidade tomou conta do rosto de Bernie. Havia esperado que ela fosse recusar a indicação na mesma hora.

Isso a deixou mais decidida.

– Eu... eu nunca tinha pensado no assunto – disse ela. – E, hã, como disse o presidente, essa possibilidade legal ainda nem existe. Então é uma pergunta difícil de responder. Acho que Bernie seria um bom candidato... mas, ao mesmo tempo, gostaria de um tempo para pensar. Então talvez devêssemos aceitar a sugestão do presidente e adiar a indicação.

Ela se virou para Bernie.

Ele parecia capaz de matá-la.

CAPÍTULO TRINTA E TRÊS

11 de novembro de 1918

O telefone da casa de Fitz em Mayfair tocou às duas da manhã.
Maud ainda estava acordada, sentada na sala de estar à luz de uma vela, com os quadros dos antepassados mortos a observá-la das paredes, as cortinas fechadas como sudários e os móveis à sua volta quase invisíveis, como animais noturnos em uma campina. Ela mal havia dormido nos últimos dias. Um pressentimento supersticioso lhe dizia que Walter seria morto antes de a guerra acabar.

Ela estava sozinha, segurando nas mãos uma xícara de chá frio, fitando as brasas da lareira, perguntando-se onde ele poderia estar e o que estaria fazendo. Será que estava dormindo em uma trincheira úmida qualquer, ou se preparando para o combate do dia seguinte? Ou será que já estava morto? Ela poderia já ser viúva, depois de ter passado apenas duas noites com o marido em quatro anos de casamento. A única coisa que sabia ao certo era que ele não era prisioneiro de guerra. Johnny Remarc havia verificado todas as listas de oficiais capturados para ela. Johnny não conhecia seu segredo: achava que Maud só estivesse preocupada porque Walter era um bom amigo de Fitz antes da guerra.

A campainha do telefone a espantou. A princípio, achou que o telefonema pudesse ser sobre Walter, mas isso não faria o menor sentido. A notícia sobre a prisão de um amigo poderia esperar até de manhã. Então devia ser Fitz, pensou ela, angustiada: teria ele sido ferido na Sibéria?

Foi correndo em direção ao hall, mas Grout chegou primeiro. Ela percebeu, sentindo uma onda de culpa, que havia se esquecido de liberar os empregados para que fossem dormir.

– Vou perguntar se lady Maud está em casa, meu amo – disse Grout para o aparelho. Ele cobriu o fone com a mão antes de se dirigir a Maud. – Lorde Remarc ligando do Departamento de Guerra, senhora.

Maud pegou o fone da mão de Grout e perguntou:

– É Fitz? Ele foi ferido?

– Não, não – respondeu Johnny. – Calma. A notícia é boa. Os alemães aceitaram os termos do armistício.

– Ai, Johnny, graças a Deus!

– Estão todos reunidos na floresta de Compiègne, ao norte de Paris, em dois trens parados em um desvio da ferrovia. Os alemães acabaram de entrar no vagão-restaurante do trem francês. Estão prontos para assinar.

– Mas ainda não assinaram?

– Não, ainda não. Estão discutindo sobre os termos exatos.

– Johnny, você pode me ligar de novo quando eles assinarem? Não vou dormir hoje.

– Posso, sim. Até logo.

Maud devolveu o fone ao mordomo.

– Talvez a guerra termine hoje à noite, Grout.

– Fico muito feliz em saber, senhorita.

– Mas você deveria ir para a cama.

– Com a sua permissão, senhorita, eu gostaria de ficar acordado até lorde Remarc ligar novamente.

– É claro.

– Mais um pouco de chá, senhorita?

II

Os Aberowen Pals chegaram a Omsk de manhã bem cedo.

Billy se lembraria para sempre de cada detalhe da viagem de quase 6.500 quilômetros desde Vladivostok pela ferrovia transiberiana. Levara 23 dias, mesmo com um sargento armado a postos dentro da locomotiva para garantir que o condutor e o foguista mantivessem a velocidade no máximo. Billy sentiu frio durante todo o trajeto: o fogareiro no centro do vagão mal conseguia aquecer as manhãs da Sibéria. Todos sobreviviam à base de pão preto e carne enlatada. Para Billy, no entanto, cada novo dia era uma revelação.

Ele não sabia haver no mundo lugares tão lindos quanto o lago Baikal. De um extremo a outro, esse lago era maior do que o País de Gales inteiro, disse-lhes o capitão Evans. Do trem que passava depressa, eles viram o sol se erguer por sobre a água calma e azul, iluminando os cumes das montanhas de quilômetros de altura do outro lado e dourando a neve que cobria os picos.

Por toda a vida, guardaria com carinho a lembrança de uma interminável caravana de camelos seguindo ao lado da ferrovia, dos animais lotados de carga a cruzar, com dificuldade e paciência, o solo coberto de neve, ignorando o século XX que chispava por eles em meio a ruídos de ferro e ao chiado do vapor. Estou longe pra cacete de Aberowen, pensou ele nesse instante.

Contudo, o incidente mais memorável de todos foi a visita que eles fizeram a uma escola de ensino secundário em Chita. O trem passou dois dias parado no local enquanto o coronel Fitzherbert se reunia com o líder da região, um chefe cossaco chamado Semenov. Billy se juntou a um grupo de visitantes norte-americanos que foi fazer uma excursão. O diretor da escola, que falava inglês, explicou que, até o ano anterior, eles só lecionavam para os filhos da classe média abastada e que os judeus eram expulsos mesmo quando podiam pagar a mensalidade. Atualmente, por ordem dos bolcheviques, a educação era gratuita para todos. O efeito disso era evidente. As salas de aula estavam abarrotadas de crianças maltrapilhas, que aprendiam a ler, escrever e contar e estudavam até ciências e artes. Independentemente do que Lênin tivesse ou não feito – e era difícil distinguir a verdade da propaganda conservadora –, ele pelo menos levava a sério a educação das crianças russas, pensou Billy.

Lev Peshkov estava no mesmo trem que ele. Havia cumprimentado Billy de forma calorosa, sem demonstrar um pingo de vergonha, como se tivesse esquecido que fora enxotado de Aberowen como trapaceiro e ladrão. Lev tinha conseguido ir para os Estados Unidos e se casar com uma garota rica. Agora era tenente e servia de intérprete para os Pals.

Os moradores de Omsk ovacionaram o batalhão enquanto eles marchavam da estação ferroviária até o quartel. Billy viu vários oficiais russos nas ruas, usando elegantes uniformes antiquados, mas que, aparentemente, estavam ali apenas como civis. Havia também muitos soldados canadenses na cidade.

Assim que o batalhão foi dispensado, Billy e Tommy foram dar um passeio pela cidade. Não havia muito para ver: uma catedral, uma mesquita, uma fortaleza feita de tijolos e um rio cheio de embarcações de carga e de passageiros. Eles ficaram surpresos ao ver muitos moradores usando uma ou outra peça de uniformes militares britânicos: uma mulher que vendia peixe frito em uma barraca vestida com uma túnica cáqui; um entregador que empurrava um carrinho de mão com uma calça de sarja grossa do Exército; um estudante alto, carregando uma mochila, caminhando pela rua com um par de botas britânicas novo em folha.

– Onde eles conseguiram essas roupas? – indagou Billy.

– Somos nós que fornecemos os uniformes ao Exército russo daqui, mas Peshkov me disse que os oficiais costumam vendê-los no mercado negro – explicou Tommy.

– É nisso que dá apoiar o lado errado – comentou Billy.

A Associação Cristã de Moços do Canadá tinha montado uma cantina na região. Vários soldados do batalhão já estavam lá: parecia ser o único lugar para se ir. Billy e Tommy se serviram de chá quente e de grandes fatias de torta de maçã.

– Esta cidade é o quartel-general do governo reacionário antibolchevique – disse Billy. – Eu li no *New York Times*. – Os jornais norte-americanos, disponíveis quando estavam em Vladivostok, eram mais honestos do que os britânicos.

Lev Peshkov entrou na cantina. Estava acompanhado por uma linda jovem russa vestindo um sobretudo barato. Todos o encararam. Como ele conseguia ser tão rápido?

Lev parecia animado:

– Ei, rapazes, vocês já ouviram os boatos?

Lev devia sempre ouvir os boatos em primeira mão, pensou Billy.

– Já, ficamos sabendo que você é bicha – disse Tommy.

Todos riram.

– Do que você está falando? – quis saber Billy.

– Eles assinaram um armistício. – Lev fez uma pausa. – Ainda não entenderam? A guerra acabou!

– Não para nós – falou Billy.

III

O pelotão do capitão Dewar estava atacando um vilarejo chamado Aux Deux Eglises, a leste do rio Meuse. Gus tinha ouvido um boato de que haveria um cessar-fogo às onze da manhã, mas seu comandante ordenara o ataque, de modo que ele o estava executando. Havia avançado suas metralhadoras pesadas até a beira de um bosque e os soldados estavam atirando nas construções do outro lado de uma extensa campina, dando ao inimigo tempo de sobra para recuar.

Infelizmente, os alemães não estavam aproveitando a oportunidade. Tinham posicionado morteiros e metralhadoras leves nos currais e pomares e revidavam com vigor. Uma das metralhadoras em especial, que disparava do telhado de um celeiro, estava conseguindo imobilizar metade do pelotão de Gus.

Este se dirigiu ao cabo Kerry, o melhor atirador do grupo:

– Você conseguiria lançar uma granada no telhado daquele celeiro?

Kerry, um rapaz sardento de 19 anos, respondeu:

– Se eu conseguisse chegar um pouco mais perto.

– É justamente esse o problema.

Kerry examinou o terreno.

– Tem uma pequena elevação antes da metade da campina – falou. – Dali eu conseguiria.

– É arriscado – disse Gus. – Você quer ser um herói? – Ele olhou para o relógio de pulso. – Se os boatos forem verdade, a guerra pode terminar daqui a cinco minutos.

Kerry deu um sorriso.

– Posso tentar, capitão.

Gus hesitou, relutando em deixar Kerry arriscar a vida. Mas aquilo ali era o Exército, eles ainda estavam lutando e ordens eram ordens.

– Tudo bem – disse ele. – Quando quiser.

Ele tinha esperanças de que Kerry fosse embromar, mas o rapaz levou o fuzil ao ombro na mesma hora e pegou uma caixa de granadas.

– Atenção todos! – gritou Gus. – Deem o máximo de cobertura possível a Kerry.

Todas as metralhadoras dispararam ao mesmo tempo e Kerry começou a correr.

O inimigo o viu na mesma hora e abriu fogo. O jovem cabo correu em zigue-zague pela campina como uma lebre perseguida por cães. Morteiros alemães explodiram à sua volta, mas, por milagre, não o atingiram.

A "pequena elevação" de Kerry ficava a quase 300 metros de distância.

Ele quase a alcançou.

O atirador inimigo mirou sua metralhadora com precisão em Kerry e disparou uma longa rajada. Em um piscar de olhos, o cabo foi atingido por uma dúzia de balas. Ergueu os braços, deixou cair as granadas e desabou no chão, o impulso fazendo-o voar até aterrissar a alguns passos do seu destino. Ficou totalmente imóvel, e Gus achou que, antes mesmo de atingir o solo, ele já estava morto.

As armas do inimigo se calaram. Após alguns segundos, os americanos também pararam de atirar. Gus pensou ouvir um barulho de comemoração ao longe. Todos os homens à sua volta se calaram para escutar. O lado alemão também estava comemorando.

Soldados alemães começaram a aparecer, saindo de seus abrigos no vilarejo distante.

Gus ouviu um barulho de motor. Uma motocicleta americana modelo Indian emergiu do bosque, pilotada por um sargento e com um major na garupa.

– Cessar fogo! – berrava o major. O motociclista o conduzia pela linha de combate, de posição em posição. – Cessar fogo! – tornou a gritar o major. – Cessar fogo!

O pelotão de Gus começou a vibrar. Os homens tiraram os capacetes e os jogaram para cima. Alguns dançaram, outros apertaram as mãos dos companheiros. Gus ouviu uma cantoria.

Porém não conseguia desgrudar os olhos do cabo Kerry.

Atravessou a campina devagar e ajoelhou-se ao lado do corpo. Já tinha visto muitos cadáveres, e não teve dúvidas de que Kerry estava morto. Perguntou-se qual seria o nome de batismo do garoto. Virou o corpo de frente. O peito de Kerry estava todo crivado de pequenos buracos de bala. Gus fechou os olhos do garoto e se levantou.

– Que Deus me perdoe – disse.

IV

Por acaso, tanto Ethel quanto Bernie não tinham ido trabalhar naquele dia. Bernie estava acamado, com gripe, e a babá que cuidava de Lloyd também estava doente, de modo que Ethel ficara em casa para cuidar do marido e do filho.

Estava muito deprimida. Eles haviam brigado feio sobre qual dos dois deveria se candidatar ao Parlamento. Não fora apenas o pior bate-boca de sua vida de casados, como também o único. Desde então, os dois mal haviam se falado.

Ethel sabia que tinha razão, mas, mesmo assim, sentia culpa. Poderia muito bem ser uma parlamentar melhor do que Bernie – e, de toda forma, quem deveria decidir eram seus companheiros de partido, não eles próprios. Bernie vinha planejando aquilo há anos, mas isso não significava que o cargo fosse seu por direito. Embora Ethel nunca tivesse pensado no assunto, agora estava ansiosa para concorrer. As mulheres haviam conquistado o direito ao voto, mas ainda havia muito a fazer. Em primeiro lugar, era preciso reduzir o limite de idade para torná-lo igual ao dos homens, e também melhorar as condições de trabalho e os salários das mulheres. Na maioria das áreas, mesmo quando faziam exatamente o mesmo trabalho, elas ganhavam menos do que os homens. Por que não podiam receber o mesmo?

Mas ela gostava de Bernie e, quando viu a mágoa no rosto do marido, quis desistir de tudo na mesma hora.

– Eu esperava ser prejudicado pelos meus inimigos – dissera-lhe ele certa noite. – Pelos conservadores, pelos liberais em cima do muro, pelos imperialistas capitalistas, pela burguesia. Esperava até a oposição de um ou outro invejoso em meu próprio partido. Mas em uma pessoa eu tinha certeza de que podia confiar. E foi justamente ela quem me sabotou. – Quando se lembrava dessas palavras, Ethel sentia uma pontada no peito.

Ela levou uma xícara de chá para o marido às onze horas. O quarto do casal, embora modesto, era confortável, com cortinas de algodão baratas, uma escrivaninha e uma fotografia de Keir Hardie na parede. Bernie largou o romance que estava lendo, *The Ragged Trousered Philanthropists*, o livro de cabeceira de todos os socialistas.

– O que você vai fazer hoje à noite? – perguntou ele com frieza. A reunião do Partido Trabalhista estava marcada para mais tarde. – Já decidiu?

Ela já havia decidido. Poderia ter lhe dado a resposta dois dias antes, mas não conseguira reunir coragem para articular as palavras. Agora que ele havia feito a pergunta, iria respondê-la.

– Que vença o melhor candidato – falou em tom desafiador.

Ele pareceu magoado.

– Não entendo como você pode fazer isso comigo e ainda assim dizer que me ama.

Ethel achava injusto da parte dele usar um argumento como aquele. Por que ela não poderia dizer o mesmo? Isso, no entanto, não vinha ao caso.

– Não devemos pensar em nós mesmos, mas sim no partido.

– E o nosso casamento?

– Eu não vou abrir mão da candidatura por você só porque sou sua mulher.

– Você me traiu.

– Mas vou abrir mão dela mesmo assim – disse ela.

– O quê?

– Eu disse que vou abrir mão da candidatura.

Alívio se espalhou pelo rosto de Bernie.

– Mas não porque sou sua mulher – continuou ela. – Nem porque você é o melhor candidato.

Ele assumiu uma expressão intrigada.

– Então, por quê?

Ethel deu um suspiro.

– Estou grávida.

– Não acredito!

– Pois é. Justo na hora em que uma mulher pode entrar para o Parlamento, eu fico grávida.

Bernie sorriu.

– Bem, então tudo deu certo no final das contas!

– Sabia que você iria pensar assim – disse Ethel. Naquele instante, ficou ressentida com Bernie, com o bebê que carregava no ventre e com todo o resto de sua vida. Então se deu conta de que um sino de igreja estava tocando. Olhou para o relógio sobre o console da lareira. Eram onze e cinco. Por que estariam tocando o sino àquela hora de uma manhã de segunda-feira? Foi quando escutou outro sino. Franziu o cenho e se encaminhou para a janela. Não viu nada de estranho na rua, mas outros sinos começaram a badalar. A oeste, no céu sobre o centro de Londres, viu a fumaça vermelha de um sinalizador.

Voltou-se para Bernie.

– Parece que todas as igrejas de Londres estão tocando seus sinos.

– Alguma coisa aconteceu – disse ele. – Aposto que é o fim da guerra. Eles devem estar tocando pela paz!

– Bem – disse Ethel com amargura –, pelo raio da minha gravidez é que não é.

V

As esperanças de Fitz de derrubar Lênin e sua corja estavam concentradas no Governo Provisório de toda a Rússia, que ficava baseado em Omsk. E Fitz não estava sozinho: homens poderosos da maioria das principais nações do mundo esperavam que aquela cidade fosse o estopim da contrarrevolução.

A sede do diretório de cinco membros era um trem parado nos arredores da cidade. Fitz sabia que uma série de vagões blindados protegidos por soldados de elite abrigava o que restara do tesouro imperial: um estoque de ouro no valor de muitos milhões de rublos. O czar estava morto, assassinado pelos bolcheviques, mas seu dinheiro estava ali para dar poder e autoridade à oposição ao novo regime.

Fitz sentia ter dado uma forte contribuição pessoal ao diretório. O grupo de homens influentes que reunira em Tŷ Gwyn em abril daquele ano formava uma discreta rede dentro da política britânica e havia conseguido incentivar o apoio clandestino, porém significativo, da Grã-Bretanha à resistência russa. Estava certo de que isso, por sua vez, tinha conquistado o apoio de outras nações, ou pelo menos desencorajado qualquer ajuda por parte delas ao regime leninista. Os estrangeiros, no entanto, não podiam fazer tudo: cabia aos próprios russos se rebelarem.

Até onde o diretório conseguiria chegar? Embora o grupo fosse antibolchevique, seu presidente era um socialista revolucionário, Nikolai D. Avkentsiev, que Fitz fazia questão de ignorar. Os socialistas revolucionários eram quase tão ruins quanto o bando de Lênin. As esperanças de Fitz repousavam sobre a direita e os militares. Somente eles teriam capacidade de reinstaurar a monarquia e a propriedade privada. Ele foi encontrar o general Boldyrev, comandante supremo do exército siberiano do diretório.

Os vagões ocupados pelo governo estavam mobiliados com um luxo czarista decadente: assentos de veludo puídos, marchetaria lascada, cúpulas de abajur manchadas e criados idosos vestidos com as sobras encardidas dos uniformes enfeitados da antiga corte de São Petersburgo, com seus trançados e contas. Em um dos vagões, uma jovem de batom usando um vestido de seda fumava um cigarro.

Fitz ficou desanimado. Queria voltar aos velhos tempos, mas aquele ambiente parecia retrógrado demais até para seu gosto. Pensou com raiva na gozação sarcástica do sargento Williams. "O que estamos fazendo é legal?" Fitz sabia que a resposta a essa pergunta era questionável. Já era hora de ele calar a boca de Williams de uma vez por todas, pensou, irado. Aquele rapaz era praticamente um bolchevique.

O general Boldyrev era um homem grande, de aspecto desengonçado.

– Nós mobilizamos 200 mil homens – disse ele a Fitz com orgulho. – O senhor tem condições de equipá-los?

– Impressionante – respondeu Fitz, mas conteve um suspiro. Aquele era justamente o tipo de raciocínio que havia feito o Exército russo de seis milhões de soldados ser derrotado por forças alemãs e austríacas muito menos numerosas. Boldyrev chegava até a usar as dragonas ridículas típicas do antigo regime – grandes placas redondas e franjadas que o faziam parecer o personagem de uma ópera cômica de Gilbert e Sullivan. Com seu russo capenga, Fitz prosseguiu:

– Se eu fosse o senhor, mandaria metade dos convocados de volta para casa.

Boldyrev pareceu atônito:

– Por quê?

– Podemos equipar, no máximo, 100 mil homens. E eles precisam ser treinados. É melhor termos um exército pequeno e disciplinado do que uma turba imensa que vai recuar ou se render à primeira oportunidade.

– Idealmente, sim.

– Os suprimentos que nós lhes dermos devem ser entregues primeiro aos homens da linha de frente, não aos da retaguarda.

– Claro. Muito sensato.

Fitz estava com a sensação desalentadora de que Boldyrev estava concordando com ele sem de fato lhe dar ouvidos. De qualquer forma, tinha que prosseguir.

– Muito do que estamos oferecendo vem sendo desviado, como posso concluir pelo número de civis nas ruas usando peças de uniformes militares britânicos.

– Sim, é verdade.

– Recomendo enfaticamente que todos os oficiais que não estiverem em condições de servir tenham seus uniformes confiscados e sejam instruídos a voltar para casa. – O exército contrarrevolucionário era infestado de amadores e diletantes já idosos que se metiam nas decisões, porém mantinham distância do combate.

– Hum...

– E sugiro que o senhor dê mais poderes ao almirante Kolchak como ministro da Guerra. – O Ministério das Relações Exteriores britânico considerava Kolchak o mais promissor dos membros do diretório.

– Muito bem, muito bem.

– O senhor está disposto a fazer tudo isso? – perguntou Fitz, desesperado para obter algum tipo de compromisso.

– Com certeza.

– Quando?

– Tudo a seu tempo, coronel Fitzherbert, tudo a seu tempo.

Fitz se encheu de desgosto. Ainda bem que homens como Churchill e Curzon não podiam ver como as forças mobilizadas contra o bolchevismo eram pífias, refletiu com pessimismo. Mas quem sabe, com o incentivo dos britânicos, elas não evoluíssem? Fosse como fosse, ele precisava fazer o melhor possível com os recursos à sua disposição.

Ouviu-se uma batida na porta e o capitão Murray, seu ajudante de ordens, entrou trazendo um telegrama.

– Perdoe-me pela interrupção, coronel – disse ele, ofegante. – Mas tenho certeza de que o senhor vai querer saber esta notícia quanto antes.

VI

No meio do dia, Mildred desceu ao térreo e disse a Ethel:

– Vamos para o oeste. – Ela estava se referindo ao West End londrino. – Todo mundo está indo para lá – continuou. – Eu mandei as meninas para casa. – Ela agora empregava duas jovens costureiras para ajudá-la em sua oficina de arremate de chapéus. – O East End inteiro está fechando mais cedo. É o fim da guerra!

Ethel estava animada para ir. O fato de ter cedido à vontade de Bernie não tinha melhorado muito o clima em casa. Ele havia se alegrado, mas ela se tornara mais amargurada. Sair de casa lhe faria bem.

– Eu teria que levar Lloyd – falou.

– Tudo bem, eu levo Enid e Lil. Eles vão se lembrar disso a vida toda: o dia em que ganhamos a guerra.

Ethel preparou um sanduíche de queijo para o almoço de Bernie, vestiu Lloyd com roupas quentes e então eles saíram. Conseguiram pegar um ônibus, mas ele não tardou a ficar lotado, com homens e meninos pendurados do lado de fora. Todas as casas pareciam ter hasteado uma bandeira, não apenas da Grã-Bretanha, mas também do País de Gales, da França e dos Estados Unidos. As pessoas abraçavam desconhecidos, dançavam pelas ruas, se beijavam. Chovia, mas ninguém ligava para isso.

Ethel pensou em todos os rapazes que já não corriam mais perigo, então começou a se esquecer dos próprios problemas e a compartilhar a alegria do momento.

Depois de passarem pelos teatros e entrarem na região em que ficavam os órgãos do governo, o tráfego praticamente parou. A Trafalgar Square era uma massa ondulante de pessoas comemorando. Já não havia como o ônibus avançar, de modo que Ethel e Mildred saltaram com as crianças. Atravessaram a Avenida Whitehall até a Downing Street. Não conseguiram se aproximar da sede do governo, no número 10, por conta da multidão que queria ver o primeiro-ministro Lloyd George, o homem que havia ganhado a guerra. Entraram no St. James's Park, que estava repleto de casais enlaçados em meio aos arbustos. Do outro lado do parque, milhares de pessoas estavam paradas diante do Palácio de Buckingham. Elas entoavam a canção patriótica "Keep the Home Fires Burning" e, quando terminaram de cantá-la, emendaram o hino de louvor a Deus "Now Thank We All Our God". Ethel viu que uma moça magra com um terninho de tweed conduzia o coro de vozes em pé em cima de um caminhão, e pensou que uma garota jamais teria se atrevido a fazer uma coisa daquelas antes da guerra.

O grupo atravessou a rua em direção ao Green Park, esperando conseguir chegar mais perto do palácio. Um rapaz sorriu para Mildred e, quando ela sorriu de volta, abraçou-a e tascou-lhe um beijo. Ela retribuiu com entusiasmo.

– Parece que você gostou do beijo – comentou Ethel, com um pouco de inveja, quando o rapaz se afastou.

– E gostei mesmo – respondeu Mildred. – Teria lhe dado uma chupada se ele tivesse me pedido.

– Não vou contar isso a Billy – disse Ethel com uma risada.

– Billy não é bobo, ele me conhece.

As duas contornaram a multidão com as crianças e chegaram à rua chamada Constitution Hill. Ali havia menos gente, mas elas estavam na lateral do Palácio de Buckingham, de modo que não conseguiriam ver o rei caso ele decidisse sair para a sacada. Ethel estava se perguntando para onde ir em seguida quando uma tropa da polícia montada veio descendo a rua, fazendo as pessoas se afastarem às pressas.

Atrás dos policiais vinha uma carruagem aberta puxada a cavalos e, dentro dela, sorrindo e acenando, estavam o rei e a rainha. Ethel os reconheceu na hora, lembrando-se muito bem de quando os dois haviam visitado Aberowen quase cinco anos atrás. Mal pôde acreditar na própria sorte quando a carruagem começou a vir lentamente em sua direção. Notou que a barba do rei agora estava grisalha: ainda era preta quando ele estivera em Tŷ Gwyn. O monarca parecia exausto, porém feliz. Ao seu lado, a rainha segurava uma sombrinha para proteger o chapéu da chuva. Seus famosos seios pareciam ainda mais fartos do que antes.

– Olhe, Lloyd! – disse Ethel. – É o rei!

A carruagem passou a poucos centímetros de Ethel e Mildred.

– Oi, rei! – falou Lloyd bem alto.

O monarca ouviu e deu um sorriso.

– Oi, rapazinho – respondeu; e então a carruagem passou.

VII

Sentado no vagão-restaurante do trem blindado, Grigori olhou para o outro lado da mesa. O homem sentado à sua frente era presidente do Conselho de Guerra Revolucionário e comissário do povo para assuntos militares e navais. Isso significava que ele comandava o Exército Vermelho. Seu nome era Lev Davidovitch Bronstein, mas, como muitos dos principais revolucionários, ele havia adotado um pseudônimo e era conhecido como Leon Trótski. Completara 39 anos há poucos dias, e o destino da Rússia estava em suas mãos.

A revolução já contava um ano, e Grigori nunca estivera tão preocupado em relação a ela. A tomada do Palácio de Inverno, que havia lhe parecido um desfecho, na verdade fora apenas o início da luta. As nações mais poderosas do mundo eram hostis aos bolcheviques. O armistício assinado naquele dia significava que, agora, essas mesmas nações poderiam concentrar todas as suas forças em destruir a revolução. E somente o Exército Vermelho era capaz de detê-las.

Muitos soldados não gostavam de Trótski por acharem que ele não passava de um aristocrata judeu. Na Rússia, era impossível ser as duas coisas, mas soldados não primavam pela lógica. Trótski não era aristocrata, embora seu pai tivesse sido um próspero agricultor e houvesse lhe proporcionado uma boa instrução. Sua arrogância, no entanto, depunha contra ele, que ainda caíra na asneira de viajar acompanhado de seu próprio *chef* de cozinha e de vestir seus subordinados com botas novas e botões de ouro. Parecia mais velho do que de fato era. Sua cabeleira encaracolada ainda era preta, mas seu rosto passara a exibir rugas de preocupação.

No Exército, ele havia conseguido fazer verdadeiros milagres.

O Exército Vermelho, que tinha derrubado o governo provisório, acabou se mostrando menos eficaz no campo de batalha. Seus homens bebiam muito e eram indisciplinados. Tomar decisões táticas por meio de votações em assembleias de soldados tinha se revelado uma forma ruim de lutar, pior ainda do que receber ordens de aristocratas diletantes. Os Vermelhos tinham perdido batalhas importantes para os contrarrevolucionários, que começavam a se autointitular Exército Branco.

Apesar dos fortes protestos, Trótski reinstituíra o alistamento obrigatório. Havia convocado vários ex-oficiais czaristas, que batizara de "especialistas", e lhes devolvera seus antigos postos. Também havia trazido de volta a pena de morte para os desertores. Grigori não gostava dessas medidas, mas entendia que eram necessárias. Qualquer coisa era melhor do que a contrarrevolução.

O que mantinha o Exército coeso era um núcleo formado por membros do Partido Bolchevique. Estes tinham sido cuidadosamente espalhados por todas as unidades, de modo a maximizar seu impacto. Alguns eram soldados comuns; outros ocupavam postos de comando; e outros ainda, como Grigori, eram comissários políticos que trabalhavam em conjunto com os comandantes militares e faziam relatórios para o Comitê Central Bolchevique em Moscou. Eles mantinham o moral elevado, lembrando aos soldados que estavam lutando pela causa mais nobre da história da humanidade. Quando o Exército era obrigado a ser implacável e cruel, como nas vezes em que confiscavam cereais e cavalos de famílias camponesas paupérrimas, os bolcheviques explicavam aos soldados por que essas medidas eram necessárias para o bem maior. Além disso, relatavam burburinhos de descontentamento assim que eles surgiam, de modo a abafá-los antes que se espalhassem.

Mas será que isso bastaria?

Grigori e Trótski estavam curvados sobre um mapa. Trótski apontava para a região transcaucasiana, situada entre a Rússia e a Pérsia.

– Os turcos ainda controlam o mar Cáspio, com alguma ajuda dos alemães – disse ele.

– O que é uma ameaça aos poços de petróleo – murmurou Grigori.

– Denikin é forte na Ucrânia. – Milhares de aristocratas, oficiais e burgueses fugidos da revolução tinham ido parar em Novocherkassk, onde haviam formado uma força contrarrevolucionária liderada pelo general Denikin.

– O chamado Exército Voluntário – disse Grigori.

– Exatamente. – Trótski moveu o dedo para o norte da Rússia. – Os britânicos têm uma esquadra naval em Murmansk. Em Arkhangelsk, há três batalhões da infantaria norte-americana. Acrescente-se a isso reforços de quase todos os demais países: Canadá, China, Polônia, Itália, Sérvia... talvez fosse mais rápido listar as nações que *não* mandaram soldados para o norte congelado do nosso país.

– E ainda temos a Sibéria.

Trótski aquiesceu.

– Os japoneses e americanos têm forças em Vladivostok. Os tchecos controlam a maior parte da ferrovia transiberiana. Há britânicos e canadenses em Omsk, apoiando o suposto Governo Provisório de toda a Rússia.

Grigori já sabia de quase tudo aquilo, porém nunca havia analisado a situação como um todo.

– Ora, mas nós estamos cercados! – exclamou.

– Exatamente. E, agora que as potências imperial-capitalistas selaram a paz, terão milhões de soldados disponíveis.

Grigori tentou encontrar uma luz no fim do túnel.

– Por outro lado, nos últimos seis meses nós aumentamos o Exército Vermelho de 300 mil para um milhão de homens.

– Eu sei. – O lembrete não animou Trótski. – Mas não é o suficiente.

VIII

A Alemanha estava em plena revolução – e, aos olhos de Walter, ela guardava uma semelhança terrível com a Revolução Russa do ano anterior.

Tudo começou com um motim. Os oficiais da Marinha ordenaram à frota em Kiel que zarpasse e atacasse os britânicos em uma missão suicida, porém, como os marinheiros sabiam que um armistício estava sendo negociado, eles se recusaram. Walter chamara a atenção do pai para o fato de que esses oficiais estavam contrariando a vontade do Kaiser, o que os qualificava como amotinados, e eram os marinheiros quem estavam sendo leais ao regime. Esse argumento deixou Otto apoplético de tanta raiva.

Quando o governo tentou reprimir os marinheiros, um conselho de operários e soldados nos moldes dos sovietes russos assumiu o controle de Kiel. Dois dias depois, Hamburgo, Bremen e Cuxhaven também já eram controladas por sovietes. Na antevéspera, o Kaiser havia abdicado.

Walter estava temeroso. Queria uma democracia, não uma revolução. Contudo, no dia da abdicação, milhares de operários berlinenses haviam saído em passeata, agitando bandeiras vermelhas, e o líder de extrema esquerda Karl

Liebknecht declarara a Alemanha uma república socialista livre. Walter não sabia como aquilo iria terminar.

O armistício foi um dos piores momentos. Ele sempre acreditara que a guerra era um erro terrível, mas estar certo não lhe trazia satisfação alguma. Sua pátria havia sido derrotada e humilhada, e seus conterrâneos passavam fome. Sentado na sala de estar da casa dos pais em Berlim, folheando um jornal, Walter estava tão deprimido que nem conseguia tocar piano. O papel de parede tinha desbotado e as molduras dos quadros acumulavam poeira. O velho piso de madeira estava cheio de tacos soltos, mas não havia quem o consertasse.

Walter só podia torcer para que o mundo aprendesse uma lição. Os 14 Pontos do presidente Wilson eram um raio de luz que talvez pudesse prenunciar o nascer do sol. Será que os gigantes entre as nações conseguiriam encontrar uma forma de resolver suas desavenças de forma pacífica?

Ele estava furioso com um artigo publicado em um jornal de direita.

– Esse jornalista idiota está dizendo que o Exército alemão nunca foi derrotado – falou quando seu pai entrou na sala. – Segundo ele, nós fomos traídos pelos judeus e pelos socialistas do nosso próprio país. Precisamos dar um basta nesse tipo de bobagem.

Irado, Otto assumiu um tom desafiador.

– E por que deveríamos fazer isso? – perguntou ele.

– Porque sabemos que não é verdade.

– Pois eu acho que nós *fomos* traídos pelos judeus e pelos socialistas.

– O quê? – perguntou Walter, incrédulo. – Não foram os judeus nem os socialistas que nos derrotaram duas vezes no rio Marne. Nós perdemos a guerra!

– Nós fomos enfraquecidos pela falta de suprimentos.

– Que foi causada pelo bloqueio britânico. A quem devemos culpar pela entrada dos americanos no conflito? Não foram os judeus nem os socialistas que exigiram uma guerra submarina irrestrita e afundaram navios com passageiros americanos.

– Foram os socialistas que aceitaram os termos ultrajantes do armistício aliado.

Walter quase perdeu a razão de tanta raiva.

– O senhor sabe muito bem que foi Ludendorff quem pediu o armistício. O chanceler Ebert só foi nomeado anteontem. Como o senhor pode colocar a culpa nele?

– Se o Exército ainda estivesse no comando, nós jamais teríamos assinado o documento de hoje.

– Mas vocês não estão no comando, porque perderam a guerra. Vocês disseram ao Kaiser que conseguiriam ganhá-la e, por causa disso, ele perdeu a coroa. Como vamos aprender com nossos erros se vocês deixarem o povo alemão acreditar em mentiras como essas?

– Se o povo achar que fomos derrotados, vai ficar desmoralizado.

– O povo *deveria* ficar desmoralizado! Os líderes europeus agiram de forma perversa e tola, e o resultado foi que 10 milhões de homens morreram. Ao menos permita que os alemães entendam isso, para que eles nunca mais deixem acontecer novamente!

– Não – respondeu seu pai.

Parte Três

UM NOVO MUNDO

CAPÍTULO TRINTA E QUATRO

De novembro a dezembro de 1918

No dia seguinte ao armistício, Ethel acordou cedo. Tremendo de frio na cozinha de piso de pedra, esperando a chaleira ferver no fogão antiquado, ela tomou a decisão de ser feliz. Havia vários motivos para tanto. Não só a guerra acabara como ela estava esperando outro filho. Tinha um marido fiel que a adorava. As coisas não haviam saído exatamente conforme seus planos, mas ela não deixaria que isso a entristecesse. Decidiu pintar sua cozinha com um tom vivo de amarelo. Cores fortes estavam na moda.

Mas antes precisava tentar consertar seu casamento. Bernie tinha se apaziguado com a sua desistência, porém ela continuava amargurada, o que por sua vez mantinha o ambiente pesado dentro de casa. Ethel sentia raiva, mas não queria que a briga durasse para sempre. Ficou imaginando se conseguiria fazer as pazes com ele.

Levou duas xícaras de chá até o quarto e voltou para a cama. Lloyd ainda dormia em seu berço no canto.

– Como está se sentindo? – perguntou enquanto Bernie se sentava e punha os óculos.

– Melhor, acho.

– Passe mais um dia na cama, para garantir que a gripe vá embora de vez.

– Acho que vou fazer isso. – Seu tom estava neutro, nem carinhoso, nem hostil. Ela bebericou o chá quente.

– O que você prefere: menino ou menina?

Bernie ficou calado, e a princípio Ethel achou que ele estivesse se recusando a responder de birra, mas na verdade estava só pensando por alguns instantes, como geralmente fazia antes de responder a uma pergunta. Por fim, falou:

– Bem, nós já temos um menino, então acho que seria bom ter um de cada.

Ela sentiu uma onda de afeto por ele. Bernie sempre falava como se Lloyd fosse seu filho.

– Temos que garantir que este seja um bom país para eles crescerem – disse ela. – Um país onde possam ter uma boa instrução, um emprego e uma casa decente para criar os próprios filhos. E sem mais nenhuma guerra.

– Lloyd George vai convocar uma eleição de emergência.

– Você acha?

– Ele é o homem que ganhou a guerra. Vai querer ser reeleito antes de a euforia passar.

– Acho que o Partido Trabalhista ainda vai se sair bem.

– Nós temos chance em lugares como Aldgate, pelo menos.

Ethel hesitou.

– Você gostaria que eu administrasse a sua campanha?

Bernie pareceu indeciso.

– Eu pedi a Jock Reid para ser meu assessor.

– Jock pode cuidar da papelada jurídica e das finanças – falou Ethel. – Eu organizo os comícios, essas coisas. Sou muito melhor do que ele nisso. – De repente, ela teve a sensação de que aquela conversa era sobre seu casamento, não apenas sobre a campanha.

– Tem certeza de que quer fazer isso?

– Tenho. Jock só iria mandar você fazer discursos. Você vai precisar fazer isso, é claro, mas não é seu ponto forte. Você lida melhor com grupos pequenos, conversando com as pessoas enquanto toma uma xícara de chá. Eu posso colocá-lo para ir a fábricas e armazéns, onde você poderá conversar informalmente com os operários.

– Você tem razão, sem dúvida – disse Bernie.

Ela terminou de beber o chá e pôs a xícara e o pires no chão ao lado da cama.

– Quer dizer que você está se sentindo melhor?

– Estou.

Ela pegou a xícara e o pires dele, colocou-os no chão e então tirou a camisola pela cabeça. Seus seios já não eram mais tão empinados quanto antes da gravidez de Lloyd, mas ainda eram firmes e redondos.

– Melhor quanto? – perguntou.

Ele encarou seu corpo nu.

– Bastante.

Os dois não faziam amor desde a noite em que Jayne McCulley havia proposto a candidatura de Ethel. Ela sentia muita falta. Segurou os dois seios com as mãos. O ar frio do quarto deixava seus mamilos tesos.

– Sabe o que é isto aqui?

– Se não me engano, são os seus seios.

– Há quem os chame de peitos.

– Eu os chamo de lindos. – A voz dele havia ficado um pouco rouca.

– Você quer brincar com eles?

— O dia inteiro.

— Isso eu já não sei — disse ela. — Mas comece assim mesmo para nós vermos o que acontece.

— Está bem.

Ethel suspirou, feliz. Os homens eram tão simples.

Uma hora depois, ela saiu para o trabalho, deixando Lloyd com Bernie. Não havia muita gente na rua: aquela manhã, Londres estava de ressaca. Ela chegou ao escritório do Sindicato Nacional dos Trabalhadores da Indústria Têxtil e sentou-se diante de sua mesa. Enquanto pensava no dia de trabalho que tinha pela frente, deu-se conta de que a paz criaria novos problemas para o setor industrial. Milhões de homens liberados do Exército estariam à procura de emprego e iriam querer expulsar as mulheres que vinham ocupando seus postos havia quatro anos. Essas mulheres, no entanto, precisavam de seus salários. Nem todas tinham um homem prestes a voltar da França: muitos de seus maridos estavam enterrados lá. Elas precisavam do sindicato, e de Ethel.

Quando chegasse a eleição, o sindicato naturalmente apoiaria o Partido Trabalhista. Ethel passou a maior parte do dia planejando reuniões.

Os jornais vespertinos trouxeram notícias surpreendentes sobre a eleição. Lloyd George decidira manter o governo de coalizão mesmo em tempos de paz. Não faria campanha como líder dos liberais, mas sim como chefe da coalizão. Naquela mesma manhã, havia discursado para 200 parlamentares liberais na sede do governo e conquistara o apoio deles. Ao mesmo tempo, Bonar Law havia convencido os parlamentares conservadores a apoiarem a ideia.

Ethel ficou pasma. Se fosse assim, em quem as pessoas deveriam votar?

Ao chegar em casa, encontrou Bernie furioso.

— Isso não é um pleito, é uma droga de uma coroação — disse ele. — Rei David Lloyd George. Que traidor. Ele teve a chance de criar um governo de esquerda radical, e o que fez? Continuou do lado de seus amiguinhos conservadores! É um vira-casaca, isso sim.

— Não vamos desistir ainda — disse Ethel.

Dois dias mais tarde, o Partido Trabalhista se retirou da coalizão e anunciou que faria campanha contra Lloyd George. Quatro parlamentares trabalhistas que eram ministros do governo se recusaram a renunciar e foram prontamente expulsos do partido. A eleição foi marcada para o dia 14 de dezembro. Para que houvesse tempo de os votos dos soldados serem trazidos da França e contados, os resultados só seriam divulgados depois do Natal.

Ethel começou a montar o cronograma de campanha de Bernie.

II

No dia seguinte ao armistício, Maud escreveu para Walter no papel timbrado do irmão e depositou a carta na caixa de correio vermelha da esquina.

Não fazia ideia de quanto tempo o serviço levaria para se normalizar, mas, quando isso acontecesse, queria que seu envelope estivesse no alto da pilha. Redigiu seu texto com cuidado, para o caso de a censura continuar em vigor: não se referiu ao casamento, mas disse apenas torcer para que os dois pudessem retomar seu antigo relacionamento agora que seus países haviam selado a paz. Talvez a carta fosse arriscada assim mesmo. Mas ela estava desesperada para descobrir se Walter estava vivo e, caso estivesse, para vê-lo.

Temia que os Aliados vitoriosos fossem querer punir o povo alemão, porém o discurso de Lloyd George dirigido aos parlamentares liberais naquele dia tinha sido tranquilizador. Segundo os jornais vespertinos, ele dizia que a paz com a Alemanha precisava ser imparcial e justa. "Não podemos permitir que nenhum sentimento de vingança, nenhum impulso de ganância, nenhum tipo de cobiça passe por cima dos princípios fundamentais da justiça." O governo resistiria com determinação ao que ele chamou de "um conceito de vingança e mesquinhez reles, sórdido e ordinário". Isso a alegrou. De toda forma, a vida dos alemães já seria dura o bastante dali para a frente.

Contudo, no dia seguinte, ficou horrorizada ao abrir o *Daily Mail* durante o café da manhã. O título da matéria principal era OS HUNOS DEVEM PAGAR. O jornal defendia o envio de ajuda alimentícia aos alemães – só porque "se a Alemanha morrer de fome, não vai poder pagar o que deve". O Kaiser, prosseguia o texto, deveria ser julgado por crimes de guerra. O jornal também atiçava as chamas da vingança ao publicar, no alto de sua coluna de cartas, uma crítica virulenta da viscondessa Templetown intitulada FORA HUNOS.

– Por quanto tempo precisaremos continuar odiando uns aos outros? – perguntou Maud a tia Herm. – Um ano? Dez? Para sempre?

Maud, no entanto, não deveria ter ficado surpresa. O *Mail* havia fomentado uma campanha de ódio contra os 30 mil alemães que viviam na Grã-Bretanha no início da guerra – grande parte deles residentes de longa data, que consideravam o país o seu lar. Consequentemente, famílias haviam sido separadas e milhares de pessoas inofensivas tinham passado anos em campos de concentração britânicos. Era uma burrice, mas as pessoas precisavam de alguém para odiar e os jornais estavam sempre prontos para suprir essa demanda.

Maud conhecia o dono do *Mail*, lorde Northcliffe. Como todos os figurões da imprensa, ele realmente acreditava nos disparates que publicava. Seu talento era dar voz aos preconceitos mais tacanhos e ignorantes de seus leitores como se estes fizessem sentido, de modo que o vergonhoso parecesse louvável. Era por isso que as pessoas compravam o jornal.

Ela sabia também que, recentemente, Lloyd George havia desdenhado Northcliffe. O arrogante magnata da imprensa havia proposto que ele próprio fizesse parte da delegação britânica na conferência de paz que estava por vir – e ficara ofendido quando o primeiro-ministro recusara seu nome.

Maud estava preocupada. Na política, às vezes era preciso fazer as vontades de pessoas desprezíveis, mas Lloyd George parecia ter se esquecido disso. Ela se perguntou, aflita, qual seria o impacto da propaganda maliciosa do *Mail* sobre a eleição.

Poucos dias depois, descobriu.

Ela foi a uma assembleia eleitoral em uma sala municipal no East End londrino. Eth Leckwith estava na plateia e seu marido, Bernie, no palanque. Embora as duas tivessem sido amigas e colegas de luta durante anos, Maud não havia feito as pazes com Ethel. Na verdade, ela ainda tremia de raiva quando se lembrava de como Ethel e outros haviam incentivado o Parlamento a aprovar a lei que deixava as mulheres em desvantagem em relação aos homens nas eleições. Mesmo assim, sentia falta da animação e do sorriso fácil da antiga amiga.

Durante as apresentações, a plateia se mostrou indócil. Por mais que algumas mulheres já pudessem votar, os homens ainda eram maioria. Maud supôs que grande parte das mulheres ainda não tivesse se acostumado à ideia de que precisava se interessar por debates políticos. No entanto, também achava que elas ficariam intimidadas com o tom das reuniões políticas, em que os homens subiam em um palanque para fazer discursos fervorosos enquanto a plateia aplaudia ou vaiava.

Bernie foi o primeiro a falar. Maud viu na mesma hora que ele não era um grande orador. Falou sobre o novo estatuto do Partido Trabalhista, em especial sobre a quarta cláusula, que exigia o controle estatal sobre os meios de produção. Maud achou isso interessante, pois traçava uma divisão clara entre os trabalhistas e os liberais defensores da indústria – mas logo percebeu que estava em minoria. O homem sentado ao seu lado foi ficando cada vez mais irrequieto e, por fim, gritou:

– Vocês vão enxotar os alemães do nosso país?

Bernie ficou sem ação. Depois de balbuciar por alguns instantes, ele disse:

– Eu faria qualquer coisa que beneficiasse o trabalhador. – Maud se perguntou como ficavam as trabalhadoras, e imaginou que Ethel estivesse pensando a mesma coisa. – Mas não creio que medidas contra os alemães na Grã-Bretanha sejam prioridade.

A resposta não foi muito bem recebida e, na verdade, provocou uma ou outra vaia.

– Mas, voltando a assuntos mais importantes...

Do outro lado da sala, alguém gritou:

– E quanto ao Kaiser?

Bernie cometeu o erro de responder ao ouvinte inoportuno com uma pergunta.

– O que tem o Kaiser? – retorquiu. – Ele abdicou.

– Ele deve ou não ser julgado?

– Será que vocês não entendem que um julgamento significa que ele poderá se defender? – perguntou Bernie, exasperado. – Querem mesmo dar ao imperador da Alemanha a possibilidade de proclamar sua inocência ao mundo?

Era um argumento convincente, pensou Maud, mas não era o que a plateia queria ouvir. As vaias ficaram mais fortes e ouviram-se gritos de "Enforquem o Kaiser!".

Os eleitores britânicos ficavam agressivos se você os atiçasse, pensou Maud, pelo menos os homens. Poucas mulheres iriam querer participar de reuniões como aquela.

– Se nós enforcássemos nossos inimigos derrotados, não passaríamos de bárbaros – disse Bernie.

O homem ao lado de Maud gritou novamente:

– Vocês vão fazer o huno pagar?

Isso gerou a reação mais forte de todas. Várias pessoas exclamaram: "Façam o huno pagar!"

– Sim, mas com sensatez – começou Bernie, porém não conseguiu ir além disso.

– Façam o huno pagar! – O clamor se generalizou e, em poucos instantes, todos entoavam em uníssono: – Façam o huno pagar! Façam o huno pagar!

Maud se levantou da cadeira e foi embora.

III

Woodrow Wilson foi o primeiro presidente norte-americano a sair do país durante o mandato.

Em 4 de dezembro, ele zarpou de Nova York. Nove dias depois, Gus estava à sua espera no cais de Brest, na extremidade ocidental da península bretã, na

França. Ao meio-dia, a névoa se dissipou e o sol saiu pela primeira vez em dias. Na baía, navios de guerra franceses, britânicos e norte-americanos formavam uma guarda de honra, pelo meio da qual o presidente passou a bordo do navio de transporte de tropas da Marinha americana *George Washington*. Houve uma salva de tiros em sua homenagem e uma banda tocou o hino dos Estados Unidos.

Para Gus, foi um momento solene. Wilson tinha ido até ali para garantir que nunca mais houvesse uma guerra como a que acabara há pouco. Os 14 Pontos de Wilson e sua Liga das Nações pretendiam mudar para sempre a forma como os países solucionavam seus conflitos. Era uma ambição incomensurável. Em toda a história da civilização, nenhum político jamais havia almejado tanto. Se Wilson tivesse sucesso, o mundo seria outro.

Às três da tarde, a primeira-dama Edith Wilson desceu a prancha de desembarque de braços dados com o general Pershing, seguidos pelo presidente, que usava uma cartola.

A cidade de Brest recebeu Wilson como um herói conquistador. *Vive Wilson*, diziam os cartazes, *Défenseur du Droit des Peuples*. Viva Wilson, Defensor dos Direitos dos Povos. Todos os prédios ostentavam a bandeira norte-americana hasteada. Multidões ocupavam as calçadas, sendo que muitas das mulheres usavam o tradicional toucado bretão, com seu arranjo alto e rendado. Gaitas de foles ressoavam por toda parte. Dessas, Gus não fazia a menor questão.

O ministro das Relações Exteriores francês fez um discurso de boas-vindas. Gus se juntou ao grupo dos jornalistas americanos. Reparou em uma mulher baixinha com um grande chapéu de pele. Quando ela virou a cabeça, viu que seu rosto bonito era maculado por um olho permanentemente fechado. Encantado, abriu um sorriso: era Rosa Hellman. Estava louco para saber a opinião dela sobre a conferência de paz.

Após os discursos, toda a comitiva presidencial embarcou no trem noturno para a viagem de quase 650 quilômetros até Paris. O presidente apertou a mão de Gus e disse:

– Fico feliz por tê-lo de volta à nossa equipe, Gus.

Wilson queria estar acompanhado por colaboradores conhecidos para a Conferência de Paz de Paris. Seu principal conselheiro seria o coronel House, o texano pálido com o qual vinha se consultando extraoficialmente sobre questões de política externa há anos. Gus seria o mais jovem do grupo.

Wilson parecia cansado, e ele e Edith se recolheram à sua cabine. Gus estava preocupado. Ouvira boatos de que o presidente andava mal de saúde. Em 1906, um vaso havia estourado atrás do seu olho esquerdo, causando uma cegueira temporária; os médicos diagnosticaram pressão alta e o aconselharam a se aposentar. Wilson, é claro, ignorara solenemente o conselho e acabara sendo eleito presidente – mas, ultimamente, vinha tendo dores de cabeça que talvez fossem um novo sintoma do velho problema de pressão. A conferência de paz seria árdua: Gus torcia para que Wilson aguentasse firme.

Rosa também estava no trem. Gus sentou-se em frente a ela no estofado brocado do vagão-restaurante.

– Estava me perguntando se o veria aqui – disse ela. Parecia feliz por tê-lo encontrado.

– O Exército me liberou – disse Gus, que ainda usava seu uniforme de capitão.

– Lá nos Estados Unidos, Wilson foi duramente criticado pela escolha de seus colaboradores. O que não inclui você, é claro...

– Sou peixe pequeno.

– Mas alguns disseram que ele não deveria ter trazido a mulher.

Gus deu de ombros. Aquilo parecia irrelevante. Depois da experiência do campo de batalha, seria difícil levar a sério algumas das preocupações que as pessoas tinham em tempos de paz.

– E, o que é mais importante, ele não trouxe nenhum republicano.

– Ele quer aliados na equipe, não inimigos – falou Gus, indignado.

– Ele precisa de aliados nos Estados Unidos também – disse Rosa. – Já perdeu o Congresso.

Ela estava certa, e Gus se lembrou de como Rosa era inteligente. As eleições para a Câmara dos Representantes e o Senado realizadas no meio de seu mandato haviam sido desastrosas para Wilson. Os republicanos tinham ganhado o controle das duas casas.

– Como isso aconteceu? – quis saber ele. – Fiquei totalmente fora do ar nesse período.

– O povo está farto de racionamentos e preços altos e o final da guerra não chegou a tempo de ajudar. Além disso, os liberais odeiam a Lei de Espionagem. Ela permitiu a Wilson prender qualquer um que discordasse da guerra. E ele não teve o menor pudor de usá-la: Eugene Debs foi condenado a 10 anos. – Debs era o candidato socialista à eleição presidencial. Rosa então concluiu em um tom raivoso: – Você não pode jogar seus opositores na cadeia e, ao mesmo tempo, fingir acreditar na liberdade.

Gus se lembrou de quanto gostava do duelo de espadas que era debater um assunto com Rosa.

– Na guerra, a liberdade às vezes precisa ser comprometida – disse ele.

– Obviamente, os eleitores americanos não pensam assim. E tem mais uma coisa: Wilson instaurou a segregação nos departamentos do governo.

Gus não sabia se os negros algum dia poderiam ser alçados ao mesmo nível dos brancos, porém, como a maioria dos norte-americanos liberais, achava que a melhor forma de descobrir era lhes dar oportunidades melhores e ver o que acontecia. Wilson e sua mulher, no entanto, eram sulistas – e não compartilhavam essa opinião.

– Edith não quis levar sua criada para Londres por medo de que a moça ficasse mal-acostumada – disse Gus. – Segundo ela, os britânicos são educados demais com os negros.

– Woodrow Wilson não é mais o queridinho da esquerda nos Estados Unidos – concluiu Rosa. – O que significa que ele vai precisar de apoio republicano para sua Liga das Nações.

– Imagino que Henry Cabot Lodge esteja se sentindo esnobado. – Lodge era um republicano de direita.

– Você sabe como são os políticos – disse Rosa. – Parecem garotinhas de tão melindrosos, só que são mais vingativos. Lodge é presidente do Comitê de Relações Exteriores do Senado. Wilson deveria tê-lo trazido a Paris.

– Mas Lodge é contra a própria ideia de uma Liga das Nações! – protestou Gus.

– Saber escutar pessoas inteligentes que discordam das suas opiniões é um talento raro, mas que um presidente deveria ter. E trazer Lodge para cá iria neutralizá-lo. Como membro da equipe, ele não poderia voltar para casa e lutar contra o que tivesse sido decidido em Paris.

Novamente, Rosa tinha razão, supôs Gus. No entanto, o idealista Wilson acreditava que a força do que era certo poderia superar qualquer obstáculo. Ele subestimava a necessidade de bajular, convencer e seduzir.

Em homenagem ao presidente, a comida estava boa. Foi servido um linguado fresco do Atlântico ao molho de manteiga. Desde antes da guerra que Gus não comia tão bem. Achou divertido ver como Rosa devorava seu prato. Onde uma mulher pequena como ela conseguia guardar tanta comida?

Após a refeição, serviram-lhes um café forte em xícaras bem pequenas. Gus percebeu que não queria se retirar para sua cabine e deixar Rosa. Estava interessado demais em conversar com ela.

– Seja como for, Wilson estará em uma posição muito favorável em Paris – disse ele.

Rosa aparentou ceticismo:

– Como assim?

– Bem, em primeiro lugar, nós ganhamos a guerra para os Aliados.

Ela aquiesceu:

– "Em Château-Thierry, nós salvamos o mundo", disse Wilson.

– Chuck Dixon e eu lutamos nessa batalha.

– Foi lá que ele morreu?

– Atingido em cheio por uma bomba. Foi a primeira baixa que eu presenciei. Infelizmente, não foi a última.

– Fico muito sentida, sobretudo pela mulher dele. Conheço Doris há anos, nós tivemos a mesma professora de piano.

– Mas não sei se nós salvamos o mundo – prosseguiu Gus. – Houve muito mais franceses, britânicos e russos mortos do que americanos. Mas nós desequilibramos a balança. Isso deve servir de alguma coisa.

Ela sacudiu a cabeça, agitando os cachos escuros.

– Discordo. Com a guerra terminada, os europeus não precisam mais de nós.

– Aparentemente, homens como Lloyd George pensam que o poderio militar norte-americano não pode ser ignorado.

– Então ele está enganado – disse Rosa. Gus ficou surpreso e intrigado ao ouvir uma mulher falar sobre um assunto daqueles com tamanha convicção. – Imagine que os franceses e britânicos simplesmente se recusem a apoiar Wilson – disse ela. – Ele por acaso usaria o Exército para impor suas ideias? Não. E, mesmo que quisesse fazer isso, um Congresso republicano não permitiria.

– Nós temos poder econômico e financeiro.

– Com certeza os Aliados nos devem muito dinheiro, mas não sei bem quanto poder de barganha isso nos dá. Existe um ditado que diz: se você deve 100 dólares, está na palma da mão do banco; mas, se deve um milhão, é o banco que está na palma da sua mão.

Gus estava começando a ver que a tarefa de Wilson talvez fosse mais difícil do que ele previra.

– Está bem, mas e quanto à opinião pública? Você viu como Wilson foi recebido em Brest. A Europa em massa está confiando nele para criar um mundo pacífico.

– Esse é seu maior trunfo. As pessoas estão fartas de carnificina. "Nunca mais", é o grito delas. Só espero que Wilson consiga lhes dar o que querem.

Os dois voltaram para suas cabines e se despediram. Gus passou um bom tempo acordado, pensando em Rosa e em suas palavras. Ela era de fato a mulher mais inteligente que havia conhecido na vida. E era linda, também. Por algum motivo, era fácil se esquecer do seu olho. A princípio, parecia uma deformidade terrível, mas, depois de algum tempo, Gus parou de reparar nele.

Contudo, Rosa havia se mostrado pessimista em relação à conferência. E tudo o que ela dizia era verdade. Gus agora via que Wilson tinha uma batalha pela frente. Estava exultante por ser parte daquela equipe e decidido a fazer tudo ao seu alcance para transformar os sonhos do presidente em realidade.

Durante a madrugada, ele olhou pela janela do trem que seguia para o leste, atravessando a França. Ao cruzarem uma cidade, Gus ficou surpreso ao ver uma multidão nas plataformas da estação e na estrada paralela à ferrovia assistindo à passagem deles. Estava escuro, mas a luz das lamparinas deixava as pessoas claramente visíveis. Eram milhares: homens, mulheres e crianças. Ninguém aplaudia, o silêncio era quase total. Viu que homens e meninos tiraram os chapéus – um gesto de respeito que o comoveu de tal forma que ele quase chorou. Aquelas pessoas haviam esperado metade da noite para ver o trem que transportava a esperança do mundo.

CAPÍTULO TRINTA E CINCO

Dezembro de 1918 a fevereiro de 1919

Os votos foram contados três dias depois do Natal. Eth e Bernie Leckwith estavam na prefeitura de Aldgate para ouvir os resultados. Bernie sobre o palanque com seu melhor terno, Eth na plateia.

Bernie perdeu.

Ele se manteve impassível, mas Ethel chorou. Para Bernie, era o fim de um sonho. Talvez tivesse sido um sonho bobo, porém isso não diminuía sua tristeza, e ela ficou desolada pelo marido.

O candidato liberal tinha apoiado a coalizão de Lloyd George, de modo que não houvera candidato conservador. Consequentemente, os votos dos conservadores migraram para os liberais e os trabalhadores ficaram impotentes diante dessa combinação.

Bernie parabenizou o adversário vitorioso e desceu do palanque. Os outros membros do Partido Trabalhista tinham uma garrafa de uísque e queriam afogar as mágoas, mas Bernie e Ethel foram para casa.

– Eu não fui feito para isso, Eth – disse Bernie enquanto ela fervia água para um chocolate quente.

– Você fez um bom trabalho – respondeu ela. – Aquele desgraçado do Lloyd George nos passou a perna.

Porém Bernie sacudiu a cabeça.

– Eu não sou um líder – disse ele. – Sou um pensador, um planejador. Já tentei muitas vezes conversar com as pessoas como você faz, deixá-las entusiasmadas pela nossa causa, mas nunca consegui. As pessoas amam você só de ouvir a sua voz. Essa é a diferença.

Ethel sabia que ele tinha razão.

Na manhã seguinte, os jornais mostraram que o resultado de Aldgate havia sido espelhado por todo o país. A coalizão conquistara 525 dos 707 assentos, uma das maiorias mais significativas da história do Parlamento. O povo havia votado no homem que vencera a guerra.

Ethel estava muito decepcionada. Os velhos continuavam a governar o país. Naquele momento, os políticos que haviam causado milhões de mortes estavam comemorando como se tivessem feito algo maravilhoso. Mas o que eles tinham conseguido? Dor, fome, destruição. Dez milhões de homens e rapazes haviam morrido em vão.

A única centelha de esperança era que o Partido Trabalhista havia ganhado mais destaque. De 42 assentos parlamentares, eles tinham passado para 60.

Os maiores prejudicados foram os liberais anti-Lloyd George. Eles haviam conquistado apenas 30 distritos eleitorais, sendo que o próprio Asquith perdera sua cadeira no Parlamento.

– Isso pode ser o fim do Partido Liberal – disse Bernie enquanto passava banha no pão para o almoço. – Eles decepcionaram as pessoas, e a oposição agora é o Partido Trabalhista. Esse talvez seja o nosso único consolo.

Pouco antes de saírem para o trabalho, o correio chegou. Ethel deu uma olhada na correspondência enquanto Bernie amarrava os cadarços dos sapatos de Lloyd. Havia uma carta de Billy escrita em código. Ela se sentou à mesa da cozinha para decodificá-la.

Sublinhou as palavras-chave com um lápis, anotando-as em um bloquinho. À medida que decifrava a mensagem, foi ficando cada vez mais fascinada.

– Você sabe que Billy está na Rússia – disse ela a Bernie.

– Sei.

– Bom, segundo ele, nosso Exército está lá para lutar contra os bolcheviques. O Exército americano também está lá.

– Isso não me espanta.

– Sim, mas escute, Bern – disse ela. – Nós sabemos que o Exército Branco não tem condições de derrotar os bolcheviques. Mas e se os exércitos estrangeiros entrarem na dança? Tudo pode acontecer!

Bernie assumiu uma expressão pensativa.

– Eles podem reinstaurar a monarquia.

– O povo deste país não vai aceitar isso.

– O povo deste país não sabe o que está acontecendo.

– Então é melhor nós avisarmos – disse Ethel. – Vou escrever um artigo.

– Quem vai publicar?

– Veremos. Talvez o *Daily Herald*. – O *Herald* era um jornal de esquerda. – Você pode levar Lloyd até a casa da babá?

– Posso, claro.

Depois de pensar por um minuto, Ethel escreveu no topo de uma folha de papel:

DEIXEM A RÚSSIA EM PAZ!

II

Andar por Paris levou Maud às lágrimas. Pilhas de escombros se acumulavam ao longo dos amplos bulevares, nos locais atingidos pelas bombas alemãs. Os prédios majestosos exibiam janelas remendadas com tábuas, trazendo-lhe a lembrança dolorosa de que seu belo irmão agora tinha o olho deformado. As fileiras de árvores das alamedas estavam falhadas, pois, aqui e ali, castanheiros ou plátanos muito antigos haviam sido sacrificados em troca de madeira. Metade das mulheres vestia preto em sinal de luto e, nas esquinas, soldados aleijados pediam esmola.

Ela também chorava por Walter. Não recebera nenhuma resposta à sua carta. Informara-se sobre ir à Alemanha, mas era impossível. Já havia sido difícil conseguir permissão para ir a Paris. Chegara a nutrir esperanças de que Walter talvez fosse até lá com a delegação alemã, mas não havia delegação alemã alguma: os países derrotados não tinham sido convidados para a conferência de paz. Os Aliados vitoriosos pretendiam discutir um acordo entre si e depois apresentar aos perdedores um tratado para assinar.

Enquanto isso, faltava carvão e fazia muito frio em todos os hotéis. Maud ocupava uma suíte no Majestic, onde estava baseada a delegação britânica. Para se protegerem contra espiões franceses, os britânicos haviam substituído todos os funcionários por seu próprio pessoal. Consequentemente, a comida era difícil de engolir: mingau no café da manhã, legumes cozidos demais e café ruim.

Vestindo um casaco de peles de antes da guerra, Maud foi encontrar Johnny Remarc no Fouquet's, um restaurante nos Champs-Elysées.

– Obrigada por possibilitar minha vinda a Paris – disse ela.

– Faço qualquer coisa por você, Maud. Mas por que estava querendo tanto vir para cá?

Ela não iria dizer a verdade, muito menos a alguém que adorava fofocar.

– Para fazer compras – respondeu. – Faz quatro anos que não compro um vestido novo.

– Ah, não me venha com essa conversa – disse ele. – Não há quase nada para comprar aqui, e o pouco que há custa uma fortuna. Mil e quinhentos francos por um vestido! Nem Fitz deixaria uma coisa dessas. Acho que você deve ter um amante francês.

– Quem me dera. – Ela mudou de assunto. – Encontrei o carro de Fitz. Você sabe onde posso conseguir gasolina?

– Vou ver o que posso fazer.

Eles pediram o almoço.

– Você acha que nós vamos mesmo fazer os alemães pagarem bilhões de indenização? – perguntou Maud.

– Eles não estão em condições de se opor – respondeu Johnny. – Depois da guerra franco-prussiana, obrigaram a França a pagar cinco bilhões de francos, e os franceses quitaram a dívida em três anos. E em março do ano passado, no Tratado de Brest-Litovsk, a Alemanha fez os bolcheviques se comprometerem a pagar seis bilhões de marcos, embora esse valor não vá mais ser pago, por motivos óbvios. Seja como for, a virtuosa indignação da Alemanha soa hipócrita.

Maud detestava quando as pessoas falavam com rispidez sobre os alemães. Era como se, pelo simples fato de eles terem perdido, fossem animais. *Caso nós fôssemos os perdedores*, teve vontade de dizer, *seríamos forçados a dizer que a guerra era nossa culpa e pagar por tudo?*

– Mas nós estamos pedindo muito mais. Vinte e quatro bilhões de libras, no total, enquanto os franceses estão exigindo quase o dobro.

– É difícil argumentar com os franceses – disse Johnny. – Eles nos devem 600 milhões de libras, e mais ainda aos americanos; mas, se nós lhes negarmos o direito à indenização alemã, vão dizer que não podem nos pagar.

– E os alemães podem pagar o que estamos pedindo?

– Não. Segundo meu amigo Pozzo Keynes, eles podem pagar cerca de um décimo, ou seja, dois bilhões de libras, mas isso pode arruinar o país.

– Você está se referindo a John Maynard Keynes, o economista de Cambridge?

– Isso. Nós o chamamos de Pozzo.

– Eu não sabia que ele era um dos seus... amigos.

Johnny sorriu.

– Ah, sim, minha querida, você nem imagina.

Maud sentiu uma inveja momentânea da alegre devassidão de Johnny. Havia se esmerado em reprimir a própria necessidade de amor físico. Fazia quase dois anos que não era tocada por um homem. Ela se sentia uma freira velha, enrugada e ressequida.

– Mas que carinha triste! – Johnny não deixava passar muita coisa. – Espero que você não esteja apaixonada por Pozzo.

Ela riu, voltando em seguida a falar de política:

– Se nós sabemos que os alemães não podem pagar, por que Lloyd George está insistindo?

– Eu lhe fiz essa pergunta pessoalmente. Nós nos conhecemos bem desde que ele era ministro das Munições. Segundo ele, todos os participantes do conflito vão acabar simplesmente pagando suas dívidas e ninguém vai embolsar indenização nenhuma.

– Então por que esse teatro todo?

– Porque, no fim das contas, quem vai pagar pela guerra são os contribuintes de cada país, mas qualquer político que lhes dissesse isso nunca mais ganharia uma eleição.

III

Gus compareceu às reuniões diárias da Comissão da Liga das Nações. O grupo tinha a função de redigir a minuta do acordo que daria origem à liga. O próprio Woodrow Wilson presidia a comissão, e estava com pressa.

Wilson havia dominado completamente o primeiro mês da conferência. Rechaçara as pretensões francesas de priorizar as indenizações devidas pela Alemanha e deixar a liga em segundo plano, insistindo para que esta estivesse incluída em qualquer tratado assinado por ele.

A Comissão da Liga se reuniu no luxuoso Hôtel Crillon, na Place de la Concorde. Os elevadores hidráulicos eram antigos e lentos, e às vezes ficavam parados entre dois andares enquanto a pressão da água aumentava. Gus achava aqueles elevadores bem parecidos com os diplomatas europeus, que gostavam mesmo era de uma discussão demorada e só tomavam uma decisão quando forçados. Riu por dentro ao ver que tanto os diplomatas quanto os elevadores deixavam o presidente norte-americano irritadiço e resmungando de impaciência.

Os 19 membros da comissão se acomodaram ao redor de uma grande mesa coberta por uma toalha vermelha. Todos contavam com seus respectivos intérpretes, sentados às suas costas e murmurando em seus ouvidos, e com assessores que se espalhavam pela sala, com pastas e cadernos nas mãos. Gus notou que os europeus ficaram impressionados com a capacidade de seu chefe de fazer a pauta avançar. Algumas pessoas tinham dito que a redação do pacto levaria meses, ou até anos; enquanto outros diziam que as nações jamais chegariam a um acordo. Contudo, para felicidade de Gus, em 10 dias eles estavam prestes a concluir a minuta.

Wilson precisava voltar aos Estados Unidos no dia 14 de fevereiro. Não tardaria a retornar à Europa, porém estava determinado a levar uma primeira versão do acordo para casa.

Infelizmente, na tarde anterior à sua partida, os franceses criaram um grande empecilho. Eles propuseram que a Liga das Nações tivesse o seu próprio exército.

Desesperado, Wilson revirou os olhos.

– Impossível – grunhiu.

Gus sabia por quê. O Congresso jamais autorizaria que soldados norte-americanos fossem controlados por outra entidade.

O representante francês, o ex-primeiro-ministro Léon Bourgeois, argumentou que a liga seria ignorada se não tivesse o poder de impor suas decisões.

Gus compartilhava a frustração de Wilson. Havia outras formas de a liga pressionar as nações recalcitrantes: diplomacia, sanções econômicas e, em último caso, um exército *ad hoc*, que seria usado para uma missão específica e desmantelado assim que ela fosse concluída.

Bourgeois, no entanto, disse que nada disso teria protegido a França da Alemanha. Os franceses não conseguiam se concentrar em mais nada. Talvez fosse até compreensível, pensou Gus, mas não era assim que criariam uma nova ordem mundial.

Lorde Robert Cecil, que havia redigido boa parte da minuta, ergueu um dedo ossudo para falar. Wilson fez que sim com a cabeça: gostava de Cecil, que era um grande defensor da liga. Porém nem todos concordavam: Clemenceau, o primeiro-ministro francês, dizia que, quando Cecil sorria, ficava parecido com um dragão chinês.

– Perdoem-me se pareço indelicado – disse Cecil. – Mas a delegação francesa está dizendo que, como a liga talvez não venha a ser tão forte quanto o esperado, ela vai rejeitá-la em sua totalidade. Permitam-me ressaltar com muita franqueza que, nesse caso, quase certamente haverá uma aliança bilateral entre a Grã-Bretanha e os Estados Unidos que não ofereceria nada à França.

Gus se esforçou para não sorrir. Tomem essa, pensou.

Parecendo chocado, Bourgeois retirou sua emenda.

Do outro lado da mesa, Wilson lançou um olhar grato para Cecil.

O representante japonês, barão Makino, pediu a palavra. Wilson assentiu e olhou para o relógio.

Makino citou a cláusula do acordo, já aprovada, que garantia a liberdade religiosa. Ele desejava acrescentar uma emenda no sentido de que todos os membros da liga tratariam com equanimidade os cidadãos dos outros países, sem discriminação racial.

O semblante de Wilson congelou.

Mesmo traduzido, o discurso de Makino foi eloquente. Homens de raças diferentes haviam combatido lado a lado na guerra, assinalou ele.

– Um elo comum de solidariedade e gratidão foi criado. – A liga seria uma grande família de nações. Não era óbvio que elas deveriam se tratar como iguais?

Isso deixou Gus preocupado, mas não surpreso. Já fazia uma ou duas semanas que os japoneses vinham falando nisso. O assunto havia causado temor entre os australianos e os californianos, que desejavam manter os japoneses longe de seus territórios. Wilson, por sua vez, que não pensava por um instante sequer que os negros norte-americanos eram seus iguais, ficara desconcertado. Contudo, foi entre os britânicos que a proposta gerou mais aflição. Afinal, eles governavam de forma não democrática centenas de milhões de pessoas de raças diferentes – e não queriam que elas se considerassem tão boas quanto seus dominadores brancos.

Mais uma vez, foi Cecil quem falou.

– Infelizmente, essa é uma questão muito controversa – disse ele, fazendo Gus quase acreditar no seu pesar. – A mera sugestão de que fosse discutida bastou para criar discórdia.

Um burburinho de aprovação percorreu a mesa.

– Em vez de adiarmos a aprovação de um acordo preliminar – prosseguiu Cecil –, talvez devêssemos adiar a discussão da, bem, da discriminação racial para outra ocasião.

O primeiro-ministro grego disse:

– A questão da liberdade religiosa como um todo também é um assunto delicado. Talvez fosse melhor que a deixássemos de lado por enquanto.

– Até hoje, o meu governo nunca assinou um tratado que não levasse em conta Deus! – disse o representante português.

– Talvez seja hora de todos corrermos esse risco – falou Cecil, que era muito religioso.

Ouviram-se algumas risadinhas discretas, ao que Wilson, claramente aliviado, concluiu:

– Se estamos de acordo em relação a isso, vamos seguir em frente.

IV

No dia seguinte, Wilson compareceu ao Ministério das Relações Exteriores francês, no Quai d'Orsay, e leu a minuta do acordo diante de uma sessão plenária da Conferência de Paz de Paris na célebre Sala dos Relógios, sob os imensos lustres que pareciam estalactites de uma caverna polar. Naquela noite, embarcou de volta para casa. O dia seguinte era um sábado e à noite Gus saiu para dançar.

Ao cair da noite, Paris era uma festa. A comida ainda era escassa, mas parecia haver bastante bebida. Os rapazes deixavam abertas as portas de seus quartos de hotel, para que enfermeiras da Cruz Vermelha pudessem entrar sempre que precisassem de companhia. A moralidade convencional parecia ter sido temporariamente suspensa. Ninguém tentava esconder seus casos amorosos. Homens efeminados haviam parado de fingir virilidade. O Larue se tornou um restaurante de lésbicas. Dizia-se que a falta de carvão era um mito inventado pelos franceses para que todos se aquecessem à noite indo para a cama com os amigos.

Tudo era caro, mas Gus tinha dinheiro. Tinha outras vantagens também: conhecia Paris e sabia falar francês. Foi às corridas de cavalos em Saint-Cloud, assistiu à ópera *La Bohème* e a um musical audacioso chamado *Phi Phi*. Como era próximo do presidente, recebia convites para todas as festas.

Ele se pegou passando cada vez mais tempo na companhia de Rosa Hellman. Em suas conversas, precisava tomar o cuidado de lhe dizer apenas coisas que gostaria de ler no jornal, mas o hábito de ser discreto já lhe era automático. Gostava de Rosa, mas era só isso. Ela estava sempre disposta a sair com ele, mas que repórter recusaria o convite de um assessor da presidência? Gus nunca podia segurar sua mão, ou tentar lhe dar um beijo de boa-noite, por medo de que ela pensasse que estava tirando vantagem de sua posição, uma vez que ela não poderia se dar ao luxo de ofendê-lo.

Ele a encontrou no Ritz para tomar um coquetel.

– O que são coquetéis? – quis saber ela.

– Bebidas fortes disfarçadas para ficarem mais apresentáveis. Estão na moda, eu juro.

Rosa também estava na moda. Tinha os cabelos curtos. Seu chapéu tipo *cloche*, em forma de sino, cobria-lhe as orelhas como o capacete de aço de um soldado alemão. Curvas e espartilhos haviam saído de moda, e seu vestido drapeado descia reto dos ombros até um cós surpreendentemente baixo. Paradoxalmente, ao ocultar suas formas, o vestido fazia Gus imaginar seu corpo sob o tecido. Ela usava batom e pó de arroz, algo que as europeias ainda consideravam ousado.

Os dois tomaram um martíni cada e então saíram. Atraíram muitos olhares ao cruzarem juntos o comprido saguão do Ritz: o homem alto e magro, de cabeça grande, e sua companheira miúda e caolha – ele de fraque, ela com seu vestido de seda azul-prata. Os dois pegaram um táxi até o Majestic, onde todos os sábados os britânicos organizavam um baile muito popular.

O salão estava lotado. Jovens assessores das delegações, jornalistas do mundo inteiro e soldados liberados das trincheiras dançavam jazz com enfermeiras e datilógrafas. Rosa ensinou Gus a dançar o foxtrote, depois trocou de par e dançou com um homem atraente de olhos escuros que fazia parte da delegação grega.

Enciumado, Gus pôs-se a zanzar pelo salão, conversando com conhecidos até topar com lady Maud Fitzherbert, que usava um vestido roxo e sapatos de bico pontudo.

– Olá! – falou, surpreso.

Ela pareceu feliz em vê-lo.

– O senhor parece bem.

– Tive sorte. Continuo inteiro.

Ela tocou a cicatriz em sua face.

– Quase inteiro.

– Foi só um arranhão. Vamos dançar?

Ele a tomou nos braços. Ela estava magra: Gus pôde sentir seus ossos através do vestido. Começaram a dançar uma valsa acelerada.

– Como está Fitz? – perguntou Gus.

– Bem, eu acho. Ele está na Rússia. Eu provavelmente não deveria dizer isso, mas não é segredo para mais ninguém.

– Vi que os jornais britânicos estão dizendo "Deixem a Rússia em paz".

– Essa campanha está sendo conduzida por uma mulher que o senhor conheceu em Tŷ Gwyn, Ethel Williams, que agora se chama Eth Leckwith.

– Não me lembro dela.

– Ela era a governanta.

– Minha nossa!

– Ela está virando uma força importante na política britânica.

– Como o mundo mudou.

Maud o puxou para mais perto e baixou a voz:

– O senhor não teria notícias de Walter, teria?

Gus se lembrou do oficial de aspecto familiar que vira ser abatido em Château-Thierry, mas não poderia afirmar de forma alguma que tinha sido Walter, então respondeu:

– Nenhuma, sinto muito. Deve ser difícil para a senhorita.

– Nenhuma informação sai da Alemanha e ninguém tem permissão para entrar no país!

– Infelizmente, acho que a senhorita terá que esperar a assinatura do tratado de paz.

– E quando isso vai acontecer?

Gus não sabia.

– O acordo preliminar da liga está quase pronto, mas eles ainda estão longe de um consenso quanto ao valor que a Alemanha deve pagar em indenizações.

– Isso é uma tolice – disse Maud com amargura. – Nós precisamos que os alemães sejam prósperos, para que as fábricas britânicas possam lhes vender carros, fogões e aspiradores de pó. Se destruirmos a economia deles, a Alemanha vai virar bolchevique.

– O povo quer vingança.

– O senhor se lembra de 1914? Walter não queria a guerra. A maioria dos alemães também não. Mas o país não era uma democracia. O Kaiser foi instigado pelos generais. E, depois que a Rússia se mobilizou, eles não tiveram mais escolha.

– É claro que eu me lembro. Mas as pessoas em geral, não.

A dança terminou. Rosa Hellman apareceu e Gus apresentou as duas. Elas conversaram um pouco, porém Rosa se mostrou estranhamente antipática, de modo que Maud se afastou.

– Aquele vestido custou uma fortuna – disse Rosa em tom rabugento. – É um Jeanne Lanvin.

Gus ficou perplexo.

– Você não gostou de Maud?

– Está na cara que você gosta.

– Como assim?

– Vocês dois estavam dançando bem juntinhos.

Rosa não sabia sobre Walter. Mesmo assim, Gus não gostou de ser falsamente acusado de flertar.

– Ela queria falar sobre um assunto bastante confidencial – disse ele, com um quê de indignação.

– Aposto que sim.

– Não estou entendendo este seu comportamento – disse Gus. – Você mesma foi dançar com aquele grego seboso.

– Ele é muito bonito, e não é nada seboso. E por que eu não deveria dançar com outros homens? Afinal, você não está apaixonado por mim nem nada.

Gus a encarou.

– Oh! – disse ele. – Oh, céus... – De repente, sentiu-se confuso e indeciso.

– O que foi agora?

– Acabo de me dar conta de uma coisa... eu acho.

– Vai me dizer o que é ou não?

– Acho que sou obrigado – respondeu ele, com a voz trêmula. Fez uma pausa. Ela ficou esperando.

– Bem, e então? – perguntou, impaciente.

– Eu estou apaixonado por você.

Ela o encarou de volta em silêncio. Depois de um longo intervalo, disse:

– Está falando sério?

Embora tivesse sido pego de surpresa pela ideia, ele não tinha a menor dúvida.

– Estou. Eu te amo, Rosa.

Ela abriu um leve sorriso.

– Quem diria...

– Imagino que esteja apaixonado por você há muito tempo sem saber.

Ela aquiesceu, como se as suas suspeitas houvessem sido confirmadas. A banda começou a tocar uma música lenta. Ela chegou mais perto.

Gus a tomou nos braços automaticamente, mas estava agitado demais para dançar direito.

– Acho que não vou conseguir...

– Não se preocupe. – Rosa sabia o que ele estava pensando. – É só fingir.

Ele arriscou alguns passos. Sua mente era um verdadeiro turbilhão. Ela não dissera nada sobre os próprios sentimentos. Por outro lado, não tinha se afastado. Será que haveria alguma chance de ela corresponder ao seu amor? Era evidente que gostava dele, mas isso não era a mesma coisa. Estaria ela perguntando a si mesma, naquele exato momento, o que sentia? Ou apenas tentando encontrar palavras gentis para rejeitá-lo?

Quando ela ergueu os olhos para fitá-lo, ele pensou que estivesse prestes a lhe dar a resposta, mas então Rosa disse:

– Por favor, Gus, me leve embora daqui.

– Claro.

Ela pegou seu casaco. O porteiro do Majestic chamou um táxi Renault vermelho.

– Para o Maxim's – disse Gus. O trajeto era curto, e eles o fizeram em silêncio. Ele estava louco para saber o que Rosa estava pensando, mas não a apressou. Ela logo teria que lhe dizer.

O restaurante estava lotado, e as poucas mesas vagas, reservadas para os clientes que chegariam mais tarde. O chefe dos garçons se disse *désolé*. Gus sacou a carteira, tirou uma nota de 100 francos e disse:

– Uma mesa tranquila em um canto. – Um cartão com a palavra *Réservée* foi levado embora e os dois se sentaram.

Optaram por um jantar leve e Gus pediu uma garrafa de champanhe.

– Você está tão mudado – disse Rosa.

Ele ficou surpreso.

– Eu não acho.

– Lá em Buffalo, não passava de um rapaz tímido. Acho que ficava acanhado até comigo. Mas agora anda por Paris como se a cidade fosse sua.

– Nossa, assim eu fico parecendo arrogante.

– Arrogante não, apenas seguro de si. Afinal de contas, você trabalhou para um presidente e lutou em uma guerra. Essas coisas fazem diferença.

A comida chegou, mas nenhum dos dois comeu muito. Gus estava tenso demais. O que ela estaria pensando? Será que o amava ou não? Já deveria saber àquela altura. Ele pousou o garfo e a faca, porém, em vez de lhe fazer a pergunta que tinha em mente, disse:

– Você sempre me pareceu bem confiante.

Ela riu.

– Não é incrível?

– Por quê?

– Acho que fui confiante até os sete anos de idade, mais ou menos. Depois... bem, você sabe como são as meninas no colégio. Todas querem ser amigas das mais bonitas. Eu tinha que brincar com as gordas, as feias e as que usavam roupas de segunda mão. Foi assim até a adolescência. Até mesmo trabalhar para o *Buffalo Anarchist* foi, de certa forma, uma atitude de quem se sentia excluída. Mas, quando me tornei editora, comecei a recuperar minha autoestima. – Ela tomou um gole de champanhe. – Você ajudou.

– Eu? – Gus estava surpreso.

– Foi o seu jeito de falar comigo, como se eu fosse a pessoa mais inteligente e mais interessante de Buffalo.

– O que provavelmente era verdade.

– Sem contar Olga Vyalov.

– Ah. – Gus corou. Lembrar-se da paixão por Olga fazia com ele se sentisse um tolo, mas não queria dizer isso, pois seria desmerecê-la, o que era indigno de um cavalheiro.

Depois de terminarem o café e pedirem a conta, Gus ainda não sabia o que Rosa sentia por ele.

No táxi, segurou-lhe a mão e levou-a aos lábios.

– Oh, Gus, eu gosto muito de você – disse ela. Ele não soube como interpretar suas palavras. Mas o rosto dela estava virado para cima na direção do seu, quase como se esperasse alguma coisa. Ela queria mesmo que ele...? Gus tomou coragem e a beijou na boca.

Quando, por um instante que pareceu congelado no tempo, ela não reagiu,

Gus se perguntou se havia feito a coisa errada. Então ela deu um suspiro de satisfação e abriu os lábios.

Ah, pensou ele, feliz, então está tudo bem.

Ele a tomou nos braços e os dois foram se beijando até o hotel dela. Foi uma viagem curta demais. De repente, um porteiro estava abrindo a porta do táxi.

– Limpe a boca – disse Rosa ao sair. Gus sacou um lenço e esfregou-o apressadamente no rosto. O linho branco voltou todo manchado de batom. Ele o dobrou com cuidado, guardando-o de volta no bolso.

Acompanhou-a até a porta.

– Posso vê-la amanhã? – perguntou.

– Que horas?

– Cedo.

Ela riu.

– Você não sabe fingir, não é, Gus? Adoro isso em você.

Aquilo era bom. *Adoro isso em você* não era a mesma coisa que *Eu te amo*, mas era melhor do que nada.

– Então está combinado – disse ele.

– O que vamos fazer?

– É domingo. – Ele disse a primeira coisa que lhe veio à cabeça. – Poderíamos ir à igreja.

– Está bem.

– Deixe-me levá-la à Notre-Dame.

– Você é católico? – indagou ela, surpresa.

– Não, frequento a Igreja Episcopal, mas não pratico muito. E você?

– A mesma coisa.

– Não tem problema, podemos sentar nos fundos da igreja. Vou descobrir a que horas é a missa e telefono para você no hotel.

Ela estendeu a mão e eles se cumprimentaram como amigos.

– Obrigada por uma ótima noite – disse ela em tom formal.

– O prazer foi todo meu. Boa noite.

– Boa noite – respondeu ela, antes de se virar e desaparecer no saguão do hotel.

CAPÍTULO TRINTA E SEIS

De março a abril de 1919

Quando a neve derreteu e a terra russa dura como ferro se transformou em uma lama fértil e molhada, os Brancos fizeram um esforço descomunal para livrar seu país da maldição do bolchevismo. A força de 100 mil homens do almirante Kolchak, equipada de maneira capenga com uniformes e armamentos britânicos, saiu da Sibéria e atacou os Vermelhos em uma frente de batalha que se estendia de norte a sul por mais de mil quilômetros.

Fitz seguiu alguns quilômetros atrás do Exército Branco. Sob seu comando estavam os Aberowen Pals, além de alguns canadenses e um punhado de intérpretes. Seu trabalho era dar apoio a Kolchak, supervisionando as comunicações, o serviço de inteligência e o abastecimento.

Fitz estava muito esperançoso. Talvez enfrentassem dificuldades, mas era inconcebível permitir que Lênin e Trótski roubassem a Rússia.

No início de março, ele estava na cidade de Ufa, do lado europeu dos montes Urais, lendo uma pilha de jornais britânicos da semana anterior. Algumas notícias de Londres eram boas, outras más. Fitz adorou saber que Lloyd George havia nomeado Winston Churchill ministro da Guerra. De todos os políticos do alto escalão, Winston era o defensor mais fervoroso da intervenção na Rússia. Porém, alguns dos jornais estavam tomando o partido contrário. Fitz não ficou surpreso com o *Daily Herald* ou a *New Statesman* que, em sua opinião, já eram publicações mais ou menos bolcheviques. Mas até mesmo o conservador *Daily Express* exibia a seguinte manchete: SAIAM DA RÚSSIA.

Infelizmente, os jornais também conheciam detalhes exatos sobre o que estava acontecendo. Sabiam inclusive que os britânicos haviam ajudado Kolchak a dar o golpe que abolira o diretório e o tornara governante supremo. Onde estariam conseguindo essas informações? Ele ergueu os olhos do jornal. Estava aquartelado na Escola Superior de Comércio da cidade, e seu ajudante de ordens estava sentado à mesa em frente.

– Murray – disse Fitz –, da próxima vez em que houver cartas dos homens para mandar para casa, traga-as primeiro para mim.

Isso era uma irregularidade, e Murray pareceu hesitar.

– Como, senhor?

Fitz achou melhor explicar:

– Desconfio que informações estejam vazando daqui. Os censores devem estar dormindo no ponto.

– Talvez eles achem que podem relaxar, agora que a guerra na Europa terminou.

– Certamente. Seja como for, quero ver se o furo está na nossa parte do cano.

A última página do jornal trazia uma fotografia da mulher que comandava a campanha "Deixem a Rússia em paz", e Fitz ficou chocado ao reconhecer Ethel. A ex-governanta de Tŷ Gwyn era agora, segundo o *Express*, secretária-geral do Sindicato Nacional dos Trabalhadores da Indústria Têxtil.

Fitz já havia ido para a cama com muitas mulheres desde então – a mais recente delas era uma russa loura de cair o queixo em Omsk, amante entediada de um general czarista gordo e beberrão que era preguiçoso demais para comê-la ele mesmo. Ethel, no entanto, não lhe saía da memória. Ele se perguntava como seria seu filho. O conde provavelmente tinha meia dúzia de filhos bastardos espalhados pelo mundo, mas o de Ethel era o único de quem tinha certeza de ser o pai.

E era ela quem estava incitando os protestos contra a intervenção na Rússia. Agora Fitz sabia de onde estava vindo a informação. O maldito irmão dela era sargento dos Aberowen Pals. Ele sempre fora um encrenqueiro, e Fitz não tinha dúvidas de que era a fonte de Ethel. Bem, pensou, vou pegá-lo em flagrante, e as consequências vão ser amargas.

Nas semanas seguintes, os Brancos avançaram depressa, pressionando os perplexos Vermelhos, que pensavam que o governo siberiano era uma força moribunda. Se as tropas de Kolchak conseguissem se juntar a seus aliados em Arkhangelsk, ao norte, e ao Exército Voluntário de Denikin, ao sul, formariam uma força semicircular, uma cimitarra que descreveria uma curva de mais de 1.500 quilômetros a leste e avançaria de forma irresistível rumo a Moscou.

Então, no final de abril, os Vermelhos contra-atacaram.

A essa altura, Fitz já estava em Buguruslan, cidade terrivelmente empobrecida em uma área florestal cerca de 150 quilômetros a leste do rio Volga. As poucas igrejas de pedra e prédios municipais dilapidados despontavam por sobre os telhados de casas de madeira baixas, como ervas daninhas brotando de uma pilha de lixo. Fitz estava sentado em uma sala ampla da prefeitura, acompanhado pela unidade de inteligência, analisando relatórios de interrogatórios de prisioneiros. Não sabia haver nada de errado até olhar pela janela e ver os soldados maltrapilhos do exército de Kolchak cruzarem a cidade pela rua principal na direção errada. Mandou um intérprete americano chamado Lev Peshkov perguntar aos homens por que estavam recuando.

Peshkov voltou com uma história lamentável. Os Vermelhos tinham vindo do sul e lançado um ataque vigoroso, investindo contra o flanco esquerdo disperso do exército de Kolchak. Para evitar que sua força fosse cortada ao meio, o comandante dos Brancos na região, general Belov, ordenara a retirada para reorganizar as tropas.

Poucos minutos depois, um desertor dos Vermelhos foi trazido para ser interrogado. Ele havia sido coronel durante o reinado do czar. O que tinha a dizer deixou Fitz consternado. Os Vermelhos tinham sido surpreendidos pela ofensiva de Kolchak, disse ele, mas logo se reorganizaram e renovaram seus suprimentos. Trótski declarara que o Exército Vermelho devia partir para a ofensiva no leste.

– Trótski acha que, se os Vermelhos fraquejarem, os Aliados reconhecerão Kolchak como governante supremo; e que, quando isso acontecer, eles vão inundar a Sibéria de soldados e provisões.

Era exatamente por isso que Fitz estava torcendo. Com seu russo de sotaque carregado, ele perguntou:

– Mas, então, o que Trótski fez?

O desertor respondeu rápido, e Fitz só entendeu o que ele falou depois de escutar a tradução de Peshkov.

– Ele recorreu a levas especiais de recrutas do Partido Bolchevique e aos sindicatos. A resposta foi incrível. Vinte e duas províncias enviaram destacamentos. O Comitê Provincial de Novgorod mobilizou metade de seus membros!

Fitz tentou imaginar Kolchak obtendo uma reação como aquela de seus partidários. Isso nunca iria acontecer.

Ele voltou ao alojamento para empacotar suas coisas. Foi quase lento demais: os Pals foram embora pouco antes da chegada dos Vermelhos, e um punhado de homens ficou para trás. Quando a noite caiu, o exército ocidental de Kolchak já estava em franca retirada e Fitz embarcado em um trem de volta para os montes Urais.

Dois dias depois, encontrava-se novamente na Escola Superior de Comércio em Ufa.

Nesse meio-tempo, o humor de Fitz ficou sombrio. Ele estava amargurado de raiva. Fazia cinco anos que estava em guerra e sabia reconhecer o momento em que a maré virava – conhecia os sinais. A guerra civil russa estava praticamente terminada.

Os Brancos eram simplesmente fracos demais. Os revolucionários iriam vencer. Nada poderia virar o jogo a não ser uma invasão aliada – o que era impossível. Churchill já estava encrencado demais com o pouco que estava fazendo. Billy Williams e Ethel estavam garantindo que os reforços necessários jamais fossem enviados.

Murray lhe trouxe uma sacola de correspondência.

– O senhor disse que queria ver as cartas dos homens para casa, coronel – disse ele, com um quê de reprovação na voz.

Fitz ignorou os escrúpulos de Murray e abriu a sacola. Procurou por alguma correspondência do sargento Williams. Ao menos uma pessoa poderia ser punida por aquela catástrofe.

Encontrou o que buscava. A carta do sargento Williams estava endereçada a E. Williams, nome de solteira de sua irmã: ele, sem dúvida, temia que o nome de casada de Ethel pudesse chamar atenção para sua carta traiçoeira.

Fitz leu a carta. A caligrafia de Billy era grande e segura. À primeira vista, o texto parecia inocente, ainda que um pouco esquisito. Fitz, no entanto, havia trabalhado na Sala 40 e sabia reconhecer um código. Preparou-se para quebrar aquele.

– Mudando de assunto, coronel – disse Murray –, o senhor viu Peshkov, o intérprete americano, nestes dois últimos dias?

– Não – respondeu Fitz. – O que houve com ele?

– Parece que nós o perdemos, senhor.

II

Trótski estava exausto, mas não desanimado. As rugas de preocupação que lhe cobriam o rosto não diminuíam o brilho de esperança em seus olhos. Com admiração, Grigori pensou que aquele homem era movido por uma crença inabalável no que estava fazendo. Desconfiava que todos eles fossem assim; Lênin e Stálin também. Os três tinham certeza de que sabiam o que devia ser feito, fosse qual fosse o problema, desde reforma agrária até táticas militares.

O mesmo não acontecia com Grigori. Junto de Trótski, tentou bolar a melhor reação ao avanço dos Brancos, porém nunca se sentia seguro de que haviam tomado a decisão certa antes de os resultados ficarem claros. Talvez fosse por isso que Trótski era famoso mundo afora, enquanto Grigori não passava de mais um comissário.

Como em muitas outras ocasiões, Grigori estava no trem particular de Trótski, com um mapa da Rússia sobre a mesa.

– Mal precisamos nos preocupar com os contrarrevolucionários do norte – disse o líder.

Grigori concordou.

– Segundo nosso serviço de inteligência, os soldados e marinheiros britânicos estão se amotinando nessa região.

– E eles já perderam todas as esperanças de alcançar Kolchak e se juntar a ele. As tropas de Kolchak estão voltando o mais rápido possível para a Sibéria. Nós poderíamos persegui-los pelos Urais, mas acho que temos assuntos mais importantes para resolver em outros lugares.

– No oeste?

– Sim, a situação lá não está nada boa. Os Brancos estão sendo auxiliados por nacionalistas reacionários na Letônia, na Lituânia e na Estônia. Kolchak nomeou Yudenich comandante supremo de lá, e ele tem o apoio de uma flotilha da Marinha britânica que está mantendo a nossa frota presa em Kronstadt. Mas eu estou mais preocupado ainda com o sul.

– O general Denikin.

– Ele tem cerca de 150 mil homens, apoiados por tropas francesas e italianas e mantidos pelos britânicos. Nós achamos que ele está planejando arremeter contra Moscou.

– Se me permite um comentário, creio que a chave para derrotá-los seja política, não militar.

Trótski pareceu intrigado.

– Prossiga.

– Denikin faz inimigos por onde quer que passe. Os cossacos sob o seu comando roubam todo mundo. Sempre que ocupa uma cidade, reúne todos os judeus e simplesmente os fuzila. Se as minas de carvão não conseguem cumprir as metas de produção, ele mata um em cada dez mineradores. E, como não poderia deixar de ser, executa todos os desertores de seu exército.

– Nós também – respondeu Trótski. – E matamos os aldeões que escondem desertores.

– E os camponeses que se recusam a entregar seus cereais. – Grigori tivera que endurecer seu coração para aceitar essa necessidade brutal. – Mas eu conheço os camponeses, afinal meu pai era um deles. O que mais lhes importa é a terra. Muitas dessas pessoas ganharam terrenos consideráveis com a revolução e querem mantê-los aconteça o que acontecer.

– E daí?

– Kolchak anunciou que a reforma agrária deveria ter por base o princípio da propriedade privada.

– O que significa que os camponeses teriam que devolver as plantações que tomaram da aristocracia.

– E todo mundo sabe disso. Eu gostaria de mandar imprimir esse pronunciamento dele e de pregá-lo na porta de todas as igrejas. Independentemente do que os nossos soldados façam, os camponeses vão nos preferir aos Brancos.

– Vá em frente – disse Trótski.

– Mais uma coisa. Declare uma anistia para os desertores. Por sete dias, qualquer um que voltar para o Exército não será punido – sugeriu Grigori.

– Outra medida política.

– Duvido que isso vá incentivar mais deserções, pois será apenas por uma semana, mas pode nos trazer de volta alguns homens... sobretudo quando eles descobrirem que os Brancos querem tomar suas terras.

– Pode tentar – disse Trótski.

Um ajudante entrou e prestou continência.

– Trago um relatório estranho, camarada Peshkov, e achei que o senhor iria querer ouvi-lo.

– Diga.

– É sobre um dos prisioneiros que capturamos em Buguruslan. Ele estava com o exército de Kolchak, mas usava um uniforme americano.

– Os Brancos têm soldados do mundo todo. Os imperialistas capitalistas naturalmente apoiam a contrarrevolução.

– A questão não é essa, senhor.

– Qual o problema?

– Senhor, ele está dizendo que é seu irmão.

III

A plataforma era comprida e a névoa da manhã estava cerrada, de modo que Grigori não conseguia ver a outra ponta do trem. Aquilo só podia ser algum tipo de erro, pensou, uma confusão de nomes ou uma tradução equivocada. Tentou se preparar para uma decepção, mas não conseguiu: seu coração batia acelerado e seus nervos pareciam latejar. Há quase cinco anos que não via o irmão. Pensara muitas vezes que Lev deveria estar morto. E essa ainda podia ser a terrível verdade.

Foi andando a passos lentos, tentando enxergar em meio à bruma. Se aquele homem fosse mesmo Lev, era óbvio que estaria diferente. Nos últimos cinco anos, Grigori perdera um dente da frente e uma orelha quase inteira, sendo que provavelmente também mudara de outras formas que nem sequer percebia. Em que aspectos Lev teria mudado?

Dali a alguns instantes, duas silhuetas emergiram da neblina branca: um soldado russo usando um uniforme maltrapilho e sapatos de fabricação caseira e, ao seu lado, um homem que parecia americano. Seria Lev? O homem tinha os cabelos curtos, ao estilo americano, e não usava bigode. Tinha o rosto redondo dos soldados bem alimentados dos Estados Unidos, com ombros parrudos debaixo do elegante uniforme novo. Era uma farda de oficial, notou Grigori, cada vez mais incrédulo. Teria seu irmão se tornado um oficial americano?

O prisioneiro o encarava de volta e, quando Grigori chegou mais perto, viu que aquele era de fato seu irmão. Lev estava mesmo diferente – e não apenas por causa de sua aparência geral de elegante prosperidade. Era também sua postura, a expressão em seu rosto e, acima de tudo, seu olhar. Tinha perdido a arrogância juvenil e adquirido um ar de cautela. Na verdade, havia virado um adulto.

Quando os dois se aproximaram o suficiente para poderem se tocar, Grigori pensou em todas as formas como Lev o decepcionara, e uma enxurrada de recriminações lhe veio aos lábios. No entanto, não deu voz a nenhuma delas e, em vez disso, abriu os braços e enlaçou o irmão. Os dois se beijaram no rosto, deram-se tapinhas nas costas e tornaram a se abraçar. Grigori então percebeu que estava chorando.

Depois de algum tempo, ele conduziu Lev até o trem e o levou para o vagão que usava como escritório. Grigori mandou seu ajudante trazer um chá. Os irmãos se sentaram em duas poltronas desbotadas.

– Você está no Exército? – perguntou Grigori, incrédulo.

– O alistamento é obrigatório nos Estados Unidos.

Fazia sentido. Lev nunca teria se alistado voluntariamente.

– E é oficial!

– Você também – disse Lev.

Grigori fez que não com a cabeça.

– Nós abolimos as patentes no Exército Vermelho. Sou um comissário militar.

– Mas ainda há homens que pedem chá e outros que vão buscar – disse Lev enquanto o ajudante entrava com as xícaras. – Ma ficaria orgulhosa, não?

– A ponto de explodir. Mas por que você nunca me escreveu? Pensei que tivesse morrido!

– Ah, droga, eu sinto muito – falou Lev. – Fiquei me sentindo tão mal por ter ficado com a sua passagem que queria escrever com a notícia de que poderia lhe mandar o dinheiro para outra. Então fiquei adiando a carta até juntar mais dinheiro.

Era uma desculpa esfarrapada, porém típica de Lev. Ele preferia não ir a uma festa se não tivesse um paletó elegante para vestir, e se recusava a entrar em um bar se não tivesse dinheiro para pagar uma rodada de bebidas.

Grigori recordou mais uma traição:

– Você não me disse que Katerina estava grávida quando foi embora.

– Grávida!? Eu não sabia.

– Sabia, sim. Inclusive disse a ela para não me contar.

– Ah. Devo ter me esquecido. – Desmascarado, Lev ficou com cara de tacho, mas não tardou a se recompor, inventando sua própria acusação para contra-atacar. – Aquele navio em que você me colocou não foi para Nova York! Ele nos largou em um fim de mundo chamado Cardiff. Tive que trabalhar meses para juntar dinheiro para outra passagem.

Grigori chegou até a se sentir culpado por alguns instantes, mas então se lembrou de como Lev havia implorado pela passagem.

– Talvez eu não devesse ter ajudado você a fugir da polícia – disse ele em tom ríspido.

– Você fez o melhor que pôde por mim, acho – falou Lev com relutância. Então deu o sorriso caloroso que sempre fazia Grigori perdoá-lo. – Como sempre – acrescentou. – Desde que Ma morreu.

Grigori sentiu um nó na garganta.

– Mesmo assim – falou, concentrando-se para manter a voz firme –, nós deveríamos fazer a família Vyalov pagar por ter nos enganado.

– Eu consegui minha vingança – disse Lev. – Tem um Josef Vyalov em Buffalo. Eu comi a filha dele e ela engravidou. Daí ele teve que me deixar casar com ela.

– Meu Deus! Agora você faz parte da família Vyalov?

– Ele se arrependeu, foi por isso que me fez ser convocado. Está torcendo para eu morrer em combate.

– Nossa, você continua indo aonde seu pau manda?

Lev deu de ombros.

– Acho que sim.

Grigori também tinha algumas revelações para fazer, e isso o deixava nervoso. Começou dizendo com cautela:

– Katerina teve um menino, seu filho. Ela o batizou de Vladimir.

Lev pareceu contente:

– É mesmo? Eu tenho um filho homem!

Grigori não teve coragem de dizer que Vladimir desconhecia a existência de Lev e chamava Grigori de "papai". Em vez disso, falou:

– Eu cuidei bem dele.

– Eu sabia que iria cuidar.

Grigori sentiu uma conhecida pontada de indignação diante da maneira como Lev supunha que os outros iriam assumir as responsabilidades que ele largava pelo caminho.

– Lev – prosseguiu ele –, eu me casei com Katerina. – Ele aguardou a reação indignada do irmão.

Lev, no entanto, manteve a calma.

– Eu sabia que você faria isso também.

Grigori ficou espantado.

– O quê?

Lev aquiesceu.

– Você era louco por ela, e ela precisava de um homem responsável, confiável, para criar o filho. Estava escrito.

– Mas eu sofri horrores! – disse Grigori. Toda aquela agonia tinha sido em vão? – Fui torturado pela ideia de que estava sendo desleal com você.

– Ora, que nada. Eu a deixei em maus lençóis. Boa sorte para vocês dois.

Grigori estava furioso com a forma casual como Lev reagia àquilo tudo.

– Você alguma vez se preocupou conosco? – perguntou ele, incisivo.

– Você me conhece, Grishka.

É claro que Lev não havia se preocupado com eles.

– Você mal pensou em nós.

– É claro que pensei em vocês. Pare de bancar o santo. Você a desejava e se conteve durante algum tempo, anos talvez, mas no fim das contas acabou trepando com ela.

Era a verdade nua e crua. Lev tinha um jeito irritante de rebaixar todo mundo ao seu nível.

– Tem razão – disse Grigori. – De toda forma, nós agora temos uma filha também, Anna. Ela tem um ano e meio.

– Dois adultos e duas crianças. Não tem importância. Eu tenho o suficiente.

– Do que você está falando?

– Tenho ganhado um bom dinheiro vendendo uísque dos depósitos militares britânicos para os cossacos por moedas de ouro. Já acumulei uma pequena fortuna. – Lev enfiou a mão debaixo da camisa do uniforme, soltou uma fivela e retirou um cinturão cheio de dinheiro. – Aqui tem o suficiente para custear a ida de todos vocês para os Estados Unidos! – Ele entregou o cinturão a Grigori.

Aquilo deixou Grigori espantado e comovido. No fim das contas, Lev não esquecera a família. Tinha economizado o valor da passagem. É claro que o dinheiro só poderia ser entregue com extravagância – era o jeito de Lev. Mas ele havia cumprido a promessa.

Pena que fosse tudo em vão.

– Obrigado – disse Grigori. – Estou orgulhoso por você ter honrado seu compromisso. Mas, obviamente, já não há necessidade. Eu posso soltar você e ajudá-lo a retomar sua vida russa normal. – Ele lhe devolveu o cinturão com o dinheiro.

Lev apanhou o cinturão, segurando-o nas mãos e olhando para ele.

– Do que você está falando?

Grigori viu que Lev parecia magoado e entendeu que ele ficara sentido com aquela recusa. No entanto, Grigori tinha uma preocupação mais grave em mente. O que aconteceria quando Lev e Katerina se reencontrassem? Será que ela tornaria a se apaixonar pelo mais atraente dos dois irmãos? O coração de Grigori gelava ante a possibilidade de perdê-la, depois de tudo por que os dois haviam passado juntos.

– Nós moramos em Moscou agora – disse ele. – Temos um apartamento no Kremlin, Katerina, Vladimir, Anna e eu. Não seria problema algum arrumar um apartamento para você...

– Espere um instante – disse Lev, com uma expressão de incredulidade no rosto. – Você acha que eu quero voltar para a Rússia?

– Você já voltou – disse Grigori.

– Mas não para ficar!

– Não é possível que queira voltar para os Estados Unidos.

– É claro que eu quero! E você deveria vir comigo.

– Mas não há necessidade! A Rússia já não é como antes. O czar está morto!

– Eu gosto dos Estados Unidos – disse Lev. – Vocês também vão gostar, todos vocês, especialmente Katerina.

– Mas nós estamos fazendo história aqui neste país! Inventamos uma nova forma de governo, o soviete. Isto aqui é a nova Rússia, o novo mundo. Você não está entendendo!

– Quem não entende é você – disse Lev. – Nos Estados Unidos tenho meu próprio carro, comida que não acaba mais, toda a bebida que quiser, todos os cigarros que conseguir fumar. Tenho cinco ternos!

– De que adianta ter cinco ternos? – indagou Grigori, decepcionado. – É como ter cinco camas. Você só consegue usar uma de cada vez!

– Eu penso diferente.

O que tornava aquela conversa tão irritante era o fato de Lev obviamente pensar que quem estava equivocado era Grigori. Ele não sabia mais o que dizer para mudar a cabeça do irmão.

– É isso mesmo que você quer? Cigarros, roupas, um carro?

– É isso que todo mundo quer. É melhor vocês bolcheviques se lembrarem disso.

Grigori não iria aceitar lições de política de Lev.

– Os russos querem pão, paz e terra.

– Seja como for, eu tenho uma filha nos Estados Unidos. O nome dela é Daisy. Ela tem três anos.

Grigori fechou o rosto, desconfiado.

– Sei o que você está pensando – disse Lev –, que não dei a mínima para o filho de Katerina... Qual é mesmo o nome dele?

– Vladimir.

– Se não me importei com ele, por que me importaria com Daisy? Mas não é a mesma coisa. Nunca conheci Vladimir. Quando fui embora de Petrogrado, ele ainda nem era gente. Mas eu amo Daisy e, pode acreditar, ela me ama.

Pelo menos isso Grigori conseguia entender. Ficou feliz ao ver que Lev tinha um coração bom o suficiente para se apegar à filha. E, por mais que a preferência de Lev pelos Estados Unidos o deixasse estupefato, no seu íntimo ele ficaria imensamente aliviado se o irmão não ficasse na Rússia. Pois, com certeza, ele iria querer conhecer Vladimir e, nesse caso, quanto tempo o menino demoraria para descobrir que Lev era seu verdadeiro pai? E, se Katerina decidisse trocar Grigori por Lev e levar Vladimir junto, o que aconteceria com Anna? Grigori iria perdê-la também? Para ele, pensou, cheio de culpa, era muito melhor que Lev voltasse para os Estados Unidos sozinho. – Eu acho que você está fazendo a escolha errada, mas não vou forçá-lo – disse ele.

Lev abriu um sorriso.

– Está com medo de eu pegar Katerina de volta, não é? Conheço você bem demais, irmão.

Grigori fez uma careta.

– Estou – falou. – Com medo de que você pegue Katerina de volta, depois a jogue fora de novo e eu tenha que juntar os cacos pela segunda vez. Também conheço você.

– Mas você vai me ajudar a voltar para os Estados Unidos.

– Não. – Grigori não pôde deixar de sentir um frêmito de satisfação ao ver a expressão de medo que atravessou o semblante de Lev. Porém não quis prolongar sua agonia. – Vou ajudá-lo a voltar para o Exército Branco. Eles que levem você para os Estados Unidos.

– Como faremos isso?

– Nós vamos de carro até a linha de frente e depois vamos ultrapassá-la um pouco. Então eu o deixarei na terra de ninguém. Depois disso, você se vira sozinho.

– Eu posso levar um tiro.

– Eu também. Estamos em guerra.

– Acho que vou ter que correr esse risco.

– Você vai ficar bem, Lev – disse Grigori. – Sempre fica.

IV

Billy Williams foi escoltado do presídio municipal de Ufa pelas ruas empoeiradas da cidade até a Escola Superior de Comércio, que servia de quartel provisório ao Exército britânico.

A corte marcial se reuniu em uma sala de aula. Fitz estava sentado atrás da mesa do professor, ladeado por seu ajudante de ordens, o capitão Murray. O capitão Gwyn Evans estava presente com um caderno de anotações e um lápis na mão.

Billy estava sujo, com a barba por fazer e havia dormido mal em meio aos bêbados e prostitutas da cidade. Fitz, como sempre, usava uma farda impecavelmente bem passada. Billy sabia que estava muito encrencado. O veredicto já estava decidido: as provas eram claras. Ele havia revelado segredos militares em cartas codificadas para a irmã. Contudo, estava determinado a não deixar transparecer seu medo. Enfrentaria aquilo da melhor forma possível.

– Esta é uma corte marcial geral de campanha – começou Fitz –, autorizada quando o acusado está prestando serviço ou no estrangeiro e não é possível instituir uma corte marcial geral segundo as normas habituais. São necessários apenas três oficiais para servir de juízes, ou dois, se não houver um terceiro disponível. A corte pode julgar soldados de qualquer patente que tenham cometido qualquer tipo de ofensa e tem o poder de decretar a pena de morte.

A única chance de Billy era influenciar a sentença. As punições possíveis incluíam pena de prisão, trabalhos forçados ou a morte. Fitz sem dúvida gostaria de pôr Billy diante de um pelotão de fuzilamento, ou pelo menos de fazê-lo passar vários anos na cadeia. O objetivo de Billy era despertar em Murray e Evans dúvidas suficientes quanto à parcialidade daquele julgamento para fazê-los optar por uma pena de prisão curta.

Ele perguntou:

– Onde está meu advogado?

– Não é possível lhe proporcionar auxílio jurídico – respondeu Fitz.

– Tem certeza disso, senhor?

– Fale apenas quando lhe dirigirem a palavra, sargento.

– Que fique registrado nos autos que eu não pude recorrer a um advogado – disse Billy. Ele encarou Gwyn Evans, o único que segurava um caderno de anotações. Quando Evans não tomou nenhuma atitude, Billy tornou a falar: – Ou será que os autos deste julgamento vão ser uma mentira? – Ele enfatizou bastante a palavra *mentira*, sabendo que ela ofenderia Fitz. Dizer sempre a verdade fazia parte do código de conduta do cavalheiro inglês.

Fitz aquiesceu para Evans, que fez uma anotação.

Um a zero para mim, pensou Billy, animando-se um pouco.

– William Williams – disse Fitz –, o senhor é acusado de ter violado a parte um do regulamento do Exército. A acusação é que o senhor, de forma consciente e enquanto prestava serviço, agiu deliberadamente no intuito de pôr em risco o sucesso das forças de Sua Majestade. A pena para tanto é a morte, ou alguma punição mais branda que o tribunal venha a estabelecer.

A insistência em enfatizar a pena de morte fez Billy ter calafrios, porém ele manteve o rosto impassível.

– O que o senhor se declara? Culpado ou inocente?

Billy respirou fundo. Falou com uma voz distinta, imprimindo o máximo de desprezo possível em sua voz.

– Como o senhor se atreve, é o que eu declaro – respondeu. – Como o senhor se atreve a fingir ser um juiz imparcial? Como se atreve a agir como se a nossa presença na Rússia fosse uma operação legítima? E como se atreve a acusar de traição um homem que lutou ao seu lado por três anos? É isso que eu declaro.

– Billy, meu rapaz, não seja insolente – disse Gwyn Evans. – Você só vai piorar a sua situação.

Billy, que não iria deixar Evans se fingir de bonzinho, disse:

– E o meu conselho ao senhor é sair daqui agora mesmo e se desvincular deste julgamento fajuto. Quando essa notícia vazar, e podem acreditar que ela vai sair na primeira página do *Daily Mirror*, vão descobrir que a desonra recairá não sobre mim, mas sobre os senhores. – Ele olhou para Murray. – Todos os que tiverem participado desta farsa vão cair em desgraça.

Evans pareceu ficar preocupado. Evidentemente, não tinha pensado que aquilo pudesse vir a público.

– Já chega! – disse Fitz em voz alta, enfurecido.

Ótimo, pensou Billy; já consegui deixá-lo irritado.

– Passemos às provas – continuou Fitz. – Capitão Murray, tenha a bondade.

Murray abriu uma pasta e retirou dela uma folha de papel. Billy reconheceu a própria caligrafia. Conforme já esperava, era uma carta sua para Ethel.

Murray lhe mostrou a correspondência e perguntou:

– O senhor escreveu esta carta?

– Como ela chegou ao seu conhecimento, capitão Murray? – rebateu Billy.

– Responda à pergunta! – vociferou Fitz.

– O senhor estudou em Eton, não foi, capitão? – disse Billy. – Um cavalheiro nunca leria a correspondência alheia, ou pelo menos é o que se diz. No meu entender, apenas o censor oficial tem o direito de examinar as correspondências dos soldados. Então imagino que essa carta tenha chegado às suas mãos por intermédio do censor. – Ele fez uma pausa. Como havia imaginado, Murray relutou em responder. Ele prosseguiu: – Ou a carta foi obtida por meios ilegais?

– O senhor escreveu esta carta? – repetiu Murray.

– Se ela tiver sido obtida por meios ilegais, não pode ser usada em um julgamento. Acho que é isso que um advogado diria. Mas não há nenhum advogado aqui. E é por isso que este julgamento é fajuto.

– O senhor escreveu esta carta?

– Responderei a essa pergunta depois que o senhor me explicar como ela chegou às suas mãos.

– O senhor sabe que pode ser punido por desacato – disse Fitz.

Já estou sob o risco de pena de morte, pensou Billy, que burrice de Fitz achar que pode me ameaçar! Mas o que disse foi:

– Estou assinalando a irregularidade deste julgamento e a ilegalidade da acusação para me defender. O senhor vai proibir isso... capitão?

Murray desistiu.

– O remetente no envelope indica o endereço e o nome do sargento Billy Williams. Se o réu deseja alegar que não escreveu a carta, deve dizer isso agora.

Billy ficou calado.

– A carta é uma mensagem em código – continuou Murray. – Para decodificá-la é preciso considerar apenas uma palavra a cada três, bem como as iniciais em maiúscula de títulos de canções e filmes. – Murray entregou a carta a Evans. – Uma vez decodificada, ela diz o seguinte...

A mensagem de Billy descrevia a incompetência do regime de Kolchak, dizendo que, apesar de todo o ouro de que dispunham, eles não haviam conseguido pagar os funcionários da ferrovia transiberiana, de modo que continuavam com problemas de abastecimento e de transporte. Ela também detalhava a ajuda que o Exército britânico estava tentando proporcionar aos contrarrevolucionários.

Essa informação tinha sido escondida do povo britânico, que pagava pelo Exército e cujos filhos estavam arriscando suas vidas.

– O senhor nega ter enviado essa mensagem? – perguntou Murray a Billy.

– Não posso fazer comentários sobre provas obtidas de forma ilegal.

– A destinatária, E. Williams, é na verdade a Sra. Ethel Leckwith, líder da campanha "Deixem a Rússia em paz", correto?

– Não posso fazer comentários sobre provas obtidas de forma ilegal.

– O senhor já havia mandado outras cartas codificadas para ela antes?

Billy não respondeu.

– E ela usou as informações dadas pelo senhor para redigir matérias jornalísticas hostis, que desabonam o Exército britânico e põem em risco o sucesso de nossas ações aqui.

– De forma alguma – disse Billy. – O Exército foi desabonado por aqueles que nos enviaram para uma missão secreta e ilegal, sem o conhecimento ou a aprovação do Parlamento. A campanha "Deixem a Rússia em paz" é o primeiro passo necessário para que voltemos a desempenhar nosso verdadeiro papel: o de defensores da Grã-Bretanha, e não o de um exército particular de uma pequena conspiração de generais e políticos de direita.

Com grande satisfação, Billy viu que o rosto de traços bem marcados de Fitz estava vermelho de raiva.

– Acho que já ouvimos o suficiente – disse Fitz. – O tribunal vai agora deliberar sobre o veredicto. – Murray murmurou alguma coisa, ao que Fitz acrescentou: – Ah, sim. O acusado tem algo a dizer?

Billy se colocou de pé.

– Gostaria de convocar minha primeira testemunha, o coronel conde Fitzherbert.

– Não seja ridículo – disse Fitz.

– Que os autos registrem que o tribunal me negou o direito de interrogar uma testemunha, muito embora ela estivesse presente no julgamento.

– Diga logo o que tem a dizer.

– Se o direito de convocar uma testemunha não me houvesse sido negado, eu teria perguntado ao coronel qual é a sua relação com a minha família. Ele por acaso não nutre um rancor pessoal contra mim pelo fato de o meu pai ser um líder sindical dos mineradores? Qual era sua relação com a minha irmã? Ele não a contratou como governanta para depois mandá-la embora sem explicação? – Billy sentiu-se tentado a falar mais sobre Ethel, porém isso significaria denegrir o nome da irmã. Além do mais, aquela alusão provavelmente já bastava. – Também perguntaria qual é o interesse pessoal dele nesta guerra ilegal contra o governo bolchevique. Sua esposa não é uma princesa russa? Seu filho não é herdeiro de terras aqui? O coronel na verdade não estaria neste país para defender seus interesses financeiros pessoais? E todas essas questões não seriam a verdadeira explicação para o fato de ele ter convocado este arremedo de julgamento? E isso não o desqualifica totalmente para julgar este caso?

Fitz o encarava impassível, mas tanto Murray quanto Evans pareciam chocados. Ambos desconheciam todas essas informações pessoais.

– Tenho mais uma coisa a dizer – falou Billy. – O Kaiser alemão está sendo acusado de crimes de guerra. Estão dizendo que ele declarou guerra, incentivado por seus generais, contra a vontade do povo, expressa claramente por seus representantes no Reichstag, o parlamento daquele país. A Grã-Bretanha, por sua vez, segundo dizem, só declarou guerra à Alemanha após um debate na Câmara dos Comuns.

Fitz fingiu estar entediado, porém Murray e Evans prestavam atenção no que Billy dizia.

– Agora tomemos esta guerra aqui na Rússia – continuou ele. – Ela nunca chegou a ser debatida no Parlamento britânico. Os fatos estão sendo escondidos do nosso povo sob o pretexto de segurança operacional, que sempre serve de desculpa para os segredos infames do Exército. Nós estamos lutando, mas a guerra nunca foi declarada. O primeiro-ministro britânico e seus colegas estão na mesmíssima posição que o Kaiser e seus generais. São eles que estão agindo de forma ilegal, não eu. – Billy se sentou.

Os dois capitães se juntaram a Fitz para confabular. Billy se perguntou se teria exagerado na dose. Sentira necessidade de ser incisivo, mas talvez tivesse ofendido os capitães em vez de conquistar seu apoio.

No entanto, os juízes pareciam estar em conflito. Fitz falava enfaticamente, enquanto Evans fazia que não com a cabeça. Murray parecia constrangido. Isso provavelmente era um bom sinal, pensou Billy. Ainda assim, nunca sentira tanto medo na vida. Nem quando havia enfrentado as metralhadoras do Somme ou durante a explosão na mina ele ficara tão apavorado quanto naquele instante, com a vida nas mãos de três oficiais perversos.

Por fim, eles pareceram chegar a um acordo. Fitz olhou para Billy e disse:
– Levante-se.
Billy se levantou.
– Sargento William Williams, este tribunal o considera culpado da acusação que lhe foi feita. – Fitz encarou Billy, como se esperasse ver no seu rosto a hu-

milhação da derrota. Billy, no entanto, já esperava aquele veredicto. O que temia era a sentença.

– O senhor está condenado a 10 anos de prisão – disse Fitz.

Billy não conseguiu se manter imperturbável. Não tinha sido condenado à pena de morte – mas a 10 anos de prisão! Quando fosse solto, teria 30 anos. Eles estariam em 1929. Mildred teria 35 anos. Metade de suas vidas já teria passado. Seu semblante desafiador ruiu e seus olhos se encheram de lágrimas.

Uma expressão de profunda satisfação tomou conta do rosto de Fitz.

– Está dispensado – disse ele.

Billy foi levado embora para começar sua sentença.

CAPÍTULO TRINTA E SETE

Maio e junho de 1919

No primeiro dia do mês de maio, Walter von Ulrich escreveu uma carta para Maud e a pôs no correio da cidade de Versalhes.

Não sabia se ela estava viva ou morta. Desde Estocolmo não tinha notícias suas. O serviço postal entre a Alemanha e a Grã-Bretanha continuava suspenso, de modo que aquela era sua primeira chance de lhe escrever em dois anos.

Walter e o pai haviam chegado à França na véspera, junto com outros 180 políticos, diplomatas e funcionários do Ministério das Relações Exteriores. Eles faziam parte da delegação que participaria da conferência de paz. A companhia ferroviária francesa havia diminuído a velocidade do trem especial em que viajavam para fazê-los passar bem devagar pela paisagem devastada do nordeste do país.

– Como se nós fôssemos os únicos que jogamos bombas aqui – comentou Otto com irritação. De Paris, eles haviam sido conduzidos de ônibus até a pequena cidade de Versalhes e deixados no Hôtel des Réservoirs. A bagagem do grupo foi descarregada no pátio e eles foram grosseiramente instruídos a carregá-la sozinhos. Estava claro que os franceses não se mostrariam magnânimos na vitória, pensou Walter.

– Eles não venceram, esse é o problema – disse Otto. – Podem não ter perdido de verdade, porque foram salvos pelos britânicos e pelos americanos, mas isso não é motivo para se gabarem. Nós os derrotamos e eles sabem disso. Estão com o orgulho ferido.

O hotel era frio e soturno, porém magnólias e macieiras floresciam do lado de fora. Os alemães puderam passear pelos jardins do majestoso *château* e visitar as lojas. Havia sempre uma pequena multidão em frente ao hotel. O povo comum não era tão cruel quanto seus representantes oficiais. Às vezes algumas pessoas vaiavam, mas em geral elas estavam apenas curiosas para ver o inimigo.

Walter escreveu para Maud logo no primeiro dia. Não fez menção ao casamento dos dois – ainda não tinha certeza de que fosse seguro e, de toda forma, era difícil perder o hábito de agir em segredo. Disse a ela onde estava, descreveu o hotel e as cercanias e lhe pediu que escrevesse de volta. Foi até a cidade, comprou um selo e postou a carta no correio.

Então, nervoso e cheio de esperança, pôs-se a esperar a resposta. Se ela estivesse viva, será que ainda o amava? Tinha quase certeza de que sim. Porém dois anos haviam transcorrido desde que ela o abraçara com ardor em um quarto de hotel em Estocolmo. O mundo estava cheio de homens que tinham voltado da guerra e descoberto que suas namoradas e esposas haviam se apaixonado por outra pessoa durante os longos anos de separação.

Alguns dias depois, os líderes das delegações foram convocados ao Hôtel Trianon Palace, do outro lado do parque, e receberam com grande cerimônia cópias do tratado de paz redigido pelos Aliados vitoriosos. O documento estava em francês. De volta ao Hôtel des Réservoirs, as cópias foram entregues a equipes de tradutores. Walter chefiava uma delas. Desmembrou sua parte do texto, distribuiu os diferentes trechos aos colegas e sentou-se para ler.

O tratado era pior ainda do que ele imaginava.

O Exército francês ocuparia a região de fronteira da Renânia durante 15 anos. A região alemã do Saar se tornaria um protetorado da Liga das Nações, sendo que os franceses controlariam as minas de carvão locais. A Alsácia e a Lorena seriam devolvidas à França sem plebiscito: o governo francês temia que a população decidisse permanecer alemã. O novo Estado polonês ficaria tão grande que passaria a incluir os lares de três milhões de alemães e as minas de carvão da Silésia. A Alemanha perderia todas as suas colônias: os Aliados as haviam distribuído entre si como ladrões dividindo um butim. E os alemães seriam forçados a aceitar o pagamento de reparações de valor indeterminado – em outras palavras, teriam que assinar um cheque em branco.

Walter se perguntou que tipo de país os Aliados queriam que a Alemanha virasse. Será que estavam imaginando um gigantesco campo de escravos, em que todos vivessem em regime de racionamento e trabalhassem apenas para que seus senhores pudessem confiscar o que produziam? Se Walter fosse obrigado a virar um escravo desse tipo, como poderia cogitar montar uma casa com Maud e ter filhos?

O pior de tudo, no entanto, era a cláusula que imputava a culpa da guerra à Alemanha.

O artigo 231 do tratado dizia: "Os Governos Aliados e Associados afirmam, e a Alemanha aceita, a responsabilidade da Alemanha e de seus aliados por todas as perdas e danos aos quais os Governos Aliados e Associados, bem como seus respectivos cidadãos, foram submetidos em consequência da guerra a eles imposta pela agressão da Alemanha e seus aliados."

– Isso é mentira – disse Walter, irado. – Uma mentira idiota, ignorante e perversa. – Ele sabia que a Alemanha não era inocente e dissera isso inúmeras vezes ao pai. No entanto, tinha vivido as crises diplomáticas do verão de 1914, acompanhara cada passo do caminho rumo à guerra e sabia que nenhuma nação era culpada sozinha. A prioridade dos líderes de ambos os lados do conflito tinha sido defender seu próprio país – nenhum deles tivera a intenção de afundar o mundo na pior guerra da história: nem Asquith, nem Poincaré, nem o Kaiser, nem o czar, nem o imperador austríaco. Dizia-se que até mesmo Gavrilo Princip, o assassino de Sarajevo, ficara horrorizado ao compreender o que havia iniciado. Contudo, nem mesmo ele era responsável por "todas as perdas e danos".

Pouco depois da meia-noite, Walter topou com o pai. Ambos estavam fazendo uma pausa e tomando café para ficar acordados e continuar o trabalho.

– É um acinte! – vociferou Otto. – Nós concordamos com um armistício baseado nos 14 Pontos de Wilson, mas esse tratado não tem nada a ver com os 14 Pontos!

Ao menos desta vez, Walter concordava com o pai.

Pela manhã, a tradução já havia sido impressa e cópias despachadas para Berlim por mensageiros especiais – um clássico exemplo da eficiência alemã, pensou Walter, enxergando as virtudes do próprio país com mais clareza agora que ele estava sendo denegrido. Exausto demais para dormir, resolveu dar uma volta até ficar relaxado o suficiente para ir se deitar.

Saiu do hotel e foi em direção ao parque. Os rododendros estavam em flor. Era uma linda manhã para a França, e uma manhã triste para a Alemanha. Quais seriam os efeitos daquelas propostas no frágil governo social-democrata alemão? Será que o povo, em desespero, abraçaria o bolchevismo?

Ele estava sozinho no imenso parque, a não ser por uma jovem que usava um casaco leve de primavera, sentada em um banco debaixo de uma castanheira. Absorto, ele tocou educadamente a aba do chapéu de feltro ao passar por ela.

– Walter – disse a jovem.

Seu coração parou de bater. Ele conhecia aquela voz, mas não podia ser ela. Virou-se e olhou para a mulher.

Ela se levantou.

– Ah, Walter – disse. – Não está me reconhecendo?

Era Maud.

O sangue de Walter disparou por suas veias. Ele deu dois passos em direção a Maud, que se atirou em seus braços. Ele a apertou com força. Enterrou o rosto em seu pescoço para sentir seu cheiro, ainda familiar apesar dos anos. Beijou-lhe a testa, o rosto e então a boca. Ele falava e beijava ao mesmo tempo, mas nem as palavras nem os beijos eram capazes de comunicar tudo o que sentia.

Por fim, ela perguntou:

– Você ainda me ama?

– Mais do que nunca – respondeu Walter, tornando a beijá-la.

II

Quando os dois estavam deitados na cama, depois de fazer amor, Maud correu as mãos pelo peito nu de Walter.

– Como você está magro – comentou. Sua barriga estava côncava e os ossos de seus quadris, protuberantes. Ela queria engordá-lo à base de croissants amanteigados e foie gras.

Estavam no quarto de um albergue a poucos quilômetros de Paris. A janela estava aberta e uma suave brisa primaveril agitava as cortinas de um amarelo vivo. Maud tinha descoberto aquele lugar muitos anos antes, quando Fitz costumava usá-lo para seus encontros amorosos com uma mulher casada, a condessa de Cagnes. O estabelecimento, pouco mais que uma casa grande em um pequeno vilarejo, nem sequer tinha nome. Os homens faziam reservas para almoçar e depois passavam a tarde em um dos quartos. Talvez também houvesse lugares como aquele nos arredores de Londres, mas, de certa forma, o esquema todo parecia tipicamente francês.

Eles se apresentaram como Sr. e Sra. Wooldridge, e Maud pôs no dedo a aliança que havia passado quase cinco anos guardada. A discreta dona do lugar sem dúvida pensou que eles estavam apenas fingindo serem casados. Isso não seria problema, contanto que ela não desconfiasse que Walter fosse alemão: nesse caso, sim, eles estariam em maus lençóis.

Maud não conseguia parar de tocá-lo. Sentia-se muito agradecida por Walter ter voltado para ela intacto. Acariciou a longa cicatriz em sua canela com as pontas dos dedos.

– Essa foi em Château-Thierry – disse ele.

– Gus Dewar lutou nessa batalha. Espero que não tenha sido ele quem atirou em você.

– Tive sorte de ter cicatrizado tão bem. Vários homens morreram de gangrena.

Fazia três semanas que os dois haviam se reencontrado. Nesse meio-tempo, Walter trabalhava sem descanso na resposta alemã à minuta do tratado, parando apenas cerca de meia hora por dia para passear com ela pelo parque, ou se sentar no banco de trás do Cadillac azul de Fitz enquanto o motorista os conduzia pela cidade.

Maud ficara tão chocada quanto Walter com os termos draconianos apresentados aos alemães. O objetivo da conferência de Paris era criar um mundo novo, justo e pacífico – não possibilitar que os vencedores se vingassem dos perdedores. A nova Alemanha precisava ser democrática e próspera. Ela queria ter filhos com Walter, que seriam alemães. Maud pensava sempre no trecho do Livro de Rute que começava com as palavras "Aonde fores irei". Mais cedo ou mais tarde, teria que dizer isso a Walter.

Ela, no entanto, ficou aliviada ao descobrir que não era a única a reprovar as propostas do tratado. Entre os Aliados, havia outras pessoas que consideravam a paz mais importante do que a vingança. Doze membros da delegação norte-americana haviam se demitido em protesto. Em uma eleição suplementar na Grã-Bretanha, o candidato que defendia a paz sem vingança tinha vencido. O arcebispo de Canterbury declarara publicamente que estava "muito pouco à vontade" com aquela situação, alegando ser o porta-voz de uma massa silenciosa não representada nos jornais que proclamavam o ódio aos hunos.

Na véspera, os alemães haviam apresentado sua contraproposta – mais de uma centena de páginas de argumentação minuciosa, baseada nos 14 Pontos de Wilson. Naquela mesma manhã, a imprensa francesa ficou em polvorosa. Explodindo de indignação, os jornais chamaram o documento de um monumento à impudência e um exemplo detestável de fanfarronice.

– Eles estão nos acusando de arrogância... logo os franceses! – disse Walter. – Qual é mesmo aquela expressão sobre esfarrapados?

– O roto falando do esfarrapado – respondeu Maud.

Walter rolou de lado e começou a brincar com os pelos pubianos dela. O tufo de pelos era escuro, encaracolado e farto. Maud havia se disposto a apará-lo, mas ele disse que gostava assim.

– O que vamos fazer? – perguntou ele. – É muito romântico nos encontrarmos em hotéis e irmos para a cama em plena tarde, como dois amantes clandestinos, mas não podemos fazer isso para sempre. Temos que revelar ao mundo que somos marido e mulher.

Maud concordou. Também estava ansiosa para poder passar todas as noites em sua companhia, embora evitasse dizer isso: ficava um pouco constrangida por gostar tanto de fazer sexo com ele.

– Nós poderíamos simplesmente ir morar juntos e deixar as pessoas tirarem suas próprias conclusões.

– Não gosto da ideia – respondeu ele. – É como se tivéssemos vergonha da nossa condição.

Ela sentia o mesmo. Queria alardear a felicidade que sentia, não escondê-la. Tinha orgulho de Walter: ele era lindo, corajoso e inteligentíssimo.

– Poderíamos nos casar de novo – falou. – Ficamos noivos, anunciamos o noivado, fazemos uma cerimônia, e não contamos a ninguém que somos marido e mulher há quase cinco anos. Não é ilegal casar com a mesma pessoa duas vezes.

Ele assumiu um ar pensativo.

– Meu pai e seu irmão seriam contra. Não poderiam nos impedir, mas talvez tornassem as coisas desagradáveis... o que estragaria a felicidade da ocasião.

– Tem razão – disse ela, relutante. – Fitz diria que alguns alemães podem ser muito simpáticos e tudo o mais, mas que, mesmo assim, ninguém iria querer que a irmã se casasse com um deles.

– Então nós devemos confrontá-los com um fato consumado.

– Vamos contar a eles e depois anunciar a notícia na imprensa – disse ela. – Diremos que é um símbolo da nova ordem mundial. Um casamento anglo-alemão simultâneo ao tratado de paz.

Ele pareceu não levar muita fé.

– Como conseguiríamos fazer isso?

– Eu posso falar com o editor da revista *Tatler*. Eles gostam de mim, já lhes dei material de sobra.

Walter sorriu e disse:

– Lady Maud Fitzherbert sempre vestida na última moda.

– Que história é essa?

Ele estendeu a mão para pegar a carteira sobre o criado-mudo e tirou de dentro dela um recorte de jornal.

– A única foto que eu tinha de você – falou.

Ela pegou o recorte. O papel estava mole de tão velho e havia desbotado até adquirir um tom de areia. Ela analisou a imagem.

– Esta foto foi tirada antes da guerra.

– E desde então eu a carrego comigo. Assim como eu, ela sobreviveu.

Os olhos de Maud se encheram de lágrimas, embaçando ainda mais a imagem desbotada.

– Não chore – disse ele, abraçando-a.

Ela pressionou o rosto contra o seu peito nu e chorou. Algumas mulheres choravam à toa, mas ela nunca fora desse tipo. Agora, estava aos soluços. Chorava pelos anos perdidos, pelos milhões de rapazes mortos e pelo desperdício inútil e absurdo que tudo isso representava. Estava derramando todas as lágrimas armazenadas em cinco anos de autocontrole.

Quando seu pranto cessou e não lhe restavam mais lágrimas, beijou-o com sofreguidão e eles tornaram a fazer amor.

III

O Cadillac azul de Fitz foi buscar Walter no hotel no dia 16 de junho e o levou até Paris. Maud decidira que a revista *Tatler* precisaria de uma foto dos dois. Walter usava um terno de tweed feito em Londres antes da guerra. Estava largo na cintura, mas, no momento, todos os alemães andavam com roupas mais folgadas do que a encomenda.

Ele havia instalado um pequeno escritório do serviço de inteligência no Hôtel des Réservoirs, no intuito de monitorar os jornais franceses, britânicos, americanos e italianos e coletar fofocas ouvidas pela delegação alemã. Sabia que os Aliados estavam tendo discussões acaloradas sobre a contraproposta alemã. Lloyd George, um político que pecava pelo excesso de flexibilidade, estava disposto a reconsiderar a primeira versão do tratado. Contudo, o primeiro-ministro francês, Clemenceau, afirmou já ter sido generoso demais e ficou possesso diante da sugestão de mudanças. Para surpresa geral, Woodrow Wilson também se mostrou irredutível. Acreditava que a versão apresentada era um acordo justo e, sempre que tomava alguma decisão, tornava-se surdo às críticas.

Os Aliados também negociavam tratados de paz que abrangessem os que lutaram ao lado da Alemanha: Áustria, Hungria, Bulgária e Império Otomano. Estavam criando novos países, como a Iugoslávia e a Tchecoslováquia, e dividindo o Oriente Médio em zonas britânicas e francesas. E, além disso, debatiam se deveriam ou não selar a paz com Lênin. Em todos os países, as pessoas estavam cansadas da guerra, mas alguns poderosos ainda tinham disposição para lutar contra os bolcheviques. O periódico britânico *Daily Mail* teria desmascarado uma conspiração internacional de financiadores judeus que apoiava o regime moscovita – uma das fantasias menos plausíveis inventadas pelo jornal.

No que dizia respeito ao tratado da Alemanha, Wilson e Clemenceau derrotaram Lloyd George, e, mais cedo naquele dia, a equipe alemã hospedada no Hôtel des Réservoirs havia recebido um recado impaciente dando-lhes o prazo de três dias para aceitá-lo.

Sentado no banco traseiro do carro de Fitz, Walter pensava com pessimismo sobre o futuro de seu país. Seria como em uma colônia africana, refletiu ele: os habitantes primitivos trabalhando tão somente para enriquecer seus senhores estrangeiros. Ele não queria criar filhos em um lugar assim.

Maud aguardava no estúdio do fotógrafo, estonteante em um vestido de verão diáfano que, segundo ela, era de Paul Poiret, seu costureiro favorito.

O fotógrafo tinha um fundo pintado que representava um jardim todo florido, porém Maud o achou de mau gosto, de modo que o casal posou em frente às cortinas da sala de jantar, que felizmente eram simples. A princípio, ficaram lado a lado, sem se tocar, como dois desconhecidos. O fotógrafo propôs que Walter se ajoelhasse na frente de Maud, mas isso seria piegas demais. Por fim, acabaram encontrando uma posição que agradou a todos: os dois de mãos dadas, olhando um para o outro em vez de para a câmera.

O fotógrafo prometeu que as cópias da fotografia ficariam prontas no dia seguinte.

Eles foram almoçar no albergue.

– Os Aliados não podem simplesmente mandar a Alemanha assinar o tratado – disse Maud. – Isso não é negociação.

– Mas foi o que eles fizeram.

– E se vocês recusarem?

– Eles não dizem.

– O que vocês vão fazer?

– Parte da delegação voltará à Berlim hoje à noite para consultar nosso governo. – Ele deu um suspiro. – Infelizmente, eu fui destacado para ir com eles.

– Então está na hora de fazermos nosso anúncio. Vou voltar para Londres amanhã, depois de pegar as fotografias.

– Está bem – disse ele. – Vou contar à minha mãe assim que chegar a Berlim. Ela vai reagir bem. Depois contarei a meu pai. Com ele vai ser diferente.

– Eu vou falar com tia Herm e com a princesa Bea e escrever para Fitz na Rússia.

– Isso significa que esta é a última vez que vamos nos ver por algum tempo.

– Então acabe logo de comer e vamos para a cama.

IV

Gus e Rosa se encontraram no Jardim das Tulherias. Paris estava começando a voltar ao normal, ele pensou com alegria. O sol brilhava, as árvores estavam cobertas de folhas e homens com cravos na lapela fumavam cigarros, observando as mulheres mais bem-vestidas do mundo passar. Em um dos lados do parque, a rue de Rivoli estava cheia de carros, caminhões e carroças puxadas a cavalo; no outro, barcaças circulavam pelo rio Sena. Talvez, no fim das contas, o mundo fosse mesmo se recuperar.

Rosa estava deslumbrante, com um leve vestido vermelho de algodão e um chapéu de aba larga. Se eu soubesse pintar, pensou Gus ao vê-la, faria um retrato dela assim.

Ele usava um blazer azul e um chapéu de palha moderno. Ela riu ao bater os olhos nele.

– O que foi? – perguntou Gus.

– Nada. Você está bonito.

– É o chapéu, não é?

Ela conteve outra risadinha.

– Você está uma graça.

– Estou é ridículo. Não posso fazer nada. Chapéus fazem isso comigo. É que meu corpo parece um daqueles martelos de cabeça redonda.

Ela o beijou de leve na boca.

– Você é o homem mais atraente de Paris.

O mais incrível era que ela estava falando sério. Como fui ter tanta sorte?, pensou Gus.

Ele tomou Rosa pelo braço.

– Vamos passear. – Eles seguiram em direção ao Louvre.

– Você viu a última edição da *Tatler*? – perguntou ela.

– A revista londrina? Não, por quê?

– Parece que sua grande amiga lady Maud é casada com um alemão.

– Ah! – exclamou ele. – Como eles descobriram?

– Quer dizer que você já sabia?

– Eu desconfiava. Encontrei Walter em Berlim em 1916 e ele me pediu para levar uma carta para Maud. Imaginei que isso significasse que eles estavam noivos ou eram casados.

– Como você é discreto! Nunca disse nada a respeito.

– Era um segredo perigoso.

– E talvez ainda seja. A *Tatler* é generosa com eles, mas os outros jornais talvez adotem linhas diferentes.

– Maud já foi atacada pela imprensa antes. Ela é bastante durona.

Rosa parecia envergonhada.

– Então era sobre isso que vocês estavam falando naquela noite quando eu o flagrei num tête-à-tête com ela.

– Exato. Ela estava me perguntando se eu tinha notícias de Walter.
– Estou me sentindo uma boba por ter desconfiado que estivesse flertando.
– Eu perdoo você, mas me reservo o direito de trazer isso à tona da próxima vez que me criticar sem motivo. Posso lhe perguntar uma coisa?
– O que quiser, Gus.
– Três coisas, na verdade.
– Quanto suspense. Parece um conto de fadas. Se eu responder errado, vou ser banida do reino?
– Você ainda é anarquista?
– Isso o incomodaria?
– Acho que estou me perguntando se a política poderia nos separar.
– A anarquia é a crença de que ninguém tem o direito de governar. Todas as filosofias políticas, do direito divino dos reis até o contrato social de Rousseau, tentam justificar a autoridade. Os anarquistas acreditam que todas essas teorias são um fracasso e, portanto, nenhuma forma de autoridade é legítima.
– Em teoria, é irrefutável. Mas impossível de ser colocada em prática.
– Você entende rápido. Na verdade, todos os anarquistas são contra o establishment, mas divergem bastante em suas visões de como a sociedade deveria funcionar.
– E qual é a sua visão?
– Ela já não é tão clara quanto antigamente. Cobrir a Casa Branca me fez enxergar a política de outra forma. Mas ainda acredito que a autoridade precisa ser justificada.
– Duvido que algum dia cheguemos a brigar por causa disso.
– Ótimo. Qual é a segunda pergunta?
– Me fale sobre seu olho.
– Eu nasci assim. Poderia fazer uma operação para abri-lo. Atrás da pálpebra só há um punhado de tecido inútil, mas eu poderia usar um olho de vidro. Só que ele nunca iria fechar. Acho que assim é o menor dos males. Incomoda você?
Ele parou de andar e se virou de frente para ela.
– Posso beijá-lo?
Ela hesitou.
– Está bem.
Ele se curvou e beijou a pálpebra fechada. Não sentiu nada de estranho ao tocá-la com os lábios. Era como beijar a bochecha de Rosa.
– Obrigado – disse ele.
– Ninguém nunca fez isso comigo antes – disse ela baixinho.

Ele assentiu. Imaginava que fosse mesmo uma espécie de tabu.
– Por que teve essa vontade? – perguntou ela.
– Porque eu amo tudo em você e quero ter certeza de que saiba disso.
– Ah. – Ela passou alguns segundos em silêncio, dominada pela emoção; mas então sorriu e voltou a falar no tom atrevido de sua preferência. – Bem, se quiser beijar alguma outra parte esquisita, é só dizer.

Ele não soube direito como reagir àquela proposta levemente excitante, então resolveu deixar para pensar nela depois.
– Tenho mais uma pergunta.
– Pode falar.
– Quatro meses atrás, eu lhe disse que a amava.
– Eu não me esqueci.
– Mas você ainda não disse o que sente por mim.
– Não é óbvio?
– Talvez, mas quero que você me diga. Você me ama?
– Ah, Gus, será que você não entende? – A expressão em seu rosto mudou, e ela pareceu angustiada. – Eu não sou boa o bastante para você. Você era o melhor partido de Buffalo, e eu era a anarquista caolha. Você deveria se apaixonar por uma mulher elegante, linda, rica. Eu sou filha de médico e minha mãe era empregada doméstica. Não sou a pessoa certa para você amar.
– Você me ama? – repetiu ele com firmeza, mas sem perder a calma.

Ela começou a chorar.
– É claro que amo, seu bobo. Eu te amo de todo o meu coração.

Ele a tomou nos braços.
– Então, é só isso que importa – falou.

V

Tia Herm largou o exemplar da *Tatler*.
– Você jamais deveria ter se casado em segredo – disse ela a Maud. Então abriu um sorriso conspiratório. – Mas foi tão romântico!

As duas estavam na sala de estar da casa de Fitz em Mayfair. Bea a havia redecorado depois do fim da guerra, optando pelo novo estilo chamado art déco, com cadeiras de aspecto utilitário e bibelôs de prata modernosos comprados na Asprey. Além de Maud e Herm, estavam presentes também Bing Westhampton, o amigo metido a engraçadinho de Fitz, e sua mulher. Estavam em plena temporada londrina, e o grupo esperava Bea ficar pronta para ir à ópera. Ela estava dando boa-noite a Boy, que já contava três anos e meio, e a Andrew, de 18 meses.

Maud pegou a revista e tornou a ler a matéria. A fotografia não a agradava muito. Ela havia imaginado que fosse retratar duas pessoas apaixonadas. Infelizmente, mais parecia a cena de um filme de cinema. Walter tinha um ar predatório, segurando-lhe a mão e fitando seus olhos como um sedutor perverso, enquanto ela parecia uma donzela ingênua prestes a cair em suas garras.

O texto, no entanto, estava bem dentro de suas expectativas. O autor lembrava aos leitores que lady Maud tinha sido a "sufragista chique" de antes da guerra, que havia criado o jornal *The Soldier's Wife* para militar pelos direitos das mulheres deixadas para trás durante a guerra e que fora presa ao protestar em defesa de Jayne McCulley. Informava também que ela e Walter haviam pretendido anunciar seu noivado da forma convencional, mas que foram impedidos pelo conflito. Seu casamento secreto e às pressas era descrito como uma tentativa desesperada de fazer a coisa certa em circunstâncias anormais.

Maud insistira para ser citada na íntegra, e a revista havia mantido a promessa. "Eu sei que alguns britânicos odeiam os alemães", foram suas palavras. "Mas sei também que Walter e muitos outros de seus conterrâneos fizeram todo o possível para evitar a guerra. Agora que ela terminou, devemos criar paz e amizade entre os antigos inimigos, e espero com sinceridade que as pessoas vejam a nossa união como um símbolo do novo mundo."

Em seus muitos anos de militância política, Maud havia aprendido que às vezes era possível conquistar o apoio de um veículo de imprensa dando-lhe exclusividade em uma boa história.

Como planejado, Walter tinha voltado para Berlim. Ainda na França, enquanto seguiam de carro para a estação de trem, os alemães haviam sido vaiados por multidões. Uma secretária tinha sido atingida por uma pedra e perdera os sentidos. Os franceses disseram apenas: "Lembrem-se do que eles fizeram com a Bélgica." A secretária continuava hospitalizada. Nesse meio-tempo, o povo alemão se opunha furiosamente à assinatura do tratado.

Bing veio se sentar ao lado de Maud no sofá. Naquele dia, para variar, não flertou com ela.

– Queria que seu irmão estivesse aqui para aconselhar você em relação a isso – disse ele, meneando a cabeça para a revista.

Maud havia escrito para Fitz dando-lhe a notícia do casamento e anexando o recorte da *Tatler*, para lhe mostrar que o que ela fizera estava sendo aceito pela sociedade londrina. Não fazia ideia de quanto tempo a carta levaria para chegar até ele, e não esperava ter resposta antes de alguns meses. A essa altura, já seria tarde para Fitz protestar. Só lhe restaria sorrir e lhe dar os parabéns.

Ela, no entanto, ficou irritada com a sugestão de Bing de que precisava de um homem para lhe dizer o que fazer.

– Que tipo de coisa Fitz poderia me falar?
– No futuro próximo, a vida da esposa de um alemão vai ser dura.
– Eu não preciso de um homem para me dizer isso.
– Na ausência de Fitz, de certa forma sinto que é minha responsabilidade.
– Por favor, não se sinta assim. – Maud tentou não se ofender. Que conselhos Bing poderia oferecer a quem quer que fosse, além de quais os melhores clubes noturnos do mundo para se jogar e beber?

Ele baixou a voz.

– Custa-me dizer isso, mas... – Ele olhou de relance para tia Herm, que entendeu a indireta e saiu de perto para se servir de um pouco mais de café. – Se a senhora pudesse dizer que o casamento nunca chegou a ser consumado, talvez tenha chances de conseguir uma anulação.

Maud pensou no quarto de cortinas amarelas e teve que conter um sorriso de felicidade.

– Mas eu não posso, porque...
– Por favor, não me diga nada. Só quero ter certeza de que a senhora sabe quais são as suas alternativas.

Maud reprimiu uma indignação crescente.

– Sei que a sua intenção é boa, Bing...
– Há também a possibilidade de um divórcio. A senhora sabe que um homem pode muito bem dar motivos à esposa.

Maud não conseguiu mais refrear sua indignação.

– Por favor, vamos encerrar este assunto agora mesmo – disse ela, erguendo a voz. – Não tenho o menor intuito de pedir uma anulação ou um divórcio. Eu amo Walter.

Bing ficou emburrado.

– Eu estava apenas tentando dizer o que acho que Fitz, como chefe da sua família, lhe diria se estivesse aqui. – Ele se levantou e dirigiu-se à mulher: – Vamos andando, sim? Não há necessidade de chegarmos todos atrasados.

Alguns minutos depois, Bea apareceu usando um vestido novo de seda cor-de-rosa.

– Estou pronta – disse ela, como se estivesse esperando pelos outros, e não o contrário. Seu olhar recaiu sobre a mão esquerda de Maud, detendo-se sobre a aliança, porém ela não fez comentário algum. Quando Maud lhe dera a notícia, sua reação tinha sido cautelosamente neutra.

– Espero que você seja feliz – dissera ela sem a menor ternura. – E espero que Fitz aceite o fato de você não ter pedido a autorização dele.

Todos saíram para a rua e entraram no carro. Era o Cadillac preto que Fitz tinha comprado depois que o azul ficara preso na França. Fitz pagava por tudo, pensou Maud: pela casa em que as três mulheres moravam, pelos vestidos caríssimos que usavam, pelo carro, pelo camarote na ópera. As faturas de suas despesas no Ritz de Paris haviam sido encaminhadas para Albert Solman, que cuidava das finanças de seu irmão em Londres, e quitadas sem qualquer pergunta. Fitz nunca reclamava. Ela sabia que Walter não seria capaz de lhe proporcionar o mesmo estilo de vida. Talvez Bing tivesse razão e ela fosse achar difícil abrir mão do luxo a que estava acostumada. Porém, estaria ao lado do homem que amava.

Por conta do atraso de Bea, eles chegaram à casa de ópera Covent Garden na última hora. A plateia já havia se acomodado. As três mulheres subiram depressa a escadaria forrada de tapete vermelho e entraram no camarote. Maud se lembrou de repente do que havia feito com Walter naquele mesmo lugar durante a apresentação de *Don Giovanni*. Ficou encabulada: onde estava com a cabeça para correr um risco daqueles?

Bing Westhampton já estava ali com a mulher e levantou-se para puxar uma cadeira para Bea. A plateia estava em silêncio: o espetáculo já ia começar. Observar as pessoas era um dos grandes atrativos da ópera, de modo que muitas cabeças se viraram para ver a princesa se acomodar. Tia Herm se sentou na segunda fileira, mas Bing reservou um lugar na primeira fila para Maud. Um burburinho se ergueu da plateia: sem dúvida, a maior parte dos presentes tinha visto a fotografia e lido a matéria da *Tatler*. Muitos conheciam Maud pessoalmente: aquela era a alta sociedade londrina, os aristocratas e políticos, os juízes e bispos, os artistas de sucesso e os empresários endinheirados – e suas respectivas esposas. Maud ficou alguns segundos de pé para que aquelas pessoas pudessem dar uma boa olhada nela e ver toda a felicidade e orgulho que sentia.

Foi um erro.

O barulho da plateia mudou. O burburinho se tornou mais intenso. Não era possível distinguir palavras, mas ainda assim ficou claro que as vozes tinham assumido um tom de reprovação, como uma mosca mudando de zumbido ao se deparar com uma janela fechada. Maud ficou espantada com aquilo. Então ouviu outro ruído, que lhe pareceu assustadoramente uma vaia. Atordoada e com medo, ela se sentou.

Não adiantou muita coisa. Àquela altura, todos já olhavam para ela. Em segundos, as vaias se espalharam pela plateia, ganhando em seguida as galerias.

– Ora essa – protestou Bing, impotente.

Maud nunca havia se deparado com tamanho ódio, nem mesmo no auge das passeatas das sufragistas. Sentiu uma dor na barriga, como se estivesse com cólicas. Desejou que a música começasse logo, porém o maestro também a encarava, segurando a batuta junto à lateral do corpo.

Ela tentou retribuir o olhar de todos com altivez, mas seus olhos se encheram de lágrimas que borraram sua visão. Aquele pesadelo não iria terminar sozinho. Ela precisava tomar uma atitude.

Levantou-se, e as vaias aumentaram.

As lágrimas começaram a escorrer por seu rosto. Quase às cegas, ela virou as costas. Derrubando sua cadeira, cambaleou em direção à porta nos fundos do camarote. Tia Herm se pôs de pé, dizendo:

– Oh, céus... Oh, céus...

Bing também se levantou com um pulo para abrir a porta. Maud saiu, seguida de perto por tia Herm. Bing acompanhou as duas. Às suas costas, Maud ouviu as vaias cessarem em meio a algumas risadas. Então, para seu horror, a plateia começou a aplaudir, parabenizando-se por ter conseguido se livrar dela; e aqueles aplausos maldosos a seguiram ao longo do corredor, escada abaixo e até o lado de fora do teatro.

VI

O trajeto entre os portões do jardim e o Palácio de Versalhes tinha pouco mais de um quilômetro e meio. Naquele dia, estava margeado por centenas de soldados montados da cavalaria francesa, com seus uniformes azuis. O sol de verão se refletia em seus capacetes de aço. Eles empunhavam lanças com flâmulas vermelhas e brancas que ondulavam na brisa morna.

Johnny Remarc tinha conseguido um convite para Maud assistir à assinatura do tratado de paz, apesar da humilhação que havia sofrido na ópera; mas ela foi obrigada a viajar na caçamba de um caminhão aberto, junto com todas as secretárias da delegação britânica, como ovelhas a caminho do mercado.

Em determinado momento, os alemães deram a impressão de que se recusariam a assinar. O marechal de campo Von Hindenburg, herói de guerra, afirmou que preferiria uma derrota honrosa a uma paz ultrajante. O gabinete alemão preferiu renunciar em massa a concordar com o tratado. O chefe da delegação alemã em

Paris também se demitira. Por fim, a Assembleia Nacional havia votado pela assinatura do tratado inteiro, com exceção da famosa cláusula que culpava a Alemanha pela guerra. Até mesmo isso era inaceitável, disseram os Aliados na mesma hora.

– O que os Aliados vão fazer se os alemães se recusarem a assinar? – perguntara Maud a Walter em seu albergue, onde os dois tinham passado a viver juntos discretamente.

– Pelo que dizem, vão invadir a Alemanha.

Maud balançara a cabeça.

– Os nossos soldados não iriam lutar.

– Nem os nossos.

– Isso resultaria em um impasse.

– Só que a Marinha britânica ainda não pôs fim ao bloqueio, de modo que a Alemanha não consegue se abastecer. Os Aliados simplesmente esperariam até a escassez de alimentos provocar levantes em todas as cidades alemãs e então invadiriam o país sem encontrar resistência.

– Então vocês são forçados a assinar.

– Ou assinamos, ou morremos de fome – dissera Walter com amargura.

Era 28 de junho, cinco anos exatos desde o assassinato do arquiduque Francisco Ferdinando em Sarajevo.

O caminhão conduziu as secretárias até o pátio, e elas desceram o mais graciosamente possível. Maud entrou no palácio e subiu a escadaria imponente, ladeada por mais soldados franceses vestidos de maneira pomposa, desta vez membros da Garde Républicaine cujos capacetes de prata eram adornados com crina de cavalo.

Por fim, ela chegou à Galeria dos Espelhos. Aquele era um dos lugares mais impressionantes do mundo. Era do tamanho de três quadras de tênis enfileiradas. Em uma das laterais, 17 janelas compridas davam para o jardim; na parede oposta, essas janelas eram refletidas por 17 espelhos em forma de arco. O mais importante, porém, era que tinha sido ali, em 1871, no final da guerra franco--prussiana, que os alemães vitoriosos haviam coroado seu primeiro imperador e forçado os franceses a cederem a Alsácia e a Lorena. Agora, os alemães estavam prestes a ser humilhados debaixo do mesmo teto abobadado. E sem dúvida alguns deles estariam sonhando com o dia futuro em que teriam a chance de se vingar. Quando desonramos o próximo, pensou Maud, precisamos estar preparados para, cedo ou tarde, sermos desonrados em troca. Será que esse pensamento ocorreria a algum dos homens presentes em ambos os lados daquela cerimônia? Provavelmente não.

Ela se acomodou em um dos bancos de veludo vermelho. Dezenas de repórteres e fotógrafos estavam ali, além de uma equipe de filmagem com câmeras imensas que registrariam o evento. Os figurões entraram sozinhos ou em duplas e sentaram-se em volta de uma longa mesa: Clemenceau relaxado e irreverente, Wilson tenso e formal, Lloyd George parecendo um galo de briga envelhecido. Gus Dewar entrou e sussurrou algo no ouvido de Wilson, depois foi até os jornalistas e pôs-se a falar com uma repórter jovem e bonita de um olho só. Maud se lembrou de tê-la visto antes. Pôde notar que Gus estava apaixonado por ela.

Às três da tarde, alguém pediu silêncio, e uma quietude reverente recaiu sobre a galeria. Clemenceau disse alguma coisa, uma porta se abriu e os dois signatários alemães entraram. Maud sabia, por Walter, que ninguém em Berlim quisera pôr o nome naquele tratado e que, no fim das contas, a Alemanha decidira enviar o ministro das Relações Exteriores e o ministro dos Correios. Os dois tinham o semblante pálido e envergonhado.

Clemenceau fez um breve discurso e então chamou os alemães com um gesto. Ambos sacaram canetas-tinteiro do bolso e assinaram o papel sobre a mesa. Logo em seguida, em resposta a um sinal inaudível, armas dispararam do lado de fora, avisando ao mundo que o tratado de paz havia sido assinado.

Os demais representantes se aproximaram para assinar, não apenas em nome das grandes potências, mas de todos os países incluídos no tratado. Isso levou bastante tempo, e as pessoas começaram a conversar na plateia. Os alemães permaneceram sentados, rígidos e imóveis, até a cerimônia enfim terminar e eles serem escoltados para fora da galeria.

Maud estava enojada. Nós pregamos um sermão de paz, pensou, mas desde o início vínhamos planejando vingança. Ela saiu do palácio. Do lado de fora, Wilson e Lloyd George estavam sendo cercados por um amontoado de espectadores exultantes. Ela contornou a multidão, foi até a cidade e entrou no hotel onde os alemães estavam hospedados.

Torceu para que Walter não estivesse muito deprimido: aquele tinha sido um dia terrível para ele.

Encontrou-o fazendo as malas.

– Nós vamos para casa hoje à noite – disse ele. – A delegação inteira.

– Já?! – Ela mal tinha pensado no que iria acontecer após a assinatura. Era um acontecimento tão drástico em sua importância que Maud não conseguira prever nada depois dele.

Walter, por sua vez, não só havia pensado no assunto, como tinha um plano.

– Venha comigo – foi tudo o que ele disse.

– Eu não vou conseguir permissão para ir à Alemanha.

– E quem disse que você precisa de permissão? Eu arranjei um passaporte alemão para você em nome de Frau Maud von Ulrich.

Ela ficou atônita.

– Como você conseguiu isso? – perguntou, embora essa não fosse, de forma alguma, a pergunta mais importante em sua mente.

– Não foi difícil. Você é esposa de um cidadão alemão. Tem direito a um passaporte. Usei minha influência para diminuir o trâmite para algumas horas.

Ela o encarava fixamente. Era tudo muito repentino.

– Você vem? – indagou ele.

Maud viu em seus olhos um medo terrível. Walter estava achando que ela poderia desistir na última hora. Teve vontade de chorar diante do pavor que ele sentia de perdê-la. Sentiu-se muito sortuda por ser amada com tamanha paixão.

– Vou – respondeu. – Sim, eu vou. É claro que vou.

Ele não ficou convencido.

– Tem certeza de que é isso que você quer?

Ela aquiesceu.

– Você se lembra da história de Rute, na Bíblia?

– É claro. Por que...

Maud lera esse trecho várias vezes ao longo das últimas semanas, e então recitou as palavras que tanto a haviam comovido:

– "Aonde fores irei, onde ficares ficarei; o teu povo será o meu povo, e o teu Deus será o meu Deus; onde morreres..." – Ela se deteve, o nó em sua garganta impedindo-a de prosseguir; então, depois de uma pausa, engoliu em seco e continuou: – "Onde morreres morrerei, e ali serei sepultada."

Ele sorriu, mas havia lágrimas em seus olhos.

– Obrigado – falou.

– Eu te amo – disse ela. – A que horas sai o trem?

CAPÍTULO TRINTA E OITO

De agosto a outubro de 1919

Gus e Rosa voltaram a Washington junto com o presidente. Em agosto, combinaram de pedir licença do trabalho ao mesmo tempo e foram para Buffalo, cidade natal de ambos. Um dia depois de chegarem, Gus levou Rosa para conhecer seus pais.

Estava nervoso. Queria muito que sua mãe gostasse dela. A Sra. Dewar, no entanto, tinha uma opinião exagerada quanto ao poder de atração do filho sobre as mulheres. Havia encontrado defeito em todas as moças que Gus mencionara. Nenhuma delas era boa o bastante, sobretudo socialmente. Se ele quisesse se casar com a filha do rei da Inglaterra, ela provavelmente diria: "Por que você não encontra uma moça americana de boa família?"

– A primeira coisa que a senhora vai notar, mãe, é que ela é muito bonita – disse Gus naquela manhã durante o café. – Em segundo lugar, que ela só tem um olho. Depois de alguns minutos, vai perceber que ela é muito inteligente. E, quando a conhecer melhor, entenderá que é a moça mais maravilhosa do mundo.

– Não tenho a menor dúvida – respondeu sua mãe, com a falta de sinceridade espantosa que lhe era habitual. – Quem são os pais dela?

Rosa chegou no meio da tarde, quando a mãe de Gus estava fazendo a sesta e seu pai ainda não tinha voltado do centro da cidade. Gus lhe mostrou a casa e os jardins.

– Você sabe que eu venho de uma família mais modesta, não sabe? – perguntou ela com nervosismo.

– Você logo vai se acostumar – respondeu ele. – Ainda por cima, eu e você não vamos viver neste esplendor todo. Mas podemos comprar uma casinha jeitosa em Washington.

Os dois jogaram uma partida de tênis. O jogo foi desequilibrado: Gus, com seus braços e pernas compridos, jogava bem demais para Rosa, que calculava mal as distâncias. Mesmo assim, ela jogou com garra, correndo atrás de todas as bolas, e chegou a vencer alguns games. Além disso, usando um vestido branco com a bainha no meio da canela que estava na moda, ela lhe parecia tão sexy que Gus teve de fazer um enorme esforço para se concentrar em suas jogadas.

Eles foram tomar chá cobertos por uma reluzente camada de suor.

– Agora reúna toda a sua tolerância e boa vontade – disse Gus na entrada da sala de estar. – Minha mãe pode ser terrivelmente esnobe.

Contudo, a mãe de Gus se comportou muito bem. Beijou Rosa nas duas faces e disse:

– Que cara saudável a de vocês, todos corados por causa do exercício. Srta. Hellman, é um prazer conhecê-la, espero que fiquemos amigas.

– A senhora é muito gentil – disse Rosa. – Seria uma honra ser sua amiga.

A mãe de Gus ficou feliz com o elogio. Sabia que era uma *grande dame* da sociedade de Buffalo e achava adequado que as moças se mostrassem deferentes. Rosa havia percebido isso na mesma hora. Muito esperta, pensou Gus. E muito generosa também, já que no seu íntimo detestava qualquer tipo de autoridade.

– Eu conheço seu irmão, Fritz Hellman – disse a mãe de Gus. Fritz tocava violino na Orquestra Sinfônica de Buffalo. A mãe de Gus fazia parte do conselho. – Ele tem um talento maravilhoso.

– Obrigada. Temos muito orgulho dele.

A mãe de Gus continuou jogando conversa fora e Rosa deixou que ela assumisse o controle. Gus se lembrou da outra vez em que havia trazido para casa uma moça com quem pretendia se casar: Olga Vyalov. A reação de sua mãe na ocasião tinha sido diferente: ela se mostrara cortês e receptiva, porém Gus sabia que, no fundo, não estava sendo sincera. Mas agora seus sentimentos lhe pareciam genuínos.

Na véspera, ele havia perguntado à mãe sobre a família Vyalov. Lev Peshkov tinha sido despachado para a Sibéria como intérprete do Exército. Olga não frequentava muitos eventos sociais e parecia entretida com a criação da filha. Josef havia feito lobby com o pai de Gus, que era senador, para aumentar a ajuda militar aos Brancos.

– Ele parece pensar que os bolcheviques vão prejudicar os negócios da família Vyalov em Petrogrado – dissera sua mãe.

– Essa é a melhor coisa que eu já ouvi sobre os bolcheviques – respondera Gus.

Depois do chá, os dois foram se trocar. Gus ficou agitado ao pensar em Rosa tomando banho no quarto ao lado. Ele nunca a tinha visto nua. Os dois haviam passado juntos algumas horas apaixonadas no quarto de hotel dela em Paris, mas não chegaram a fazer sexo.

– Detesto ser antiquada – dissera Rosa, como se pedisse desculpas –, mas, não sei por quê, acho que devemos esperar. – Na verdade, não era tão anarquista assim.

Os pais de Rosa haviam sido convidados para o jantar. Gus vestiu um paletó curto de smoking e desceu. Preparou um uísque para o pai, mas não para ele próprio. Tinha a sensação de que precisava estar bastante lúcido.

Rosa desceu usando um vestido preto que a deixava estonteante. Seus pais chegaram às seis em ponto. Norman Hellman estava de fraque, o que não era o mais adequado para um jantar de família, mas talvez ele não tivesse um smoking. Era um homem miúdo, com um sorriso encantador, e Gus viu na hora que Rosa havia puxado a ele. Norman tomou dois martínis bem depressa, o único sinal de que talvez estivesse nervoso, mas depois disso não bebeu mais. A mãe de Rosa, Hilda, era uma mulher bonita e esbelta, com lindas mãos de dedos longos. Era difícil imaginá-la como empregada doméstica. O pai de Gus simpatizou com ela imediatamente.

Quando todos se acomodaram para jantar, o Dr. Hellman perguntou:

– Quais são seus planos profissionais, Gus?

Como pai da mulher que Gus amava, ele tinha o direito de fazer essa pergunta, mas Gus não tinha resposta.

– Vou continuar trabalhando para o presidente enquanto ele precisar de mim – disse.

– Ele tem uma tarefa e tanto pela frente agora.

– É verdade. O Senado está criando problemas para aprovar o Tratado de Paz de Versalhes. – Gus tentou não soar cáustico demais. – Depois de tudo o que Wilson fez para convencer os europeus a criar a Liga das Nações, mal posso acreditar que os americanos estejam torcendo o nariz para essa ideia.

– O senador Lodge é um encrenqueiro de marca maior.

Gus considerava o senador Lodge um filho da puta egocêntrico.

– O presidente decidiu não levar Lodge com ele para Paris, e agora Lodge está se vingando.

O pai de Gus, que além de senador era um velho amigo do presidente, falou:

– Woodrow tornou a Liga das Nações parte do tratado de paz achando que nós não teríamos como rejeitar o tratado e, portanto, seríamos obrigados a aceitar a liga. – Ele deu de ombros. – Lodge o mandou pastar.

– Para ser justo com Lodge – falou o Dr. Hellman –, eu acho que o povo americano tem o direito de estar preocupado com o artigo dez. Se nós entrarmos para uma liga que garante proteger seus membros de qualquer agressão, estaremos comprometendo as forças americanas com conflitos futuros desconhecidos.

A resposta de Gus foi rápida:

– Se a liga for forte, ninguém se atreverá a desafiá-la.

– Não estou tão confiante quanto você em relação a isso.

Gus não queria discutir com o pai de Rosa, mas era um defensor ardoroso da Liga das Nações.

– Não estou dizendo que nunca mais haveria outra guerra – disse ele em tom conciliatório. – Mas creio que elas seriam menos numerosas e mais curtas, além de pouco recompensadoras para os agressores.

– Acho que você pode ter razão. Mas muitos eleitores estão dizendo: "Que se dane o mundo, só os Estados Unidos me interessam. Não estamos correndo o risco de virar a polícia do mundo?" É uma pergunta sensata.

Gus se esforçou para conter a própria raiva. A liga era a maior esperança de paz que a humanidade já tivera, e corria o risco de nascer morta por causa daquele tipo de crítica mesquinha.

– As decisões do conselho da liga têm que ser unânimes – falou –, então os Estados Unidos nunca seriam obrigados a travar uma guerra contra sua vontade.

– Mesmo assim, não faz sentido termos uma liga se ela não estiver preparada para lutar.

Os inimigos da Liga das Nações eram assim: primeiro reclamavam porque a liga iria lutar, depois reclamavam porque ela não iria lutar.

– Esses problemas são pequenos se comparados à morte de milhões de homens! – disse Gus.

O Dr. Hellman deu de ombros, educado demais para continuar tentando convencer um adversário tão fervoroso.

– Seja como for – disse ele –, acredito que um tratado internacional precise do apoio de dois terços do Senado.

– E no momento nós não temos nem metade – disse Gus, pessimista.

Rosa, que estava escrevendo sobre a questão, disse:

– Pelas minhas contas, são 40 votos a favor, incluindo o senhor, senador Dewar. Quarenta e três senadores ainda têm reservas, oito são terminantemente contra e cinco estão indecisos.

– O que o presidente vai fazer? – perguntou o pai dela a Gus.

– Ele vai ignorar os políticos e entrar em contato direto com o povo. Está planejando uma viagem de 16 mil quilômetros por todo o país. Vai fazer mais de 50 discursos em quatro semanas.

– É uma programação puxada. Ele tem 62 anos e sofre de pressão alta.

Havia certa malícia na atitude do Dr. Hellman. Tudo o que ele dizia era uma provocação. Estava claro que sentia necessidade de avaliar se o pretendente da filha tinha tutano.

– Mas, quando chegar ao fim – respondeu Gus –, o presidente terá explicado ao povo americano que o mundo precisa da Liga das Nações para garantir que nunca mais tenhamos uma guerra igual à que acabou de terminar.

– Torço para que você tenha razão.

– Quando se trata de explicar questões políticas complexas ao cidadão comum, ninguém melhor do que Wilson.

Junto com a sobremesa foi servido champanhe.

– Antes de começarmos – falou Gus –, eu queria dizer uma coisa. – Seus pais pareceram surpresos: ele nunca discursava. – Dr. Hellman, Sra. Hellman, vocês sabem que eu amo a sua filha, que é a moça mais maravilhosa do mundo. Isso é meio antiquado, mas eu queria pedir a sua permissão... – ele tirou do bolso uma caixinha de couro vermelho – ... para oferecer a ela esta aliança de noivado. – Ele abriu a caixa. Dentro dela, havia um anel de ouro com um diamante de um quilate. Não era nada excessivo, mas o diamante era branco, o tom mais cobiçado de todos, e estava lapidado em forma de brilhante redondo: era uma beleza.

Rosa soltou um arquejo.

O Dr. Hellman olhou para a mulher e ambos sorriram.

– É claro que você tem a nossa permissão – disse ele.

Gus deu a volta na mesa e se ajoelhou ao lado da cadeira de Rosa.

– Querida Rosa, você quer se casar comigo? – perguntou.

– Sim, meu amor... amanhã mesmo, se você quiser!

Ele tirou o anel da caixa e o pôs no dedo de Rosa.

– Obrigado – disse Gus.

A mãe dele começou a chorar.

11

Às sete da noite da quarta-feira, dia 3 de setembro, Gus estava a bordo do trem presidencial enquanto ele saía da Union Station, em Washington. Wilson usava um blazer azul, uma calça branca e um chapéu de palha. Sua mulher, Edith, o acompanhava, bem como Cary Travers Grayson, seu médico particular. Também viajavam no mesmo trem 21 repórteres, entre os quais Rosa Hellman.

Gus estava confiante em que Wilson podia vencer aquela batalha. Ele sempre gostara de estar em contato direto com os eleitores. E, além disso, havia ganhado a guerra, não era verdade?

O trem viajou durante a noite até Columbus, Ohio, onde o presidente fez seu primeiro discurso da turnê. De lá – com algumas paradas rápidas pelo caminho –, seguiu para Indianápolis, onde falou diante de uma multidão de 20 mil pessoas na mesma noite.

Gus, no entanto, já estava desanimado ao final do primeiro dia. O discurso de Wilson não tinha sido bom. Sua voz estava rouca. Ele consultou anotações – sempre se saía melhor quando conseguia discursar sem elas – e, quando começou a falar sobre os detalhes técnicos do tratado que tanto haviam interessado a todos em Paris, pareceu perder o rumo e a atenção da plateia se dispersou. Gus sabia que ele tinha fortes dores de cabeça, tão intensas que às vezes chegavam a embaçar sua visão.

Gus estava muito aflito. Não só por seu amigo e mentor estar doente. Havia mais coisas em jogo. O futuro dos Estados Unidos e do mundo dependia do que acontecesse nas próximas semanas. Somente o compromisso pessoal de Wilson seria capaz de salvar a Liga das Nações de seus adversários tacanhos.

Depois do jantar, Gus foi até a cabine de Rosa. Ela era a única repórter mulher da comitiva, de modo que tinha um compartimento só seu. Embora fosse quase tão a favor da liga quanto Gus, ela disse:

– Está difícil achar muita coisa positiva para dizer sobre o dia de hoje. – Eles se deitaram na cama da cabine, beijando-se e ficando agarradinhos, depois se desejaram uma boa-noite e ele foi embora. O casamento estava marcado para outubro, depois da viagem presidencial. Gus preferia que fosse antes, mas os pais de ambos pediram tempo para se preparar e a mãe de Gus ficou resmungando que pressa demais era indecente, de modo que ele havia cedido.

Wilson trabalhou para melhorar seu discurso, datilografando em sua velha máquina de escrever Underwood enquanto as infindáveis planícies do Meio-Oeste passavam pela janela do trem. Suas apresentações foram melhorando com o passar dos dias. Gus sugeriu que ele tentasse tornar o tratado relevante para cada cidade visitada. Wilson disse aos líderes empresariais de Saint Louis que o tratado era necessário para aquecer o comércio mundial. Em Omaha, falou que um mundo sem o tratado seria como uma comunidade em que as terras não estivessem regularizadas, o que obrigava todos os agricultores a ficarem defendendo suas cercas de espingarda na mão. Em vez de longas explicações, ele transmitia os pontos mais importantes com frases curtas.

Gus também sugeriu que Wilson apelasse para as emoções do povo. Aquela não era uma questão apenas política, argumentou, estava ligada, também, aos sentimentos das pessoas em relação a seu país. Em Columbus, Wilson falou sobre os rapazes do Exército. Em Sioux Falls, disse que queria compensar os sacrifícios das mães que haviam perdido filhos no campo de batalha. Dificilmente recorria a golpes baixos, mas, em Kansas City, cidade natal do virulento senador Reed, comparou seus opositores aos bolcheviques. E seguia bradando à exaustão a mensagem de que, se a Liga das Nações fracassasse, haveria outra guerra.

A cada parada do trem, Gus tentava facilitar as relações com os repórteres a bordo e com seus colegas da imprensa local. Quando Wilson falava sem um discurso preparado com antecedência, sua estenógrafa fazia uma transcrição imediata, que Gus distribuía. Ele também convenceu Wilson a ir ao vagão-bar de vez em quando para um bate-papo informal com a imprensa.

Deu certo. As plateias começaram a reagir cada vez melhor. A cobertura da imprensa continuou dividida, porém a mensagem de Wilson era repetida constantemente mesmo nos jornais contrários a ele. E relatórios vindos de Washington sugeriam que a oposição estava enfraquecendo.

Contudo, Gus podia ver quanto aquela campanha estava custando ao presidente. Suas dores de cabeça se tornaram quase permanentes. Ele dormia mal. Não conseguia digerir comida normal e o Dr. Grayson o pôs em uma dieta líquida. Ele pegou uma infecção de garganta que evoluiu para uma espécie de asma e começou a ter dificuldade para respirar. Passou a tentar dormir sentado.

Nada disso foi revelado à imprensa, nem mesmo a Rosa. Ainda que sua voz estivesse fraca, Wilson continuou com seus discursos. Milhares de pessoas o aplaudiram em Salt Lake City, mas ele parecia exausto e não parava de apertar as mãos uma contra a outra, um gesto estranho que fez Gus pensar em um homem à beira da morte.

Então, na noite de 25 de setembro, houve uma comoção. Gus ouviu Edith chamar o Dr. Grayson. Vestiu um roupão e foi até o vagão do presidente.

O que viu ao chegar o deixou triste e horrorizado. Wilson estava com um aspecto terrível. Mal conseguia respirar e havia desenvolvido um tique facial. Ainda assim, queria prosseguir com a campanha, mas Grayson foi firme e insistiu para que ele cancelasse o restante da viagem. Wilson acabou cedendo.

Na manhã seguinte, com um peso no coração, Gus informou à imprensa que o presidente havia sofrido um colapso nervoso grave, e os trilhos foram liberados para acelerar sua viagem de quase três mil quilômetros de volta para casa. Todos os compromissos presidenciais foram cancelados por duas semanas, em particular uma reunião com os senadores favoráveis ao tratado para planejar a luta pela aprovação do documento.

Naquela noite, sentados na cabine de Rosa, ela e Gus olhavam desconsolados pela janela. Pessoas se juntavam em cada estação para ver o presidente passar. O sol se pôs, mas mesmo assim as multidões continuavam a se reunir sob a luz do crepúsculo. Gus se lembrou da viagem de trem de Brest a Paris e da massa silenciosa parada à beira dos trilhos no meio da noite. Fazia menos de um ano, porém suas esperanças já haviam sido destruídas.

– Nós fizemos o melhor possível – disse Gus. – Mas fracassamos.

– Tem certeza?

– Quando o presidente estava em plena campanha, o resultado já era incerto. Com Wilson doente, não temos a menor chance de o tratado ser ratificado pelo Senado.

Rosa segurou a mão dele.

– Sinto muito – falou. – Por você, por mim, pelo mundo. – Ela fez uma pausa. – O que você vai fazer?

– Gostaria de entrar para um escritório de advocacia de Washington especializado em direito internacional. Afinal de contas, tenho alguma experiência no ramo.

– Imagino que eles vão fazer fila para lhe oferecer um emprego. E talvez algum futuro presidente vá querer a sua ajuda.

Ele sorriu. Às vezes, Rosa tinha uma opinião tão favorável a seu respeito que chegava a ser irrealista.

– E você?

– Eu amo o que faço. Espero poder continuar a cobrir a Casa Branca.

– Você gostaria de ter filhos?

– Sim!

– Eu também. – Gus olhou pela janela, pensativo. – Só espero que Wilson esteja errado em relação a eles.

– Aos nossos filhos? – Ela reparou no tom solene da voz dele, e foi com uma voz assustada que fez a pergunta: – Como assim?

– Wilson diz que eles terão de lutar em outra guerra mundial.

– Deus nos livre! – exclamou Rosa com fervor.

Do lado de fora, a noite caía.

CAPÍTULO TRINTA E NOVE

Janeiro de 1920

Daisy estava sentada à mesa da sala de jantar da Prairie House da família Vyalov, em Buffalo. Usava um vestido cor-de-rosa. O grande guardanapo de linho amarrado em volta do seu pescoço praticamente a engolia. Tinha quase quatro anos e Lev a adorava.

– Vou preparar o maior sanduíche do mundo – disse ele, fazendo a menina rir. Cortou dois pedaços de torrada em quadradinhos de um centímetro, passou manteiga neles com cuidado, depois acrescentou um pouco dos ovos mexidos que Daisy não queria comer e juntou os dois pedaços – Agora temos que colocar um grão de sal – falou. Sacudiu o saleiro em cima do seu prato e então recolheu com delicadeza um único grão com a ponta do dedo, colocando-o sobre o sanduíche. – Agora sim eu posso comer! – falou.

– Eu quero – disse Daisy.

– Quer mesmo? Mas não é um sanduíche tamanho papai?

– Não! – disse ela, rindo. – É um sanduíche tamanho menina!

– Ah, então está bem – disse ele, pondo o sanduíche na boca da filha. – Você não vai querer outro, vai?

– Vou.

– Mas esse era muito grande.

– Não era, não!

– Certo, acho que vou ter que fazer outro.

Lev estava levando uma vida de rei. As coisas estavam correndo ainda melhor do que ele dissera a Grigori dez meses antes, quando os dois haviam se encontrado no trem de Trótski. Ele vivia com grande conforto na casa do sogro. Administrava três casas noturnas de Vyalov e ganhava um bom salário, além de alguns extras, como propinas dos fornecedores. Tinha posto Marga para morar em um apartamento elegante e a visitava quase todos os dias. Ela havia engravidado uma semana depois de ele voltar e acabara de dar à luz um menino, que haviam batizado de Gregory. Lev conseguira manter a história toda em segredo.

Olga entrou na sala, beijou Daisy e se sentou. Lev amava a filha, mas não sentia nada por Olga. Marga era mais sensual e divertida. E havia muitas outras garotas na cidade, conforme ele havia descoberto quando Marga estava nos últimos estágios da gravidez.

– Bom dia, mamãe! – disse Lev em um tom alegre.

Daisy aproveitou a deixa e repetiu suas palavras.

– Papai está dando comida para você? – perguntou Olga.

Ultimamente, os dois se falavam assim, quase sempre por intermédio da filha. Haviam feito sexo algumas vezes depois de Lev voltar da guerra, mas logo voltaram à indiferença habitual e agora dormiam em quartos separados. Diziam aos pais de Olga que era porque Daisy acordava durante a noite, embora isso fosse raro. Olga tinha a expressão de uma mulher frustrada, mas Lev não estava nem aí.

Josef entrou na sala.

– Olhe o vovô! – disse Lev.

– Bom dia – falou Josef, lacônico.

– Vovô quer um sanduíche – disse Daisy.

– Não – disse Lev. – Eles são grandes demais para o vovô.

Daisy ficava encantada quando Lev dizia coisas que estavam claramente erradas.

– Não são, não – falou ela. – São pequenos demais!

Josef se sentou. Ao voltar da guerra, Lev havia encontrado o sogro muito mudado. Estava gordo e mal cabia em seu terno listrado. O simples esforço de descer a escada o deixava ofegante. Seus músculos tinham virado banha, seus cabelos pretos haviam ficado grisalhos e sua tez rosada ganhara um rubor nada saudável.

Polina veio da cozinha com um bule de café e serviu uma xícara a Josef, que abriu o *Buffalo Advertiser*.

– Como vão os negócios? – quis saber Lev. Não era uma pergunta despropositada. A Lei Volstead tinha entrado em vigor no dia 16 de janeiro, tornando ilegais a produção, o transporte e a venda de bebidas alcoólicas. O império Vyalov era sustentado por bares, boates e hotéis e pela venda de bebidas no atacado. A Lei Seca era a serpente no paraíso de Lev.

– Nós estamos morrendo – respondeu Josef com uma franqueza incomum. – Tive que fechar cinco bares em uma semana, e o pior ainda está por vir.

Lev assentiu.

– Estou vendendo aquela cerveja quase sem álcool nas boates, mas ninguém quer. – A lei permitia a venda de cerveja com menos de meio por cento de teor alcoólico. – Você precisa beber quatro litros para sentir alguma coisa.

– Podemos vender bebida clandestina por debaixo dos panos, mas é impossível conseguir em quantidade suficiente e, de qualquer forma, as pessoas ficam com medo de comprar.

Olga ficou chocada. Ela não sabia quase nada sobre os negócios.

– Mas, papai, o que o senhor vai fazer?

– Não sei – respondeu Josef.

Isso era outra mudança. Antigamente, Josef teria se planejado para uma crise como aquela. No entanto, a lei fora aprovada havia três meses e Josef não tinha feito nada para se preparar para a nova situação. Lev vinha esperando o sogro sacar um coelho da cartola. Mas, para seu desânimo, estava vendo que isso não iria acontecer.

Era preocupante. Lev tinha mulher, amante e dois filhos para sustentar com os lucros dos negócios de Vyalov. Se o império estivesse prestes a ruir, ele precisaria fazer planos.

Polina chamou Olga ao telefone, e esta foi até o corredor. Lev pôde ouvi-la falar.

– Oi, Ruby – atendeu ela. – Você acordou cedo. – Houve uma pausa. – O quê? Não acredito. – Seguiu-se um longo silêncio, então Olga começou a chorar.

Josef ergueu os olhos do jornal e disse:

– Mas que diabo...?

Olga bateu o telefone com força e voltou para a sala de jantar. Com os olhos cheios de lágrimas, apontou para Lev e disse:

– Seu desgraçado!

– O que foi que eu fiz? – indagou ele, embora temesse já saber.

– Seu... seu... seu filho da mãe.

Daisy começou a chorar.

– Olga, meu bem, o que houve? – perguntou Josef.

– Ela teve um filho! – respondeu Olga.

– Ai, cacete – disse Lev entredentes.

– Quem teve um filho? – quis saber Josef.

– A piranha de Lev. Aquela que vimos no parque. Marga.

Josef ficou vermelho.

– A cantora do Monte Carlo? Ela teve um filho de *Lev*?

Chorando, Olga aquiesceu.

Josef se virou para o genro:

– Seu filho da puta!

– Vamos todos tentar ficar calmos – disse Lev.

Josef se levantou.

– Meu Deus, eu achei que tivesse lhe ensinado uma lição.

Lev empurrou a cadeira para trás e se pôs de pé. Recuou, afastando-se de Josef com os braços estendidos para a frente, procurando se defender.

– Que porra é essa, Josef? Calma! – falou.

– Não se atreva a me dizer para ficar calmo – disse Josef.

Com uma agilidade surpreendente, ele deu um passo à frente e golpeou o genro com um dos punhos massudos. Lev não foi rápido o suficiente para se esquivar, e o soco o atingiu bem no alto do malar esquerdo. A dor foi terrível e ele cambaleou para trás.

Daisy começou a berrar e Olga a pegou no colo e fugiu em direção à porta.

– Parem com isso! – gritou.

Josef deu outro soco com a mão esquerda.

Fazia muito tempo que Lev não brigava, mas ele havia crescido nos bairros pobres de Petrogrado e seus reflexos ainda estavam em dia. Defendeu o golpe de Josef, chegou mais perto e esmurrou a barriga do sogro com os dois punhos, um depois do outro. O ar foi expelido com violência do peito de Josef. Então Lev começou a socar o rosto do sogro com jabs curtos, atingindo o nariz, a boca, os olhos.

Josef era um homem forte e intimidador, mas o medo excessivo que as pessoas tinham dele as impedia de revidar, o que o deixara muito tempo sem praticar a autodefesa. Ele cambaleou para trás com os braços erguidos, em uma vã tentativa de se proteger dos socos de Lev.

Os instintos de lutador de rua de Lev não lhe permitiam parar de bater enquanto o oponente ainda estivesse de pé, de modo que continuou a castigar Josef, socando-lhe o corpo e a cabeça até o homem mais velho cair para trás sobre uma das cadeiras e se estatelar no tapete.

Lena, mãe de Olga, entrou correndo na sala, gritou e se ajoelhou junto ao marido. Polina e a cozinheira surgiram na soleira da porta da cozinha, parecendo assustadas. Mesmo com o rosto espancado coberto de sangue, Josef conseguiu se apoiar em um dos cotovelos e empurrar Lena para o lado. Então, quando tentou se levantar, deu um grito e tornou a cair para trás.

Sua pele ficou cinza e ele parou de respirar.

– Meu Deus do céu! – disse Lev.

Lena começou a gritar:

– Josef, ai, meu Joe, abra os olhos!

Lev sentiu o peito de Josef. O coração não batia mais. Ele segurou seu punho, mas não conseguiu encontrar pulsação.

Agora sim estou encrencado, pensou.

Levantou-se do chão.

– Polina, chame uma ambulância.

A babá foi até o corredor e pegou o telefone.

Lev ficou encarando o corpo. Precisava tomar uma decisão importante – e rápido. Ficar ali, alegar inocência, fingir que sentia muito e tentar se safar? Não. As chances de isso dar certo eram pequenas demais.

Ele precisava fugir.

Correu até o andar de cima e tirou a camisa. Depois da guerra, tinha voltado para casa cheio de ouro, que acumulara com a venda de uísque escocês para os cossacos. Com ele, havia comprado pouco mais de cinco mil dólares e enfiado as notas no cinturão que usava para guardar dinheiro, colando o mesmo na parte de trás de uma gaveta com fita adesiva. Apanhou o cinturão, prendendo-o ao redor da cintura, e tornou a vestir a camisa e o paletó.

Colocou o sobretudo. Em cima de seu armário havia uma velha bolsa de lona que continha sua pistola semiautomática Colt .45, modelo 1911, a arma dos oficiais do Exército americano. Guardou a pistola no bolso do sobretudo. Jogou uma caixa de munição e algumas roupas de baixo dentro da bolsa de lona e desceu a escada.

Na sala de jantar, Lena havia posto uma almofada sob a cabeça de Josef, mas seu marido parecia mais morto do que nunca. Olga falava ao telefone no corredor, dizendo:

– Rápido, por favor, acho que ele pode morrer! – Tarde demais, docinho, pensou Lev.

– A ambulância vai demorar muito – disse ele. – Vou chamar o Dr. Schwarz.

– Ninguém perguntou por que ele estava carregando uma bolsa.

Foi até a garagem e deu a partida no Packard Twin Six de Josef. Saiu do terreno da casa e dobrou para o norte.

Ele não estava indo chamar o Dr. Schwarz.

Tomou o rumo do Canadá.

11

Lev dirigia depressa. Enquanto deixava para trás os subúrbios ao norte de Buffalo, tentou calcular quanto tempo ainda tinha. A equipe da ambulância sem dúvida chamaria a polícia. Assim que os policiais chegassem, iriam descobrir que Josef morrera espancado. Olga não hesitaria em lhes contar quem havia nocauteado o pai: se já não odiava Lev antes, certamente o odiava agora. Depois disso, Lev passaria a ser procurado por assassinato.

Em geral havia três carros na garagem de Vyalov: o Packard, o Ford Bigode de Lev e um Hudson azul usado pelos capangas de Josef. Os tiras não levariam muito tempo para deduzir que Lev tinha fugido no Packard. Dentro de uma hora, calculou Lev, a polícia sairia à procura do carro.

Com alguma sorte, a essa altura ele já estaria fora do país.

Tinha ido várias vezes ao Canadá com Marga. Eram apenas 160 quilômetros até Toronto, o que dava três horas em um carro veloz. Eles gostavam de se registrar em um hotel como Sr. e Sra. Peters e passear pela cidade, vestidos com suas melhores roupas, sem precisar se preocupar se iriam ser vistos por alguém que poderia contar a Josef Vyalov. Lev não tinha passaporte americano, mas conhecia vários pontos da fronteira em que não havia postos de controle.

Chegou a Toronto ao meio-dia e registrou-se em um hotel tranquilo.

Pediu um sanduíche na cafeteria e se sentou um pouco para refletir sobre a própria situação. Estava sendo procurado por assassinato. Não tinha casa e não podia visitar nenhuma de suas duas famílias sem correr o risco de ser preso. Talvez nunca mais visse os filhos. Tinha cinco mil dólares em um cinturão e um carro roubado.

Pensou em como havia se gabado com o irmão, apenas 10 meses antes. O que Grigori acharia agora?

Ele comeu o sanduíche e então foi andar sem destino pelo centro da cidade, deprimido. Entrou em uma loja de bebidas e comprou uma garrafa de vodca para levar de volta ao quarto. Talvez naquela noite apenas se embebedasse. Viu que o uísque de centeio custava quatro dólares a garrafa. Em Buffalo custava 10, isso quando você conseguia uma garrafa; em Nova York, 15 ou 20. Sabia disso porque vinha tentando comprar bebida ilegal para as boates.

Voltou para o hotel e conseguiu um pouco de gelo. Seu quarto estava empoeirado, tinha móveis de aparência gasta e dava vista para os fundos de uma série de lojas baratas. Enquanto a noite caía cedo lá fora, como de hábito no norte, ele se sentiu mais deprimido do que nunca. Pensou em sair para arrumar uma garota, mas estava sem ânimo. Será que iria fugir de todos os lugares em que viesse a morar? Havia saído de Petrogrado por causa de um policial morto; em Aberowen, estivera literalmente a um passo de ser pego por pessoas que havia enganado nas cartas; e agora tinha deixado Buffalo na condição de fugitivo da lei.

Precisava dar um jeito no Packard. A polícia de Buffalo talvez enviasse uma descrição do carro por cabo para Toronto. Ele precisava trocar as placas, ou então trocar de carro. Mas não conseguia reunir forças para tanto.

Olga provavelmente estava feliz por se livrar dele. Não precisaria dividir a herança com ninguém. No entanto, a cada dia que passava, o império Vyalov valia menos.

Ficou imaginando se conseguiria trazer Marga e o bebê Gregory para o Canadá. Será que Marga iria querer vir? Os Estados Unidos eram o seu sonho, assim como tinham sido o de Lev. Cantoras de boate não ficavam fantasiando viver no Canadá. Ela talvez fosse com Lev para Nova York ou para a Califórnia, mas não para Toronto.

Ele sentiria falta dos filhos. Seus olhos se encheram de lágrimas quando pensou em Daisy crescendo sem ele. A menina não tinha nem quatro anos: poderia esquecer completamente o pai. Na melhor das hipóteses, teria uma vaga lembrança. Não iria se lembrar do maior sanduíche do mundo.

Depois da terceira dose, ocorreu-lhe que era um pobre injustiçado. Não tivera a intenção de matar o sogro. Josef havia batido primeiro. E, para completar, Lev sequer o matara de fato: ele tinha morrido de algum tipo de convulsão ou ataque cardíaco. Na verdade, fora apenas uma falta de sorte. Mas ninguém acreditaria nisso. A única testemunha era Olga, e ela iria querer vingança.

Ele se serviu de mais uma dose de vodca e deitou-se na cama. Para o inferno com todos, pensou.

Enquanto pegava em um sono irrequieto e embriagado, pensou nas garrafas na vitrine da loja. "Uísque Canadian Club, 4 dólares", dizia o cartaz. Havia alguma coisa importante nisso, ele sabia, mas por ora não conseguia identificar o que era.

Na manhã seguinte, ao acordar, tinha a boca seca e a cabeça dolorida, mas sabia que o Canadian Club a 4 pratas a garrafa poderia ser a sua salvação.

Enxaguou seu copo e bebeu o gelo derretido no fundo do balde. No terceiro copo, já tinha um plano.

Suco de laranja, café e aspirinas o fizeram se sentir melhor. Ele pensou nos perigos que teria de enfrentar. Mas nunca se deixara paralisar diante dos riscos. Se fosse assim, pensou, eu seria o meu irmão.

Só havia uma grande desvantagem em seu plano. Ele dependia de uma reconciliação com Olga.

Lev foi de carro até um bairro de classe baixa e entrou em um restaurante barato que servia café da manhã para trabalhadores. Sentou-se perto de um grupo de homens que pareciam ser pintores de parede e disse:

– Preciso trocar meu carro por um caminhão. Vocês conhecem alguém que possa estar interessado?

– O carro é quente? – perguntou um dos homens.

Lev abriu um sorriso.

– Ah, amigo, me dê um tempo – disse ele. – Se fosse, você acha que eu o estaria vendendo aqui?

Não encontrou compradores no restaurante nem nos outros poucos lugares que tentou, mas acabou chegando a uma oficina de automóveis administrada por pai e filho. Trocou o Packard por uma caminhonete Mack Junior com capacidade para duas toneladas, com dois estepes, em uma transação que não envolveu dinheiro ou documento algum. Tinha consciência de que estava sendo roubado, mas o dono da oficina sabia que ele estava em situação desesperadora.

Mais tarde, foi até um atacadista de bebidas cujo endereço havia encontrado na lista telefônica da cidade.

– Quero 100 caixas de Canadian Club – pediu. – Por quanto sai?

– Para essa quantidade, 36 pratas a caixa.

– Fechado. – Lev sacou o dinheiro. – Vou abrir um bar perto da cidade e...

– Não precisa explicar, colega – disse o atacadista. Ele apontou para a janela. No terreno baldio ao lado da loja, uma equipe de peões escavava o solo. – Meu novo depósito. Cinco vezes maior do que este. Deus abençoe a Lei Seca.

Lev percebeu que não era a primeira pessoa a ter aquela ideia genial.

Pagou ao homem e juntos carregaram o uísque na caminhonete.

No dia seguinte, Lev voltou para Buffalo.

III

Lev estacionou a caminhonete lotada de uísque na rua em frente à casa dos Vyalov. A tarde de inverno já estava escurecendo. Não havia nenhum carro no acesso à garagem. Ele aguardou, tenso e ansioso, preparado para fugir, mas não viu nenhuma atividade.

Com os nervos à flor da pele, desceu da caminhonete, foi até a porta da frente e entrou usando a própria chave.

A casa estava em silêncio. Do andar de cima, ele pôde ouvir a voz de Daisy e as respostas sussurradas de Polina. Não havia nenhum outro som.

Avançando sem fazer barulho pelo tapete felpudo, atravessou o saguão e espiou para dentro da sala de estar. Todas as cadeiras haviam sido afastadas para as paredes laterais. No meio da sala havia um suporte envolto em seda preta e, em cima dele, um caixão de mogno encerado com alças reluzentes de latão. Dentro do ataúde, estava o corpo de Josef Vyalov. A morte havia suavizado as linhas endurecidas do seu rosto e ele parecia inofensivo.

Olga estava sentada ao lado do corpo. Usava um vestido preto. Estava de costas para a porta.

Lev entrou na sala.

– Oi, Olga – disse baixinho.

Ela abriu a boca para gritar, mas ele cobriu-lhe o rosto com a mão para impedi-la.

– Não se preocupe – falou. – Eu só quero conversar. – Lentamente, retirou a mão.

Ela não gritou.

Ele relaxou um pouco. Havia superado o primeiro obstáculo.

– Você matou meu pai! – disse ela com raiva. – Sobre o que poderíamos conversar?

Ele respirou fundo. Tinha que lidar com aquela situação sem o menor erro. Não poderia contar apenas com o charme. Precisaria também usar a inteligência.

– Sobre o futuro – respondeu. Seu tom de voz era baixo, íntimo. – O seu, o meu e o da pequena Daisy. Eu sei que estou encrencado, mas você também está.

Ela não queria escutar.

– Não estou encrencada coisa nenhuma. – Virou-se e olhou para o corpo do pai.

Lev puxou uma cadeira para se sentar ao lado dela.

– Os negócios que você herdou estão falidos. Estão todos ruindo, não valem mais quase nada.

– Meu pai era muito rico! – disse ela, indignada.

– Ele tinha bares, hotéis e vendia bebidas no atacado. Tudo isso está perdendo dinheiro, e faz só duas semanas que a Lei Seca entrou em vigor. Cinco bares do seu pai já tiveram que fechar. Logo não vai sobrar mais nada. – Lev hesitou e então se valeu de seu argumento mais forte: – Você não pode pensar só em si mesma. Tem que pensar em como vai criar Daisy.

Ela pareceu abalada.

– Os negócios estão mesmo falindo?

– Você ouviu o que seu pai me disse anteontem no café da manhã.

– Não me lembro direito.

– Bem, não precisa acreditar na minha palavra. Verifique você mesma. Pergunte a Norman Niall, o contador. Pergunte a qualquer um.

Depois de lançar-lhe um olhar duro, Olga decidiu levá-lo a sério.

– Por que você veio me dizer isso?

– Porque eu descobri como salvar os negócios.

– Como?

– Importando bebida do Canadá.

– Isso é contra a lei.

– É. Mas é a única esperança. Sem o álcool, você não tem negócio nenhum.

Ela virou a cabeça de lado.

– Eu posso cuidar de mim mesma.

– Claro – disse ele. – Pode vender esta casa por uma boa grana, investir o dinheiro e se mudar para um apartamento pequeno com sua mãe. Talvez consiga salvar alguma coisa do espólio do seu pai para sustentar você e Daisy por alguns anos, embora devesse estar cogitando também a possibilidade de trabalhar...

– Eu não tenho como trabalhar! – protestou ela. – Nunca fui educada para isso. O que eu iria fazer?

– Ora, você poderia ser vendedora em uma loja de departamentos ou trabalhar em uma fábrica...

Ele não estava falando sério, e ela sabia.

– Não seja ridículo! – disparou.

– Então só resta uma alternativa. – Ele estendeu a mão para tocá-la.

Ela se esquivou.

– Desde quando você liga para o que vai ser de mim?

– Você é minha mulher.

Ela o encarou com um olhar estranho.

Ele estampou sua cara mais sincera.

– Eu sei que tratei você mal, mas nós um dia já nos amamos.

Olga soltou um ruído gutural de desdém.

– E temos uma filha para cuidar.

– Mas você vai ser preso.

– Não se você disser a verdade.

– Como assim?

– Olga, você viu o que aconteceu. Seu pai me atacou. Olhe para o meu rosto: estou com um olho roxo para provar o que digo. Eu tive que revidar. Ele devia estar com problemas de coração. Talvez já estivesse doente há algum tempo, isso explicaria por que não preparou os negócios para a Lei Seca. Seja como for, ele morreu por causa do esforço de me atacar, não por causa dos poucos socos que eu dei para me defender. Você só precisa contar a verdade à polícia.

– Eu já disse a eles que você o matou.

Lev se animou: estava progredindo.

– Não tem problema – disse para tranquilizá-la. – Você afirmou isso no calor do momento, quando estava transtornada pela dor. Agora que está mais calma, consegue ver que a morte do seu pai foi um terrível acidente, porque ele estava mal de saúde e teve um ataque de raiva.

– Será que eles vão acreditar em mim?

– Um júri acreditará em você. Mas, se eu contratar um bom advogado, nem vai precisar haver julgamento. Como haveria, se a única testemunha jurar que não foi assassinato?

– Não sei. – Ela mudou de assunto. – Como você vai arrumar a bebida?

– Isso é fácil. Não se preocupe.

Ela se virou na cadeira para encará-lo.

– Não acredito em você. Você só está dizendo isso para me fazer mudar meu testemunho.

– Vista seu casaco, quero lhe mostrar uma coisa.

Foi um momento de tensão. Se Olga o acompanhasse, ele teria vencido.

Depois de uma pausa, ela se levantou.

Lev escondeu um sorriso de triunfo.

Os dois saíram da sala. Na rua, ele abriu as portas traseiras da caminhonete.

Ela ficou vários instantes calada. Então indagou:

– Canadian Club? – Seu tom havia mudado, observou ele. Estava mais prático. A emoção havia passado para segundo plano.

– Cem caixas – disse ele. – Comprei por três dólares a garrafa. Aqui posso conseguir 10. Ou mais, se vendermos por dose.

– Preciso pensar no assunto.

Era um bom sinal. Ela estava disposta a concordar, mas não queria ser precipitada.

– Entendo, mas não temos tempo para isso – disse ele. – Sou um homem procurado, com uma caminhonete cheia de uísque ilegal, e preciso que você tome uma decisão agora mesmo. Sinto muito por apressá-la, mas, como você pode ver, eu não tenho escolha.

Ela assentiu com a cabeça, pensativa, mas não falou nada.

Lev prosseguiu.

– Se você disser que não, vou vender a bebida, embolsar o dinheiro e sumir. Você vai ficar sozinha. Vou lhe desejar boa sorte e dizer adeus para sempre, sem mágoas. Eu entenderia.

– E se eu disser que sim?

– Nós vamos à polícia agora mesmo.

Fez-se um silêncio demorado.

Por fim, ela aquiesceu:

– Está bem.

Lev virou o rosto para esconder sua expressão. Você conseguiu, disse a si mesmo. Sentou-se ao lado dela na mesma sala que o cadáver do pai e conseguiu reconquistá-la.

Seu cachorro!

IV

– Tenho que pôr um chapéu – disse Olga. – E você precisa de uma camisa limpa. É melhor causarmos uma boa impressão.

Aquilo era uma boa coisa. Ela estava mesmo do seu lado.

Os dois tornaram a entrar na casa para se arrumar. Enquanto esperava por ela, Lev telefonou para o *Buffalo Advertiser* e pediu para falar com o editor Peter Hoyle. Uma secretária perguntou qual era o assunto.

– Diga a ele que é o homem procurado pelo assassinato de Josef Vyalov.

Logo em seguida, uma voz bradou:

– Hoyle falando. Quem é?

– Lev Peshkov, o genro de Vyalov.

– Onde o senhor está?

Lev ignorou a pergunta.

– Se o senhor puder mandar um repórter até a escadaria da delegacia central de polícia daqui a meia hora, vou ter uma declaração para lhe dar.

– Estaremos lá.

– Sr. Hoyle?

– Sim?

– Mande um fotógrafo também. – Lev desligou.

Com Olga ao seu lado na frente da caminhonete, ele passou primeiro no depósito de Josef à beira do lago. Caixas de cigarros roubados estavam empilhadas junto às paredes. No escritório dos fundos, os dois encontraram o contador de Vyalov, Norman Niall, além do grupo habitual de capangas. Lev sabia que Norman era corrupto, porém melindroso. Encontraram-no sentado na cadeira de Josef, atrás da escrivaninha do antigo patrão.

Todos ficaram pasmos ao ver Lev e Olga.

– Olga herdou os negócios – disse Lev. – A partir de agora, quem vai administrar tudo sou eu.

Norman não se levantou da cadeira.

– Isso é o que veremos – falou.

Lev o encarou com um olhar duro, sem dizer nada.

Norman tornou a falar, com menos segurança desta vez:

– O testamento precisa ser confirmado e tudo o mais.

Lev fez que não com a cabeça.

– Se esperarmos pelas formalidades, não vai restar nada do negócio. – Ele apontou para um dos capangas. – Ilya, vá até o pátio, dê uma olhada dentro da caminhonete, volte e diga a Norm o que viu.

Ilya saiu. Lev contornou a escrivaninha para ir se postar ao lado de Norman. Todos aguardaram em silêncio até Ilya voltar.

– Cem caixas de Canadian Club. – Ele pôs uma garrafa sobre a mesa. – Podemos provar para ver se é legítimo.

– Eu vou administrar os negócios com bebida importada do Canadá – disse Lev. – A Lei Seca é a maior oportunidade que já tivemos. As pessoas vão pagar o que for por álcool. Nós vamos ganhar uma fortuna. Levante-se dessa cadeira, Norm.

– Não é bem assim, garoto – respondeu Norman.

Lev sacou a pistola depressa e usou-a para golpear Norman dos dois lados do rosto. O contador gritou. Como quem não quer nada, Lev apontou o Colt na direção dos capangas.

Olga, é preciso lhe fazer justiça, não gritou.

– Seu otário – disse Lev a Norman. – *Eu matei Josef Vyalov*, você acha que vou ter medo de uma porra de um contador?

Norman se levantou e saiu correndo da sala, segurando a boca, que sangrava, com uma das mãos.

Lev se virou para os outros homens, mantendo a pistola apontada na direção deles, e disse:

– Qualquer pessoa que não queira trabalhar para mim pode ir embora agora, sem ressentimentos.

Ninguém se mexeu.

– Ótimo – disse Lev. – Porque eu estava mentindo quando disse que não haveria ressentimentos. – Ele apontou para Ilya. – Você, venha comigo e com a Sra. Peshkov. Pode dirigir. Os outros, descarreguem a caminhonete.

Ilya os levou até o centro da cidade no Hudson azul.

Lev achou que talvez tivesse cometido um erro no armazém. Não deveria ter dito "Eu matei Josef Vyalov" na frente de Olga. Ela ainda poderia mudar de ideia. Se a mulher comentasse alguma coisa, ele diria que não tinha falado sério, agira apenas com a intenção de assustar Norm. Olga, no entanto, não mencionou o assunto.

Em frente à delegacia, dois homens de sobretudo e chapéu aguardavam junto a uma câmera grande, apoiada em um tripé.

Lev e Olga desceram do carro.

– A morte de Josef Vyalov é uma tragédia para nós, para sua família e para esta cidade – disse ele ao repórter, que tomou notas em um caderninho. – Eu vim dar à polícia a minha versão do ocorrido. Minha esposa, Olga, a única outra pessoa presente quando ele passou mal, está aqui para testemunhar a minha inocência. A autópsia irá mostrar que meu sogro morreu de enfarte. Minha esposa e eu pretendemos continuar a expandir o grande império que Josef Vyalov criou aqui em Buffalo. Obrigado.

– Pode olhar para a câmera, por favor? – pediu o fotógrafo.

Lev enlaçou Olga com um braço, puxou-a mais para perto e olhou para a câmera.

– De onde veio esse olho roxo, Lev? – quis saber o repórter.

– Ah, isto aqui? – disse ele, apontando para o próprio olho. – Ah, essa é outra história. – Ele abriu seu sorriso mais irresistível e o flash de magnésio do fotógrafo disparou com um clarão ofuscante.

CAPÍTULO QUARENTA

De fevereiro a dezembro de 1920

O Quartel de Detenção Militar de Aldershot era um lugar sinistro, pensou Billy, porém melhor que a Sibéria. Aldershot era uma cidade militar pouco menos de 60 quilômetros a sudoeste de Londres. O presídio era um edifício moderno, com três andares de galerias de celas ao redor de um pátio interno. Por conta do teto envidraçado, o lugar era bem iluminado e ganhara o apelido de "Estufa". Com sua calefação por encanamento e iluminação a gás, a prisão era mais confortável que a maioria dos lugares em que Billy havia dormido nos últimos quatro anos.

Mesmo assim, ele estava infeliz. Embora a guerra já tivesse acabado há mais de um ano, ele continuava no Exército. A maioria de seus amigos estava de volta à vida civil, ganhando bons salários e levando garotas ao cinema. Ele ainda usava um uniforme e prestava continência, dormia em um catre e comia comida de quartel. Trabalhava o dia inteiro tecendo esteiras na fábrica da prisão. E, o que era pior, nunca via nenhuma mulher. Em algum lugar lá fora, Mildred estava à sua espera – provavelmente. Todo mundo tinha uma história para contar sobre um soldado que havia voltado para casa e descoberto que a esposa ou a namorada dera o fora com outro homem.

Ele não tinha contato com Mildred ou com qualquer outra pessoa do lado de fora. Os detentos – ou "soldados condenados", como eram chamados oficialmente – geralmente podiam mandar e receber cartas, porém Billy era um caso especial. Como fora acusado de revelar segredos militares por meio de cartas, sua correspondência era confiscada pelas autoridades. Isso fazia parte da vingança do Exército. Ele não tinha mais nenhum segredo para revelar, é óbvio. O que poderia contar à irmã? "Eles sempre cozinham de menos as batatas por aqui."

Será que Mam, Da e Gramper ao menos sabiam de sua condenação pela corte marcial? O parente mais próximo do soldado deveria ser informado, pensou, mas não tinha certeza e ninguém se dignava responder às suas perguntas. De toda forma, era quase certo que Tommy Griffiths houvesse lhes contado. Esperava que, além disso, Ethel tivesse explicado o que ele de fato fizera.

Billy não recebia visitas. Desconfiava que sua família sequer fizesse ideia de que ele voltara da Rússia. Gostaria de contestar a proibição de se corresponder, mas não tinha como entrar em contato com nenhum advogado – nem dinheiro para pagar um. Seu único consolo era a vaga sensação de que aquilo não poderia durar para sempre.

Suas notícias sobre o mundo lá fora vinham dos jornais. Fitz estava de volta a Londres, fazendo discursos para pedir mais ajuda militar aos Brancos na Rússia. Billy ficou imaginando se isso significaria que os Aberowen Pals tinham voltado para casa.

Os discursos de Fitz não estavam funcionando. A campanha "Deixem a Rússia em paz", liderada por Ethel, tinha angariado o apoio do Partido Trabalhista e fora endossada por ele. Apesar dos exuberantes discursos antibolcheviques do ministro da Guerra, Winston Churchill, a Grã-Bretanha havia retirado suas tropas da região ártica da Rússia. Em meados de novembro, os Vermelhos tinham expulsado o almirante Kolchak de Omsk. Tudo o que Billy dissera sobre os Brancos – e que Ethel havia repetido em sua campanha – revelou-se verdadeiro; tudo o que Fitz e Churchill tinham dito era mentira. No entanto, Billy estava na cadeia e Fitz, na Câmara dos Lordes.

Ele tinha pouca coisa em comum com seus companheiros de cárcere, que não eram prisioneiros políticos. A maioria havia cometido crimes de verdade: roubo, agressão, assassinato. Eram homens duros, mas Billy também era, e não tinha medo deles. Tratavam-no com um respeito cauteloso, aparentemente sentindo que o delito que cometera estava um nível acima dos seus. Billy se mostrava razoavelmente simpático ao conversar com esses homens, porém nenhum deles tinha qualquer interesse em política. Não viam nada de errado com a sociedade que os havia encarcerado; estavam apenas decididos a derrotar o sistema da próxima vez.

Durante o intervalo de meia hora para o almoço, ele lia o jornal. A maior parte dos outros detentos era analfabeta. Certo dia, ele abriu o *Daily Herald* e viu a fotografia de um rosto conhecido. Após alguns instantes de incredulidade, percebeu que era uma foto sua.

Lembrou-se de quando o retrato fora tirado. Mildred o havia arrastado até o estúdio de um fotógrafo em Aldgate para ter uma foto sua de uniforme.

– Vou levar este retrato aos lábios todas as noites – tinha dito Mildred. Billy pensara muitas vezes nessa promessa ambígua enquanto estava longe dela.

A manchete dizia: POR QUE O SARGENTO WILLIAMS ESTÁ NA PRISÃO? A animação de Billy aumentou à medida que ele lia a matéria.

> William Williams, do 8º Batalhão dos Fuzileiros Galeses (conhecido como "Aberowen Pals"), está cumprindo pena de 10 anos em uma prisão

militar, condenado por traição. Esse homem é um traidor? Ele por acaso foi desleal ao seu país, desertou para o inimigo, fugiu do combate? Pelo contrário. Lutou com bravura no Somme e continuou a servir na França durante os dois anos seguintes, sendo promovido a sargento.

Billy ficou empolgado. Sou eu no jornal, pensou, e estão dizendo que lutei com bravura!

Ele então foi mandado para a Rússia. Nós não estamos em guerra com os russos. O povo britânico não necessariamente aprova o regime bolchevique, mas nós não atacamos todos os regimes que desaprovamos. Os bolcheviques não representam nenhuma ameaça ao nosso país ou aos nossos aliados. O Parlamento nunca aprovou qualquer ação militar contra o governo de Moscou. Questiona-se inclusive se a nossa missão na Rússia não seria uma violação do direito internacional, uma hipótese grave.

De fato, durante alguns meses, o povo britânico não foi informado de que o seu Exército estava lutando na Rússia. O governo fez declarações enganosas, afirmando que os soldados estariam lá apenas para proteger nossos bens, organizar uma retirada sem incidentes, ou como força de reserva. O que se subentendia dessas informações era que os soldados não estavam lutando contra as forças Vermelhas.

Foi em grande parte graças a William Williams que essas declarações foram desmascaradas como mentirosas.

– Ei – disse Billy, para ninguém em especial. – Vejam só isso. Graças a William Williams.

Os homens sentados na mesma mesa o cercaram para olhar por cima do ombro dele. Seu companheiro de cela, um brutamontes chamado Cyril Parks, falou:
– É você na foto! O que está fazendo no jornal?
Billy leu o restante da matéria em voz alta:

O seu crime foi dizer a verdade em cartas escritas para a irmã, usando um código simples para escapar da censura. O povo britânico tem uma dívida de gratidão com ele.

No entanto, suas ações desagradaram àqueles membros do Exército e do governo responsáveis por usar secretamente os soldados britânicos para fins políticos. Williams foi levado à corte marcial e condenado a 10 anos de prisão.

Ele não é o único. Muitos soldados que se negaram a participar da tentativa de contrarrevolução foram submetidos a julgamentos duvidosos na Rússia e condenados a sentenças escandalosamente longas.

William Williams e outros como ele são vítimas de homens vingativos em posição de poder. Precisamos sanar esse erro. A Grã-Bretanha é um país de justiça. Afinal, foi por ela que nós lutamos.

– Viram só? – indagou Billy. – Está dizendo aqui que eu sou uma vítima dos poderosos.

– Eu também sou – disse Cyril Parks, que havia estuprado uma menina belga de 14 anos em um celeiro.

De repente, o jornal foi arrancado das mãos de Billy. Ele ergueu os olhos e se deparou com o rosto idiota de Andrew Jenkins, um dos carcereiros mais detestáveis do presídio.

– Você pode ter amigos importantes, Williams – disse ele. – Mas aqui é só mais um detento de merda, então pode voltar para a porra do trabalho.

– Agora mesmo, Sr. Jenkins – respondeu Billy.

II

Naquele verão de 1920, Fitz ficou indignado quando uma delegação comercial russa chegou a Londres e foi recebida pelo primeiro-ministro David Lloyd George no número 10 da Downing Street, a sede do governo britânico. Os bolcheviques continuavam em guerra com a recém-reconstituída nação da Polônia, e Fitz achava que a Grã-Bretanha deveria ficar do lado dos poloneses, mas não teve muito apoio nesse sentido. Os estivadores londrinos entraram em greve para não carregar os navios com fuzis destinados ao Exército polonês, e o Congresso dos Sindicatos ameaçou realizar uma greve geral em caso de intervenção do Exército britânico.

Fitz se conformou com o fato de que jamais reaveria as terras do falecido príncipe Andrei. Seus filhos, Boy e Andrew, tinham perdido sua herança na Rússia e ele precisava aceitar isso.

Contudo, não pôde ficar calado quando descobriu o que os russos Kamenev e Krassin estavam tramando durante sua visita à Grã-Bretanha. A Sala 40 ainda existia, embora de forma diferente, e o serviço britânico de inteligência vinha interceptando e decodificando os telegramas que os russos enviavam para casa. Lev Kamenev, presidente do soviete de Moscou, estava fazendo, descaradamente, propaganda revolucionária.

Fitz ficou tão possesso que, no início de agosto, confrontou Lloyd George durante um dos últimos jantares da temporada londrina.

O evento foi na casa de lorde Silverman, na Belgrave Square. O jantar não foi tão lauto quanto os que Silverman costumava dar antes da guerra. Houve menos pratos, menos comida voltou intocada para a cozinha e a decoração da mesa era mais simples. Em vez de lacaios, criadas serviram a comida: ninguém mais estava interessado em ser lacaio. Fitz imaginou que aquelas festas eduardianas extravagantes jamais voltariam a existir. No entanto, Silverman ainda conseguia atrair à sua casa os homens mais poderosos do país.

Lloyd George perguntou a Fitz sobre sua irmã, Maud.

Esse era outro assunto que enfurecia Fitz.

– Sinto informar que ela se casou com um alemão e foi morar em Berlim – respondeu ele. Não mencionou que ela já dera à luz seu primeiro filho, um menino chamado Eric.

– Eu fiquei sabendo – falou Lloyd George. – Só queria saber como ela estava. Uma jovem encantadora.

A predileção do primeiro-ministro por jovens encantadoras era conhecida, para não dizer notória.

– Temo que a vida na Alemanha seja difícil – respondeu Fitz. Maud lhe escrevera implorando por dinheiro, mas ele se recusara a dá-lo. Ela não tinha pedido sua permissão para se casar, então como poderia esperar que ele a sustentasse?

– Difícil? – repetiu Lloyd George. – E não deveria ser de outra forma, depois do que eles fizeram. Mesmo assim, sinto muito por ela.

– Mudando de assunto, primeiro-ministro – disse Fitz –, esse tal de Kamenev é um judeu bolchevique, o senhor deveria deportá-lo.

O álcool havia deixado o primeiro-ministro, que trazia uma taça de champanhe na mão, de bom humor.

– Meu caro Fitz – disse ele em tom amigável –, o governo não está muito preocupado com a propaganda equivocada dos russos, que é grosseira e truculenta. Por favor, não subestime a classe operária da Grã-Bretanha: eles sabem reconhecer conversa oca quando a escutam. Acredite, os discursos de Kamenev estão contribuindo mais para desacreditar o bolchevismo do que qualquer coisa que eu ou você poderíamos dizer.

Fitz achava o argumento do primeiro-ministro uma tolice condescendente.

– Ele chegou ao cúmulo de dar dinheiro para o *Daily Herald*!

– Concordo que é uma indelicadeza da parte de um governo estrangeiro subsidiar um dos nossos jornais, mas, francamente, nós temos medo do *Daily*

Herald? Afinal, até parece que nós, liberais e conservadores, não temos nossos próprios veículos de imprensa.

– Mas ele está entrando em contato com os grupos revolucionários mais radicais do país, loucos dispostos a acabar com todo o nosso modo de vida!

– Quanto mais os britânicos ficarem sabendo sobre o bolchevismo, menos vão gostar, escreva o que estou dizendo. O regime só parece magnífico quando visto de longe, através de uma bruma impenetrável. O bolchevismo é quase uma proteção para a sociedade britânica, pois instiga em todas as classes o horror do que poderia acontecer caso a atual organização social fosse subvertida.

– É só que não gosto nada disso.

– Além do mais – prosseguiu Lloyd George –, se nós os expulsarmos, teremos que explicar como sabemos o que eles estão fazendo, e a notícia de que os estamos espionando pode jogar a classe trabalhadora contra nós de maneira mais eficaz que todos os discursos inflamados dos russos juntos.

Fitz não queria continuar a ouvir um sermão sobre a realidade política, nem mesmo do primeiro-ministro, mas estava tão irritado que insistiu no assunto:

– Mas também não precisamos fazer negócios com os bolcheviques!

– Se nós nos recusássemos a negociar com todos aqueles que usam suas embaixadas aqui para fazer propaganda, não nos sobrariam muitos parceiros comerciais. Por favor, Fitz, nós fazemos comércio com os canibais das Ilhas Salomão!

Fitz tinha suas dúvidas de que isso fosse verdade – afinal de contas, os canibais das Ilhas Salomão não tinham grande coisa a oferecer –, mas deixou passar.

– Estamos tão mal das pernas que precisamos vender para esses assassinos?

– Infelizmente, sim. Eu conversei com vários empresários e eles me assustaram bastante em relação ao próximo ano e meio. Ninguém está fazendo encomendas. Os clientes não compram. Talvez estejamos à beira da pior onda de desemprego que qualquer um de nós já presenciou. Mas os russos querem comprar, e eles pagam em ouro.

– Eu não aceitaria o ouro deles!

– Ora, Fitz – disse Lloyd George –, mas você já tem ouro até dizer chega, não é mesmo?

III

Quando Billy levou sua esposa a Aberowen pela primeira vez, houve uma festa em Wellington Row.

Era um sábado de verão e, para variar, não estava chovendo. Às três da tarde, Billy e Mildred chegaram à estação com as filhas de Mildred – àquela altura enteadas de Billy –, Enid e Lillian, de oito e sete anos. A essa hora, os mineradores já haviam subido da mina, tomado seu banho semanal e vestido seus ternos de domingo.

Os pais de Billy os estavam esperando na estação. Estavam mais velhos e pareciam menos imponentes; já não dominavam todas as pessoas à sua volta. Da apertou a mão de Billy e disse:

– Estou orgulhoso de você, meu filho. Você não se deixou intimidar por eles, como eu lhe ensinei. – Billy ficou feliz ao ouvir isso, embora não se visse apenas como mais uma das conquistas de Da.

Seus pais já haviam conhecido Mildred, no casamento de Ethel. Da apertou sua mão e Mam a cumprimentou com um beijo.

– É um prazer revê-la, Sra. Williams – disse Mildred. – Ou será que devo chamá-la de Mam agora?

Foi a melhor coisa que ela poderia ter dito, e Mam ficou encantada. Billy tinha certeza de que Da acabaria gostando de Mildred também, desde que ela conseguisse maneirar nos palavrões.

O questionamento insistente de alguns parlamentares da Câmara dos Comuns – valendo-se de informações fornecidas por Ethel – havia forçado o governo a anunciar a redução da sentença de alguns soldados e marinheiros submetidos à corte marcial na Rússia por motim e outras ofensas. A pena de Billy tinha sido reduzida para um ano, e ele fora solto e desmobilizado. Depois disso, se casara o mais rápido possível com Mildred.

Aberowen lhe pareceu estranha. A cidade não havia mudado muito, mas seus sentimentos, sim. Era um lugar pequeno e sem graça, e as montanhas em volta pareciam muros feitos para conter as pessoas. Não tinha mais certeza de que ali fosse seu lar. Tivera a mesma sensação ao vestir seu terno de antes da guerra e perceber que, embora a roupa ainda servisse, ele não se sentia mais à vontade nela. Nada do que acontecesse ali mudaria o mundo, pensou ele.

A família subiu a colina até Wellington Row e encontrou as casas todas decoradas com bandeiras: a da Grã-Bretanha, a do País de Gales e a bandeira vermelha. Uma faixa ia de uma ponta a outra da rua, dizendo: BEM-VINDO AO LAR, BILLY DUPLO. Todos os seus vizinhos haviam saído de casa. Mesas estavam postas com jarras de cerveja e de chá, além de pratos cheios de tortas salgadas, bolos e sanduíches. Quando as pessoas viram Billy, começaram a entoar a tradicional canção de boas-vindas do País de Gales "We'll Keep a Welcome in the Hillsides".

Billy chorou.

Alguém lhe deu um caneco de cerveja. Vários rapazes se juntaram em volta de Mildred, admirados. Para eles, tratava-se de uma criatura exótica, com suas roupas londrinas, seu sotaque da cidade e um chapéu de aba imensa que ela própria havia decorado com flores de seda. Mesmo esforçando-se ao máximo para se comportar, ela não conseguia deixar de dizer frases atrevidas como: "Eu já estava ficando de saco cheio, com o perdão da má palavra."

Gramper parecia mais velho e mal conseguia ficar em pé direito, mas sua cabeça ainda estava boa. Ficou cuidando de Enid e Lillian, tirando balas dos bolsos do colete e mostrando às meninas como conseguia fazer uma moeda desaparecer.

Billy teve que conversar com todas as famílias enlutadas sobre seus companheiros mortos: Joey Ponti, Profeta Jones, Llewellyn Espinhento e tantos outros. Reencontrou Tommy Griffiths, que vira pela última vez em Ufa, na Rússia. O pai ateu de Tommy, Len, estava magro e abatido por conta de um câncer.

Billy recomeçaria a trabalhar na mina na segunda-feira, e os mineradores todos queriam lhe explicar as mudanças que haviam ocorrido lá embaixo desde que ele fora embora: novos túneis escavados mais fundo nos veios de carvão, mais luzes elétricas, precauções de segurança mais adequadas.

Tommy subiu em uma cadeira e fez um discurso de boas-vindas, ao qual Billy teve que responder depois.

– Todos nós fomos modificados pela guerra – disse ele. – Eu me lembro de quando as pessoas costumavam dizer que os ricos tinham sido postos neste mundo por Deus para governar o povo, para nos governar. – Essas palavras foram recebidas com risadas desdenhosas. – Muitos homens foram curados dessa ilusão ao lutar sob o comando de oficiais aristocratas que não teriam capacidade de comandar nem mesmo uma excursão de escola. – Os demais veteranos assentiram, entendendo-o perfeitamente. – A guerra foi ganha por homens como nós, homens comuns, que não tiveram educação, mas que não são burros. – Todos concordaram aos gritos de "É isso aí" e "Apoiado, apoiado". – Nós agora temos o direito de voto, assim como nossas mulheres, embora nem todas ainda, como minha irmã Eth lhes dirá em breve. – A frase provocou uma pequena vibração por parte das mulheres. – Este país é nosso, e nós devemos assumir o controle dele, da mesma forma que os bolcheviques fizeram na Rússia e os social-democratas na Alemanha. – Os homens vibraram. – Nós temos um partido que representa o operariado, o Partido Trabalhista, e eleitores de sobra para colocá-lo no governo. Lloyd George nos passou a perna na eleição passada, mas não vai conseguir fazer isso outra vez.

– Não! – gritou alguém.

– Então foi para isso que eu voltei para casa. Os dias de Perceval Jones como representante de Aberowen no Parlamento estão prestes a acabar. – A plateia vibrou novamente. – Eu quero ver um trabalhista nos representando na Câmara dos Comuns! – Billy cruzou olhares com o pai: Da estava radiante. – Obrigado por esta recepção maravilhosa. – Ele desceu da cadeira e todos aplaudiram com entusiasmo.

– Belo discurso, Billy – disse Tommy Griffiths. – Mas quem vai ser esse parlamentar trabalhista?

– Vamos fazer o seguinte, Tommy, meu chapa – respondeu Billy. – Você tem três chances de adivinhar.

IV

O filósofo Bertrand Russell visitou a Rússia naquele ano e escreveu um livro curto, chamado *Teoria e prática do bolchevismo*. O livro quase provocou um divórcio na família Leckwith.

Russell atacava com veemência os bolcheviques. Pior ainda: ele o fazia de uma perspectiva de esquerda. Ao contrário dos críticos conservadores, não defendia que o povo russo não tinha o direito de depor o czar, dividir as terras da nobreza entre os camponeses e administrar as próprias fábricas. Pelo contrário, ele aprovava tudo isso. Russell atacava os bolcheviques não por terem ideais errados, mas por terem ideais certos e não conseguirem colocá-los em prática. Portanto, suas conclusões não podiam ser ignoradas irrefletidamente, como se fossem propaganda.

Bernie leu o livro primeiro. Como todo bibliotecário, tinha verdadeiro horror de marcar os exemplares, mas nesse caso abriu uma exceção, estragando as páginas com comentários irados, sublinhando frases e escrevendo "Que imbecilidade!" ou "Argumento inválido!" a lápis nas margens.

Ethel o leu enquanto amamentava o bebê, que já estava com pouco mais de um ano. O nome da menininha era Mildred, mas seus pais sempre a chamavam pelo apelido, Millie. A Mildred mais velha tinha se mudado para Aberowen com Billy e já estava grávida do primeiro filho do casal. Ethel sentia sua falta, embora estivesse contente em poder usar os quartos do andar de cima da casa. A pequena Millie tinha cabelos encaracolados e, embora ainda fosse um bebê, possuía um brilho sedutor nos olhos que fazia todos pensarem em sua mãe.

Ethel gostou do livro. Russell era um escritor sagaz. Com uma informalidade aristocrática, tinha solicitado uma entrevista com Lênin e passado uma hora com o grande homem. A conversa fora em inglês. Lênin chamara lorde Northcliffe de seu melhor propagandista: as histórias de horror do *Daily Mail* sobre russos que pilhavam a aristocracia poderiam até aterrorizar a burguesia, mas, segundo ele, surtiriam o efeito contrário na classe operária britânica.

Russell, no entanto, deixava claro que os bolcheviques eram totalmente antidemocráticos. A ditadura do proletariado era de fato uma ditadura, afirmava ele, porém os governantes eram intelectuais de classe média como Lênin e Trótski, que aceitavam o auxílio somente dos proletários que compartilhavam suas opiniões.

– Acho tudo isso muito preocupante – disse Ethel ao terminar de ler.

– Bertrand Russell é um aristocrata! – disse Bernie com raiva. – Ele é neto de conde!

– Isso não quer dizer que esteja errado. – Millie acabou de mamar e pegou no sono. Ethel acariciou sua bochecha macia com a ponta de um dedo. – Russell é socialista. A acusação dele é que os bolcheviques não estão implementando o socialismo.

– Como ele pode dizer uma coisa dessas? A nobreza foi esmagada.

– Assim como a imprensa de oposição.

– Isso é uma necessidade temporária...

– Temporária até quando? A Revolução Russa já conta três anos!

– Não se pode fazer um omelete sem quebrar os ovos.

– Ele afirma haver prisões e execuções arbitrárias e diz que a polícia secreta é mais poderosa agora do que na época do czar.

– Mas ela persegue os contrarrevolucionários, não os socialistas.

– Socialismo quer dizer liberdade, até mesmo para os contrarrevolucionários.

– Não é bem assim!

– Para mim, é.

As vozes exaltadas acordaram Millie. Sentindo a animosidade que pairava no ar, o bebê começou a chorar.

– Pronto – disse Ethel, amuada. – Olhe só o que você fez.

V

Quando Grigori voltou para casa ao final da guerra civil, reencontrou Katerina, Vladimir e Anna em seu confortável apartamento na sede do governo, que ficava dentro do antigo forte do Kremlin. Na verdade, o lugar era confortável demais para seu gosto. O país inteiro sofria com falta de comida e combustível, mas os estoques do Kremlin estavam abarrotados. O complexo possuía três restaurantes com *chefs* formados na França e, para consternação de Grigori, os garçons prestavam continência para os bolcheviques, batendo os calcanhares, assim como faziam para a antiga nobreza. Katerina deixava as crianças na creche enquanto ia ao cabeleireiro. À noite, membros do Comitê Central iam à ópera em carros com motorista.

– Espero que não estejamos nos transformando na nova nobreza – disse ele a Katerina certa noite, na cama.

Ela riu com desdém.

– Se for assim, onde estão meus diamantes?

– Bem, mas nós temos banquetes, viajamos de primeira classe nos trens e tudo o mais.

– Os aristocratas nunca fizeram nada útil. Vocês todos trabalham 12, 15, 18 horas por dia. Não é de esperar que fiquem procurando pedaços de madeira no lixo para queimar e se aquecer, como fazem os pobres.

– Por outro lado, a elite sempre tem uma desculpa para seus privilégios especiais.

– Venha cá – disse ela. – Vou lhe dar um privilégio especial.

Depois de fazerem amor, Grigori não conseguiu dormir. Apesar das dúvidas que tinha, não podia deixar de sentir uma satisfação secreta ao ver a família tão bem de vida. Katerina havia engordado. Quando ele a conhecera, era uma voluptuosa moça de 20 anos; agora, era uma mãe roliça de 26. Vladimir tinha cinco anos e estava aprendendo a ler e escrever na escola, junto com os outros filhos dos novos governantes da Rússia; Anna, que eles em geral chamavam de Anya, era uma menina travessa de três anos e cabelos encaracolados. Antes da revolução, o apartamento onde moravam pertencia a uma das damas de companhia da czarina. Era quente, seco e espaçoso, com um segundo quarto de dormir para as crianças, além de uma cozinha e uma sala de estar – espaço suficiente para acomodar 20 pessoas nos lugares em que Grigori costumava morar em Petrogrado. Havia cortinas nas janelas, xícaras de porcelana para o chá, um tapete em frente à lareira e um quadro a óleo do lago Baikal pendurado em cima dela.

Grigori acabou pegando no sono, mas foi acordado às seis da manhã por batidas na porta. Ao abri-la, deparou-se com uma mulher malvestida e esquelética que lhe pareceu familiar.

– Desculpe incomodá-lo tão cedo, Excelência – disse ela, usando a antiga forma de tratamento respeitosa.

Ele a reconheceu: era a mulher de Konstantin.

– Magda! – exclamou, surpreso. – Como você está diferente. Entre! O que houve? Vocês agora estão morando em Moscou?

– Sim, Excelência, nós nos mudamos para cá.

– Pelo amor de Deus, não me chame assim. Onde está Konstantin?

– Preso.

– Hã? Por quê?

– Ele está sendo acusado de ser contrarrevolucionário.

– Impossível! – disse Grigori. – Deve ter havido um erro terrível.

– Sim, senhor.

– Quem o prendeu?

– A Cheka.

– A polícia secreta. Bem, eles trabalham para nós. Vou apurar isso e tentar descobrir o que aconteceu logo depois do café da manhã.

– Por favor, Excelência, eu lhe imploro, faça alguma coisa imediatamente... eles vão fuzilá-lo daqui a uma hora.

– Mas que inferno! – disse Grigori. – Espere aqui, vou colocar uma roupa.

Ele vestiu seu uniforme. Embora a farda não exibisse insígnia de patente alguma, tinha uma qualidade muito superior à do uniforme de um soldado comum, deixando muito claro que Grigori era um comandante.

Alguns minutos depois, ele e Magda deixaram o complexo do Kremlin. Nevava. Os dois percorreram a curta distância até a praça Lubyanka. O quartel-general da Cheka ficava em um imenso prédio barroco feito de tijolos amarelos, antiga sede de uma companhia de seguros. O guarda na porta prestou continência para Grigori.

Ele começou a gritar assim que entrou no prédio.

– Quem está no comando aqui? Tragam-me o oficial de plantão agora mesmo! Eu sou o camarada Grigori Peshkov, membro do Comitê Central bolchevique. Quero ver o prisioneiro Konstantin Vorotsyntsev imediatamente. O que estão esperando? Andem logo! – Ele havia descoberto que essa era a maneira mais rápida de conseguir as coisas, muito embora lhe despertasse uma terrível lembrança do comportamento petulante de um nobre mimado.

Os guardas passaram alguns minutos correndo de um lado para outro, em pânico, e então Grigori teve um choque. O oficial de plantão foi chamado até o saguão de entrada. Grigori o conhecia. Era Mikhail Pinsky.

Ficou horrorizado. Pinsky havia sido truculento e brutal a serviço da polícia do czar; estaria agora agindo da mesma forma em nome da revolução?

Pinsky abriu um sorriso melífluo.

– Camarada Peshkov – falou. – Mas que honra.

– Não foi o que você disse quando eu o nocauteei por importunar uma pobre garota camponesa – disse Grigori.

– As coisas mudaram muito, camarada... para todos nós.
– Por que vocês prenderam Konstantin Vorotsyntsev?
– Atividades contrarrevolucionárias.
– Isso é ridículo. Ele era presidente do grupo de discussão bolchevique na Metalúrgica Putilov em 1914. Foi um dos primeiros delegados do soviete de Petrogrado. Ele é mais bolchevique do que eu!
– É mesmo? – indagou Pinsky, e havia um quê de ameaça em sua voz.

Grigori o ignorou.

– Traga-o até aqui.
– Agora mesmo, camarada.

Alguns minutos depois, Konstantin apareceu. Estava sujo, com a barba por fazer e fedia como uma pocilga. Magda caiu em prantos e abraçou o marido.

– Preciso ter uma conversa em particular com o prisioneiro – disse Grigori a Pinsky. – Leve-nos até a sua sala.

Pinsky fez que não com a cabeça.

– Minha humilde sala...
– Não discuta – disse Grigori. – Vamos para a sua sala. – Aquilo era uma maneira de frisar seu poder. Ele precisava manter Pinsky sob controle.

Pinsky os conduziu até uma sala no andar de cima com vista para o pátio interno. Escondeu às pressas dentro de uma gaveta um soco inglês que estava em cima da mesa.

Ao olhar pela janela, Grigori viu que o dia estava raiando.

– Espere lá fora – disse ele para Pinsky.

Os dois se sentaram e Grigori perguntou a Konstantin:

– Que droga é essa?
– Nós viemos para Moscou quando o governo se mudou para cá – explicou Konstantin. – Eu pensei que fosse virar comissário. Mas foi um erro. Não tenho apoio político aqui.
– Então o que você tem feito?
– Voltei a trabalhar normalmente. Estou na fábrica Tod, fazendo peças para motores: engrenagens, pistões, rolamentos.
– Mas por que a polícia acha que você é contrarrevolucionário?
– A fábrica elege um delegado para o soviete de Moscou. Um dos engenheiros anunciou que iria se apresentar como candidato menchevique. Ele organizou uma assembleia e eu fui assistir. Não passávamos de uma dúzia de pessoas. Eu não me pronunciei, saí no meio e nem sequer votei nele. O candidato bolchevique venceu, é claro. Mas, depois da eleição, todos os que participaram da

assembleia menchevique foram demitidos. Então, na semana passada, fomos todos presos.

– Não podemos fazer isso – disse Grigori, em desespero. – Nem mesmo em nome da revolução. Não podemos prender trabalhadores por escutarem um ponto de vista diferente.

Konstantin o encarou com uma expressão estranha.

– Você andou fora da cidade?

– É claro – respondeu Grigori. – Estava combatendo os exércitos contrarrevolucionários.

– Então é por isso que não sabe o que vem acontecendo.

– Quer dizer que isso já aconteceu antes?

– Grishka, acontece todos os dias.

– Não acredito.

Magda interveio.

– E ontem à noite eu recebi um recado, de uma amiga que é casada com um policial, dizendo que Konstantin e os outros seriam fuzilados às oito da manhã de hoje.

Grigori olhou para o relógio de pulso que o Exército lhe dera. Eram quase oito horas.

– Pinsky! – gritou.

O policial entrou na sala.

– Cancele a execução.

– Temo que já seja tarde demais para isso, camarada.

– Quer dizer que os homens já foram fuzilados?

– Quase. – Pinsky foi até a janela.

Lá embaixo, no pátio coberto de neve, um pelotão de fuzilamento tinha se reunido à luz tênue do início da manhã. Em frente aos soldados, 12 homens vendados tremiam, sem qualquer tipo de agasalho. Uma bandeira vermelha tremulava acima de suas cabeças.

Diante dos olhos de Grigori, os soldados ergueram os fuzis.

– Parem agora mesmo! – berrou Grigori. – Não atirem! – Mas sua voz foi abafada pela janela e ninguém escutou.

Logo em seguida, ouviu-se o estampido dos disparos.

Os condenados caíram no chão. Grigori ficou olhando a cena, horrorizado.

Ao redor dos corpos caídos, manchas de sangue tingiram a neve; seu vermelho vivo era o mesmo da bandeira hasteada.

CAPÍTULO QUARENTA E UM

11 e 12 de novembro de 1923

Aos domingos, Maud dormia durante o dia e se levantava no meio da tarde, quando Walter trazia as crianças para casa depois da aula de catecismo. Eric tinha três anos e a pequena Heike dois, e ambos ficavam tão encantadores com suas roupas mais bonitas que Maud pensava que seu coração fosse estourar de tanto amor.

Nunca havia experimentado uma emoção como aquela. Nem mesmo sua louca paixão por Walter tinha sido tão arrebatadora. Os filhos também a deixavam ansiosa ao extremo. Será que ela conseguiria lhes dar comida, protegê-los do frio, dos motins e da revolução?

Ela lhes serviu pão com leite morno para aquecê-los, e então começou a se preparar para a noite. Ela e Walter iriam dar uma pequena festa de família em comemoração ao aniversário de 38 anos do primo de Walter, Robert von Ulrich.

Contrariando os temores dos pais de Walter – ou suas expectativas, talvez –, Robert não havia morrido na guerra. Fosse como fosse, Walter não tinha herdado o título de Graf Von Ulrich. Seu primo ficara detido em um campo de prisioneiros de guerra na Sibéria. Quando os bolcheviques selaram a paz com a Áustria, Robert e seu companheiro de combate, Jörg, tinham voltado para casa a pé, de carona e a bordo de trens de carga. A viagem demorara um ano, mas eles haviam conseguido. Quando chegaram, Walter lhes arrumou um apartamento em Berlim.

Maud pôs o avental. Na minúscula cozinha de sua pequena casa, preparou uma sopa com repolho, pão dormido e nabo. Também fez um bolinho, embora tenha precisado improvisar, incrementando a receita com mais nabos.

Havia aprendido a cozinhar, além de muitas outras coisas. Uma vizinha gentil, mais velha, tinha se compadecido da aristocrata desnorteada e lhe ensinara a fazer uma cama, passar uma camisa a ferro e limpar uma banheira. Para Maud, tudo aquilo tinha sido uma espécie de choque.

A família morava em uma casa de classe média. Não tiveram dinheiro nenhum para investir em melhorias, tampouco podiam se dar ao luxo de ter os criados com os quais Maud sempre fora acostumada. Seus móveis eram quase todos de segunda mão, e Maud, em seu íntimo, os considerava terrivelmente suburbanos.

Esperavam que as coisas fossem melhorar, mas, na verdade, elas haviam piorado: o casamento com uma inglesa levara a carreira de Walter no Ministério das Relações Exteriores a um beco sem saída. Ele teria ficado grato em mudar de ramo, porém, com o caos na economia, se considerava com sorte de ao menos ter um emprego. E agora, quatro anos de pobreza depois, as insatisfações iniciais de Maud pareciam insignificantes. O estofado dos móveis estava remendado nos lugares em que as crianças o haviam rasgado, papelão cobria as vidraças quebradas e a tinta das paredes descascava em vários pontos.

Maud, no entanto, não se arrependia de nada. Sempre que quisesse, podia beijar Walter, pôr a língua em sua boca, desabotoar sua calça e se deitar com ele na cama, no sofá ou até mesmo no chão, o que compensava todo o resto.

Os pais de Walter chegaram à festa trazendo meio presunto e duas garrafas de vinho. Otto havia perdido Zumwald, a propriedade da família, que agora pertencia ao território da Polônia. A inflação havia quase dizimado suas economias. Contudo, o grande jardim de sua casa em Berlim produzia batatas, e ele ainda tinha muito vinho de antes da guerra.

– Como foi que o senhor conseguiu presunto? – perguntou Walter, incrédulo. Em geral, só se conseguia comprar aquele tipo de coisa com dólares norte-americanos.

– Troquei por uma garrafa de champanhe de safra – respondeu Otto.

Os avós puseram as crianças na cama. Otto lhes contou uma história popular. Pelo que Maud conseguiu ouvir, era sobre uma rainha que havia mandado decapitar o próprio irmão. Ela sentiu um calafrio, mas não se meteu. Depois da história, Suzanne pôs-se a entoar cantigas de ninar com uma voz aguda e as crianças pegaram no sono, aparentemente inabaladas pela história sangrenta contada pelo avô.

Robert e Jörg chegaram usando gravatas vermelhas idênticas. Otto os cumprimentou calorosamente. Parecia não fazer ideia de que os dois eram um casal e aceitava com naturalidade a explicação de que Jörg simplesmente dividia um apartamento com Robert. De fato, era assim que os dois se comportavam na presença dos mais velhos. Maud achava que Suzanne devia intuir a verdade. As mulheres eram mais difíceis de enganar. Felizmente, também eram mais tolerantes.

Robert e Jörg podiam ser bem diferentes na companhia de liberais. Nas festas em sua própria casa, não buscavam esconder o amor que sentiam. Muitos de seus amigos tinham as mesmas preferências. A princípio, Maud ficara espantada: nunca tinha visto dois homens se beijando, admirando as roupas um do outro e flertando como colegiais. Porém, esse tipo de comportamento não era mais tabu, pelo menos não em Berlim. Além do mais, Maud havia lido *Sodoma e Gomorra*, de Proust, no qual o autor parecia sugerir que esse tipo de coisa sempre existira.

Naquela noite, contudo, Robert e Jörg exibiram um comportamento impecável. Durante o jantar, todos conversaram sobre o que estava acontecendo na Baviera. Na quinta-feira, uma associação de grupos paramilitares chamada Kampfbund havia declarado uma revolução nacional em uma cervejaria de Munique.

Ultimamente, Maud mal suportava ler os jornais. Se os trabalhadores entrassem em greve, trogloditas de direita espancavam os grevistas. Se as donas de casa fizessem uma passeata para protestar contra a escassez de comida, seus protestos se transformavam em revoltas populares. Todos na Alemanha estavam ressentidos com o Tratado de Versalhes, porém o governo social-democrata o aceitara na íntegra. O povo achava que as indenizações estavam estrangulando a economia, muito embora a Alemanha só tivesse pagado uma parte ínfima da dívida e evidentemente não tivesse a menor intenção de tentar quitá-la.

O *putsch* da cervejaria de Munique estava dando o que falar. O herói de guerra Erich Ludendorff era seu defensor mais célebre. Paramilitares de camisas marrons, que se autodenominavam Tropas de Assalto, e alunos da Escola de Oficiais de Infantaria haviam assumido o controle de prédios estratégicos da cidade. Membros do conselho municipal tinham sido feitos reféns e judeus ilustres haviam sido presos.

Na sexta-feira, o governo lançara um contra-ataque. Quatro policiais e 16 paramilitares tinham sido mortos. As notícias que haviam chegado a Berlim até o momento não eram suficientes para Maud julgar se a insurreição tinha acabado ou não. Se os extremistas assumissem o controle da Baviera, será que o país inteiro cairia em suas mãos?

A situação deixava Walter irado.

– Nós temos um governo eleito democraticamente – disse ele. – Por que as pessoas não podem deixá-lo trabalhar em paz?

– Nosso governo nos traiu – disse seu pai.

– Isso é o que senhor acha. Mas e daí? Nos Estados Unidos, quando os republicanos venceram as últimas eleições, os democratas não se amotinaram!

– Os Estados Unidos não estão sendo arruinados por bolcheviques e judeus.

– Se o senhor está preocupado com os bolcheviques, então diga às pessoas para não votarem neles. E que obsessão é essa com os judeus?

– Eles são uma péssima influência.

– Há judeus na Grã-Bretanha também. Pai, o senhor se esqueceu de como, em Londres, lorde Rothschild se esforçou ao máximo para evitar a guerra? A França, a Rússia e os Estados Unidos também têm judeus. Eles não estão conspirando contra os governos desses países. O que o leva a pensar que os nossos são piores? A maioria só quer ganhar o suficiente para alimentar suas famílias e mandar seus filhos para a escola, como todo mundo.

Para surpresa de Maud, Robert interveio.

– Eu concordo com tio Otto – disse ele. – A democracia é debilitante. A Alemanha precisa de uma liderança mais forte. Jörg e eu entramos para o Partido Nacional-Socialista.

– Ah, Robert, pelo amor de Deus! – exclamou Walter, enojado. – Como você pôde fazer isso?

Maud se levantou.

– Alguém quer um pedaço de bolo de aniversário? – perguntou ela com uma voz jovial.

II

Maud saiu da festa às nove para ir trabalhar.

– Onde está seu uniforme? – perguntou-lhe a sogra enquanto se despedia. Suzanne achava que Maud trabalhava como enfermeira noturna para um cavalheiro rico e idoso.

– Eu deixo lá e me troco quando chego – respondeu. Na verdade, Maud tocava piano em uma boate chamada Nachtleben. Mas seu uniforme de fato ficava no trabalho.

Ela precisava ganhar dinheiro e nunca tinha aprendido a fazer grande coisa, exceto se vestir bem e frequentar festas. Recebera uma pequena herança do pai, mas, como tivera que convertê-la em marcos ao se mudar para a Alemanha, o dinheiro não valia mais nada. Fitz, ainda bravo por ela ter se casado sem sua autorização, recusava-se a lhe dar qualquer ajuda. O salário de Walter no Ministério das Relações Exteriores aumentava todo mês, mas nunca conseguia acompanhar a inflação. Para compensar, ao menos em parte, o aluguel que pagavam pela casa havia se tornado irrisório, de modo que o proprietário já nem se dava ao trabalho de cobrar. Mas eles precisavam comprar comida.

Maud chegou à boate às nove e meia. O espaço havia sido mobiliado e decorado recentemente e, mesmo com as luzes ainda acesas, não era feio. Garçons poliam copos, o barman picava gelo e um cego afinava o piano. Ela pôs um vestido de noite decotado e joias falsas e cobriu o rosto com uma maquiagem pesada: pó de arroz, delineador, batom. Quando as portas se abriram às dez, já estava sentada ao piano.

A boate se encheu rapidamente de homens e mulheres com trajes de noite, que dançavam e fumavam. Eles compravam drinques de champanhe e cheiravam cocaína discretamente. Apesar da pobreza e da inflação, a vida noturna de Berlim era animada. Dinheiro não era problema para aquelas pessoas. Elas tinham renda no exterior ou então algo melhor do que dinheiro: estoques de carvão, um abatedouro, um depósito de tabaco ou, melhor ainda, ouro.

Maud fazia parte de uma banda só de mulheres que tocava o novo ritmo chamado jazz. Fitz teria ficado horrorizado ao ver aquilo, mas ela gostava do emprego. Sempre havia se rebelado contra as restrições impostas por sua criação. Tocar as mesmas canções todas as noites podia ser maçante, mas mesmo assim a música liberava alguma coisa reprimida dentro dela, que rebolava em cima da banqueta e dava piscadelas para os clientes.

À meia-noite, fazia um número solo em que cantava e tocava músicas popularizadas por cantoras negras como Alberta Hunter. Aprendera essas canções por meio dos discos americanos que ouvia em um gramofone do dono da Nachtleben. Elas lhes renderam o nome artístico de Maud Mississippi.

No intervalo entre dois números, um cliente foi cambaleando até o piano e pediu:

– Toque "Downhearted Blues", sim?

Ela conhecia a canção, um grande sucesso de Bessie Smith. Começou a tocar acordes de blues em mi bemol.

– Pode ser – respondeu. – Por quanto?

Ele estendeu uma nota de um bilhão de marcos.

Maud riu.

– Isso daí não compra nem o primeiro compasso – disse ela. – Tem algum dinheiro estrangeiro?

Ele lhe estendeu uma nota de um dólar.

Ela pegou o dinheiro, enfiou-o dentro da manga do vestido e tocou "Downhearted Blues".

Maud ficou radiante por ter ganhado um dólar, que valia cerca de um trilhão de marcos. Ainda assim, sentia-se um pouco desanimada e entregou-se totalmente ao clima melancólico do blues. Aprender a ganhar gorjetas era uma façanha e tanto para uma mulher com as suas origens, mas não deixava de ser um pouco humilhante.

Uma vez terminado o seu número, o mesmo cliente a abordou no caminho para o camarim. Pôs a mão em seu quadril e disse:

– Quer tomar café da manhã comigo, gracinha?

Ela era apalpada quase todas as noites, embora, aos 33 anos, fosse uma das mulheres mais velhas da boate: muitas eram garotas de 19 ou 20 anos. Quando isso acontecia, as meninas não podiam fazer escândalo. Deviam abrir um sorriso encantador, afastar a mão do homem e dizer "Hoje não, meu senhor". Isso, no entanto, nem sempre bastava para desencorajá-los, e as outras meninas haviam ensinado a Maud uma tática mais eficaz.

– É que estou com uns bichinhos nos pelos da boceta – disse ela. – Será que tem problema? – O homem desapareceu.

Depois de quatro anos em Berlim, o alemão de Maud era fluente, e trabalhar na boate ainda lhe ensinara todas as palavras de baixo calão.

A boate fechava às quatro da manhã. Maud tirou a maquiagem e tornou a vestir suas roupas normais. Foi até a cozinha e implorou por alguns grãos de café. Um cozinheiro que gostava dela lhe deu um pouco em um cone de papel.

Os músicos recebiam em espécie todas as noites. As meninas traziam bolsas grandes para poder levar para casa os bolos de notas.

Na saída, Maud recolheu um jornal deixado por algum cliente. Era para Walter. Eles não tinham dinheiro para comprar jornais.

Assim que saiu, ela foi à padaria. Guardar dinheiro era perigoso: ao final do dia, seu salário talvez não comprasse nem um pão. Várias mulheres já aguardavam em frente à loja, no frio. Às cinco e meia, o padeiro abriu as portas e anotou os preços com giz em um quadro-negro. Naquele dia, um pão preto custava 127 bilhões de marcos.

Maud comprou quatro. Não comeriam tudo no mesmo dia, mas pouco importava. Pão dormido podia ser usado para engrossar sopa; notas de dinheiro, não.

Ela chegou em casa às seis. Mais tarde, arrumaria as crianças e as levaria para passar o dia na casa dos avós, para então dormir. Antes, no entanto, poderia passar uma hora ou duas com Walter. Era a melhor parte do seu dia.

Preparou o café da manhã e levou uma bandeja até o quarto.

– Olhe – falou. – Pão fresco, café... e um dólar!

– Essa é a minha garota! – Ele a beijou. – O que vamos comprar? – Ele estremeceu, só de pijama. – Nós precisamos de carvão.

– Não há pressa. Podemos guardar, se você quiser. Vai valer a mesma coisa na semana que vem. Se você estiver com frio, eu posso aquecê-lo.

Ele sorriu:

– Então venha.

Ela tirou a roupa e entrou na cama.

Eles comeram o pão, beberam o café e fizeram amor. O sexo ainda era empolgante, embora menos demorado do que no início do relacionamento.

Depois, Walter leu o jornal que ela havia trazido.

– A revolução de Munique terminou – disse ele.

– Pra valer?

Walter deu de ombros.

– Pegaram o cabeça. Adolf Hitler.

– O líder do partido para o qual Robert entrou?

– Isso. Ele foi acusado de alta traição. Está preso agora.

– Que bom – disse Maud, aliviada. – Graças a Deus isso tudo acabou.

CAPÍTULO QUARENTA E DOIS

Dezembro de 1923 a janeiro de 1924

O conde Fitzherbert subiu em um palanque em frente à prefeitura de Aberowen às três da tarde da véspera das eleições gerais. Estava de fraque e cartola. Ouviu-se uma pequena explosão de vivas dos conservadores nas primeiras fileiras, porém a maior parte da multidão vaiou. Alguém arremessou um jornal amassado, e Billy disse:

– Agora já chega, rapazes, deixem-no falar.

Nuvens baixas escureciam a tarde de inverno e os postes de rua já estavam acesos. Apesar da chuva, o grupo era numeroso, 200 ou 300 pessoas, quase todas mineradores de boina, com alguns chapéus-coco na frente e um punhado de mulheres debaixo de guarda-chuvas. À beira da aglomeração, crianças brincavam sobre as pedras molhadas do calçamento.

Fitz estava fazendo campanha pelo atual representante de Aberowen no Parlamento, Perceval Jones. Ele começou a falar em impostos. Billy achou ótimo. Fitz poderia falar sobre esse assunto o dia inteiro sem tocar o coração do povo de Aberowen. Em teoria, era essa a grande questão das eleições. Os conservadores propunham acabar com o desemprego aumentando as tarifas sobre as importações, de modo a proteger os fabricantes britânicos. Isso havia unido os liberais à oposição, pois a ideologia mais antiga deles era o livre-comércio. Os trabalhistas defendiam que a solução do problema não estava nos impostos e propunham um programa de trabalho em nível nacional para empregar a mão de obra ociosa, além de um aumento no número de anos da educação formal, para evitar que os mais jovens entrassem para um mercado de trabalho já saturado.

A verdadeira questão, no entanto, era quem iria governar.

– Para incentivar o emprego na agricultura, o governo conservador vai conceder a cada agricultor um subsídio de uma libra por cada quatro mil metros quadrados de lavoura, contanto que ele pague a seus empregados no mínimo 30 xelins por semana – disse Fitz.

Billy sacudiu a cabeça, ao mesmo tempo achando graça e ficando revoltado com aquilo. Por que dar dinheiro aos agricultores? Eles não estavam passando fome. Os operários desempregados, sim.

Ao seu lado, Da falou:

– Essa conversa não vai ganhar votos em Aberowen.

Billy concordava. No passado, aquele distrito eleitoral tinha sido dominado pelos agricultores que cultivavam as colinas, mas os tempos haviam mudado. Agora que a classe trabalhadora tinha o direito de voto, o número de mineradores superaria o de agricultores. Na eleição conturbada de 1922, Perceval Jones conseguira manter seu assento no Parlamento por alguns votos. Desta vez, ele com certeza seria derrotado.

Fitz estava ficando mais inflamado.

– Se vocês votarem no Partido Trabalhista, estarão votando em um homem que carrega uma mancha em seu histórico militar – disse ele.

A plateia não gostou muito disso: eles conheciam a história de Billy, que era considerado um herói. Ouviu-se um burburinho de reprovação e Da gritou:

– Não tem vergonha?

Fitz não se deixou abater:

– Um homem que traiu seus companheiros de armas e seus oficiais, um homem que foi levado à corte marcial por deslealdade e mandado para a prisão. Ouçam o que eu digo: não desgracem Aberowen elegendo um homem como esse para o Parlamento.

Fitz desceu do palanque debaixo de aplausos esparsos e vaias. Billy o encarou, mas Fitz não devolveu o olhar.

Então foi a vez de Billy subir para discursar.

– Vocês devem estar esperando que eu insulte lorde Fitzherbert da mesma forma que ele me insultou – disse ele.

No meio da multidão, Tommy Griffiths gritou:

– Acabe com ele, Billy!

– Mas isto aqui não é uma briga na mina – prosseguiu ele. – Essa eleição é importante demais para ser decidida por provocações baratas. – A plateia se calou. Billy sabia que eles não iriam gostar muito daquela abordagem mais sensata. O povo de Aberowen gostava de provocações baratas. Porém, viu seu pai assentindo em aprovação. Da entendia o que Billy estava tentando fazer. Naturalmente. Tinha sido seu professor.

– O conde demonstrou coragem ao vir aqui expor suas opiniões diante de uma multidão de mineradores – continuou Billy. – Ele talvez esteja errado, e está, mas não é um covarde. Foi assim que agiu na guerra. Foi assim que muitos de nossos oficiais agiram. Eles foram corajosos, mas tomaram decisões equivocadas. Sua estratégia e suas táticas eram falhas, sua comunicação, deficiente, e seu pensamento, antiquado. Mas só deram o braço a torcer depois de milhões de homens terem morrido.

A plateia estava totalmente em silêncio. De repente, todos ficaram interessados. Billy viu Mildred, com ar orgulhoso e um bebê em cada braço – os dois filhos dele, David e Keir, de um e dois anos respectivamente. Mildred não nutria a menor paixão pela política, mas queria que Billy entrasse para o Parlamento para a família voltar a Londres e ela poder retomar seu negócio.

– Durante a guerra, nenhum membro da classe trabalhadora jamais foi promovido além de sargento. E todos os ex-alunos dos colégios de elite entraram para o Exército já como segundos-tenentes. Cada veterano que está aqui hoje teve a vida colocada em risco inutilmente por algum oficial tapado, e muitos de nós fomos salvos pela inteligência de um sargento.

Um rumor de aprovação percorreu a plateia.

– Eu estou aqui para dizer que esses dias acabaram. Tanto no Exército quanto em outras áreas da vida, um homem deveria ser promovido por sua inteligência, não por suas origens. – Ele ergueu a voz e ouviu no próprio tom o fervor que conhecia dos sermões do pai. – Esta eleição diz respeito ao futuro, e ao tipo de país em que nossos filhos irão crescer. Precisamos garantir que ele seja diferente do país em que nós crescemos. O Partido Trabalhista não clama pela revolução. Nós já vimos a revolução em prática em outros países, e ela não funciona. Mas nós clamamos por mudança. Uma mudança séria, profunda, radical.

Depois de uma pausa, ele tornou a erguer a voz para concluir seu discurso.

– Não, eu não vou ofender lorde Fitzherbert, tampouco o Sr. Perceval Jones – falou, apontando para as duas cartolas na primeira fila. – Vou apenas dizer a eles: cavalheiros, seu tempo passou. – A plateia vibrou. Billy olhou por sobre a primeira fileira para a multidão de mineradores: homens fortes, corajosos, que haviam nascido sem nada, mas que, mesmo assim, tinham ganhado a vida para si e para suas famílias. – Companheiros trabalhadores – disse ele –, nós somos o futuro!

Ele desceu do palanque.

Quando os votos foram apurados, Billy venceu de lavada.

II

Ethel também.

Os conservadores formaram a maior bancada no novo Parlamento, mas não tinham a maioria absoluta. O Partido Trabalhista veio em segundo lugar, com 191 membros, incluindo Eth Leckwith por Aldgate e Billy Williams por Aberowen. O Partido Liberal ficou em terceiro. O Partido da Lei Seca escocês conquistou um assento. O Partido Comunista, nenhum.

Quando o novo Parlamento se reuniu, os membros trabalhistas e liberais combinaram de unir seus votos para suplantar o governo conservador, e o rei foi obrigado a convidar o líder do Partido Trabalhista, Ramsay MacDonald, para o cargo de primeiro-ministro. Era a primeira vez na história que a Grã-Bretanha tinha um governo trabalhista.

Ethel não havia voltado ao Palácio de Westminster desde o dia de 1916 em que fora expulsa por gritar com Lloyd George. Agora, sentava-se no banco de couro verde usando sobretudo e chapéu novos, ouvia os discursos dos parlamentares e, de vez em quando, erguia os olhos para a galeria da qual tinha sido enxotada mais de sete anos antes. Frequentava o saguão reservado aos membros da Câmara dos Comuns e votava com os membros do gabinete, socialistas famosos que costumava admirar à distância: Arthur Henderson, Philip Snowden, Sidney Webb e o próprio primeiro-ministro. Tinha sua própria mesa em uma sala que dividia com outras parlamentares mulheres. Fazia pesquisas na biblioteca, comia torradas amanteigadas no salão de chá e buscava sacolas de correspondência endereçadas a ela. Andava pelo prédio imenso, familiarizando-se com a geografia dele, tentando se convencer de que tinha o direito de estar ali.

Um belo dia, no final de janeiro, ela levou Lloyd para lhe mostrar o palácio. O menino já estava com quase nove anos, e nunca havia entrado em uma construção tão grande e luxuosa. Sua mãe tentou lhe explicar os princípios da democracia, mas ele ainda era jovem demais.

Em uma escada estreita, forrada de tapete vermelho, na divisa entre a área dos Lordes e a dos Comuns, os dois toparam com Fitz, que também trazia um jovem visitante: seu filho George, cujo apelido era Boy.

Ethel e Lloyd estavam subindo, enquanto Fitz e Boy desciam, e eles se encontraram em um patamar intermediário da escada.

Fitz a encarou como se esperasse que ela lhe desse passagem.

Os dois filhos de Fitz, Boy e Lloyd, o herdeiro do título e o filho ilegítimo jamais reconhecido, tinham a mesma idade. Eles se entreolharam com grande interesse.

Ethel se lembrou de que, em Tŷ Gwyn, sempre que cruzava com Fitz no corredor tinha que se afastar para o lado e recostar-se contra a parede, baixando os olhos quando ele passava.

Agora, no entanto, ela ficou bem no meio do patamar da escada, segurando a mão de Lloyd com força, sem desgrudar os olhos de Fitz.

– Bom dia, lorde Fitzherbert – falou, erguendo o queixo com insolência.

Fitz a encarou de volta. Sua expressão traía um ressentimento furioso. Por fim, ele falou:

– Bom dia, Sra. Leckwith.

Ela olhou para Boy.

– E você deve ser o visconde de Aberowen – disse. – Como vai?

– Como vai, senhora? – respondeu o menino, educado.

Ela então se dirigiu a Fitz:

– E este aqui é meu filho, Lloyd.

Fitz se recusou a olhar para o menino.

Ethel não deixaria Fitz se safar tão fácil.

– Aperte a mão do conde, Lloyd.

Lloyd estendeu a mão e disse:

– Muito prazer, conde.

Teria sido indecoroso esnobar um menino de nove anos. Fitz foi obrigado a cumprimentá-lo.

Pela primeira vez na vida tocava o próprio filho.

– Tenham um bom dia – falou Ethel, encerrando a conversa, e deu um passo à frente.

A expressão de Fitz era de ira. Relutante, ele se afastou para o lado junto com o filho, e os dois aguardaram, de costas para a parede, enquanto Ethel e Lloyd passavam e continuavam a subir a escada.

PERSONAGENS HISTÓRICOS

Este livro possui vários personagens históricos, e os leitores às vezes me perguntam como eu estabeleço o limite entre história e ficção. É uma pergunta pertinente, e aqui está a resposta.

Em alguns casos, como, por exemplo, no discurso de Sir Edward Grey diante da Câmara dos Comuns, meus personagens fictícios estão presenciando um fato que realmente ocorreu. O que Sir Edward diz neste romance corresponde às atas do Parlamento, com a ressalva de que eu resumi o pronunciamento sem, assim espero, ter omitido nada importante.

Às vezes, um personagem histórico vai a um lugar fictício, como quando Winston Churchill visita Tŷ Gwyn. Nesse caso, eu verifiquei que Churchill tinha de fato o hábito de visitar casas de campo e que poderia tê-lo feito por volta da data em questão.

Nos momentos em que figuras históricas têm conversas com meus personagens fictícios, em geral estão dizendo coisas que realmente disseram em algum momento. Quando Lloyd George explica para Fitz por que prefere não deportar Lev Kamenev, o texto se baseia em um memorando escrito por Lloyd George, citado na biografia de Peter Rowland.

Minha regra é: ou a cena de fato aconteceu, ou poderia ter acontecido; ou as palavras foram de fato usadas, ou poderiam ter sido. E, caso eu encontre algum motivo que impossibilite a cena de ter acontecido na vida real, ou as palavras de terem sido ditas – como, por exemplo, se o personagem estivesse em outro país na ocasião –, deixo a passagem de fora.

AGRADECIMENTOS

Meu principal consultor para assuntos históricos neste livro foi Richard Overy. Outros historiadores que leram as primeiras versões do romance e fizeram correções, poupando-me de muitos erros, foram: John M. Cooper, Mark Goldman, Holger Herwig, John Keiger, Evan Mawdsley, Richard Toye e Christopher Williams. Susan Pedersen me ajudou com o tema do auxílio-separação pago às esposas de soldados.

Como sempre, muitos desses consultores foram localizados para mim por Dan Starer, da empresa nova-iorquina Research for Writers.

Dentre os amigos que ajudaram estão Tim Blythe, que me forneceu alguns livros essenciais; Adam Brett-Smith, que me aconselhou sobre champanhe; o perspicaz Nigel Dean; Tony McWalter e Chris Manners, dois críticos sensatos e observadores; o aficionado por locomotivas Geoff Mann, que me deu informações sobre rodas de trens, e Angela Spizig, que leu a primeira versão do manuscrito e fez comentários do ponto de vista de uma alemã.

Os editores e agentes que leram estas páginas e me aconselharam foram Amy Berkower, Leslie Gelbman, Phyllis Grann, Neil Nyren, Imogen Taylor e, como sempre, Al Zuckerman.

Por fim, gostaria de agradecer à minha família, que leu a versão preliminar e me deu muitos conselhos, sobretudo a Barbara Follett, Emanuel Follett, Marie--Claire Follett, Jann Turner e Kim Turner.

CONHEÇA A SEQUÊNCIA DE *QUEDA DE GIGANTES*

Inverno do mundo

Depois do sucesso de *Queda de gigantes*, Ken Follett dá sequência à trilogia histórica "O Século" com um magnífico épico sobre o heroísmo na Segunda Guerra Mundial e o despertar da era nuclear.

Inverno do mundo começa do ponto em que termina o primeiro livro. As cinco famílias – americana, alemã, russa, inglesa e galesa – que tiveram seus destinos entrelaçados no alvorecer do século XX embarcam agora no turbilhão social, político e econômico que se inicia com a ascensão do Terceiro Reich. A nova geração enfrentará o drama da Guerra Civil Espanhola, da Segunda Guerra Mundial e da explosão das bombas atômicas.

A vida de Carla von Ulrich, filha de pai alemão e mãe inglesa, sofre uma reviravolta com a chegada dos nazistas ao poder, o que a leva a cometer um ato de extrema coragem. Os irmãos americanos Woody e Chuck Dewar seguem caminhos distintos que levam a eventos decisivos – um em Washington, o outro nas selvas sangrentas do Pacífico.

Em meio ao horror da Guerra Civil Espanhola, o inglês Lloyd Williams descobre que precisa combater com o mesmo fervor tanto o comunismo quanto o fascismo. A jovem e ambiciosa americana Daisy Peshkov só se preocupa com status e popularidade, até a guerra transformar sua vida mais de uma vez. Enquanto isso, na União Soviética, seu primo Volodya consegue um cargo na Inteligência do Exército Vermelho que irá afetar não apenas o conflito em curso, como também o que está por vir.

Como em toda a obra de Ken Follett, o contexto histórico é pesquisado com minúcia e costurado de forma brilhante à trama, povoada de personagens que esbanjam nuance e emoção. Com grande paixão e mão de mestre, o autor nos conduz a um mundo que pensávamos conhecer, mas que agora nunca mais parecerá o mesmo.

CONHEÇA OS LIVROS DE KEN FOLLETT

Um lugar chamado liberdade
As espiãs do Dia D
Noite sobre as águas
O homem de São Petersburgo
A chave de Rebecca
O voo da vespa
Contagem regressiva
O buraco da agulha
Tripla espionagem
Uma fortuna perigosa
Notre-Dame
O terceiro gêmeo
Nunca

O Século

Queda de gigantes
Inverno do mundo
Eternidade por um fio

Kingsbridge

O crepúsculo e a aurora
Os pilares da Terra (e-book)
Mundo sem fim
Coluna de fogo
A armadura da luz

editoraarqueiro.com.br